Feynman
The Feynman Lectures on Physics

LIÇÕES DE FÍSICA

A edição do **NOVO MILÊNIO**
VOLUME III: MECÂNICA QUÂNTICA

F435l Feynman, Richard P.
       Lições de física de Feynman : a edição do novo milênio / Richard P. Feynman, Robert B. Leighton, Matthew Sands ; tradução: Adriana Válio Roque da Silva... [et al.] ; revisão técnica: Adalberto Fazzio. – Porto Alegre : Bookman, 2019.
       3 v. (x, 574 p.; x, 606 p.; x, 406 p.) : il. ; 28 cm.

       ISBN 978-85-8260-500-4 (obra completa). – ISBN 978-85-8260-502-8 (v. 1). – ISBN 978-85-8260-503-5 (v. 2). – ISBN 978-85-8260-504-2 (v. 3)

       1. Física. 2. Mecânica. 3. Radiação. 4. Calor. 5. Eletromagnetismo. 6. Matéria. 7. Mecânica Quântica. I. Leighton, Robert B. II. Sands, Matthew. III. Título.

       CDU 53

Catalogação na publicação: Karin Lorien Menoncin – CRB 10/2147.

Richard P. Feynman
Professor Richard Chace Tolman de Física Teórica, California Institute of Technology

Robert B. Leighton
Professor de Física, California Institute of Technology

Matthew Sands
Professor de Física, California Institute of Technology

Feynman
The Feynman Lectures on Physics

LIÇÕES DE FÍSICA

A edição do **NOVO MILÊNIO**
VOLUME III: MECÂNICA QUÂNTICA

Tradução:
Antônio José Roque da Silva
Doutor em Física pela University of California at Berkeley
Professor Titular da Universidade de São Paulo

Sylvio Roberto Accioly Canuto
Doutor em Física pela Universidade de Uppsala, Suécia
Professor Titular da Universidade de São Paulo

Revisão técnica:
Adalberto Fazzio
Doutor em Física pela Universidade de São Paulo
Professor Titular da Universidade de São Paulo
Membro da Academia Brasileira de Ciências

2019

Obra originalmente publicada sob o título
The Feynman's Lectures on Physics: The New Millenium Edition, Volumes 1, 2, and 3.
ISBN 9780465023820

Copyright ©2011, Perseus Books, LLC.. All rights reserved.

Gerente editorial: *Arysinha Jacques Affonso*

Colaboraram nesta edição:

Editora: *Denise Weber Nowaczyk*

Capa: *Márcio Monticelli*

Leitura final: *Amanda Jansson Breitsameter*

Editoração: *Clic Editoração Eletrônica Ltda.*

Reservados todos os direitos de publicação, em língua portuguesa, à
BOOKMAN EDITORA LTDA., uma empresa do GRUPO A EDUCAÇÃO S.A.
Av. Jerônimo de Ornelas, 670 – Santana
90040-340 Porto Alegre RS
Fone: (51) 3027-7000 Fax: (51) 3027-7070

Unidade São Paulo
Rua Doutor Cesário Mota Jr., 63 – Vila Buarque
01221-020 São Paulo SP
Fone: (11) 3221-9033

SAC 0800 703-3444 – www.grupoa.com.br

É proibida a duplicação ou reprodução deste volume, no todo ou em parte, sob quaisquer
formas ou por quaisquer meios (eletrônico, mecânico, gravação, fotocópia, distribuição na Web
e outros), sem permissão expressa da Editora.

IMPRESSO NO BRASIL
PRINTED IN BRAZIL

Richard Feynman

Nascido em 1918 no Brooklyn, Nova York, Richard P. Feynman recebeu seu Ph.D. de Princeton em 1942. Apesar de jovem, desempenhou um importante papel no Projeto Manhattan, em Los Alamos, durante a Segunda Guerra Mundial. Posteriormente, lecionou em Cornell e no California Institute of Technology. Em 1965, recebeu o Prêmio Nobel de Física, junto com Sin-Itiro Tomanaga e Julian Schwinger, por seu trabalho na área da eletrodinâmica quântica.

Feynman conquistou o Prêmio Nobel por resolver com sucesso problemas relacionados à teoria da eletrodinâmica quântica. Além disso, criou uma teoria matemática que explica o fenômeno da superfluidez no hélio líquido. A partir daí, com Murray Gell-Mann, realizou um trabalho fundamental na área de interações fracas, como o decaimento beta. Em anos posteriores, desempenhou um papel-chave no desenvolvimento da teoria dos *quarks*, ao elaborar seu modelo de processos de colisão de prótons de alta energia.

Além desses feitos, Feynman introduziu no universo da física técnicas computacionais e notações novas e básicas, sobretudo os onipresentes diagramas de Feynman, que, talvez mais que qualquer outro formalismo na história científica recente, mudaram a maneira como os processos físicos básicos são conceitualizados e calculados.

Feynman foi um educador notadamente eficaz. De todos os seus numerosos prêmios, orgulhava-se especialmente da Medalha Oersted de Ensino, que ganhou em 1972. *As Lições de Física de Feynman*, originalmente publicado em 1963, foi descrito por um resenhista da *Scientific American* como "difícil, mas nutritivo e cheio de sabor. Passados 25 anos, é ainda *o guia* para os professores e os melhores estudantes principiantes". Procurando facilitar a compreensão da física entre o público leigo, Feynman escreveu *The Character of Physical Law* e *QED.: The Strange Theory of Light and Matter*. Ademais, foi autor de uma série de publicações avançadas que se tornaram uma referência clássica e de livros-texto destinados a pesquisadores e estudantes.

Richard Feynman foi um homem público dotado de espírito construtivo. Seu trabalho na comissão do Challenger é notório, especialmente sua famosa demonstração da suscetibilidade dos *O-rings* ao frio, uma elegante experiência que exigiu nada além de um copo com água gelada. Menos conhecidos foram seus esforços no California State Curriculum Committee, na década de 1960, onde protestou contra a mediocridade dos livros-texto.

Uma exposição de suas inumeráveis realizações científicas e educacionais não capta adequadamente a essência do homem. Como sabe qualquer leitor até mesmo de suas publicações mais técnicas, a personalidade viva e multifacetada de Feynman brilha através de sua obra. Além de físico, foi por vezes restaurador de rádios, colecionador de cadeados, artista, dançarino, tocador de bongô e mesmo decifrador de hieróglifos maias. Eternamente curioso de seu mundo, foi um empírico exemplar.

Richard Feynman morreu em 15 de fevereiro de 1988, em Los Angeles.

Robert Leighton

Nascido em Detroit em 1929, Robert B. Leighton fez, durante sua vida, um trabalho inovador na física de estado sólido, na física de raios cósmicos, nos primórdios da física de partículas modernas, na física solar, na fotografia planetária, na astronomia infravermelha e na astronomia milimétrica e submilimétrica. Ele era amplamente conhecido por seu design inovador de instrumentos científicos e foi profundamente admirado como professor, tendo sido autor de um texto altamente influente, *Principles of Modern Physics*, antes de se juntar à equipe que desenvolvia o *Lições de Física de Feynman*.

No início da década de 1950, Leighton desempenhou um papel fundamental ao demonstrar os decaimentos de múons em dois neutrinos e um elétron, e fez a primeira medição do espectro de energia do elétron de decaimento. Ele foi o primeiro a observar decadências de estrangulamentos após sua descoberta inicial, e elucidou muitas das propriedades das novas partículas estranhas.

Em meados da década de 1950, Leighton criou câmeras solares de efeito Doppler e efeito Zeeman. Com a câmera Zeeman, Leighton e seus alunos mapearam o campo magnético do sol com excelente resolução, levando a descobertas impressionantes de uma oscilação de cinco minutos nas velocidades da superfície solar local e de um "padrão de supergranulação", abrindo assim um novo campo: a sismologia solar. Leighton também projetou e construiu equipamentos para criar imagens mais claras dos planetas e abriu outro campo novo: a óptica adaptativa. Foram consideradas as melhores imagens dos planetas até a era da exploração espacial com sondas iniciada na década de 1960.

No início da década de 1960, Leighton desenvolveu um novo telescópio de infravermelho, mais barato, produzindo a primeira pesquisa do céu em 2,2 mícrons, o que revelou um número inesperadamente grande de objetos em nossa galáxia, muito frios para serem visto com o olho humano. Durante meados da década de 1960, ele foi o líder da Equipe da JPL para o Imaging Science Investigations nas missões 4, 6 e 7 do Mariner a Marte. Leighton desempenhou um papel fundamental no desenvolvimento do primeiro sistema de televisão digital de espaço profundo do JPL e contribuiu para os primeiros esforços em técnicas de processamento e aprimoramento de imagem.

Na década de 1970, o interesse de Leighton voltou-se ao desenvolvimento de antenas parabólicas grandes e baratas que poderiam ser utilizadas para perseguir interferometria de onda milimétrica e astronomia de onda submilimétrica. Mais uma vez, suas habilidades experimentais notáveis abriram um novo campo da ciência, que continua a ser trabalhado vigorosamente no Owens Valley Radio Observatory e no Atacama Large Millimeter/submillimeter Array (ALMA) no Chile.

Robert Leighton morreu em 9 de março de 1997, em Pasadena, Califórnia.

Matthew Sands

Nascido em 1919 em Oxford, Massachusetts, Matthew Sands é bacharel pela Clark University (1940) e mestre pela Rice University (1941). Durante a Segunda Guerra Mundial, ele atuou no Projeto Manhattan em Los Alamos, trabalhando nas áreas de eletrônica e instrumentação. Após a guerra, Sands ajudou a fundar a Federação de Cientistas Atômicos de Los Alamos, a qual atua contra o uso massivo de armas nucleares. Durante esse período, ele formou-se doutor pelo MIT pesquisando raios cósmicos sob a tutela de Bruno Rossi.

Em 1950, Sands foi recrutado pelo Caltech para construir e operar seu síncrotron de elétrons de 1,5 GeV. Ele foi o primeiro a mostrar, teórica e experimentalmente, a importância dos efeitos quânticos nos aceleradores de elétrons.

De 1960 a 1966, Sands atuou na Comissão sobre Física Universitária, liderando reformas no programa de graduação do Caltech que criou o *Lições de Física de Feynman*. Durante esse período, ele também serviu como consultor sobre armas nucleares e desarmamento para o Comitê Consultivo de Ciência do Presidente, a Agência de Controle de Armas e Desarmamento e o Departamento de Defesa.

Em 1963, Sands tornou-se Diretor Adjunto para a construção e operação do Acelerador Linear de Stanford (SLAC), onde também trabalhou no colisor Stanford Positron Electron Asymmetric Rings (SPEAR) 3 GeV.

De 1969 a 1985, Sands foi professor de física na Universidade da Califórnia, Santa Cruz, onde atuou como vice-chanceler para a Ciência de 1969 a 1972. Recebeu um Distinguished Service Award da American Association of Physics Teachers em 1972. Como Professor Emérito, continuou ativo na pesquisa de aceleradores de partículas até 1994. Em 1998, a American Physical Society deu a ele o Prêmio Robert R. Wilson "por suas muitas contribuições para a física do acelerador e o desenvolvimento de colisores de elétron-pósitron e prótons".

Durante sua aposentadoria, Sands orientou os professores de ciências do ensino fundamental e médio de Santa Cruz, ajudando-os a criar atividades de informática e laboratório para seus alunos. Ele também supervisionou a edição do *Dicas de Física de Feynman*, ao qual ele contribuiu descrevendo a criação do *Lições de Física de Feynman*.

Matthew Sands morreu em 13 de setembro de 2014, em Santa Cruz, Califórnia.

Prefácio à Edição do Novo Milênio

Quase 50 anos se passaram desde que Richard Feynman ministrou o curso de introdução à física no Caltech que deu origem a estes três volumes, *Lições de Física de Feynman*. Nessas cinco décadas, nossa compreensão do mundo físico mudou significativamente, mas as *Lições de Feynman* sobreviveram. Graças aos *insights* sobre física e à pedagogia singulares de Feynman, elas permanecem tão vigorosas quanto o foram em sua primeira publicação. De fato, as *Lições* têm sido estudadas no mundo inteiro tanto por físicos principiantes quanto experientes e foram vertidas para no mínimo 12 línguas, com 1,5 milhão de exemplares impressos só em inglês. Possivelmente nenhuma outra coleção de livros de física tenha exercido impacto tão grande e duradouro.

Esta nova edição conduz as *Lições de Física de Feynman* a uma nova era: a era do século XXI, da publicação eletrônica. Este livro foi convertido para sua versão digital, com o texto e as equações expressos em LaTeX e todas as figuras refeitas usando software moderno de desenho.

As consequências para a versão *impressa* não são impactantes; ela é muito parecida com os livros vermelhos originais que os estudantes de física conhecem e amam há décadas. As principais diferenças são um índice aumentado e melhorado, a correção de 885 erros encontrados por leitores ao longo de cinco anos desde a publicação da edição anterior e a facilidade de corrigir futuros erros que venham a ser encontrados. Voltaremos a isso adiante.

A versão eletrônica desta edição é uma inovação. Em comparação com outros eBooks técnicos do século XX, cujas equações, figuras e por vezes até mesmo o texto ficam pixelados quando aumentados, o uso de LaTeX na *Edição do Novo Milênio* possibilitou criar eBooks da melhor qualidade, nos quais todos os componentes da página (com exceção das fotografias) podem ser aumentados sem modificar ou comprometer seus formato e nitidez. E a *Versão Eletrônica Melhorada,* com seus áudios e fotos dos quadros-negros das palestras originais de Feynman e seus links para outros recursos, é uma inovação que teria dado a Feynman uma enorme satisfação.

Recordações das palestras de Feynman

Estes três volumes constituem um tratado pedagógico completo e independente. Constituem também um registro histórico das palestras proferidas por Feynman no período de 1961 a 1964, curso exigido a todos os calouros e secundaristas do Caltech, independentemente de suas especializações.

Os leitores talvez se perguntem, como eu mesmo faço, de que modo as palestras de Feynman afetavam os estudantes. Feynman, em seu Prefácio a estes volumes, apresenta uma visão um tanto negativa: "Não acho que tenha me saído bem com os estudantes". Matthew Sands, em seu texto *As Origens* nas páginas iniciais do suplemento *Dicas de Física*, manifesta uma opinião bem mais otimista. Por curiosidade, na primavera de 2005 enviei *e-mails* ou conversei com um grupo quase aleatório de 17 estudantes (de cerca de 150) daquela classe de 1961-63 – alguns que enfrentaram enormes dificuldades com as aulas e outros que as superaram com facilidade; especialistas em biologia, química, engenharia, geologia, matemática e astronomia, assim como em física.

É possível que os anos intervenientes tenham revestido suas lembranças com matizes de euforia, mas a verdade é que quase 80% deles recordam as palestras de Feynman como o ponto alto de seus anos acadêmicos. "Era como ir à igreja." As palestras eram "uma experiência transformacional", "a experiência de uma vida, provavelmente a coisa mais importante que recebi do Caltech". "Minha especialização era em biologia, mas as palestras de Feynman sobressaíram como o ponto alto de minha experiência como estudante de graduação... embora eu deva admitir que naquela época eu não conseguia fazer o dever de casa e mal conseguia entender alguma coisa." "Eu estava entre os estudantes menos promissores do curso, mas mesmo assim jamais perdia uma palestra... Lembro e ainda posso sentir a alegria da descoberta no rosto de Feynman... Suas palestras tinham um... impacto emocional que provavelmente se perdeu na versão impressa."

Em contrapartida, vários estudantes guardam lembranças negativas, devido em grande parte a duas questões: (i) "Não se podia aprender a fazer o dever de casa simplesmente frequentando as palestras. Feynman era muito engenhoso – conhecia os truques e as aproximações que podiam ser feitas, além de ter uma intuição baseada na experiência e um gênio que um calouro não possui". Feynman e seus colegas, cientes dessa falha no curso, enfrentaram-na em parte com os materiais hoje incorporados no *Suplemento*: os problemas e as respostas de Robert B. Leighton e Rochus Vogt e as palestras de Feynman dedicadas à solução de problemas. (ii) "A insegurança de não saber o que seria discutido na palestra seguinte, a falta de um livro-texto ou de uma referência que estabelecesse alguma ligação com o material preletivo e nossa consequente incapacidade de avançar na leitura eram extremamente frustrantes... No auditório, as palestras me pareciam estimulantes e compreensíveis, mas fora dali [quando eu tentava remontar os detalhes] eram sânscrito." Esse problema foi, evidentemente, solucionado por estes três volumes, a versão escrita de *As Lições de Física de Feynman*. Eles passaram a ser o livro-texto com o qual os alunos do Caltech estudariam a partir daí, e hoje sobrevivem como um dos maiores legados de Feynman.

A história da errata

Os três volumes originais de *As Lições de Física de Feynman* foram produzidos com extrema rapidez por Feynman e seus coautores, Robert B. Leighton e Matthew Sands, trabalhando a partir de gravações de áudio e ampliando fotos dos quadros-negros usados por Feynman em suas palestras de 1961-63.[1] Devido à velocidade da produção por parte dos autores, era inevitável que contivessem erros. Nos anos subsequentes, Feynman acumulou longas listas de reclamações nesse sentido – erros identificados por estudantes e professores do Caltech, bem como por leitores do mundo todo. Nos anos 1960 e início dos 1970, ele reservou um tempo de sua vida intensa para verificar a maior parte dos equívocos reportados dos Volumes I e II, corrigindo-os nas impressões subsequentes. Entretanto, seu senso de dever jamais superou o prazer das novas descobertas a ponto de fazê-lo reparar os erros do Volume III[2]. Assim, após sua morte prematura, em 1988, listas de erros que não haviam sido verificados foram depositadas nos arquivos do Caltech, onde permaneceram esquecidas.

Em 2002, Ralph Leighton (filho do falecido Robert Leighton e compatriota de Feynman) informou-me desses antigos erros e de uma nova lista compilada por seu amigo Michael Gottlieb. Leighton propôs ao Caltech que produzisse uma nova edição das *Lições de Feynman* com todos os erros corrigidos e a publicasse juntamente ao volume suplementar que ele e Gottlieb preparavam, o *Dicas de Física*.

Richard Feynman foi meu herói e amigo íntimo. Tão logo me deparei com as listas de erros e o conteúdo do *Dicas*, prontamente concordei em supervisionar este projeto em nome do Caltech (o lar acadêmico de longa data de Feynman, a quem ele, Leighton e Sand confiaram todos os direitos e responsabilidades das *Lições de Feynman*). Após um ano e meio de trabalho meticuloso de Gottlieb e o exame minucioso do Dr. Michael Hartl (um admirável pós-doutor do Caltech que examinou todas as erratas e o novo volume), a *Lições de Física de Feynman – Edição Definitiva* nascia, em 2005, com cerca de 200 erratas corrigidas e acompanhada do suplemento *Dicas de Física*, de Feynman, Gottlieb e Leighton.

Eu *achei* que aquela edição seria a "Definitiva". O que eu não previ foi a resposta entusiasmada dos leitores ao redor do mundo ao pedido de Gottlieb para que identificassem possíveis erros e os enviassem por meio do site que Gottlieb criou e segue mantendo, o *Website das Lições de Física de Feynman*, www.feynmanlectures.info. Nos cinco anos

---

[1] Para descrições sobre a gênese das palestras de Feynman e destes três volumes, ver o Prefácio de Feynman e a Apresentação a cada um dos três volumes, além da seção As Origens, de Matt Sands, no *Dicas de Física*, e o Prefácio Especial escrito em 1989 por David Goodstein e Gerry Neugebauer, que também está presente na *Edição Definitiva*, de 2005.

[2] Em 1975, Feynman pôs-se a checar os erros do Volume III, mas acabou se distraindo com outras coisas e jamais concluiu a tarefa, de modo que nenhuma correção foi feita.

depois disso, 965 novas erratas foram enviadas e passaram pelo escrutínio meticuloso de Gottlieb, Hartl e Nate Bode (um notável estudante pós-graduado em física do Caltech que seguiu no lugar de Hartl como o examinador de erratas do Caltech). Dessas 965 erratas, 80 foram corrigidas na 4ª impressão da *Edição Definitiva* (agosto de 2006) e as 885 restantes foram corrigidas na primeira impressão da *Edição do Novo Milênio* (332 no Volume I, 263 no Volume II e 200 no Volume III). Para mais detalhes sobre as erratas, veja www.feynmanlectures.info.

Claramente, fazer de *Lições de Física de Feynman* um livro sem erros transformou-se em um projeto comunitário mundial. Em nome do Caltech, agradeço aos 50 leitores que contribuem desde 2005 e aos muitos mais que devem contribuir nos próximos anos. Os nomes dos que ajudaram estão em www.feynmanlectures.info/flp_errata.html.

Quase todos os erros corrigidos são basicamente de três tipos: (i) erros tipográficos contidos no texto; (ii) erros tipográficos e matemáticos em equações, tabelas e figuras – erros de sinal, números incorretos (p.ex., 5 em lugar de 4) e ausência, nas equações, de subscritos, sinais de adição, parênteses e termos; (iii) referências cruzadas incorretas a capítulos, tabelas e figuras. Erros dessa espécie, embora não sejam graves para um físico experiente, podem frustrar e confundir os estudantes, público que Feynman pretendia atingir.

É incrível que, dentre os 1165 erros corrigidos sob minha direção, apenas alguns são considerados verdadeiros erros de física. Por exemplo, no Volume II, página 5-10, agora se lê "...nenhuma distribuição estática de cargas no interior de um condutor *aterrado* fechado pode produzir um campo [elétrico] exterior" (a palavra aterrado fora omitida nas edições anteriores). Esse erro foi apontado a Feynman por numerosos leitores, entre os quais Beulah Elizabeth Cox, estudante do College of William and Mary, que se valera dessa passagem equivocada ao prestar um exame. À Sra. Cox, Feynman escreveu em 1975[3]: "Seu professor acertou em não lhe dar nenhum ponto, pois sua resposta estava errada, conforme ele demonstrou usando a lei de Gauss. Em ciência, devemos acreditar na lógica e em argumentos deduzidos cuidadosamente, não em autoridades. De mais a mais, você leu o livro corretamente e o compreendeu. Acontece que cometi um erro, de modo que o livro também está errado. Provavelmente eu pensava numa esfera condutora aterrada, ou então no fato de que deslocar as cargas em diferentes locais no lado de dentro não afeta as coisas do lado de fora. Não sei ao certo como, mas cometi um erro crasso. E você também, por ter acreditado em mim".

Como nasceu esta edição

Entre novembro de 2005 e julho de 2006, 340 erros foram submetidos ao site Feynman Lectures (www.feynmanlectures.info). Notavelmente, a maior parte deles veio de uma pessoa: Dr. Rudolf Pfeiffer, então um pós-doutor em física da Universidade de Viena, na Áustria. A editora, Addison Wesley, corrigiu 80 erros, mas recusou-se a corrigir os demais devido ao custo: os livros estavam sendo impressos por um processo de foto-offset, trabalhado a partir de imagens fotográficas das páginas da década de 1960. A correção de um erro envolvia a digitação da página inteira e, para garantir que nenhum novo erro fosse adicionado, a página era redigitada duas vezes, por duas pessoas diferentes, comparada e revisada por várias outras pessoas – um processo muito caro, de fato, quando centenas de correções estão envolvidas.

Gottlieb, Pfeiffer e Ralph Leighton estavam desgostosos com isso, então pensaram em um plano destinado a facilitar a reparação dos erros e também visando à produção de versões eletrônicas do *Lições de Física de Feynman*. Eles apresentaram seu plano a mim, como representante do Caltech, em 2007. Eu estava entusiasmado, mas cauteloso. Depois de ver mais detalhes, recomendei que o Caltech cooperasse com Gottlieb, Pfeiffer e Leighton na execução de seu plano. O plano foi aprovado por três diretores sucessivos da Divisão de Física, Matemática e Astronomia do Caltech – Tom Tombrello, Andrew

---

[3] Páginas 288-289 de *Perfectly Reasonable Deviations from the Beaten Track, The Letters of Richard P. Feynman*, ed. Michelle Feynman (Basic Books, New York, 2005).

Lange e Tom Soifer –, e os complexos detalhes legais e contratuais foram elaborados pelo Conselheiro de Propriedade Intelectual do Caltech, Adam Cochran. Com a publicação da *Edição do Novo Milênio*, o plano foi executado com sucesso, apesar da sua complexidade. Mais especificamente, foi feito o seguinte:

Pfeiffer e Gottlieb converteram para LaTeX os três volumes (e também mais de 1.000 exercícios do curso de Feynman para incorporar nas *Dicas de Física*). As figuras foram redesenhadas na forma eletrônica moderna na Índia, sob orientação do tradutor para o alemão, Henning Heinze, para uso na edição alemã. Gottlieb e Pfeiffer trocaram o uso não exclusivo de suas equações LaTeX na edição alemã (publicado por Oldenbourg) pelo uso não exclusivo das figuras de Heinze na *Edição do Novo Milênio*, em inglês. Pfeiffer e Gottlieb verificaram meticulosamente todos os textos e as equações em LaTeX e todas as figuras redesenhadas, fazendo correções conforme necessário. Nate Bode e eu, em nome do Caltech, realizamos verificações pontuais de texto, equações e figuras; e notavelmente, não encontramos erros. Pfeiffer e Gottlieb são incrivelmente meticulosos e precisos; eles conseguiram que John Sullivan, na Biblioteca Huntington, digitalizasse as imagens dos quadros de Feynman de 1962 a 64 e que a empresa George Blood Audio digitalizasse as fitas das lições – com apoio financeiro e estímulo do professor do Caltech Carver Mead, suporte logístico do arquivista do Caltech Shelley Erwin e suporte legal de Cochran.

As questões legais eram graves: o Caltech concedeu, na década de 1960, os direitos para a Addison Wesley de publicação da obra impressa e, na década de 1990, os direitos de distribuição do áudio das palestras de Feynman e uma variante de uma edição eletrônica. Na década de 2000, por meio de uma sequência de aquisições dessas licenças, os direitos de impressão foram transferidos para o grupo de publicação Pearson, enquanto os direitos sobre o áudio e a versão eletrônica foram transferidos para o grupo de publicação Perseus. Cochran, com a ajuda de Ike Williams, advogado especializado em publicações, conseguiu unir todos esses direitos com a Perseus (Basic Books), tornando possível esta *Edição do Novo Milênio*.

Agradecimentos

Em nome do Caltech, agradeço a muitas pessoas que tornaram possível a *Edição do Novo Milênio*. Mais especificamente, agradeço a pessoas essenciais mencionadas anteriormente: Ralph Leighton, Michael Gottlieb, Tom Tombrello, Michael Hartl, Rudolf Pfeiffer, Henning Heinze, Adam Cochran, Carver Mead, Nate Bode, Shelley Erwin, Andrew Lange, Tom Soifer, Ike Williams e às 50 pessoas que apresentaram erratas (listadas em www.feynmanlectures.info). E agradeço também a Michelle Feynman (filha de Richard Feynman) por seu apoio e conselho contínuos, Alan Rice, por assistência e aconselhamento nos bastidores do Caltech, Stephan Puchegger e Calvin Jackson, pela assistência e pelos conselhos de Pfeiffer sobre a conversão da obra para a LaTeX, Michael Figl, Manfred Smolik e Andreas Stangl pelas discussões sobre correções de errata; à equipe da Perseus/Basic Books, e (pelas edições anteriores) ao pessoal da Addison Wesley.

Kip S. Thorne
Professor Feynman de Física Teórica
California Institute of Technology
Outubro de 2010

Feynman
The Feynman Lectures on Physics

LIÇÕES DE FÍSICA

MECÂNICA QUÂNTICA

Prefácio de Feynman

Estas são as palestras de física que proferi nos últimos dois anos para as turmas de calouros e segundanistas do Caltech. As palestras, é claro, não estão aqui reproduzidas *ipsis verbis*. Elas foram revisadas, algumas vezes de maneira extensa e outras nem tanto, e respondem apenas por uma parte do curso. Para ouvi-las, o grupo formado por 180 alunos reunia-se duas vezes por semana num grande auditório de conferências e, depois, dividia-se em pequenos grupos de 15 a 20 estudantes em sessões de recitação sob a orientação de um professor assistente. Além disso, havia uma sessão de laboratório semanal.

O principal objetivo que procurávamos atingir com estas palestras era manter o interesse dos entusiasmados e inteligentíssimos estudantes vindos da escola para o Caltech, os quais haviam ouvido uma porção de coisas sobre o quão interessante e empolgante é a física, a teoria da relatividade, a mecânica quântica, entre tantas outras ideias modernas. Ocorre que, depois de frequentarem dois anos de nosso curso anterior, muitos deles já se achavam bastante desestimulados, visto que pouquíssimas ideias grandiosas, novas e modernas haviam sido apresentadas a eles. Durante esse período, viam-se obrigados a estudar planos inclinados, eletrostática e assim por diante, algo que após dois anos de curso era muito entediante. A questão era saber se conseguiríamos elaborar um curso que pudesse salvar os estudantes mais adiantados e empolgados, conservando o seu entusiasmo.

As palestras aqui apresentadas, embora muito sérias, não pretendem ser um curso de pesquisa. Minha ideia era dedicá-las aos mais inteligentes da classe e, se possível, garantir que mesmo o aluno mais brilhante não conseguisse abarcar inteiramente o seu conteúdo – acrescentando, para tanto, sugestões de aplicação das ideias e dos conceitos em várias direções fora da linha principal de pensamento. Por essa razão, contudo, esforcei-me um bocado para conferir aos enunciados a máxima precisão, para destacar em cada caso no qual as equações e ideias se encaixavam no corpo da física e – quando eles aprendiam mais – de que modo as coisas seriam modificadas. Também senti que, para esses estudantes, era importante indicar o que eles deveriam – se fossem suficientemente inteligentes – ser capazes de entender, por dedução, do que havia sido dito antes e do que estava sendo exposto como algo novo. Sempre que surgia uma nova ideia, eu procurava deduzi-la, se fosse dedutível, ou explicar que se tratava de uma concepção nova, sem nenhuma base no que já havia sido aprendido, e que não deveria ser demonstrável, apenas acrescentada.

No início destas palestras, parti do princípio de que, tendo saído da escola secundária, os alunos possuíam algum conhecimento, como óptica geométrica, noções básicas de química e assim por diante. Além disso, não via o menor motivo para organizar as conferências dentro de uma ordem definida, no sentido de não poder mencionar determinado tópico até que estivesse pronto para discuti-lo em detalhe. Desse modo, houve uma série de menções a assuntos futuros, sem discussões completas. Essas discussões mais completas viriam posteriormente, quando o terreno estivesse mais preparado. Exemplos disso são as discussões sobre indutância e níveis de energia, a princípio introduzidas de maneira bastante qualitativa e depois desenvolvidas de forma mais completa.

Ao mesmo tempo em que tinha em mente os alunos mais ativos, queria também cuidar daquele sujeito para quem o brilhantismo extra e as aplicações secundárias eram nada mais que fontes de inquietação e cuja expectativa de aprender a maior parte do material das palestras era muito pequena. Para estudantes com tal perfil, minha intenção era proporcionar no mínimo um núcleo central, ou espinha dorsal, que eles *pudessem* aprender. Ainda que não tivessem total compreensão do conteúdo exposto, eu esperava que ao menos não ficassem nervosos. Não esperava que compreendessem tudo, apenas os aspectos centrais e mais diretos. É preciso, naturalmente, alguma inteligência para identificar quais são os teoremas e as ideias centrais e quais são as questões e aplicações secundárias mais avançadas que só poderão ser entendidas num momento posterior.

Ao proferir estas palestras, deparei com uma séria dificuldade: em razão da maneira como o curso foi ministrado, não houve retorno dos estudantes indicando ao conferencista quão bem tudo estava sendo conduzido. Essa é de fato uma séria dificuldade, e não sei até que ponto as palestras são realmente boas. A coisa toda era essencialmente experimental. E se tivesse de fazer tudo de novo, não faria do mesmo jeito – espero *não* ter de fazê-lo de novo! De qualquer forma, acredito que, até onde diz respeito à física, as coisas funcionaram de modo muito satisfatório no primeiro ano.

No segundo ano, não fiquei tão satisfeito. Na primeira parte do curso, que tratava de eletricidade e magnetismo, não consegui pensar em uma forma que fosse realmente especial ou diferente – ou particularmente mais empolgante que a habitual – de apresentá--los. Em vista disso, não acho que tenha me saído muito bem nas palestras sobre esses temas. No final do segundo ano, minha intenção original era prosseguir, após os conteúdos de eletricidade e magnetismo, com mais algumas palestras sobre as propriedades dos materiais, mas principalmente retomar coisas como modos fundamentais, soluções da equação da difusão, sistemas vibratórios, funções ortogonais, etc., desenvolvendo os primeiros estágios do que comumente se conhece por "métodos matemáticos da física". Em retrospecto, creio que, se tivesse de fazer tudo de novo, voltaria àquela ideia original. No entanto, como não estava previsto ministrar novamente essas palestras, sugeriu-se que seria interessante tentar apresentar uma introdução à mecânica quântica – o que o leitor encontrará no Volume III.

Sabe-se perfeitamente que os estudantes que desejam se especializar em física podem esperar até o terceiro ano para se iniciar em mecânica quântica. Por outro lado, argumentou-se que muitos dos alunos de nosso curso estudam física como base para seus interesses prioritários em outros campos. E a maneira habitual de lidar com a mecânica quântica torna essa matéria praticamente inacessível para a grande maioria dos estudantes, já que precisam de muito tempo para aprendê-la. Contudo, em suas aplicações reais – sobretudo em suas aplicações mais complexas, como na engenharia elétrica e na química –, não se utiliza realmente todo o mecanismo da abordagem da equação diferencial. Assim, procurei descrever os princípios da mecânica quântica de um modo que não exigisse conhecimento prévio da matemática das equações diferenciais parciais. Mesmo para um físico, penso que é interessante tentar apresentar a mecânica quântica dessa maneira inversa – por várias razões que podem transparecer nas próprias conferências. Entretanto, creio que a experiência na parte da mecânica quântica não foi inteiramente bem-sucedida – em grande parte, pela falta de tempo no final (precisaria, por exemplo, de três ou quatro palestras adicionais para tratar mais completamente tópicos como bandas de energia e a dependência espacial das amplitudes). Além disso, jamais havia apresentado o tema dessa forma, de modo que a falta de retorno por parte dos alunos foi particularmente grave. Hoje, acredito que a mecânica quântica deva ser ensinada mais adiante. Talvez eu tenha a chance de voltar a fazer isso algum dia. Farei, então, a coisa da maneira certa.

A razão pela qual não constam nesta obra palestras sobre como resolver problemas é que houve sessões de recitação. Ainda que no primeiro ano eu tenha introduzido três conferências sobre solução de problemas, elas não foram incluídas aqui. Além disso, houve uma palestra sobre orientação inercial que certamente deveria seguir a palestra sobre sistemas rotacionais, mas que infelizmente foi omitida. A quinta e a sexta palestras devem-se, na verdade, a Matthew Sands, já que eu me encontrava fora da cidade.

A questão que se apresenta, naturalmente, é saber até que ponto esta experiência foi bem-sucedida. Meu ponto de vista – que não parece ser compartilhado pela maioria das pessoas que trabalharam com os alunos – é pessimista. Não acho que tenha me saído muito bem com os estudantes. Quando paro para analisar o modo como a maioria deles lidou com os problemas nos exames, vejo que o sistema é um fracasso. Amigos meus, é claro, asseguram-me que uma ou duas dezenas de estudantes – coisa um tanto surpreendente – entenderam quase tudo das palestras e se mostraram bastante diligentes ao trabalhar com o material e ao preocupar-se com seus muitos pontos com entusiasmo e interesse. Hoje, creio que essas pessoas contam com uma excelente formação em física – e são, afinal, aquelas a quem eu queria alcançar. Por outro lado, "O poder da instrução raramente é de grande eficácia, exceto naquelas felizes disposições em que é quase supérfluo" (Gibbon).

Ainda assim, não pretendia deixar alunos para trás, como talvez tenha feito. Acredito que uma maneira de ajudarmos mais os estudantes é nos dedicarmos com maior afinco ao desenvolvimento de um conjunto de problemas que venham a elucidar algumas das ideias contidas nas palestras. Problemas proporcionam uma boa oportunidade de preencher o material das palestras e tornar as ideias expostas mais realistas, completas e solidificadas na mente dos estudantes.

Acredito, porém, que não há solução para esse problema de ordem educacional, a não ser abrir os olhos para o fato de que o ensino mais adequado só poderá ser levado a cabo nas situações em que houver um relacionamento pessoal direto entre o aluno e o bom professor – situações nas quais o estudante discuta as ideias, reflita e converse sobre elas. É impossível aprender muita coisa simplesmente comparecendo a uma palestra ou mesmo limitando-se a resolver os problemas determinados. Mesmo assim, nesses tempos modernos, são tantos os alunos que temos para ensinar que precisamos encontrar algum substituto para o ideal. Espero que minhas conferências possam contribuir de alguma forma. Talvez em algum lugarejo, onde haja professores e estudantes individuais, eles possam obter alguma inspiração ou ideias destas conferências. Talvez se divirtam refletindo sobre elas – ou desenvolvendo algumas delas.

Richard P. Feynman
Junho de 1963

Apresentação

Um grande triunfo da física do século XX, a teoria da mecânica quântica, tem quase 40 anos e ainda assim não temos dado aos nossos estudantes dos cursos introdutórios em física (e em alguns casos, dos últimos cursos) quase nenhuma referência a esta parte central do nosso conhecimento do mundo físico. Devíamos fazer melhor que isso. Estas aulas são uma tentativa de apresentar a eles a ideias básicas e essenciais da mecânica quântica de uma forma que esperamos que seja compreensível. O enfoque que você encontrará aqui é novo, particularmente no nível de um curso para estudantes em estágio intermediário, e foi considerado um experimento didático. Após verificar quão facilmente alguns estudantes o acolheram, acredito que a experiência foi um sucesso. Existe, evidentemente, espaço para aprimoramentos, e isso virá com mais experiência na sala de aula. O que você encontrará aqui é um registro dessa primeira experiência.

Nos dois anos seguidos em que o curso foi oferecido, de setembro de 1961 a maio de 1963, para o curso introdutório de física no Caltech, os conceitos de física quântica foram apresentados sempre que foram necessários para a compreensão dos fenômenos que estavam sendo descritos. Ademais, as últimas doze aulas do segundo ano eram dadas com uma introdução mais coerente dos conceitos da mecânica quântica. Entretanto, tornou-se claro, à medida que as aulas chegavam mais perto do fim, que o tempo dedicado à mecânica quântica não tinha sido suficiente. À medida que o material era preparado, descobria-se continuamente que outros tópicos interessantes e importantes podiam ser tratados com as ferramentas que tinham sido desenvolvidas. Existia também o temor de que o tratamento excessivamente breve da função de onda de Schrödinger que fora incluído na décima segunda aula não fosse suficiente para proporcionar uma ponte entre os tratamentos mais convencionais de muitos livros que os estudantes leriam. Foi então decidido adicionar sete aulas, que foram dadas para alunos em estágio intermediário em maio de 1964. Essas aulas aperfeiçoaram e estenderam um pouco o material desenvolvido em aulas anteriores.

Neste volume, juntamos as aulas desses dois anos com alguns ajustes na sequência. Ademais, duas aulas originalmente dadas para calouros como uma introdução à física quântica foram retiradas do Volume I (no qual eram os Capítulos 37 e 38) e colocadas como os dois primeiros capítulos aqui, para ter um volume autônomo e relativamente independente dos outros dois. Algumas ideias sobre a quantização de momento angular (incluindo uma discussão da experiência de Stern-Gerlach) foram introduzidas no Capítulo 34 e 35 do Volume II, e assumimos uma certa familiaridade com elas; para a conveniência daqueles que não terão aquele volume em mãos, esses dois capítulos serão reproduzidos aqui na forma de apêndice.

Esta série de aulas tenta elucidar desde o começo aqueles aspectos da mecânica quântica mais básicos e mais gerais. A primeira aula apresenta as ideias de amplitude de probabilidade, a interferência de amplitudes, a noção abstrata de um estado e a superposição e resolução de estados – e a notação de Dirac é usada desde o começo. Em cada momento, as ideias são introduzidas junto a uma discussão detalhada de alguns exemplos específicos, para tentar tornar as ideias tão reais quanto possíveis. A dependência temporal de estados, incluindo estados com energia definida, vem em seguida, e as ideias são aplicadas no estudo de sistemas de dois níveis. Um discussão detalhada do *maser* de amônia dá o suporte necessário para a introdução de absorção de radiação e transições induzidas. As aulas então prosseguem considerando sistemas mais complexos, levando à discussão da propagação de elétrons em um cristal, e um tratamento mais completo do momento angular em mecânica quântica. Nossa introdução à mecânica quântica encerra no Capítulo 20 com uma discussão da função de onda de Schrödinger, sua equação diferencial e a solução para o átomo de hidrogênio.

O último capítulo deste volume não tem intenção de ser parte do "curso". Ele é um "seminário" sobre supercondutividade e foi dado no espírito de entretenimento dos dois primeiros volumes, com a intenção de ampliar a visão do estudante para a relação entre o que eles estavam aprendendo e a cultura geral em física. O epílogo de Feynman finaliza a série destes três volumes.

Como explicado no Prefácio do Volume I, estas aulas eram apenas um dos aspectos envolvidos no programa para o desenvolvimento de um novo curso introdutório promovido no California Institute of Technology sob a supervisão do Comitê de Revisão de Cursos de Física (Robert Leighton, Victor Neher e Matthew Sands). O programa foi possível graças ao apoio financeiro da Fundação Ford. Muitas pessoas ajudaram em detalhes técnicos na preparação deste volume: Marylou Clayton, Julie Curcio, James Hartle, Tom Harvey, Martin Israel, Patricia Preuss, Fanny Warren e Barbara Zimmerman. Os professores Gerry Neugebauer e Charles Wilts muito contribuíram para a precisão e clareza do material revisando cuidadosamente boa parte do manuscrito.

Ainda assim, a estória da mecânica quântica que você vai encontrar aqui é de Richard Feynman. Nosso trabalho será bem recompensado se conseguirmos levar para outros parte da excitação intelectual que experimentamos quando víamos as ideias se desenrolarem na vida real do *Lições de Física*.

Matthew Sands
Dezembro de 1964

Sumário

CAPÍTULO 1   COMPORTAMENTO QUÂNTICO

1–1   Mecânica atômica   1–1
1–2   Uma experiência com projéteis   1–1
1–3   Uma experiência com ondas   1–3
1–4   Uma experiência com elétrons   1–4
1–5   A interferência de ondas de elétrons   1–5
1–6   Observação de elétrons   1–7
1–7   Primeiros princípios da mecânica quântica   1–10
1–8   O princípio da incerteza   1–11

CAPÍTULO 2   A RELAÇÃO ENTRE OS PONTOS DE VISTA ONDULATÓRIO E CORPUSCULAR

2–1   Amplitudes de ondas de probabilidades   2–1
2–2   Medidas de posição e momento   2–2
2–3   Difração em um cristal   2–4
2–4   O tamanho de um átomo   2–5
2–5   Níveis de energia   2–7
2–6   Implicações filosóficas   2–8

CAPÍTULO 3   AMPLITUDES DE PROBABILIDADE

3–1   As leis para combinar amplitudes   3–1
3–2   O padrão de interferência de duas fendas   3–5
3–3   Espalhamento em um cristal   3–7
3–4   Partículas idênticas   3–9

CAPÍTULO 4   PARTÍCULAS IDÊNTICAS

4–1   Partículas de Bose e partículas de Fermi   4–1
4–2   Estados com duas partículas de Bose   4–3
4–3   Estados com n partículas de Bose   4–6
4–4   Emissão e absorção de fótons   4–8
4–5   O espectro de corpo negro   4–9
4–6   Hélio líquido   4–13
4–7   O princípio de exclusão   4–13

CAPÍTULO 5   SPIN UM

5–1   Filtragem de átomos com um aparato de Stern-Gerlach   5–1
5–2   Experimentos com átomos filtrados   5–5
5–3   Filtros de Stern-Gerlach em série   5–7
5–4   Estados de base   5–8
5–5   Amplitudes interferentes   5–10
5–6   A maquinaria da mecânica quântica   5–13
5–7   Transformação para uma base diferente   5–15
5–8   Outras situações   5–17

CAPÍTULO 6   SPIN MEIO

6–1   Transformação de amplitudes   6–1
6–2   Transformação para um sistema de coordenadas rodado   6–3
6–3   Rotações em torno do eixo z 6–6
6–4   Rotações de 180° e 90° em torno do eixo y 6–9
6–5   Rotações em torno do eixo x 6–12
6–6   Rotações arbitrárias   6–13

CAPÍTULO 7   A DEPENDÊNCIA DAS AMPLITUDES COM O TEMPO

7–1   Átomos em repouso; estados estacionários   7–1
7–2   Movimento uniforme   7–3
7–3   Energia potencial; conservação de energia   7–6
7–4   Forças; o limite clássico   7–9
7–5   A "precessão" de uma partícula de spin meio   7–11

CAPÍTULO 8   MATRIZ HAMILTONIANA

8–1   Vetores e probabilidades de amplitude   8–1
8–2   Análise dos vetores de estado   8–3
8–3   Quais são os estados de base do mundo?   8–5
8–4   Como os estados mudam com o tempo   8–8
8–5   A matriz Hamiltoniana   8–11
8–6   A molécula de amônia   8–12

CAPÍTULO 9   MASER DE AMÔNIA

9–1   Os estados da molécula de amônia   9–1
9–2   A molécula em um campo elétrico estático   9–5
9–3   Transições em um campo dependente do tempo   9–10
9–4   Transições em ressonância   9–12
9–5   Transições fora da ressonância   9–14
9–6   Absorção de luz   9–15

CAPÍTULO 10   OUTRO SISTEMA DE DOIS ESTADOS

10–1   Íon da molécula de hidrogênio   10–1
10–2   Forças nucleares   10–6
10–3   A molécula de hidrogênio   10–8
10–4   A molécula de benzeno   10–11
10–5   Corantes   10–12
10–6   O Hamiltoniano de uma partícula de spin meio em um campo magnético   10–13
10–7   O elétron girante em um campo magnético   10–15

CAPÍTULO 11 MAIS SISTEMAS DE DOIS ESTADOS
- 11–1 As matrizes de spin de Pauli 11–1
- 11–2 As matrizes de spin como operadores 11–5
- 11–3 A solução da equação de dois estados 11–8
- 11–4 Estados de polarização do fóton 11–10
- 11–5 O méson K neutro 11–13
- 11–6 Generalização a um sistema de N estados 11–22

CAPÍTULO 12 DESDOBRAMENTO HIPERFINO NO HIDROGÊNIO
- 12–1 Estados da base para um sistema de duas partículas de spin semi-inteiro 12–1
- 12–2 A Hamiltoniana para o estado fundamental do hidrogênio 12–3
- 12–3 Os níveis de energia 12–7
- 12–4 O desdobramento Zeeman 12–9
- 12–5 Os estados em um campo magnético 12–13
- 12–6 A matriz de projeção para spin um 12–15

CAPÍTULO 13 PROPAGAÇÃO EM UMA REDE CRISTALINA
- 13–1 Estados para um elétron em uma rede unidimensional 13–1
- 13–2 Estados com energia bem definida 13–3
- 13–3 Estados dependentes do tempo 13–6
- 13–4 Um elétron em uma rede tridimensional 13–8
- 13–5 Outros estados em uma rede 13–9
- 13–6 Espalhamento por imperfeições na rede 13–10
- 13–7 Aprisionamento por uma imperfeição na rede 13–13
- 13–8 Amplitudes de espalhamento e estados ligados 13–13

CAPÍTULO 14 SEMICONDUTORES
- 14–1 Elétrons e buracos em semicondutores 14–1
- 14–2 Semicondutores impuros 14–4
- 14–3 O efeito Hall 14–7
- 14–4 Junções semicondutoras 14–8
- 14–5 Retificação em uma junção semicondutora 14–10
- 14–6 O transistor 14–11

CAPÍTULO 15 A APROXIMAÇÃO DE PARTÍCULAS INDEPENDENTES
- 15–1 Ondas de spin 15–1
- 15–2 Duas ondas de spin 15–4
- 15–3 Partículas independentes 15–6
- 15–4 A molécula de benzeno 15–7
- 15–5 Mais química orgânica 15–10
- 15–6 Outros usos da aproximação 15–13

CAPÍTULO 16 A DEPENDÊNCIA DAS AMPLITUDES COM A POSIÇÃO
- 16–1 Amplitudes em uma linha 16–1
- 16–2 A função de onda 16–5
- 16–3 Estados de momento bem definido 16–7
- 16–4 Normalização dos estados em x 16–10
- 16–5 A equação de Schrödinger 16–12
- 16–6 Níveis de energia quantizados 16–15

CAPÍTULO 17 SIMETRIA E LEIS DE CONSERVAÇÃO
- 17–1 Simetria 17–1
- 17–2 Simetria e conservação 17–4
- 17–3 As leis de conservação 17–7
- 17–4 Luz polarizada 17–10
- 17–5 A desintegração do Λ^0 17–12
- 17–6 Resumo das matrizes de rotação 17–16

CAPÍTULO 18 MOMENTO ANGULAR
- 18–1 Radiação de dipolo elétrico 18–1
- 18–2 Espalhamento da luz 18–3
- 18–3 A aniquilação do positrônium 18–6
- 18–4 Matriz de rotação para qualquer spin 18–10
- 18–5 Medição do spin nuclear 18–14
- 18–6 Composição de momento angular 18–15

CAPÍTULO 19 O ÁTOMO DE HIDROGÊNIO E A TABELA PERIÓDICA
- 19–1 Equação de Schrödinger para o átomo de hidrogênio 19–1
- 19–2 Soluções esfericamente simétricas 19–2
- 19–3 Estados com uma dependência angular 19–6
- 19–4 A solução geral para o hidrogênio 19–10
- 19–5 As funções de onda do hidrogênio 19–13
- 19–6 A tabela periódica 19–14

CAPÍTULO 20 OPERADORES
- 20–1 Operações e operadores 20–1
- 20–2 Energias médias 20–3
- 20–3 Energia média de um átomo 20–6
- 20–4 O operador de posição 20–8
- 20–5 O operador momento 20–10
- 20–6 Momento angular 20–14
- 20–7 Mudança das médias com o tempo 20–16

CAPÍTULO 21 A EQUAÇÃO DE SCHRÖDINGER EM UM CONTEXTO CLÁSSICO: UM SEMINÁRIO SOBRE SUPERCONDUTIVIDADE
- 21–1 Equação de Schrödinger em um campo magnético 21–1
- 21–2 A equação da continuidade para probabilidades 21–3
- 21–3 Dois tipos de momentos 21–5
- 21–4 O significado da função de onda 21–6
- 21–5 Supercondutividade 21–7
- 21–6 O efeito Meissner 21–9
- 21–7 Quantização do fluxo 21–11
- 21–8 A dinâmica da supercondutividade 21–13
- 21–9 A junção de Josephson 21–15

EPÍLOGO

APÊNDICE

ÍNDICE

ÍNDICE DE NOMES

LISTA DE SÍMBOLOS

1

Comportamento Quântico

1–1 Mecânica atômica

Mecânica quântica é a descrição do comportamento da matéria e da luz em todos os seus detalhes e, em particular, do que ocorre na escala atômica. As coisas em uma escala muito pequena não se comportam como nada que você conheça. Elas não se comportam como ondas, nem como partículas, não se comportam como nuvens, bolas de bilhar, pesos em molas ou como qualquer coisa que você já tenha visto.

Newton pensava que a luz fosse composta de partículas, mas descobrimos que ela se comporta como uma onda. Depois, entretanto (no começo do século XX), descobrimos que a luz às vezes se comporta como uma partícula. Historicamente, pensávamos que o elétron, por exemplo, se comportasse como uma partícula, então descobrimos que em muitos aspectos ele se comporta como uma onda. Na verdade ele não se comporta nem como partícula, nem como onda, e simplesmente desistimos: "É como *nenhum dos dois*".

Entretanto, temos um pouco de sorte – elétrons se comportam como a luz. O comportamento quântico dos objetos atômicos (elétrons, prótons, nêutrons, fótons e assim por diante) é o mesmo para todos, todos são "ondas de partículas", ou como quer que você queira chamá-los. Então o que aprendermos sobre as propriedades dos elétrons (que usaremos para nossos exemplos) também se aplicará a todas as "partículas", incluindo fótons de luz.

O acúmulo gradual de informações sobre o comportamento nas escalas pequena e atômica durante o primeiro quarto do século XX, que nos deu indicações de como as coisas pequenas se comportam, produziu uma crescente confusão que foi finalmente resolvida em 1926 e 1927 por Schrödinger, Heisenberg e Born. Eles obtiveram uma descrição consistente do comportamento da matéria em uma escala pequena. Vamos considerar os aspectos principais dessa descrição neste capítulo.

Uma vez que o comportamento atômico é tão diferente da experiência cotidiana, é muito difícil se acostumar, e ele parece peculiar e misterioso para todos – tanto para o iniciante como para o físico experiente. Mesmo os *experts* não o entendem da maneira como gostariam, e é perfeitamente razoável que seja assim porque todas as experiências humanas diretas ou intuitivas se aplicam a objetos grandes. Sabemos como as coisas grandes se comportam, mas em uma escala pequena elas não se comportam dessa forma. Então precisamos aprender sobre elas de uma forma abstrata ou imaginativa, e não por analogia com nossa experiência direta.

Neste capítulo vamos lidar diretamente com o elemento básico desse comportamento misterioso em sua forma mais estranha. Selecionamos o fenômeno que é impossível, *absolutamente* impossível, de explicar em qualquer maneira tradicional e que tem a mecânica quântica no seu âmago. Na verdade, ele contém o *único* mistério. Não fazemos o mistério desaparecer ao "explicar" como ele funciona. Vamos simplesmente *dizer* como ele funciona. Ao dizer como ele atua, teremos falado sobre a peculiaridade básica de toda a mecânica quântica.

1–1 Mecânica atômica
1–2 Uma experiência com projéteis
1–3 Uma experiência com ondas
1–4 Uma experiência com elétrons
1–5 A interferência de ondas de elétrons
1–6 Observação de elétrons
1–7 Primeiros princípios da mecânica quântica
1–8 O princípio da incerteza

Nota: Este capítulo é muito similar ao Capítulo 37 do Volume I.

1–2 Uma experiência com projéteis

Para tentar entender o comportamento quântico dos elétrons, vamos comparar e contrastar seu comportamento, em um arranjo experimental particular, com o comportamento mais familiar de partículas, como projéteis, e com o comportamento de ondas como as da água. Vamos considerar primeiro o comportamento de projéteis no arranjo experimental mostrado na Fig. 1-1. Temos uma metralhadora que atira uma sequência de projéteis. Não é uma boa metralhadora, pois ela atira os projéteis em uma varredura de ângulo muito amplo, como mostrado na figura. Na frente da metralhadora existe uma parede (feita com uma placa blindada) que tem dois orifícios suficientemente grandes para deixar passar um projétil. Após a parede existe um anteparo (digamos uma parede grossa de madeira) que vai "absorver" os projéteis que o atingirem. Na frente da parede temos um objeto que vamos chamar de "detector" de projéteis, que poderia ser uma caixa com areia. Qualquer projétil que entrar no detector será parado e acumulado. Quando quisermos, podemos esvaziar a caixa e contar o número de projéteis que foram capturados. O detector pode se mover para a frente e para trás (no que vamos chamar de direção x). Com esse aparato, podemos encontrar a resposta experimental para a pergunta: "qual é a probabilidade de um projétil que passou pelos orifícios da parede chegar no anteparo a uma distância x do seu centro?". Primeiro, você deve perceber que devemos falar de probabilidade, porque não podemos definitivamente dizer aonde um determinado projétil irá. Um projétil que atinja um orifício e por acaso acerte sua beirada pode ser refletido e ir parar em um lugar qualquer. Por "probabilidade" queremos dizer a chance que um projétil tem de chegar no detector e que podemos medir e contar o número que chega em um certo intervalo de tempo como uma fração do número *total* que atinge o anteparo durante esse mesmo tempo. Ou, se assumimos que a metralhadora atira com uma taxa uniforme durante a medição, então a probabilidade que queremos é apenas proporcional ao número de projéteis que chega no medidor em um certo intervalo de tempo padrão.

Para os nossos propósitos atuais, gostaríamos de imaginar uma experiência um pouco idealizada na qual os projéteis não são balas reais, mas balas *indestrutíveis*, que não se partem pela metade. Em nossa experiência, os projéteis sempre chegam em unidades, e quando encontramos alguma coisa no detector, sempre corresponde a uma bala inteira. Se a taxa a que a metralhadora atira for muita lenta, constatamos que em qualquer dado momento, ou nenhum projétil chega ou um, e apenas um exatamente, chega no anteparo. O tamanho da unidade certamente não depende da taxa de disparo da metralhadora. Podemos dizer: "Projéteis *sempre* chegam em unidades idênticas". O que medimos com o detector é a probabilidade de chegada de uma unidade. E medimos a probabilidade como função de x. O resultado das medidas com esse aparato (ainda não fizemos a medida, estamos somente imaginando o resultado) será colocado no gráfico da parte (c) da Fig. 1.1. No gráfico, desenhamos a probabilidade à direita e colocamos x verticalmente, de forma que a escala em x representa a posição no aparato. Chamamos a probabilidade de P_{12} porque os projéteis podem ter vindo através do orifício 1 ou do orifício 2. Não é surpreendente que P_{12} seja maior perto do meio do gráfico e diminua quando x aumenta. Você pode se perguntar por que P_{12} tem seu máximo no valor $x = 0$. Podemos entender esse fato se fizermos a experiência de novo, mas tampando o orifício 2, e alternadamente tampando o orifício 1. Quando o orifício 2 está coberto, os projéteis só podem passar pelo orifício 1, e obtemos a curva mostrada com P_1 na parte (b) da figura. Como podemos esperar, o máximo de P_1 ocorre no valor de x que corresponde a uma linha reta entre a metralhadora e o orifício 1. Quando o orifício 1 está coberto, obtemos a curva simétrica P_2 desenhada na figura. P_2 é a distribuição de probabilidades para projéteis que passam pelo orifício 2. Comparando as partes (b) e (c) da Fig. 1.1, encontramos o importante resultado que

$$P_{12} = P_1 + P_2 \tag{1.1}$$

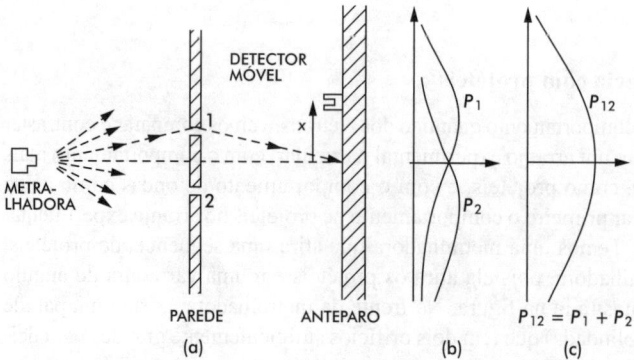

Figura 1–1 Experimento de interferência com projéteis.

As probabilidades simplesmente se somam. O efeito com os dois orifícios abertos é a soma dos efeitos de cada orifício aberto separadamente. Chamamos esse resultado de observação da "não interferência", por uma razão que você vai ver depois. Agora chega de projéteis. Eles chegam em unidades e a probabilidade de chegarem no anteparo não mostra interferência.

1–3 Uma experiência com ondas

Agora vamos considerar uma experiência com ondas de água. O aparato é mostrado no diagrama da Fig. 1-2. Temos um tanque raso com água. Um pequeno objeto chamado de "fonte de ondas" é balançado para cima e para baixo por um motor e faz ondas circulares. À direita da fonte temos de novo uma parede com dois orifícios, e mais adiante está uma segunda parede, que para manter as coisas simples, é um "absorvedor", de forma que não há reflexão das ondas que chegam nele. Isso pode ser feito construindo um tanque no qual o nível de água gradualmente diminui. Na frente do absorvedor colocamos o detector que pode ser movimentado para cima e para baixo na direção x, como antes. O detector é agora um dispositivo que mede a "intensidade" do movimento ondulatório. Imagine um aparelho que meça a altura do movimento ondulatório, mas cuja escala seja calibrada proporcionalmente ao *quadrado* da altura real, de forma que a leitura do aparelho é a intensidade da onda. O detector lê então em proporção à *energia* sendo transportada pela onda – ou seja, a taxa com que a energia é levada ao detector.

Com esse aparato de ondas, a primeira coisa percebida é que a intensidade pode ter *qualquer* valor. Se a fonte se move pouco, então existe apenas um pouco de movimento ondulatório no detector. Se há mais movimento, há mais intensidade no detector. A intensidade da onda pode ter qualquer valor. *Não* diríamos que há qualquer "fração de unidade" na intensidade da onda.

Agora vamos medir a intensidade da onda para diversos valores de x (mantendo a fonte de ondas operando sempre da mesma maneira). Obtemos a curva interessante chamada de I_{12} na parte (c) da figura.

Já verificamos como esse padrão aparece quando estudamos a interferência de ondas elétricas no Volume I. Neste caso, devemos observar que a onda original é difratada nos orifícios e novas ondas circulares surgem de cada orifício. Se em um momento cobrimos um orifício e medimos a distribuição de intensidade no absorvedor, encontramos a curva de intensidade simples mostrada na parte (b) da figura. I_1 é a intensidade da onda proveniente do orifício 1 (que obtemos quando medimos com o orifício 2 coberto) e I_2 é a intensidade da onda proveniente do orifício 2 (vista quando o orifício 1 está tampado).

A intensidade I_{12} observada quando ambos os orifícios estão abertos certamente *não* é a soma de I_1 e I_2. Dizemos que há interferência das duas ondas. Em alguns pontos (nos quais a curva I_{12} tem seus máximos) as ondas estão em fase e se somam para dar

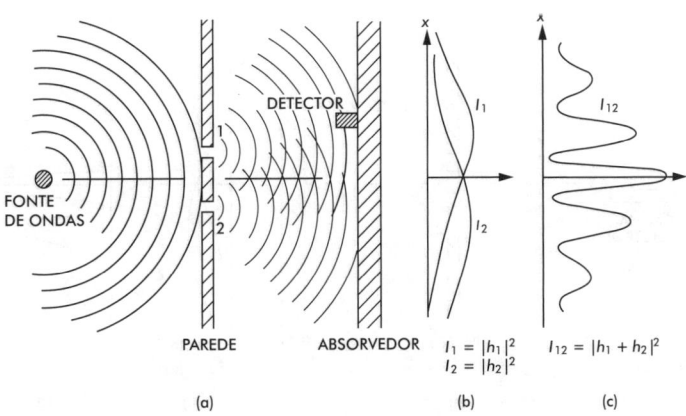

Figura 1–2 Experimento de interferência com ondas de água.

uma amplitude maior e, portanto, uma grande intensidade. Dizemos que as duas ondas "interferem construtivamente" nesses lugares. Existirão interferências construtivas sempre que a distância entre o detector e um orifício for um número inteiro de comprimentos de onda maior (ou menor) que a distância entre o detector e o outro orifício.

Nos lugares aonde as duas ondas chegam ao detector com uma diferença de fase igual a π (onde estão "fora de fase"), o movimento ondulatório no detector será a diferença das duas amplitudes. As ondas se "interferem destrutivamente", e obtemos um valor baixo para a intensidade da onda. Esperamos esses valores baixos sempre que a diferença entre a distância do orifício 1 ao detector e a distância entre o orifício 2 e o detector seja um número semi-inteiro de comprimentos de onda. Os valores baixos de I_{12} na Fig. 1-2 correspondem aos lugares onde as duas ondas interferem destrutivamente.

Você deve lembrar que a relação quantitativa entre I_1, I_2 e I_{12} pode ser expressa da seguinte forma: a altura instantânea da onda no detector para o orifício 1 pode ser escrita como (parte real de) $h_1 e^{i\omega t}$, onde a amplitude h_1 é, em geral, um número complexo. A intensidade é proporcional ao quadrado da altura ou, no caso de usarmos números complexos, $|h_1|^2$. Semelhantemente, para o orifício 2 a altura é $h_2 e^{i\omega t}$ e a intensidade é proporcional a $|h_2|^2$. Quando os dois orifícios estão abertos, a altura da onda é dada por $(h_1 + h_2) e^{i\omega t}$ e a intensidade por $|h_1 + h_2|^2$. Omitindo a constante de proporcionalidade para o presente propósito, as relações próprias para as *interferências entre as ondas* são

$$I_1 = |h_1|^2, \quad I_2 = |h_2|^2, \quad I_{12} = |h_1 + h_2|^2. \tag{1.2}$$

Você vai notar que o resultado é bem diferente daquele obtido para o caso de projéteis (Eq. 1.1). Se nós expandirmos $|h_1 + h_2|^2$, vemos que

$$|h_1 + h_2|^2 = |h_1|^2 + |h_2|^2 + 2|h_1||h_2|\cos\delta, \tag{1.3}$$

onde δ é a diferença de fase entre h_1 e h_2. Em termos das intensidades, podemos escrever

$$I_{12} = I_1 + I_2 + 2\sqrt{I_1 I_2} \cos\delta. \tag{1.4}$$

O último termo em (1.4) é o "termo de interferência". Agora chega de ondas de água. A intensidade pode ter qualquer valor e está sujeita a interferência.

1–4 Uma experiência com elétrons

Agora vamos imaginar uma experiência semelhante, mas com elétrons. Ela está representada no diagrama da Fig. 1-3. Um canhão de elétrons, que consiste em um filamento aquecido de tungstênio, é enclausurado em uma caixa de metal com um orifício. Se o fio tiver uma voltagem negativa em relação à caixa, os elétrons emitidos pelo filamento serão acelerados na direção da parede e alguns passarão pelo orifício. Todos os elétrons

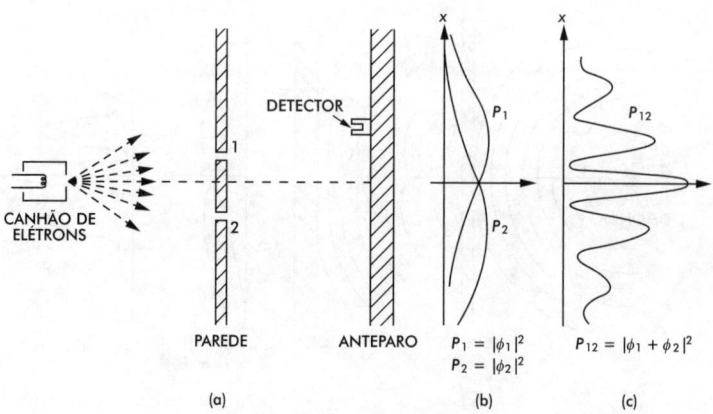

Figura 1–3 Experimento de interferência com elétrons.

emitidos pelo filamento terão (essencialmente) a mesma energia. Na frente do canhão mais uma vez temos uma parede (fina de metal) com dois orifícios. Além da parede está outra placa que servirá como anteparo. Na frente do anteparo colocamos um detector móvel. O detector pode ser um contador Geiger ou, talvez até melhor, uma multiplicadora de elétrons, que será conectada a um alto-falante.

Devemos dizer já de partida que você não deve montar esse experimento (o que poderia ter sido feito nos casos descritos anteriormente). Esse experimento nunca foi feito dessa forma. O problema é que o aparato teria de ser feito em uma escala muito pequena para poder exibir os efeitos que nos interessam. Estamos fazendo um "experimento na mente", que escolhemos porque é fácil de pensar nele. Sabemos quais resultados *seriam* obtidos porque *existem* muitos experimentos que já foram feitos, nos quais a escala e as proporções foram escolhidas para exibir os efeitos que vamos descrever.

A primeira coisa que notamos com a experiência com elétrons é que ouvimos um clique sempre que um elétron atinge o detector (o alto-falante). E todos os cliques são iguais. *Não* existe "meio clique".

Também notamos que esses cliques aparecem de forma errática. Algo como: clique......clique-clique......clique....................clique..........clique....clique...... clique......clique....etc., como se você ouvisse um contador Geiger em funcionamento. Se contarmos os cliques em um tempo suficientemente longo – digamos, por muitos minutos – e contarmos de novo por um mesmo período de tempo, constatamos que esse números são, muito aproximadamente, os mesmos. Então podemos falar em uma *taxa média* com que os cliques são ouvidos (na média, tantos cliques por minuto).

Quando movemos o detector, a taxa com que os cliques aparecem aumenta ou diminui, mas o volume (altura do som) de cada clique é sempre o mesmo. Se baixarmos a temperatura do filamento no canhão, a taxa de cliques diminui, mas ainda assim cada clique soa sempre da mesma forma. Também vamos notar que se pusermos dois detectores separados no anteparo, apenas um soaria de cada vez, mas nunca os dois ao mesmo tempo. (Excetuando os casos em que, de vez em quando, dois cliques podem ocorrer muito próximos e não serem distinguidos pelo nosso senso auditivo.) Concluímos, portanto, que o que chega no anteparo chega em unidades. Todas as unidades têm a mesma forma. Apenas uma unidade chega e elas chegam uma de cada vez no anteparo. Podemos dizer: "elétrons sempre chegam em unidades idênticas".

Como na experiência com projéteis, podemos agora prosseguir para encontrar a resposta à seguinte pergunta: "qual é a probabilidade relativa de que uma 'unidade' de elétrons chegue no anteparo localizado em diferentes distâncias x com relação ao centro?". Como antes, obtemos a probabilidade relativa observando a taxa de cliques para uma emissão constante do canhão de elétrons. A probabilidade de que unidades cheguem em uma posição x é proporcional à taxa média de cliques ouvidos nesse valor da posição x.

O resultado de nossa experiência é a interessante curva chamada de P_{12} na parte (c) da Fig. 1-3. Sim! É dessa maneira que os elétrons vão se comportar.

1–5 A interferência de ondas de elétrons

Agora vamos analisar a curva da Fig. 1-3 para ver se podemos entender o comportamento dos elétrons. A primeira coisa que podemos dizer é que uma vez que os elétrons aparecem em unidades, cada unidade, que podemos também chamar de elétron, vem através do orifício 1 ou do orifício 2. Vamos escrever isso na forma de Proposição:

Proposição A: cada elétron passa *ou* pelo orifício 1 *ou* pelo orifício 2.

Assumindo a Proposição A, todos os elétrons que chegam no anteparo podem ser divididos em duas classes: (1) aqueles que passaram pelo orifício 1 e (2) aqueles que passaram pelo orifício 2. Então a curva que observamos deve ser a soma dos efeitos dos elétrons que passaram através do orifício 1 e dos elétrons que passaram através do orifício 2. Vamos conferir essa ideia através do experimento. Primeiro, vamos medir os elétrons que passaram no orifício 1. Bloqueamos o orifício 2 e contamos os cliques no detector. A taxa de cliques nos dá o valor de P_1. O resultado dessa medida é mostrado na curva chamada de P_1 na parte (b) da Fig. 1-3. O resultado parece bastante razoável. De forma semelhante, medimos P_2, a distribuição de probabilidade para os elétrons que passaram pelo orifício 2. O resultado dessa medida também é mostrado na figura.

O resultado para P_{12}, obtido quando os *dois* orifícios estão abertos, claramente não é a soma das probabilidades de cada orifício separadamente, P_1 e P_2. Por analogia com nossa experiência com ondas, podemos dizer: "existe interferência".

$$\text{Para elétrons:} \qquad P_{12} \neq P_1 + P_2. \qquad (1.5)$$

Como essa interferência pode surgir? Talvez devêssemos dizer: "possivelmente *não é verdade* que as unidades passam ou pelo orifício 1 ou pelo orifício 2, pois se fosse assim as probabilidades deveriam somar. Talvez elas se movimentem de uma forma mais complicada. Quem sabe se dividem ao meio e...." Mas não! Não podem, os elétrons sempre chegam em unidades... "Bem, talvez alguns vão pelo orifício 1 e depois pelo orifício 2 e algumas voltas mais, ou alguma trajetória mais complicada... então fechando o orifício 2 mudamos a chance de um elétron que *começou* pelo orifício 1 possa finalmente atingir o anteparo." Mas, espere! Existem alguns pontos no anteparo onde poucos elétrons chegam quando *ambos* os orifícios estão abertos, mas que recebem muitos elétrons quando um orifício está fechado. Ou seja, *fechando* um orifício *aumentamos* o número do outro. Perceba, entretanto, que no centro do anteparo, P_{12} é mais que duas vezes $P_1 + P_2$. É como se fechar um orifício *diminuísse* o número de elétrons que passa pelo outro. É difícil explicar os *dois* efeitos simplesmente propondo que os elétrons viajam em trajetórias complicadas.

É tudo muito misterioso. E quanto mais você analisa, mais misterioso fica. Muitas ideias foram elaboradas para tentar explicar a curva P_{12} em termos de elétrons individuais indo por trajetórias complicadas através dos orifícios. Nenhuma delas foi bem-sucedida. Nenhuma delas obtém a curva correta para P_{12} em termos de P_1 e P_2.

Ainda assim, surpreendentemente, a *matemática* para relacionar P_1 e P_2 é extremamente simples. De fato, a curva para P_{12} é como a curva para I_{12} da Fig. 1-2, que foi simples. O que se passa no anteparo pode ser descrito por dois números complexos que chamaremos de ϕ_1 e ϕ_2 (e que são função de x). O valor absoluto quadrático de ϕ_1 descreve o efeito quando apenas o orifício 1 está aberto. Ou seja, $P_1 = |\phi_1|^2$. O efeito com apenas o orifício 2 aberto é dado por ϕ_2 da mesma forma, ou seja, $P_2 = |\phi_2|^2$. E o efeito combinado dos dois orifícios é $P_{12} = |\phi_1 + \phi_2|^2$. A *matemática* é a mesma para o caso de ondas! (É muito difícil ver como podemos obter um resultado tão simples a partir de um jogo complicado de elétrons indo e vindo através das placas em alguma trajetória estranha.)

Concluímos então o seguinte: os elétrons chegam em unidades, como as partículas, e a probabilidade de chegada dessas unidades é distribuída como a distribuição de intensidade de uma onda. É nesse sentido que os elétrons se comportam "algumas vezes como partícula e outras como onda".

A propósito, quando lidamos com ondas clássicas, definimos a intensidade como a média no tempo do quadrado da amplitude da onda e usamos números complexos como um truque matemático para simplificar a análise. No entanto, em mecânica quântica, ocorre que as amplitudes *têm* de ser representadas por números complexos. A parte real sozinha não dá conta. Esse é um ponto técnico, neste momento, porque as fórmulas parecem as mesmas.

Como a probabilidade de chegada através de ambos os orifícios é simples, embora não seja igual a $P_1 + P_2$, isso é tudo a dizer. Ainda assim, existe um grande número de sutilezas envolvidas no fato de que a natureza funciona dessa forma. Gostaríamos de ilustrar algumas dessas sutilezas agora. Primeiro, como o número que chega em um ponto particular *não* é igual à soma do número que chega através de 1 mais o número que chega através de 2, como concluiríamos da Proposição A, inquestionavelmente devemos concluir que a *Proposição A é falsa*. *Não* é verdade que os elétrons passam *ou* através do orifício 1 *ou* do orifício 2. Essa conclusão pode ser testada por uma outra experiência.

1–6 Observação de elétrons

Vamos agora tentar o seguinte experimento. Ao nosso aparato de elétrons vamos colocar uma fonte de luz forte atrás da parede entre os dois orifícios, como mostrado na Fig. 1-4. Sabemos que cargas elétricas espalham luz. Então quando um elétron passar, se ele passar, em seu caminho para o detector, ele espalhará a luz para os nossos olhos e poderemos ver aonde os elétrons vão. Por exemplo, se um elétron fizesse uma trajetória via orifício 2 mostrado na Fig. 1-4, deveríamos ver um flash de luz vindo da vizinhança do lugar marcado como A na figura. Se um elétron passa pelo orifício 1, esperaríamos ver um flash da vizinhança de cima desse orifício. Se tivermos luz vindo dos dois lugares ao mesmo tempo é porque o elétron se dividiu em dois... vamos realizar o experimento!

Isto é o que vemos: *toda* vez que ouvirmos um clique do nosso detector de elétrons (no anteparo), *também veremos* um flash de luz vindo do orifício 1 *ou* do orifício 2, embora *nunca* dos dois ao mesmo tempo! E obteremos o mesmo resultado não importando onde está o detector. Experimentalmente, a Proposição A é necessariamente verdadeira.

O que, então, está errado com nosso argumento *contrário* à Proposição A? Por que *não temos* simplesmente P_{12} como sendo igual a $P_1 + P_2$? Voltemos ao experimento! Vamos acompanhar os elétrons e descobrir que eles estão fazendo. Para cada posição x do detector, vamos contar os elétrons que chegam e *também* acompanhar por qual orifício eles passaram observando os flashes. Vamos então acompanhar os acontecimentos da seguinte forma: quando ouvirmos um clique, marcaremos na Coluna 1 se virmos um flash perto do orifício 1 e marcaremos na Coluna 2 se o flash vier de perto do orifício 2. Cada elétron que chega é registrado como uma dentre estas duas classes possíveis: aqueles que vêm do orifício 1 e aqueles que vêm do orifício 2. Do número associado à Coluna 1 obtemos a probabilidade P'_1 de que o elétron chegue no detector via orifício 1; e do número associado à Coluna 2 obtemos a probabilidade P'_2 de que o elétron chegue no detector via orifício 2. Se repetirmos as medidas para diversos valores de x, obteremos a curva para P'_1 e P'_2 mostrada na parte (b) da Fig. 1-4.

Bem, isso não é tão surpreendente! Obtemos para P'_1 algo muito similar ao que obtivemos anteriormente para P_1 quando cobrimos o orifício 2. E para P'_2 obtivemos também algo similar ao obtido para P_2 quando cobrimos o orifício 1. Não há portanto *nada* complicado como passar pelos dois orifícios. Quando observamos os elétrons, eles se comportam como esperamos que eles se comportem. Não importa se os orifícios estão abertos ou fechados, aqueles que vêm pelo orifício 1 são distribuídos da mesma forma não importando se o orifício 2 está aberto ou fechado.

Espere aí! O que temos *agora* para a probabilidade *total* de que um elétron chegue ao detector por qualquer caminho? Já temos essa informação. Fingiremos que nunca olhamos para os flashes de luz e juntaremos os cliques do detector que temos separados nas duas colunas. *Precisamos somar* esses números. A probabilidade de que um elétron chegue no anteparo passando por *qualquer* um dos dois orifícios será $P'_{12} = P'_1 + P'_2$. Ou seja, embora tenhamos conseguido observar por qual orifício passam os elétrons, já não obtemos a nossa curva de interferência P_{12}, mas sim uma nova P'_{12}, que não apresenta interferência! Se apagarmos a luz, P_{12} será restaurada.

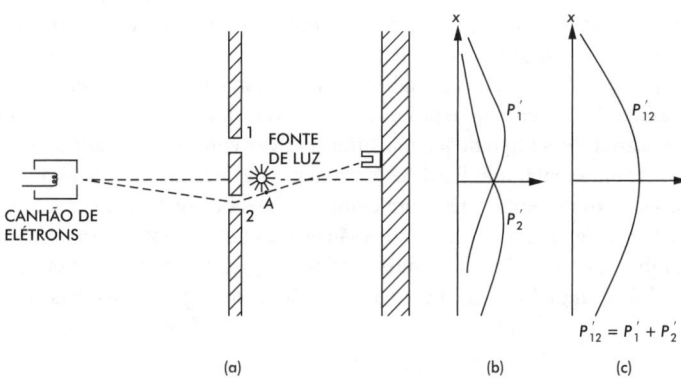

Figura 1–4 Uma experiência diferente com elétrons.

Devemos concluir que, *quando olhamos os elétrons*, a distribuição deles no anteparo é diferente da distribuição quando não olhamos. Talvez ao ligarmos a luz alteremos as coisas. Os elétrons podem ser muito delicados e a luz espalhada por eles dá um esbarrão que muda seu movimento. Sabemos que o campo elétrico da luz age em uma carga e exercerá uma força sobre ela. Então, talvez, *devêssemos* esperar uma mudança no movimento. De qualquer forma, a luz exerce uma grande influência sobre os elétrons. Ao observar os elétrons, mudamos seu movimento. A sacudida dada aos elétrons quando o fóton é espalhado por eles é tal que muda o movimento dos elétrons o suficiente para que se ele *devesse* ir para um ponto onde P_{12} seria um máximo ele vai para um onde P_{12} é um mínimo. É por isso que não vemos mais as ondulações de interferências.

Você deve estar pensando: "não use uma fonte intensa de luz. Diminua a intensidade! As ondas luminosas serão então fracas e não perturbarão tanto os elétrons. Certamente, ao fazermos a luz cada vez mais fraca, eventualmente ocorrerá que a onda será tão fraca que os efeitos serão desprezíveis". OK. Vamos tentar isso. A primeira coisa que observamos é que os flashes de luz espalhados pelos elétrons à medida que eles passam *não* se tornam mais fracos. *O flash tem sempre a mesma intensidade.* A única coisa que ocorre quando a luz enfraquece é que às vezes ouvimos o "clique" do detector sem vermos *nenhum flash*. Os elétrons passaram sem serem vistos. O que estamos observando é que a luz *também* age como elétrons. *Sabíamos* que era ondulatória e agora descobrimos que também age como "unidades". Ela sempre chega – ou é espalhada – em unidades que chamamos de fótons. Quando diminuímos a intensidade da fonte de luz, não mudamos o *tamanho* do fóton, apenas a *taxa* com que eles são emitidos. *Isso* explica por que quando a luz é fraca alguns elétrons passam sem serem vistos. Não havia um fóton por perto quando o elétron passou.

Isso é um pouco desencorajador. Se for verdade que quando vemos os elétrons vemos também o mesmo flash, então os elétrons que estamos vendo são aqueles que foram perturbados. De qualquer forma, tentemos a experiência com uma luz fraca. Agora quando ouvirmos um clique no detector, deveremos contar em três colunas: na Coluna 1 aqueles vistos pelo orifício 1, na Coluna 2 aqueles vistos pelo orifício 2 e na Coluna 3 aqueles que não são vistos. Quando trabalhamos com nossos dados (computando as probabilidades), encontramos estes resultados: aqueles "vistos" pelo orifício 1 têm uma distribuição como P'_1, aqueles "vistos" pelo orifício 2 têm uma distribuição como P'_2 (de forma que aqueles "vistos" através do orifício 1 ou do orifício 2 têm uma distribuição como P'_{12}); já aqueles que não são vistos de forma alguma têm um comportamento ondulatório como P_{12}. *Se os elétrons não forem vistos, temos interferência*!

Isso é compreensível. Quando não vemos os elétrons, nenhum fóton o perturbou, e quando o vemos é porque o fóton o perturbou. É sempre a mesma perturbação porque o fóton produz sempre a mesma perturbação, e o efeito do fóton sendo espalhado é suficiente para inibir qualquer efeito de interferência.

Existe *alguma* forma de vermos os elétrons sem perturbá-los? Aprendemos em um capítulo anterior que o momento de um fóton é inversamente proporcional ao seu comprimento de onda ($p = h/\lambda$). Certamente, o esbarrão dado ao elétron quando o fóton é desviado para os nossos olhos depende do momento que o fóton tem. Aha! Se quisermos dar apenas uma pequena sacudida no elétron, não deveríamos diminuir a *intensidade* da luz, mas sim sua *frequência* (que é o mesmo que aumentar seu comprimento de onda). Vamos então usar luz avermelhada. Podemos também usar luz infravermelha ou ondas de rádio (como um radar) e "ver" aonde os elétrons foram com a ajuda de um equipamento que possa "ver" luz de comprimentos de onda maiores. Se usarmos esse tipo de luz mais fraca, talvez consigamos perturbar menos os elétrons.

Vamos tentar usar luz de comprimentos de onda maiores. Vamos continuar repetindo nossos experimentos, mas com comprimentos de onda cada vez maiores. Inicialmente, nada parece mudar. Os resultados são os mesmos. Aí uma coisa horrível acontece. Você lembra que quando discutimos o microscópio, chamamos a atenção para a *natureza ondulatória* da luz e que há uma limitação de quão próximos dois pontos de luz podem ficar e ainda serem vistos como dois pontos distintos. Essa distância é da ordem do comprimento de onda da luz. Então agora, quando fazemos os comprimentos de onda da luz maiores do que a distância entre os orifícios, veremos um flash borrado quando a luz é espalhada pelos elétrons. Aí não poderemos mais dizer em qual orifício o elétron passou, e é justamente com a luz dessa cor que veremos que o esbarrão dado ao elétron é pequeno de tal forma que P'_{12} começa a parecer com P_{12} – e começamos a obter o efeito de interferência. É apenas com comprimentos de onda muito maiores que a separação entre os orifícios (quando não temos condições de distinguir onde o elétron passou) que a perturbação da luz será suficientemente pequena para que tenhamos de novo a curva P_{12} mostrada na Fig. 1-3.

Em nosso experimento, vemos que é impossível arranjar a luz de tal forma que se possa dizer por qual orifício o elétron passou sem ao mesmo tempo perturbar o resultado final. Foi sugerido por Heisenberg que as novas leis da natureza só poderiam ser consistentes se houvesse uma limitação básica em nossa capacidade experimental, nunca reconhecida anteriormente. Ele propôs como um princípio geral o *princípio da incerteza*, que podemos formular em termos de nossos experimentos da seguinte forma: "É impossível projetar um equipamento que determine por qual orifício o elétron passa sem que ao mesmo tempo se perturbe suficientemente o elétron de tal forma que destrua o padrão de interferência". Se um aparato experimental for capaz de determinar por qual orifício o elétron passou, ele *não pode* ser suficientemente delicado que não perturbe o padrão de uma forma essencial. Ninguém até hoje encontrou (ou sequer imaginou) uma maneira de evitar o princípio da incerteza. Então devemos assumir que ele descreve uma característica básica da natureza.

A mecânica quântica completa que agora usamos para descrever átomos e, na realidade, toda a matéria, depende de quão correto é o princípio da incerteza. Como a mecânica quântica é uma teoria muito bem-sucedida, nossa crença no princípio da incerteza é reforçada. Contudo, se alguma maneira de vencer o princípio da incerteza for encontrada, a mecânica quântica daria resultados inconsistentes e teria de ser descartada como uma teoria válida da natureza.

"Bem", você diria, "e o que acontece com a Proposição A? É verdadeiro ou *não* é verdadeiro que o elétron ou passa pelo orifício 1 ou passa pelo orifício 2?". A única resposta que pode ser dada é aquela encontrada experimentalmente de que há uma maneira especial que devemos raciocinar de forma a não obter inconsistências. O que devemos dizer (para evitar fazer previsões equivocadas) é o seguinte. Se olharmos para os orifícios, ou mais precisamente, se tivermos um equipamento que seja capaz de determinar se os elétrons passam pelo orifício 1 ou pelo orifício 2, então *podemos* dizer que o elétron passa ou pelo orifício 1 ou pelo orifício 2. *Entretanto*, quando *não* tentamos dizer de que forma o elétron vai, quando não há nada no experimento para perturbar os elétrons, então *não* podemos dizer se o elétron vai pelo orifício 1 ou orifício 2. Se tentarmos dizer, e começarmos a fazer deduções, cometeremos erros nessa análise. Essa é a lógica de corda bamba em que deveremos nos equilibrar se quisermos descrever a natureza com sucesso.

Se o comportamento de toda a matéria – tanto quanto o dos elétrons – deve ser descrito em termos ondulatórios, então o que dizer sobre os projéteis em nosso primeiro experimento? Por que não vimos um padrão de interferência lá? O que ocorre é que para aqueles projéteis o comprimento de onda era tão pequeno que o padrão de interferência é muito sutil. Na verdade, tão sutil que qualquer detector de tamanho finito não conseguiria distinguir os máximos dos mínimos. O que vimos foi um tipo de média, que é a curva clássica. Na Fig. 1-5, tentamos mostrar esquematicamente o que ocorre com objetos de escala maior. A parte (a) da figura mostra a distribuição de probabilidades que obteríamos para projéteis se usássemos a mecânica quântica. As linhas mudam rapidamente e representam um padrão de interferência que obteríamos para comprimentos de onda muito pequenos. Qualquer detector, entretanto, não percebe os detalhes ondulatórios dessa curva de probabilidades, de forma que as medidas vão mostrar apenas a curva suave desenhada na parte (b).

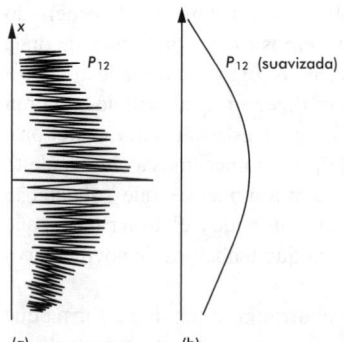

Figura 1–5 Padrão de interferência com projéteis: (a) real (esquemático), (b) observado.

1–7 Primeiros princípios da mecânica quântica

Agora vamos fazer um resumo das principais conclusões de nossos experimentos. Vamos, entretanto, colocar os resultados em uma forma que seja verdade para uma classe geral desses experimentos. Podemos escrever nosso resumo mais simplesmente se primeiro definirmos um "experimento ideal" como aquele no qual não existem influências externas incertas, ou seja, não existam influências externas que não possam ser controladas. Seríamos muito precisos se disséssemos: "um experimento ideal é aquele no qual todas as condições iniciais e finais do experimento são completamente especificadas". O que chamaremos de "um evento" é, em geral, apenas um conjunto específico de condições iniciais e finais. (Por exemplo: "um elétron sai do canhão, chega no detector e nada mais acontece".) Vamos ao resumo:

Resumo

(1) A probabilidade de um evento em um experimento ideal é dada pelo quadrado do valor absoluto de um número complexo ϕ que é chamado de amplitude de probabilidade:

$$P = \text{probabilidade},$$
$$\phi = \text{amplitude de probabilidade}, \quad (1.6)$$
$$P = |\phi|^2.$$

(2) Quando um evento pode ocorrer com várias alternativas, a amplitude de probabilidade para esse evento é a soma das amplitudes de probabilidade para cada caso separadamente. Existe interferência:

$$\phi = \phi_1 + \phi_2,$$
$$P = |\phi_1 + \phi_2|^2. \quad (1.7)$$

(3) Se um experimento realizado é capaz de determinar se uma alternativa é obtida, então a probabilidade do evento é a soma das probabilidades de cada alternativa. A interferência é perdida:

$$P = P_1 + P_2. \quad (1.8)$$

Poderíamos ainda perguntar: "como isso funciona? Qual é o mecanismo por trás da lei?". Ninguém encontrou nenhum mecanismo por trás da lei. Ninguém pode "explicar" melhor o que acabamos de "explicar". Ninguém vai dar uma representação mais profunda da situação. Não temos conhecimento de um mecanismo mais básico a partir do qual os resultados possam ser deduzidos.

Gostaríamos de enfatizar uma importante diferença entre a mecânica clássica e a quântica. Falamos sobre a probabilidade de que um elétron chegue em uma dada circunstância. Subentendemos que em nosso arranjo experimental (ou mesmo no melhor possível) seria impossível predizer exatamente o que ocorreria. Podemos apenas prever as possibilidades. Isso significa, se for verdade, que a física abriu mão de tentar prever exatamente o que ocorrerá em uma circunstância definida. Sim! A física desistiu. *Não sabemos como prever o que ocorrerá em uma dada circunstância,* e acreditamos agora que é impossível – que a única coisa que pode ser prevista é a probabilidade de diferentes eventos. Devemos admitir que isso é um recuo em nossas ideias anteriores sobre compreensão da natureza. Pode ser um passo atrás, mas ninguém sabe como evitá-lo.

Faremos agora algumas considerações sobre sugestões que foram feitas para tentar evitar a descrição que demos: "talvez o elétron tenha algum tipo de trabalho interno – algumas variáveis internas – que ainda não sabemos. Talvez seja por isso que não conseguimos predizer o que vai acontecer. Se pudéssemos olhar mais de perto, seríamos capazes de predizer aonde ele vai". Até onde sabemos, isso é impossível. Ainda estaríamos em dificuldades. Suponha que assumíssemos que dentro do elétron existisse alguma maquinaria que determinasse aonde ele vai. Essa maquinaria deveria *também* determinar em qual orifício ele vai passar, mas não podemos esquecer que o que houver dentro do elétron não pode depender do que *nós* fazemos e, em particular, se abrimos ou fechamos orifícios. Assim, se um elétron, antes de começar sua trajetória, já decidiu (a) em qual orifício vai passar e (b) onde vai parar, então deveríamos encontrar P_1 para os elétrons que escolheram o orifício 1, P_2 para os que escolheram o orifício 2 e *necessariamente* a soma $P_1 + P_2$ para aqueles que chegam através dos dois orifícios. Não há como evitar. No entanto, verificamos experimentalmente que esse não é o caso. E ninguém conseguiu evitar esse enigma. Então no momento atual devemos nos limitar a calcular probabilidades. Dizemos "no momento atual", mas suspeitamos muito fortemente que é algo que estará conosco para sempre – que é impossível ganhar desse enigma – e que é dessa maneira que a natureza realmente *é*.

1–8 O princípio da incerteza

Esta foi a maneira como Heisenberg formulou originalmente o princípio da incerteza: se você fizer uma medida em qualquer objeto e puder determinar a componente x do seu momento com uma incerteza Δp, você não pode ao mesmo tempo saber sua posição x mais precisamente que $\Delta x \geq \hbar/2\Delta p$, onde $\hbar$ é um número fixo definido pela natureza. Ele é chamado de "constante reduzida de Planck" e vale aproximadamente $1{,}05 \times 10^{-34}$ joule-segundo. As incertezas na posição e no momento de uma partícula em qualquer instante devem ter seu produto maior ou igual à metade da constante reduzida de Planck. Esse é um caso especial do princípio da incerteza que foi dito de forma mais geral anteriormente. A formulação mais geral é que não podemos projetar equipamentos que determinem qual das duas alternativas é tomada sem que ao mesmo tempo isso destrua o padrão de interferência.

Vamos mostrar um caso particular em que a relação dada por Heisenberg deve ser verdadeira para evitar um grande problema. Imagine uma modificação do experimento da Fig. 1-3, na qual a parede com os orifícios consiste em uma placa montada sobre rodinhas de forma que possa se mover livremente para cima e para baixo (na direção x), como mostrado na Fig. 1-6. Observando o movimento da placa cuidadosamente, podemos tentar dizer por qual orifício a elétron passou. Imagine o que acontece quando o detector é colocado em $x = 0$. Esperaríamos que um elétron ao passar pelo orifício 1 fosse defletido pela placa, para baixo, para atingir o detector. Como a componente vertical do momento do elétron é mudada, a placa deve recuar com o mesmo momento na direção oposta. A placa ganhará um empurrão para cima. Se o elétron for pelo orifício de baixo,

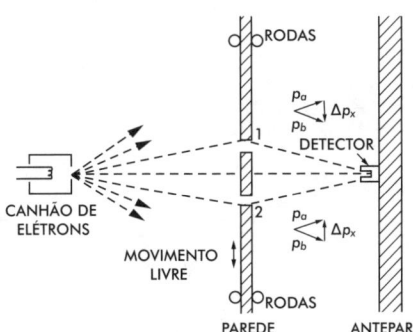

Figura 1–6 Um experimento no qual o recuo da parede é medido.

o orifício 2, a placa sofrerá um empurrão para baixo. Está claro que para cada posição do detector, o momento recebido pela placa terá um valor diferente para uma passagem pelo orifício 1 do que se a passagem for via orifício 2. Então: sem *qualquer* perturbação no elétron, apenas olhando para a *placa*, podemos dizer qual foi o caminho do elétron.

Agora, para fazer isso, é necessário conhecer qual o momento do anteparo antes do elétron passar. Então, quando medirmos o momento depois da passagem do elétron, poderemos dizer em quanto mudou o momento da placa. Lembre-se, de acordo com o princípio da incerteza, de que não podemos ao mesmo tempo conhecer a posição da placa com uma precisão qualquer, mas se soubermos exatamente *onde* a placa está, não podemos dizer com precisão a localização dos orifícios. Eles estarão em lugares distintos para cada elétron que passe. Isso significa que o centro de nosso padrão de interferência terá diferentes localizações para cada elétron. As ondulações do padrão de interferência serão turvadas. Vamos mostrar quantitativamente no próximo capítulo que se determinarmos o momento da placa com precisão suficiente para determinar pela medida do recuo da placa qual orifício foi usado, então a incerteza na posição x da placa será, de acordo com o princípio da incerteza, suficiente para deslocar o padrão observado no detector, para baixo e para cima, deslocando cada máximo para o mínimo que seja o vizinho mais próximo. Esse deslocamento é suficiente para turvar o padrão de forma que nenhuma interferência será observada.

O princípio da incerteza "protege" a mecânica quântica. Heisenberg reconheceu que se fosse possível medir o momento e a posição simultaneamente com uma maior precisão, a mecânica quântica entraria em colapso. Então ele propôs que isso era impossível. As pessoas então passaram a tentar encontrar uma maneira de medir posições e momento de quase tudo – anteparos, elétrons, bolas de bilhar, qualquer coisa – com qualquer precisão maior. A mecânica quântica mantém sua arriscada, mas ainda correta, existência.

2

A Relação entre os Pontos de Vista Ondulatório e Corpuscular

2–1 Amplitudes de ondas de probabilidades

Neste capítulo, vamos discutir a relação entre os pontos de vista ondulatório e corpuscular. Já sabemos, do capítulo anterior, que nem o ponto de vista ondulatório nem o corpuscular são corretos. Gostaríamos de apresentar sempre as coisas de forma precisa, ou pelo menos suficientemente precisas de tal forma que não tenhamos de mudá-las quando aprendermos mais – elas podem ser complementadas, mas não mudadas! No entanto, quando tentamos falar sobre a visão ondulatória ou corpuscular, ambas são aproximadas e ambas irão mudar. Portanto o que aprendermos neste capítulo será impreciso em um certo sentido; vamos lidar com argumentos semi-intuitivos que se tornarão mais precisos posteriormente. Algumas coisas serão um pouco modificadas quando as interpretarmos corretamente na mecânica quântica. Faremos isso para que você tenha uma noção qualitativa para alguns fenômenos quânticos antes de entrar nos detalhes matemáticos da mecânica quântica. Ademais, toda nossa experiência é com ondas e partículas, e será portanto muito útil usar esses conceitos para compreender o que acontece em determinadas circunstâncias antes de conhecermos a matemática completa das amplitudes mecânico-quânticas. Vamos tentar apontar as partes mais fracas à medida que avançamos, mas a maior parte é quase correta – é apenas uma questão de interpretação.

Primeiramente, sabemos que a nova maneira de representar o mundo em mecânica quântica – a nova referência – é dar uma amplitude para cada evento que pode ocorrer, e se o evento envolver a recepção de uma partícula, então podemos obter a amplitude de encontrar essa partícula em diferentes posições em diferentes tempos. A probabilidade de encontrar a partícula é então proporcional ao módulo quadrado dessa amplitude. Em geral, a amplitude de encontrar uma partícula em diferentes lugares em tempos diferentes varia com a posição e com o tempo.

Em alguns casos, pode ser que a amplitude varie sinusoidalmente em espaço e tempo como $e^{i(\omega t - \mathbf{k}\cdot\mathbf{r})}$, onde $\mathbf{r}$ é o vetor de posição a partir de uma certa origem. (Não esqueça que essas amplitudes são números complexos, não números reais.) Tal amplitude varia de acordo com uma frequência ω e número de onda $\mathbf{k}$, definidos. Isso corresponde a uma situação clássica limite na qual acreditaríamos ter uma partícula com energia conhecida E e relacionada com a frequência por

$$E = \hbar\omega, \tag{2.1}$$

e cujo momento $\mathbf{p}$ é também conhecido e relacionado com o número de onda por

$$\mathbf{p} = \hbar\mathbf{k}. \tag{2.2}$$

(O símbolo $\hbar$ representa o número h dividido por 2π; $\hbar = h/2\pi$.)

Isso significa que a ideia de uma partícula é limitada. A ideia de uma partícula – sua localização, seu momento, etc. – que usamos tanto é de certo modo insatisfatória. Por exemplo, se a amplitude de encontrar uma partícula em diferentes lugares é dada por $e^{i(\omega t - \mathbf{k}\cdot\mathbf{r})}$, cujo módulo quadrático é uma constante, significaria que a probabilidade de encontrar uma partícula seria a mesma em todos os pontos. Isso significa que não sabemos *onde* ela está – pode estar em qualquer lugar –, existindo uma grande incerteza sobre sua localização.

Por outro lado, se a posição da partícula for mais ou menos bem conhecida e pudermos predizer com precisão, então a probabilidade de encontrá-la em diferentes lugares deve ser restrita a uma certa região cuja extensão chamamos de Δx. Fora dessa região, a probabilidade é zero. Essa probabilidade é o módulo quadrado de uma amplitude, e se o módulo absoluto é zero, a amplitude também é zero, de forma que temos um trem de ondas cujo comprimento é Δx (Fig. 2.1), e o comprimento de onda (a distância entre os nodos das ondas no trem) desse trem de ondas é o que corresponde ao momento da partícula.

2–1 Amplitudes de ondas de probabilidades
2–2 Medidas de posição e momento
2–3 Difração em um cristal
2–4 O tamanho de um átomo
2–5 Níveis de energia
2–6 Implicações filosóficas

Nota: Este capítulo é muito similar ao Capítulo 38 do Volume I.

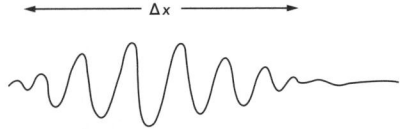

Figura 2–1 Um pacote de ondas de comprimento Δx.

Aqui descobrimos uma coisa estranha sobre ondas; uma coisa muito simples que não tem relação direta com a mecânica quântica. É uma coisa que qualquer pessoa que trabalha com ondas sabe mesmo que nada saiba sobre mecânica quântica: *não podemos definir um comprimento de onda único para um trem de ondas*. Tal trem de ondas não *tem* um comprimento de onda bem definido; existe uma indefinição no número de onda que é relacionada ao comprimento finito do trem de onda e, portanto, há uma incerteza no momento.

2–2 Medidas de posição e momento

Vamos considerar dois exemplos dessa ideia – para ver a razão pela qual existe uma incerteza na posição e/ou no momento, se a mecânica quântica estiver correta. Já vimos antes que se isso não existisse – se fosse possível medir a posição e o momento de qualquer coisa simultaneamente – teríamos um paradoxo; é uma felicidade que não tenhamos tal paradoxo, e o fato de essa incerteza aparecer naturalmente da visão ondulatória mostra que tudo é mutuamente consistente.

Aqui está um exemplo que mostra a relação entre a posição e o momento em uma circunstância fácil de entender. Suponha que tenhamos um único orifício, e partículas estejam vindo de longas distâncias com uma certa energia – de forma que elas estão chegando essencialmente paralelas (Fig. 2-2). Vamos nos concentrar na componente vertical do momento. Todas essas partículas têm uma componente horizontal de momento p_0, em um sentido clássico. Portanto, no sentido clássico, a componente vertical p_y, antes de a partícula passar através do orifício, é bem conhecida. A partícula não se move nem para cima nem para baixo, porque ela é proveniente de uma fonte que está muito distante – e então a componente vertical é evidentemente zero. Agora suponha que ela passe através do orifício cuja largura é B. Então, após passar pelo orifício, sabemos a posição verticalmente – a posição y – com bastante precisão – a saber, $\pm B$[†]. Ou seja, a incerteza na posição, Δy, é da ordem de B. Agora, poderíamos também dizer, uma vez que o momento é absolutamente horizontal, que Δp_y é zero; mas isso está errado. *Sabíamos* que o momento era horizontal, mas não sabemos mais. Antes de as partículas passarem pelo orifício, não sabíamos sua posição vertical. Agora que encontramos a posição vertical fazendo a partícula passar pelo orifício, perdemos a informação sobre o momento vertical! Por quê? De acordo com a teoria ondulatória, há uma dispersão, ou difração, das ondas após passarem pelo orifício, como acontece com a luz. Existe, portanto, uma certa probabilidade de que as partículas após passarem pelo orifício não sigam a mesma reta. O padrão se espalha no efeito de difração, e o ângulo de difusão, que podemos definir como o ângulo do primeiro mínimo, é uma medida da incerteza do ângulo final.

Como o padrão se espalha? Dizer que ele se espalha significa que existe alguma chance para a partícula se movimentar para cima ou para baixo, ou seja, que existe uma componente de momento para cima ou para baixo. Dizemos *chance* e *partícula* porque podemos detectar esse padrão de difração com um contador de partículas; quando o contador recebe uma partícula, digamos em C na Fig. 2-2, ele recebe uma partícula *inteira*, de forma que em um sentido clássico, a partícula tem um momento vertical, para poder ir do orifício até o ponto C.

Para ter uma ideia aproximada da difusão do momento, o momento vertical p_y tem uma largura que é igual a $p_0 \Delta\theta$, onde p_0 é o momento horizontal. E quão grande é $\Delta\theta$ no diagrama espalhado? Sabemos que o primeiro mínimo ocorre para um ângulo $\Delta\theta$ tal que as ondas provenientes de uma borda do orifício tiveram de viajar um comprimento de onda a mais que as ondas provenientes do outro lado – já vimos isso antes (Capítulo 30 do Vol. I). Portanto $\Delta\theta$ é λ/B, e então Δp_y nesse experimento é $p_0 \lambda/B$. Note que se fizermos B menor e fizermos uma medida mais precisa da posição da partícula, o padrão de difração se alarga. Assim quanto mais estreito fizermos o orifício, mais largo o padrão se torna e maior é a possibilidade de encontrarmos que a partícula

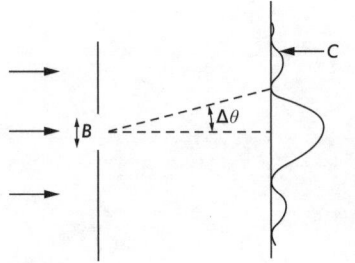

Figura 2–2 Difração de partículas ao passar por uma fenda.

[†] Mais precisamente, o erro em y é $\pm B/2$. No entanto, só estamos interessados na ideia geral, assim não nos preocupamos com o fator 2.

tem momento lateral. Logo a incerteza no momento vertical é inversamente proporcional à incerteza de *y*. De fato vemos que o produto dos dois é $p_0\lambda$, mas λ é o comprimento de onda e p_0 é o momento e de acordo com a mecânica quântica, o comprimento de onda vezes o momento é a constante de Planck *h*. Obtemos, portanto, a regra segundo a qual as incertezas no momento vertical e na posição vertical têm um produto da ordem de *h*:

$$\Delta y\,\Delta p_y \geq \hbar/2 \tag{2.3}$$

Não podemos preparar um sistema no qual sabemos a posição vertical de uma partícula e podemos prever quanto ela se moverá verticalmente com uma certeza maior que a dada por (2.3). Ou seja, a incerteza no momento vertical excede $\hbar/2\Delta y$, onde Δy é a incerteza em nosso conhecimento da posição.

Às vezes as pessoas dizem que a mecânica quântica está errada. Quando a partícula chegou da esquerda, seu momento vertical era zero, e agora que passou pelo orifício sua posição é conhecida. Tanto posição quanto momento parecem ser conhecidos com precisão arbitrária. É absolutamente verdade que podemos receber uma partícula e determinar qual teria sido sua posição e qual o seu momento para poder chegar lá. Isso é verdade, mas não é a isso que a relação de incerteza (2.3) se refere. A Equação (2.3) se refere à *previsão* de uma situação, e não a comentários sobre seu *passado*. De nada vale dizer "sabia o momento antes de passar pelo orifício e agora sei sua posição", porque agora o conhecimento do momento foi perdido. O fato de que ele passou pelo orifício já não permite predizer o momento vertical. Estamos falando sobre uma teoria preditiva, e não apenas de medidas depois do fato. Devemos, portanto, falar do que podemos prever.

Tratemos agora o assunto de forma invertida. Tomemos outro exemplo do mesmo fenômeno, um pouco mais quantitativamente. No exemplo anterior, medimos o momento por um método clássico. Consideramos a direção, a velocidade, os ângulos etc., de forma que obtivemos o momento por análise clássica. Como o momento está relacionado com o número de onda, existe na natureza outra maneira de medir o momento de uma partícula – fótons ou outras – que não tem análogo clássico, porque usa a Eq. (2.2). Medimos o *comprimento de onda das ondas*. Vamos tentar medir o momento dessa forma.

Suponha que tenhamos uma grade de difração com um grande número de linhas (Fig. 2-3) e enviamos um feixe de partículas sobre a grade. Discutimos esse problema com frequência: se as partículas têm um momento definido, obtemos então um padrão muito pronunciado em uma certa direção devido à interferência. Falamos também sobre a precisão com que podemos determinar o momento, ou seja, qual é o poder de resolução dessa grade. Em vez de derivá-lo novamente, vamos nos referir ao Capítulo 30 do Volume I, no qual encontramos que a incerteza relativa no comprimento de onda que pode ser medido em uma dada grade é $1/Nm$, onde N é o número de linhas na grade e m é a ordem do padrão de difração. Ou seja,

$$\Delta\lambda/\lambda = 1/Nm. \tag{2.4}$$

A fórmula (2.4) pode ser reescrita como

$$\Delta\lambda/\lambda^2 = 1/Nm\lambda = 1/L, \tag{2.5}$$

onde *L* é a distância mostrada na Fig. 2-3. Essa distância é a diferença entre a distância total que a partícula ou onda, ou seja lá o que for, percorre se for refletida na parte de baixo da grade. Ou seja, as ondas que formam o padrão de difração são ondas que vêm de diferentes partes da grade. As primeiras que chegam vêm da parte de baixo da grade, do começo do trem de ondas, e o resto vem de outras partes do trem de ondas, advindo de diferentes partes da grade, até que a última delas finalmente chega, e envolve um ponto no trem de ondas que está a uma distância *L* atrás do primeiro ponto. Então, para que tenhamos uma linha estreita em nosso espectro correspondente a um momento definido, com uma incerteza dada por (2.4), temos de ter um trem de ondas de comprimento pelo menos *L*. Se o trem de ondas for muito curto, estamos usando a rede inteira. As ondas que formam o espectro estão sendo refletidas por apenas um pequeno setor da grade se o trem de ondas for muito curto, e a grade não vai funcionar direito – vamos

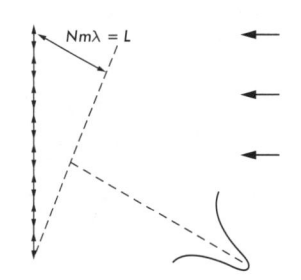

Figura 2-3 Determinação do momento usando uma grade de difração.

encontrar um grande espalhamento angular. Para torná-lo mais estreito, precisamos usar a grade inteira de forma que pelo menos em algum momento o trem de ondas se disperse simultaneamente de todas as partes da grade. Então o trem de ondas tem de ter comprimento L de forma que haja uma incerteza no comprimento de onda menor que aquela dada por (2.5). Assim sendo,

$$\Delta\lambda/\lambda^2 = \Delta(1/\lambda) = \Delta k/2\pi. \quad (2.6)$$

Portanto

$$\Delta k = 2\pi/L, \quad (2.7)$$

onde L é o comprimento do trem de ondas.

Isso significa que se temos um trem de ondas de comprimento L, a incerteza no comprimento de onda supera $2\pi/L$. Ou seja, a incerteza de um número de onda vezes o comprimento do trem de ondas – que chamaremos de Δx – é maior que 2π. Chamaremos de Δx porque é a incerteza na localização da partícula. Se o trem de ondas existe apenas por um comprimento finito, então é ali que encontraremos a partícula com uma incerteza Δx. Agora essa propriedade das ondas, segundo a qual o produto do comprimento do trem de ondas pela incerteza do comprimento de onda associado é pelo menos 2π, é uma propriedade muito conhecida. Não tem a ver com mecânica quântica. É simplesmente que se temos um trem de ondas finito, não podemos contar as suas ondas muito precisamente.

Vamos tentar outra maneira para ver a razão disso. Suponha que tenhamos um trem finito de comprimento L; então pela maneira como diminui nas extremidades, como na Fig. 2-1, o número de ondas no comprimento L é incerto por algo como ± 1, mas o número de ondas em L é $kL/2\pi$. Então k é incerto, e de novo obtemos o resultado (2.7), meramente uma propriedade das ondas. A mesma coisa funciona tanto se as ondas estão no espaço e k é o número de radianos por centímetro e L é o comprimento do trem de ondas, quanto se as ondas são no tempo e ω é o número de radianos por segundo e T é o "comprimento" no tempo que o trem de ondas gasta. Ou seja, se o trem de ondas dura apenas um tempo finito T, então a incerteza na frequência é dada por

$$\Delta\omega = 2\pi/T. \quad (2.8)$$

Tentamos enfatizar que essas são propriedades de ondas apenas e que são muito conhecidas, por exemplo, na teoria do som.

A questão é que em mecânica quântica interpretamos o número de ondas como sendo uma medida do momento de uma partícula, com a regra de que $p = \hbar k$, de forma que a relação (2.7) nos diz que $\Delta p \approx h/\Delta x$. Isso, então, é uma limitação das ideias clássicas de momento. (Naturalmente, temos de limitar de alguma forma se vamos representar partículas por ondas!) É interessante que tenhamos encontrado uma regra que nos dá uma ideia de quando há uma falha das ideias clássicas.

2–3 Difração em um cristal

Em seguida, vamos considerar a reflexão de ondas de partículas por um cristal. Um cristal é algo que tem um grande número de átomos similares – vamos incluir complicações mais tarde – em um arranjo perfeito. A questão é como arranjar esses átomos de forma a obter um forte máximo refletido em uma determinada direção para um feixe de, digamos, luz (raios X), elétrons, nêutrons ou qualquer outro. Para obter uma reflexão intensa, o espalhamento por todos os átomos deve estar em fase. Não pode haver um mesmo número em fase e fora de fase, ou as ondas se cancelarão. A maneira de arranjar as coisas é encontrar as regiões de fase constante, como já explicamos; são planos que fazem ângulos iguais com as direções inicial e final (Fig. 2-4).

Se considerarmos dois planos paralelos, como na Fig. 2-4, as ondas espalhadas pelos dois planos estarão em fase, desde que a diferença de percurso de uma frente de onda seja um número inteiro de comprimentos de onda. Essa diferença

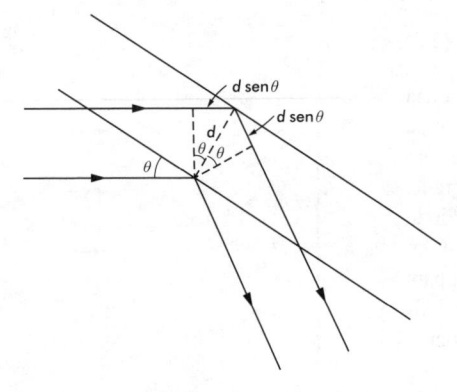

Figura 2–4 Espalhamento de ondas por planos cristalinos.

pode ser vista como $2d \sin \theta$, onde d é a distância perpendicular entre os planos. Então a condição para reflexão coerente é

$$2d \sin \theta = n\lambda \quad (n = 1, 2, \ldots). \quad (2.9)$$

Se, por exemplo, o cristal é tal que os átomos estão em planos obedecendo à condição (2.9) com $n = 1$, então haverá uma reflexão intensa. Se, por outro lado, existem outros átomos da mesma natureza (iguais em densidade) a meio caminho entre eles, então os planos intermediários também vão espalhar tão intensamente e interferirão com os outros e não produzirão efeito. Assim, d em (2.9) tem de se referir a planos *adjacentes*; não podemos tomar um plano que esteja cinco camadas adentro e usar essa fórmula!

É interessante dizer que cristais reais não são tão simples como um único tipo de átomos repetidos de uma certa maneira. Ao contrário, se fizermos uma analogia bidimensional, são como papel de parede, no qual existem algumas figuras que se repetem sobre todo o papel. Por "figura" queremos dizer, no caso de átomos, algum arranjo – cálcio e um carbono e três oxigênios, etc., para carbonato de cálcio, ou outros – que pode envolver um grande número de átomos. A essa figura básica chamamos de *rede unitária*.

O padrão básico de repetição define o que chamamos de *tipo de rede*; é possível determinar imediatamente o tipo de rede olhando as reflexões e vendo qual é a simetria. Em outras palavras, onde encontrarmos *qualquer* reflexão, isso define o tipo de rede, mas para determinar o que são cada um dos elementos da rede devemos levar em conta a *intensidade* de espalhamento nas diversas direções. A direção de espalhamento depende do tipo da rede, mas *quão fortemente* cada um espalha é determinado pelo constituinte da rede unitária, e dessa forma a estrutura do cristal é compreendida.

Nas Figs. 2-5 e 2-6 são mostradas duas fotografias do padrão de difração de raios X; elas ilustram o espalhamento por um pedra de sal e uma mioglobina, respectivamente.

A propósito, uma coisa interessante ocorre se o espaçamento entre planos vizinhos for menor que $\lambda/2$. Nesse caso, (2.9) não tem solução para n. Portanto se λ for maior que o dobro da distância entre os planos adjacentes, então não há padrão de difração, e a luz – ou o que seja – passará pelo material sem refletir ou se perder. Assim, no caso da luz, no qual o comprimento de onda é muito maior que o espaçamento entre os planos, não haverá padrão de reflexão dos planos do cristal.

Esse fato tem também uma interessante consequência no caso das pilhas que fazem nêutrons (que obviamente são partículas, podemos apostar!). Se tomarmos esses nêutrons e fizermos passar por um longo bloco de grafite, eles vão difundir através do material (Fig. 2-7). Eles difundem porque são refletidos pelos átomos, mas estritamente, na teoria ondulatória, eles são refletidos pelos átomos por causa da difração pelos planos cristalinos. Ocorre que se tomarmos um pedaço muito longo de grafite, os nêutrons que saem no extremo oposto são todos de comprimentos de onda grande! De fato, se fizermos uma figura da intensidade em função do comprimento de onda, nada obteremos antes de um comprimento de onda mínimo (Fig. 2-8). Em outras palavras, podemos obter nêutrons muito lentos dessa forma. Só os nêutrons mais lentos atravessam; eles não são difratados ou espalhados pelos planos do cristal de grafite, passando diretamente através do material como luz pelo vidro, e não são espalhados lateralmente. Existem muitas outras demonstrações da realidade de ondas de nêutrons ou ondas associadas com outras partículas.

Figura 2-5

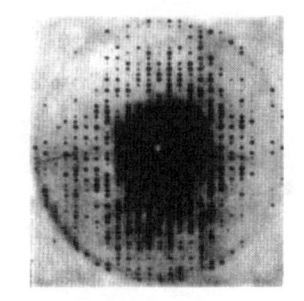

Figura 2-6

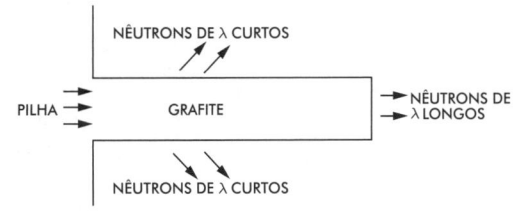

Figura 2-7 Difusão de nêutrons através de um bloco de grafite.

2–4 O tamanho de um átomo

Agora vamos considerar outra aplicação da relação de incerteza, Eq. (2.3). Não deve ser tomada muito a sério; a ideia é correta mas a análise não é muito precisa. A ideia tem a ver com a determinação do tamanho dos átomos, e o fato de que, classicamente, os elétrons irradiam luz e fazem uma espiral até atingirem o núcleo. Isso não pode estar certo do ponto de vista da mecânica quântica, pois então saberíamos onde cada elétron estava e quão rapidamente ele estava se movendo.

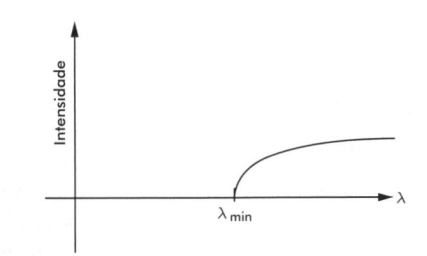

Figura 2-8 Intensidade de nêutrons através de uma barra de grafite em função do comprimento de onda.

Suponha que tenhamos um átomo de hidrogênio e medimos a posição do elétron; não será possível prever exatamente onde o elétron estará, senão a incerteza do momento será infinita. Cada vez que olharmos o elétron, ele estará em algum lugar, mas terá uma amplitude de estar em diferentes lugares, de forma que há uma possibilidade de ser encontrado em diferentes lugares. Esses lugares não podem ser todos no núcleo, vamos então supor que existe uma incerteza na posição da ordem de a. Vamos determinar a minimizando a energia total do átomo.

A incerteza no momento é da ordem de $\hbar/a$, devido à relação de incerteza, assim se tentarmos medir o momento do elétron de alguma maneira, por exemplo espalhando raios X e observando o efeito Doppler de um espalhador móvel, esperamos não obter zero em todas as vezes – o elétrons não está parado –, mas os momentos devem ser da ordem de $p \approx \hbar/a$. Então a energia cinética deve ser $mv^2/2 = p^2/2m = \hbar^2/2ma^2$. (De certa forma, esse é um tipo de análise dimensional para encontrar como a energia cinética depende da constante reduzida de Planck, de m e do tamanho do átomo. Não precisamos acreditar piamente na resposta que pode diferir por um fator 2, π, etc. Na verdade, sequer definimos bem quem é a.) Agora a energia potencial é menos e^2 dividido pela distância ao centro, ou seja $-e^2/a$, onde, como definido no Volume I, e^2 é o quadrado da carga do elétron, dividido por $4\pi\varepsilon_0$. O ponto importante é que a energia potencial é reduzida se a diminui, mas quanto menor for a, maior é o momento, por causa do princípio da incerteza, e portanto maior a energia cinética. A energia total é

$$E = \hbar^2/2ma^2 - e^2/a. \qquad (2.10)$$

Não sabemos o que é a, mas sabemos que o átomo vai se arranjar de tal forma que exista um certo compromisso em fazer da energia a menor possível. Para minimizar E, devemos diferenciar com relação à grandeza a, igualar essa derivada a zero e resolver para a. A derivada de E é

$$dE/da = -\hbar^2/ma^3 + e^2/a^2, \qquad (2.11)$$

e igualando $dE/da = 0$ temos o valor de a

$$a_0 = \hbar^2/me^2 = 0{,}528 \text{ angstrom} = 0{,}528 \times 10^{-10} \text{ metro}. \qquad (2.12)$$

Essa distância particular é chamada de *raio de Bohr*, portanto aprendemos que a dimensão atômica é da ordem de angstroms, o que é certo. Isso é muito bom – na verdade, surpreendente, pois até agora não tínhamos uma base para compreender o tamanho de um átomo. Átomos são completamente impossíveis do ponto de vista clássico, pois os elétrons fariam um movimento espiral para o núcleo.

Agora tomando o valor de a_0 de (2.12) e substituindo em (2.10) encontramos o valor da energia, que é

$$E_0 = -e^2/2a_0 = -me^4/2\hbar^2 = -13{,}6 \text{ eV}. \qquad (2.13)$$

O que significa uma energia negativa? Significa que o elétron tem menos energia quando está no átomo do que quando está livre. Significa que está ligado. Significa que precisa de uma energia da ordem de 13,6 eV para ionizar um átomo de hidrogênio. Não temos nenhuma razão para pensar que não seria duas ou três vezes esse valor – ou metade dele – ou $1/\pi$ esse valor, isso porque usamos argumentos pouco rigorosos. Entretanto, trapaceamos, pois usamos todas as constantes de forma que resultasse o número correto! Esse número, 13,6 elétron-volts, é chamado de um Rydberg de energia; é a energia de ionização do hidrogênio.

Agora entendemos por que não caímos chão adentro. Ao caminharmos, nossos sapatos com suas massas de átomos empurram contra o chão com *sua* massa de átomos. Para espremer os átomos para perto, os elétrons são confinados para um espaço pequeno e, pelo princípio da incerteza, os momentos devem ser maiores em média, o que significa mais energia; a resistência à compressão atômica é um efeito quântico, e não um efeito clássico.

Classicamente, esperaríamos que se tivéssemos de juntar todos os elétrons e prótons, a energia reduziria ainda mais, e o melhor arranjo de cargas positivas e negativas em física clássica seria umas em cima das outras. Isso era bem conhecido em física clássica e era um mistério por causa da existência dos átomos. Claro que os cientistas antigos tinham inventado uma maneira de desviar do problema – mas não importa, agora temos a maneira *correta*!

A propósito, embora não tenhamos motivos para entender isso no momento, em uma situação em que existam muitos elétrons, eles tentarão se afastar uns dos outros. Se um elétron ocupar um lugar no espaço, então outro não ocupará o mesmo espaço. Mais precisamente, existe o spin do elétron, de forma que dois elétrons podem estar juntos, um com spin contrário ao outro. Depois disso, não será mais possível colocar outro. Temos que colocar em outro lugar, e essa é a razão pela qual a matéria tem tamanho. Se pudéssemos colocar todos os elétrons no mesmo lugar, ele condensaria mais do que já faz. O fato de não ser possível colocar um elétron em cima do outro faz com que objetos como mesas sejam sólidos.

Obviamente, de forma a entender as propriedades da matéria, teremos de usar mecânica quântica, e não nos satisfazermos com a mecânica clássica.

2–5 Níveis de energia

Falamos sobre o átomo em sua mais baixa condição de energia possível, mas o elétron pode fazer outras coisas. Ele pode balançar e sacolejar de maneira mais energética, portanto podem existir outros movimentos possíveis para o átomo. De acordo com a mecânica quântica, em condição estacionária só podem existir energias bem definidas para um átomo. Fazemos um diagrama (Fig. 2-9) no qual mostramos a energia verticalmente e fazemos uma linha horizontal para cada valor possível da energia. Quando o elétron está livre, ou seja, quando sua energia é positiva, ele pode ter qualquer energia; pode estar se movendo com qualquer velocidade. Já estados ligados não são arbitrários. O átomo deve ter um ou outro de um conjunto de valores possíveis como aqueles mostrados na Fig. 2-9.

Vamos chamar os valores possíveis de energia E_0, E_1, E_2, E_3. Se um átomo está inicialmente em um desses "estados excitados", E_1, E_2, etc., ele não permanece nesse estado indefinidamente. Cedo ou tarde, ele cai para um estado mais baixo e irradia energia em forma de luz. A frequência da luz que é emitida é determinada pela conservação da energia mais o entendimento de que a frequência está relacionada com a energia da luz por (2.1). Portanto a frequência da luz que é liberada em uma transição da energia E_3 para a energia E_1 (por exemplo) é

$$\omega_{31} = (E_3 - E_1)/\hbar. \quad (2.14)$$

Essa, então, é a frequência característica de um átomo e define uma linha de emissão espectral. Outra possível transição seria de E_3 para E_0. Essa teria uma frequência diferente

$$\omega_{30} = (E_3 - E_0)/\hbar. \quad (2.15)$$

Outra possibilidade seria se o átomo estivesse excitado no estado E_1 e pudesse cair para o estado fundamental E_0 emitindo um fóton de frequência

$$\omega_{10} = (E_1 - E_0)/\hbar. \quad (2.16)$$

A razão para tomarmos três transições é para apontarmos uma relação interessante. É fácil ver de (2.14), (2.15) e (2.16) que

$$\omega_{30} = \omega_{31} + \omega_{10}. \quad (2.17)$$

Em geral, se temos duas linhas espectrais, podemos esperar uma outra linha com a soma das frequências (ou diferença das frequências) e que todas as linhas podem ser entendidas encontrando uma série de níveis tal que a cada linha corresponde uma diferença de energia de algum par de níveis. Essa extraordinária coincidência em frequências es-

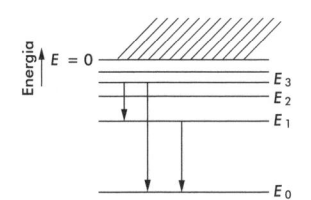

Figura 2–9 Diagrama de energia para um átomo, mostrando diversas transições possíveis.

pectrais foi notada antes da mecânica quântica ser descoberta e é chamada de *princípio de combinação de Ritz*. Novamente, isso é um mistério do ponto de vista da mecânica clássica. Não podemos menosprezar que a mecânica clássica falha no domínio atômico; acho que demonstramos isso muito bem.

Já falamos sobre a mecânica quântica como sendo representada por amplitudes que se comportam como ondas, com certas frequências e números de onda. Vejamos como isso aparece do ponto de vista de amplitudes em que o átomo tenha estados de energia definida. Isso é algo que não podemos compreender com relação ao que foi dito até agora, mas estamos familiarizados com o fato de que ondas confinadas têm frequências definidas. Por exemplo, se o som é confinado em um tubo de um órgão musical, ou algo semelhante, então há mais de um modo pelo qual o som pode vibrar, e para cada modo existe uma frequência definida. Então um objeto em que as ondas são confinadas tem certas frequências de ressonância. Essa é uma propriedade de ondas confinadas no espaço – um assunto que vamos discutir posteriormente em detalhes e com fórmulas –, que elas existem apenas com frequências definidas. E como a relação geral existe entre frequências de amplitudes e energia, não estamos surpresos em encontrar energias definidas associadas com elétrons ligados em átomos.

2–6 Implicações filosóficas

Vamos considerar brevemente algumas implicações filosóficas da mecânica quântica. Como sempre, existem dois aspectos do problema: um é a implicação filosófica para a física, e o outro é a extrapolação dos assuntos filosóficos para outras áreas. Quando ideias filosóficas associadas com ciência são levadas para outro campo, em geral elas são completamente distorcidas. Portanto, vamos restringir nossos comentários tanto quanto possível à própria física.

Antes de mais nada, o aspecto mais interessante é a ideia do princípio da incerteza; fazer uma observação afeta o fenômeno. Sempre se soube que fazer uma observação afeta o fenômeno, mas a questão é que o efeito não pode ser desprezado ou minimizado ou decrescido arbitrariamente por reajuste do aparato. Quando olhamos para um certo fenômeno, inevitavelmente o perturbamos de um modo mínimo, e *a perturbação é necessária para a consistência do ponto de vista*. O observador algumas vezes foi importante na física pré-quântica, mas apenas de um modo trivial. O problema foi colocado: se uma árvore cai na floresta e não há alguém observando, ela faz barulho? Uma árvore de *verdade* caindo em uma floresta de *verdade* faz barulho, é claro, mesmo que ninguém esteja lá. Mesmo que ninguém esteja presente, outros indícios existem. O som balança algumas folhas e, se formos cuidadosos o suficiente, poderemos ver em algum lugar que um espinho encostou em uma folha e deixou um arranhão que não poderia ser explicado a menos que assumíssemos que a folha estava vibrando. De alguma forma, teríamos de admitir que houve um som. Podemos perguntar: houve uma *sensação* de som? Não, sensação tem a ver, presumivelmente, com consciência. E se formigas têm consciência e se havia formigas na floresta ou se a árvore tinha consciência, não sabemos. Vamos deixar o problema dessa forma.

Outra coisa enfatizada desde que a mecânica quântica foi desenvolvida foi a ideia de que não devemos falar sobre coisas que não podemos medir. (Na verdade, a teoria da relatividade também disse isso.) Se uma coisa não pode ser definida por uma medida, ela não terá importância na teoria, e uma vez que um valor preciso do momento de uma partícula localizada não pode ser definido por uma medida, ele não tem importância. A ideia de que isso era o que importava em mecânica clássica é uma *posição falsa*. É uma análise descuidada da situação. Só porque não podemos *medir* a posição e o momento precisamente, não significa *a priori* que *não* podemos falar sobre eles. Significa apenas que não *precisamos* falar deles. A situação em ciência é esta: um conceito ou uma ideia que não pode ser medida ou não pode ser associada diretamente a um experimento pode ou não ser útil. Não precisa existir na teoria. Em outras palavras, suponha que comparemos a teoria clássica do mundo com a teoria quântica do mundo, e suponha que é verdade experimentalmente que só podemos medir posição e momento imprecisamente. A questão é se as *ideias* da posição exata de uma partícula e o momento exato de uma partícula são ou não válidas. A teoria clássica admite a ideia; a teoria quântica não. Isso por si só não significa que a física clássica esteja errada. Quando a nova mecânica quântica foi descoberta, as pessoas clássicas – o que incluía todo mundo excetuando Heisenberg, Schrödinger e Born – disseram: "Olha, sua teoria não é boa porque você não consegue responder a certas questões como: qual é a posição exata de uma partícula? Por qual orifício a partícula passou? E algumas outras mais". A resposta de Heisenberg era: "Eu não preciso responder a essas perguntas porque você não consegue fazer essa pergunta experimentalmente". Não *temos* de fazer. Considere duas teorias, (a) e (b); (a) contém uma ideia que não pode ser conferida diretamente mas que é usada na análise, e (b) não contém essa ideia. Se elas discordarem nas previsões, não podemos anunciar que (b) é falsa porque ela não pode explicar essa ideia que está em (a), porque essa ideia é uma das coisas que não podem ser conferidas experimentalmente. É sempre bom saber quais ideias não podem ser conferidas diretamente, mas não é necessário removê-las. Não é verdade que só poderemos desenvolver ciência usando apenas os conceitos diretamente suscetíveis a experimento.

Na própria mecânica quântica existe a amplitude de probabilidade, existe um potencial e existem muitas construções que não podemos medir diretamente. A base da ciência é sua habilidade de fazer *previsões*. Prever significa dizer o que vai acontecer em um experimento que nunca foi realizado. Como podemos fazer isso? Assumindo que sabemos o que está lá independentemente do experimento. Precisamos extrapolar os experimentos para uma região em que eles nunca estiveram. Precisamos tomar nossos conceitos e estendê-los para regiões onde ainda não foram conferidos. Se não fizermos isso, não teremos previsões. Então era perfeitamente razoável para o físico clássico prosseguir e supor que a posição – que significa bastante em um jogo de *baseball* – significava alguma coisa para um elétron. Não era estupidez. Era um procedimento razoável. Hoje dizemos que as leis da relatividade são corretas em todas as energias, mas algum dia alguém pode aparecer e dizer que éramos estúpidos. Não sabemos quando somos "estúpidos" até "colocarmos nossos pescoços sob risco", e então a ideia toda é colocar o pescoço em risco. E a única maneira de descobrirmos que estamos errados é descobrir se nossas previsões estão. É absolutamente necessário fazer construções conceituais.

Já fizemos alguns comentários sobre a indeterminação da mecânica quântica. Ou seja, que somos incapazes de prever o que vai acontecer em física em uma dada circunstância arranjada tão cuidadosamente quanto possível. Se temos um átomo que está em um estado excitado e portanto vai emitir um fóton, não podemos dizer *quando* ele vai emitir o fóton. Existe uma certa amplitude de emitir o fóton em qualquer instante, e podemos apenas prever a probabilidade de emissão; não podemos prever o futuro exatamente. Isso originou todo tipo de questões sem sentido sobre desejos e liberdade e a noção de que o mundo é incerto.

Devemos enfatizar que a física clássica também é indeterminada, em um certo sentido. Normalmente pensamos que essa indeterminação, segundo a qual não podemos prever o futuro, é uma coisa importante da mecânica quântica, e diz-se que explica o comportamento da mente, sensações de vontade própria, etc. Se o mundo *fosse* clássico – se as leis da mecânica fossem clássicas –, não é óbvio que a mente não se sentiria mais ou menos do mesmo jeito. É verdade classicamente que se soubéssemos a posição e a velocidade de cada partícula do mundo, ou em uma caixa com gás, poderíamos prever exatamente o que aconteceria. E portanto o mundo clássico é determinista. Suponha, no entanto, que nossa precisão fosse finita e não soubéssemos a posição exata de um único átomo, digamos com uma parte em um bilhão. À medida que prossegue, ele colide com outro átomo, e como não sabíamos a posição com um erro menor que uma parte em um bilhão, vamos ter um erro maior na posição após essa colisão. Isso, evidentemente, é ampliado na próxima colisão, de forma que se começamos com um erro ínfimo ele rapidamente cresce para uma grande incerteza. Para dar um exemplo: se água cai de uma represa, ela respinga. Se estivermos perto, de vez em quando uma gota atingirá nosso nariz. Isso parece ser totalmente ao acaso, e ainda assim tal comportamento seria previsto pelas leis puramente clássicas. A posição exata de todas as gotas depende do movimento preciso da água antes de passar pela represa. Como? A menor irregularidade será amplificada na queda, de forma que obtemos completo acaso. Obviamente não podemos realmente prever a posição das gotas, a menos que saibamos o movimento da água com *absoluta exatidão*.

Falando mais precisamente, dada uma precisão arbitrária, não importa quão precisa, podemos encontrar um tempo suficientemente longo para o qual não poderemos fazer previsões válidas para esse longo tempo. Agora a questão é que esse tempo não é tão longo. O tempo não tem de ser de milhões de anos se a precisão for de uma parte em um bilhão. O tempo vai, na verdade, de modo logarítmico com o erro, e ocorre que em um tempo muito, muito curto, perdemos toda a informação. Se a precisão for de uma parte em um bilionésimo de bilionésimo de bilionésimo – tantos bilionésimos quanto queiramos, mas desde que pare em algum momento –, poderemos achar um tempo menor que aquele para especificar a precisão – depois do qual não poderemos mais prever o que vai acontecer! Portanto não é correto dizer que da aparente liberdade e indeterminação da mente humana, deveríamos ter percebido que a física determinística clássica nunca poderia entender e acolher a mecânica quântica como liberação de um universo completamente mecanístico, pois já na mecânica clássica havia indeterminação de um ponto de vista prático.

3

Amplitudes de Probabilidade

3–1 As leis para combinar amplitudes

Quando Schrödinger descobriu as leis corretas da mecânica quântica, ele escreveu uma equação que descrevia a amplitude de encontrar uma partícula em vários lugares. Essa equação era muito semelhante às equações que já eram conhecidas dos físicos clássicos – equações que eles já tinham usado para descrever o movimento do ar em uma onda sonora, a transmissão da luz e aí por adiante. Então, no começo da mecânica quântica, a maior parte do tempo foi usada para resolver essa equação. Ao mesmo tempo, desenvolvia-se uma compreensão, particularmente por Born e Dirac, das ideias físicas básicas por trás da mecânica quântica. Enquanto a mecânica quântica progredia, percebia-se que havia um grande número de coisas que não eram abarcadas pela equação de Schrödinger – como o spin do elétron e vários fenômenos relativísticos. Tradicionalmente, todos os cursos de mecânica quântica começavam da mesma forma, retratando o caminho do desenvolvimento histórico do assunto. Primeiro aprendíamos um bocado sobre mecânica clássica, de forma que estávamos aptos a entender como resolver a equação de Schrödinger. Então se gastava um longo tempo trabalhando nas diversas soluções. Só depois de um estudo detalhado dessa equação é que se passava ao assunto "avançado" do spin do elétron.

Também consideramos inicialmente que o caminho certo para concluir esse curso era mostrar como resolver as equações da física clássica em situações complicadas – como a descrição de ondas sonoras em regiões confinadas, modos de radiação eletromagnética em cavidades cilíndricas e por aí. Esse era o plano original desse curso. Entretanto, decidimos abandonar esse plano e dar uma introdução à mecânica quântica. Chegamos à conclusão de que as chamadas "partes avançadas" da mecânica quântica são de fato muito simples. A matemática necessária é particularmente simples, envolvendo operações algébricas simples sem equações diferenciais ou no máximo as mais simples delas. O único problema é que temos de pular a lacuna de não sermos mais capazes de descrever o comportamento *em detalhe* das partículas no espaço. Então isto é o que tentaremos fazer: falar sobre o que convencionalmente é chamado de parte "avançada" da mecânica quântica. Posso assegurar, sem dúvidas, que elas são partes simples – no sentido profundo da palavra – e também as partes mais básicas. Isso será, com toda franqueza, um experimento pedagógico; nunca foi feito anteriormente, até onde sabemos.

Sobre esse assunto, temos a dificuldade de que o comportamento quântico das coisas é particularmente estranho. Ninguém tem experiência cotidiana para se amparar e obter uma ideia ou intuição do que ocorrerá. Portanto há duas maneiras de apresentar o assunto. Podemos descrever o que pode acontecer de uma forma física imprecisa, contando mais ou menos o que acontece sem dar as leis precisas; ou podemos dar as leis precisas em suas formas abstratas, mas, por causa da abstração, você não saberia muito bem do que se trata fisicamente. O último método não é satisfatório porque é completamente abstrato, e o primeiro deixa uma sensação desconfortável porque não saberíamos exatamente o que é verdadeiro e o que é falso. Não sabemos bem como superar essa dificuldade. Você notará que os Capítulos 1 e 2 apresentaram esse problema. O primeiro capítulo foi razoavelmente preciso; mas o segundo foi uma vaga descrição das características de fenômenos distintos. Aqui vamos tentar encontrar um meio-termo satisfatório entre os dois extremos.

Vamos começar este capítulo tratando de algumas ideias gerais da mecânica quântica. Algumas afirmações serão bem mais precisas que outras. Vai ser difícil, à medida que prosseguimos, fazer a distinção, mas quando terminar o livro você entenderá, ao olhar para trás, quais as partes precisas e quais foram explicações vagas. O capítulo seguinte não será tão impreciso. Na verdade, uma das razões de tentarmos ser cuidadosamente precisos nos capítulos seguintes é que podemos mostrar uma das coisas mais bonitas da mecânica quântica – o tanto que se pode deduzir de tão pouco.

Começamos discutindo novamente a superposição das *amplitudes de probabilidade*. Como um exemplo, vamos nos referir ao experimento descrito no Capítulo 1 e mostrado de

3–1 As leis para combinar amplitudes

3–2 O padrão de interferência de duas fendas

3–3 Espalhamento em um cristal

3–4 Partículas idênticas

novo na Fig. 3-1. Existe uma fonte *s* de partículas, digamos elétrons; também existe uma parede com dois orifícios; após a parede existe um detector localizado em alguma posição *x*. Então perguntamos qual é a probabilidade de a partícula ser encontrada em *x*. Nosso *primeiro princípio geral* da mecânica quântica diz que a *probabilidade* de que uma partícula chegue em *x*, quando sai da fonte *s*, pode ser representada quantitativamente pelo quadrado de um número complexo chamado de *amplitude de probabilidade* – nesse caso, a "amplitude que uma partícula saindo de *s* chega em *x*". Vamos usar essas amplitudes com tanta frequência que usaremos uma abreviatura – inventada por Dirac e muito usada em mecânica quântica – para representar essa ideia. Escrevemos a amplitude de probabilidade desta forma:

$$\langle \text{Partícula chega em } x \mid \text{partícula deixa } s \rangle \tag{3.1}$$

Em outras palavras, o colchete $\langle \ \rangle$ é um sinal equivalente a "a amplitude de que"; a expressão do lado *direito* da linha vertical dá a condição *inicial* e a do lado esquerdo, a condição *final*. Algumas vezes, será conveniente abreviar ainda mais e descrever as condições inicial e final por letras simples. Por exemplo, em algumas ocasiões podemos escrever a amplitude (3.1) como,

$$\langle x \mid s \rangle. \tag{3.2}$$

Queremos enfatizar que tal amplitude, evidentemente, é apenas um número – um número *complexo*.

Já vimos, na discussão do Capítulo 1, que quando existem duas maneiras de a partícula chegar ao detector, a amplitude resultante não é a soma das duas amplitudes, mas deve ser escrita como o módulo quadrado da soma das duas amplitudes. Tínhamos que a probabilidade de um elétron chegar ao detector quando ambos os caminhos estão abertos é

$$P_{12} = |\phi_1 + \phi_2|^2. \tag{3.3}$$

Queremos agora colocar esse resultado usando a nova notação. Primeiro, entretanto, queremos estabelecer nosso *segundo princípio geral* da mecânica quântica: quando uma partícula pode alcançar um certo estado por duas rotas possíveis, a amplitude total para o processo é a *soma das amplitudes* para cada rota separadamente. Em nossa nova notação, escrevemos que

$$\langle x \mid s \rangle_{\text{ambos os orifícios abertos}} = \langle x \mid s \rangle_{\text{através de 1}} + \langle x \mid s \rangle_{\text{através de 2}}. \tag{3.4}$$

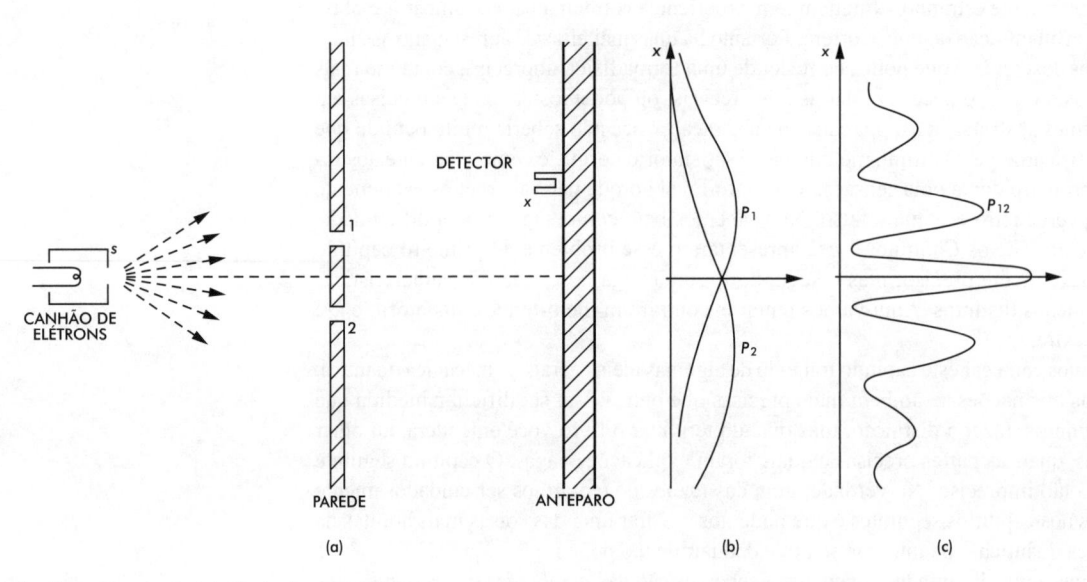

Figura 3–1 Experimento de interferência com elétrons.

Agora vamos supor que os orifícios 1 e 2 são suficientemente pequenos de tal forma que quando dissermos que o elétron passou através do orifício, não precisamos discutir em qual parte do orifício. Poderíamos evidentemente, dividir cada orifício em partes com certa amplitude de que o elétron vá por cima ou por baixo do orifício e assim por diante. Vamos supor que o orifício é suficientemente pequeno de forma que não tenhamos que nos preocupar com esses detalhes. Isso é parte da descrição vaga envolvida; o assunto pode ser colocado de forma precisa, mas não queremos fazê-lo neste estágio.

Agora queremos escrever em mais detalhes o que podemos dizer sobre a amplitude para o processo no qual o elétron chega ao detector em x pelo orifício 1. Podemos fazer isso usando o nosso *terceiro princípio geral*: quando uma partícula vai por alguma rota particular, a amplitude para aquela rota pode ser escrita como o *produto* da *amplitude* para ir parte do caminho com a *amplitude* para ir o restante. Para o arranjo da Fig. 3-1, a amplitude para ir de s a x pelo orifício 1 é igual à amplitude para ir de s até 1, multiplicado pela amplitude para ir de 1 a x.

$$\langle x | s \rangle_{\text{via 1}} = \langle x | 1 \rangle \langle 1 | s \rangle \tag{3.5}$$

De novo, esse resultado não é completamente preciso. Devemos também incluir um fator para a amplitude de que o elétron passará pelo orifício 1; mas no caso presente ele é um orifício simples, e tomaremos esse fator como unitário.

Você notará que a Eq. (3.5) parece estar em ordem reversa. Deve ser lida da direita para a esquerda: o elétron vai de s a 1 e então de 1 a x. Em resumo, se os eventos ocorrem em sequência – ou seja, você pode analisar uma das rotas da partícula dizendo ela faz isso, daí ela faz isso, então faz aquilo – a amplitude resultante para essa rota da partícula é calculada multiplicando em sequência as amplitudes para cada um dos eventos sucessivos. Usando essa lei, podemos escrever a Eq. (3.4) como

$$\langle x | s \rangle_{\text{ambos}} = \langle x | 1 \rangle \langle 1 | s \rangle + \langle x | 2 \rangle \langle 2 | s \rangle.$$

Agora queremos mostrar que usando esses princípios podemos calcular um problema muito mais complicado como aquele mostrado na Fig. 3-2. Aqui temos duas paredes, uma com dois orifícios, 1 e 2, e outra com três orifícios, a, b e c. Atrás da segunda parede existe um detector em x, e queremos conhecer a amplitude da partícula que chegar lá. Bem, uma maneira de você encontrar isso é calculando a superposição, ou interferência, das ondas que passam; mas, também pode fazer dizendo que existem seis possíveis rotas e superpor as amplitudes de cada uma. O elétron pode ir pelo orifício 1, então através do orifício a e então a x; ou ele pode ir através do orifício 1, então pelo orifício b e então a x; e por aí vai. De acordo com nosso segundo princípio, as amplitudes de rotas alternativas se somam, então devemos poder escrever a amplitude de s a x como uma soma de seis amplitudes separadas. Por outro lado, usando o terceiro princípio, cada uma dessas amplitudes separadas pode ser escrita como um produto de três amplitudes. Por exemplo, uma delas é a amplitude de s a 1, vezes a amplitude 1 até a, vezes a amplitude de a até x. Usando nossa notação abreviada, podemos escrever a amplitude completa para ir de s até x como

$$\langle x | s \rangle = \langle x | a \rangle \langle a | 1 \rangle \langle 1 | s \rangle + \langle x | b \rangle \langle b | 1 \rangle \langle 1 | s \rangle + \ldots + \langle x | c \rangle \langle c | 2 \rangle \langle 2 | s \rangle.$$

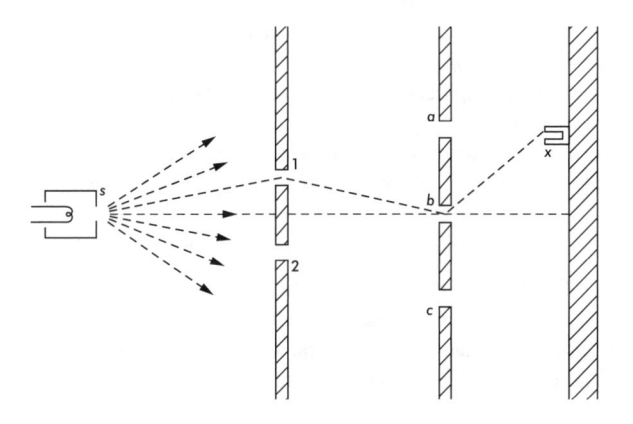

Figura 3-2 Um experimento de interferência mais complicado.

Podemos economizar na escrita usando a notação de somatório

$$\langle x \mid s \rangle = \sum_{\substack{i=1,2 \\ \alpha=a,b,c}} \langle x \mid \alpha \rangle \langle \alpha \mid i \rangle \langle i \mid s \rangle. \tag{3.6}$$

Naturalmente, para ser capaz de fazer cálculos usando esses métodos é necessário conhecer as amplitudes para ir de um lugar a outro. Vamos dar uma vaga ideia de uma amplitude típica. Deixaremos de fora alguns itens como polarização da luz ou o spin do elétron, mas afora esses aspectos ela é bastante precisa. Nós o faremos para que você possa resolver problemas envolvendo várias combinações de fendas. Suponha que uma partícula de energia definida esteja indo no espaço vazio de uma localização $\mathbf{r}_1$ para uma localização $\mathbf{r}_2$. Em outras palavras, é uma partícula livre sem forças sobre ela. Exceto por um fator numérico na frente, a amplitude para ir de $\mathbf{r}_1$ a $\mathbf{r}_2$ é

$$\langle \mathbf{r}_2 \mid \mathbf{r}_1 \rangle = \frac{e^{i\mathbf{p}\cdot\mathbf{r}_{12}/\hbar}}{r_{12}}, \tag{3.7}$$

onde, $\mathbf{r}_{12} = \mathbf{r}_2 - \mathbf{r}_1$ e $\mathbf{p}$ é o momento que está relacionado com a energia E pela equação relativística

$$p^2 c^2 = E^2 - (m_0 c^2)^2,$$

ou a equação não relativística

$$\frac{p^2}{2m} = \text{Energia cinética}.$$

A Equação (3.7) diz que a partícula tem propriedades ondulatórias, a amplitude se propagando como uma onda com número de onda igual ao momento dividido por $\hbar$.

No caso mais geral, a amplitude e a correspondente probabilidade também dependerão do tempo. Para a discussão inicial, vamos supor que a fonte sempre emite partículas com uma certa energia e então não precisamos nos preocupar com o tempo, mas podíamos estar interessados em outras questões. Suponha que uma partícula é liberada em um certo ponto P em um certo tempo e você gostaria de saber a sua amplitude ao chegar em uma localização $\mathbf{r}$, em algum tempo posterior. Isso poderia ser representado simbolicamente como a amplitude $\langle \mathbf{r}, t = t_1 \mid P, t = 0 \rangle$. Claramente isso dependerá tanto de $\mathbf{r}$ como de t. Você obterá diferentes resultados se puser o detector em diferentes lugares e medir em diferentes tempos. Essa função de $\mathbf{r}$ e t, em geral, satisfaz à equação diferencial que é uma equação de onda. Por exemplo, no caso não relativístico, é a equação de Schrödinger. Temos então uma equação de onda análoga à equação para ondas eletromagnéticas ou ondas sonoras em um gás. Entretanto deve ser enfatizado que a função de onda que satisfaz à equação não é uma onda real no espaço; não podemos atribuir nenhuma realidade a essa onda como fazemos com a onda sonora.

Embora sejamos tentados a pensar em termos de "ondas de partículas", não é uma boa ideia, pois se existissem, digamos, duas partículas, as amplitudes para encontrar uma em $\mathbf{r}_1$ e a outra em $\mathbf{r}_2$ não é uma simples onda no espaço tridimensional, mas seria uma onda com *seis* variáveis espaciais $\mathbf{r}_1$ e $\mathbf{r}_2$. Se estivermos tratando, por exemplo, com duas (ou mais) partículas, vamos precisar do seguinte princípio adicional: desde que duas partículas não interajam, a amplitude que uma partícula faça uma coisa *e* a outra partícula faça outra é o produto das duas amplitudes que as duas partículas façam as duas coisas, separadamente. Por exemplo, se $\langle a \mid s_1 \rangle$ for a amplitude para a partícula 1 ir de s_1 até a e $\langle b \mid s_2 \rangle$ é a amplitude para a partícula 2 ir de s_2 até b, a amplitude para *ambas* ocorrerem conjuntamente é

$$\langle a \mid s_1 \rangle \langle b \mid s_2 \rangle.$$

Existe mais um ponto a enfatizar. Suponha que não saibamos de onde a partícula na Fig. 3-2 vem antes de chegar aos orifícios 1 e 2 da primeira parede. Ainda assim, podemos fazer uma previsão do que ocorrerá além da parede (por exemplo, a amplitude de chegar em x) desde que nos sejam dados dois números: a amplitude de ter chegado em 1 e a amplitude de ter chegado em 2. Em outras palavras, devido ao fato de que as amplitudes para eventos sucessivos se multiplicam, como mostrado na Eq. (3.6), tudo que você precisa saber para continuar a análise são dois números – neste caso particular, $\langle 1 \mid s \rangle$ e $\langle 2 \mid s \rangle$. Esses dois números complexos são suficientes para prever todo o futuro. Isso é o que de fato torna a mecânica quântica fácil. Ocorre que em capítulos posteriores vamos justamente fazer isso quando especificarmos uma condição inicial em termos de dois (ou alguns) números. Naturalmente, esses números dependerão de onde a fonte está localizada e possivelmente de outros detalhes sobre o aparato, mas dados dois números, não precisamos saber de mais detalhes.

3–2 O padrão de interferência de duas fendas

Agora gostaríamos de considerar um assunto que foi discutido no Capítulo 1. Desta vez, o faremos com toda a gloriosa ideia de amplitude para mostrar como ela de fato funciona. Tomamos o mesmo experimento mostrado na Fig. 3-1, mas agora com a adição de uma fonte de luz atrás dos dois orifícios, como mostrado na Fig. 3-3. No Capítulo 1, descobrimos o seguinte resultado interessante. Se olhássemos atrás da fenda 1 e víssemos um fóton espalhado dali, então a distribuição obtida para os elétrons em x em coincidência com esses fótons era a mesma que se a fenda 2 estivesse fechada. A distribuição total para elétrons que eram "vistos" na fenda 1 ou na fenda 2 era a soma das distribuições separadas e era completamente diferente da distribuição com a luz apagada. Isso era verdade, ao menos se usássemos luz de comprimento de onda suficientemente pequeno. Se o comprimento de onda fosse aumentado e não pudéssemos ter certeza de em qual orifício ocorrera o espalhamento, a distribuição se tornava mais parecida com aquela da luz apagada.

Vamos examinar o que está ocorrendo usando nossa nova notação e os princípios de combinação de amplitudes. Para simplificar a escrita, podemos novamente usar ϕ_1 para representar a amplitude de que o elétron chegará em x pelo orifício 1, ou seja,

$$\phi_1 = \langle x \mid 1 \rangle \langle 1 \mid s \rangle.$$

Analogamente, ϕ_2 representa a amplitude para o elétron chegar no detector através do orifício 2:

$$\phi_2 = \langle x \mid 2 \rangle \langle 2 \mid s \rangle.$$

Essas são as amplitudes para ir pelos dois orifícios e chegar em x se não houver luz. Se houver luz, fazemos a seguinte pergunta: qual é a amplitude para o processo no qual o elétron começa em s e um fóton é liberado pela fonte de luz L, finalizando com o elétron em x e um fóton visto atrás da fenda 1? Suponha que observemos o fóton atrás da fenda 1 por meio de um detector D_1, como mostrado na Fig. 3-3, e usamos um detector similar D_2 para contar os fótons espalhados atrás do orifício 2. Haverá uma amplitude para um

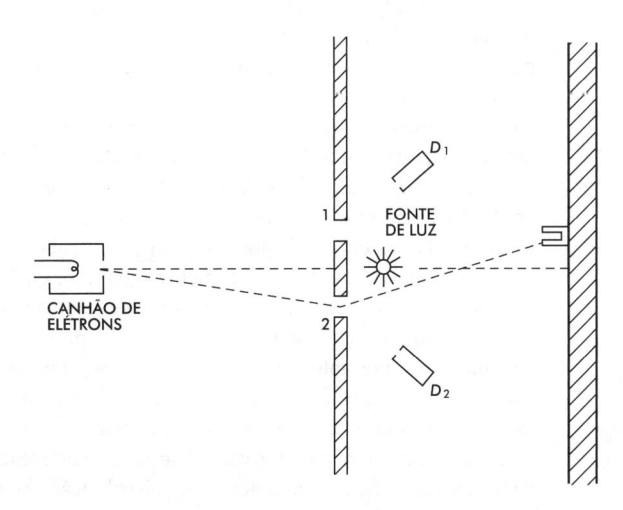

Figura 3–3 Um experimento para determinar qual orifício o elétron atravessa.

fóton chegar em D_1 e um elétron chegar em x e também uma amplitude para o fóton chegar em D_2 e um elétron em x. Vamos tentar calculá-las.

Embora não tenhamos a fórmula matemática correta para todos os fatores que entram nesse cálculo, você vai ver o espírito da coisa na discussão seguinte. Primeiro, existe a amplitude $\langle 1 | s \rangle$ que um elétron vai da fonte para o orifício 1. Então podemos supor que existe uma certa amplitude que enquanto o elétron está no orifício 1 ele espalhe um fóton no detector D_1. Vamos representar essa amplitude por a. Em seguida há a amplitude $\langle x | 1 \rangle$ que o elétron vai da fenda 1 para o detector de elétron em x. A amplitude que o elétron vai de s para x via fenda 1 *e* espalha um fóton em D_1 é, então,

$$\langle x | 1 \rangle a \langle 1 | s \rangle.$$

Ou, em nossa notação prévia, simplesmente $a\phi_1$.

Há também alguma amplitude que um elétron indo através da fenda 2 irá espalhar um fóton no contador D_1. Você diz, "isso é impossível; como pode espalhar para o contador D_1 se apontamos somente para o orifício 1?". Se o comprimento de onda for suficientemente longo, existem efeitos de difração e é certamente possível. Se o aparato for bem construído e se usarmos fótons de comprimentos de onda curtos, então a amplitude que um fóton será espalhado para o detector 1 de um elétron em 2 será muito pequena. Para manter a discussão geral queremos ter em conta que existe sempre tal amplitude, que vamos chamar de b. Então a amplitude que um elétron vai pela fenda 2 *e* espalha um fóton em D_1 é

$$\langle x | 2 \rangle b \langle 2 | s \rangle = b\phi_2.$$

A amplitude para encontrar um elétron em x e um fóton em D_1 é a soma de dois termos, um para cada possível trajetória do elétron. Cada termo, por sua vez, é composto de dois fatores: primeiro, que o elétron foi através do orifício e, segundo, que o fóton foi espalhado por tal elétron no detector 1; temos

$$\left\langle \begin{matrix} \text{elétron em } x \\ \text{fóton em } D_1 \end{matrix} \middle| \begin{matrix} \text{elétron de } s \\ \text{fóton de } L \end{matrix} \right\rangle = a\phi_1 + b\phi_2. \quad (3.8)$$

Podemos obter uma expressão similar quando o fóton é encontrado no outro detector D_2. Se assumirmos por simplicidade que o sistema é simétrico, então a é também a amplitude para um fóton em D_2 quando o elétron passa através do orifício 1. A amplitude total correspondente para o fóton em D_2 e um elétron em x é

$$\left\langle \begin{matrix} \text{elétron em } x \\ \text{fóton em } D_2 \end{matrix} \middle| \begin{matrix} \text{elétron de } s \\ \text{fóton de } L \end{matrix} \right\rangle = a\phi_2 + b\phi_1. \quad (3.9)$$

Agora terminamos. Podemos facilmente calcular a probabilidade para várias situações. Suponha que queremos saber com que probabilidade obteremos uma contagem em D_1 e um elétron em x. O resultado será o quadrado do valor absoluto da amplitude dada na Eq. (3.8), ou seja, $|a\phi_1 + b\phi_2|^2$. Vamos olhar essa expressão mais cuidadosamente. Antes de mais nada, se b é nulo – que é a maneira como gostaríamos de projetar o aparato – a resposta é simplesmente $|\phi_1|^2$ diminuída na amplitude total por $|a|^2$. Essa é a distribuição de probabilidade que você obteria se houvesse apenas um orifício – como mostrado no gráfico da Fig. 3-4(a). Por outro lado, se o comprimento de onda for muito longo, espalhamento atrás do orifício 2 em D_1 deve ser quase o mesmo que para o orifício 1. Embora possa haver algumas fases envolvidas em a e b, podemos perguntar sobre um caso simples no qual as fases são iguais. Se a for praticamente igual a b, então a probabilidade se torna $|\phi_1 + \phi_2|^2$ multiplicada por $|a|^2$, uma vez que podemos fatorar o termo comum a. Isso entretanto é exatamente a distribuição de probabilidade que obteríamos sem nenhum fóton. Portanto, no caso em que o comprimento de onda é muito longo – e a detecção de fótons é ineficiente –, você retorna à distribuição original que não mostra efeitos de interferência, como mostrado na Fig. 3.4(b). No caso em que a detecção é parcialmente efetiva, existe uma interferência entre um bocado de ϕ_1 e um pouco de ϕ_2, e você obterá uma distribuição intermediária como mostrado

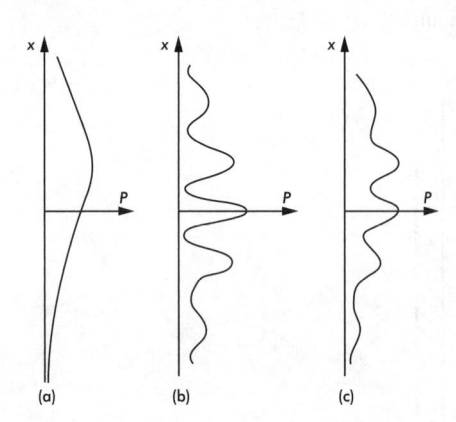

Figura 3-4 A probabilidade de contagem de um elétron em x em coincidência com um fóton em D no experimento da Fig. 3-3: (a) para $b = 0$; (b) para $b = a$; (c) para $0 < b < a$.

na Fig. 3-4(c). É desnecessário dizer que se olharmos para as contagens coincidentes de fótons em D_2 e elétrons em x, vamos obter o mesmo tipo de resultados. Se você lembrar a discussão no Capítulo 1, verá que esses resultados dão a mesma descrição quantitativa do que foi descrito lá.

Agora gostaríamos de enfatizar um ponto importante que o fará evitar um erro comum. Suponha que você só queira a amplitude que um elétron chegue em x, *independentemente* de se os fótons foram contados em D_1 ou D_2. Você deve somar as amplitudes dadas nas Eqs. (3.8) e (3.9)? Não! Você *nunca deve somar amplitudes de estados final diferentes e distintos*. Uma vez que um fóton é aceito por um dos contadores de fóton, se quisermos, podemos sempre determinar qual alternativa ocorreu sem perturbar mais o sistema. Cada alternativa tem uma probabilidade completamente independente da outra. Repetindo, não some amplitudes de diferentes condições *finais*, onde por "final" queremos dizer aquele momento em que a *probabilidade* é desejada – ou seja, quando o experimento é "terminado". Você soma, sim, amplitudes para diferentes alternativas *indistinguíveis* dentro do experimento, antes que termine o processo. Ao final do processo, você pode dizer que "não quer olhar o fóton". Isso é sua escolha, mas ainda assim você não soma as amplitudes. A natureza não sabe o que você está olhando e ela se comporta da forma que se comportará se você se incomoda ou não em anotar os dados. De modo que aqui não devemos somar amplitudes. Primeiro, elevamos ao quadrado as amplitudes dos diferentes possíveis estados finais e então os somamos. O resultado correto para um elétron em x e um fóton em D_1 ou D_2 é

$$\left|\left\langle \begin{matrix} \text{elétron em } x \\ \text{fóton em } D_1 \end{matrix} \middle| \begin{matrix} \text{elétron de } s \\ \text{fóton de } L \end{matrix} \right\rangle\right|^2 + \left|\left\langle \begin{matrix} \text{elétron em } x \\ \text{fóton em } D_2 \end{matrix} \middle| \begin{matrix} \text{elétron de } s \\ \text{fóton de } L \end{matrix} \right\rangle\right|^2$$
$$= |a\phi_1 + b\phi_2|^2 + |a\phi_2 + b\phi_1|^2. \quad (3.10)$$

3–3 Espalhamento em um cristal

Nosso próximo exemplo é um fenômeno no qual temos de analisar a interferência de amplitudes de probabilidade cuidadosamente. Olharemos para o processo de espalhamento de nêutrons por um cristal. Suponha que tenhamos um cristal com uma porção de átomos com núcleos em seus centros, arranjados de forma periódica e um feixe de nêutrons que incide vindo de bem distante. Podemos rotular os vários núcleos no cristal com um índice i, que varia como números inteiros 1, 2, 3,... N, com N igual ao número total de átomos. O problema é calcular a probabilidade de obter um nêutron no contador com o arranjo mostrado na Fig. 3-5. Para qualquer átomo i, a amplitude que um nêutron chegue no contador C é a amplitude que o nêutron vá da fonte S ao núcleo i, multiplicado pela amplitude a de que ele seja espalhado lá, multiplicado pela amplitude de sair de i e chegar em C. Vamos escrever:

$$\langle \text{nêutron em } C \mid \text{nêutron de } S \rangle_{\text{via } i} = \langle C \mid i \rangle a \langle i \mid S \rangle \quad (3.11)$$

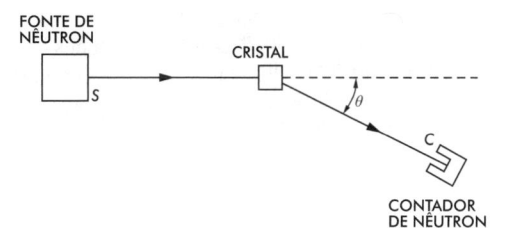

Figura 3–5 Medição do espalhamento de nêutrons por um cristal.

Ao escrever essa equação, assumimos que a amplitude de espalhamento a é a mesma para todos os átomos. Temos aqui um grande número de rotas aparentemente indistinguíveis. Elas são indistinguíveis porque um nêutron de baixa energia é espalhado pelo núcleo sem retirar o átomo de seu lugar no cristal – nenhum "registro" é deixado pelo espalhamento. De acordo com a discussão anterior, a amplitude total para um nêutron em C envolve uma soma da Eq. (3.11) sobre todos os átomos:

$$\langle \text{nêutron em } C \mid \text{nêutron de } S \rangle = \sum_{i=1}^{N} \langle C \mid i \rangle a \langle i \mid S \rangle. \quad (3.12)$$

Uma vez que estamos somando amplitudes de espalhamento para átomos com diferentes posições espaciais, as amplitudes terão diferentes fases dando um padrão de interferência característico que já analisamos no caso do espalhamento de luz por uma grade.

A intensidade do nêutron como função do ângulo em tais experimentos mostra frequentemente uma tremenda variação, com picos estreitos de interferência e quase nada entre eles – como mostrado na Fig. 3-6(a). Entretanto, para alguns cristais isso não funciona assim, e existe – além dos picos de interferência discutidos anteriormente – um fundo geral de espalhamento em todas as direções. Temos de tentar entender a razão aparentemente misteriosa para isso. Bem, não consideramos uma importante propriedade do nêutron. Ele tem um spin de valor ½ e, portanto, existem duas condições nas quais ele pode estar: ou spin para cima ("*up*", digamos perpendicular à página) ou spin para baixo ("*down*"). Se os núcleos do cristal não têm spin, o spin do nêutron não tem efeito algum, mas quando os núcleos do cristal também têm spin, digamos um spin ½, você vai observar o fundo borrado de espalhamento descrito acima. A explicação é a seguinte.

Se o nêutron tem uma direção de spin e o núcleo atômico tem o mesmo spin, então nenhuma mudança de spin pode ocorrer no processo de espalhamento. Se o nêutron e o núcleo atômico têm spins opostos, o espalhamento pode ocorrer por dois processos, um no qual os spins são inalterados e outro no qual eles são trocados. Essa regra de que não pode haver mudança da soma dos spins é análoga à lei clássica de conservação do momento angular. Podemos começar a entender esse fenômeno se assumirmos que todos os núcleos espalhadores são arranjados com o spin em uma direção. Um nêutron com o mesmo spin vai espalhar com a distribuição estreita de interferência, como esperado. E um com spin oposto? Se ele espalhar sem inversão de spin, então nada muda; mas se os dois spins invertem no espalhamento, poderíamos, em princípio, encontrar qual o núcleo que fez o espalhamento, uma vez que ele seria o único com spin invertido. Bem, se podemos distinguir um átomo que é responsável pelo espalhamento, o que os outros átomos têm a ver com isso? Nada, é claro. O espalhamento é exatamente o mesmo que aquele de um único átomo.

Para incluir esse efeito, a formulação matemática da Eq. (3.12) deve ser modificada, uma vez que não descrevemos os estados completamente nessa análise. Vamos começar com todos os nêutrons da fonte tendo spin para cima e todos os núcleos do cristal tendo spin para baixo. Primeiro, gostaríamos de uma amplitude para que no contador o spin do nêutron seja para cima *e* todos os spins do cristal sejam para baixo. Isso não é diferente de nossa discussão prévia. Vamos chamar de *a* a amplitude sem inversão ou sem spin. A amplitude de espalhamento do *i*-ésimo átomo é, claramente,

$$\langle C_{\text{para cima}}, \text{cristal todos para baixo} \mid S_{\text{para cima}}, \text{cristal todos para baixo} \rangle = \langle C \mid i \rangle a \langle i \mid S \rangle.$$

Uma vez que todos os spin atômicos ainda são para baixo, as várias alternativas (diferentes valores de *i*) não podem ser distinguidas. Claramente não há como dizer que átomo fez o espalhamento. Para esse processo, todas as amplitudes interferem.

Temos outro caso, entretanto, no qual o spin do nêutron detectado é para baixo, embora tenha começado em *S* com spin para cima. No cristal um dos spins tem de ter mudado para a orientação para cima – digamos que seja o *k*-ésimo átomo. Vamos assumir que existe a mesma amplitude de espalhamento com inversão de spin para cada átomo, ou seja, *b*. (Em um cristal real existe a possibilidade desagradável de que o spin invertido se mova para outro átomo, mas vamos considerar o caso de um cristal para o qual essa possibilidade seja muito pequena.) A amplitude de espalhamento é então

$$\langle C_{\text{para baixo}}, \text{núcleo } k \text{ para cima} \mid S_{\text{para cima}}, \text{cristal todos para baixo} \rangle = \langle C \mid k \rangle b \langle k \mid S \rangle. \quad (3.13)$$

Se perguntarmos pela probabilidade de encontrar o spin do nêutron para baixo e o *k*-ésimo núcleo com spin para cima, ela é igual ao módulo quadrado dessa amplitude, que é simplesmente $|b|^2$ vezes $|\langle C \mid k \rangle \langle k \mid S \rangle|^2$. O segundo fator é quase independente da localização no cristal, e todas as fases desapareceram ao tomar o módulo quadrado. A probabilidade de espalhamento por *qualquer núcleo* no cristal com inversão de spin é agora

$$|b|^2 \sum_{k=1}^{N} |\langle C \mid k \rangle \langle k \mid S \rangle|^2,$$

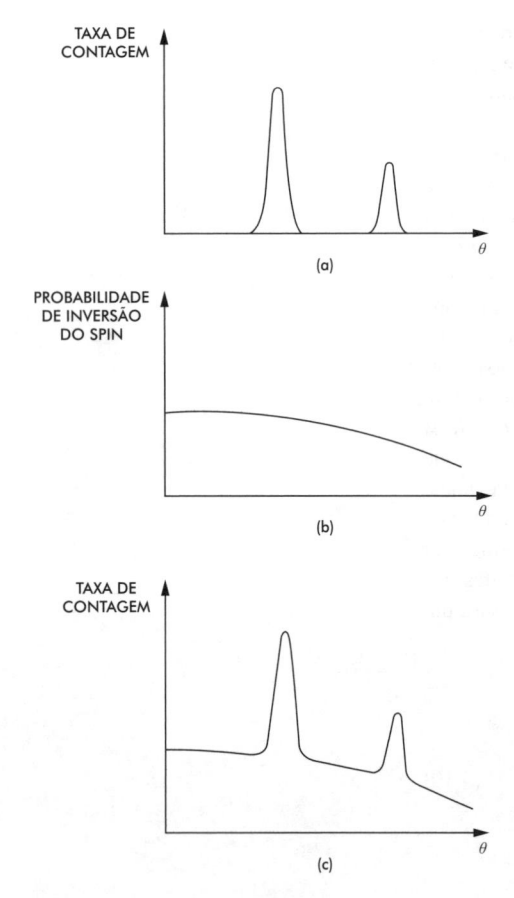

Figura 3–6 A taxa de contagem de nêutrons em função do ângulo: (a) para spin do núcleo nulo; (b) a probabilidade de espalhamento com inversão do spin; (c) a taxa de contagem observada com spin do núcleo ½.

que exibirá uma distribuição suave como na Fig. 3-6(b).

Você pode argumentar, "não me importa qual átomo tem spin para cima". Talvez não, mas a natureza sim; e a probabilidade é, de fato, a que demos acima – não há interferência alguma. Por outro lado, se você perguntar pela probabilidade de que o spin seja para cima no detector e todos os átomos ainda tenham spin para baixo, então temos de tomar o módulo quadrado de

$$\sum_{i=1}^{N} \langle C \mid i \rangle \, a \, \langle i \mid S \rangle.$$

Como os termos da soma têm fases, eles interferem, e obtemos um padrão de interferência estreito. Se fizermos um experimento no qual não observamos o spin do nêutron detectado, então os dois eventos podem ocorrer, e as probabilidades separadas se somam. A probabilidade total (taxa de contagem) como função do ângulo se parecerá com o gráfico da Fig. 3-6(c).

Vamos revisar a física do experimento. Se pudermos *em princípio* distinguir os estados *finais* alternativos (mesmo que você nem se incomode em fazê-lo), a probabilidade *final* total é obtida calculando a *probabilidade* de cada estado (não a amplitude) e somando-as. Se você *não puder* distinguir os estados finais *mesmo em princípio*, então as amplitudes de probabilidade devem ser somadas antes de tomar o módulo quadrado para encontrar a real probabilidade. O que você deve notar particularmente é que se quisesse representar o nêutron apenas por uma onda, você obteria o mesmo tipo de distribuição para o espalhamento de um nêutron com spin para baixo que por um nêutron com spin para cima. Você teria de dizer que a "onda" viria de todos os diferentes átomos e interferiria precisamente como um com o spin para cima com o mesmo comprimento de onda. Contudo, sabemos que não é assim que funciona. Então, como dissemos antes, devemos ser cuidadosos para não atribuir muita realidade para as ondas no espaço. Elas são úteis para alguns problemas, mas não para outros.

3–4 Partículas idênticas

O próximo experimento que vamos descrever mostra uma das belas consequências da mecânica quântica. Ele envolve novamente uma situação física na qual uma coisa pode ocorrer em duas formas *indistinguíveis*, de forma que existe uma interferência de amplitudes – como é *sempre* o caso em tais circunstâncias. Vamos discutir o espalhamento, em energia relativamente baixa, de núcleos com outros núcleos. Começaremos pensando em partículas α (que como você sabe, são núcleos de hélio) bombardeando, digamos, oxigênio. Para facilitar a nossa análise da reação vamos olhá-la no referencial do centro de massa, no qual o núcleo de oxigênio e a partícula α têm suas velocidades em direções opostas antes da colisão e, de novo, exatamente em direções opostas depois da colisão. Veja a Fig. 3-7(a). (As magnitudes das velocidades são, é claro, diferentes, uma vez que as massas são diferentes.) Vamos também supor que há conservação da energia e que a energia da colisão é suficientemente baixa de tal modo que nenhuma partícula se quebra ou é deixada em um estado excitado. A razão para que as duas partículas sejam defletidas é, evidentemente, que cada partícula tem uma carga positiva e, classicamente falando, existe repulsão elétrica entre elas. O espalhamento ocorrerá em ângulos diferentes com probabilidades diferentes, e gostaríamos de discutir alguma coisa sobre a dependência angular desses espalhamentos. (É possível, é claro, calcular isso classicamente, e um dos acasos mais marcantes da mecânica quântica é que a resposta para esse problema é a mesma que a obtida classicamente. Isso é um ponto curioso porque não ocorre para nenhuma outra força exceto a lei de inverso do quadrado – assim é, de fato, acidental.)

A probabilidade de espalhamento em diferentes direções pode ser medida por um experimento como o mostrado na Fig. 3-7(a). O contador na posição 1 pode ser projetado para detectar apenas partículas α; o contador na posição 2 pode ser projetado para detectar apenas oxigênio – só para checar. (No referencial de laboratório, os detectores não estariam em posições opostas, mas no centro de massa eles estão.) Nosso experimento consiste em medir a probabilidade de espalhamento em várias direções. Vamos chamar $f(\theta)$ de a amplitude para espalhar em direção ao contador na posição de ângulo θ; então $|f(\theta)|^2$ será a probabilidade determinada experimentalmente.

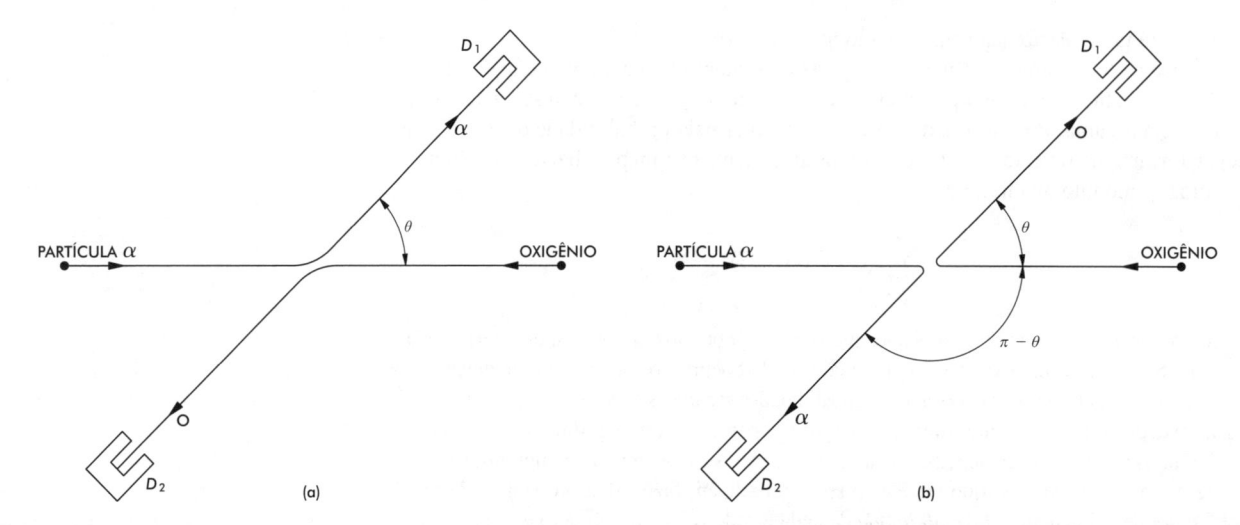

Figura 3-7 O espalhamento de partículas α por núcleos de oxigênio, como visto no referencial do centro de massa.

Agora poderíamos montar outro experimento no qual nossos contadores respondessem *tanto a* partículas α como a núcleos de oxigênio. Então precisamos considerar o que acontece quando não nos importamos em distinguir que partículas são detectadas. Evidentemente, se obtemos um oxigênio na posição θ, tem de haver uma partícula α no lado oposto em um ângulo $(\pi - \theta)$, como mostrado na Fig. 3-7(b). Então se $f(\theta)$ é a amplitude para espalhamento de partículas α em um ângulo θ, então $f(\pi - \theta)$ é a amplitude para espalhamento de oxigênio no ângulo θ.† Então a probabilidade de haver *alguma* partícula no detector da posição 1 é:

$$\text{Probabilidade de \textit{alguma} partícula em } D_1 = |f(\theta)|^2 + |f(\pi - \theta)|^2. \quad (3.14)$$

Note que os dois estados são, em princípio, distinguíveis. Embora nesse experimento *não* façamos distinção entre eles, *nós poderíamos*. De acordo com a discussão anterior, precisamos somar as probabilidades, não as amplitudes.

O resultado visto é correto para uma variedade de alvos de núcleos – para partículas α com oxigênio, com carbono, com berílio, com hidrogênio, *mas é errado para* partículas α com partículas α. Para o caso em que ambas as partículas são exatamente as mesmas, os dados experimentais discordam da previsão dada por (3.14). Por exemplo, a amplitude de espalhamento para 90° é exatamente o dobro do que a teoria prevê e não tem nada a ver com o fato de as partículas serem núcleo de "hélio". Se o alvo for He³, mas os projéteis forem partículas α (He⁴), então existirá concordância. Somente quando o alvo for He⁴ – de forma que os núcleos são idênticos à partícula α incidente –, o espalhamento variará de uma forma peculiar com o ângulo.

Talvez você já possa ver a explicação. Existem duas maneiras de obter uma partícula α no detector: espalhando a partícula α em um ângulo θ, ou espalhando-a em um ângulo $(\pi - \theta)$. Como se pode dizer que foi a partícula α bombardeada ou a partícula alvo que chegou no detector? A resposta é que não se pode. No caso de partículas α com partículas α, existem duas alternativas que não podem ser distinguidas. Aqui, devemos deixar as *amplitudes* de probabilidade interferirem por adição, e a probabilidade de encontrar uma partícula α no contador é o quadrado de sua soma:

$$\text{Probabilidade de uma partícula α em } D_1 = |f(\theta) + f(\pi - \theta)|^2. \quad (3.15)$$

---

† Em geral, uma direção de espalhamento deve, evidentemente, ser descrita por dois ângulos, o ângulo polar ϕ e o ângulo azimutal θ. Então diríamos que um núcleo de oxigênio em (θ, ϕ) significa uma partícula α em $(\pi - \theta, \phi + \pi)$. Entretanto, para espalhamento Coulombiano (e muitos outros casos), a amplitude de espalhamento é independente de ϕ. Então a amplitude para se obter um oxigênio em um ângulo θ é a mesma que a amplitude para obter uma partícula α em um ângulo $(\pi - \theta)$.

Esse é um resultado totalmente diferente daquele em (3.14). Podemos tomar um ângulo de $\pi/2$ como um exemplo, porque é fácil de perceber. Para $\theta = \pi/2$, obviamente temos que $f(\theta) = f(\pi - \theta)$, e então a probabilidade em (3.15) se torna $|f(\pi/2) + f(\pi/2)|^2 = 4|f(\pi/2)|^2$.

Por outro lado, se eles não interferem, a Eq. (3.14) dá apenas $2|f(\pi/2)|^2$. Então há o dobro de espalhamento em 90°, como poderíamos ter esperado. É claro que para outros ângulos os resultados também serão diferentes. Então você obtém o resultado nada usual de que quando as partículas são idênticas, uma coisa nova acontece que não ocorre quando as partículas podem ser distinguidas. Na descrição matemática, você deve somar as amplitudes para processos alternativos em que as duas partículas simplesmente trocam seus papéis e existe uma interferência.

Uma coisa ainda mais surpreendente ocorre quando fazemos o mesmo tipo de experimento espalhando elétrons por elétrons, ou prótons por prótons. Então, nenhum dos dois resultados anteriores é correto! Para essas partículas, temos de invocar ainda uma nova regra, uma regra muito peculiar, que é a seguinte: quando você tem uma situação na qual a identidade do elétron que está chegando em um ponto é trocada por outra, a nova amplitude interfere na antiga com uma *fase oposta*. Ainda é uma interferência, certamente, mas com um sinal negativo. No caso de partículas α, quando você troca a partícula α entrando no detector, as amplitudes que interferem o fazem com um sinal positivo. *No caso de elétrons, as amplitudes que interferem por troca o fazem com um sinal negativo.* Exceto por outro detalhe a ser discutido a seguir, a equação própria para elétrons em um experimento como aquele mostrado na Fig. 3-8 é

$$\text{Probabilidade de elétron em } D_1 = |f(\theta) - f(\pi - \theta)|^2. \tag{3.16}$$

A afirmação anterior deve ser qualificada, porque não consideramos o spin do elétron (partículas α não têm spin). O spin do elétron deve ser considerado como "para cima" ou "para baixo" com relação ao plano de espalhamento. Se a energia do experimento é suficientemente baixa, as forças magnéticas devido às correntes serão pequenas e o spin não será afetado. Vamos assumir que esse é o caso na presente análise, de forma que não há a possibilidade que os spins sejam trocados durante a colisão. Qualquer que seja o spin que o elétron tenha, ele irá mantê-lo. Agora você vê que há muitas possibilidades. A partícula incidente e a partícula-alvo podem ter, ambas, spins para cima, ambas para baixo, ou spins opostos. Se ambos os spins estiverem para cima, como na Fig. 3-8 (ou se ambos estiverem para baixo), o mesmo será verdade para as partículas após retrocederem, e a *amplitude* para o processo é a *diferença* das amplitudes para as duas possibilidades mostradas na Fig. 3-8(a) e (b). A *probabilidade* de detectar um elétron em D_1 é então dada pela Eq. (3.16).

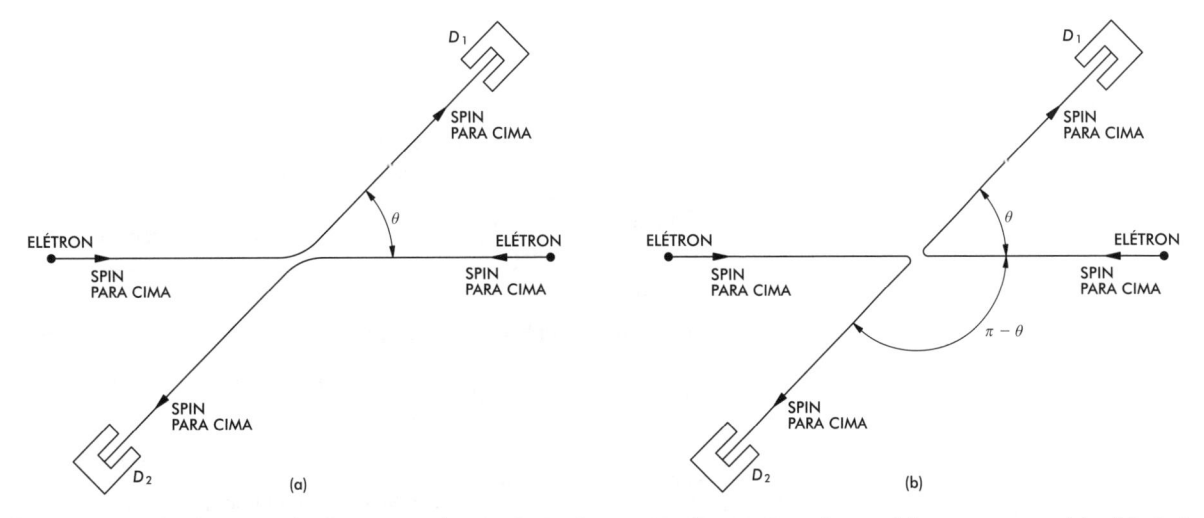

Figura 3–8 O espalhamento de elétrons por elétrons. Se os elétrons que chegam têm spins paralelos, os processos (a) e (b) são indistinguíveis.

Suponha, entretanto, que o spin da partícula "incidente" seja para cima e o spin do "alvo" seja para baixo. O elétron entrando no contador 1 pode ter spin para cima ou para baixo, e medindo esse spin podemos dizer se ele é proveniente do feixe incidente ou do alvo. As duas possibilidades são mostradas em 3-9(a) e (b); elas são distinguíveis em princípio, e daí não haverá interferência – meramente uma adição das duas probabilidades. O mesmo argumento vale se ambos os spins originais são revertidos – ou seja, se o spin da esquerda é para baixo e o spin da direita é para cima.

Agora, se tomarmos nossos elétrons ao acaso – como de um filamento de tungstênio no qual os elétrons são completamente não polarizados –, então as chances são de 50% de que um elétron particular saia com spin para cima ou para baixo. Se não nos incomodamos em medir o spin dos elétrons em qualquer ponto no experimento, temos o que chamamos de experimento não polarizado. Os resultados desse experimento são mais bem calculados se fizermos uma lista das várias possibilidades como na Tabela 3-1. Uma *probabilidade* separada é computada para cada alternativa distinguível. A probabilidade total é então a soma de todas as probabilidades separadas. Note que, para feixes não polarizados, o resultado para $\theta = \pi/2$ é metade do resultado clássico com partículas independentes. O comportamento de partículas idênticas tem muitas consequências interessantes, e vamos discuti-las em detalhe no próximo capítulo.

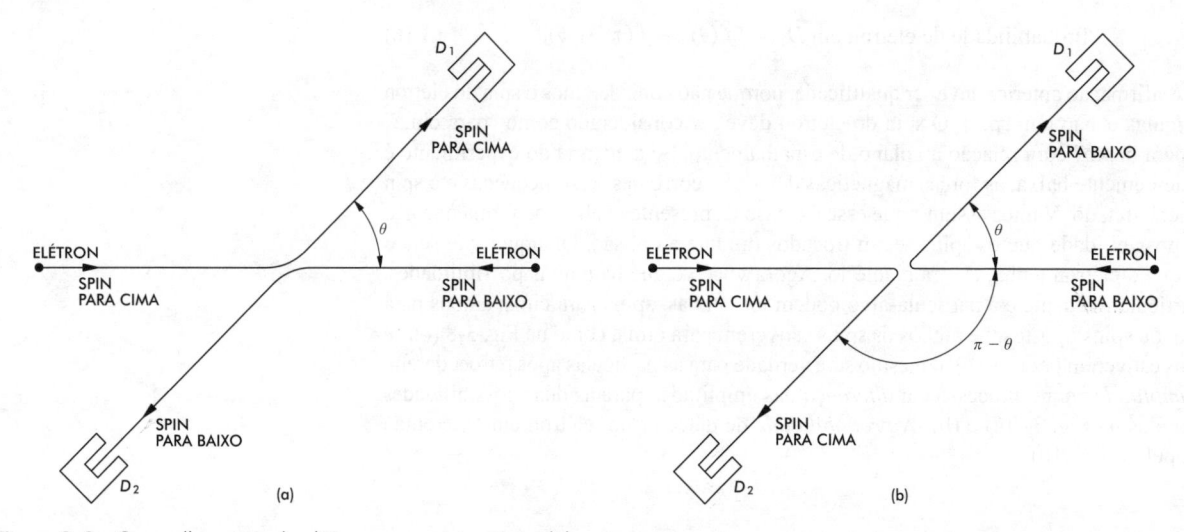

Figura 3–9 O espalhamento de elétrons com spins antiparalelos.

Tabela 3-1
Espalhamento de partículas de spin ½ não polarizadas

Fração dos casos	Spin da partícula 1	Spin da partícula 2	Spin em D_1	Spin em D_2	Probabilidade
¼	para cima	para cima	para cima	para cima	$\|f(\theta)-f(\pi-\theta)\|^2$
¼	para baixo	para baixo	para baixo	para baixo	$\|f(\theta)-f(\pi-\theta)\|^2$
¼	para cima	para baixo	para cima	para baixo	$\|f(\theta)\|^2$
			para baixo	para cima	$\|f(\pi-\theta)\|^2$
¼	para baixo	para cima	para cima	para baixo	$\|f(\pi-\theta)\|^2$
			para baixo	para cima	$\|f(\theta)\|^2$
Probabilidade total = $(1/2)\|f(\theta)-f(\pi-\theta)\|^2 + (1/2)\|f(\theta)\|+(1/2)\|f(\pi-\theta)\|^2$					

4

Partículas Idênticas

4–1 Partículas de Bose e partículas de Fermi

No capítulo anterior, começamos a considerar as regras especiais para a interferência que ocorre nos processos com duas partículas *idênticas*. Por *partículas idênticas*, consideramos coisas como elétrons que não podem de maneira alguma ser distinguidos uns dos outros. Se um processo envolve duas partículas que são idênticas, inverter a que chega a um contador é uma alternativa que não pode ser distinguida e, como em todos os casos de alternativas que não podem ser distinguidas, interfere com a original sem a troca. A amplitude para um evento é, então, a soma das duas amplitudes interferindo; mas, e isso é interessante, a interferência em alguns casos é com a *mesma* fase e em outros casos com fases *opostas*.

Suponha que tenhamos uma colisão de duas partículas a e b, em que a partícula a é espalhada na direção 1 e a partícula b é espalhada na direção 2, como esquematizado na Fig. 4-1(a). Vamos chamar a amplitude para esse processo de $f(\theta)$; então a probabilidade P_1 de se observar tal evento é proporcional a $|f(\theta)|^2$. Com certeza, pode também acontecer de a partícula b ser espalhada no contador 1 e a partícula a chegar no contador 2, como mostrado na Fig. 4-1(b). Assumindo que não há nenhuma direção especial definida pelos spins ou algo do gênero, a probabilidade P_2 para esse processo é somente $|f(\pi-\theta)|^2$, pois isso é exatamente equivalente ao primeiro processo com o contador 1 colocado em um ângulo $\pi - \theta$. Você também poderia pensar que a *amplitude* para o segundo processo é somente $f(\pi - \theta)$, mas isso também não é necessário, porque poderia haver um fator de fase arbitrário. Ou seja, a amplitude poderia ser

$$e^{i\delta}f(\pi-\theta).$$

Essa amplitude também dá uma probabilidade P_2 igual a $|f(\pi-\theta)|^2$.

Vamos ver agora o que acontece se a e b forem partículas idênticas. Então os dois processos diferentes mostrados nos dois diagramas da Fig. 4-1 não podem ser distinguidos. Existe uma amplitude que *tanto a quanto b* possam chegar ao contador 1 enquanto a outra vai ao contador 2. Essa amplitude é a soma das amplitudes para os dois processos mostrados na Fig. 4-1. Se chamarmos o primeiro de $f(\theta)$, então o segundo é $e^{i\delta}f(\pi-\theta)$, onde agora o fator de fase é muito importante, pois somaremos as duas amplitudes. Suponha que tenhamos de multiplicar a amplitude por um certo fator de fase quando trocamos os papéis das duas partículas. Se então as trocarmos novamente, teríamos de ter o mesmo fator de fase. Então, estaremos de volta ao primeiro processo. O fator de

4–1	Partículas de Bose e partículas de Fermi
4–2	Estados com duas partículas de Bose
4–3	Estados com n partículas de Bose
4–4	Emissão e absorção de fótons
4–5	O espectro de corpo negro
4–6	Hélio líquido
4–7	O princípio de exclusão

Revisão: Radiação de corpo negro em:
Volume I, Capítulo 41, *O movimento Browniano*
Volume I, Capítulo 42, *Aplicações da Teoria Cinética*

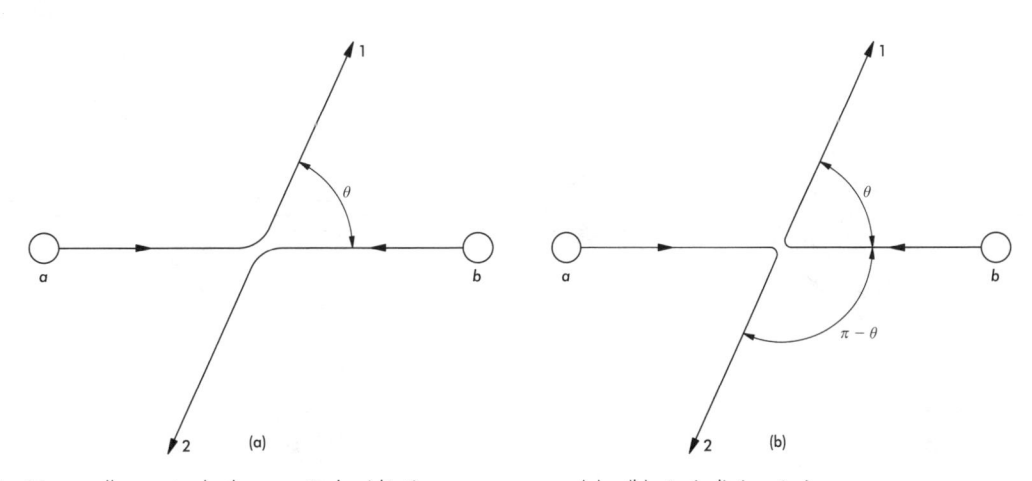

Figura 4–1 No espalhamento de duas partículas idênticas, os processos (a) e (b) são indistinguíveis.

fase tomado duas vezes deve nos levar de volta onde começamos, o seu quadrado deve ser igual a 1. Existem somente duas possibilidades para isso: $e^{i\delta}$ deve ser igual a +1, ou igual a −1. Ambos os casos de troca contribuem com o *mesmo* sinal, ou contribuem com o sinal *oposto*. Ambos os casos existem na natureza, cada um para uma classe diferente de partículas. As partículas que interferem com um sinal *positivo* são chamadas de *partículas de Bose*, e as partículas que interferem com um sinal *negativo* são chamadas de *partículas de Fermi*. As partículas de Bose são os fótons, os mésons e o gráviton. As partículas de Fermi são os elétrons, o múon, os neutrinos, os núcleons e os bárions. Temos então que as amplitudes para o espalhamento de partículas idênticas são:

Partículas de Bose:
$$\text{(Amplitudes diretas)} + \text{(Amplitude de troca)} \tag{4.1}$$

Partículas de Fermi:
$$\text{(Amplitudes diretas)} - \text{(Amplitude de troca)} \tag{4.2}$$

Para partículas com spin, como elétrons, existe uma complicação adicional. Devemos especificar não somente a localização das partículas, mas também a direção dos seus spins. É somente para partículas idênticas *com estados de spin idênticos* que as amplitudes interferem quando as partículas são trocadas. Se você pensar no espalhamento de feixes não polarizados, que são uma mistura de estados de spin diferentes, há uma aritmética extra.

Agora surge um problema interessante quando existem duas ou mais partículas fortemente ligadas. Por exemplo, uma partícula α possui quatro partículas, dois nêutrons e dois prótons. Quando duas partículas α são espalhadas, há várias possibilidades. Pode ser que durante o espalhamento exista uma certa amplitude de que um dos nêutrons passe de uma partícula α para a outra, e o nêutron da outra partícula α passe dela para a outra também, tal que as duas partículas α após o espalhamento não são as partículas alfa originais: ocorreu uma troca de um par de nêutrons. Veja a Fig. 4-2. A amplitude para o espalhamento com a troca de um par de nêutrons irá interferir com a amplitude para o espalhamento sem essa troca, e a interferência deve ser com sinal negativo pois houve uma troca de um par de partículas de Fermi. Por outro lado, se a energia relativa das duas partículas α é muito baixa tal que elas ficam muito separadas – digamos, devido à repulsão coulombiana – e não há nenhuma probabilidade apreciável de alguma troca interna de partículas, podemos considerar a partícula α como um simples objeto, e não precisamos nos incomodar com os detalhes internos. Em tais circunstâncias, existe somente a contribuição das amplitudes de espalhamento. Logo, como não há mudanças internas nas partículas α, a troca de duas partículas α é a mesma coisa que a troca de

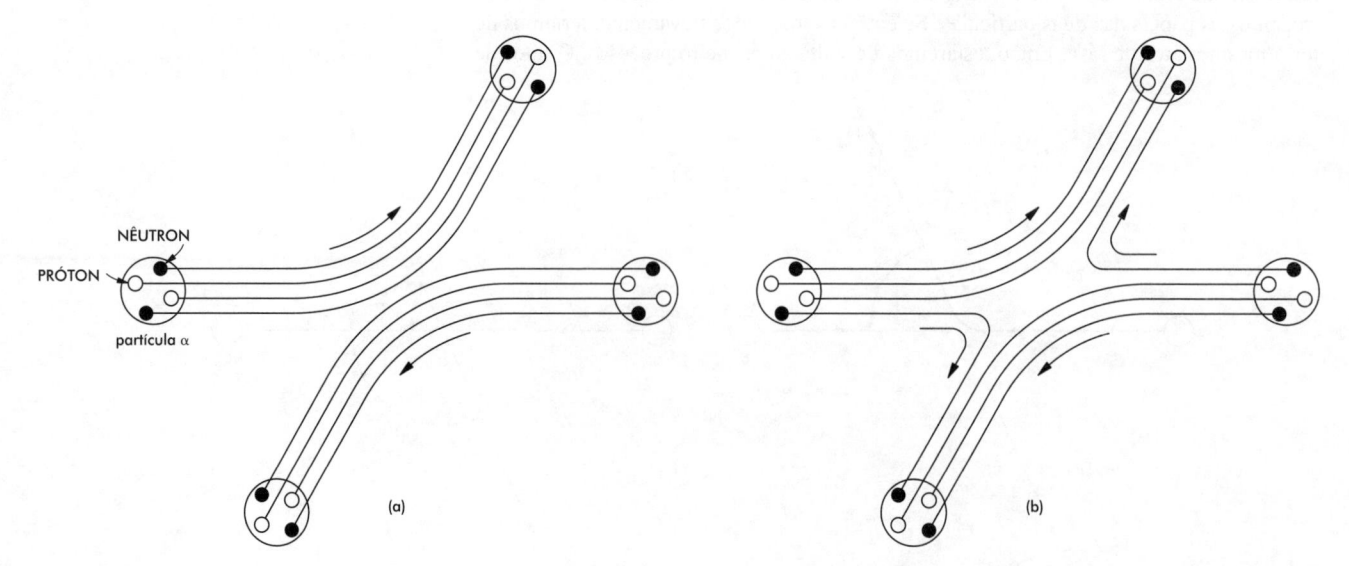

Figura 4–2 Espalhamento de duas partículas α. Em (a), as partículas mantêm a sua identidade; em (b), um nêutron é trocado durante a colisão.

quatro pares de partículas de Fermi. Existe uma mudança no sinal para cada par, então o resultado final é que as amplitudes combinam-se com sinais positivos. A partícula α se comporta como uma partícula de Bose.

Então a regra é que os objetos compostos, em circunstâncias em que os objetos compostos podem ser considerados como um simples objeto, comportam-se como partículas de Fermi ou como partículas de Bose, dependendo de se eles são compostos de um número par ou ímpar de partículas de Fermi.

Todas as partículas elementares de Fermi que mencionamos, como o elétron, o próton, o nêutron e assim por diante, possuem spin $j = 1/2$. Se algumas partículas de Fermi são colocadas juntas para formar um objeto composto, o spin resultante pode ser tanto um inteiro quanto um semi-inteiro. Por exemplo, o isótopo comum do hélio, He^4, que possui dois nêutrons e dois prótons, possui spin zero, enquanto que o Li^7, que possui três prótons e quatro nêutrons, possui spin 3/2. Aprenderemos depois as regras para compor o momento angular, e agora somente mencionaremos que todos os objetos compostos que possuem *spin semi-inteiro* imitam uma *partícula de Fermi*, enquanto que todo objeto composto com um *spin inteiro* imita uma *partícula de Bose*.

Isso nos conduz a uma questão interessante: Por que as partículas com spin semi-inteiro são partículas de Fermi cujas amplitudes se somam com sinal negativo, enquanto que as partículas com spin inteiro são partículas de Bose cujas amplitudes se somam com sinal positivo? Pedimos desculpas pelo fato de não podermos dar uma explicação elementar. Uma explicação foi dada por Pauli a partir de argumentos complicados da teoria quântica de campos e da relatividade. Ele mostrou que os dois necessariamente estão ligados, mas não somos capazes de encontrar um meio de reproduzir seus argumentos em um nível elementar. Isso parece ser um dos poucos lugares da física onde existe uma regra que pode ser estabelecida de uma maneira bem simples, mas ninguém encontrou uma maneira simples e fácil de fazê-lo. A explicação está nas profundezas da mecânica quântica relativística. Isso significa que provavelmente não temos um entendimento completo do princípio fundamental envolvido. No momento, você somente vai ter de aceitá-la como uma das regras do mundo.

4–2 Estados com duas partículas de Bose

Agora gostaríamos de discutir uma consequência interessante da regra de adição para partículas de Bose. Isso tem a ver com o comportamento quando existem muitas partículas presentes. Iniciamos considerando uma situação em que duas partículas de Bose são espalhadas por dois diferentes espalhadores. Não nos preocuparemos com os detalhes do mecanismo de espalhamento. Estamos interessados somente no que acontece com as partículas espalhadas. Suponha que tenhamos a situação mostrada na Fig. 4-3. A partícula *a* é espalhada no estado 1. Por *estado*, entendemos como sendo uma dada direção e energia, ou alguma outra condição. A partícula *b* é espalhada no estado 2. Gostaríamos de assumir que os dois estados, 1 e 2, são praticamente os mesmos. (O que realmente queremos encontrar é a amplitude de que as partículas são espalhadas em direções idênticas, ou estados; mas é melhor se pensarmos primeiro o que acontece se os estados forem quase os mesmos e depois trabalharmos com o que aconteceria se eles se tornassem idênticos.)

Suponha que temos somente a partícula *a*; então ela deve ter uma certa amplitude para ser espalhada na direção 1, digamos $\langle 1 | a \rangle$. A partícula *b* sozinha deve ter a amplitude $\langle 2 | b \rangle$ para ir na direção 2. Se as duas partículas não são idênticas, a amplitude para que os dois espalhamentos ocorram ao mesmo tempo é justamente o produto

$$\langle 1 | a \rangle \langle 2 | b \rangle.$$

A probabilidade para tal evento é então

$$|\langle 1 | a \rangle \langle 2 | b \rangle|^2,$$

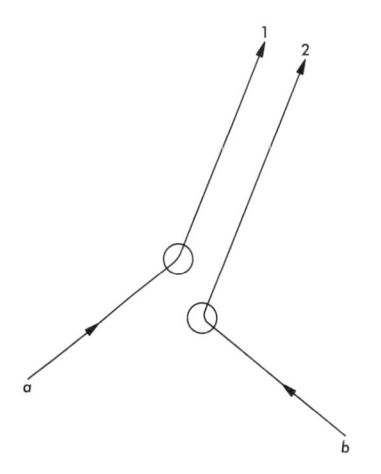

Figura 4–3 Duplo espalhamento em estados finais próximos.

que é igual a
$$|\langle 1 | a \rangle|^2 |\langle 2 | b \rangle|^2.$$

Para economizar notação na discussão a seguir, iremos estabelecer o seguinte
$$\langle 1 | a \rangle = a_1, \quad \langle 2 | b \rangle = b_2.$$

Então a probabilidade para o duplo espalhamento é
$$|a_1|^2 |b_2|^2.$$

Pode também acontecer que a partícula b seja espalhada na direção 1, enquanto que a partícula a vai na direção 2. A amplitude para esse processo é
$$\langle 2 | a \rangle \langle 1 | b \rangle,$$
e a probabilidade de tal evento é
$$|\langle 2 | a \rangle \langle 1 | b \rangle|^2 = |a_2|^2 |b_1|^2.$$

Imagine agora que temos um par de contadores finos que detectam as duas partículas espalhadas. A probabilidade P_2 de que ele detecte as duas partículas juntas é simplesmente a soma
$$P_2 = |a_1|^2 |b_2|^2 + |a_2|^2 |b_1|^2. \tag{4.3}$$

Agora suponha que as direções 1 e 2 estão muito perto uma da outra. Esperamos que a varie suavemente com a direção, então a_1 e a_2 devem se aproximar uma da outra quando 1 e 2 se aproximam. Se elas estão próximas o suficiente, as amplitudes a_1 e a_2 serão iguais. Podemos fazer $a_1 = a_2$ e chamá-las simplesmente de a; da mesma forma, fazemos $b_1 = b_2 = b$. Então, obtemos que
$$P_2 = 2|a|^2 |b|^2. \tag{4.4}$$

Suponha, entretanto, que a e b sejam partículas de Bose idênticas. Então o processo de a ir para 1 e b ir para 2 não pode mais ser distinguido do processo inverso em que a vai para 2 e b vai para 1. Nesse caso, as *amplitudes* para os dois diferentes processos podem interferir. A amplitude *total* para se obter uma partícula em cada um dos detectores é
$$\langle 1 | a \rangle \langle 2 | b \rangle + \langle 2 | a \rangle \langle 1 | b \rangle. \tag{4.5}$$

E a probabilidade de obtermos um par é o quadrado do valor absoluto dessa amplitude,
$$P_2 = |a_1 b_2 + a_2 b_1|^2 = 4|a|^2 |b|^2. \tag{4.6}$$

Temos então o resultado que é *duas vezes mais provável* de se encontrar duas partículas de Bose *idênticas* no mesmo estado *do que se poderia esperar no cálculo, assumindo que as partículas são diferentes*.

Ainda que consideremos que as duas partículas são observadas em detectores diferentes, isso não é essencial – como podemos ver da seguinte maneira. Vamos imaginar que ambas as direções levem as partículas em um único detector que está a uma certa distância. Definiremos a direção 1 dizendo que ela aponta para um elemento de área dS_1 no detector. A direção 2 aponta para um elemento de área dS_2 do detector. (Imaginemos que o detector apresenta uma superfície perpendicular à linha que vem dos espalhamentos.) Agora não podemos dar uma probabilidade de que uma partícula virá de uma direção precisa ou para um ponto *particular* no espaço. Tal conclusão é impossível, a chance para uma direção exata é zero. Quando queremos ser específicos, devemos definir as nossas amplitudes, de modo que elas nos forneçam a probabilidade de chegada *por unidade de área* de um contador. Suponha que temos somente uma partícula a; ela terá uma certa amplitude para espalhar na direção 1. Vamos definir $\langle 1 \mid a \rangle = a_1$, sendo a amplitude de que a será espalhada *em uma unidade de área* do detector na direção 1. Em outras palavras, a escala de a_1 é escolhida – dizemos que ela é "normalizada" tal que a probabilidade que ela espalhará *em um elemento de área dS_1* é

$$|\langle 1 \mid a \rangle|^2 \, dS_1 = |a_1|^2 \, dS_1. \tag{4.7}$$

Se o detector possui uma área total ΔS, e fazemos dS_1 percorrer essa área, a probabilidade total de que a partícula a seja espalhada para o detector é

$$\int_{\Delta S} |a_1|^2 \, dS_1. \tag{4.8}$$

Como antes, queremos assumir que o detector é suficientemente pequeno tal que a amplitude não tenha uma variação significativa através da sua superfície; a_1 é então uma amplitude constante que chamaremos de a. Então a probabilidade de que a partícula a seja espalhada em algum lugar do contador é

$$p_a = |a|^2 \, \Delta S. \tag{4.9}$$

Da mesma maneira, teremos que a probabilidade de a partícula b, quando ela está sozinha, ser espalhada em algum elemento de área, digamos dS_2, é

$$|b_2|^2 \, dS_2.$$

(Usamos dS_2 no lugar de dS_1, porque depois vamos querer que a e b vão para direções diferentes.) Novamente, fazemos b_2 ser igual à amplitude b; então a probabilidade de que a partícula b seja contada no detector é

$$p_b = |b|^2 \, \Delta S. \tag{4.10}$$

Agora quando ambas as partículas estão presentes, a probabilidade de que a seja espalhada em dS_1 e b seja espalhada em dS_2 é

$$|a_1 b_2|^2 \, dS_1 \, dS_2 = |a|^2 |b|^2 \, dS_1 \, dS_2. \tag{4.11}$$

Se quisermos a probabilidade de ambas, a e b, chegarem no detector, integramos dS_1 e dS_2 por toda ΔS e encontramos que

$$P_2 = |a|^2 |b|^2 \, (\Delta S)^2. \tag{4.12}$$

Notemos que isso é justamente igual a $p_a \cdot p_b$, justamente como poderia se esperar, supondo que as partículas a e b atuassem independentemente uma da outra.

Quando as duas partículas são idênticas, entretanto, existem duas possibilidades indistinguíveis para cada par de elementos de superfície dS_1 e dS_2. A partícula a indo para dS_2 e a partícula b indo para dS_1 é indistinguível da partícula a indo para dS_1 e a partícula b indo para dS_2, então as amplitudes para esses processos irão interferir. (Quando temos duas partículas *diferentes* – ainda que *de fato* não importe qual partícula vai para onde no detector – podemos, *em princípio*, encontrá-las; então não há interferência. Para partículas idênticas, não podemos dizer nada, mesmo em princípio.) Devemos escrever, então, que a probabilidade de duas partículas chegarem em dS_1 e dS_2 é

$$|a_1 b_2 + a_2 b_1|^2 \, dS_1 \, dS_2. \tag{4.13}$$

Agora, entretanto, quando integrarmos sobre toda a área do detector, temos de ser cuidadosos. Se fizermos dS_1 e dS_2 percorrerem toda a área ΔS, podemos contar cada parte da área *duas vezes*, uma vez que (4.13) contém tudo que pode acontecer com qualquer par de elementos de superfície dS_1 e dS_2.† Podemos ainda resolver a integral dessa maneira, se corrigirmos o que fizemos ao contar duas vezes, dividindo-se o resultado por 2. Obtemos então que P_2 para partículas de Bose idênticas é

$$P_2(\text{Bose}) = \tfrac{1}{2}\{4|a|^2|b|^2(\Delta S)^2\} = 2|a|^2|b|^2(\Delta S)^2. \quad (4.14)$$

Novamente, isso é justamente duas vezes o que obtemos na Eq. (4.12) para partículas distinguíveis.

Se imaginarmos por um momento, que sabemos que o canal b enviou uma partícula em uma determinada direção em particular, podemos dizer que a *probabilidade* de que a segunda partícula vá na mesma direção é duas vezes maior do que poderíamos esperar se as tivéssemos calculado de modo independente. Isso é uma propriedade das partículas de Bose, a de que se já existe uma partícula em uma condição de algum tipo, a *probabilidade* de se obter a segunda na mesma condição é duas vezes maior do que se ela tivesse sido a primeira a ter chegado. Esse fato é às vezes estabelecido desta maneira: se já existe uma partícula de Bose em um dado estado, a amplitude para se colocar outra partícula idêntica em cima desta é $\sqrt{2}$ vezes maior do que se não houvesse nada lá. (Essa não é a maneira apropriada de se estabelecer o resultado do ponto de vista físico do qual falamos, mas se for utilizada consistentemente como uma regra, irá, com certeza, fornecer o resultado correto.)

4–3 Estados com n partículas de Bose

Vamos estender nosso resultado para uma situação em que n partículas estão presentes. Imaginamos a circunstância mostrada na Fig. 4-4. Temos n partículas $a, b, c,\ldots$, que são espalhadas e depois disso seguem as direções 1, 2, 3,…, n. Todas as n direções levam a um pequeno detector a uma longa distância. Como na seção anterior, escolhemos normalizar todas as amplitudes tal que a probabilidade de que cada partícula atuando sozinha vá para um elemento de superfície dS do detector seja

$$|\langle\ \rangle|^2\, dS.$$

Primeiro, vamos assumir que as partículas sejam todas distinguíveis; então a probabilidade de que n partículas serão detectadas em n diferentes elementos de superfície é

$$|a_1 b_2 c_3 \ldots|^2\, dS_1\, dS_2\, dS_3 \ldots \quad (4.15)$$

Novamente admitimos que as amplitudes não dependem de onde dS é localizado no detector (suposto pequeno) e as chamamos simplesmente de $a, b, c,\ldots$ A probabilidade (4.15) se torna

$$|a|^2|b|^2|c|^2 \ldots dS_1\, dS_2\, dS_3 \ldots \quad (4.16)$$

Integrando cada dS sobre toda a superfície ΔS do detector, temos que P_n(diferente), a probabilidade de se detectar n partículas diferentes de uma vez, é

$$P_n(\text{diferente}) = |a|^2|b|^2|c|^2 \ldots (\Delta S)^n. \quad (4.17)$$

Esse é justamente o produto das probabilidades para cada partícula entrar no detector separadamente. Elas agem independentemente – a probabilidade de uma ser detectada não depende de quantas outras também estão sendo detectadas.

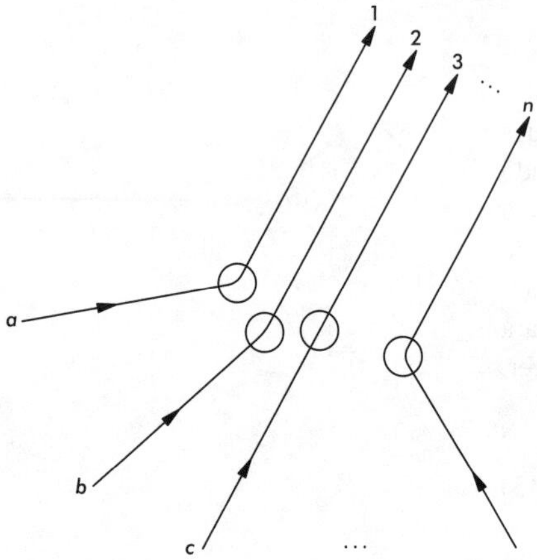

Figura 4–4 Espalhamento de n partículas em estados finais próximos.

---

† Em (4.11), invertendo-se dS_1 e dS_2, temos eventos diferentes, então ambos os elementos de superfície devem varrer toda a área do detector. Em (4.13), estamos tratando dS_1 e dS_2 como um par e incluindo tudo o que pode acontecer. Se as integrais incluem novamente o que acontece quando dS_1 e dS_2 são invertidas, tudo é contado duas vezes.

Agora suponha que todas as partículas sejam partículas idênticas de Bose. Para cada direção 1, 2, 3,... existem muitas possibilidade indistinguíveis. Por exemplo, se tivéssemos somente três partículas, poderíamos encontrar as seguintes possibilidades:

$$\begin{array}{ccc} a \to 1 & a \to 1 & a \to 2 \\ b \to 2 & b \to 3 & b \to 1 \\ c \to 3 & c \to 2 & c \to 3 \end{array}$$

$$\begin{array}{ccc} a \to 2 & a \to 3 & a \to 3 \\ b \to 3 & b \to 1 & b \to 2 \\ c \to 1 & c \to 2 & c \to 1 \end{array}$$

Existem seis combinações diferentes. Com n partículas, são $n!$ diferentes, ainda que *indistinguíveis*, cujas amplitudes devem ser somadas. A probabilidade de que n partículas serão detectadas em n elementos de superfície é então

$$|a_1 b_2 c_3 \ldots + a_1 b_3 c_2 \ldots + a_2 b_1 c_3 \ldots$$
$$+ a_2 b_3 c_1 \ldots + \text{etc.} + \text{etc.}|^2 \, dS_1 \, dS_2 \, dS_3 \ldots dS_n. \quad (4.18)$$

Mais uma vez assumimos que todas as direções estão tão perto umas das outras que podemos fazer $a_1 = a_2 = \ldots = a_n = a$, e da mesma forma para $b, c, \ldots$; a probabilidade de (4.18) torna-se

$$|n! abc \ldots|^2 \, dS_1 \, dS_2 \ldots dS_n. \quad (4.19)$$

Quando integramos cada dS sobre toda a área ΔS do detector, cada possível produto do elemento de superfície é contado $n!$ vezes; corrigimos isso dividindo por $n!$ e obtemos

$$P_n(\text{Bose}) = \frac{1}{n!} |n! abc \ldots|^2 (\Delta S)^n$$

ou

$$P_n(\text{Bose}) = n! |abc \ldots|^2 (\Delta S)^n. \quad (4.20)$$

Comparando esse resultado com a Eq. (4.17), observamos que a probabilidade de se detectar n partículas de Bose juntas é $n!$ vezes maior do que iríamos calcular assumindo que as partículas são distinguíveis. Podemos resumir esse resultado da seguinte maneira:

$$P_n(\text{Bose}) = n! \, P_n(\text{diferente}). \quad (4.21)$$

Então, a probabilidade no caso de Bose é $n!$ vezes maior do que você poderia calcular assumindo que as partículas atuem independentemente.

Podemos entender melhor o que isso significa se fizermos a seguinte pergunta: Qual é a probabilidade de uma partícula de Bose estar em um estado particular quando *já existem n outras* presentes? Vamos chamar a nova partícula adicionada de w. Se temos $(n + 1)$ partículas, incluindo w, a Eq. (4.20) se torna

$$P_{n+1}(\text{Bose}) = (n + 1)! |abc \ldots w|^2 (\Delta S)^{n+1}. \quad (4.22)$$

Podemos escrever isso como

$$P_{n+1}(\text{Bose}) = \{(n + 1)|w|^2 \Delta S\} n! |abc \ldots|^2 \Delta S^n$$

ou

$$P_{n+1}(\text{Bose}) = (n + 1)|w|^2 \Delta S \, P_n(\text{Bose}). \quad (4.23)$$

Podemos olhar para esse resultado da seguinte maneira: O número $|w|^2 \Delta S$ é a probabilidade de se obter a partícula w no detector se nenhuma outra partícula estiver presente; $P_n(\text{Bose})$ é a probabilidade de já existirem outras n partículas de Bose presentes. Então, a Eq. (4.23) diz que *quando* existem n outras partículas de Bose já presentes, a probabilidade de *mais uma* partícula entrar no mesmo estado é *reforçada* pelo fator $(n + 1)$. A probabilidade de se obter um bóson, quando já existem n, é $(n + 1)$ vezes mais forte do que seria se não houvesse nenhum antes. A *presença* de outras partículas aumenta a probabilidade de se obter mais uma.

4–4 Emissão e absorção de fótons

Em toda esta nossa discussão, estivemos falando sobre processos como o espalhamento de partículas α. No entanto, isso não é essencial; poderíamos ter falado sobre a criação de partículas, por exemplo a emissão de luz. Quando a luz é emitida, uma partícula é "criada". Nesse caso, não necessitamos das linhas que entram na página, na Fig. 4-4; podemos meramente cosiderar que existem alguns átomos emitindo n fótons, como na Fig. 4-5. Então nossos resultados também podem ser estabelecidos assim: *A probabilidade de que um átomo irá emitir um fóton em um particular estado final é aumentado pelo fator $(n + 1)$ se já existirem n fótons nesse estado.*

As pessoas gostam de resumir esse resultado dizendo que a *amplitude* de emitir um fóton é aumentada pelo fator $\sqrt{n+1}$ quando já existirem n fótons presentes. Com certeza, esse é outro modo de dizer a mesma coisa se for entendido que para obter a probabilidade é preciso somente elevar ao quadrado.

Geralmente, na mecânica quântica, é verdade que a amplitude de ir de um estado qualquer ϕ a outro χ é o complexo conjugado da amplitude de ir de χ para ϕ:

$$\langle \chi \mid \phi \rangle = \langle \phi \mid \chi \rangle^*. \tag{4.24}$$

Iremos aprender sobre essa lei um pouco mais tarde, mas, no momento, iremos somente assumir que isso é verdade. Podemos usá-la para encontrar como os fótons são absorvidos ou espalhados a partir de um dado estado. Temos que a amplitude pela qual um fóton será somado a algum estado, digamos i, quando já existirem n fótons presentes é, digamos,

$$\langle n + 1 \mid n \rangle = \sqrt{n + 1}\, a, \tag{4.25}$$

onde $a = \langle i \mid a \rangle$ é a amplitude quando não há nenhum outro presente. Usando a Eq. (4.24), a amplitude de ir para outro lugar – de $(n + 1)$ fótons para n – é

$$\langle n \mid n + 1 \rangle = \sqrt{n + 1}\, a^*. \tag{4.26}$$

Esse não é o modo como as pessoas usualmente dizem isso; elas não gostam de pensar em ir de $(n + 1)$ para n, mas preferem sempre começar com n fótons presentes. Então elas dizem que a amplitude para se absorver um fóton com n fótons presentes, em outras palavras, de ir de n para $(n - 1)$ é

$$\langle n - 1 \mid n \rangle = \sqrt{n}\, a^*. \tag{4.27}$$

que é, com certeza, a mesma coisa que a Eq. (4.26). Assim, elas têm um problema em tentar lembra quando usar $\sqrt{n}$ ou $\sqrt{n+1}$. Aqui está uma maneira de se lembrar: o fator é sempre a raiz quadrada do maior número de fótons presentes, seja antes ou depois da reação. As Equações (4.25) e (4.26) mostram que a lei é realmente simétrica – ela somente aparenta ser antissimétrica se você escrevê-la como a Eq. (4.27).

Existem muitas consequências físicas dessas novas regras; gostaríamos de descrever uma delas que trata da emissão de luz. Suponha que imaginemos uma situação em que fótons são confinados em uma caixa – você pode imaginar isso como uma caixa em que as paredes são feitas de espelhos. Agora, digamos que dentro da caixa existam n fótons, todos no mesmo estado – a mesma frequência, direção e polarização –, então eles não podem ser distinguidos, e também existe um átomo dentro da caixa, que pode emitir outro fóton no mesmo estado. Então a probabilidade de que ele irá emitir um fóton é

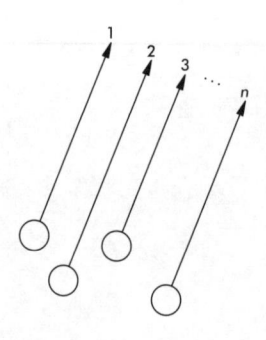

$$(n + 1)|a|^2, \tag{4.28}$$

Figura 4–5 Criação de n fótons em estados próximos.

e a probabilidade de que ele absorva um fóton é

$$n|a|^2, \qquad (4.29)$$

onde $|a|^2$ é a probabilidade que ele emitiria se nenhum fóton estivesse presente. Já discutimos essas regras de uma maneira diferente no Capítulo 42 do Vol. I. A Eq. (4.29) diz que a probabilidade de que um átomo *absorva* um fóton e que faça uma transição a um estado de maior energia é proporcional à intensidade da luz que o ilumina. Contudo, como Einstein falou em primeiro lugar, a taxa em que um átomo fará uma transição *para baixo* possui duas partes. Existe probabilidade de que ocorra uma transição espontânea $|a|^2$, mais probabilidade de uma transição induzida $n|a|^2$, que é proporcional à intensidade da luz – ou seja, ao número de fótons presentes. Além disso, disse Einstein, os coeficientes de absorção e emissão induzida são iguais e relacionados com a probabilidade da emissão espontânea. O que aprendemos aqui é que se a intensidade da luz for medida em termos de número de fótons presentes (em vez de energia por unidade de área, e por segundo), os coeficientes de absorção da emissão induzida e da emissão espontânea serão iguais. Esse é o conteúdo da relação entre os coeficientes de Einstein A e B do Capítulo 42, Vol. I, Eq. (42.18).

4–5 O espectro de corpo negro

Gostaríamos de usar as regras para as partículas de Bose para discutir mais uma vez o espectro da radiação de corpo negro (veja o Capítulo 42, Vol. I). Iremos fazê-lo, encontrando quantos fótons há em uma caixa se a radiação estiver em equilíbrio térmico com algum átomo dentro da caixa. Suponha que, para cada frequência da luz ω, exista um certo número N de átomos que possui dois estados de energia separados pela energia $\Delta E = \hbar\omega$. Veja a Fig. 4-6. Iremos chamar o estado de mais baixa energia de estado "fundamental" e o estado de maior energia de estado "excitado". Sejam N_g e N_e os números médios de átomos nos estados fundamental e excitado, respectivamente; então, no equilíbrio térmico, na temperatura T, temos da mecânica estatística que

$$\frac{N_e}{N_g} = e^{-\Delta E/kT} = e^{-\hbar\omega/kT}. \qquad (4.30)$$

Cada átomo no estado fundamental pode absorver um fóton e ir para o estado excitado, e cada átomo no estado excitado pode emitir um fóton e ir para o estado fundamental. No equilíbrio, a taxa para esses processos deve ser igual. As taxas são proporcionais à probabilidade para o evento e para o número de átomos presente. Vamos tomar como $\bar{n}$ o número médio de fótons presente em um dado estado a uma frequência ω. Então a taxa de absorção para esse estado é $N_g\bar{n}|a|^2$, e a taxa de emissão nesse estado é $N_e(\bar{n}+1)|a|^2$. Igualando as duas taxas, temos que

$$N_g\bar{n} = N_e(\bar{n}+1). \qquad (4.31)$$

Combinando essa equação com a Eq. (4.30), temos

$$\frac{\bar{n}}{\bar{n}+1} = e^{-\hbar\omega/kT}.$$

Resolvendo para $\bar{n}$, temos

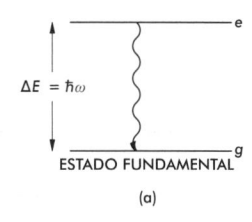

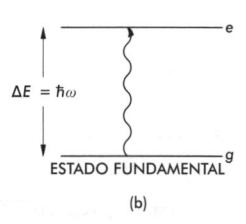

$$\bar{n} = \frac{1}{e^{\hbar\omega/kT}-1}, \qquad (4.32)$$

Figura 4–6 Radiação e absorção de um fóton com frequência ω.

que é o número médio de fótons em qualquer estado com frequência ω, para uma cavidade em equilíbrio térmico. Desde que cada fóton possui energia $\hbar\omega$, a energia nos fótons para um dado estado é $n\hbar\omega$, ou

$$\frac{\hbar\omega}{e^{\hbar\omega/kT} - 1}. \quad (4.33)$$

Anteriormente, já encontramos uma equação similar, mas em outro contexto [Capítulo 41, Vol. I, Eq. (41.15)]. Você se recorda que para qualquer oscilador harmônico, como um peso em uma mola, os níveis de energia quânticos são igualmente espaçados com uma separação de $\hbar\omega$, como desenhado na Fig. 4-7. Se chamarmos a energia do n-ésimo nível de $n\hbar\omega$, encontraremos que a energia média de um oscilador é também dada pela Eq. (4.33). Ainda que essa equação tenha derivada para fótons, por contagem de partículas, ela dá o mesmo resultado. Esse é um dos maravilhosos milagres da mecânica quântica. Se considerarmos um tipo de estado ou condição para partículas de Bose que não interagem entre si (assumimos que os fótons não interagem entre si), e então considerarmos que nesse estado podemos colocar zero, ou uma, ou duas,..., ou qualquer número n de partículas, iremos encontrar que o sistema se comporta, para todos os propósitos quânticos, exatamente como um oscilador harmônico. Por tal tipo de oscilador, entendemos um sistema dinâmico como um peso em uma mola, ou uma onda parada em uma cavidade de ressonância. E é por isso que podemos representar campos eletromagnéticos por fótons. De um ponto de vista, podemos analisar o campo eletromagnético em uma caixa ou cavidade em termos de um grande número de osciladores harmônicos, tratando cada modo de oscilação, de acordo com a mecânica quântica, como um oscilador harmônico. De um ponto de vista diferente, podemos analisar a mesma física em termos de partículas idênticas de Bose. E os resultados de ambos os modos de funcionamento *sempre concordam exatamente*. Não há uma maneira de decidir se devemos descrever o campo eletromagnético como um oscilador harmônico quantizado, ou dizendo quantos fótons estão em cada condição. Os dois pontos de vista são matematicamente idênticos. Então, no futuro podemos falar tanto sobre um número de fótons em um estado particular em uma caixa, ou em um número de níveis de energia associados a um modo particular de oscilação do campo eletromagnético. São duas maneiras de se dizer a mesma coisa. O mesmo é verdade para fótons no espaço livre. Eles são equivalentes a oscilações em uma cavidade, cujas paredes possuem uma separação infinita.

Calculamos a energia média em um modo particular em uma caixa à temperatura T; precisamos de somente mais uma coisa para termos a lei da radiação de corpo negro: precisamos saber quantos modos existem em cada energia. (Assumimos que para todo modo existem alguns átomos na caixa, ou entre as paredes, que possuem níveis de energia que podem radiar naquele modo, tal que cada modo possa estar em equilíbrio térmico.) A lei da radiação de corpo negro é usualmente estabelecida dando-se a energia por unidade de volume que a luz transporta em um pequeno intervalo de frequência de ω até ω + Δω. Assim, precisamos saber quantos modos existem na caixa com frequências nesse intervalo Δω. Apesar de tal questão se apresentar continuamente na mecânica quântica, é uma questão puramente clássica sobre ondas estacionárias.

Obteremos a resposta somente para uma caixa retangular. Ocorre a mesma coisa para uma caixa de qualquer forma, mas é muito complicado de calculá-la para um caso arbitrário. Também, só estamos interessados em uma caixa cujas dimensões são muito grandes comparadas com o comprimento de onda da luz. Então, devem existir bilhões e bilhões de modos; deve haver muitos em qualquer pequeno intervalo de frequência Δω, então podemos falar em um "número médio" em qualquer Δω na frequência ω. Vamos começar perguntando quantos modos existem no caso unidimensional como ondas em uma corda tensionada. Você sabe que cada modo é uma onda senoidal que tem de ir para zero nas extremidades; em outras palavras, deve haver um número inteiro de meios comprimentos de onda no comprimento da

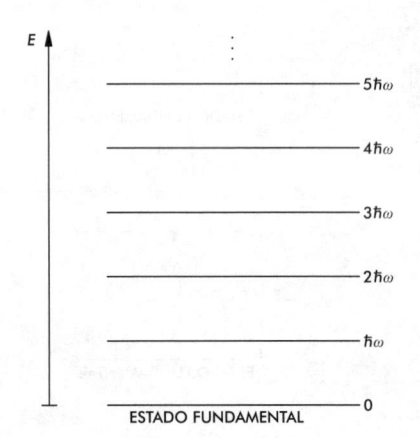

Figura 4-7 Níveis de energia de um oscilador harmônico.

linha, como mostrado na Fig. 4.8. Preferimos usar o número de onda $k = 2\pi/\lambda$; chamando de k_j o número de onda do j-ésimo modo, temos que

$$k_j = \frac{j\pi}{L}, \qquad (4.34)$$

onde j é um inteiro. A separação δk entre os modos sucessivos é

$$\delta k = k_{j+1} - k_j = \frac{\pi}{L}.$$

Queremos assumir que kL é tão grande que, em um pequeno intervalo Δk, existam muitos modos. Chamando $\Delta \mathfrak{N}$ de o número de modos no intervalo Δk, temos

$$\Delta \mathfrak{N} = \frac{\Delta k}{\delta k} = \frac{L}{\pi} \Delta k. \qquad (4.35)$$

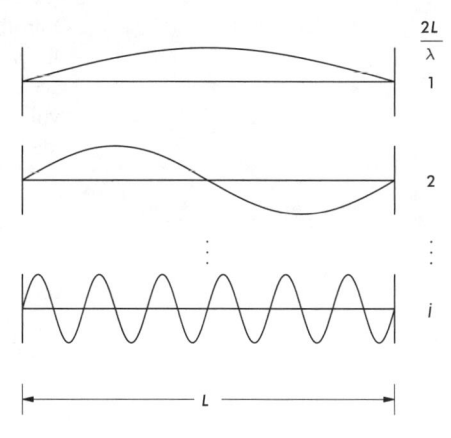

Figura 4–8 Modos de ondas estacionárias em uma linha.

Agora, os físicos teóricos que trabalham com mecânica quântica normalmente preferem dizer que devem existir metades de muito modos; eles escrevem

$$\Delta \mathfrak{N} = \frac{L}{2\pi} \Delta k. \qquad (4.36)$$

Gostaríamos de explicar o porquê. Eles normalmente pensam em termos de ondas viajando – algumas indo para a direita (com k positivo) e algumas indo para a esquerda (com um k negativo). No entanto, um "modo" é uma onda *estacionária* que é a soma de duas ondas, uma indo em cada direção. Em outras palavras, eles consideram cada onda estacionária como contendo dois estados distintos dos fótons. Então, se por $\Delta \mathfrak{N}$ queremos dizer o número de estados de fótons de um k dado (onde agora os valores de k são positivos e negativos) devemos então tomar meio $\Delta \mathfrak{N}$ tão grande quanto. (Todos os inteiros devem agora ir de $k = -\infty$ até $k = +\infty$, e o número total de estados maior que um dado valor absoluto de k estará correto.) Com certeza, não estamos então descrevendo ondas estacionárias muito bem, mas estamos contando os modos de uma maneira consistente.

Agora queremos estender os nossos resultados em três dimensões. Ondas estacionárias em uma caixa retangular devem ter um número inteiro de meias ondas *ao longo de cada eixo*. A situação para duas dimensões é mostrada na Fig. 4-9. Cada direção de onda e cada frequência é descrita por um vetor número de onda **k**, cujas componentes x, y e z devem satisfazer a equações como a Eq. (4.34). Então, temos que

$$k_x = \frac{j_x \pi}{L_x},$$

$$k_y = \frac{j_y \pi}{L_y},$$

$$k_z = \frac{j_z \pi}{L_z}.$$

O número de modos com k_x em um intervalo Δk_x é, como antes,

$$\frac{L_x}{2\pi} \Delta k_x,$$

e similarmente para Δk_y e Δk_z. Se chamarmos $\Delta \mathfrak{N}(\mathbf{k})$ de o número de modos para um vetor número de onda **k** cuja componente x é entre k_x e $k_x + \Delta k_x$, cuja componente y é entre k_y e $k_y + \Delta k_y$ e cuja componente z é entre k_z e $k_z + \Delta k_z$, então

$$\Delta \mathfrak{N}(\mathbf{k}) = \frac{L_x L_y L_z}{(2\pi)^3} \Delta k_x \, \Delta k_y \, \Delta k_z. \qquad (4.37)$$

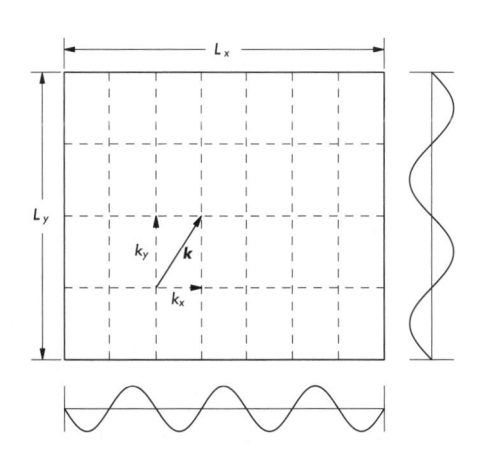

Figura 4–9 Modos de ondas estacionárias em duas dimensões.

O produto $L_x L_y L_z$ é igual ao volume V da caixa. Então, temos o importante resultado que, para altas frequências (comprimentos de onda pequenos comparado com as dimensões), o número de modos em uma cavidade é proporcional ao volume V da caixa e ao "volume no espaço k" $\Delta k_x \Delta k_y \Delta k_z$. Esse resultado aparece muitas vezes nos problemas e deve ser memorizado:

$$d\mathfrak{N}(\mathbf{k}) = V \frac{d^3\mathbf{k}}{(2\pi)^3}. \quad (4.38)$$

Ainda que não o tenhamos provado, o resultado é independente da forma da caixa.

Agora iremos aplicar esse resultado, para encontrar o número de modos de fótons com frequências no intervalo $\Delta\omega$. Estamos somente interessados na energia dos vários modos, mas não estamos interessados nas direções das ondas. Gostaríamos de saber o número de modos em um dado intervalo de frequência. No vácuo, a magnitude de $\mathbf{k}$ é relacionada com a frequência por

$$|\mathbf{k}| = \frac{\omega}{c}. \quad (4.39)$$

Então em um intervalo de frequência $\Delta\omega$, esses são todos os modos que correspondem aos $\mathbf{k}$ com uma *magnitude* entre k e $k + \Delta k$, independentemente da direção. O "volume no espaço k" entre k e $k + \Delta k$ é uma casca esférica de volume

$$4\pi k^2 \Delta k.$$

O número de modos é, então,

$$\Delta\mathfrak{N}(\omega) = \frac{V 4\pi k^2 \Delta k}{(2\pi)^3}. \quad (4.40)$$

Entretanto, uma vez que estamos interessados nas frequências, devemos substituir $k = \omega/c$, então obtemos

$$\Delta\mathfrak{N}(\omega) = \frac{V 4\pi \omega^2 \Delta\omega}{(2\pi)^3 c^3}. \quad (4.41)$$

Existe ainda uma complicação. Se estivermos falando de modos de uma onda eletromagnética, para um dado vetor de onda $\mathbf{k}$, deve haver duas polarizações (em ângulos retos uma com a outra). Como esses modos são independentes, devemos – para a luz – duplicar o número de modos. Então temos

$$\Delta\mathfrak{N}(\omega) = \frac{V\omega^2 \Delta\omega}{\pi^2 c^3} \quad \text{(para luz)}. \quad (4.42)$$

Já mostramos, Eq. (4.33), que cada modo (ou cada "estado") possui em média a energia

$$\bar{n}\hbar\omega = \frac{\hbar\omega}{e^{\hbar\omega/kT} - 1}.$$

Multiplicando isso pelo número de modos, obtemos a energia ΔE nos modos que estão no intervalo $\Delta\omega$:

$$\Delta E = \frac{\hbar\omega}{e^{\hbar\omega/kT} - 1} \frac{V\omega^2 \Delta\omega}{\pi^2 c^3}. \quad (4.43)$$

Essa é a lei para o espectro de frequências da radiação de corpo negro, que já havíamos encontrado no Capítulo 41 do Vol. I. O espectro é apresentado no gráfico da Fig. 4-10. Você pode ver agora que a resposta depende do

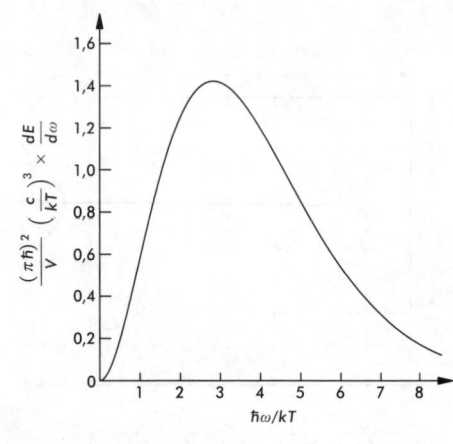

Figura 4–10 Espectro de frequência da radiação em uma cavidade em equilíbrio térmico, o espectro de "corpo negro".

fato de os fótons serem partículas de Bose, que possuem uma tendência a tentarem ficar todas no mesmo estado (pois a aplitude para fazê-lo é grande). Você deve se recordar que esse foi o estudo de Planck para o espectro de corpo negro (que é um mistério para a física clássica), e sua descoberta da fórmula na Eq. (4.43) deu início a todo o assunto da mecânica quântica.

4–6 Hélio líquido

O hélio líquido possui, a baixa temperaturas, propriedades singulares. Infelizmente, não podemos falar nelas agora, mas muitas surgem do fato de que o átomo de hélio é uma partícula de Bose. Uma dessas propriedades é que o hélio flui sem nenhuma resistência da viscosidade. Ele é, de fato, a água "seca" ideal que havíamos discutido nos capítulos anteriores – contanto que as suas velocidades sejam suficientemente pequenas. A razão é a seguinte. Para que um líquido tenha viscosidade, deve haver perdas internas de energia; deve haver uma maneira de uma parte do líquido ter um movimento que seja diferente do resto do líquido. Isso significa que é possível mover alguns átomos em estados que são diferentes dos estados ocupados pelos outros átomos. A temperaturas suficientemente baixas, quando os movimentos térmicos são muito pequenos, todos os átomos tentam ficar na mesma condição. Logo, se alguns deles estão se movendo, então todos os outros átomos tentam se mover juntos no mesmo estado. Existe um tipo de rigidez ao movimento, e é difícil separar o movimento em padrões irregulares de turbulência, como deve acontecer, por exemplo, com partículas independentes. Então, em um líquido de partículas de Bose, existe uma forte tendência de todos os átomos estarem no mesmo estado que é representado por um fator $\sqrt{n+1}$, que encontramos anteriormente. (Para uma garrafa de hélio líquido n é, com certeza, um número muito grande!) Esse movimento cooperativo não acontece em altas temperaturas, pois existe energia térmica suficiente para colocar os vários átomos em vários diferentes estados de energias maiores. Mas em temperaturas suficientemente baixas, repentinamente chega um momento em que todo o hélio tenta ficar no mesmo estado. O hélio se torna um superfluido. Consequentemente, esse fenômeno só acontece com um isótopo do hélio que possui massa atômica 4. Para o isótopo do hélio de massa atômica 3, os átomos individuais são partículas de Fermi, e o líquido é um fluido normal. Uma vez que a superfluidez ocorre somente com o He^4, isso é evidentemente um efeito mecânico quântico devido à natureza bosónica das partículas α.

4–7 O princípio de exclusão

As partículas de Fermi atuam de um modo completamente diferente. Vamos ver o que acontece se tentamos colocar duas partículas de Fermi no mesmo estado. Vamos retornar ao nosso exemplo original e nos perguntar sobre a amplitude de duas partículas de Fermi idênticas serem espalhadas em quase exatamente a mesma direção. A amplitude de que a partícula a vá na direção 1 e a partícula b vá na direção 2 é

$$\langle 1 | a \rangle \langle 2 | b \rangle,$$

enquanto que a amplitude das direções de saída serem trocadas é

$$\langle 2 | a \rangle \langle 1 | b \rangle.$$

Uma vez que temos partículas de Fermi, a amplitude para o processo é a diferença dessas duas amplitudes:

$$\langle 1 | a \rangle \langle 2 | b \rangle - \langle 2 | a \rangle \langle 1 | b \rangle. \qquad (4.44)$$

Digamos que por "direção 1" entendemos que a partícula não possui somente uma certa direção, mas também a direção dada pelo seu spin, e a "direção 2" é quase exatamente a mesma que a direção 1 correspondendo à *mesma* direção de spin. Então $\langle 1 \mid a \rangle$ e $\langle 2 \mid a \rangle$ são praticamente iguais. (Isso não seria necessariamente correto se os estados de saída 1 e 2 não possuíssem o mesmo spin, porque poderia haver alguma razão para que a amplitude dependesse da direção do spin.) Agora, iremos permitir que as direções 1 e 2 se aproximem uma da outra, e a amplitude total na Eq. (4.44) vai a zero. O resultado para partículas de Fermi é muito mais simples do que para partículas de Bose. Simplesmente, não é possível para duas partículas de Fermi – tal como dois elétrons – ocuparem exatamente o mesmo estado. Você nunca irá encontrar dois elétrons na mesma posição com os seus spins também na mesma direção. Se eles estiverem no mesmo local, ou com o mesmo estado de movimento, a única possibilidade é que tenham spins opostos.

Quais são as consequências disso? Existe um número de efeitos muito notáveis que são consequências do fato de duas partículas de Fermi não poderem estar no mesmo estado. De fato, quase todas as peculiaridades do mundo material giram ao redor desse fato maravilhoso. A variedade que é apresentada na tabela periódica é basicamente uma consequência dessa regra.

Com certeza, não podemos dizer como o mundo seria se essa regra fosse mudada, pois ela é somente parte de toda a estrutura da mecânica quântica, e é impossível dizer o que seria mudado se a regra das partículas de Fermi fosse diferente. De qualquer forma, vamos tentar ver o que deveria acontecer se somente essa regra fosse mudada. Primeiro, podemos mostrar que todo átomo deveria ser mais ou menos o mesmo. Vamos começar com o átomo de hidrogênio. Ele não seria afetado de uma forma significativa. O próton no núcleo deveria ser rodeado por uma nuvem eletrônica esfericamente simétrica, como mostrado na Fig. 4-11(a). Como descrevemos no Capítulo 2, o elétron é atraído para o centro, mas o princípio da incerteza exige que deva haver um equilíbrio entre a concentração do espaço e do momento. O equilíbrio significa que deve haver uma certa quantidade de energia e uma certa quantidade de espalhamento na distribuição eletrônica, que determina a dimensão característica do átomo de hidrogênio.

Agora suponha que tenhamos um núcleo com duas unidades de carga, como um núcleo de hélio. Esse núcleo deveria atrair dois elétrons, e se eles fossem partículas de Bose, eles seriam – exceto pela sua repulsão eletrônica – agrupados o mais próximo possível do núcleo. Um átomo de hélio deveria se parecer como a parte (b) da Fig. 4-11. Similarmente, um átomo de lítio que possui um núcleo com três cargas deveria ter uma distribuição eletrônica como mostrado na parte (c) da Fig. 4-11. Todo átomo deveria ter mais ou menos a mesma aparência: uma pequena bola, rodeada com todos os elétrons perto do núcleo, nada direcional e nada complicado.

Devido aos elétrons serem partículas de Fermi, entretanto, a situação real é um pouco diferente. Para o átomo de hidrogênio, a situação essencialmente não muda. A única diferença é que o elétron possui um spin que indicamos por uma pequena seta na Fig. 4-12(a). No caso do átomo de hélio, entretanto, não podemos colocar dois elétrons um sobre o outro. No entanto, isso somente será verdade se os seus spins forem iguais, porque os dois elétrons *podem* ocupar o mesmo estado se os seus spins forem opostos. Então o átomo de hélio também não seria muito diferente. Ele iria se parecer com a parte (b) da Fig. 4.12. Para o lítio, entretanto, a situação fica um pouco diferente. Onde podemos colocar o terceiro elétron? O terceiro elétron não pode ir em cima de nenhum

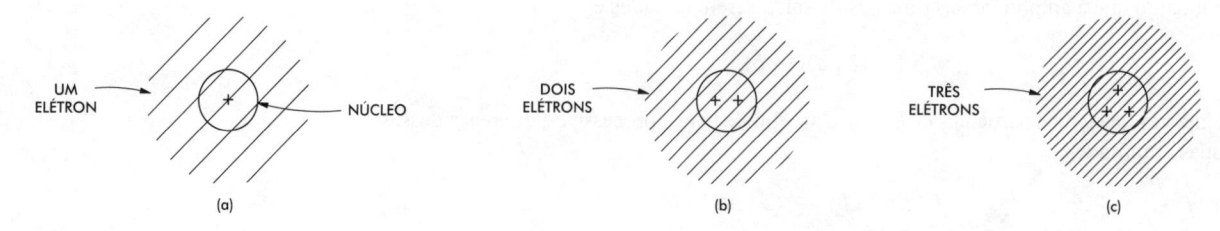

Figura 4–11 Aparência dos átomos se os elétrons se comportassem como partículas de Bose.

dos outros dois, pois as direções de spins já estão ocupadas. (Você deve lembrar que para um elétron ou uma partícula de spin 1/2 existem somente duas possibilidades para as direções de spin.) O terceiro elétron não pode ficar perto do lugar ocupado pelos outros dois, então ele deve ter uma condição especial em um tipo diferente de estado, longe do núcleo, como na parte (c) da figura. (Estamos falando aqui de uma maneira aproximada, pois na realidade os três elétrons são idênticos; um vez que realmente não podemos distinguir quem é quem, nossa figura é somente uma aproximação.)

Agora podemos começar a ver por que diferentes átomos irão ter diferentes propriedades químicas. Como o terceiro elétron do átomo de lítio está mais separado, ele está relativamente menos ligado. É muito mais fácil remover um elétron do átomo de lítio do que do de hélio. (Experimentalmene, são necessários 25 elétron-volts para ionizar o hélio, mas somente 5 elétron-volts para ionizar o lítio.) Essa é a quantidade para a valência do átomo de lítio. As propriedades direcionais da valência têm a ver com o padrão dos elétrons mais exteriores, que não iremos abordar neste momento. Ainda assim, já podemos ver a importância do chamado *princípio de exclusão* de Pauli que estabelece que dois elétrons não podem ser encontrados no mesmo estado (incluindo o spin).

O princípio da exclusão de Pauli também é responsável pela estabilidade da matéria em larga escala. Explicamos anteriormente que um átomo individual na matéria não pode colapsar devido ao princípio da incerteza; mas isso não explicava por que dois átomos de hidrogênio não poderiam ser colocados juntos tão perto quanto se queira – o porquê de dois prótons não poderem ficar juntos com uma grande nuvem eletrônica ao seu redor. A resposta é, com certeza, que uma vez que não mais do que dois elétrons, com spins opostos dificilmente podem estar no mesmo lugar, os átomos de hidrogênio devem ficar afastados um do outro. Então, a estabilidade da matéria em larga escala é realmente uma consequência da natureza feiônica dos elétrons.

É claro, se os elétrons externos em dois átomos possuem spins em direções opostas, eles podem se aproximar uns dos outros. Isso é de fato simplesmente a maneira como uma ligação química acontece. Disso segue que dois átomos juntos geralmente terão uma energia menor se houver um elétron entre eles. Esse é um tipo de atração elétrica para os dois núcleos positivos com o elétron no meio deles. É possível colocar dois elétrons mais ou menos entre os dois núcleos, desde que os seus spins sejam opostos; as ligações químicas mais fortes são criadas dessa maneira. Existe ligação mais forte, pois o princípio da exclusão não permite que haja mais do que dois elétrons no espaço entre os átomos. Esperamos que a molécula de hidrogênio se pareça mais ou menos como na Fig. 4-13.

Gostaríamos de mencionar mais uma consequência do princípio da exclusão. Você deve lembrar que, se ambos os elétrons no átomo de hélio estiverem perto do núcleo, seus spins necessariamente serão opostos. Agora suponha que queremos arranjar ambos os elétrons com o mesmo spin – como podemos considerar colocando um campo magnético fantasticamente forte, que deveria alinhar os spins na mesma direção. No entanto, dessa maneira os elétrons não poderiam mais ocupar o mesmo estado no espaço. Um deles deverá tomar uma posição geométrica diferente, como indicado na Fig. 4-14. O elétron que está localizado mais afastado do núcleo possui energia de ligação menor. A energia de todo o átomo é então um pouco maior. Em outras palavras, quando os dois spins são opostos, existe uma atração total mais forte.

Então, existe uma enorme força aparente tentando alinhar os elétrons de maneira oposta quando os dois elétrons estão próximos. Se dois elétrons estão tentando ficar no mesmo lugar, existe uma forte tendência para os spins ficarem alinhados de maneira oposta. Esta força aparente, tentando alinhar os elétrons de maneira oposta, é muito mais poderosa que qualquer força entre os dois momentos magnéticos dos elétrons. Lembre que, quando falamos do ferromagnetismo, existia um mistério de como os elétrons em diferentes átomos possuiam uma forte tendência de se ali-

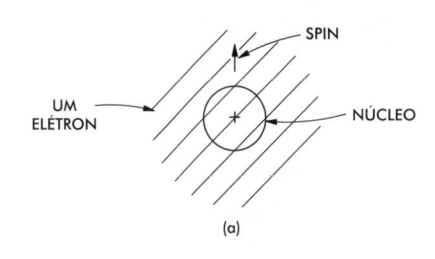

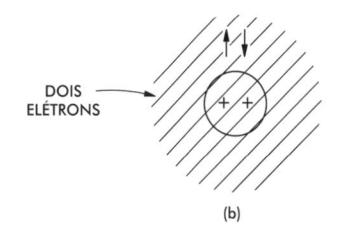

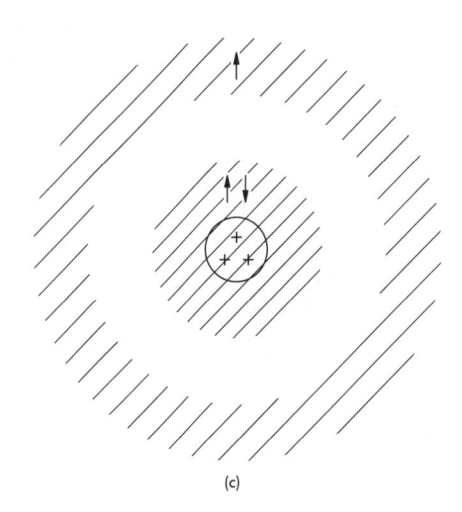

Figura 4-12 Configuração atômica para uma configuração real de spin semi-inteiro de Fermi.

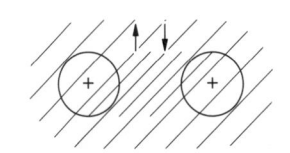

Figura 4-13 Molécula de hidrogênio.

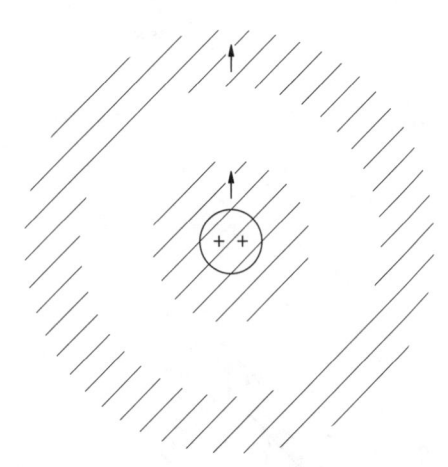

Figura 4–14 Hélio com um elétron em um estado de energia excitado.

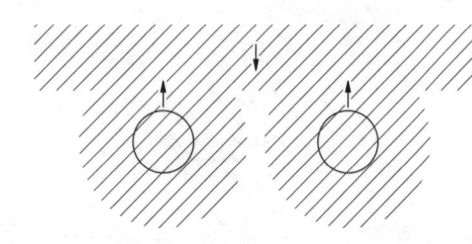

Figura 4–15 Provável mecanismo em um cristal ferromagnético; os elétrons de condução são antiparalelos aos elétrons internos desemparelhados.

nharem paralelamente. Apesar de ainda não haver explicação quantitativa, acredita-se que os elétrons ao redor do núcleo de um átomo interajam pelo princípio da exclusão com os elétrons mais externos, que se tornam livres para se movimentar através do cristal. Essa interação faz com que os spins dos elétrons livres e os elétrons mais internos tenham direções opostas. Contudo, os elétrons livres e os elétrons internos do átomo somente podem ser opostos contanto que todos os elétrons internos possuam a mesma direção de spin, como indicado na Fig. 4-15. É provável que isso seja um efeito do princípio da exclusão, agindo indiretamente através dos elétrons livres que dão origem a esse forte alinhamento, responsável pelo ferromagnetismo.

Vamos dar mais um exemplo da influência do princípio da exclusão. Dissemos anteriormente que as forças nucleares são as mesmas entre o nêutron e o próton, entre os prótons entre si e entre os nêutrons entre si. Por que então um próton e um nêutron podem ficar juntos para criar um núcleo de deutério, enquanto não existe nenhum núcleo com somente dois prótons ou somente dois nêutrons? O dêuteron é, de fato, ligado por uma energia de mais ou menos 2,2 milhões de elétron-volts, contudo não há nenhuma ligação correspondente entre um par de prótons para criar um isótopo de hélio com uma massa atômica 2. Tal núcleo não existe. A combinação de dois prótons não cria um estado ligado.

A resposta é um resultado de dois efeitos: primeiro, o princípio da exclusão; e segundo, o fato de que as forças nucleares são um pouco mais sensíveis à direção do spin. A força entre um nêutron e um próton é atrativa e um pouco mais forte quando os spins são paralelos do que quando são opostos; quando os spins são opostos, a atração não é forte o suficiente para mantê-los juntos. Uma vez que os spins do nêutron e do prótons são um meio cada, e estão na mesma direção, o dêuteron possui spin um. Entretanto, sabemos que dois prótons não podem ficar um em cima do outro se os seus spins forem paralelos. Se não fosse pelo princípio de exclusão, dois prótons poderiam ficar ligados, mas como eles não podem existir no mesmo lugar e com a mesma direção de spin, o núcleo He^2 não existe. Os prótons podem ficar juntos com seus spins opostos, mas então a ligação não é suficientemente forte para mantê-los juntos como um núcleo estável, pois a força nuclear para spins opostos é muito fraca para ligar um par de núcleons. A força atrativa entre nêutrons e prótons de spins opostos pode ser vista em experimentos de espalhamento. Experimentos semelhantes de espalhamento com dois prótons com spins paralelos mostram que existe uma atração correspondente. Então é o princípio de exclusão que explica por que o deutério pode existir, enquanto o He^2 não pode.

5

Spin Um

5–1 Filtragem de átomos com um aparato de Stern-Gerlach

Neste capítulo, começamos a mecânica quântica propriamente, no sentido de descrever um fenômeno quântico de uma maneira completamente quântica. Não daremos desculpas nem tentaremos achar ligações com a mecânica clássica. Queremos falar sobre uma coisa nova em uma nova linguagem. A situação específica que iremos descrever é o comportamento da chamada quantização do momento angular, para uma partícula de *spin um*. Não queremos usar palavras como "momento angular" ou outros conceitos de mecânica clássica por enquanto. Escolhemos esse exemplo em particular porque ele é relativamente simples, embora não seja o mais simples possível. Ele é suficientemente complicado para servir como um protótipo que pode ser generalizado para descrever todos os fenômenos quânticos. Portanto, embora estejamos lidando com um exemplo específico, todas as leis que mencionamos são imediatamente generalizáveis, e as generalizações serão dadas de modo que você verá as características gerais de uma descrição quântica. Começamos com o fenômeno da divisão de um feixe de átomos em três feixes separados em um experimento de Stern-Gerlach.

Lembre que se tivermos um campo magnético não homogêneo provocado por um ímã com um polo em forma de ponta e enviarmos um feixe através do aparato, o feixe de partículas pode ser dividido em um número de feixes – esse número dependendo do tipo específico de átomo e seu estado. Vamos tomar o caso de um átomo que fornece três feixes e vamos dizer que essa é uma partícula de *spin um*. Você pode fazer o caso de cinco feixes, sete feixes, dois feixes, etc. – apenas copie tudo, e onde temos três termos você terá cinco termos, sete termos e assim por diante.

Imagine o aparato desenhado esquematicamente na Fig. 5-1. Um feixe de átomos (ou partículas de qualquer tipo) é colimado por algumas fendas e passa através de um campo não uniforme. Digamos que o feixe se mova na direção y e que o campo magnético e seu gradiente estejam na direção z. Então, olhando pelo lado, veremos o feixe se dividir verticalmente em três feixes, como mostrado na figura. Agora, na saída do ímã, podemos colocar pequenos contadores que computem a taxa de chegada de partículas em qualquer dos três feixes. Ou podemos bloquear dois dos três feixes e deixar o terceiro continuar.

Suponha que bloqueemos os dois feixes de baixo e deixemos o feixe de cima prosseguir e entrar em um segundo aparato de Stern-Gerlach do mesmo tipo, como mostrado na Fig. 5-2. O que acontece? Não há três feixes no segundo aparato; há apenas o feixe que vai para cima.[†] Isso é o que você esperaria se pensasse no segundo aparato como uma simples extensão do primeiro. Aqueles átomos que são puxados para cima continuam sendo puxados para cima no segundo ímã.

Você pode ver então que o primeiro aparato produziu um feixe de objetos "purificados" – os átomos que foram desviados para cima no campo não homogêneo em questão. Os átomos, quando entram no aparato original, são de três "variedades", e os três tipos tomam diferentes trajetórias. Filtrando apenas uma das variedades, podemos fazer um feixe cujo futuro comportamento em um aparato do mesmo tipo é determinado

5–1 Filtragem de átomos com um aparato de Stern-Gerlach

5–2 Experimentos com átomos filtrados

5–3 Filtros de Stern-Gerlach em série

5–4 Estados de base

5–5 Amplitudes interferentes

5–6 A maquinaria da mecânica quântica

5–7 Transformação para uma base diferente

5–8 Outras situações

Revisão: Capítulo 35, Volume II, *Paramagnetismo e Ressonância Magnética*. Para sua conveniência, esse capítulo está reproduzido no Apêndice deste volume.

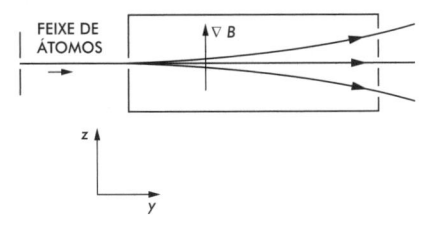

Figura 5–1 Em um experimento de Stern-Gerlach, átomos de spin um são divididos em três feixes.

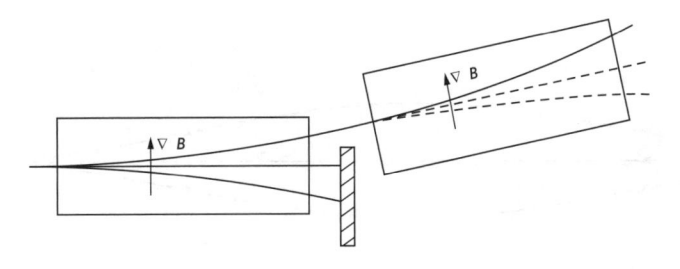

Figura 5–2 Os átomos de um dos feixes são enviados para dentro de um segundo aparato idêntico.

---

† Estamos assumindo que os ângulos de deflexão são muito pequenos.

e previsível. Chamaremos esse feixe de *filtrado* ou *polarizado*, ou feixe em que todos os átomos estão em um *estado definido*.

Para o resto da nossa discussão, será mais conveniente se considerarmos um aparato tipo Stern-Gerlach um pouco diferente. O aparato parece mais complicado em princípio, mas ele simplificará todos os argumentos. De qualquer forma, como são apenas "experimentos mentais", não custa nada complicar o equipamento. (Aliás, ninguém jamais fez todos os experimentos que descreveremos exatamente da mesma forma, mas sabemos o que *aconteceria* por causa das leis da mecânica quântica, as quais são, é claro, baseadas em outros experimentos similares. Esses outros experimentos são mais difíceis de entender no começo, portanto queremos descrever alguns experimentos idealizados – mas possíveis.)

A Fig. 5-3(a) mostra o desenho de um "aparato de Stern-Gerlach modificado" que gostaríamos de usar. Ele consiste em uma sequência de três ímãs de alto gradiente. O primeiro (à esquerda) é simplesmente o ímã de Stern-Gerlach usual e divide o feixe incidente de partículas de spin um em três feixes separados. O segundo ímã tem a mesma seção transversal do primeiro, mas tem o dobro do tamanho *e* a polaridade do campo magnético é oposta à do ímã 1. O segundo ímã puxa os ímãs atômicos na direção contrária e dobra seus caminhos no sentido de voltar para o eixo, como mostrado nas trajetórias desenhadas na parte de baixo da figura. O terceiro ímã é exatamente como o primeiro e faz os três feixes se encontrarem novamente, de modo que eles podem sair pelo buraco de saída ao longo do eixo. Finalmente, gostaríamos de imaginar que em frente ao buraco em *A* existe algum mecanismo que possa acelerar os átomos a partir do repouso e que depois do buraco em *B* existe um mecanismo que desacelere os átomos de volta ao repouso em *B*. Isso não é essencial, mas significará que em nossa análise não teremos de nos preocupar em incluir algum efeito do movimento enquanto os átomos saem e poderemos nos concentrar apenas naquilo que diz respeito ao spin. O propósito do aparato "melhorado" é simplesmente trazer todas as partículas para o mesmo lugar e com velocidade zero.

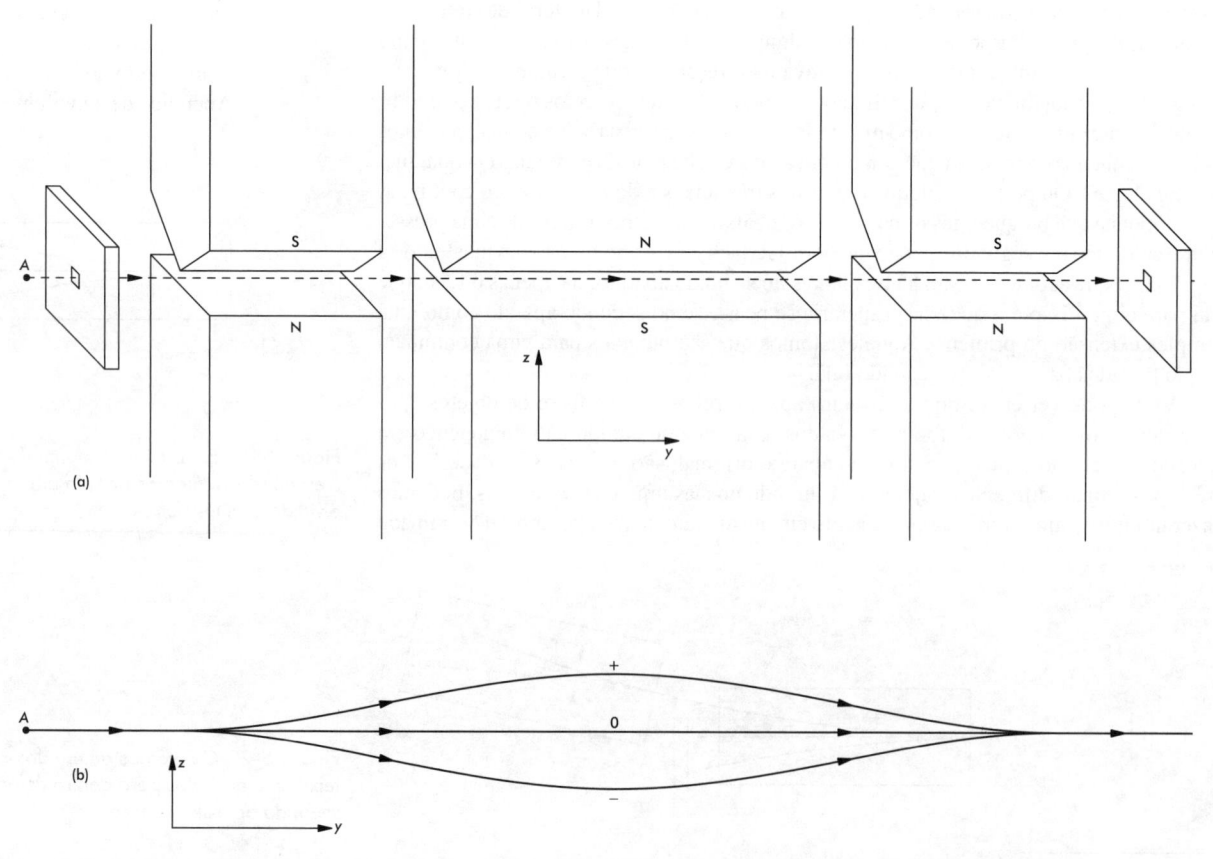

Figura 5–3 (a) Uma modificação imaginada de um aparato de Stern-Gerlach. (b) Os caminhos dos átomos de spin um.

Agora, se quisermos fazer uma experiência como aquela da Fig. 5-2, podemos primeiro filtrar um feixe colocando uma chapa no meio do aparato bloqueando dois dos feixes, como mostrado na Fig. 5-4. Se agora passarmos os átomos polarizados através de um segundo aparato idêntico, todos os átomos vão tomar o caminho de cima, o que pode ser verificado colocando chapas similares no caminho dos vários feixes do segundo filtro S e olhando se alguma partícula chega do outro lado.

Vamos chamar o primeiro aparato de S. (Vamos considerar todos os tipos de combinações e vamos precisar de rótulos para manter as coisas em ordem.) Vamos dizer que os átomos que tomam o caminho de cima em S estão no "estado mais com relação a S"; os que pegam o caminho do meio estão no "estado zero com relação a S"; e os que pegam o caminho de baixo estão no "estado menos com relação a S". (Na linguagem mais usual, diríamos que a componente z do momento angular é $+1\hbar$, 0 e $-1\hbar$, mas não estamos usando essa linguagem agora.) Na Fig. 5-4, o segundo aparato está orientado exatamente como o primeiro, portanto os átomos filtrados irão pelo caminho de cima. Se tivéssemos bloqueado os feixes de cima e de baixo no primeiro aparato e deixado apenas o feixe do meio continuar, todos os átomos filtrados iriam pelo caminho do meio no segundo aparato. Se tivéssemos deixado passar apenas o feixe de baixo no primeiro aparato, só haveria um feixe baixo no segundo. Podemos dizer que, em cada caso, nosso primeiro aparato produziu um feixe filtrado em um estado *puro* com relação a S (+, 0 ou −), e podemos testar qual estado está presente passando os átomos por um segundo aparato idêntico.

Podemos fazer o segundo aparato de modo que ele transmita apenas átomos em um estado particular – colocando máscaras dentro dele como fizemos no primeiro – e assim podemos testar o estado do feixe incidente apenas vendo se alguma coisa sai no final. Por exemplo, se bloquearmos os dois caminhos mais baixos no segundo aparato, 100% dos átomos ainda sairão; mas se bloquearmos o caminho de cima, nada vai passar.

Para facilitar esse tipo de discussão, vamos inventar um símbolo abreviado para representar um dos nossos aparatos de Stern-Gerlach melhorados. Deixaremos o símbolo

$$\left\{ \begin{matrix} + \\ 0 \\ - \end{matrix} \right\}_S \tag{5.1}$$

representar um aparato completo. (Esse *não* é um símbolo que você verá sendo usado na mecânica quântica; acabamos de inventá-lo para este capítulo. Ele é apenas uma descrição abreviada do aparato da Fig. 5-3.) Como vamos querer usar vários aparatos de uma vez, e com várias orientações, vamos identificar cada um com uma letra embaixo. Assim o símbolo em (5.1) representa o aparato S. Quando bloquearmos um ou mais dos feixes dentro do aparato, mostraremos por meio de barras verticais qual feixe está bloqueado, dessa forma:

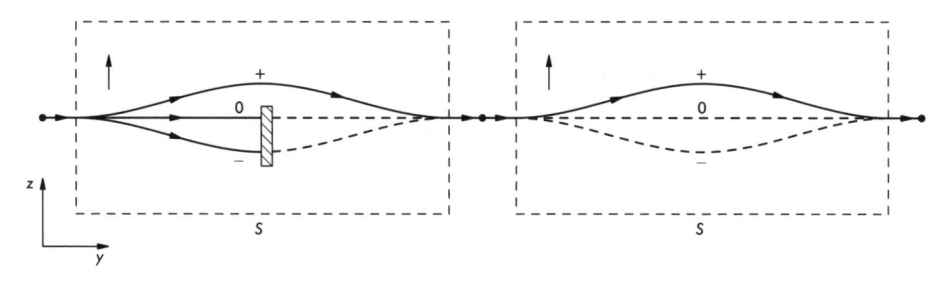

$$\left\{ \begin{matrix} + \\ 0 \\ - | \end{matrix} \right\}_S . \tag{5.2}$$

Figura 5–4 O aparato "melhorado" de Stern-Gerlach como filtro.

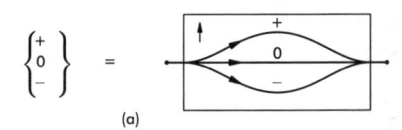

Figura 5–5 Símbolos especiais para filtros de Stern-Gerlach.

As várias combinações possíveis que usaremos são mostradas na Fig. 5-5.

Se tivermos dois filtros seguidos (como na Fig. 5-4), colocaremos os dois símbolos um ao lado do outro, desta forma:

$$\left\{\begin{matrix}+\\0\\-\end{matrix}\right\}_S \left\{\begin{matrix}+\\0\\-\end{matrix}\right\}_S. \tag{5.3}$$

Para esse arranjo, tudo que passa pelo primeiro passa também pelo segundo. De fato, mesmo se bloquearmos os canais "zero" e "menos" do segundo aparato, de modo que tenhamos:

$$\left\{\begin{matrix}+\\0\\-\end{matrix}\right\}_S \left\{\begin{matrix}+\\0\\-\end{matrix}\right\}_S, \tag{5.4}$$

ainda assim teremos 100% de transmissão através do segundo aparato. Por outro lado, se tivermos

$$\left\{\begin{matrix}+\\0\\-\end{matrix}\right\}_S \left\{\begin{matrix}+\\0\\-\end{matrix}\right\}_S, \tag{5.5}$$

nada sai no final. Da mesma forma,

$$\left\{\begin{matrix}+\\0\\-\end{matrix}\right\}_S \left\{\begin{matrix}+\\0\\-\end{matrix}\right\}_S, \tag{5.6}$$

não forneceria nada. Por outro lado,

$$\left\{\begin{matrix}+\\0\\-\end{matrix}\right\}_S \left\{\begin{matrix}+\\0\\-\end{matrix}\right\}_S, \tag{5.7}$$

seria equivalente a ter simplesmente

$$\left\{\begin{matrix}+\\0\\-\end{matrix}\right\}_S$$

Agora queremos descrever esses experimentos quanticamente. Diremos que um átomo está no estado (+S) se ele passou pelo aparato da Fig. 5-5(b), que ele está no estado (0S) se passou pelo (c) e no estado (−S) se passou pelo (d).[†] Então, seja $\langle b|a\rangle$ a *amplitude* com que um átomo que está no estado a atravessará o aparato no estado b. Podemos dizer: $\langle b|a\rangle$ é a amplitude com que um átomo no estado a *muda* para o estado b. O experimento (5.4) nos dá que

$$\langle +S|+S\rangle = 1,$$

[†] Leia: (+S) = "mais S"; (0 S) = "zero S"; (−S) = "menos S".

enquanto (5.5) nos dá
$$\langle -S \mid +S \rangle = 0.$$

De maneira semelhante, o resultado de (5.6) é
$$\langle +S \mid -S \rangle = 0,$$
e o de (5.7) é
$$\langle -S \mid -S \rangle = 1.$$

Tratando apenas de estados "puros", ou seja, tendo apenas um canal aberto, existem nove amplitudes dessas, e podemos escrevê-las em uma tabela:

$$
\begin{array}{c|ccc}
 & \multicolumn{3}{c}{\text{de}} \\
 & +S & 0\,S & -S \\
\hline
\text{para} \quad +S & 1 & 0 & 0 \\
0\,S & 0 & 1 & 0 \\
-S & 0 & 0 & 1
\end{array}
\tag{5.8}
$$

Essa tabela de nove números, chamada *matriz*, resume os fenômenos que descrevemos.

5–2 Experimentos com átomos filtrados

Agora vem a grande questão: O que acontece se o segundo aparato for girado para um ângulo diferente, de modo que seu campo não seja mais paralelo ao primeiro? Poderia não somente ser girado, mas também ser colocado em uma direção diferente – por exemplo, poderia ser posto formando um ângulo de 90° com a direção do primeiro. Para começar com calma, vamos pensar primeiro num arranjo em que o segundo experimento de Stern-Gerlach esteja inclinado de um ângulo α em torno do eixo *y* como mostrado na Fig. 5-6. Vamos chamar o segundo aparato de *T*. Suponha que armemos agora o seguinte experimento:

$$\left\{\begin{matrix}+\\0\\-\end{matrix}\bigg|\right\}_S \quad \left\{\begin{matrix}+\\0\\-\end{matrix}\bigg|\right\}_T,$$

ou o experimento:

$$\left\{\begin{matrix}+\\0\\-\end{matrix}\bigg|\right\}_S \quad \left\{\begin{matrix}+|\\0\\-|\end{matrix}\right\}_T.$$

O que aparece no final nesses casos?

A resposta é: Se os átomos estão em um estado definido com relação a *S*, eles *não* estão no mesmo estado com relação a *T* – um estado (+S) *não* é também um estado (+T). *Existe*, entretanto, uma certa *amplitude* de encontrar o átomo em um estado (+T) – ou um estado (0T) ou um estado (−T).

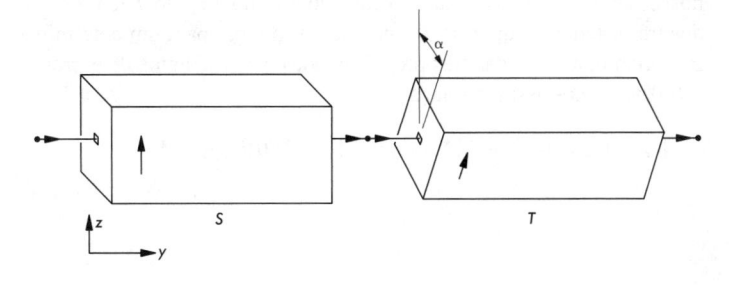

Figura 5–6 Dois filtros tipo Stern-Gerlach em série; o segundo está inclinado em um ângulo α com relação ao primeiro.

Em outras palavras, mesmo com o cuidado que tivemos para assegurar que os átomos estivessem em uma condição definida, a realidade é que se atravessarem um aparato que esteja inclinado em um ângulo diferente, eles terão que, por assim dizer, se "reorientar" – o que fazem, não esqueça, por sorte. Podemos atravessar apenas uma partícula por vez, e então podemos fazer apenas a seguinte pergunta: qual é a probabilidade de ela passar? Alguns dos átomos que passaram por S acabarão em um estado $(+T)$, alguns acabarão em um estado $(0T)$ e alguns em um estado $(-T)$ – cada um com diferentes chances. Essas chances podem ser calculadas pelo quadrado do módulo de amplitudes complexas; o que queremos é algum método matemático, ou descrição quântica, para essas amplitudes. O que precisamos saber são as diversas quantidades do tipo

$$\langle -T \mid +S \rangle,$$

que significa a amplitude com que um átomo inicialmente no estado $(+S)$ pode ir para o estado $(-T)$ (que *não* é zero a menos que T e S estejam alinhados e com campos paralelos). Existem outras amplitudes como

$$\langle +T \mid 0 S \rangle, \quad \text{ou} \quad \langle 0 T \mid -S \rangle, \quad \text{etc.}$$

Existem, de fato, nove amplitudes dessas – outra matriz – que uma teoria de partículas deveria nos dizer como calcular. Assim, como $F = ma$ nos diz como calcular o que acontece com uma partícula clássica em qualquer circunstância, as leis da mecânica quântica nos permitem determinar as amplitudes com que uma partícula passará um determinado aparato. O problema central, então, é poder calcular – para qualquer ângulo de inclinação α ou qualquer orientação que seja – as nove amplitudes:

$$\begin{array}{ccc} \langle +T \mid +S \rangle, & \langle +T \mid 0 S \rangle, & \langle +T \mid -S \rangle, \\ \langle 0 T \mid +S \rangle, & \langle 0 T \mid 0 S \rangle, & \langle 0 T \mid -S \rangle, \\ \langle -T \mid +S \rangle, & \langle -T \mid 0 S \rangle, & \langle -T \mid -S \rangle. \end{array} \quad (5.9)$$

Já podemos descobrir algumas relações entre essas amplitudes. Primeiro, de acordo com nossas definições, o quadrado do módulo

$$|\langle +T \mid +S \rangle|^2$$

é a *probabilidade* com que um átomo em um estado $(+S)$ passará para o estado $(+T)$. Com frequência, acharemos mais conveniente escrever esses quadrados na forma equivalente

$$\langle +T \mid +S \rangle \langle +T \mid +S \rangle^*.$$

Na mesma notação, o número

$$\langle 0 T \mid +S \rangle \langle 0 T \mid +S \rangle^*$$

é a probabilidade com que uma partícula no estado $(+S)$ passará para o estado $(0T)$, e

$$\langle -T \mid +S \rangle \langle -T \mid +S \rangle^*$$

é a probabilidade com que passará para o estado $(-T)$. Da maneira como construímos nossos aparatos, todos os átomos que entram no aparato T têm de se encontrar em um dos três estados do aparato T – não há outro lugar para um determinado tipo de átomo ir. Portanto, a soma das três probabilidades que acabamos de escrever tem de ser igual a 100%. Temos assim a relação

$$\langle +T \mid +S \rangle \langle +T \mid +S \rangle^* + \langle 0 T \mid +S \rangle \langle 0 T \mid +S \rangle^* \\ + \langle -T \mid +S \rangle \langle -T \mid +S \rangle^* = 1. \quad (5.10)$$

Existem, é claro, duas outras equações do mesmo tipo que obtemos se começarmos com um estado (0S) ou (−S), mas elas podem ser obtidas facilmente, portanto continuaremos com outras questões gerais.

5–3 Filtros de Stern-Gerlach em série

Aqui está uma questão interessante: Suponha que tenhamos átomos filtrados no estado (+S), então os passemos através de um segundo filtro, digamos no estado (0T), e então através de *outro* filtro +S. (Vamos chamar o último filtro de S' apenas para distingui-lo do primeiro filtro S.) Será que os átomos lembram que antes estavam no estado (+S)? Em outras palavras, temos o seguinte experimento:

$$\left\{\begin{matrix}+\\0\\-\end{matrix}\bigg|\right\}_S \quad \left\{\begin{matrix}+|\\0\\-|\end{matrix}\right\}_T \quad \left\{\begin{matrix}+\\0\\-|\end{matrix}\bigg|\right\}_{S'} \tag{5.11}$$

Queremos saber se todos aqueles que passam por T também passam por S'. *Eles não passam*. Uma vez filtrados por T, eles *não se lembram* de jeito nenhum de que estiveram em um estado (+S) quando entraram em T. Note que o segundo aparato S é orientado de forma idêntica ao primeiro, portanto é um filtro tipo S. Os estados filtrados por S' são, é claro, (+S), (0S) e (−S).

O ponto importante é este: *Se o filtro T deixa passar apenas um feixe, a fração que passa pelo segundo filtro S depende apenas do arranjo do filtro T e é completamente independente do que o precede.* O fato de os mesmos átomos terem sido separados antes por um filtro S não tem qualquer influência no que irão fazer depois de terem sido separados novamente pelo aparato T em um feixe puro. Daí em diante, a probabilidade de ir para diferentes estados é a mesma, não importa o que aconteceu antes de entrarem no aparato T.

Como exemplo, vamos comparar o experimento de (5.11) com o seguinte experimento:

$$\left\{\begin{matrix}+|\\0\\-|\end{matrix}\right\}_S \quad \left\{\begin{matrix}+|\\0\\-|\end{matrix}\right\}_T \quad \left\{\begin{matrix}+\\0\\-|\end{matrix}\bigg|\right\}_{S'} \tag{5.12}$$

no qual apenas o primeiro S é mudado. Digamos que o ângulo α (entre S e T) seja tal que no experimento (5.11) um terço dos átomos que passam por T também passam por S'. No experimento (5.12), embora haja, em geral, um número diferente de átomos passando por T, a *mesma fração desses átomos* – um terço – também passará por S'.

De fato, podemos mostrar daquilo que você já aprendeu, que a fração dos átomos que saem de T e passam por um determinado S' depende apenas de T e S', e não de qualquer coisa que tenha acontecido antes. Vamos comparar o experimento (5.12) com

$$\left\{\begin{matrix}+|\\0\\-|\end{matrix}\right\}_S \quad \left\{\begin{matrix}+|\\0\\-|\end{matrix}\right\}_T \quad \left\{\begin{matrix}+|\\0\\-|\end{matrix}\right\}_{S'}. \tag{5.13}$$

A amplitude com que um átomo que sai de S também atravessará tanto T quanto S' é, para o experimento (5.12),

$$\langle +S \mid 0T \rangle\langle 0T \mid 0S \rangle.$$

A probabilidade correspondente é

$$|\langle +S \mid 0T \rangle\langle 0T \mid 0S \rangle|^2 = |\langle +S \mid 0T \rangle|^2 |\langle 0T \mid 0S \rangle|^2.$$

A probabilidade para o experimento (5.13) é

$$|\langle 0S | 0T \rangle\langle 0T | 0S \rangle|^2 = |\langle 0S | 0T \rangle|^2 |\langle 0T | 0S \rangle|^2.$$

A razão é

$$\frac{|\langle 0S | 0T \rangle|^2}{|\langle +S | 0T \rangle|^2}$$

e depende apenas de T e S', e de maneira nenhuma de qual feixe é selecionado por S. (Os números absolutos podem aumentar ou diminuir de acordo com quantos atravessam T.) Encontraríamos, é claro, o mesmo resultado se comparássemos as probabilidades de os átomos passarem para os estados mais ou menos com respeito a S', ou a razão das probabilidades de passarem para os estados zero ou menos.

De fato, como essas razões só dependem de qual feixe permitimos passar por T, e não da seleção feita pelo primeiro filtro S, é claro que teríamos o mesmo resultado mesmo se o último aparato não fosse um filtro S. Se usássemos como terceiro aparato – o qual chamaremos agora de R – um que seja rotacionado em um ângulo arbitrário com relação a T, encontraríamos que uma razão como $|\langle 0R | 0T \rangle|^2 / |\langle +R | 0T \rangle|^2$ seria independente de qual feixe passou pelo primeiro filtro S.

5–4 Estados de base

Esses resultados ilustram um dos princípios básicos da mecânica quântica: Qualquer sistema atômico pode ser separado por um processo de filtragem em um certo conjunto do que chamaremos de *estados de base*, e o futuro comportamento dos átomos em qualquer estado de base dado depende apenas da natureza do estado de base – ele é independente de qualquer história pregressa.[†] Os estados de base dependem, naturalmente, do filtro usado; por exemplo, os três estados ($+T$), ($0T$) e ($-T$) são um conjunto de estados de base; os três estados ($+S$), ($0S$) e ($-S$) são outro. Há um sem número de possibilidades, cada uma tão boa quanto qualquer outra.

Deveríamos ser cuidadosos em dizer que estamos considerando *bons* filtros aqueles que realmente produzem feixes "puros". Se, por exemplo, nosso aparato de Stern-Gerlach não produzisse uma boa separação dos três feixes de modo que não pudéssemos separá-los claramente pelas nossas chapas, então não poderíamos fazer uma separação completa em estados de base. Podemos dizer se temos estados de base puros vendo se os feixes se dividem novamente em outro filtro do mesmo tipo. Se temos um estado ($+T$) puro, por exemplo, todos os átomos passarão por

$$\left\{\begin{array}{c} + \\ 0 \\ - \end{array}\right\}_T,$$

e nenhum passará por

$$\left\{\begin{array}{c} + \, | \\ 0 \, | \\ - \, | \end{array}\right\}_T,$$

ou por

$$\left\{\begin{array}{c} + \\ 0 \\ - \end{array}\right\}_T.$$

[†] Não pretendemos que a palavra "estado de base" implique nada além do que é dito aqui. O estado não deve ser considerado como básico em nenhum sentido. Estamos usando a palavra base no sentido que se emprega quando se diz "números na *base* dez".

Nossa sentença sobre estados de base significa que é *possível* filtrar um estado puro, de modo que nenhuma filtragem adicional por um aparato idêntico é possível.

Precisamos também assinalar que o que estamos dizendo é exatamente verdadeiro apenas para situações bastante idealizadas. Em qualquer aparato de Stern-Gerlach real, teríamos de nos preocupar com a difração pelas fendas que poderia fazer com que alguns átomos fossem para estados correspondentes a diferentes ângulos, ou com a possibilidade de os feixes conterem átomos com diferentes excitações dos seus estados internos, e assim por diante. Estamos falando de uma situação ideal, sobre os estados que são divididos em um campo magnético; estamos ignorando coisas como posição, momento, excitações internas e outras coisas do gênero. Em geral, iríamos considerar também estados de base que são separados por coisas desse tipo, mas para manter os conceitos simples, estamos considerando apenas nosso conjunto de três estados, que é suficiente para um tratamento exato da situação idealizada na qual os átomos não são arrancados pra fora da trajetória quando passam pelos aparatos, ou maltratados de alguma outra forma, e voltam ao repouso quando deixam o aparato.

Você notará que sempre começamos nossas experiências mentais tomando um filtro com apenas um canal aberto, de modo que começamos com um estado de base definido. Fazemos isso porque os átomos saem de uma fornalha em vários estados determinados aleatoriamente pelos acontecimentos acidentais dentro da fornalha. (Ela dá o que é chamado de feixe "não polarizado".) Essa aleatoriedade envolve probabilidades do tipo clássico – como em um arremesso de moeda – que são diferentes das probabilidades quânticas com as quais estamos preocupados agora. Lidar com um feixe não polarizado nos traria complicações adicionais que é melhor evitar até que compreendamos o comportamento de feixes polarizados. Portanto, não tente considerar, neste momento, o que acontece se o *primeiro* aparato deixa passar mais de um feixe. (Diremos a você como lidar com tais casos no fim do capítulo.)

Agora vamos voltar e ver o que acontece quando vamos de um estado base de um filtro para um estado base de outro filtro. Suponha que comecemos novamente com

$$\left\{ \begin{array}{c} + \\ 0 \\ - \end{array} \bigg| \right\}_S \quad \left\{ \begin{array}{c} + \\ 0 \\ - \end{array} \bigg| \right\}_T.$$

Os átomos que saem de T estão no estado base $(0T)$ e não têm memória de que estiveram alguma vez no estado $(+S)$. Algumas pessoas diriam que na filtragem por T "perdemos a informação" sobre o estado anterior $(+S)$ porque "perturbamos" os átomos quando os separamos em três feixes no aparato T. No entanto, isso não é verdade. A informação não é perdida pela *separação* em três feixes, mas pelas *chapas bloqueadoras* que são colocadas – como podemos ver pelo conjunto de experiências a seguir.

Começamos com um filtro $+S$ e chamaremos de N o número de átomos que saem dele. Se colocamos na sequência desse um filtro $0T$, o número de átomos que saem é uma fração do número original, digamos αN. Se colocamos agora outro filtro $+S$, apenas uma fração β vai sair no final. Vamos indicar isso da seguinte maneira:

$$\left\{ \begin{array}{c} + \\ 0 \\ - \end{array} \bigg| \right\}_S \xrightarrow{N} \left\{ \begin{array}{c} + \\ 0 \\ - \end{array} \bigg| \right\}_T \xrightarrow{\alpha N} \left\{ \begin{array}{c} + \\ 0 \\ - \end{array} \bigg| \right\}_{S'} \xrightarrow{\beta \alpha N}. \quad (5.14)$$

Se nosso terceiro aparato S' selecionasse um estado diferente, digamos o estado $(0S)$, uma fração diferente, digamos γ, sairia.[†] Teríamos

---

† Em termos da nossa notação anterior, $\alpha = |\langle 0T | +S \rangle|^2$, $\beta = |\langle +S | 0T \rangle|^2$ e $\gamma = |\langle 0S | 0T \rangle|^2$.

$$\left\{\begin{matrix}+\\0\\-\end{matrix}\bigg|\bigg|\right\}_S \xrightarrow{N} \left\{\begin{matrix}+\\0\\-\end{matrix}\bigg|\bigg|\right\}_T \xrightarrow{\alpha N} \left\{\begin{matrix}+\\0\\-\end{matrix}\bigg|\bigg|\right\}_{S'} \xrightarrow{\gamma\alpha N} . \qquad (5.15)$$

Agora suponha que vamos repetir esses dois experimentos sem as chapas de T. Encontraríamos então os notáveis resultados abaixo:

$$\left\{\begin{matrix}+\\0\\-\end{matrix}\bigg|\bigg|\right\}_S \xrightarrow{N} \left\{\begin{matrix}+\\0\\-\end{matrix}\right\}_T \xrightarrow{N} \left\{\begin{matrix}+\\0\\-\end{matrix}\bigg|\bigg|\right\}_{S'} \xrightarrow{N} , \qquad (5.16)$$

$$\left\{\begin{matrix}+\\0\\-\end{matrix}\bigg|\bigg|\right\}_S \xrightarrow{N} \left\{\begin{matrix}+\\0\\-\end{matrix}\right\}_T \xrightarrow{N} \left\{\begin{matrix}+\\0\\-\end{matrix}\bigg|\bigg|\right\}_{S'} \xrightarrow{0} . \qquad (5.17)$$

Todos os átomos passam por S' no primeiro caso, mas *nenhum* no segundo caso! Essa é uma das maiores leis da mecânica quântica. Não é evidente que a natureza funciona dessa maneira, mas os resultados que demos correspondem, na nossa situação idealizada, ao comportamento quântico observado em inúmeros experimentos.

5–5 Amplitudes interferentes

Como pode ser que, indo de (5.15) para (5.17) – *abrindo mais canais* –, deixamos *menos* átomos passarem? Esse é o antigo e profundo mistério da mecânica quântica – a interferência de amplitudes. É o mesmo tipo de coisa que vimos na experiência de interferência de elétrons pela fenda dupla. Vimos que podíamos ter menos elétrons em alguns lugares com ambas as fendas abertas do que com apenas uma fenda aberta. Funciona quantitativamente dessa maneira. Podemos escrever a amplitude com que um átomo atravessará T e S' no aparato de (5.17) como uma soma de três amplitudes, uma para cada um dos três feixes em T; a soma é igual a zero:

$$\langle 0\,S\,|+T\rangle\langle +T\,|+S\rangle + \langle 0\,S\,|\,0\,T\rangle\langle 0\,T\,|+S\rangle + \langle 0\,S\,|-T\rangle\langle -T\,|+S\rangle = 0. \qquad (5.18)$$

Nenhuma das três amplitudes individuais é zero – por exemplo, o quadrado do módulo da segunda amplitude é $\gamma\alpha$, veja (5.15) – mas a *soma é zero*. Teríamos também a mesma resposta se S' fosse configurado para selecionar o estado $(-S)$. Entretanto, na configuração de (5.16), a resposta é diferente. Se chamamos de a a amplitude com que se atravessa T e S', temos[†]

$$a = \langle +S\,|+T\rangle\langle +T\,|+S\rangle + \langle +S\,|\,0\,T\rangle\langle 0\,T\,|+S\rangle$$
$$+ \langle +S\,|-T\rangle\langle -T\,|+S\rangle = 1. \qquad (5.19)$$

No experimento (5.16), o feixe foi dividido e recombinado. Humpty Dumpty* foi recomposto. A informação sobre o estado original $(+S)$ é mantida – como se simplesmente não houvesse o aparato T. Isso é verdade não importando o que seja colocado após o aparato T "aberto". Poderíamos colocar na sequência um filtro R – um filtro em algum

---

[†] Não podemos concluir do experimento que $a = 1$, mas apenas que $|a|^2 = 1$, portanto a pode ser $e^{i\delta}$, mas pode-se mostrar que a escolha $\delta = 0$ não representa perda real de generalidade.

* N. de T.: O autor se refere a uma antiga rima infantil, conhecida na Inglaterra e nos Estados Unidos, sobre um ovo personificado chamado Humpty Dumpty. A rima diz: "Humpty Dumpty se sentou sobre um muro / Humpty Dumpty teve uma grande queda / Todos os cavalos e homens do rei / Não conseguiram recompor Humpty."

ângulo esquisito – ou qualquer coisa que se deseje. A resposta será sempre como se os átomos viessem direto de um filtro S.

Portanto, este é o princípio importante: um filtro T – ou qualquer outro filtro – sem placas *não* produz mudança alguma. Devemos fazer uma condição adicional. O filtro aberto precisa não só transmitir os três feixes, mas também *não* produzir perturbações desiguais nos três feixes. Por exemplo, não pode haver um campo elétrico forte perto de um feixe e não dos outros. A razão é que mesmo se essas perturbações extras deixassem todos os átomos passarem pelo filtro, poderiam mudar as *fases* de algumas amplitudes. Então a interferência seria mudada, e as amplitudes nas Eqs. (5.18) e (5.19) seriam diferentes. Assumiremos sempre que não há tais perturbações extras.

Vamos escrever as Eqs. (5.18) e (5.19) em uma notação melhorada. Deixemos que i seja qualquer um dos estados $(+T)$, $(0T)$ ou $(-T)$; então as equações podem ser escritas:

$$\sum_{\text{todo } i} \langle 0S | i \rangle \langle i | +S \rangle = 0 \tag{5.20}$$

e

$$\sum_{\text{todo } i} \langle +S | i \rangle \langle i | +S \rangle = 1. \tag{5.21}$$

De forma semelhante, para um experimento no qual S' é trocado por um filtro R completamente arbitrário, temos

$$\left\{ \begin{matrix} + \\ 0 \\ - \end{matrix} \right|\!\Big\}_S \quad \left\{ \begin{matrix} + \\ 0 \\ - \end{matrix} \right|\!\Big\}_T \quad \left\{ \begin{matrix} + \\ 0 \\ - \end{matrix} \right|\!\Big\}_R . \tag{5.22}$$

Os resultados serão sempre os mesmos como se o aparato T fosse deixado de fora e tivéssemos apenas

$$\left\{ \begin{matrix} + \\ 0 \\ - \end{matrix} \right|\!\Big\}_S \quad \left\{ \begin{matrix} + \\ 0 \\ - \end{matrix} \right|\!\Big\}_R .$$

Ou, expresso matematicamente,

$$\sum_{\text{todo } i} \langle +R | i \rangle \langle i | +S \rangle = \langle +R | +S \rangle. \tag{5.23}$$

Essa é nossa lei fundamental, e é geralmente verdadeira contanto que i seja um dos três estados de base de qualquer um dos filtros.

Você notará que, no experimento (5.22), não há relação especial de S e R com T. Mais ainda, os argumentos seriam os mesmos não importa quais estados eles selecionassem. Para escrever a equação de uma forma geral, sem ter de se referir ao estado específico selecionado por S e R, vamos chamar de ϕ ("fi") o estado preparado pelo primeiro filtro ($+S$ no nosso exemplo especial) e de χ ("qui") o estado testado pelo filtro final ($+R$ no nosso exemplo). Então podemos sentenciar nossa lei fundamental da Eq. (5.23) na forma

$$\langle \chi | \phi \rangle = \sum_{\text{todo } i} \langle \chi | i \rangle \langle i | \phi \rangle, \tag{5.24}$$

onde i corre sobre os três estados de base de um dos dois filtros.

Queremos novamente enfatizar o que definimos como estados de base. Eles são como os três estados que podem ser selecionados por um dos nossos aparatos de Stern-Gerlach. Uma condição é que se você tem um estado de base, então o futuro independe do passado. Outra condição é que se você tem um conjunto completo de estados de base, a Eq. (5.24) vale para qualquer conjunto de estados iniciais e finais ϕ e χ. Não há, entretanto, *nenhum* conjunto de estados de base *único*. Começamos considerando estados de base *com relação* a um aparato particular T. Poderíamos igualmente considerar um *conjunto diferente* de estados de base com relação a um aparato S, ou com relação a R, etc.[†] Comumente falamos dos estados de base "em uma certa representação".

Outra condição sobre um conjunto de estados de base em qualquer representação é que eles são completamente diferentes. Com isso queremos dizer que se temos um estado $(+T)$, não existe amplitude para que ele vá para um estado $(0T)$ ou $(-T)$. Se fizermos i e j serem dois estados de base qualquer de um conjunto em particular, as regras gerais discutidas em conexão com (5.8) são que

$$\langle j | i \rangle = 0$$

para todos os i e j que não sejam iguais. É claro, sabemos que

$$\langle i | i \rangle = 1.$$

Essas duas equações são usualmente escritas como

$$\langle j | i \rangle = \delta_{ji}, \qquad (5.25)$$

onde δ_{ji} (o "delta de Kronecker") é um símbolo que é definido como zero para $i \neq j$ e um para $i = j$.

A Eq. (5.25) não é independente das outras leis que mencionamos. Acontece que não estamos interessados particularmente no problema matemático de achar o conjunto mínimo de axiomas independentes que dará todas as leis como consequências.[‡] Ficamos satisfeitos se tivermos um conjunto que seja completo e aparentemente não inconsistente. Podemos, entretanto, mostrar que as Eqs. (5.25) e (5.24) não são independentes. Suponha que deixemos ϕ na Eq. (5.24) representar um dos estados de base do mesmo conjunto de i, digamos o j-ésimo estado; então temos

$$\langle \chi | j \rangle = \sum_i \langle \chi | i \rangle \langle i | j \rangle.$$

A Eq. (5.25) diz que $\langle i | j \rangle$ é zero a menos que $i = j$, portanto a soma se torna simplesmente $\langle \chi | j \rangle$ e temos uma identidade, o que mostra que as duas leis não são independentes.

Podemos ver que deve haver outra relação entre as amplitudes se as Eqs. (5.10) e (5.24) são, ambas, verdadeiras. A Eq. (5.10) é

$$\langle +T | +S \rangle \langle +T | +S \rangle^* + \langle 0T | +S \rangle \langle 0T | +S \rangle^* + \langle -T | +S \rangle \langle -T | +S \rangle^* = 1.$$

Se escrevermos a Eq. (5.24), deixando tanto ϕ quanto χ serem o estado $(+S)$, o lado esquerdo é $\langle +S | +S \rangle$, que é claramente igual a 1; então temos novamente a Eq. (5.19),

$$\langle +S | +T \rangle \langle +T | +S \rangle + \langle +S | 0T \rangle \langle 0T | +S \rangle + \langle +S | -T \rangle \langle -T | +S \rangle = 1.$$

Essas duas equações são consistentes (para todas as orientações relativas entre os aparatos T e S) somente se

$$\langle +S | +T \rangle = \langle +T | +S \rangle^*,$$
$$\langle +S | 0T \rangle = \langle 0T | +S \rangle^*,$$
$$\langle +S | -T \rangle = \langle -T | +S \rangle^*.$$

[†] De fato, para sistemas atômicos com três ou mais estados de base, existem outros tipos de filtros – bem diferentes de um aparato de Stern-Gerlach – que podem ser usados para ter mais possibilidades para o conjunto de estados de base (cada conjunto com o mesmo *número* de estados).

[‡] *Verdade* redundante não nos incomoda!

E segue que, para quaisquer estados ϕ e χ,

$$\langle \phi | \chi \rangle = \langle \chi | \phi \rangle^*. \quad (5.26)$$

Se isso não fosse verdade, a probabilidade não seria "conservada", e partículas seriam "perdidas".

Antes de prosseguir, queremos resumir as três importantes leis gerais sobre amplitudes. São as Eqs. (5.24), (5.25) e (5.26):

$$\begin{aligned} &\text{I} \quad \langle j | i \rangle = \delta_{ji}, \\ &\text{II} \quad \langle \chi | \phi \rangle = \sum_{\text{todo } i} \langle \chi | i \rangle \langle i | \phi \rangle, \\ &\text{III} \quad \langle \phi | \chi \rangle = \langle \chi | \phi \rangle^*. \end{aligned} \quad (5.27)$$

Nessas equações, i e j se referem a *todos* os estados de base de *alguma* representação, enquanto ϕ e χ representam qualquer estado possível do átomo. É importante notar que II é válida apenas se a soma for feita sobre *todos* os estados de base do sistema (no nosso caso, três: $+T$, $0T$ e $-T$). Essas leis nada dizem sobre qual conjunto de estados de base devemos escolher. Começamos usando um aparato T, que é um experimento de Stern-Gerlach com alguma orientação arbitrária; mas qualquer outra orientação, digamos W, seria tão boa quanto. Teríamos um conjunto diferente de estados para i e j, mas todas as leis continuariam válidas – não há um conjunto único. Um dos grandes jogos da mecânica quântica é fazer uso do fato de que as coisas podem ser calculadas de mais de uma maneira.

5–6 A maquinaria da mecânica quântica

Queremos mostrar a você por que essas leis são úteis. Suponha que temos um átomo em uma dada condição (queremos dizer que foi preparado de uma certa maneira) e queremos saber o que acontecerá com ele em algum experimento. Em outras palavras, começamos com nosso átomo no estado ϕ e queremos saber quais as *chances* de ele passar por algum aparato que aceita átomos apenas na condição χ. As leis dizem que podemos descrever completamente o aparato em termos de três números complexos $\langle \chi | i \rangle$, as amplitudes para cada estado de base estar na condição χ; e que podemos dizer o que acontecerá se um átomo for colocado dentro do aparato se descrevermos o estado do átomo dando três números $\langle i | \phi \rangle$, as amplitudes para o átomo na sua condição original ser encontrado em cada um dos três estados de base. Essa é uma ideia importante.

Vamos considerar outra ilustração. Pense no seguinte problema: começamos com um aparato S; então temos um complicado "balaio de gatos", que podemos chamar de A, e então um aparato R – assim:

$$\left\{ \begin{array}{c} + \\ 0 \\ - \end{array} \right\}_S \quad \{A\} \quad \left\{ \begin{array}{c} + \\ 0 \\ - \end{array} \right\}_R. \quad (5.28)$$

Por A queremos dizer qualquer arranjo complicado de aparatos de Stern-Gerlach com chapas ou meias chapas, orientados em ângulos estranhos, com campos elétricos e magnéticos esquisitos... quase qualquer coisa que você quiser colocar. (É legal fazer experimentos mentais – você não tem de ter todo o trabalho de *construir* de verdade o aparato!) O problema então é: com que amplitude uma partícula que entra na seção A em um estado $(+S)$ sai de A no estado $(0R)$, de maneira que ela passe pelo filtro R no final? Há uma notação regular para tal amplitude; ela é

$$\langle 0R | A | +S \rangle.$$

Como de costume, é para ser lida da direita para a esquerda (como hebraico):

$$\langle \text{ final } | \text{ através } | \text{ início } \rangle.$$

Se por acaso A não fizer nada – mas for apenas um canal aberto –, então escrevemos

$$\langle 0R \, | \, 1 \, | \, +S \rangle = \langle 0R \, | \, +S \rangle; \qquad (5.29)$$

os dois símbolos são equivalentes. Para um problema mais geral, devemos substituir $(+S)$ por um estado inicial generalizado ϕ e $(0R)$ por um estado final generalizado χ, e gostaríamos de conhecer a amplitude

$$\langle \chi \, | \, A \, | \, \phi \rangle.$$

Uma análise completa do aparato A teria de dar a amplitude $\langle \chi \, | \, A \, | \, \phi \rangle$ para todo par possível de estados ϕ e χ – um número infinito de combinações! Como podemos agora dar uma descrição concisa do comportamento do aparato A? Podemos fazê-lo da seguinte maneira. Imagine que o aparato de (5.28) é modificado para

$$\left\{ \begin{matrix} + \\ 0 \\ - \end{matrix} \right\}_S \left\{ \begin{matrix} + \\ 0 \\ - \end{matrix} \right\}_T \{A\} \left\{ \begin{matrix} + \\ 0 \\ - \end{matrix} \right\}_T \left\{ \begin{matrix} + \\ 0 \\ - \end{matrix} \right\}_R. \qquad (5.30)$$

Isso não é modificação alguma, pois os aparatos T todo abertos não fazem coisa alguma. No entanto, eles sugerem como podemos analisar o problema. Existe um certo conjunto de amplitudes $\langle i \, | \, +S \rangle$ com que os átomos de S irão para o estado i de T. Então existe outro conjunto de amplitudes com que um estado i (com relação a T) entrando em A sairá como um estado j (com relação a T). E finalmente existe uma amplitude com que cada estado j sairá do último filtro como um estado $(0R)$. Para cada caminho alternativo, existe uma amplitude da forma

$$\langle 0R \, | \, j \rangle \langle j \, | \, A \, | \, i \rangle \langle i \, | \, +S \rangle,$$

e a amplitude total é a soma dos termos obtidos com todas as possíveis combinações de i e j. A amplitude que queremos é

$$\sum_{ij} \langle 0R \, | \, j \rangle \langle j \, | \, A \, | \, i \rangle \langle i \, | \, +S \rangle. \qquad (5.31)$$

Se $(0R)$ e $(+S)$ são substituídos por estados gerais χ e ϕ, teríamos o mesmo tipo de expressão; então temos o resultado geral

$$\langle \chi \, | \, A \, | \, \phi \rangle = \sum_{ij} \langle \chi \, | \, j \rangle \langle j \, | \, A \, | \, i \rangle \langle i \, | \, \phi \rangle. \qquad (5.32)$$

Agora note que o lado direito da Eq. (5.32) é de fato "mais simples" do que o lado esquerdo. O aparato A é completamente descrito pelos *nove* números $\langle j \, | \, A \, | \, i \rangle$ que dizem a resposta de A com relação aos três estados de base do aparato T. Uma vez que saibamos esses nove números, podemos tratar quaisquer dois estados entrando e saindo de ϕ e χ se definirmos cada um em termos das três amplitudes para ir para, ou sair de, cada um dos estados de base. O resultado do experimento é predito usando a Eq. (5.32).

Essa é a maquinaria da mecânica quântica para uma partícula de spin um. Cada *estado* é descrito pelos três números que são as amplitudes de estar em algum dos estados de base de um conjunto selecionado. Todo aparato é descrito por nove números que são as amplitudes com que passam de um estado de base para outro no aparato. Partindo desses números, qualquer coisa pode ser calculada.

As nove amplitudes que descrevem o aparato são frequentemente escritas como uma matriz quadrada – chamada de matriz $\langle j | A | i \rangle$:

$$
\begin{array}{c}
\text{de} \\
\begin{array}{c}
\\
\text{para} \\

\end{array}
\begin{array}{c}
+ \\ 0 \\ -
\end{array}
\left|
\begin{array}{ccc}
\langle + | A | + \rangle & \langle + | A | 0 \rangle & \langle + | A | - \rangle \\
\langle 0 | A | + \rangle & \langle 0 | A | 0 \rangle & \langle 0 | A | - \rangle \\
\langle - | A | + \rangle & \langle - | A | 0 \rangle & \langle - | A | - \rangle
\end{array}
\right|
\end{array}
\quad (5.33)
$$

A matemática da mecânica quântica é simplesmente uma extensão dessa ideia. Daremos a você uma ilustração simples. Suponha que temos um aparato C que queremos analisar – ou seja, queremos calcular os vários $\langle j | C | i \rangle$. Por exemplo, podemos querer saber o que acontece num experimento como

$$
\left\{\begin{array}{c}+\\0\\-\end{array}\Bigg|\right\}_S \quad \left\{C\right\} \quad \left\{\Bigg|\begin{array}{c}+\\0\\-\end{array}\right\}_R . \quad (5.34)
$$

Então notamos que C é feito simplesmente de duas partes, dos aparatos A e B em série – as partículas passam por A e depois por B –; assim podemos escrever simbolicamente

$$
\left\{C\right\} = \left\{A\right\} \cdot \left\{B\right\}. \quad (5.35)
$$

Podemos chamar o aparato C de "produto" de A e B. Suponha também que já sabemos como analisar as duas partes; assim podemos obter as matrizes (com relação a T) de A e B. Nosso problema está então resolvido. Podemos achar facilmente

$$\langle \chi | C | \phi \rangle$$

para qualquer estados de entrada e saída. Primeiro escrevemos que

$$\langle \chi | C | \phi \rangle = \sum_k \langle \chi | B | k \rangle \langle k | A | \phi \rangle.$$

Você vê o porquê? (Dica: Imagine colocar um aparato T entre A e B.) Então se considerarmos o caso especial em que ϕ e χ são também estados de base (de T), digamos i e j, temos

$$\langle j | C | i \rangle = \sum_k \langle j | B | k \rangle \langle k | A | i \rangle. \quad (5.36)$$

Essa equação dá a matriz do aparato "produto" C em termos das duas matrizes dos aparatos A e B. Os matemáticos chamam a nova matriz $\langle j | C | i \rangle$ – formada a partir de duas matrizes $\langle j | B | i \rangle$ e $\langle j | A | i \rangle$ de acordo com a soma especificada na Eq. (5.36) – de a matriz "produto" BA das duas matrizes B e A. (Note que a *ordem* é importante, $AB \neq BA$.) Portanto, podemos dizer que a matriz para uma sucessão de dois aparatos é o produto das matrizes dos dois aparatos (colocando o *primeiro* aparato à *direita* no produto). Qualquer um que entenda álgebra de matrizes entende então que queremos dizer simplesmente a Eq. (5.36).

5–7 Transformação para uma base diferente

Queremos fazer uma última observação sobre os estados de base usados nos cálculos. Suponha que tenhamos escolhido trabalhar com uma base particular – digamos a base S –, e outro colega decide fazer os mesmos cálculos numa base diferente – digamos a base T. Para manter as coisas em ordem, vamos chamar nossos estados de base de estados (iS), onde $i = +, 0, -$. De forma análoga, podemos chamar os estados de base dele de (jT). Como podemos comparar nosso trabalho com o dele? As respostas finais para o resultado de qualquer medida devem ser as mesmas, mas nos cálculos as várias amplitudes e matrizes usadas serão diferentes. Como elas se relacionam? Por exemplo, se ambos começarmos com o mesmo ϕ, nós vamos descrevê-lo em termos de três amplitudes $\langle iS \mid \phi \rangle$ com que ϕ vai para nossos estados de base na representação S, enquanto ele o descreverá pelas amplitudes $\langle jT \mid \phi \rangle$ com que o estado ϕ vai para os estados de base na sua representação T. Como podemos checar se estamos realmente, ambos, descrevendo o mesmo estado ϕ? Podemos fazer isso com a regra geral II em (5.27). Substituindo χ por um dos seus estados jT, temos

$$\langle jT \mid \phi \rangle = \sum_i \langle jT \mid iS \rangle \langle iS \mid \phi \rangle. \qquad (5.37)$$

Para relacionar as duas representações, precisamos apenas fornecer os nove números complexos da matriz $\langle jT \mid iS \rangle$. Essa matriz pode ser usada para converter todas as nossas equações para a forma dele. Ela nos diz como *transformar* um conjunto de estados de base em outro. (Por essa razão, $\langle jT \mid iS \rangle$ é de vez em quando chamada de "a matriz de transformação da representação S para a representação T". Quantas palavras!)

Para o caso de partículas de spin um para as quais temos apenas três estados de base (para spins maiores existem mais), a situação matemática é análoga ao que vimos em álgebra vetorial. Todo vetor pode ser representado por três números – as componentes ao longo dos eixos x, y e z. Ou seja, todo vetor pode ser resolvido em três vetores "de base" que são os vetores ao longo dos três eixos. Suponha que outra pessoa resolva usar um conjunto diferente de eixos – x', y' e z'. Ela estará usando números diferentes para representar qualquer vetor particular. Seus cálculos parecerão diferentes, mas os resultados finais serão os mesmos. Consideramos isso antes e conhecemos as regras para transformar vetores de um conjunto de eixos para outro.

Você pode querer verificar como as transformações da mecânica quântica funcionam experimentando um pouco; então daremos aqui, sem demonstração, as matrizes de transformação para converter as amplitudes de spin um na representação S para uma outra representação T, para várias orientações relativas entre os filtros S e T. (Mostraremos em outro capítulo como derivar os mesmos resultados.)

Primeiro caso: O aparato T tem o mesmo eixo y (ao longo do qual as partículas se movem) do aparato S, mas está rodado em um ângulo α em torno do eixo y comum (como na Fig. 5.6). (Para ser específico, um conjunto de coordenadas x', y' e z' está fixo no aparato T, relacionado às coordenadas x, y, z do aparato S por $z' = z \cos \alpha + x \sen \alpha$, $x' = x \cos \alpha - z \sen \alpha$, $y' = y$.) Então as amplitudes de tranformação são:

$$\begin{aligned}
\langle +T \mid +S \rangle &= \tfrac{1}{2}(1 + \cos \alpha), \\
\langle 0\,T \mid +S \rangle &= -\frac{1}{\sqrt{2}} \sen \alpha, \\
\langle -T \mid +S \rangle &= \tfrac{1}{2}(1 - \cos \alpha), \\
\langle +T \mid 0\,S \rangle &= +\frac{1}{\sqrt{2}} \sen \alpha, \\
\langle 0\,T \mid 0\,S \rangle &= \cos \alpha, \\
\langle -T \mid 0\,S \rangle &= -\frac{1}{\sqrt{2}} \sen \alpha, \\
\langle +T \mid -S \rangle &= \tfrac{1}{2}(1 - \cos \alpha), \\
\langle 0\,T \mid -S \rangle &= +\frac{1}{\sqrt{2}} \sen \alpha, \\
\langle -T \mid -S \rangle &= \tfrac{1}{2}(1 + \cos \alpha).
\end{aligned} \qquad (5.38)$$

Segundo caso: O aparato T tem o mesmo eixo z de S, mas está rodado em torno do eixo z pelo ângulo β. (A transformação de coordenadas é $z' = z$, $x' = x \cos \beta + y \sen \beta$, $y' = y \cos \beta - x \sen \beta$.) Então as amplitudes de transformação são:

$$\begin{aligned} \langle +T \mid +S \rangle &= e^{+i\beta}, \\ \langle\, 0\,T \mid 0\,S \rangle &= 1, \\ \langle -T \mid -S \rangle &= e^{-i\beta}, \\ \text{todas as outras} &= 0. \end{aligned} \quad (5.39)$$

Note que qualquer que seja a rotação de T, ela pode ser feita através das duas rotações descritas.

Se um estado ϕ é definido pelos três números

$$C_+ = \langle +S \mid \phi \rangle, \qquad C_0 = \langle\, 0\,S \mid \phi \rangle, \qquad C_- = \langle -S \mid \phi \rangle, \quad (5.40)$$

e o mesmo estado é descrito do ponto de vista de T pelos três números

$$C'_+ = \langle +T \mid \phi \rangle, \qquad C'_0 = \langle\, 0\,T \mid \phi \rangle, \qquad C'_- = \langle -T \mid \phi \rangle, \quad (5.41)$$

então os coeficientes $\langle jT \mid iS \rangle$ de (5.38) e (5.39) dão a transformação que conecta C_i e C'_i. Em outras palavras, os C_i são como os componentes de um vetor que parece diferente do ponto de vista de S e T.

Para uma partícula de spin um *apenas* – uma vez que ela requer *três* amplitudes –, a correspondência com um vetor é muito próxima. Em cada caso, existem três números que têm de se transformar com mudanças de coordenadas de um jeito definido. De fato, há um conjunto de estados de base *que se transforma do mesmo jeito que os três componentes de um vetor*. As três combinações

$$C_x = -\frac{1}{\sqrt{2}}(C_+ - C_-), \qquad C_y = -\frac{i}{\sqrt{2}}(C_+ + C_-), \qquad C_z = C_0 \quad (5.42)$$

se transformam em C_x', C_y' e C_z' da mesma forma que x, y, z se transformam em x', y', z'. [Você pode checar que é assim usando as leis de transformação (5.38) e (5.39).] Agora você percebe por que uma partícula de spin um é chamada comumente de "partícula vetor".

5–8 Outras situações

Começamos observando que nossa discussão de partículas de spin um seria um protótipo para qualquer problema quântico. A generalização tem a ver apenas com o número de estados. Em vez de apenas três estados, qualquer situação específica pode envolver n estados de base.[†] Nossas leis básicas na Eq. (5.27) têm exatamente a mesma forma – entendendo que i e j podem variar sobre todos os n estados de base. Qualquer fenômeno pode ser analisado através das amplitudes com que se começa em algum dos estados de base e termina em qualquer outro estado de base, e então somando sobre todo o conjunto de estados de base. Qualquer conjunto apropriado de estados de base pode ser usado, e se alguém quiser usar um conjunto diferente, tanto faz; os dois podem ser conectados usando uma matriz de transformação $n \times n$. Vamos ter mais para dizer sobre tais transformações mais tarde.

Finalmente, prometemos comentar sobre o que fazer se os átomos vêm direto de uma fornalha, passam por um aparato, digamos A, e são então analisados por um filtro que seleciona o estado χ. Você não sabe qual é o estado ϕ no qual eles entram no aparato. Talvez fosse melhor se você não se preocupasse com esse problema por enquanto, mas se concentrasse em problemas que sempre começam com estados puros. No entanto, se você insiste, aqui está como esse problema pode ser enfrentado.

[†] O número de estados de base n pode ser, e geralmente é, infinito.

Primeiro você precisa ser capaz de dar alguns palpites razoáveis sobre como os estados estão distribuídos nos átomos que saem da fornalha. Por exemplo, se não há nada "especial" na fornalha, você deve achar que os átomos sairão da fornalha com "orientações" aleatórias. Quanticamente, isso corresponde a dizer que você não sabe nada sobre os estados, mas que um terço está no estado (+S), um terço está no estado (0S) e um terço no estado (−S). Para aqueles que estão no estado (+S), a amplitude com que atravessam é $\langle \chi \mid A \mid + S \rangle$ e a probabilidade é $|\langle \chi \mid A \mid + S \rangle|^2$, e analogamente para os outros estados. A probabilidade total é

$$\tfrac{1}{3}|\langle \chi \mid A \mid +S\rangle|^2 + \tfrac{1}{3}|\langle \chi \mid A \mid 0\,S\rangle|^2 + \tfrac{1}{3}|\langle \chi \mid A \mid -S\rangle|^2.$$

Por que usamos S em vez de, digamos, T? A resposta é, surpreendentemente, a mesma, não importa o que escolhamos para nossa resolução inicial – contanto que estejamos lidando com orientações completamente aleatórias. Ocorre da mesma forma que

$$\sum_i |\langle \chi \mid iS\rangle|^2 = \sum_j |\langle \chi \mid jT\rangle|^2$$

para qualquer χ. (Deixamos isso para você provar.)

Note que *não* é correto dizer que o estado de entrada tem as amplitudes $\sqrt{1/3}$ de estar em (+S), $\sqrt{1/3}$ de estar em (0S) e $\sqrt{1/3}$ de estar em (−S); isso implicaria que certas interferências poderiam ser possíveis. Simplesmente, você não *sabe* qual é o estado inicial; você tem de pensar em termos da probabilidade de que o sistema comece nos diversos estados iniciais possíveis, e então você tem de tomar uma média ponderada sobre as várias possibilidades.

6

Spin Meio†

6–1 Transformação de amplitudes

No capítulo anterior, usando um sistema de spin um como exemplo, delineamos os princípios gerais da mecânica quântica:

Qualquer estado ψ pode ser descrito em termos de um conjunto de estados de base dando as amplitudes de se estar em cada um dos estados de base.

A amplitude de ir de qualquer estado para outro pode, em geral, ser escrita como uma soma de produtos, cada produto sendo a amplitude de ir para um dos estados de base vezes a amplitude de ir do estado de base para a condição final, com a soma incluindo um termo para cada estado de base:

$$\langle \chi \mid \psi \rangle = \sum_i \langle \chi \mid i \rangle \langle i \mid \psi \rangle. \tag{6.1}$$

Os estados de base são ortogonais – a amplitude de se estar em um quando se está em outro é zero:

$$\langle i \mid j \rangle = \delta_{ij}. \tag{6.2}$$

A amplitude de ir de um estado para outro diretamente é o complexo conjugado do inverso:

$$\langle \chi \mid \psi \rangle^* = \langle \psi \mid \chi \rangle. \tag{6.3}$$

Discutimos também um pouco o fato de poder existir mais de uma base para os estados e de que podemos usar a Eq. (6.1) para converter de uma base para outra. Suponha, por exemplo, que temos as amplitudes $\langle iS \mid \psi \rangle$ de achar o estado ψ em todos os estados i de um sistema base S, mas que então decidimos que preferiríamos descrever o estado em termos de outro conjunto de estados de base, digamos os estados j pertencentes à base T. Na fórmula geral, Eq. (6.1), poderíamos substituir χ por jT e obter esta fórmula:

$$\langle jT \mid \psi \rangle = \sum_i \langle jT \mid iS \rangle \langle iS \mid \psi \rangle. \tag{6.4}$$

As amplitudes para o estado (ψ) estar nos estados de base (jT) estão relacionadas às amplitudes para estar nos estados de base (iS) pelos coeficientes $\langle jT \mid iS \rangle$. Se existem N estados de base, existem N^2 desses coeficientes. Tal conjunto de coeficientes é frequentemente chamado de "*matriz de transformação* para ir da *representação S* para a *representação T*". Isso parece formidável matematicamente, mas renomeando um pouco podemos ver que realmente não é tão ruim. Se chamarmos de C_i a amplitude de o estado ψ estar no estado de base iS – ou seja, $C_i = \langle iS \mid \psi \rangle$ – e chamarmos de C_j' a amplitude correspondente para o sistema de base T – ou seja, $C_j' = \langle jT \mid \psi \rangle$, então a Eq. (6.4) pode ser escrita como

$$C_j' = \sum_i R_{ji} C_i, \tag{6.5}$$

6–1 Transformação de amplitudes
6–2 Transformação para um sistema de coordenadas rodado
6–3 Rotações em torno do eixo z
6–4 Rotações de 180° e 90° em torno do eixo y
6–5 Rotações em torno do eixo x
6–6 Rotações arbitrárias

---

† Este capítulo é uma excursão secundária bastante longa e abstrata e não introduz qualquer ideia à qual não chegaríamos por uma rota diferente em capítulos posteriores. Você pode, portanto, pulá-lo e voltar depois se estiver interessado.

onde R_{ji} significa a mesma coisa que $\langle jT \mid iS \rangle$. Cada amplitude C'_j é igual a uma soma sobre todos os i de um dos coeficientes R_{ji} vezes cada amplitude C_i. Tem a mesma forma de uma transformação de um vetor de um sistema de coordenadas para outro.

Para evitar sermos abstratos por muito tempo, demos a você alguns exemplos desses coeficientes para o caso de spin um, de modo que você possa ver como usá-los na prática. Por outro lado, existe uma coisa muito bonita na mecânica quântica: a partir do mero fato de existirem três estados e das propriedades de simetria espacial por rotação, esses coeficientes podem ser achados puramente por raciocínio abstrato. Mostrar esses argumentos neste estágio prematuro tem a desvantagem de entrarmos em outro conjunto de abstrações antes de "botarmos os pés no chão". Entretanto, é tão bonito que vamos fazer isso mesmo assim.

Vamos mostrar neste capítulo como os coeficientes de transformação podem ser derivados para partículas de spin meio. Escolhemos este caso, ao invés de spin um, porque é um pouco mais fácil. Nosso problema é determinar os coeficientes R_{ji} para uma partícula – um sistema atômico – que é dividida em dois feixes em um aparato de Stern-Gerlach. Vamos derivar todos os coeficientes para a transformação de uma representação para outra por puro raciocínio – mais algumas suposições. *Algumas* suposições são sempre necessárias para usar raciocínio "puro"! Embora os argumentos sejam abstratos e um pouco complicados, os resultados que obtivermos serão relativamente simples de sentenciar e fáceis de entender – e o resultado é a coisa mais importante. Você pode, se quiser, considerar isso como um tipo de excursão cultural. De fato, fizemos com que todos os resultados essenciais derivados aqui sejam também derivados de alguma outra maneira quando necessário em capítulos posteriores. Portanto, não precisa ter medo de perder a linha do nosso estudo da mecânica quântica se você pular este capítulo inteiramente ou estudá-lo depois. A excursão é "cultural" no sentido de que tem a intenção de mostrar que os princípios da mecânica quântica não são apenas interessantes, mas são tão profundos que, adicionando algumas hipóteses extras sobre a estrutura do espaço, podemos deduzir muitas propriedades de sistemas físicos. Também é importante sabermos de onde as diferentes consequências da mecânica quântica vêm, porque enquanto nossas leis da física são incompletas – como sabemos que são –, é interessante descobrir se os pontos nos quais nossas teorias falham em concordar com a experiência são aqueles em que nossa lógica é a melhor ou em que nossa lógica é a pior. Até agora, parece que quando nossa lógica é mais abstrata, ela sempre dá resultados corretos – ela concorda com a experiência. Apenas quando tentamos fazer modelos específicos da maquinaria interna das partículas fundamentais e suas interações somos incapazes de encontrar uma teoria que concorde com a experiência. A teoria que estamos por descrever concorda com a experiência onde quer que tenha sido testada – para partículas estranhas, assim como para elétrons, prótons e assim por diante.

Uma observação sobre um ponto irritante, mas interessante, antes de prosseguirmos: não é possível determinar os coeficientes R_{ji} unicamente, porque existe sempre alguma arbitrariedade nas amplitudes de probabilidade. Se você tiver um conjunto de amplitudes de qualquer tipo, digamos as amplitudes para chegar em algum lugar por uma porção de diferentes rotas, e se você multiplicar cada amplitude por um fator de fase – digamos por $e^{i\delta}$ – você terá um outro conjunto que é tão bom quanto. Então é sempre possível fazer uma mudança arbitrária na fase de todas as amplitudes em qualquer dado problema se você quiser.

Suponha que você calcule alguma probabilidade escrevendo uma soma de várias amplitudes, digamos $(A + B + C + \cdots)$ e tomando os quadrados dos módulos. Então outra pessoa calcula a mesma coisa usando a soma das amplitudes $(A' + B' + C' + \cdots)$ e tomando o quadrado do módulo. Se todos os A', B', C', etc. forem iguais aos A, B, C, etc., exceto por um fator $e^{i\delta}$, todas as probabilidades obtidas tomando o quadrado do módulo serão absolutamente as mesmas, uma vez que $(A' + B' + C' + \cdots)$ é então igual a $e^{i\delta}(A + B + C + \cdots)$. Ou suponha, por exemplo, que estivéssemos computando alguma coisa com a Eq. (6.1), mas de repente mudamos todas as fases de um certo sistema base. Todas as amplitudes $\langle i \mid \psi \rangle$ seriam multiplicadas pelo mesmo fator $e^{i\delta}$. De modo similar, as amplitudes $\langle i \mid \chi \rangle$ seriam também mudadas por $e^{i\delta}$, mas as amplitudes $\langle \chi \mid i \rangle$ são os complexos conjugados das amplitudes $\langle i \mid \chi \rangle$; portanto, o primeiro é mudado pelo fator $e^{-i\delta}$. Os mais e menos $i\delta$ nos expoentes se cancelam, e teríamos a mesma expressão que tínhamos antes. Assim, é uma regra geral que se mudamos todas as amplitudes com relação a um sistema base dado por uma mesma fase – ou mesmo se apenas mudamos *todas* as amplitudes em qualquer problema pela mesma fase –, não faz diferença. Existe, portanto, alguma liberdade para escolher as fases em nossa matriz de transformação. De vez em quando, faremos escolhas arbitrárias dessas – usualmente seguindo as convenções que são de uso geral.

6–2 Transformação para um sistema de coordenadas rodado

Consideramos novamente o aparato "melhorado" de Stern-Gerlach descrito no capítulo anterior. Um feixe de partículas de spin meio entrando à esquerda seria, em princípio, dividido em *dois* feixes, como mostrado esquematicamente na Fig. 6-1. (Havia três feixes para spin *um*.) Como antes, os feixes são reunidos novamente, a menos que um ou outro feixe seja bloqueado por uma "parada" que intercepte, o feixe no meio da sua trajetória. Na figura, mostramos uma seta que aponta na direção de aumento da *magnitude* do campo – digamos na direção do polo magnético em forma de ponta. Tomamos essa seta para representar *o eixo para "cima"* de um aparato particular. Ela está fixa com relação ao aparato e nos permitirá indicar as orientações relativas quando usarmos vários aparatos juntos. Também assumimos que a direção do campo magnético em cada ímã é sempre a mesma com relação à seta.

Diremos que aqueles átomos que vão no feixe "de cima" estão no estado (+) *com relação àquele aparato* e que aqueles no feixe "de baixo" estão no estado (–). (Não existe estado "zero" para partículas com spin meio.)

Agora suponha que coloquemos dois dos nossos aparatos de Stern-Gerlach modificados em sequência, como mostrado na Fig. 6-2(a). O primeiro, que chamaremos de S, pode ser usado para preparar um estado $(+S)$ puro ou um estado $(-S)$ puro, bloqueando um feixe ou o outro. [Como mostrado, ele prepara um estado $(+S)$ puro.] Para cada condição, existe alguma amplitude para que uma partícula que sai de S esteja tanto no feixe $(+T)$ ou $(-T)$ do segundo aparato. Existem, de fato, apenas quatro amplitudes: a amplitude de ir de $(+S)$ para $(+T)$, de $(+S)$ para $(-T)$, de $(-S)$ para $(+T)$ e de $(-S)$ para $(-T)$. Essas amplitudes são simplesmente os quatro coeficientes da matriz de transformação R_{ji} ir da representação S para a representação T. Podemos considerar que o primeiro aparato "prepara" um estado específico em uma representação e que o segundo aparato "analisa" aquele estado em termos da segunda representação. O tipo de questão a que queremos responder, então, é esta: se um átomo foi preparado em uma dada condição – digamos, o estado $(+S)$ – bloqueando um dos feixes no aparato S, qual é a chance de ele atravessar o segundo aparato T se este está adaptado, digamos, para o estado $(-T)$. O resultado dependerá, é claro, dos ângulos entre os dois sistemas S e T.

Temos de explicar como podemos ter alguma esperança de encontrar os coeficientes R_{ji} por dedução. Você sabe que é quase impossível acreditar que se uma partícula tem seu spin alinhado na direção $+z$, existe alguma chance de encontrar a mesma partícula com seu spin apontando na direção $+x$; ou em qualquer outra direção. De fato, *é* quase impossível, mas não completamente. É quase tão impossível que existe *apenas uma maneira* pela qual isso pode ser feito, e essa é a razão por que podemos descobrir qual é essa maneira única.

O primeiro tipo de argumento que podemos usar é o seguinte. Suponha que temos um arranjo como o da Fig. 6-2(a), no qual temos os dois aparatos S e T, com T levantado por um ângulo α com relação a S, e deixamos apenas o feixe (+) atravessar S e o feixe (–) atravessar T. Observaríamos um certo número para a probabilidade de que as partículas que saem de S atravessem T. Agora suponha que fazemos outra medida com o aparato da Fig. 6-2(b). A orientação *relativa* de S e T é a mesma, mas todo o sistema se situa em um ângulo diferente no espaço. Queremos *assumir* que ambos os experimentos dão o mesmo número para a chance de uma partícula em um estado puro com relação a S ir

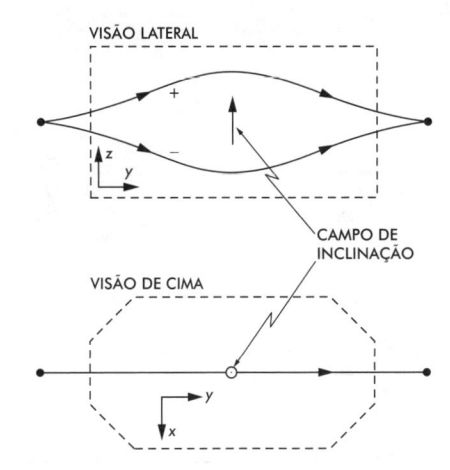

Figura 6–1 Vista de cima e de lado de um aparato "melhorado" de Stern-Gerlach com feixes de uma partícula de spin meio.

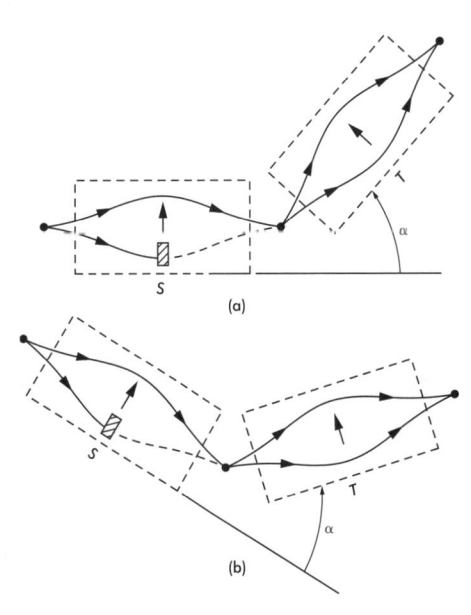

Figura 6–2 Dois experimentos equivalentes.

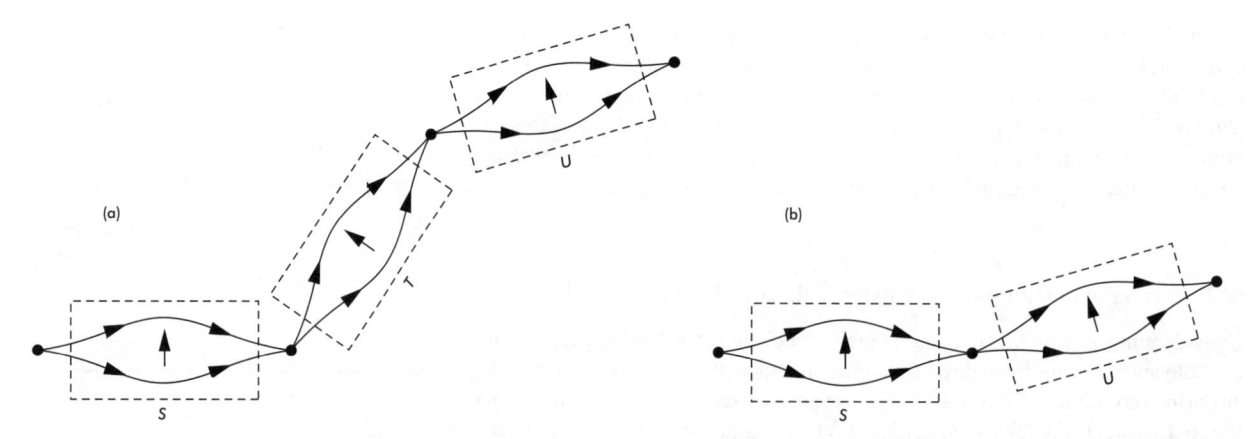

Figura 6–3 Se T está "todo aberto", (b) é equivalente a (a).

para algum estado particular com relação a T. Estamos assumindo, em outras palavras, que o resultado de qualquer experimento desse tipo é o mesmo – que a *física* é a mesma –, não importa como *todo* o aparato é orientado no espaço. (Você diz, "é óbvio", mas *é* uma suposição, e ela está "certa" apenas se for realmente isso o que acontece.) Isso significa que os coeficientes R_{ji} dependem apenas da relação espacial de S e T, e não da situação absoluta de S e T. Para dizer isso em outras palavras, R_{ji} depende apenas da *rotação* que leva S a T, pois evidentemente o que é igual nas Figuras 6-2(a) e 6-2(b) é a rotação tridimensional que leva o aparato S para a orientação do aparato T. Quando a matriz de transformação R_{ji} depende apenas de uma rotação, como nesse caso, ela é chamada de *matriz de rotação*.

Para o nosso próximo passo, precisaremos de mais uma informação. Suponha que adicionemos um terceiro aparato que podemos chamar de U, que segue T em algum ângulo arbitrário, como na Fig. 6-3(a). (Está começando a parecer horrível, mas essa é a diversão do pensamento abstrato – você pode fazer os experimentos mais estranhos apenas desenhando linhas!) Agora qual é a transformação $S \rightarrow T \rightarrow U$? O que realmente queremos perguntar é pela amplitude de ir de algum estado com relação a S para algum outro estado com relação a U, conhecendo a transformação de S para T e de T para U. Estamos então perguntando sobre um experimento no qual ambos os canais de T estão abertos. Podemos obter a resposta aplicando a Eq. (6.5) duas vezes sucessivamente. Para ir da representação S para a representação T, temos

$$C'_j = \sum_i R^{TS}_{ji} C_i, \tag{6.6}$$

onde colocamos os sobrescritos TS sobre R, de modo que possamos distingui-lo dos coeficientes R^{UT} que teremos para ir de T para U.

Assumindo as amplitudes de se estar nos estados de base da representação U, C''_k, podemos relacioná-los com as amplitudes T usando a Eq. (6.5) mais uma vez; obtemos

$$C''_k = \sum_j R^{UT}_{kj} C'_j. \tag{6.7}$$

Agora podemos combinar as Eqs. (6.6) e (6.7) para obter a transformação para U diretamente de S. Substituindo C'_j da Eq. (6.6) na Eq. (6.7), temos

$$C''_k = \sum_j R^{UT}_{kj} \sum_i R^{TS}_{ji} C_i. \tag{6.8}$$

Ou, já que i não aparece em R^{UT}_{kj}, podemos colocar a soma em i na frente e escrever

$$C''_k = \sum_i \sum_j R^{UT}_{kj} R^{TS}_{ji} C_i. \tag{6.9}$$

Essa é a fórmula para uma transformação dupla.

Note, entretanto, que enquanto todos os feixes em T estão desbloqueados, o estado que sai de T é o mesmo que entrou. Poderíamos da mesma forma ter feito uma transformação da representação S diretamente para a represetação U. Teria sido o mesmo que colocar o aparato U logo depois de S, como na Fig. 6-3(b). Nesse caso, teríamos escrito

$$C''_k = \sum_i R^{US}_{ki} C_i, \tag{6.10}$$

com os coeficientes R^{US}_{ki} pertencentes a essa informação. Agora, claramente, as Eqs. (6.9) e (6.10) devem dar as mesmas amplitudes C''_k, e isso tem de ser verdade não importa qual o estado original ϕ que nos deu as amplitudes C_i. Então, tem de ser que

$$R^{US}_{ki} = \sum_j R^{UT}_{kj} R^{TS}_{ji}. \tag{6.11}$$

Em outras palavras, para qualquer rotação $S \to U$ de uma base de referência, a qual é vista como sendo composta por duas rotações sucessivas $S \to T$ e $T \to U$, a matriz de rotação R^{US}_{ki} pode ser obtida das matrizes das duas rotações parciais por meio da Eq. (6.11). Se você quiser, pode encontrar a Eq. (6.11) diretamente da Eq. (6.1), pois ela é apenas uma notação diferente para $\langle kU | iS \rangle = \sum_j \langle kU | jT \rangle \langle jT | iS \rangle$.

Para sermos mais cuidadosos, devemos adicionar as seguintes observações entre parênteses. Entretanto, elas não são extremamente importantes, de modo que você pode pular para a próxima seção se quiser. O que dissemos não é completamente correto. Não podemos dizer que a Eq. (6.9) e a Eq. (6.10) têm de dar *exatamente* as mesmas amplitudes. Apenas a *física* deve ser a mesma; todas as amplitudes podem ser diferentes por um fator de fase como $e^{i\delta}$ sem mudar o resultado de qualquer cálculo sobre o mundo real. Portanto, em vez da Eq. (6.11), tudo o que podemos dizer, realmente, é que

$$e^{i\delta} R^{US}_{ki} = \sum_j R^{UT}_{kj} R^{TS}_{ji}, \tag{6.12}$$

onde δ é *alguma* constante real. O que esse fator $e^{i\delta}$ significa, é claro, é que as amplitudes que obtemos se usarmos a matriz R^{US} podem todas diferir pela mesma fase ($e^{-i\delta}$) das amplitudes que obteríamos usando as duas rotações R^{UT} e R^{TS}. Sabemos que não importa se todas as amplitudes são mudadas pela mesma fase, então poderíamos ignorar esse fator de fase se quiséssemos. Acontece, entretanto, que se definirmos todas as nossas matrizes de rotação de uma maneira específica, essa fase extra nunca aparecerá – o δ na Eq. (6.12) será sempre zero. Embora não seja importante para o resto de nossos argumentos, podemos dar uma prova rápida usando um teorema matemático sobre determinantes. [Se você ainda não sabe muito sobre determinantes, não se preocupe com a prova e pule para a definição da Eq. (6.15).]

Primeiro, devemos dizer que a Eq. (6.11) é a definição matemática de um "produto" de duas matrizes. (É bem conveniente poder dizer: "R^{US} é o produto de R^{UT} e R^{TS}".) Segundo, há um teorema matemático – que você pode facilmente provar para as matrizes dois por dois que temos aqui – que diz que o determinante de um "produto" de duas matrizes é o produto dos determinantes das duas matrizes. Aplicando esse teorema para a Eq. (6.12), temos

$$e^{i2\delta} (\text{Det } R^{US}) = (\text{Det } R^{UT}) \cdot (\text{Det } R^{TS}). \tag{6.13}$$

(Deixamos os subscritos porque eles não nos dizem nada de útil.) Sim, o 2δ está certo. Lembre-se de que estamos lidando com duas matrizes dois-por-dois; todo termo na matriz R^{US}_{ki} é multiplicada por $e^{i\delta}$, portanto cada produto no determinante – que tem *dois* fatores – fica multiplicado por $e^{i2\delta}$. Agora vamos tomar a raiz quadrada da Eq. (6.13) e dividir pela Eq. (6.12); temos

$$\frac{R^{US}_{ki}}{\sqrt{\text{Det } R^{US}}} = \sum_j \frac{R^{UT}_{kj}}{\sqrt{\text{Det } R^{UT}}} \frac{R^{TS}_{ji}}{\sqrt{\text{Det } R^{TS}}}. \tag{6.14}$$

O fator de fase extra desapareceu.

Agora ocorre que se quisermos que todas as nossas amplitudes sejam normalizadas em qualquer representação (o que significa, você lembra, que $\sum_i \langle \phi | i \rangle \langle i | \phi \rangle = 1$), as matrizes de rotação terão todas determinantes que são exponenciais imaginárias puras, como $e^{i\alpha}$. (Não vamos provar isso; você verá que é sempre assim.) Então podemos, se quisermos, fazer todas as nossas matrizes de rotação R terem uma única fase fazendo Det $R = 1$. É feito assim. Suponha que encontremos uma matriz de rotação R em alguma maneira arbitrária. Fazemos uma regra para "convertê-la" para a "forma padrão" definindo

$$R_{\text{padrão}} = \frac{R}{\sqrt{\text{Det } R}}. \tag{6.15}$$

Podemos fazê-lo porque estamos simplesmente multiplicando cada termo de R pelo mesmo fator de fase, para obtermos as fases que queremos. No que segue, assumiremos sempre que nossas matrizes foram colocadas na "forma padrão", então podemos usar a Eq. (6.11) sem nenhum fator de fase extra.

6–3 Rotações em torno do eixo z

Estamos prontos agora para encontrar a matriz de transformação R_{ji} entre duas representações diferentes. Com nossa regra para rotações compostas e nossa suposição de que o espaço não tem direção preferencial, temos as chaves de que precisamos para achar a matriz de qualquer rotação arbitrária. Existe apenas *uma* solução. Começamos com a transformação que corresponde a uma rotação em torno do eixo z. Suponha que temos dois aparatos S e T colocados em série ao longo de uma linha reta com seus eixos paralelos e apontando para fora da página, como mostrado na Fig. 6-4(a). Tomamos nosso "eixo z" nessa direção. Certamente se o feixe vai "para cima" (no sentido de $+z$) no aparato S, ele fará o mesmo no aparato T. Da mesma maneira, se ele vai para baixo em S, ele irá para baixo em T. Suponha, entretanto, que o aparato T foi colocado em algum outro ângulo, mas ainda com seu eixo paralelo ao eixo de S, como na Fig. 6-4(b). Intuitivamente, você diria que um feixe (+) em S ainda iria com um feixe (+) em T, pois os campos e gradientes ainda estão na mesma direção física. Isso estaria correto. Também, um feixe (–) em S ainda iria em um feixe (–) em T. O mesmo resultado se aplicaria para qualquer orientação de T no plano xy de S. O que isso nos diz a respeito da relação entre $C'_+ = \langle +T | \psi \rangle$, $C'_- = \langle -T | \psi \rangle$ e $C_+ = \langle +S | \psi \rangle$, $C_- = \langle -S | \psi \rangle$? Você deve concluir que qualquer rotação em torno do eixo z da "armação de referência" para estados de base deixa as amplitudes serem "para cima" e "para baixo", como antes. Poderíamos escrever $C'_+ = C_+$ e $C'_- = C_-$ — mas isso está *errado*. Tudo que podemos concluir é que as probabilidades de estar no feixe "para cima" são as mesmas para os aparatos S e T. Ou seja,

$$|C'_+| = |C_+| \quad \text{e} \quad |C'_-| = |C_-|.$$

Não podemos dizer que as *fases* das amplitudes referentes ao aparato T não podem ser diferentes para as duas diferentes orientações em (a) e em (b) na Fig. 6-4.

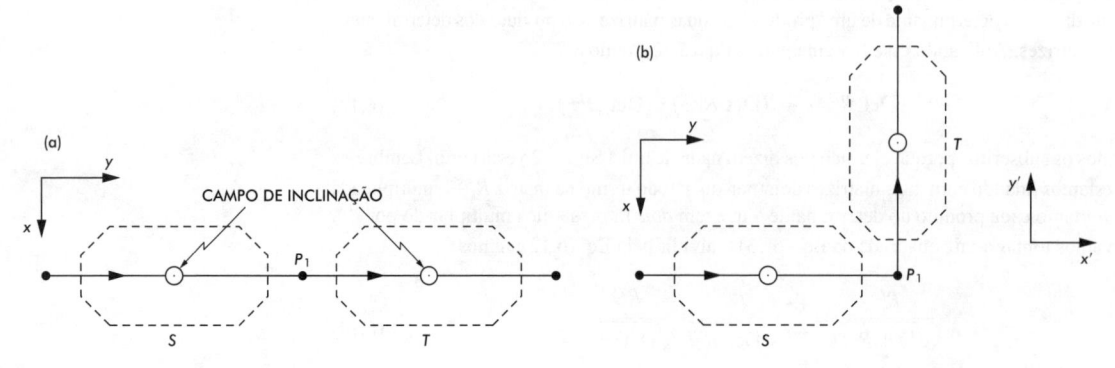

Figura 6–4 Rodando 90° em torno do eixo z.

Os dois aparatos em (a) e (b) da Fig. 6-4 são, de fato, diferentes, como podemos ver da seguinte maneira. Suponha que coloquemos um aparato na frente de S que produz um estado $(+x)$ puro. (O eixo x aponta para abaixo da figura.) Tais partículas seriam divididas em feixes $(+z)$ e $(-z)$ em S, mas os dois feixes seriam recombinados para dar um estado $(+x)$ novamente em P_1 – a saída de S. A mesma coisa acontece novamente em T. Se o aparato T é seguido por um terceiro aparato U, cujo eixo está na direção $(+x)$, como mostrado na Fig. 6-5(a), todas as partículas iriam para o feixe $(+)$ de U. Agora imagine o que acontece se T e U são virados *juntos* em 90° para as posições mostradas na Fig. 6-5(b). Novamente, o aparato T põe pra fora exatamente o que entrou nele, portanto as partículas que entram em U estão em um estado $(+x)$ com relação a S. Agora U analisa o estado $(+y)$ com relação a S, que é diferente. (Por simetria, esperaríamos agora que apenas metade das partículas atravessassem.)

O que poderia ter mudado? Os aparatos T e U têm ainda a mesma relação *física* entre si. Pode a *física* ser mudada apenas porque T e U estão em uma orientação diferente? Nossa suposição inicial é que não deveria. Deve ocorrer que as *amplitudes* com relação a T são diferentes nos dois casos mostrados na Fig. 6-5 – e, portanto, também na Fig. 6-4. Deve haver algum jeito de uma partícula saber que virou a esquina em P_1. Como ela poderia saber? Bem, tudo que decidimos é que as *magnitudes* de C'_+ e C_+ são as mesmas nos dois casos, mas eles podem – de fato *devem* – ter *fases* diferentes. Concluímos que C'_+ e C_+ devem estar relacionados por

$$C'_+ = e^{i\lambda} C_+,$$

e que C'_- e C_- devem estar relacionados por

$$C'_- = e^{i\mu} C_-,$$

onde λ e μ são números reais que devem estar relacionados de alguma forma ao ângulo entre S e T.

A única coisa que podemos dizer no momento sobre λ e μ é que não devem ser iguais [exceto no caso especial mostrado na Fig. 6-5(a), quando T está na mesma orientação de S]. Vimos que mudanças de fase iguais em todas as amplitudes não têm consequência física. Pela mesma razão, podemos sempre adicionar a mesma quantidade arbitrária a λ e μ sem mudar nada. Então nos é permitido *escolher* fazer λ e μ iguais a mais e menos a mesma quantidade. Ou seja, podemos sempre tomar

$$\lambda' = \lambda - \frac{(\lambda+\mu)}{2}, \qquad \mu' = \mu - \frac{(\lambda+\mu)}{2}.$$

Então

$$\lambda' = \frac{\lambda}{2} - \frac{\mu}{2} = -\mu'.$$

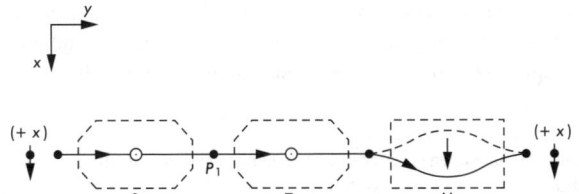

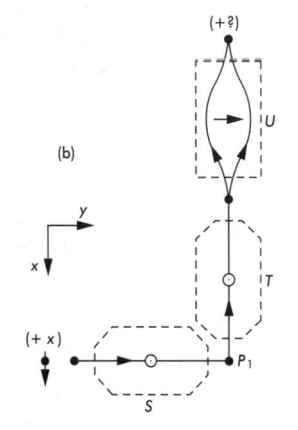

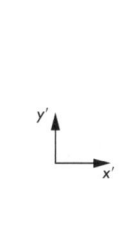

Figura 6–5 Uma partícula em um estado $(+x)$ se comporta diferentemente em (a) e em (b).

Então adotamos a convenção† que μ = −λ. Temos então a regra geral de que para uma rotação do aparato de referência por algum ângulo em torno do eixo *z*, a transformação é

$$C'_+ = e^{+i\lambda}C_+, \qquad C'_- = e^{-i\lambda}C_-. \tag{6.16}$$

Os valores absolutos são os mesmos, apenas as fases são diferentes. Esses fatores de fase são responsáveis pelos resultados diferentes nos dois experimentos da Fig. 6-5.

Agora gostaríamos de saber a lei que relaciona λ ao ângulo entre *S* e *T*. Já sabemos a resposta para um caso. Se o ângulo for zero, λ é zero. Agora *assumiremos* que o deslocamento de fase λ é uma função contínua do ângulo ϕ entre *S* e *T* (veja Fig. 6-4) quando ϕ vai a zero – o que parece razoável. Em outras palavras, se rodamos *T* da linha reta que atravessa *S* pelo pequeno ângulo ϵ, λ também é uma quantidade pequena, digamos $m\epsilon$, onde *m* é algum número. Escrevemos desse jeito porque podemos mostrar que λ tem de ser proporcional a ϵ. Suponha que colocássemos após *T* um outro aparato *T'* que faz o ângulo ϵ com *T*, e, portanto, o ângulo 2ϵ com *S*. Então, com relação a *T*, temos

$$C'_+ = e^{i\lambda}C_+,$$

e com relação a *T'*, temos

$$C''_+ = e^{i\lambda}C'_+ = e^{i2\lambda}C_+.$$

Sabemos que devemos ter o mesmo resultado se colocarmos *T'* logo após *S*. Então, quando o ângulo é dobrado, a fase é dobrada. Podemos evidentemente estender o argumento e construir qualquer rotação por meio de uma sequência de rotações infinitesimais. Concluímos que para qualquer ângulo ϕ, λ é proporcional ao ângulo. Podemos, portanto, escrever $\lambda = m\phi$.

O resultado geral que obtemos é, então, que para *T* rodado em torno do eixo *z* do ângulo ϕ com relação a *S*

$$C'_+ = e^{im\phi}C_+, \qquad C'_- = e^{-im\phi}C_-. \tag{6.17}$$

Para o ângulo ϕ, e para todas as rotações de que falarmos no futuro, adotamos a convenção padrão de que uma rotação *positiva* é uma rotação *no sentido horário* em torno da direção positiva do eixo de referência. Um ϕ positivo tem o sentido da rotação de um parafuso avançando na direção positiva de *z*.

Agora temos de descobrir o que *m* deve ser. Primeiro, podíamos tentar este argumento: suponha que *T* está rodado de 360°; então, claramente, está de volta a zero graus, e deveríamos ter $C'_+ = C_+$ e $C'_- = C_-$, ou, o que é a mesma coisa, $e^{im2\pi} = 1$. Obtemos *m* = 1. *Esse argumento está errado!* Para ver que está, considere que *T* está rodado de 180°. Se *m* fosse igual a 1, teríamos $C'_+ = e^{i\pi}C_+ = -C_+$ e $C'_- = e^{-i\pi}C_- = -C_-$. Entretanto, essa é apenas a afirmação *original* de novo. *Ambas* as amplitudes são simplesmente multiplicadas por −1, o que dá como resposta o sistema físico de origem. (É de novo o caso de uma mudança de fase comum.) Isso significa que se um ângulo entre *T* e *S* na Fig. 6-5(b) for aumentado em 180°, o sistema (com relação a *T*) seria indistinguível da situação de zero grau, e as partículas atravessariam novamente o estado (+) do aparato *U*. Em 180°, entretanto, o estado (+) do aparato *U* é o estado (−*x*) do aparato original *S*. Então um estado (+*x*) se tornaria um estado (−*x*), mas não fizemos nada para *mudar* o estado original; a resposta está errada. Não podemos ter *m* = 1.

Precisamos ter a situação em que uma rotação por 360°, e *nenhum ângulo menor*, reproduz o mesmo estado físico. Isso acontecerá se *m* = 1/2. Então, e somente então, o primeiro ângulo que reproduz o mesmo estado físico será ϕ = 360°.‡ Isso dá

---

† Olhando de outro jeito, estamos apenas colocando a transformação na "forma padrão" descrita na Seção 6-2 usando a Eq. (6.15).

‡ Aparentemente, *m* = −1/2 também funcionaria. Entretanto, vemos na Eq. (6.17) que a mudança de sinal apenas redefine a notação para partículas de spin para cima.

$$\left.\begin{array}{l}C'_+ = -C_+ \\ C'_- = -C_-\end{array}\right\} 360° \text{ em torno do eixo } z. \qquad (6.18)$$

É bastante curioso dizer que se você roda o aparato em 360°, você tem novas amplitudes. Elas não são novas na verdade, porque a mudança de sinal em comum não resulta em uma física diferente. Se outra pessoa tivesse decidido mudar todos os sinais das amplitudes porque achou que tinha rodado de 360°, tudo bem; ela obtém a mesma física.[†] Então nossa resposta final é que se soubermos as amplitudes C_+ e C_- para partículas de spin meio com relação a um arranjo de referência S, e então usarmos um sistema base chamado T que é obtido de S por uma rotação de ϕ em torno do eixo z, as novas amplitudes serão dadas em termos das antigas por

$$\left.\begin{array}{l}C'_+ = e^{i\phi/2}C_+ \\ C'_- = e^{-i\phi/2}C_-\end{array}\right\} \phi \text{ em torno do eixo } z. \qquad (6.19)$$

6-4 Rotações de 180° e 90° em torno do eixo y

A seguir, tentaremos adivinhar a transformação para uma rotação de T com relação a S de 180° em torno de um eixo *perpendicular* ao eixo z – digamos, em torno do eixo y. (Definimos os eixos de coordenadas na Fig. 6-1.) Em outras palavras, começamos com dois equipamentos de Stern-Gerlach idênticos, com o segundo, T, virado de cabeça para baixo com relação ao primeiro, S, como na Fig. 6-6. Agora, se pensarmos em nossas partículas como pequenos dipolos magnéticos, uma partícula que está no estado (+S) – de modo que ela vai pelo caminho "de cima" no primeiro aparato – também tomará o caminho "de cima" no segundo aparato e, portanto, estará no estado *menos* com relação a T. (No aparato T invertido, o gradiente *e* a direção do campo estão invertidos; para uma partícula com seu momento magnético em uma dada direção, a força não muda.) De qualquer forma, o que é "para cima" com relação a S será "para baixo" com relação a T. Para essas posições relativas de S e T, então, sabemos que a transformação deve dar

$$|C'_+| = |C_-|, \qquad |C'_-| = |C_+|.$$

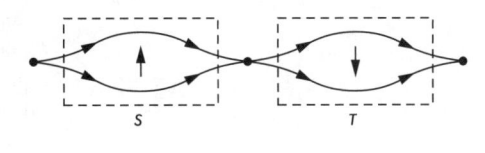

Figura 6-6 Uma rotação de 180° em torno do eixo y.

Como antes, não podemos excluir alguns fatores de fase adicionais; poderíamos ter (para 180° em torno do eixo y)

$$C'_+ = e^{i\beta}C_- \qquad \text{e} \qquad C'_- = e^{i\gamma}C_+, \qquad (6.20)$$

onde β e γ ainda têm de ser determinados.

E uma rotação de 360° em torno do eixo y? Bem, já sabemos a resposta para uma rotação de 360° em torno do eixo z – a amplitude de se estar em qualquer estado muda de sinal. Uma rotação de 360° em torno de qualquer eixo nos traz de volta à posição original. Para *qualquer* rotação de 360°, o resultado deve ser o mesmo de uma rotação de 360° em torno do eixo z – todas as amplitudes simplesmente mudam de sinal. Agora suponha que imaginemos duas rotações sucessivas de 180° em torno de y – usando a Eq. (6.20) – devemos obter o resultado da Eq. (6.18). Em outras palavras,

---

[†] Além disso, se alguma coisa foi rodada por uma sequência de pequenas rotações cujo resultado final seja retornar à orientação original, é possível definir a ideia de que ela foi rodada em 360° – de forma distinta de rotação final zero – se você monitorou a história toda. (De forma bastante interessante, isso não é verdade para uma rotação final de 720°.)

$$C''_+ = e^{i\beta}C'_- = e^{i\beta}e^{i\gamma}C_+ = -C_+$$

e

$$C''_- = e^{i\gamma}C'_+ = e^{i\gamma}e^{i\beta}C_- = -C_-.$$

(6.21)

Isso significa que

$$e^{i\beta}e^{i\gamma} = -1 \quad \text{ou} \quad e^{i\gamma} = -e^{-i\beta}.$$

Então a transformação para uma rotação de 180° em torno do eixo y pode ser escrita como

$$C'_+ = e^{i\beta}C_-, \quad C'_- = -e^{-i\beta}C_+.$$

(6.22)

Os argumentos que acabamos de usar se aplicariam igualmente a uma rotação de 180° em torno de *qualquer* eixo no plano xy, embora eixos diferentes possam, é claro, dar diferentes números para β. Entretanto esse é o único modo pelo qual podem diferir. Agora há uma certa arbitrariedade no número β, mas uma vez especificado para um eixo de rotação no plano xy, ele é determinado para qualquer outro eixo. É *convenção* adotar $\beta = 0$ para uma rotação de 180° em torno do eixo y.

Para mostrar que temos essa escolha, suponha que imaginemos que β não seja igual a zero para uma rotação em torno do eixo y; então podemos mostrar que há algum outro eixo no plano xy, para o qual o fator de fase correspondente *será* zero. Vamos achar o fator de fase β_A para o eixo A que faz um ângulo α com o eixo y, como mostrado na Fig. 6-7(a). (Para ficar claro, a figura é desenhada com α igual a um número negativo, mas isso não importa.) Agora se tomamos um aparato T que está inicialmente alinhado com o aparato S e então é rodado em 180° em torno do eixo A, seus eixos – que chamaremos x'', y'' e z'' – serão como mostrado na Fig. 6-7(a). As amplitudes com relação a T serão então

$$C''_+ = e^{i\beta_A}C_-, \quad C''_- = -e^{-i\beta_A}C_+,$$

(6.23)

Podemos agora pensar em obter a mesma orientação por meio de duas rotações sucessivas mostradas em (b) e (c) da figura. Primeiro, imaginamos um aparato U que é rodado com relação a S por 180° em torno do eixo y. Os eixos x', y' e z' de U serão como mostrado na Fig. 6-7(b), e as amplitudes *com relação a U* são dadas por (6.22).

Agora note que podemos ir de U para T por uma rotação em torno do "eixo z" de U, ou seja, em torno de z', como mostrado na Fig. 6-7(c). Da figura você pode ver que o ângulo requerido é duas vezes o ângulo α, mas na direção oposta (com relação a z'). Usando a transformação de (6.19) com $\phi = -2\alpha$, temos

$$C''_+ = e^{-i\alpha}C'_+, \quad C''_- = e^{+i\alpha}C'_-.$$

(6.24)

Combinando as Eqs. (6.24) e (6.22), temos que

$$C''_+ = e^{i(\beta-\alpha)}C_-, \quad C''_- = -e^{-i(\beta-\alpha)}C_+.$$

(6.25)

Essas amplitudes devem, é claro, ser as mesmas que obtivemos em (6.23). Então β_A precisa estar relacionado a α e β por

$$\beta_A = \beta - \alpha.$$

(6.26)

Isso significa que se o ângulo α entre o eixo A e o eixo y (de S) for igual a β, a transformação para uma rotação de 180° em torno de A terá $\beta_A = 0$.

Agora, conquanto *algum* eixo perpendicular ao eixo z terá $\beta = 0$, podemos perfeitamente tomá-lo como eixo y. É simplesmente uma questão de *convenção*, e adotamos aquela em uso geral. Nosso resultado: para uma rotação de 180° em torno do eixo y, temos

$$\left.\begin{array}{l} C'_+ = C_- \\ C'_- = -C_+ \end{array}\right\} 180° \text{ em torno de } y.$$

(6.27)

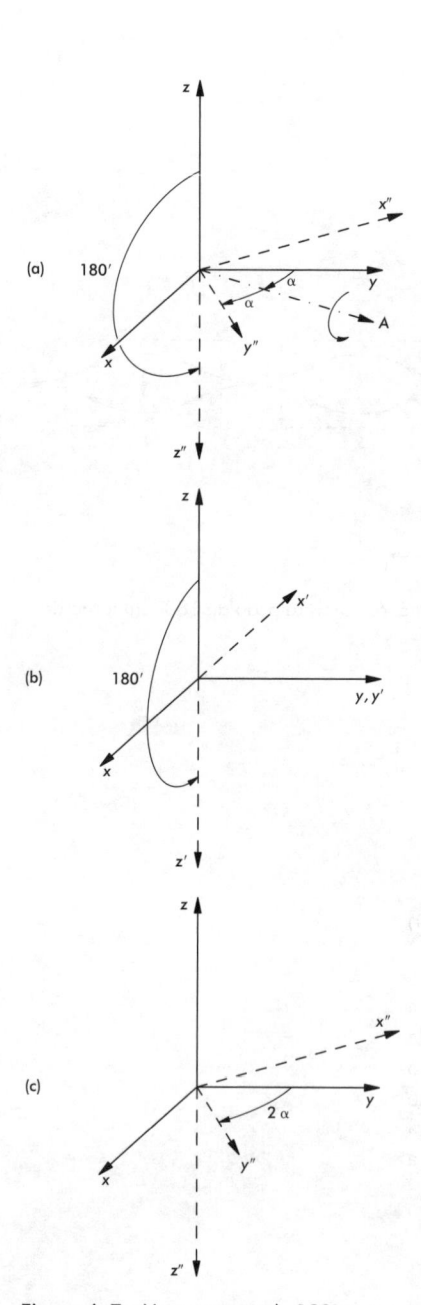

Figura 6–7 Uma rotação de 180° em torno do eixo A é equivalente a uma rotação de 180° em torno de y seguida de uma rotação em torno de z'.

Enquanto estamos pensando no eixo y, vamos em seguida questionar pela matriz de transformação para uma rotação de 90° em torno de y. Podemos encontrá-la porque sabemos que duas rotações sucessivas de 90° em torno do mesmo eixo têm de ser igual a uma rotação de 180°. Começamos escrevendo a transformação para 90° na forma mais geral:

$$C'_+ = aC_+ + bC_-, \qquad C'_- = cC_+ + dC_-. \tag{6.28}$$

Uma segunda rotação de 90° em torno do mesmo eixo teria os mesmos coeficientes:

$$C''_+ = aC'_+ + bC'_-, \qquad C''_- = cC'_+ + dC'_-. \tag{6.29}$$

Combinando as Eqs. (6.28) e (6.29), temos

$$\begin{aligned} C''_+ &= a(aC_+ + bC_-) + b(cC_+ + dC_-), \\ C''_- &= c(aC_+ + bC_-) + d(cC_+ + dC_-). \end{aligned} \tag{6.30}$$

Entretanto, de (6.27) sabemos que

$$C''_+ = C_-, \quad C''_- = -C_+,$$

então precisamos ter que

$$\begin{aligned} ab + bd &= 1, \\ a^2 + bc &= 0, \\ ac + cd &= -1, \\ bc + d^2 &= 0. \end{aligned} \tag{6.31}$$

Essas quatro equações são suficientes para determinar todos as nossas incógnitas: a, b, c e d. Não é difícil fazer. Observe a segunda e a quarta equações. Deduza que $a^2 = d^2$, o que significa que $a = d$ ou que $a = -d$. Contudo, $a = -d$ está fora porque então a primeira equação não estaria correta. Assim, $d = a$. Usando isso, temos imediatamente que $b = 1/2a$ e que $c = -1/2a$. Agora temos tudo em termos de a. Colocando, digamos, a segunda equação em termos de a, temos

$$a^2 - \frac{1}{4a^2} = 0 \quad \text{ou} \quad a^4 = \frac{1}{4}.$$

Essa equação tem quatro soluções diferentes, mas apenas duas delas dão os valores padrões para o determinante. Podemos também tomar $a = 1/\sqrt{2}$; então[†]

$$\begin{aligned} a &= 1/\sqrt{2}, & b &= 1/\sqrt{2}, \\ c &= -1/\sqrt{2}, & d &= 1/\sqrt{2}. \end{aligned}$$

Em outras palavras, para dois aparatos S e T, com T rodado em 90° em torno do eixo y com relação a S, a transformação é

$$\left.\begin{aligned} C'_+ &= \frac{1}{\sqrt{2}}(C_+ + C_-) \\ C'_- &= \frac{1}{\sqrt{2}}(-C_+ + C_-) \end{aligned}\right\} \text{90° em torno de } y. \tag{6.32}$$

Podemos, é claro, resolver essas duas equações para C_+ e C_-, o que nos dá a transformação para uma rotação de *menos* 90° em torno de y. Mudando os apóstrofos um pouco, podemos concluir que

---

[†] A outra solução muda todos os sinais de a, b, c e d e corresponde a uma rotação de −270°.

$$\left.\begin{array}{l} C'_+ = \dfrac{1}{\sqrt{2}}(C_+ - C_-) \\[1em] C'_- = \dfrac{1}{\sqrt{2}}(C_+ + C_-) \end{array}\right\} \quad -90° \text{ em torno de } y. \qquad (6.33)$$

6–5 Rotações em torno do eixo x

Você pode estar pensando: "Isto está ficando ridículo. O que vamos fazer em seguida, 47° em torno de y, depois 33° em torno de x, e assim por diante, para sempre?". Não, estamos quase acabando. Com apenas duas das transformações que temos – 90° em torno de y, e um ângulo arbitrário em torno de z (o qual fizemos antes, você lembra) – podemos gerar qualquer rotação.

Como ilustração, suponha que queiramos o ângulo α em torno de x. Sabemos como lidar com o ângulo α em torno de z, mas agora queremos em torno de x. Como obtê-lo? Primeiro giramos o eixo z pra baixo até o eixo x – que é uma rotação de 90° em torno de y, como mostrado na Fig. 6-8. Então giramos do ângulo α em torno de z'. Então rodamos –90° em torno de y''. O resultado final das três rotações é o mesmo de girar em torno de x pelo ângulo α. É uma propriedade do espaço.

(Esses fatos das combinações de rotações, e o que elas produzem, são difíceis de compreender intuitivamente. É bastante estranho, porque vivemos em três dimensões, mas nos é difícil apreciar o que acontece se giramos deste jeito e depois daquele jeito. Talvez, se fôssemos peixes ou pássaros e tivéssemos uma real dimensão do que acontece quando damos saltos mortais no espaço, poderíamos apreciar mais facilmente tais coisas.)

De qualquer forma, vamos construir as transformações para uma rotação de α em torno do eixo x usando o que sabemos. Da primeira rotação de +90° em torno de y, as amplitudes vão de acordo com a Eq. (6.32). Chamando os eixos rodados de x', y' e z', a próxima rotação pelo ângulo α em torno de z' nos leva a um sistema x'', y'', z'', para o qual

$$C''_+ = e^{i\alpha/2}C'_+, \qquad C''_- = e^{-i\alpha/2}C'_-.$$

A última rotação de –90° em torno de y'' nos leva a x''', y''', z'''; pela equação (6.33),

$$C'''_+ = \frac{1}{\sqrt{2}}(C''_+ - C''_-), \qquad C'''_- = \frac{1}{\sqrt{2}}(C''_+ + C''_-).$$

Combinando essas duas últimas equações, temos

$$C'''_+ = \frac{1}{\sqrt{2}}(e^{+i\alpha/2}C'_+ - e^{-i\alpha/2}C'_-),$$

$$C'''_- = \frac{1}{\sqrt{2}}(e^{+i\alpha/2}C'_+ + e^{-i\alpha/2}C'_-).$$

Usando as Eqs. (6.32) para C'_+ e C'_-, temos a transformação completa:

$$C'''_+ = \tfrac{1}{2}\{e^{+i\alpha/2}(C_+ + C_-) - e^{-i\alpha/2}(-C_+ + C_-)\},$$

$$C'''_- = \tfrac{1}{2}\{e^{+i\alpha/2}(C_+ + C_-) + e^{-i\alpha/2}(-C_+ + C_-)\}.$$

Podemos pôr essas fórmulas em uma forma mais simples lembrando que

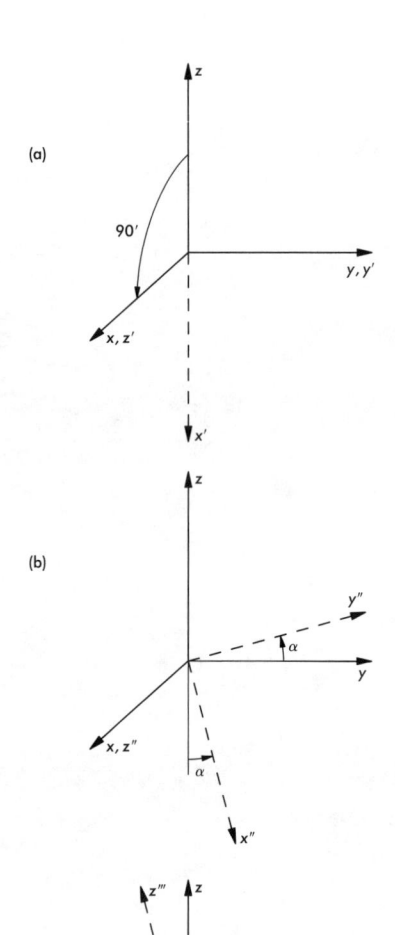

$$e^{i\theta} + e^{-i\theta} = 2\cos\theta, \qquad \text{e} \qquad e^{i\theta} - e^{-i\theta} = 2i\,\text{sen}\,\theta.$$

Figura 6–8 Uma rotação de α em torno do eixo x é equivalente a: (a) uma rotação de +90° em torno de y, seguida de (b) uma rotação de α em torno de z', seguida de (c) uma rotação de –90° em torno de y''.

Temos

$$\left.\begin{array}{l}C'''_+ = \left(\cos\dfrac{\alpha}{2}\right)C_+ + i\left(\operatorname{sen}\dfrac{\alpha}{2}\right)C_- \\ C'''_- = i\left(\operatorname{sen}\dfrac{\alpha}{2}\right)C_+ + \left(\cos\dfrac{\alpha}{2}\right)C_-\end{array}\right\} \alpha \text{ em torno de } x. \qquad (6.34)$$

Aqui está nossa transformação para uma rotação em torno do eixo x por *qualquer* ângulo α. É apenas um pouco mais complicada que as outras.

6–6 Rotações arbitrárias

Agora podemos ver como fazer para *qualquer* ângulo. Primeiro note que qualquer orientação relativa entre dois sistemas de coordenadas pode ser descrita em termos de três ângulos, como mostrado na Fig. 6-9. Se temos um conjunto de eixos x', y', z', orientado de qualquer maneira com relação a x, y, z, podemos descrever a relação entre os dois sistemas através dos três ângulos de Euler, α, β e γ, que definem três rotações sucessivas que trazem o sistema x, y, z para o sistema x', y', z'. Começando em x, y, z, rodamos nosso sistema de um ângulo β em torno do eixo z, trazendo o eixo x para linha x_1. Então rodamos um ângulo α em torno desse eixo x temporário para trazer z para z'. Finalmente, uma rotação em torno do novo eixo z (ou seja, z') pelo ângulo γ traz o eixo x para x' e o eixo y para y'.† Conhecemos as transformações para cada uma das três rotações – elas são dadas em (6.19) e (6.34). Combinando-as na ordem apropriada, temos

$$\begin{aligned}C'_+ &= \cos\dfrac{\alpha}{2}\, e^{i(\beta+\gamma)/2}C_+ + i\operatorname{sen}\dfrac{\alpha}{2}\, e^{-i(\beta-\gamma)/2}C_-,\\ C'_- &= i\operatorname{sen}\dfrac{\alpha}{2}\, e^{i(\beta-\gamma)/2}C_+ + \cos\dfrac{\alpha}{2}\, e^{-i(\beta+\gamma)/2}C_-.\end{aligned} \qquad (6.35)$$

Portanto, começando simplesmente de algumas suposições sobre as propriedades do espaço, derivamos a transformação de amplitudes para qualquer rotação. Isso significa que se conhecermos as amplitudes para que qualquer estado de uma partícula de spin meio vá nos dois feixes de um aparato de Stern-Gerlach S, cujos eixos são x, y, z, podemos calcular qual fração iria em cada um dos feixes de um aparato T com eixos x', y', z'. Em outras palavras, se tivermos um estado ψ de uma partícula de spin meio, cujas

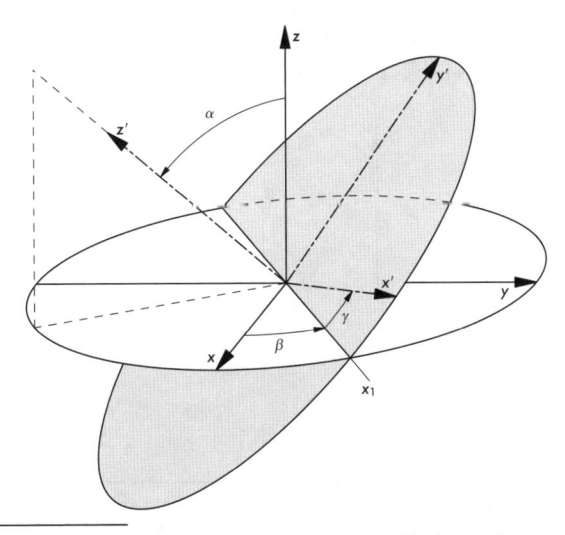

Figura 6–9 A orientação de qualquer sistema de coordenadas x', y', z' relativo a outro sistema x, y, z pode ser definida em termos dos ângulos de Euler α, β e γ.

---

† Com um pouco de trabalho, você pode mostrar que o sistema x, y, z pode ser trazido para o sistema x', y', z' através das três rotações seguintes em torno dos eixos *originais*: (1) rodar do ângulo γ em torno do eixo z original; (2) rodar do ângulo α em torno do eixo x original; (3) rodar do ângulo β em torno do eixo z original.

amplitudes são $C_+ = \langle + | \psi \rangle$ e $C_- = \langle - | \psi \rangle$ de estar "para cima" e "para baixo" com relação ao eixo z do sistema x, y, z, também sabemos quais são as amplitudes C'_+ e C'_- de estar "para cima" e "para baixo" com relação ao eixo z' de qualquer outro sistema x', y', z'. Os quatro coeficientes nas Eqs. (6.35) são os termos da "matriz de transformação" com a qual podemos projetar as amplitudes de uma partícula de spin meio em qualquer outro sistema de coordenadas.

Vamos resolver agora alguns exemplos para ver como isso funciona. Vamos tomar a seguinte questão simples. Colocamos um átomo de spin meio através de um aparato de Stern-Gerlach que apenas transmite o estado (+z). Qual a amplitude de ele estar no estado (+x)? O eixo +x é o mesmo eixo +z' de um sistema rodado 90° em torno do eixo y. Para esse problema, então, o mais simples é usar as Eqs. (6.32) – embora você possa, é claro, usar as equações completas de (6.35). Como $C_+ = 1$ e $C_- = 0$, temos $C'_+ = 1/\sqrt{2}$. As probabilidades são os módulos quadrados dessas amplitudes; há 50% de chance de a partícula atravessar um aparato que seleciona o estado (+x). Se tivéssemos perguntado a respeito do estado (–x), a amplitude seria $-1/\sqrt{2}$, que também dá a probabilidade 1/2 – como você esperaria da simetria do espaço. Então se uma partícula está no estado (+z), é igualmente provável ela estar em (+x) ou (–x), mas com fase oposta.

Não há preconceito em y também. Uma partícula no estado (+z) tem 50% de chance de estar em (+y) ou em (–y). Entretanto, para esses (usando a fórmula para rodar –90° em torno de x), as amplitudes são $1/\sqrt{2}$ e $-i/\sqrt{2}$. Nesse caso, as duas amplitudes têm uma diferença de fase de 90° em vez de 180°, como no caso de (+x) e (–x). De fato, é assim que a distinção entre x e y surge.

Como nosso exemplo final, suponha que saibamos que uma partícula de spin meio está em um estado ψ tal que está polarizada "para cima" ao longo de um eixo A, definido pelos ângulos θ e ϕ na Fig. 6-10. Queremos saber a amplitude C_+ de que a partícula esteja "para cima" ao longo de z e a amplitude C_- de que esteja "para baixo" ao longo de z. Podemos achar essas amplitudes imaginando que A é o eixo z do sistema cujo eixo x se situa em uma direção arbitrária – digamos no plano formado por A e z. Podemos então trazer o sistema de A para x, y, z por três rotações. Primeiro fazemos a rotação de $-\pi/2$ em torno do eixo A, o que traz o eixo x para a linha B na figura. Então rodamos de θ em torno da linha B (o novo eixo x do sistema A) para trazer A para o eixo z. Finalmente, rodamos do ângulo $(\pi/2 - \phi)$ em torno de z. Lembrando que temos apenas um estado (+) com respeito a A, temos

$$C_+ = \cos\frac{\theta}{2} e^{-i\phi/2}, \qquad C_- = \text{sen}\frac{\theta}{2} e^{+i\phi/2}. \qquad (6.36)$$

Gostaríamos, finalmente, de resumir os resultados deste capítulo em uma forma que seja útil para nosso trabalho posterior. Primeiro, lembramos a você que nosso primeiro resultado nas Eqs. (6.35) pode ser escrito em outra notação. Note que as Eqs. (6.35)

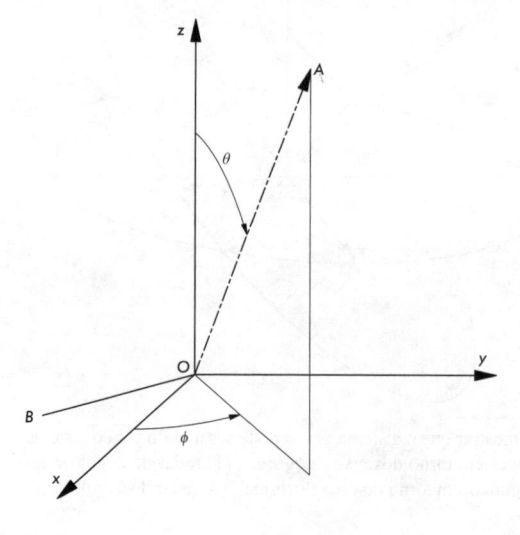

Figura 6–10 Um eixo A definido pelos ângulos polares θ e ϕ.

significam a mesma coisa que a Eq. (6.4). Ou seja, nas Eqs. (6.35), os coeficientes de $C_+ = \langle +S | \psi \rangle$ e $C_- = \langle -S | \psi \rangle$ são simplesmente as amplitudes $\langle jT | iS \rangle$ da Eq. (6.4) – as amplitudes de um partícula no estado i com relação a S esteja no estado j com relação a T (quando a orientação de T com relação a S é dada em termos dos ângulos α, β e γ). Também os chamamos de R_{ji}^{TS} na Eq. (6.6). (Temos uma enorme gama de notações!) Por exemplo, $R_{-+}^{TS} = \langle -T | +S \rangle$ é o coeficiente de C_+ na fórmula para C'_-, qual seja, $i \operatorname{sen}(\alpha/2) e^{i(\beta-\gamma)/2}$. Podemos, portanto, fazer um resumo de nossos resultados na forma de uma tabela, como fizemos na Tabela 6-1.

Ocasionalmente será conveniente ter essas amplitudes já resolvidas para alguns casos especiais simples. Deixemos que $R_z(\phi)$ seja uma rotação do ângulo ϕ em torno do eixo z. Podemos também deixá-lo ser a matriz de rotação correspondente (omitindo os subscritos i e j, que estão implícitos). No mesmo espírito, $R_x(\phi)$ e $R_y(\phi)$ serão as rotações de ângulo ϕ em torno do eixo x ou do eixo y. Na Tabela 6-2, damos as matrizes – as tabelas de amplitudes $\langle jT | iS \rangle$ – que projetam as amplitudes do sistema S no sistema T, onde T é obtido a partir de S pela rotação especificada.

Tabela 6-1
As amplitudes $\langle jT | iS \rangle$ para uma rotação definida pelos ângulos de Euler α, β e γ da Fig. 6-9

$R_{ji}(\alpha, \beta, \gamma)$

$\langle jT \| iS \rangle$	$+S$	$-S$
$+T$	$\cos\dfrac{\alpha}{2} e^{i(\beta+\gamma)/2}$	$i \operatorname{sen}\dfrac{\alpha}{2} e^{-i(\beta-\gamma)/2}$
$-T$	$i \operatorname{sen}\dfrac{\alpha}{2} e^{i(\beta-\gamma)/2}$	$\cos\dfrac{\alpha}{2} e^{-i(\beta+\gamma)/2}$

Tabela 6-2
As amplitudes $\langle jT | iS \rangle$ para uma rotação $R(\phi)$ do ângulo ϕ em torno do eixo z, x ou y

$R_z(\phi)$

$\langle jT \| iS \rangle$	$+S$	$-S$
$+T$	$e^{i\phi/2}$	0
$-T$	0	$e^{-i\phi/2}$

$R_x(\phi)$

$\langle jT \| iS \rangle$	$+S$	$-S$
$+T$	$\cos\phi/2$	$i \operatorname{sen}\phi/2$
$-T$	$i \operatorname{sen}\phi/2$	$\cos\phi/2$

$R_y(\phi)$

$\langle jT \| iS \rangle$	$+S$	$-S$
$+T$	$\cos\phi/2$	$\operatorname{sen}\phi/2$
$-T$	$-\operatorname{sen}\phi/2$	$\cos\phi/2$

7

A Dependência das Amplitudes com o Tempo

7–1 Átomos em repouso; estados estacionários

Queremos agora conversar um pouquinho sobre o comportamento das amplitudes de probabilidade no tempo. Dizemos um "pouquinho" porque o verdadeiro comportamento no tempo necessariamente envolve o comportamento no espaço também. Então, chegamos imediatamente à situação mais complicada possível se formos fazer isso corretamente e em detalhe. Estamos sempre em dificuldade, já que podemos ou tratar alguma coisa de uma forma logicamente rigorosa, mas bastante abstrata, ou podemos fazer alguma coisa que não é absolutamente rigorosa, mas que nos dá uma ideia da situação real – postergando um tratamento mais cuidadoso. Em consideração à dependência da energia, vamos tomar o segundo rumo. Faremos algumas afirmações. Não tentaremos ser rigorosos – mas apenas diremos a você o que foi descoberto, para lhe dar algum sentimento a respeito do comportamento das amplitudes em função do tempo. Ao longo do processo, a precisão da descrição aumentará, portanto não fique nervoso se parecer que estamos tirando coisas do ar. Elas são, é claro, todas do ar – o ar dos experimentos e da imaginação das pessoas. Levaria muito tempo para passar pelo desenvolvimento histórico, de modo que temos de começar de algum lugar. Poderíamos começar a partir de ideias gerais e deduzir tudo – o que você não entenderia –, ou passar por um grande número de experimentos para justificar cada afirmação. Escolhemos fazer algo intermediário.

Um elétron sozinho no espaço vazio pode, sob certas circunstâncias, ter uma certa energia definida. Por exemplo, se estiver parado (então não tem nenhum movimento translacional, nenhum momento nem energia cinética), ele tem sua energia de repouso. Um objeto mais complicado, como um átomo, pode também ter uma energia definida quando em repouso, mas pode também ser internamente excitado para outro nível de energia. (Descreveremos depois o funcionamento disso.) Podemos muitas vezes pensar em um átomo em um estado excitado como tendo uma energia definida, mas isso é na realidade apenas aproximadamente verdadeiro. Um átomo não fica para sempre excitado porque consegue descarregar sua energia pela interação com o campo eletromagnético. Então existe alguma amplitude de que um novo estado seja gerado – com o átomo em um estado mais baixo e o campo eletromagnético em um estado mais alto, de excitação. A energia total do sistema é a mesma antes e depois, mas a energia do *átomo* é reduzida. Portanto, não é exato dizer que um átomo excitado tem uma energia *definida*; mas será frequentemente conveniente e não muito errado dizer que ele tem.

[Incidentalmente, por que acontece de um jeito e não de outro? Por que um átomo irradia luz? A resposta tem a ver com a entropia. Quando a energia está no campo eletromagnético, existem tantas maneiras diferentes em que ela pode estar – tantos lugares diferentes por onde ela pode vaguear – que se olharmos para a condição de equilíbrio, encontramos que na situação mais provável o campo está excitado com um fóton e o átomo está desexcitado. Leva um tempo enorme para o fóton voltar e achar que pode bater no átomo novamente. É bastante semelhante ao problema clássico: por que uma carga acelerada irradia? Não é que ela "queira" perder energia, pois, de fato, quando ela irradia, a energia do mundo é a mesma que era antes. Irradiação ou absorção vão na direção do aumento da *entropia*.]

Os núcleos também podem existir em diferentes níveis de energia; em uma aproximação que despreza os efeitos eletromagnéticos, podemos dizer que um núcleo em um estado excitado fica lá. Embora saibamos que ele não fica lá para sempre, muitas vezes é útil começar com uma aproximação que é um pouco idealizada e mais fácil de se pensar. Também é comumente uma aproximação legítima sob certas circunstâncias. (Quando introduzimos pela primeira vez as leis clássicas de um corpo em queda, não incluímos a fricção, mas não existe quase nenhum caso em que não haja *alguma* fricção.)

Então existem as "partículas estranhas" subnucleares, que têm várias massas. As mais pesadas se desintegram em outras partículas de luz, então novamente não é correto

7–1	Átomos em repouso; estados estacionários
7–2	Movimento uniforme
7–3	Energia potencial; conservação de energia
7–4	Forças; o limite clássico
7–5	A "precessão" de uma partícula de spin meio

Revisão: Capítulo 17, Volume I, *Espaço-Tempo*
Capítulo 48, Volume I, *Batimento*

dizer que elas têm uma energia precisamente definida. Isso seria verdadeiro apenas se elas durassem para sempre. Então quando fazemos a aproximação de que elas têm uma energia definida, estamos esquecendo o fato de que elas precisam explodir. Por enquanto, então, vamos esquecer intencionalmente tais processos e aprender mais tarde como levá-los em consideração.

Suponha então que tenhamos um átomo – ou um elétron, ou qualquer partícula – que em repouso teria uma energia definida E_0. Por energia E_0 queremos dizer a massa da coisa toda vezes c^2. Essa massa inclui qualquer energia interna; então um átomo excitado tem uma massa que é diferente da massa do mesmo átomo no estado fundamental. (O estado *fundamental* significa o estado de menor energia.) Vamos chamar E_0 de "energia em repouso".

Para um átomo *em repouso*, a *amplitude* quântica de encontrar um átomo em um lugar é a *mesma em todo lugar*; ela *não* depende da posição. Isso significa, é claro, que a *probabilidade* de *encontrar* o átomo em qualquer lugar é a mesma. E significa ainda mais. A *probabilidade* poderia ser independente da posição, e a *fase* da *amplitude* ainda poderia variar de ponto a ponto. Para uma partícula em repouso, a amplitude completa é idêntica em todo lugar. Ela, entretanto, depende do *tempo*. Para uma partícula em um estado de energia definida E_0, a amplitude de encontrar a partícula em (x, y, z) no tempo t é

$$ae^{-i(E_0/\hbar)t}, \tag{7.1}$$

onde a é uma constante. A amplitude de estar em qualquer ponto no espaço é a mesma para todos os pontos, mas depende do tempo de acordo com (7.1). Iremos simplesmente assumir essa regra como verdadeira.

É claro, poderíamos também escrever (7.1) como

$$ae^{-i\omega t}, \tag{7.2}$$

com

$$\hbar\omega = E_0 = Mc^2,$$

onde M é a massa de repouso do estado atômico, ou partícula. Existem três maneiras diferentes de especificar a energia: pela frequência de uma amplitude, pela energia no sentido clássico, ou pela inércia. Elas são todas equivalentes; são apenas maneiras diferentes de dizer a mesma coisa.

Você pode estar achando que é estranho pensar em uma "partícula" que tem amplitudes iguais de ser encontrada em todo o espaço. Afinal de contas, costumamos imaginar uma "partícula" como um objeto pequeno localizado "em algum lugar", mas não se esqueça do princípio da incerteza. Se uma partícula tem uma energia definida, tem também um momento definido. Se a incerteza no momento for zero, a relação de incerteza $\Delta p \, \Delta x = \hbar$ nos diz que a incerteza na posição tem de ser infinita, e isso é exatamente o que estamos dizendo quando afirmamos que existe uma amplitude de encontrar a partícula em todos os pontos do espaço.

Se as partes internas de um átomo estão em um estado diferente com uma energia total diferente, então a variação da amplitude com o tempo é diferente. Se você não sabe em qual estado ele está, existirá uma certa amplitude de estar em um estado e uma certa amplitude de estar em outro – e cada uma dessas amplitudes terá uma frequência diferente. Haverá uma interferência entre esses componentes diferentes – como uma nota de batimento – que pode aparecer como uma probabilidade variável. Alguma coisa vai "acontecer" dentro do átomo – muito embora ele esteja "em repouso" no sentido de que seu centro de massa não está se movendo. Entretanto, se o átomo tiver uma energia definida, a amplitude é dada por (7.1), e o quadrado do módulo dessa amplitude não depende do tempo. Você vê, então, que se uma coisa tem uma energia definida e se você perguntar a respeito de qualquer questão *probabilística* sobre ela, a resposta é independente do tempo. Embora as *amplitudes* variem com o tempo, se a energia for *definida* elas variam como exponenciais imaginárias, e o valor absoluto não muda.

É por isso que muitas vezes dizemos que um átomo em um nível de energia definido está em um *estado estacionário*. Se você fizer qualquer medida das coisas lá dentro, você verá que nada (em probabilidade) mudará com o tempo. Para ter mudanças na probabilidade com o tempo, temos de ter a interferência de duas amplitudes em duas frequências diferentes, e isso significa que não podemos saber qual é a energia. O objeto terá uma amplitude de estar em um estado de uma energia e outra amplitude de estar em outro estado de outra energia. Essa é a descrição quântica de alguma coisa quando seu *comportamento* depender do tempo.

Se tivermos uma "condição" que é a mistura de dois estados diferentes com energias diferentes, então a amplitude para cada um dos dois estados varia com o tempo de acordo com a Eq. (7.2), por exemplo, como

$$e^{-i(E_1/\hbar)t} \quad \text{e} \quad e^{-i(E_2/\hbar)t}. \tag{7.3}$$

E se tivemos uma combinação dos dois estados, teremos uma interferência. Note que se adicionarmos uma constante a ambas as energias, não fará diferença alguma. Se outra pessoa usasse uma escala diferente de energia na qual todas as energias fossem aumentadas (ou diminuídas) por uma quantidade constante – digamos, pela quantidade A, – então as amplitudes nos dois estados, pelo ponto de vista dela, seriam

$$e^{-i(E_1+A)t/\hbar} \quad \text{e} \quad e^{-i(E_2+A)t/\hbar}. \tag{7.4}$$

Todas as amplitudes seriam multiplicadas pelo mesmo fator $e^{-i(A/\hbar)t}$, e todas as combinações lineares, ou interferências, teriam o mesmo fator. Quando tomamos os quadrados dos módulos para achar as probabilidades, todas as respostas seriam as mesmas. A escolha de uma origem para a nossa escala de energia não faz diferença; podemos medir energia de qualquer zero que queiramos. Para propósitos relativísticos, é bom medir a energia de modo que a massa de repouso esteja incluída, mas para muitos propósitos que não são relativísticos é muitas vezes interessante subtrair uma quantidade padrão de todas as energias que aparecem. Por exemplo, no caso de um átomo, é usualmente conveniente subtrair a energia $M_s c^2$, onde M_s é a massa de todos os pedaços *separados* – o núcleo e os elétrons – que, é claro, é diferente da massa do átomo. Para outros problemas, pode ser útil subtrair de todas as energias a quantidade $M_g c^2$ onde M_g é a massa do átomo inteiro no estado *fundamental*; então a energia que aparece é simplesmente a energia de excitação do átomo. Portanto, algumas vezes podemos deslocar nosso zero de energia por alguma constante muito grande, mas não faz nenhuma diferença, dado que desloquemos todas as energias em um cálculo específico pela mesma constante. Isso é tudo que pode ser dito sobre uma partícula parada.

7–2 Movimento uniforme

Se pensarmos que a teoria da relatividade está correta, uma partícula em repouso em um sistema inercial pode estar em movimento uniforme em outro sistema inercial. No sistema em repouso da partícula, a amplitude de probabilidade é a mesma para todo x, y e z, mas varia com t. A *magnitude* da amplitude é a mesma para todo t, mas a *fase* depende de t. Podemos obter uma espécie de retrato do comportamento da amplitude se plotarmos linhas de fase igual – digamos, linhas de fase zero – como função de x e t. Para uma partícula em repouso, essas linhas de fase igual são paralelas ao eixo x e igualmente espaçadas na coordenada t, como mostrado pelas linhas tracejadas na Fig. 7-1.

Em um sistema diferente – x', y', z', t' – que esteja se movendo com relação à partícula na, digamos, direção x, as coordenadas x' e t' de qualquer ponto particular no espaço estão relacionadas a x e t pela transformação de Lorentz. Essa transformação pode ser representada graficamente desenhando os eixos x' e t', como é feito na Fig. 7-1. (Veja o Capítulo 17, Vol. I, Fig. 17-2.) Você pode ver

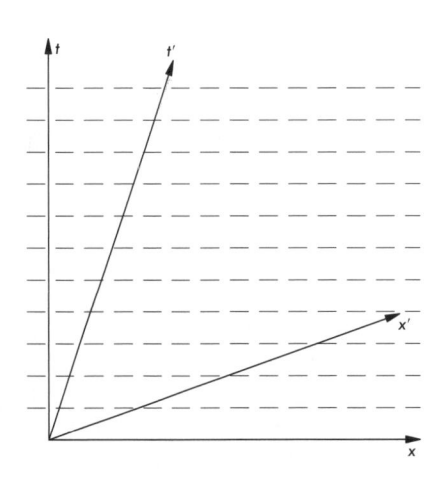

Figura 7–1 Transformação relativística da amplitude de uma partícula em repouso nos sistemas x-t.

que no sistema x'-t', pontos de fase igual[†] têm um espaçamento diferente ao longo do eixo t'; portanto, a frequência da variação temporal é diferente. Também existe uma variação da fase com x', então a amplitude de probabilidade tem de ser uma função de x'.

Sob uma transformação de Lorentz para a velocidade v, digamos ao longo da direção x negativa, o tempo t está relacionado ao tempo t' por

$$t = \frac{t' - x'v/c^2}{\sqrt{1 - v^2/c^2}},$$

então nossa amplitude agora varia como

$$e^{-(i/\hbar)E_0 t} = e^{-(i/\hbar)(E_0 t'/\sqrt{1-v^2/c^2} - E_0 vx'/c^2\sqrt{1-v^2/c^2})}.$$

No sistema "linha", ela varia tanto no espaço quanto no tempo. Se escrevemos a amplitude como

$$e^{-(i/\hbar)(E'_p t' - p'x')},$$

vemos que $E'_p = E_0/\sqrt{1 - v^2/c^2}$ é a energia computada classicamente para uma partícula de energia de repouso E_0 viajando à velocidade v, e $p' = E'_p v/c^2$ é o momento correspondente da partícula.

Você sabe que $x_\mu = (t, x, y, z)$ e $p_\mu = (E, p_x, p_y, p_z)$ são quadrivetores e que $p_\mu x_\mu = Et - \boldsymbol{p} \cdot \boldsymbol{x}$ é um invariante escalar. No sistema de repouso da partícula, $p_\mu x_\mu$ é simplesmente Et; então se transformamos para outro sistema, Et será substituido por

$$E't' - \boldsymbol{p}' \cdot \boldsymbol{x}'.$$

Então a amplitude de probabilidade de uma partícula que tem o momento $\boldsymbol{p}$ será proporcional a

$$e^{-(i/\hbar)(E_p t - \boldsymbol{p} \cdot \boldsymbol{x})}, \tag{7.5}$$

onde E_p é a energia da partícula cujo momento é p, ou seja,

$$E_p = \sqrt{(pc)^2 + E_0^2}, \tag{7.6}$$

onde E_0 é, como antes, a energia de repouso. Para problemas não relativísticos, podemos escrever

$$E_p = M_s c^2 + W_p, \tag{7.7}$$

onde W_p é a energia adicional à energia de repouso $M_s c^2$ das partes do átomo. Em geral, W_p incluiria tanto a energia cinética do átomo quanto a energia de ligação ou de excitação, que podemos chamar de energia "interna". Escreveríamos

$$W_p = W_{\text{int}} + \frac{p^2}{2M}, \tag{7.8}$$

e as amplitudes seriam

$$e^{-(i/\hbar)(W_p t - \boldsymbol{p} \cdot \boldsymbol{x})}. \tag{7.9}$$

Já que geralmente faremos cálculos não relativísticos, usaremos essa forma para as amplitudes de probabilidade.

[†] Estamos assumindo que a fase deveria ter o mesmo valor para pontos correspondentes nos dois sistemas. Este é um ponto sutil, entretanto, uma vez que a fase de uma amplitude quântica é, em grande medida, arbitrária. Uma justificativa completa dessa suposição requer uma discussão mais detalhada envolvendo interferências de duas ou mais amplitudes.

Note que nossa transformação relativística nos deu a variação da amplitude de um átomo que se move no espaço sem nenhuma suposição inicial. O número de onda das variações espaciais é, de (7.9),

$$k = \frac{p}{\hbar}; \qquad (7.10)$$

então o comprimento de onda é

$$\lambda = \frac{2\pi}{k} = \frac{h}{p}. \qquad (7.11)$$

Esse é o mesmo comprimento de onda que usamos antes para partículas com momento p. Essa fórmula foi encontrada primeiramente por de Broglie exatamente dessa forma. Para uma partícula em movimento, a *frequência* das variações de amplitude ainda é dada por

$$\hbar\omega = W_p. \qquad (7.12)$$

O quadrado do módulo de (7.9) é simplesmente 1, portanto para uma partícula em movimento com uma *energia definida*, a probabilidade de encontrá-la é a mesma em todo lugar e não muda com o tempo. (É importante notar que a amplitude é uma onda *complexa*. Se usássemos uma onda senoidal real, o quadrado iria variar de ponto a ponto, o que não estaria correto.)

Sabemos, naturalmente, que há situações em que as partículas se movem de lugar para lugar de modo que a probabilidade depende da posição e muda com o tempo. Como descrevemos tais situações? Podemos fazer isso considerando amplitudes que são uma superposição de duas ou mais amplitudes para estados de energia definida. Já discutimos essa situação no Capítulo 48 do Vol. I – mesmo para amplitudes de probabilidade! Encontramos que a soma de duas amplitudes com números de onda k (ou seja, momentos) e frequências ω (ou seja, energias) diferentes gera lombadas de interferência, ou batimentos, tal que o quadrado das amplitudes varia com o espaço e com o tempo. Também encontramos que essas batidas se movem com a chamada "velocidade de grupo" dada por

$$v_g = \frac{\Delta\omega}{\Delta k},$$

onde Δk e $\Delta\omega$ são as diferenças entre os números de onda e as frequências das duas ondas. Para ondas mais complicadas – feitas da soma de muitas amplitudes, todas quase da mesma frequência –, a velocidade de grupo é

$$v_g = \frac{d\omega}{dk}. \qquad (7.13)$$

Tomando $\omega = E_p/\hbar$ e $k = p/\hbar$, vemos que

$$v_g = \frac{dE_p}{dp}. \qquad (7.14)$$

Usando a Eq. (7.6), temos

$$\frac{dE_p}{dp} = c^2 \frac{p}{E_p}. \qquad (7.15)$$

A velocidades não relativísticas $E_p \approx Mc^2$, então

$$\frac{dE_p}{dp} = \frac{p}{M}, \qquad (7.16)$$

que é apenas a velocidade clássica da partícula. Alternativamente, se usarmos as expressões não relativísticas Equações (7.7) e (7.8), teremos

$$\omega = \frac{W_p}{\hbar} \quad \text{e} \quad k = \frac{p}{\hbar},$$

e

$$\frac{d\omega}{dk} = \frac{dW_p}{dp} = \frac{d}{dp}\left(\frac{p^2}{2M}\right) = \frac{p}{M}, \qquad (7.17)$$

que é novamente a velocidade clássica.

Nosso resultado, então, é que se temos várias amplitudes de estados de energia puros com quase a mesma energia, a interferência deles gera "protuberâncias" na probabilidade que se movem através do espaço com uma velocidade igual à velocidade da partícula clássica com aquela energia. Devemos ressaltar, entretanto, que quando dizemos que podemos adicionar duas amplitudes de números de onda diferentes para obter uma nota de batimento que corresponderá a uma partícula se movendo, introduzimos uma coisa nova – uma coisa que não podemos deduzir da teoria da relatividade. Dissemos o que a amplitude para uma partícula parada fez e então deduzimos o que faria se a partícula estivesse se movendo, mas *não podemos* deduzir desses argumentos o que aconteceria quanto existem *duas* ondas se movendo com velocidades diferentes. Se pararmos uma, não podemos parar a outra. Então adicionamos tacitamente a hipótese *extra* de que não apenas (7.9) é uma solução *possível*, mas que podem existir também soluções com todos os tipos de p para o mesmo sistema, e que os diferentes termos interferirão.

7–3 Energia potencial; conservação de energia

Agora gostaríamos de discutir o que acontece quando a energia de uma partícula pode mudar. Começamos pensando em uma partícula que se move em um campo de força descrito por um potencial. Discutimos primeiro o efeito de um potencial constante. Suponha que tenhamos uma grande lata de metal que ligamos a um potencial eletrostático ϕ, como na Fig. 7-2. Se existirem objetos carregados dentro da lata, sua energia potencial será $q\phi$, que chamaremos de V, e será absolutamente independente da posição. Então não pode haver mudança na física dentro, porquanto o potencial constante não faz nenhuma diferença no que diz respeito a qualquer coisa que aconteça dentro da lata. Agora não há nenhuma maneira pela qual podemos deduzir a resposta então precisamos dar um palpite. O palpite que funciona é mais ou menos o que você esperaria: para a energia, precisamos usar a soma da energia potencial V e a energia E_p – que é por si só a soma das energias interna e cinética. A amplitude é proporcional a

$$e^{-(i/\hbar)[(E_p+V)t-\boldsymbol{p}\cdot\boldsymbol{x}]}. \qquad (7.18)$$

O *princípio geral* é que o coeficiente de t, que podemos chamar de ω, é sempre dado pela energia total do sistema: energia interna (ou "massa"), mais energia cinética, mais energia potencial:

$$\hbar\omega = E_p + V. \qquad (7.19)$$

Ou, para situações não relativísticas,

$$\hbar\omega = W_{\text{int}} + \frac{p^2}{2M} + V. \qquad (7.20)$$

Agora, e os fenômenos físicos dentro da caixa? Se existem vários estados de energia diferentes, o que obteremos? A amplitude de cada estado tem o mesmo fator de fase adicional

$$e^{-(i/\hbar)Vt}$$

além daquele que teria com $V = 0$. Isso é simplesmente como uma mudança no zero da nossa escala de energia. Ela produz uma mudança de fase igual em todas as

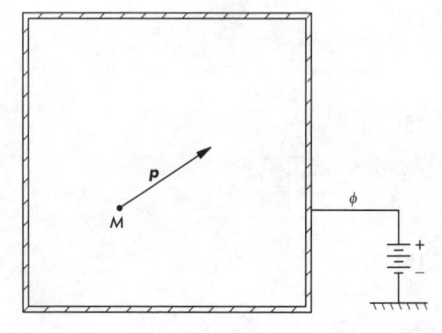

Figura 7–2 Uma partícula de massa M e momento **p** em uma região de potencial constante.

amplitudes, mas como vimos antes, isso não muda nenhuma das probabilidades. Todos os fenômenos físicos são os mesmos. (Assumimos que estamos falando de estados diferentes do mesmo objeto carregado, assim que $q\phi$ é o mesmo para todos. Se um objeto pudesse mudar sua carga indo de um estado para outro, teríamos um resultado completamente diferente, mas a conservação de carga impede isso.)

Até agora, nossa suposição concorda com o que esperaríamos para uma mudança de nível de energia de referência, mas se estiver realmente certa, ela deve valer para uma energia potencial que não seja apenas uma constante. Em geral, V poderia variar de maneira arbitrária tanto no tempo quanto no espaço, e o resultado completo para a amplitude deve ser dado em termos de uma equação diferencial. Não queremos nos preocupar com o caso geral agora, mas apenas ter uma ideia de como as coisas acontecem, portanto vamos pensar apenas em um potencial que seja constante no tempo e varie de forma bem devagar no espaço. Então podemos fazer uma comparação entre as ideias clássicas e quânticas.

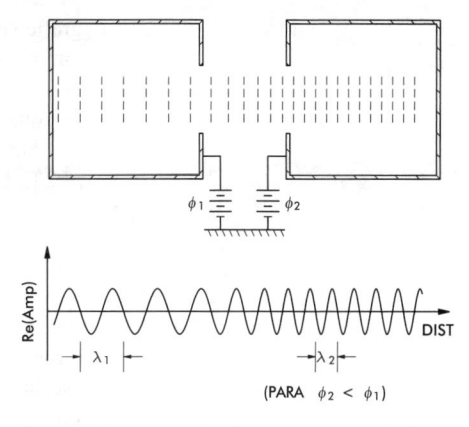

Figura 7-3 A amplitude para uma partícula em trânsito de um potencial para outro.

Suponha que pensemos na situação da Fig. 7-3, que tem duas caixas mantidas com os potenciais constantes ϕ_1 e ϕ_2 e uma região intermediária onde assumiremos que o potencial varia suavemente de um para outro. Imaginamos que uma partícula tem uma amplitude de ser encontrada em qualquer uma das regiões. Também assumimos que o momento é grande o suficiente para que, em qualquer região pequena na qual caibam muitos comprimentos de onda, o potencial seja quase constante. Pensaríamos então que em qualquer parte do espaço a amplitude deve parecer com (7.18) com o V apropriado para aquela parte do espaço.

Vamos pensar em um caso especial no qual $\phi_1 = 0$, tal que a energia potencial lá seja zero, mas no qual $q\phi_2$ é negativo, de modo que classicamente a partícula teria mais energia na segunda caixa. Classicamente, ela iria mais rapidamente na segunda caixa – ela teria mais energia, portanto, mais momento. Vamos ver como se sairia a mecânica quântica.

Com nossa suposição, a amplitude na primeira caixa seria proporcional a

$$e^{-(i/\hbar)[(W_{\text{int}}+p_1^2/2M+V_1)t-\mathbf{p}_1\cdot\mathbf{x}]}, \qquad (7.21)$$

e a amplitude na segunda caixa seria proporcional a

$$e^{-(i/\hbar)[(W_{\text{int}}+p_2^2/2M+V_2)t-\mathbf{p}_2\cdot\mathbf{x}]}. \qquad (7.22)$$

(Vamos dizer que a energia interna não esteja sendo mudada, mas permanece a mesma em ambas as regiões.) A questão é: como essas duas amplitudes se combinam através da região entre as caixas?

Vamos supor que os potenciais são todos constantes no tempo – tal que nada nas condições varie. Vamos então supor que as variações da amplitude (ou seja, sua fase) têm a mesma *frequência* em todo lugar – porque, por assim dizer, não há nada no meio que dependa do tempo. Se nada no espaço está mudando, podemos considerar que a onda em uma região "gera" ondas subsidiárias em todo o espaço, as quais irão todas na mesma frequência – assim como ondas de luz passando através de materiais em repouso não mudam sua frequência. Se as frequências em (7.21) e (7.22) são as mesmas, precisamos ter que

$$W_{\text{int}} + \frac{p_1^2}{2M} + V_1 = W_{\text{int}} + \frac{p_2^2}{2M} + V_2. \qquad (7.23)$$

Ambos os lados são simplesmente as energias totais clássicas, então a Eq. (7.23) é uma sentença da conservação de energia. Em outras palavras, a sentença clássica da conservação de energia é equivalente à sentença quântica segundo a qual as frequências para uma partícula são iguais em todo lugar se as condições não estão mudando com o tempo. Tudo encaixa na ideia que $\hbar\omega = E$.

No exemplo especial em que $V_1 = 0$ e V_2 é negativo, a Eq. (7.23) resulta em que p_2 é maior que p_1, portanto o comprimento de onda é menor na região 2. As superfícies de fase igual são mostradas pelas linhas tracejadas na Fig. 7-3. Também desenhamos um gráfico da parte real da amplitude que mostra novamente como o comprimento de onda diminui indo da região 1 para a região 2. A velocidade de grupo das ondas, que é p/M, também aumenta da maneira que se esperaria da conservação de energia clássica, uma vez que é simplesmente o mesmo da Eq. (7.23).

Há um caso especial interessante no qual V_2 fica tão grande que $V_2 - V_1$ é maior que $p_1^2/2M$. Então p_2^2, que é dado por

$$p_2^2 = 2M\left[\frac{p_1^2}{2M} - V_2 + V_1\right], \qquad (7.24)$$

é *negativo*. Isso significa que p_2 é um número imaginário, digamos ip'. Classicamente, diríamos que a partícula nunca entra na região 2 – ela não tem energia suficiente para escalar a colina de potencial. Quanticamente, entretanto, a amplitude ainda é dada pela Eq. (7.22); sua variação no espaço ainda vai como

$$e^{(i/\hbar)\mathbf{p}_2 \cdot \mathbf{x}}.$$

Mas se p_2 é imaginário, a dependência espacial se torna uma exponencial real. Digamos que a partícula estivesse inicialmente indo na direção $+x$; então a amplitude iria variar como

$$e^{-p'x/\hbar}. \qquad (7.25)$$

A amplitude diminui rapidamente com o aumento de x.

Imagine que as duas regiões com potenciais diferentes estivessem muito perto uma da outra, tal que a energia potencial mudasse subitamente de V_1 para V_2, como mostrado na Fig. 7-4(a). Se plotarmos a parte real da amplitude de probabilidade, obtemos a dependência mostrada na parte (b) da figura. A onda na primeira região corresponde a uma partícula tentando entrar na segunda região, mas a amplitude lá cai rapidamente. Existe alguma chance de ela ser observada na segunda região – onde ela *nunca* poderia entrar classicamente – mas a amplitude é muito pequena exceto bem próximo da fronteira. A situação é bem parecida com o que encontramos para a reflexão interna total da luz. A luz normalmente não sai, mas podemos observá-la se colocarmos alguma coisa a um ou dois comprimentos de onda da superfície.

Você lembrará que se colocamos uma segunda superfície perto da fronteira onde a luz foi totalmente refletida, podemos ter alguma luz transmitida para o segundo pedaço de material. A coisa correspondente acontece com as partículas na mecânica quântica. Se

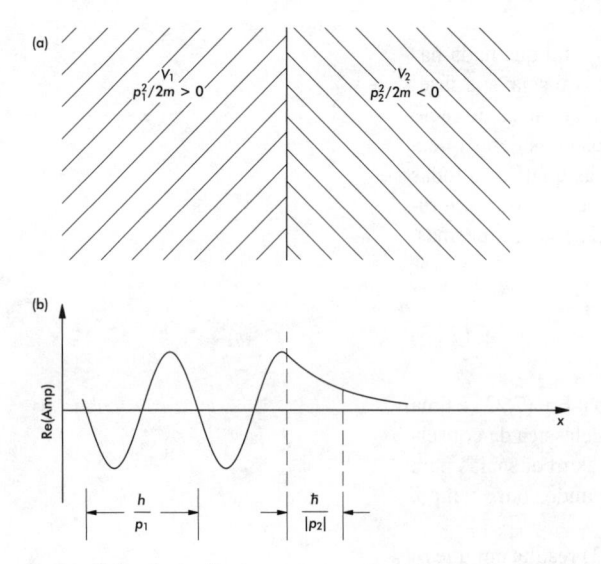

Figura 7–4 A amplitude para uma partícula se aproximando de um potencial fortemente repulsivo.

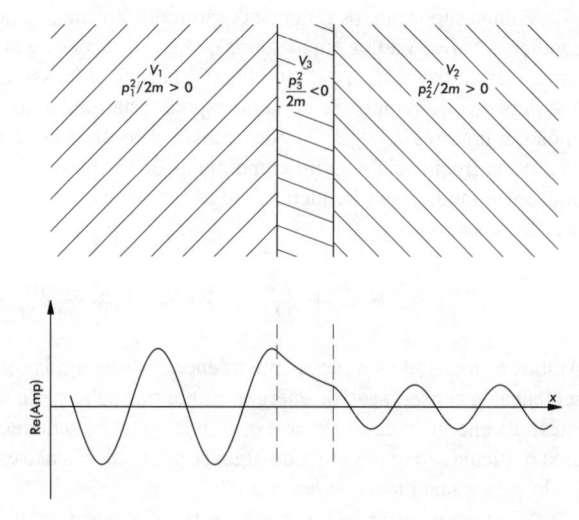

Figura 7–5 A penetração da amplitude através de uma barreira de potencial.

há uma região estreita com um potencial V, tão grande que a energia cinética clássica seria negativa, a partícula nunca passaria classicamente. Já quanticamente, a amplitude exponencialmente decrescente pode superar a região e ter uma pequena probabilidade de que a partícula seja encontrada do outro lado onde a energia cinética é novamente positiva. A situação é ilustrada na Fig. 7-5. Esse efeito é chamado de "penetração de uma barreira" quântica.

A penetração da barreira por uma amplitude quântica dá a explicação – ou descrição – do decaimento da partícula α de um núcleo de urânio. A energia potencial de uma partícula α, como função da distância do centro, é mostrada na Fig. 7-6(a). Se alguém tentasse atirar uma partícula α com energia E *para dentro* de um núcleo, ela sentiria uma repulsão eletrostática da carga nuclear z e não iria, classicamente, chegar mais perto que a distância r_1 onde sua energia total é igual à energia potencial V. Mais perto para dentro, entretanto, o potencial de energia é muito menor por causa da forte atração das forças nucleares de curto alcance. Como então encontramos no decaimento radioativo partículas α que começaram dentro do núcleo com energia saindo com energia E? Porque elas começam com a energia E dentro do núcleo e "vazam" através do potencial de energia. A amplitude de probabilidade é esquematizada, *grosso modo*, na parte (b) da Fig. 7-6, embora na realidade o decaimento exponencial seja muito maior do que o mostrado. É, na verdade, bastante notável que a meia-vida de uma partícula α no núcleo do urânio seja algo como 4½ bilhões de anos, quando as oscilações naturais dentro do núcleo são tão extremamente rápidas – em torno de 10^{22} por segundo! Como alguém pode obter um número como 10^9 anos de 10^{-22} segundo? A resposta é que a exponencial dá o fator tremendamente pequeno de cerca de e^{-45} – que dá a probabilidade muito pequena, embora definida, de vazamento. Uma vez que a partícula α esteja dentro do núcleo, não há quase nenhuma amplitude de encontrá-la fora; contudo, se você tomar vários núcleos e esperar o suficiente, pode ser sortudo e encontrar uma que tenha saído.

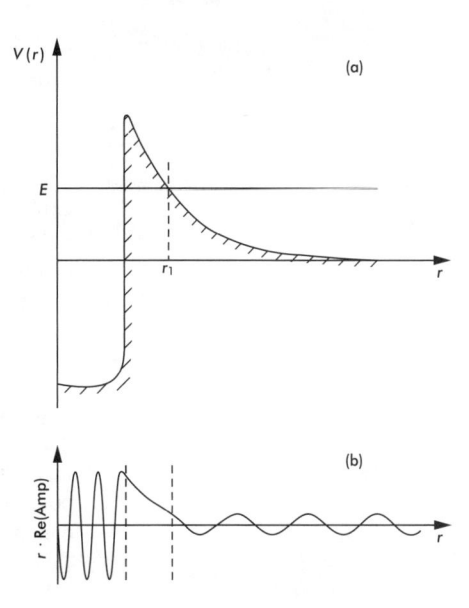

Figura 7–6 (a) A função do potencial para uma partícula α em um núcleo de urânio. (b) A forma qualitativa da amplitude de probabilidade.

7–4 Forças; o limite clássico

Suponha que tenhamos uma partícula se movendo ao longo e atravessando uma região onde há um potencial que varia em um ângulo reto em relação ao movimento. Classicamente, descreveríamos a situação da maneira esquematizada na Fig. 7-7. Se a partícula está se movendo ao longo da direção x e entra na região onde há um potencial que varia com y, a partícula vai ter acelaração transversal a partir da força $F = -\partial V/\partial y$. Se a força estiver presente apenas em uma região limitada de largura w, a força irá atuar apenas durante o tempo w/v. A partícula irá adquirir o momento transversal

$$p_y = F\frac{w}{v}.$$

O ângulo de deflexão $\delta\theta$ é então

$$\delta\theta = \frac{p_y}{p} = \frac{Fw}{pv},$$

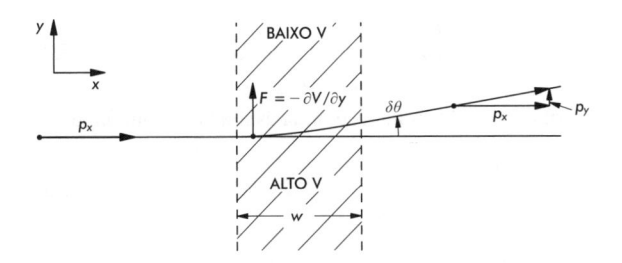

Figura 7–7 A deflexão de uma partícula por um gradiente de potencial transverso.

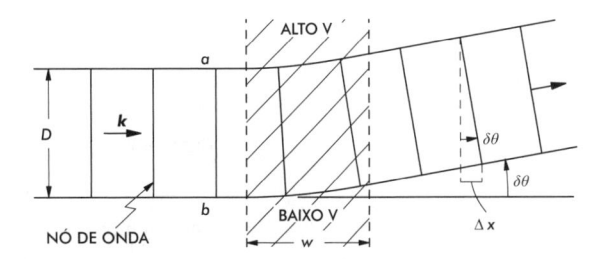

Figura 7–8 A amplitude de probabilidade em uma região com gradiente de potencial transverso.

onde p é o momento inicial. Usando $-\partial V/\partial y$ para F, temos

$$\delta\theta = -\frac{w}{pv}\frac{\partial V}{\partial y}. \qquad (7.26)$$

Agora depende de nós ver se nossa ideia de que as ondas vão como em (7.20) explicará o mesmo resultado. Olhamos a mesma coisa quanticamente assumindo que tudo está em uma escala muito grande comparada com um comprimento de onda de nossas amplitudes de probabilidade. Em qualquer região pequena, podemos dizer que a amplitude varia como

$$e^{-(i/\hbar)[(W+p^2/2M+V)t-\mathbf{p}\cdot\mathbf{x}]}. \qquad (7.27)$$

Podemos ver que isso também dá origem a uma deflexão da partícula quando V tem um gradiente transverso? Esboçamos na Fig. 7-8 como as ondas de amplitude de probabilidade irão se apresentar. Desenhamos um conjunto de "nós de onda" nos quais você pode pensar como superfícies onde a fase da amplitude é zero. Em cada pequena região, o comprimento de onda – a distância entre nós sucessivos – é

$$\lambda = \frac{h}{p},$$

onde p está relacionado a V através de

$$W + \frac{p^2}{2M} + V = \text{const.} \qquad (7.28)$$

Na região onde V é maior, p é menor e o comprimento de onda é maior. Assim o ângulo dos nós de onda é mudado como mostra a figura.

Para encontrar a mudança no ângulo dos nós de onda, notamos que para dois caminhos, a e b na Fig. 7.8, existe uma diferença de potencial $\Delta V = (\partial V/\partial y)D$, então há uma diferença Δp no momento ao longo das duas trilhas que pode ser obtida de (7.28):

$$\Delta\left(\frac{p^2}{2M}\right) = \frac{p}{M}\Delta p = -\Delta V. \qquad (7.29)$$

O número de onda $p/\hbar$ é, portanto, diferente ao longo dos dois caminhos, o que significa que a fase está avançando a taxas diferentes. A diferença na taxa de acréscimo da fase é $\Delta k = \Delta p/\hbar$, então a diferença de fase acumulada na distância total w é

$$\Delta(\text{fase}) = \Delta k \cdot w = \frac{\Delta p}{\hbar} \cdot w = -\frac{M}{p\hbar}\Delta V \cdot w. \qquad (7.30)$$

Essa é a quantidade pela qual a fase no caminho b está "na frente" da fase no caminho a quando as ondas deixam a faixa. Fora da faixa, um adiantamento de fase desse tamanho corresponde ao nó de onda estando na frente pela quantidade

$$\Delta x = \frac{\lambda}{2\pi}\Delta(\text{fase}) = \frac{\hbar}{p}\Delta(\text{fase})$$

ou

$$\Delta x = -\frac{M}{p^2}\Delta V \cdot w. \qquad (7.31)$$

Com relação à Fig. 7.8, vemos que as novas frentes de onda estarão com um ângulo $\delta\theta$ dado por

$$\Delta x = D\,\delta\theta; \qquad (7.32)$$

então temos

$$D\,\delta\theta = -\frac{M}{p^2}\Delta V \cdot w. \qquad (7.33)$$

Isso é idêntico à Eq. (7.26) se substituirmos p/M por v e $\Delta V/D$ por $\partial V/\partial y$.

O resultado que acabamos de obter é correto apenas se as variações de potencial são vagarosas e suaves – no que chamamos de *limite clássico*. Mostramos que sob essas circunstâncias teremos os mesmo movimentos das partículas que obtemos de $F = ma$, dado que assumimos que um potencial contribui com uma fase para a amplitude de probabilidade igual a $Vt/\hbar$. *No limite clássico, a mecânica quântica concordará com a mecânca newtoniana.*

7–5 A "precessão" de uma partícula de spin meio

Note que não assumimos nada especial sobre a energia potencial – é simplesmente aquela energia cuja derivada dá a força. Por exemplo, no experimento de Stern-Gerlach tínhamos a energia $U = -\boldsymbol{\mu} \cdot \boldsymbol{B}$, que dá uma força se $\boldsymbol{B}$ tiver uma variação espacial. Se quiséssemos uma descrição quântica, teríamos dito que as partículas em um feixe tinham uma energia que variava de um jeito e aquelas no outro feixe tinham uma variação de energia oposta. (Poderíamos colocar a energia magnética U no potencial de energia V ou na energia "interna" W; não importa.) Por causa da variação de energia, as ondas são refratadas e os feixes são curvados para cima ou para baixo. (Vemos agora como a mecânica quântica nos daria a mesma curvatura que calcularíamos da mecânica clássica.)

A partir da dependência da amplitude com a energia potencial, também esperaríamos que se a partícula estivesse em um campo magnético uniforme ao longo da direção z, sua amplitude de probabilidade deveria estar mudando com o tempo de acordo com

$$e^{-(i/\hbar)(-\mu_z B)t}.$$

(Podemos considerar que isso é, de fato, uma definição de μ_z.) Em outras palavras, se colocamos uma partícula em um campo uniforme B por um tempo τ, sua amplitude de probabilidade será multiplicada por

$$e^{-(i/\hbar)(-\mu_z B)\tau}$$

além da que seria com campo nenhum. Uma vez que para uma partícula de spin meio, μ_z pode ser ou mais ou menos algum número, digamos μ, os dois estados possíveis em um campo uniforme teriam suas fases mudando à mesma taxa, mas em direções opostas. As duas amplitudes são multiplicadas por

$$e^{\pm(i/\hbar)\mu B\tau}. \tag{7.34}$$

Esse resultado tem algumas consequências interessantes. Suponha que temos uma partícula de spin meio em algum estado que não é puramente de spin para cima ou spin para baixo. Podemos descrever sua condição em termos das amplitudes de estar nos estados puros de spin para cima e spin para baixo. Contudo, em um campo magnético, esses dois estados terão suas fases mudando a taxas diferentes. Portanto, se perguntamos sobre as amplitudes, a resposta dependerá de quanto tempo permaneceu no campo.

Como exemplo, consideramos a desintegração do múon em um campo magnético. Quando múons são produzidos como produtos da desintegração de mésons π, eles são polarizados (em outras palavras, eles têm uma direção de spin preferencial). Os múons, por sua vez, se desintegram – em cerca de 2,2 microssegundos em média – emitindo um elétron e dois neutrinos:

$$\mu \rightarrow e + \nu + \bar{\nu}.$$

Nessa desintegração acontece que (ao menos para as energias mais altas) os elétrons são emitidos preferencialmente na direção oposta à direção do spin do múon.

Suponha então que consideremos o arranjo experimental mostrado na Fig. 7-9. Se múons polarizados entram pela esquerda e são trazidos para o repouso em um bloco de material em A, eles irão, um pequeno momento depois, se desintegrar. Os elétrons

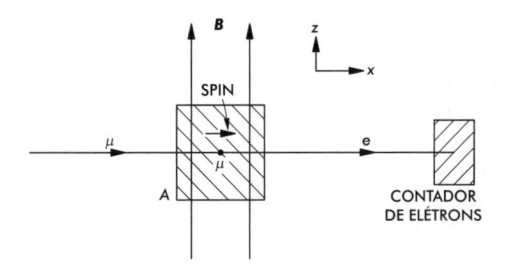

Figura 7-9 Um experimento de decaimento de múon.

emitidos irão, em geral, sair em todas as possíveis direções. Suponha, contudo, que todos os múons entrem no bloco de parada A com seus spins na direção x. Sem um campo magnético, haveria uma distribuição angular das direções de decaimento; gostaríamos de saber como essa distribuição é mudada pela presença do campo magnético. Esperamos que ela possa variar de alguma forma com o tempo. Podemos ver o que acontece perguntando, para qualquer momento, qual a amplitude com que o múon será encontrado no estado ($+x$).

Podemos colocar o problema da seguinte forma: Sabe-se que um múon tem seu spin na direção $+x$ em $t = 0$; qual é a amplitude de ele estar no mesmo estado no tempo τ? Agora não temos nenhuma regra para o comportamento de uma partícula de spin meio em um campo magnético com ângulo reto em relação ao spin, mas sabemos o que acontece com os estados de spin para cima e spin para baixo com relação ao campo – suas amplitudes são multipicadas pelo fator (7.34). Nosso procedimento então é escolher a representação na qual os estados base são spin para cima e spin para baixo com relação à direção z (a direção do campo). Qualquer questão pode então ser expressa com referência às amplitudes desses estados.

Digamos que $\psi(t)$ represente o estado do múon. Quando ele entra no bloco A, seu estado é $\psi(0)$, e queremos saber $\psi(\tau)$ no tempo τ posterior. Se representarmos os dois estados de base por ($+z$) e ($-z$), saberemos as duas amplitudes $\langle +z \mid \psi(0) \rangle$ e $\langle -z \mid \psi(0) \rangle$ – conhecemos essas amplitudes porque sabemos que $\psi(0)$ representa um estado com o spin no estado ($+x$). Dos resultados do capítulo anterior, essas amplitudes são[†]

$$\langle +z \mid +x \rangle = C_+ = \frac{1}{\sqrt{2}}$$

$$\langle -z \mid +x \rangle = C_- = \frac{1}{\sqrt{2}}.$$

(7.35)

Acontece que elas são iguais. Como essas amplitudes se referem à condição em $t = 0$, vamos chamá-las de $C_+(0)$ e $C_-(0)$.

Agora sabemos o que acontece a essas duas amplitudes com o tempo. Usando (7.34) temos

$$C_+(t) = C_+(0)e^{-(i/\hbar)\mu B t}$$

$$C_-(t) = C_-(0)e^{+(i/\hbar)\mu B t}$$

(7.36)

Se conhecemos $C_+(t)$ e $C_-(t)$, temos tudo o que há para saber sobre a condição em t. O único problema é que o que *queremos* saber é a probabilidade de que em t o spin estará na direção $+x$. Nossas regras gerais podem, contudo, dar conta do problema. Escrevemos que a amplitude de estar no estado ($+x$) no tempo t, que podemos chamar de $A_+(t)$, é

$$A_+(t) = \langle +x \mid \psi(t) \rangle = \langle +x \mid +z \rangle\langle +z \mid \psi(t) \rangle + \langle +x \mid -z \rangle\langle -z \mid \psi(t) \rangle$$

ou

$$A_+(t) = \langle +x \mid +z \rangle C_+(t) + \langle +x \mid -z \rangle C_-(t).$$

(7.37)

[†] Se você pulou o Capítulo 6, pode apenas tomar (7.35) como uma regra não derivada por enquanto. Daremos depois (no Capítulo 10) uma discussão mais completa sobre precessão de spin, incluindo uma derivação dessas amplitudes.

Novamente, usando os resultados do capítulo anterior – ou melhor, a igualdade $\langle \phi | \chi \rangle = \langle \chi | \phi \rangle^*$ do Capítulo 5 – sabemos que

$$\langle +x | +z \rangle = \frac{1}{\sqrt{2}}, \quad \langle +x | -z \rangle = \frac{1}{\sqrt{2}}.$$

Então conhecemos todas as quantidades na Eq. (7.37). Temos

$$A_+(t) = \tfrac{1}{2} e^{(i/\hbar)\mu B t} + \tfrac{1}{2} e^{-(i/\hbar)\mu B t},$$

ou

$$A_+(t) = \cos \frac{\mu B}{\hbar} t.$$

Um resultado particularmente simples! Note que a resposta concorda com o que esperamos para $t = 0$. Temos $A_+(0) = 1$, que está correto porque assumimos que o múon estava no estado $(+x)$ em $t = 0$.

A probabilidade P_+ de que o múon seja encontrado no estado $(+x)$ em t é $(A_+)^2$ ou

$$P_+ = \cos^2 \frac{\mu B t}{\hbar}.$$

A probabilidade oscila entre zero e um, como mostrado na Fig. 7-10. Note que a probabilidade volta a um para $\mu B t/\hbar = \pi$ (*não* 2π). Uma vez que elevamos a função cosseno ao quadrado, a probabilidade se repete com a frequência $2\mu B/\hbar$.

Portanto, encontramos que a chance de apanhar o elétron que decai no contador de elétrons da Fig. 7-9 varia periodicamente com o espaço de tempo que o múon permanece no campo magnético. A frequência depende do momento magnético μ. O momento magnético do múon foi, de fato, medido exatamente dessa forma.

Podemos, é claro, usar o mesmo método para responder a qualquer outra questão sobre o decaimento do múon. Por exemplo, como a chance de detectar um elétron que decai na direção y, a 90° da direção x, mas ainda a um ângulo reto do campo, depende de t? Se você calcular, a probabilidade de estar no estado $(+y)$ varia como $\cos^2\{(\mu B t/\hbar) - \pi/4\}$, que oscila com o mesmo período mas alcança seu máximo um quarto de ciclo depois, quando $\mu B t/\hbar = \pi/4$. De fato, o que está acontecendo é que à medida que o tempo passa, o múon passa por uma sucessão de estados que correspondem à completa polarização em uma direção que está continuamente rodando em torno do eixo z. Podemos descrever isso dizendo que *o spin está precessionando* com a frequência

$$\omega_p = \frac{2\mu B}{\hbar}. \tag{7.38}$$

Você pode começar a ver a forma que nossa descrição quântica tomará quando estivermos descrevendo como as coisas se comportam no tempo.

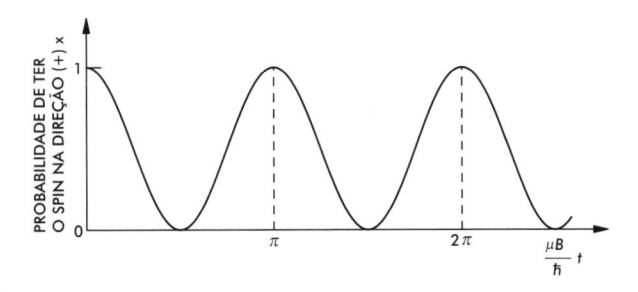

Figura 7-10 A dependência temporal da probabilidade de uma partícula de spin meio estar em um estado (+) com relação ao eixo x.

8

Matriz Hamiltoniana

8–1 Vetores e probabilidades de amplitude

Antes de iniciarmos o tópico principal deste capítulo, gostaríamos de descrever algumas ideias matemáticas bastante utilizadas na literatura de mecânica quântica. Conhecer essas ideias irá facilitar a leitura de outros livros ou trabalhos sobre o tema. A primeira ideia é a grande semelhança entre as equações da mecânica quântica e as do produto escalar de dois vetores. Você deve lembrar que se χ e ϕ são dois estados, a amplitude de começar em ϕ e terminar em χ pode ser escrita como a soma, sobre um conjunto completo de estados de base, da amplitude de ir de ϕ para algum estado de base e então a partir desse estado de base para chegar em χ:

$$\langle \chi \mid \phi \rangle = \sum_{\text{todo } i} \langle \chi \mid i \rangle \langle i \mid \phi \rangle. \tag{8.1}$$

Explicamos isso em termos do experimento de Stern-Gerlach, mas lembre-se de que não é necessário ter o aparato experimental. A Eq. (8.1) é uma lei matemática válida tanto se colocamos o aparato para filtrar ou não – não é sempre necessário imaginar que o aparato está lá. Podemos considerá-la simplesmente como uma fórmula para a amplitude $\langle \chi \mid \phi \rangle$.

Gostaríamos de comparar a Eq. (8.1) com a fórmula do produto escalar entre dois vetores $\boldsymbol{B}$ e $\boldsymbol{A}$. Se $\boldsymbol{B}$ e $\boldsymbol{A}$ são dois vetores comuns em três dimensões, podemos escrever o produto escalar da seguinte maneira:

$$\sum_{\text{todo } i} (\boldsymbol{B} \cdot \boldsymbol{e}_i)(\boldsymbol{e}_i \cdot \boldsymbol{A}), \tag{8.2}$$

sendo que o símbolo $\boldsymbol{e}_i$ representa os três vetores unitários nas direções x, y e z. Assim, $\boldsymbol{B} \cdot \boldsymbol{e}_1$ é o que comumente chamamos de B_x; $\boldsymbol{B} \cdot \boldsymbol{e}_2$ é o que normalmente chamamos de B_y e assim por diante. Portanto, a Eq. (8.2) é equivalente a

$$B_x A_x + B_y A_y + B_z A_z,$$

que é o produto escalar $\boldsymbol{B} \cdot \boldsymbol{A}$.

Comparando as Eqs. (8.1) e (8.2), podemos ver a seguinte analogia: os estados χ e ψ correspondem aos dois vetores $\boldsymbol{B}$ e $\boldsymbol{A}$. Os estados de base i correspondem aos vetores especiais $\boldsymbol{e}_i$, aos quais referimos todos os outros vetores. Qualquer vetor pode ser representado pela combinação linear dos três "vetores de base" $\boldsymbol{e}_i$. Além disso, se você souber os coeficientes de cada um dos "vetores de base" nessa combinação – isto é, suas três componentes –, então você sabe tudo sobre o vetor. Analogamente, qualquer estado da mecânica quântica pode ser descrito completamente pelas amplitude $\langle i \mid \phi \rangle$ de ir para alguns desses estados de base; e se você conhece esses coeficientes, então sabe tudo que se pode saber sobre o estado. Por causa dessa grande analogia, o que chamamos de "estado" muitas vezes também é chamado de "vetor de estado".

Como os vetores de base $\boldsymbol{e}_i$ são todos perpendiculares entre si, temos a relação

$$\boldsymbol{e}_i \cdot \boldsymbol{e}_j = \delta_{ij}. \tag{8.3}$$

Essa corresponde às relações (5.25) entre os estados de base i,

$$\langle i \mid j \rangle = \delta_{ij}. \tag{8.4}$$

Agora você vê por que dizem que os estados de base i são todos "ortogonais".

Existe uma pequena diferença entre a Eq. (8.1) e a do produto escalar. Temos que

$$\langle \phi \mid \chi \rangle = \langle \chi \mid \phi \rangle^*. \tag{8.5}$$

8–1 Vetores e probabilidades de amplitude
8–2 Análise dos vetores de estado
8–3 Quais são os estados de base do mundo?
8–4 Como os estados mudam com o tempo
8–5 A matriz hamiltoniana
8–6 A molécula de amônia

Revisão: Capítulo 49, Volume I, *Modos*

Porém, na álgebra vetorial,

$$A \cdot B = B \cdot A.$$

Como a mecânica quântica possui números complexos, temos de manter a ordem exata dos termos, enquanto no produto escalar a ordem não importa.

Considere agora a seguinte equação vetorial:

$$A = \sum_i e_i(e_i \cdot A). \tag{8.6}$$

Ela é pouco comum, porém correta. Significa o mesmo que:

$$A = \sum_i A_i e_i = A_x e_x + A_y e_y + A_z e_z. \tag{8.7}$$

Note, entretanto, que a Eq. (8.6) envolve uma quantidade que é *diferente* de um produto escalar. Um produto escalar é simplesmente um *número*, enquanto a Eq. (8.6) é uma equação *vetorial*. Um dos grandes truques da análise vetorial foi retirar das equações o conceito de *vetor* em si. Analogamente, alguém pode se dispor a retirar algo que é semelhante a um "vetor" da Equação (8.1) da mecânica quântica – e de fato pode-se fazer isso. Retiramos $\langle \chi |$ dos dois lados da Eq. (8.1) e escrevemos a seguinte equação (não se assuste – é apenas uma notação e em alguns minutos você descobrirá o que os símbolos significam):

$$| \phi \rangle = \sum_i | i \rangle \langle i | \phi \rangle. \tag{8.8}$$

Considera-se que o *bracket* $\langle \chi | \phi \rangle$ está dividido em duas partes. A segunda parte, $| \phi \rangle$, é frequentemente chamada de *ket* e a primeira $\langle \chi |$ é chamada de *bra* (juntamente elas formam um "*bra-ket*" – uma notação proposta por Dirac); os símbolos $\langle \chi |$ e $| \phi \rangle$ são também denominados de *vetores de estado*. De qualquer modo, eles *não* são números e, em geral, queremos que os resultados finais dos nossos cálculos sejam números; portanto essas quantidades "não finalizadas" são apenas passos intermediários de nossos cálculos.

Até o momento, escrevemos todos os nossos resultados em termos de números. Como fizemos para evitar os vetores? É incrível notar que mesmo na álgebra vetorial usual *poderíamos* fazer todas as equações envolverem apenas números. Por exemplo, ao invés de uma equação vetorial do tipo

$$F = ma,$$

poderíamos sempre ter escrito

$$C \cdot F = C \cdot (ma).$$

Temos então uma equação entre produtos escalares que é válida para *qualquer* vetor C. Então, se ela é válida para qualquer C, não faz o menor sentido continuar escrevendo C!

Agora veja a Eq. (8.1). Essa é uma equação válida para *qualquer* χ. Logo, para economizar na escrita, *omitimos* o χ e escrevemos a Eq. (8.8) em seu lugar. Ela tem a mesma informação *desde* que entendamos que ela deve ser "finalizada multiplicando--se pela esquerda por" – o que simplesmente significa reinserir – algum $\langle \chi |$ nos dois lados. Portanto, a Eq. (8.8) significa exatamente o mesmo que a Eq. (8.1) – nem mais, nem menos. Quando você quiser números, coloque em $\langle \chi |$ o que quiser.

Talvez você já tenha se perguntado sobre o ϕ na Eq. (8.8). Como a equação é válida para *qualquer* ϕ, por que mantê-lo? De fato, Dirac sugere que o ϕ também pode ser retirado, de forma que temos apenas

$$| = \sum_i | i \rangle \langle i |. \tag{8.9}$$

E essa é a grande lei da mecânica quântica! (Não existe análogo na análise vetorial.) Ela diz que se você *introduz* dois estados χ e ϕ à esquerda e à direita em ambos os lados, então você *retorna* à Eq. (8.1). Realmente, ela não é muito vantajosa, porém é um bom lembrete de que a equação é válida para dois estados quaisquer.

8–2 Análise dos vetores de estado

Vamos examinar a Eq. (8.8) novamente; podemos considerá-la da seguinte forma. Qualquer vetor de estado $|\phi\rangle$ pode ser representado como uma combinação linear com coeficientes apropriados de um conjunto de "vetores" de base – ou, se você preferir, como uma superposição de "vetores unitários" em proporções adequadas. Para enfatizar que os coeficientes $\langle i | \phi \rangle$ são apenas números (complexos), admita que escrevamos:

$$\langle i | \phi \rangle = C_i.$$

Assim, a Eq. (8.8) é o mesmo que:

$$|\phi\rangle = \sum_i |i\rangle C_i. \tag{8.10}$$

Podemos escrever uma equação análoga para qualquer outro vetor de estado, digamos $|\chi\rangle$, obviamente que com coeficientes diferentes, por exemplo D_i. Então, temos:

$$|\chi\rangle = \sum_i |i\rangle D_i. \tag{8.11}$$

Sendo D_i apenas as amplitudes $\langle i | \chi \rangle$.

Suponha que comecemos abstraindo ϕ da Eq. (8.1). Teríamos então:

$$\langle \chi | = \sum_i \langle \chi | i \rangle \langle i |. \tag{8.12}$$

Lembrando que $\langle \chi | i \rangle = \langle i | \chi \rangle^*$, podemos escrevê-la como:

$$\langle \chi | = \sum_i D_i^* \langle i |. \tag{8.13}$$

Agora, o interessante é que podemos simplesmente *multiplicar* as Eqs. (8.13) e (8.10) para obter de volta $\langle \chi | \phi \rangle$. Ao fazermos isso, temos de tomar cuidado com os índices da soma, pois eles são completamente distintos nas duas equações. Vamos primeiramente reescrever a Eq. (8.13) como

$$\langle \chi | = \sum_j D_j^* \langle j |,$$

o que não altera nada. Colocando-a junto à Eq. (8.10), temos:

$$\langle \chi | \phi \rangle = \sum_{ij} D_j^* \langle j | i \rangle C_i. \tag{8.14}$$

Lembre-se, no entanto, de que $\langle j | i \rangle = \delta_{ij}$, de forma que na soma restam apenas os termos com $j = i$. Obtemos

$$\langle \chi | \phi \rangle = \sum_i D_i^* C_i, \tag{8.15}$$

na qual, obviamente, $D_i^* = \langle i | \chi \rangle^* = \langle \chi | i \rangle$ e $C_i = \langle i | \phi \rangle$. Novamente vemos a analogia com o produto escalar

$$\boldsymbol{B} \cdot \boldsymbol{A} = \sum_i B_i A_i.$$

A única diferença é o complexo conjugado do D_i. Portanto, a Eq. (8.15) diz que se os vetores de estado $\langle \chi |$ e $| \phi \rangle$ forem expandidos em termos dos vetores de base $\langle i |$ ou $| i \rangle$, a amplitude para ir de ϕ para χ é dada pelo produto escalar do tipo da Eq. (8.15). Obviamente, essa equação é apenas a Eq. (8.1) escrita com símbolos diferentes. Assim, andamos em círculo para nos acostumarmos com os novos símbolos.

Deveríamos, talvez, enfatizar novamente que enquanto os vetores de espaço em três dimensões são descritos em termos de *três* vetores unitários ortogonais, os vetores de base $| i \rangle$ dos estados da mecânica quântica devem estender-se sobre todo o conjunto completo aplicável a qualquer problema em particular. Dependendo da situação, dois, três, cinco ou um número infinito de estados de base podem ser envolvidos.

Também falamos sobre o que ocorre quando partículas atravessam um aparato. Se iniciamos com as partículas em um dado estado ϕ, em seguida as passamos em um aparato e depois medimos para ver se elas estão no estado χ, o resultado será descrito pela amplitude

$$\langle \chi | A | \phi \rangle. \tag{8.16}$$

Um símbolo como esse não tem análogo direto na álgebra vetorial. (Está mais próximo da álgebra tensorial, mas a analogia não é particularmente útil). Vimos no Capítulo 5, Eq. (5.32), que poderíamos escrever (8.16) como

$$\langle \chi | A | \phi \rangle = \sum_{ij} \langle \chi | i \rangle \langle i | A | j \rangle \langle j | \phi \rangle. \tag{8.17}$$

Esse é justamente um exemplo da regra fundamental da Eq. (8.9), usada duplamente.

Também notamos que se outro aparato B for adicionado em série ao A, então podemos escrever

$$\langle \chi | BA | \phi \rangle = \sum_{ijk} \langle \chi | i \rangle \langle i | B | j \rangle \langle j | A | k \rangle \langle k | \phi \rangle. \tag{8.18}$$

Novamente, isso vem diretamente do método de Dirac de escrever a Eq. (8.9) – lembre-se de que podemos sempre colocar uma barra (|), que é o mesmo que o fator 1, entre B e A.

Por falar nisso, podemos pensar na Eq. (8.17) de outra forma. Suponha que consideremos a partícula que entra no aparato A no estado ϕ e sai de A no estado ψ ("psi"). Em outras palavras, podíamos nos perguntar: podemos achar um estado ψ tal que a amplitude de ir de ψ para χ é sempre idêntica e em qualquer lugar igual à amplitude $\langle \chi | A | \phi \rangle$? A resposta é sim. Queremos que a Eq. (8.17) seja substituída por:

$$\langle \chi | \psi \rangle = \sum_i \langle \chi | i \rangle \langle i | \psi \rangle. \tag{8.19}$$

Podemos facilmente fazer isso se

$$\langle i | \psi \rangle = \sum_j \langle i | A | j \rangle \langle j | \phi \rangle = \langle i | A | \phi \rangle, \tag{8.20}$$

a qual determina ψ. "Mas ela não determina ψ", você diz; "ela apenas determina $\langle i | \psi \rangle$". Entretanto, $\langle i | \psi \rangle$ *determina* ψ, pois se você tem todos os coeficientes que relacionam ψ aos estados de base i, então ψ é unicamente definida. De fato, podemos brincar com nossa notação e escrever o último termo da Eq. (8.20) como

$$\langle i | \psi \rangle = \sum_j \langle i | j \rangle \langle j | A | \phi \rangle. \tag{8.21}$$

Então, como essa equação é válida para qualquer i, podemos simplesmente escrever:

$$| \psi \rangle = \sum_j | j \rangle \langle j | A | \phi \rangle. \tag{8.22}$$

Assim podemos dizer: "o estado ψ é o que obtemos se iniciamos com ϕ e passamos pelo aparato A".

Um exemplo final dos "truques do negócio". Começamos novamente com a Eq. (8.17). Como ela é válida para qualquer χ e ϕ, podemos retirá-los! Temos então†

$$A = \sum_{ij} |i\rangle\langle i|A|j\rangle\langle j|. \tag{8.23}$$

O que isso significa? Nem mais, nem menos do que o que você teria se colocasse de volta ϕ e χ. Tal como está, essa é uma equação "aberta" e incompleta. Se multiplicarmos à direita por $|\phi\rangle$, ela se torna:

$$A|\phi\rangle = \sum_{ij} |i\rangle\langle i|A|j\rangle\langle j|\phi\rangle, \tag{8.24}$$

que é justamente a Eq. (8.22) novamente. De fato, poderíamos ter retirado o j dessa equação e ter escrito

$$|\psi\rangle = A|\phi\rangle. \tag{8.25}$$

O símbolo A não é nem uma amplitude, nem um vetor; é um novo objeto chamado de *operador*. É algo que "opera em" um estado para produzir um novo estado – a Eq. (8.25) diz que $|\psi\rangle$ é o que resulta quando A opera em $|\phi\rangle$. De novo, ela continua sendo uma equação aberta, até que seja completada com algum *bra* como $|\chi\rangle$ para fornecer

$$\langle\chi|\psi\rangle = \langle\chi|A|\phi\rangle. \tag{8.26}$$

O operador A é, de forma clara, completamente descrito se fornecemos a matriz de amplitudes $\langle i|A|j\rangle$ – também expressa como A_{ij} – em termos de qualquer conjunto de vetores de base.

Realmente não adicionamos nada novo com todas essas novas notações matemáticas. Uma razão para fazer tudo isso foi para lhe mostrar a maneira de escrever pedaços de equações, pois em vários livros você encontrará as equações escritas nas formas incompletas, e não há razão para ficar paralisado ao se deparar com elas. Se preferir, você pode sempre adicionar os pedaços que estão faltando para que a equação entre números tenha uma aparência mais familiar.

Além disso, como você verá, a notação de "*bra*" e "*ket*" é muito conveniente. Entre outras coisas, podemos a partir de agora identificar um estado fornecendo seu vetor de estado. Quando quisermos nos referir a um estado com momento p definido, podemos dizer: "o estado $|p\rangle$". Ou também podemos nos referir a um estado arbitrário $|\psi\rangle$. Por consistência, sempre usaremos o *ket*, escrevendo $|\psi\rangle$, para identificar um estado. (Obviamente, essa é uma escolha arbitrária; poderíamos igualmente ter escolhido usar o *bra*, $\langle\psi|$.)

8–3 Quais são os estados de base do mundo?

Descobrimos que qualquer estado no mundo pode ser representado como uma superposição – uma combinação linear com coeficientes apropriados – de estados de base. Você pode se perguntar inicialmente: *quais* estados de base? Bem, existem diferentes possibilidades. Por exemplo, você pode projetar o spin na direção z ou em qualquer outra. Existem muitas, muitas *representações* diferentes, que são análogas aos diferentes *sistemas de coordenadas* que podem ser usados para representar vetores

---

† Você poderia pensar que deveríamos escrever $|A|$ em vez de A simplesmente, mas isso se pareceria com o símbolo de "valor absoluto de A", portanto as barras são normalmente retiradas. Em geral, as barras (|) se comportam de uma maneira muito mais parecida com o fator um.

simples. Em seguida, pode-se perguntar: *quais* coeficientes? Bem, isso depende das circunstâncias físicas. Diferentes conjuntos de coeficientes correspondem a diferentes condições físicas. O importante a saber é em qual "espaço" você está trabalhando – em outras palavras, o que os estados de base significam fisicamente. Portanto, a primeira coisa que você deve saber, em geral, é como são os estados de base. Então você pode entender como descrever uma situação em termos desses estados de base.

Gostaríamos de olhar um pouco adiante e dizer alguma coisa sobre o que será a descrição geral da mecânica quântica da natureza – em termos das ideias correntes da física, contudo. Em primeiro lugar, deve-se escolher uma representação particular para os estados de base – diferentes representações são sempre possíveis. Por exemplo, para uma partícula com spin não inteiro, podemos usar os estados mais e menos em relação ao eixo z. No entanto, não existe nada em especial no eixo z – você pode considerar qualquer outro eixo que deseje. Porém, por consistência, consideramos sempre o eixo z. Considere uma situação inicial de um elétron. Em adição às duas possibilidades para o spin ("para cima" e "para baixo" ao longo da direção z), existe também o momento do elétron. Escolhemos um conjunto de estados de base, cada um correspondendo a um valor do momento. O que acontece se o elétron não tiver momento definido? Está tudo bem; estamos apenas dizendo quais são os estados de *base*. Se o elétron não tem um momento definido, ele tem alguma amplitude de ter um momento e outra amplitude de ter outro momento, e assim por diante. E se ele não estiver necessariamente com o spin para cima, ele tem alguma amplitude de estar para cima quando está com tal momento, e uma amplitude de estar para baixo quando está com outro momento e assim por diante. A descrição completa de um elétron, *até onde nós sabemos*, requer apenas que os estados de base sejam descritos pelo *momento* e pelo *spin*. Assim, um conjunto de estados de base $|i\rangle$ aceitável para um único elétron refere-se a diferentes valores do momento e se o spin está para cima ou para baixo. Diferentes misturas de amplitude, isto é, diferentes combinações de C descrevem circunstâncias diferentes. O que um elétron qualquer está fazendo é descrito fornecendo sua amplitude de ter spin para cima ou para baixo, e um momento ou outro – para todos os momentos possíveis. Portanto, você pode ver o que está envolvido em uma descrição completa da mecânica quântica de um único elétron.

E o que dizer sobre sistemas com mais de um elétron? Nesse caso, os estados de base se tornam mais complicados. Suponhamos que temos dois elétrons. Primeiramente, temos quatro estados possíveis em relação ao spin: os dois elétrons com spin para cima; o primeiro elétron com spin para baixo e o segundo com spin para cima; o primeiro elétron com spin para cima e o segundo com spin para baixo ou ambos com spin para baixo. Além disso, temos de especificar que o primeiro elétron tem momento p_1 e o segundo tem momento p_2. Os estados de base para os dois elétrons requerem a especificação de dois momentos e de duas condições de spin. Com sete elétrons, temos de especificar sete condições de cada tipo.

Se tivermos um próton e um elétron, temos de especificar a direção do spin e o momento do próton, e a direção do spin do elétron e seu momento. Pelo menos, isso é aproximadamente certo. *Não sabemos realmente* qual é a representação correta para o mundo. Está tudo muito bem começar supondo que se você especifique o spin do elétron e seu momento, e do mesmo modo para o próton, você terá os estados de base; mas e o que dizer sobre o "miolo" do próton? Vamos olhar essa questão da seguinte maneira. Em um átomo de hidrogênio que contém um elétron e um próton, temos vários estados de base diferentes para descrever: spins para cima e para baixo do próton e do elétron e os vários possíveis momentos do próton e do elétron. Então, existem diferentes combinações de amplitudes C_i que conjuntamente descrevem o caráter do átomo de hidrogênio em diferentes estados. Suponha agora que consideremos o átomo de hidrogênio inteiro como uma "partícula". Se não soubéssemos que o átomo de hidrogênio é composto por um próton e um elétron, poderíamos ter começado dizendo: "Oh, eu sei quais são os estados de base – eles correspondem a um momento particular do átomo de hidrogênio". Não, porque o átomo de hidrogênio contém partes internas. Portanto, ele pode ter diversos estados com energias internas diferentes, e descrever a natureza real requer mais detalhamento.

A questão é: um próton tem partes internas? Temos de descrever um próton fornecendo todos os estados possíveis dos prótons, mésons e partículas estranhas? Não sabemos. E ainda que admitamos que o elétron é simples, e portanto tudo o que temos a dizer sobre ele é o seu momento e seu spin, talvez amanhã possamos descobrir que o elétron também tem engrenagens e rodas internas. Isso significaria que nossa representação é incompleta, errada ou aproximada – da mesma maneira que a representação do átomo de hidrogênio que descreve apenas seu momento estaria incompleta, pois ela desconsidera o fato de que o átomo de hidrogênio pode se excitar internamente. Se um elétron pudesse se excitar internamente e se transformar em alguma outra coisa, como por exemplo um múon, então ele deveria ser descrito não apenas fornecendo os estados da nova partícula, mas certamente em termos de algumas rodas internas mais complicadas. Atualmente, *o principal problema do estudo de partículas elementares* é descobrir quais são as representações corretas para a descrição da natureza. Até o momento, achamos que para o elétron é suficiente especificar seu momento e seu spin. Também achamos que existe um próton idealizado que contém seus mésons π e mésons K e assim por diante, e que todos devem ser especificados. Algumas dúzias de partículas – é uma loucura!! A questão do que *é* uma partícula fundamental e do que *não é* uma partícula fundamental – um assunto que você escuta bastante atualmente – é uma questão de como a *representação* final será vista no ultimato da descrição da mecânica quântica do mundo. O momento dos elétrons continuará a ser a coisa certa para se descrever a natureza? Ou ainda, se toda a questão deve ser vista dessa forma!! Essa questão deve sempre surgir em qualquer pesquisa científica. Pelo menos, vemos um problema: como achar a representação. Não sabemos a resposta. Não sabemos nem se temos o problema "certo", mas se tivermos, devemos primeiramente tentar descobrir se uma partícula é "fundamental" ou não.

Na mecânica quântica não relativística – quando as energias não são muito altas, de forma que você não perturba o mecanismo interno das partículas estranhas e assim por diante –, você pode fazer um bom trabalho sem se preocupar com esses detalhes. Você pode simplesmente decidir especificar os momentos e os spins dos elétrons e dos núcleos; e tudo estará certo. Na maioria das reações químicas e em outros eventos de baixa energia, nada acontece no núcleo; eles não são excitados. Além do mais, se um átomo de hidrogênio está se movendo lentamente e se choca suavemente com os outros átomos de hidrogênio – nunca se excitando internamente, ou radiando ou qualquer outra coisa complicada como essas, mas sempre permanecendo no estado fundamental de energia para o movimento interno –, então você pode usar uma aproximação na qual você trata o átomo de hidrogênio como um único objeto, ou partícula, e não se preocupa com o fato de que ele *pode* fazer algo internamente. Essa será uma boa aproximação contanto que a energia cinética em qualquer colisão seja muito menor do que 10 elétrons-volts – a energia necessária para excitar o átomo de hidrogênio para um estado interno diferente. Faremos sempre aproximações nas quais não incluímos a possibilidade de movimento interno, e por isso diminuindo o número de detalhes a serem incluídos nos nossos estados de base. Obviamente, omitimos assim alguns fenômenos que poderiam aparecer (normalmente) em alguma energia mais alta, porém fazendo essas aproximações podemos simplificar muito a análise dos problemas físicos. Por exemplo, podemos discutir a colisão de dois átomo de hidrogênio a baixas energias – ou qualquer processo químico – sem nos preocupar com o fato de que o núcleo atômico pode ser excitado. Resumindo, quando pudermos desprezar os efeitos de quaisquer estados internos excitados de uma partícula, então poderemos escolher um conjunto de bases que são os estados de um momento definido e da componente do eixo z do momento angular.

Portanto, um problema ao se descrever a natureza é achar uma representação adequada para os estados de base. Ainda assim, isso é apenas o começo. Também queremos ser capazes de dizer o que "acontece". Se sabemos a "condição" do mundo em um dado instante, gostaríamos de saber a condição em um instante posterior. Então também devemos achar as leis que determinam como as coisas mudam com o tempo. Passamos agora à segunda parte deste trabalho de mecânica quântica: como os estados mudam com o tempo.

8–4 Como os estados mudam com o tempo

Já discutimos anteriormente sobre como podemos representar uma situação na qual colocamos algo que atravessa um aparato. Agora, considerar um "aparato" conveniente e prazeroso é apenas uma questão de gastar alguns minutos; isto é, você prepara um estado ϕ e antes de analisá-lo, você o deixa quieto. Talvez você o deixe inativo em algum campo elétrico ou magnético particular – depende das circunstâncias físicas do mundo. De qualquer maneira, não importa quais são as condições, você deixa o objeto quieto do tempo t_1 até o tempo t_2. Admita agora que ele saia do primeiro aparato na condição ϕ no tempo t_1. Em seguida, ele passa por um "aparato", mas esse "aparato" consiste em simplesmente adiar até t_2. Enquanto isso, várias coisas podem estar acontecendo – forças externas aplicadas ou outras trapaças –, de maneira que algo está acontecendo. No fim do adiamento, a amplitude de encontrar o objeto em algum estado χ não é mais a mesma da que seria se não houvesse essa demora. Como "esperar" é apenas um caso especial de "aparato", podemos descrever o que acontece fornecendo a amplitude da mesma forma que na Eq. (8.17). Como a operação de "esperar" é particularmente importante, a chamaremos de U em vez de A; e para especificar os tempos iniciais e finais t_1 e t_2, escreveremos $U(t_2, t_1)$. A amplitude que queremos é:

$$\langle \chi \mid U(t_2, t_1) \mid \phi \rangle. \tag{8.27}$$

Como qualquer outra amplitude, ela pode ser representada em qualquer sistema de base expressando-a por

$$\sum_{ij} \langle \chi \mid i \rangle \langle i \mid U(t_2, t_1) \mid j \rangle \langle j \mid \phi \rangle. \tag{8.28}$$

Então U é completamente descrita fornecendo-se o conjunto completo de amplitudes – a matriz

$$\langle i \mid U(t_2, t_1) \mid j \rangle. \tag{8.29}$$

Por falar nisso, podemos mostrar que a matriz $\langle i \mid U(t_2, t_1) \mid j \rangle$ fornece muito mais detalhes do que seria necessário. Os grandes físicos teóricos que trabalham com física de alta energia consideram problemas com a seguinte natureza em geral (pois é dessa forma que os experimentos normalmente são realizados). Começa com um par de partículas, como por exemplo dois prótons, que se aproximam desde o infinito. (No laboratório, uma partícula geralmente está parada e a outra vem de um acelerador que está praticamente no infinito em nível atômico.) As partículas se chocam e saem, por exemplo, dois mésons K, seis mésons π e dois nêutrons em dadas direções com dados momentos. Qual é a probabilidade de isso ocorrer? A matemática se parece com: o estado ϕ especifica os spins e os momentos das partículas incidentes. O χ seria a questão sobre o que sai. Por exemplo, com que amplitude você tem os seis mésons entrando em tais e tais direções e os dois nêutrons saindo em tais direções, com os seus spins assim ou assim. Em outras palavras, χ seria especificado fornecendo-se todos os momentos, os spins e assim por diante dos produtos finais. Assim, o trabalho do teórico é calcular a amplitude (8.27). No entanto, ele está realmente interessado apenas no caso em que t_1 é $-\infty$ e t_2 é $+\infty$. (Não existe evidência experimental dos detalhes desse processo, apenas do que entra e do que sai.) O caso limite de $U(t_2, t_1)$ quando $t_1 \to -\infty$ e $t_2 \to +\infty$ é chamado de S, e o que ele quer é

$$\langle \chi \mid S \mid \phi \rangle.$$

Ou, usando a forma (8.28), ele poderia calcular a matriz

$$\langle i \mid S \mid j \rangle,$$

que é chamada de *matriz S*. Assim, se você vir um físico teórico andando e dizendo: "Tudo o que preciso fazer é calcular a matriz S", você saberá com o que ele está preocupado.

Como analisar – como especificar as leis para – a matriz S é uma questão interessante. Em mecânica quântica relativística para altas energias, isso é feito de uma maneira, mas para a mecânica quântica não relativística pode ser feito de outro modo, o que é muito conveniente. (Esse outro modo também pode ser feito para o caso relativístico, porém não é tão conveniente.) Esse modo consiste em resolver a matriz U em um intervalo de tempo pequeno, em outras palavras, para t_1 e t_2 próximos. Se conseguirmos achar uma sequência desses U para intervalos sucessivos de tempo, podemos ver como as coisas passam em função do tempo. Você pode perceber imediatamente que essa maneira não é muito boa para a relatividade, porque nesse caso você não quer ter de especificar como os objetos são "simultaneamente" e em todo lugar. Porém não vamos nos preocupar com isso – nos preocuparemos apenas com a mecânica não relativística.

Suponha que consideremos a matriz U demorando de um tempo t_1 até t_3, que é maior do que t_2. Em outras palavras, consideremos três tempos sucessivos: t_1 menor do que t_2 menor do que t_3. Então exigimos que a matriz que vai de t_1 para t_3 seja o *produto* sucessivo do que acontece quando você espera de t_1 para t_2 e então de t_2 até t_3. É exatamente como na situação em que tínhamos dois aparatos B e A em série. Dessa forma, seguindo a notação da Seção 5-6, podemos escrever:

$$U(t_3, t_1) = U(t_3, t_2) \cdot U(t_2, t_1). \tag{8.30}$$

Em outras palavras, podemos analisar qualquer intervalo de tempo se pudermos analisar uma sequência de intervalos pequenos nesse intervalo. Simplesmente, multiplicamos todas as partes; essa é a maneira como a mecânica quântica é analisada não relativiscamente.

Nosso problema é, então, entender a matriz $U(t_2, t_1)$ para um intervalo de tempo infinitesimal – para $t_2 = t_1 + \Delta t$. Nós nos perguntamos: se temos um estado ϕ agora, como ele será em um tempo infinitesimal Δt depois? Vamos ver como expressamos isso. Chamemos o estado no tempo t, $|\psi(t)\rangle$ (explicitamos a dependência temporal de ψ para deixar claro que se trata da condição no instante t). Agora perguntamos: qual é a condição depois do pequeno intervalo de tempo Δt? A resposta é:

$$|\psi(t + \Delta t)\rangle = U(t + \Delta t, t)|\psi(t)\rangle. \tag{8.31}$$

Isso significa o mesmo que (8.25), isto é, que a amplitude de ter χ em um tempo $t + \Delta t$ é

$$\langle \chi | \psi(t + \Delta t) \rangle = \langle \chi | U(t + \Delta t, t) | \psi(t) \rangle. \tag{8.32}$$

Como ainda não somos muito bons nesses aspectos abstratos, vamos projetar nossas amplitudes em uma representação determinada. Se multiplicarmos os dois lados da Eq. (8.31) por $\langle i |$, temos

$$\langle i | \psi(t + \Delta t) \rangle = \langle i | U(t + \Delta t, t) | \psi(t) \rangle. \tag{8.33}$$

Também podemos expressar $|\psi(t)\rangle$ em termos dos estados de base e escrever

$$\langle i | \psi(t + \Delta t) \rangle = \sum_j \langle i | U(t + \Delta t, t) | j \rangle \langle j | \psi(t) \rangle. \tag{8.34}$$

Podemos entender a Eq. (8.34) da seguinte maneira. Se considerarmos $C_i(t) = \langle i | \psi(t) \rangle$ como sendo a amplitude de estar no estado i no instante t, então podemos considerar essa amplitude (lembre, é apenas um *número*!) variando com o tempo. Cada C_i se torna uma função de t. E também temos alguma informação de *como* as amplitudes C_i variam com o tempo. Cada amplitude em $(t + \Delta t)$ é proporcional *a todas as outras* amplitudes em t multiplicadas por um conjunto de coeficientes. Recordemos da matriz U, U_{ij}, com a qual queremos dizer:

$$U_{ij} = \langle i | U | j \rangle.$$

Assim, podemos escrever a Eq. (8.34) como

$$C_i(t + \Delta t) = \sum_j U_{ij}(t + \Delta t, t) C_j(t). \tag{8.35}$$

Assim é, portanto, como a dinâmica da mecânica quântica será vista.

Até agora não sabemos muito sobre U_{ij}, exceto uma coisa. Sabemos que se Δt tende a zero, nada pode acontecer – devemos obter apenas o estado original. Assim, $U_{ii} \to 1$ e $U_{ij} \to 0$, se $i \neq j$. Em outras palavras, $U_{ij} \to \delta_{ij}$ para $\Delta t \to 0$. Além disso, podemos admitir que para Δt pequeno, cada um dos coeficientes U_{ij} deve diferir de δ_{ij} por quantidades proporcionais a Δt; assim, podemos escrever

$$U_{ij} = \delta_{ij} + K_{ij} \Delta t. \tag{8.36}$$

Entretanto, por razões históricas e outras, é comum retirar o fator $(-i/\hbar)^\dagger$ dos coeficientes K_{ij}; preferimos escrever

$$U_{ij}(t + \Delta t, t) = \delta_{ij} - \frac{i}{\hbar} H_{ij}(t) \Delta t. \tag{8.37}$$

Obviamente, isso é o mesmo que a Eq. (8.36) e, se você preferir, simplesmente defina os coeficientes $H_{ij}(t)$. Os termos H_{ij} são exatamente as derivadas dos coeficientes $U_{ij}(t_2, t_1)$ em relação a t_2, calculadas em $t_2 = t_1 = t$.

Usando essa expressão para U na Eq. (8.35), temos:

$$C_i(t + \Delta t) = \sum_j \left[\delta_{ij} - \frac{i}{\hbar} H_{ij}(t) \Delta t \right] C_j(t). \tag{8.38}$$

Tomando a soma sobre o termo do δ_{ij}, obtemos simplesmente $C_i(t)$, o qual podemos colocar do outro lado da equação. Então, dividindo por Δt temos o que definimos como derivada:

$$\frac{C_i(t + \Delta t) - C_i(t)}{\Delta t} = -\frac{i}{\hbar} \sum_j H_{ij}(t) C_j(t)$$

ou

$$i\hbar \frac{dC_i(t)}{dt} = \sum_j H_{ij}(t) C_j(t). \tag{8.39}$$

Você deve lembrar que $C_i(t)$ é a amplitude $\langle i | \psi \rangle$ de encontrar o estado ψ em um dos estados de base i (no tempo t). Assim, a Eq. (8.39) nos diz como cada um dos coeficientes $\langle i | \psi \rangle$ varia com o tempo, mas isso é o mesmo que falar que a Eq. (8.39) nos diz como o estado ψ varia com tempo, dado que estamos descrevendo o ψ em termos das amplitudes $\langle i | \psi \rangle$. A variação de ψ no tempo é descrita em termos da matriz H_{ij}, que deve incluir, obviamente, as coisas que estamos fazendo no sistema para causar suas mudanças. Se conhecemos H_{ij} – a qual contém a física da situação e, em geral, pode depender do tempo – então temos uma descrição completa do comportamento temporal do sistema. Assim, a Eq. (8.39) é a lei da mecânica quântica para a dinâmica do mundo.

(Devemos dizer que sempre consideraremos um conjunto de estados de base fixos e que não variam com o tempo. Existem pessoas que utilizam estados de base que também variam. No entanto, isso é como usar um sistema de coordenadas girantes na mecânica, e não queremos nos envolver com tais complicações.)

---

† Temos aqui um problema com a notação. No fator $(-i/\hbar)$, o i significa a unidade imaginária $\sqrt{-1}$, e *não* o índice i referente ao i-ésimo estado de base! Esperamos que você não ache isso muito confuso.

8–5 A matriz Hamiltoniana

A ideia é, portanto, que para descrever o mundo da mecânica quântica devemos selecionar um conjunto de estados de base i e escrever as leis físicas fornecendo a matriz dos coeficientes H_{ij}. Então teremos tudo – podemos responder a qualquer questão sobre o que acontecerá. Assim, temos de aprender quais são as regras para achar os H para lidar com qualquer situação física – qual corresponde a um campo magnético, ou a um campo elétrico e assim por diante. E essa é a parte mais difícil. Por exemplo, para as novas partículas estranhas, não temos a menor ideia de qual H_{ij} usar. Em outras palavras, ninguém sabe o H_{ij} *completo* para todo o universo. (Parte da dificuldade é que dificilmente alguém pode ter esperanças em descobrir os H_{ij} quando você nem mesmo sabe quais são os estados de base!) Temos aproximações excelentes para fenômenos não relativísticos e para alguns outros casos especiais. Em particular, temos as formas que são necessárias para o movimento de elétrons em átomos (para descrever a química), mas não sabemos o H completo e verdadeiro para todo o universo.

Os coeficientes H_{ij} são denominados *matriz Hamiltoniana* ou simplesmente de *Hamiltoniana*. (De que forma Hamilton, que trabalhou nos anos de 1830, teve seu nome relacionado à mecânica quântica é um conto de história.) Seria muito melhor chamar de *matriz de energia*, por razões que ficarão claras à medida que trabalhamos nisso. Logo, *o* problema é: conheça sua Hamiltoniana!

A Hamiltoniana possui uma propriedade que pode ser deduzida diretamente, que é

$$H_{ij}^* = H_{ji}. \tag{8.40}$$

Ela segue da condição de que a probabilidade total de o sistema estar em *algum* estado não muda. Se você começa com uma partícula – um objeto ou o universo –, então você ainda a tem à medida que o tempo passa. A probabilidade total de encontrar a partícula em algum lugar é

$$\sum_i |C_i(t)|^2,$$

que não deve variar com o tempo. Se isso é válido para qualquer condição inicial ϕ, então a Eq. (8.40) também deve ser válida.

Como nosso exemplo inicial, consideramos uma situação na qual as circunstâncias físicas não estão variando com o tempo; queremos dizer as condições físicas *externas*, de maneira que H é independente do tempo. Ninguém está ligando e desligando magnetos. Também consideramos um sistema no qual apenas um estado de base é necessário para sua descrição; essa é uma aproximação que poderíamos fazer para um átomo de hidrogênio em repouso, ou algo análogo. A Equação (8.39) então diz

$$i\hbar \frac{dC_1}{dt} = H_{11}C_1. \tag{8.41}$$

Apenas uma equação – e isso é tudo! E se H_{11} for constante, essa equação diferencial será facilmente resolvida, fornecendo:

$$C_1 = (\text{const})e^{-(i/\hbar)H_{11}t}. \tag{8.42}$$

Essa é a dependência temporal de um estado com energia $E = H_{11}$ definida. Você percebe por que H_{ij} deveria ser chamada de matriz de energia. É a generalização da energia para situações mais complexas.

Agora, para entender um pouco mais sobre o significado das equações, consideremos um sistema que tem dois estados de base. Assim, a Eq. (8.39) se torna

$$i\hbar \frac{dC_1}{dt} = H_{11}C_1 + H_{12}C_2,$$
$$i\hbar \frac{dC_2}{dt} = H_{21}C_1 + H_{22}C_2. \tag{8.43}$$

Se novamente os H forem independentes do tempo, você pode resolver essas equações facilmente. Deixaremos que você tente por diversão, e retornaremos mais tarde a elas. Sim, você pode resolver a mecânica quântica sem saber os H, contanto que eles sejam independentes do tempo.

8–6 A molécula de amônia

Queremos agora mostrar como a equação da dinâmica da mecânica quântica pode ser usada para descrever uma situação física em particular. Escolhemos um exemplo interessante, porém simples no qual, fazendo-se algumas suposições razoáveis sobre a Hamiltoniana, podemos explorar certos resultados importantes – e até mesmo práticos. Consideraremos a situação descrita por dois estados: a molécula de amônia.

A molécula de amônia tem um átomo de nitrogênio e três átomos de hidrogênio localizados em um plano abaixo do nitrogênio de maneira que a molécula tem a forma de uma pirâmide, como ilustrado na Fig. 8-1(a). Agora, essa molécula, como outra qualquer, tem um número infinito de estados. Ela pode rodar em torno de qualquer eixo possível; pode se mover em qualquer direção; pode vibrar internamente e assim por diante. Portanto, ela não é por assim dizer um sistema de dois estados. Contudo, queremos fazer uma aproximação em que todos os outros estados permanecem fixos, pois eles não intervêm naquilo em que estamos interessados no momento. Consideraremos apenas que a molécula está girando em torno do seu eixo de simetria (como mostrado na figura), que ela possui momento translacional nulo e que está vibrando o mínimo possível. Isso especifica todas as condições, menos uma: *ainda existem duas possíveis posições para o átomo de nitrogênio* – o nitrogênio pode estar em um lado do plano dos átomos de hidrogênio ou no outro, como ilustrado nas Fig. 8-1(a) e (b). Assim, discutiremos a molécula como se ela fosse um sistema de dois estados. Isto é, nos preocuparemos apenas com dois estados, todas as outras coisas serão deixadas de lado. No entanto, você vê que mesmo que soubéssemos que a molécula está girando em torno do eixo com um dado momento angular e que está se movendo com um certo momento e vibrando em uma dada maneira, ainda assim existem dois estados possíveis. Diremos que a molécula está no estado $|1\rangle$ quando o nitrogênio está "em cima", como na Fig. 8-1(a), e que está no estado $|2\rangle$ quando o nitrogênio está "embaixo", como ilustrado em (b). Os estados $|1\rangle$ e $|2\rangle$ serão nossos estados de base para a análise do comportamento da molécula de amônia. Em qualquer instante, o estado real $|\psi\rangle$ da molécula pode ser representado fornecendo-se $C_1 = \langle 1 | \psi \rangle$, a amplitude de estar no estado $|1\rangle$, e $C_2 = \langle 2 | \psi \rangle$, a amplitude de estar em $|2\rangle$. Logo, utilizando a Eq. (8.8), o vetor de estado $|\psi\rangle$ pode ser escrito como:

$$|\psi\rangle = |1\rangle\langle 1|\psi\rangle + |2\rangle\langle 2|\psi\rangle$$

ou

$$|\psi\rangle = |1\rangle C_1 + |2\rangle C_2. \qquad (8.44)$$

Agora, o interessante é que se sabe que a molécula está em um dado estado em um dado instante, então ela *não* estará no mesmo estado pouco tempo depois. Os dois coeficientes C mudarão no tempo de acordo com as Equações (8.43) – que são válidas para qualquer sistema de dois estados. Admita, por exemplo, que você fez alguma observação – ou fez alguma seleção das moléculas – de forma que você *sabe* que a molécula está *inicialmente* no estado $|1\rangle$. Em algum instante depois, existe uma chance de que a molécula esteja no estado $|2\rangle$. Para descobrir qual é essa chance, temos de resolver a equação diferencial que nos diz como as amplitudes mudam com o tempo.

O único problema é que não sabemos quais coeficientes H_{ij} devemos usar na Eq. (8.43). No entanto, existem algumas coisas que *podemos* dizer. Admita que, uma vez que a molécula está no estado $|1\rangle$, não existe chance

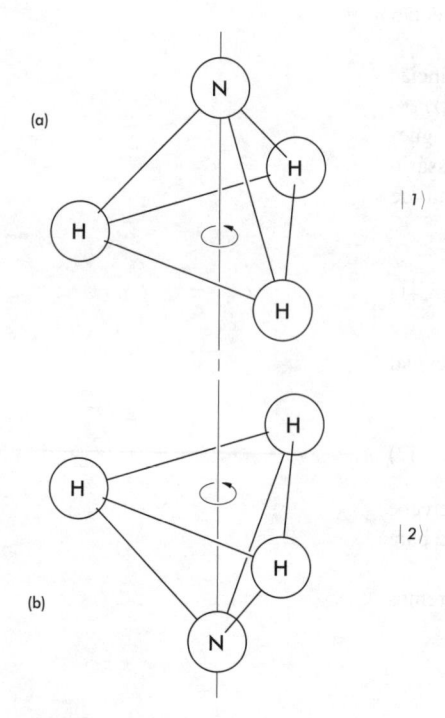

Figura 8–1 Dois arranjos geométricos equivalentes para a molécula de amônia.

alguma de ela ir para o estado $|\,2\,\rangle$, e vice-versa. Logo, H_{12} e H_{21} seriam nulos, e a Eq. (8.43) seria dada por:

$$i\hbar \frac{dC_1}{dt} = H_{11}C_1, \qquad i\hbar \frac{dC_2}{dt} = H_{22}C_2.$$

Podemos facilmente resolver essas duas equações e teremos

$$C_1 = (\text{const})e^{-(i/\hbar)H_{11}t}, \qquad C_2 = (\text{const})e^{-(i/\hbar)H_{22}t}. \tag{8.45}$$

Essas são exatamente as amplitudes para os estados *estacionários* com energias $E_1 = H_{11}$ e $E_2 = H_{22}$. Entretanto, notamos que para a molécula de amônia os dois estados $|\,1\,\rangle$ e $|\,2\,\rangle$ possuem uma simetria definida. Se a natureza for razoável, então os elementos de matriz H_{11} e H_{22} devem ser iguais. Chamaremos os dois de E_0, pois eles correspondem à energia que os estados teriam se H_{12} e H_{21} forem nulos. Contudo, as Eqs. (8.45) não nos dizem o que a amônia realmente faz. Elas dizem que é possível para o nitrogênio passar pelos três átomos de hidrogênio e trocar de lado. Isso é um tanto difícil; ir até metade do caminho requer bastante energia. Como ele pode fazer isso se não tem energia suficiente? Existe *uma certa* amplitude de que ele penetrará a barreira de energia. Em mecânica quântica, é possível entrar furtivamente em uma região energeticamente inacessível. Existe, portanto, uma pequena amplitude de a molécula estar inicialmente no estado $|\,1\,\rangle$ e passar para o estado $|\,2\,\rangle$. Os coeficientes H_{12} e H_{21} não são realmente nulos. Novamente, por simetria, eles devem ser iguais – ao menos os seus módulos. De fato, já sabemos que, em geral, H_{ij} deve ser igual ao complexo conjugado de H_{ji}, de forma que eles podem diferir apenas por uma fase. Você verá que não perderemos a generalização se os considerarmos iguais. Por uma conveniência posterior, os igualaremos a um número negativo; fazendo $H_{12} = H_{21} = -A$. Assim, ficamos com o seguinte par de equações

$$i\hbar \frac{dC_1}{dt} = E_0 C_1 - A C_2, \tag{8.46}$$

$$i\hbar \frac{dC_2}{dt} = E_0 C_2 - A C_1. \tag{8.47}$$

Essas equações são bem simples e podem ser resolvidas de diversas maneiras. Uma forma conveniente é a seguinte. Somando-as, temos:

$$i\hbar \frac{d}{dt}(C_1 + C_2) = (E_0 - A)(C_1 + C_2),$$

cuja solução é

$$C_1 + C_2 = a e^{-(i/\hbar)(E_0 - A)t}. \tag{8.48}$$

Em seguida, considerando a diferença entre (8.46) e (8.47), temos

$$i\hbar \frac{d}{dt}(C_1 - C_2) = (E_0 + A)(C_1 - C_2),$$

que fornece

$$C_1 - C_2 = b e^{-(i/\hbar)(E_0 + A)t}. \tag{8.49}$$

Denominamos as duas constantes de integração de a e b; obviamente, elas devem ser escolhidas para fornecer as condições iniciais apropriadas para qualquer problema físico em particular. Agora, adicionando e subtraindo (8.48) e (8.49), obtemos C_1 e C_2:

$$C_1(t) = \frac{a}{2} e^{-(i/\hbar)(E_0 - A)t} + \frac{b}{2} e^{-(i/\hbar)(E_0 + A)t}, \tag{8.50}$$

$$C_2(t) = \frac{a}{2} e^{-(i/\hbar)(E_0 - A)t} - \frac{b}{2} e^{-(i/\hbar)(E_0 + A)t}. \qquad (8.51)$$

Elas são as mesmas, exceto pelo sinal no segundo termo.

Temos as soluções; agora o que elas significam? (O problema em mecânica quântica não é apenas resolver as equações, mas entender o que as soluções significam!) Primeiro, note que se $b = 0$, então os dois termos têm a mesma frequência $\omega = (E_0 - A)/\hbar$. Se tudo muda em uma dada frequência, então significa que o sistema está em um estado de energia definida – nesse caso, a energia $(E_0 - A)$. Portanto, existe um estado estacionário com essa energia no qual as duas probabilidades de amplitude C_1 e C_2 são iguais. Obtemos que *a molécula de amônia tem uma energia definida* $(E_0 - A)$ se as amplitudes forem iguais para o nitrogênio estar "em cima" ou "embaixo".

Existe outro estado estacionário possível se $a = 0$; então ambas amplitudes têm frequência $(E_0 + A)/\hbar$. Portanto, existe outro estado com energia definida $(E_0 + A)$ se as duas amplitudes forem iguais, porém com sinais opostos; $C_2 = -C_1$. Esses são os únicos dois estados com energia definida. Discutiremos os estados da molécula de amônia com mais detalhes no próximo capítulo; aqui, mencionaremos apenas algumas coisas.

Concluímos que *uma vez que* existe uma chance de o átomo de nitrogênio trocar de uma posição para outra, então a energia da molécula não é simplesmente E_0, como esperávamos, mas existem *dois* níveis de energia $(E_0 + A)$ e $(E_0 - A)$. Cada um dos possíveis estados da molécula, independentemente da energia que tenha, desdobra-se nesses dois níveis. Dizemos *cada um* dos estados pois, você deve lembrar, escolhemos um estado particular de rotação, energia interna e assim por diante. Para cada condição possível desse tipo existe um dubleto de níveis de energia devido à propriedade da molécula de jogar "para cima e para baixo" (*flip-flop*) o átomo de nitrogênio.

Vamos agora perguntar o seguinte sobre a molécula de amônia. Suponha que em $t = 0$, *sabemos* que a molécula está no estado $|1\rangle$ ou, em outras palavras, que $C_1(0) = 1$ e $C_2(0) = 0$. Qual é a probabilidade de a molécula ser encontrada no estado $|2\rangle$ no instante t, ou ainda permanecer no estado $|1\rangle$ no instante t? Nossas condições iniciais determinam a e b nas Eqs. (8.50) e (8.51). Fazendo $t = 0$, temos que

$$C_1(0) = \frac{a + b}{2} = 1, \qquad C_2(0) = \frac{a - b}{2} = 0.$$

Evidentemente, $a = b = 1$. Substituindo esses valores nas expressões para $C_1(t)$ e $C_2(t)$ e reordenando alguns termos, temos:

$$C_1(t) = e^{-(i/\hbar)E_0 t} \left(\frac{e^{(i/\hbar)At} + e^{-(i/\hbar)At}}{2} \right),$$

$$C_2(t) = e^{-(i/\hbar)E_0 t} \left(\frac{e^{(i/\hbar)At} - e^{-(i/\hbar)At}}{2} \right).$$

Podemos reescrevê-las como:

$$C_1(t) = e^{-(i/\hbar)E_0 t} \cos \frac{At}{\hbar}, \qquad (8.52)$$

$$C_2(t) = i e^{-(i/\hbar)E_0 t} \operatorname{sen} \frac{At}{\hbar}. \qquad (8.53)$$

As duas amplitudes têm módulos que variam harmonicamente com o tempo.

A probabilidade de a molécula ser encontrada no estado $|2\rangle$ no instante t é o módulo ao quadrado de $C_2(t)$:

$$|C_2(t)|^2 = \operatorname{sen}^2 \frac{At}{\hbar}. \qquad (8.54)$$

A probabilidade começa nula (como deveria), aumenta até um e então oscila entre zero e um, como mostrado na curva P_2 da Fig. 8-2. Obviamente, a probabilidade de estar no estado $|1\rangle$ não permanece em um. Ela "se atira" para o segundo estado até que a probabilidade de encontrar a molécula no primeiro estado seja nula, como ilustrado pela curva P_1 na Fig. 8-2. A probabilidade oscila entre as duas.

Há um bom tempo, vimos o que acontece quando temos dois pêndulos iguais fracamente acoplados. (Veja o Capítulo 49, Vol. I.) Quando puxamos um para trás e o liberamos, ele oscila, e então, gradualmente, o outro começa a oscilar. Rapidamente o segundo pêndulo já pegou toda a energia. Logo, o processo se reverte, e o primeiro pêndulo pega a energia. É exatamente a mesma coisa. A velocidade com que a energia é trocada depende do acoplamento entre os dois pêndulos – a razão com a qual a "oscilação" consegue vazar. Além disso, você deve lembrar que com os dois pêndulos existem dois tipos especiais de movimento – cada um com uma frequência definida – que chamamos de modos normais. Se empurramos os dois pêndulos juntos, eles oscilam com a mesma frequência. Por outro lado, se um for para um lado e o segundo para o outro, então existe um outro modo estacionário também com uma frequência definida.

Bem, temos aqui uma situação análoga – a molécula de amônia é matematicamente equivalente a um par de pêndulos. Essas são as duas frequências – $(E_0 - A)/\hbar$ e $(E_0 + A)/\hbar$ – para quando elas oscilam juntas, ou de forma oposta.

A analogia com o pêndulo não é muito mais profunda do que o princípio de que as mesmas equações possuem as mesmas soluções. As equações lineares para as amplitudes (8.39) são muito parecidas com as equações lineares dos osciladores harmônicos. (De fato, essa é a razão por trás do nosso sucesso na teoria clássica para o índice de refração, na qual substituímos o átomo da mecânica quântica por um oscilador harmônico, apesar de isso não ser uma maneira classicamente razoável de ver os elétrons circulando ao redor do núcleo.) Se você puxa o nitrogênio para um lado, você tem uma *superposição* dessas duas frequências, e você tem algo como uma nota pulsada, pois o sistema *não* está em um dos estados com frequência definida. Entretanto, o desdobramento dos níveis de energia da molécula de amônia é um efeito estritamente da mecânica quântica.

O desdobramento dos níveis de energia da molécula de amônia tem importantes aplicações práticas, que descreveremos no próximo capítulo. Até o momento, tivemos um exemplo de um problema físico prático para você entender a mecânica quântica!

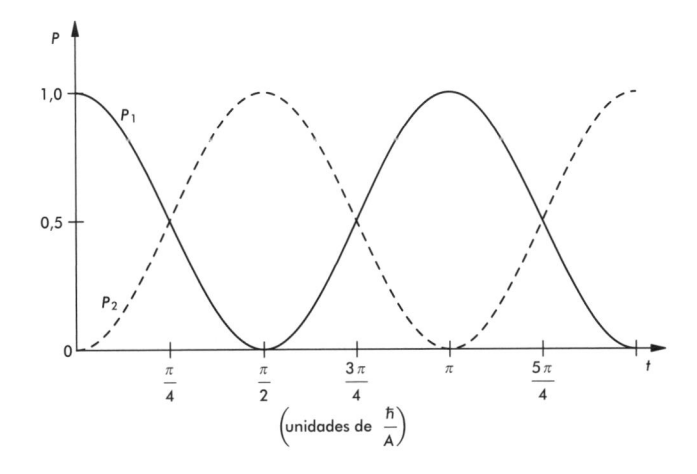

Figura 8-2 Probabilidade P_1 de que uma molécula de amônia que estava no estado $|1\rangle$ em $t = 0$ seja encontrada no estado $|1\rangle$ no instante t. A probabilidade P_2 de que ela será encontrada no estado $|2\rangle$.

9

Maser de Amônia

9–1 Os estados da molécula de amônia

Neste capítulo, discutiremos a aplicação da mecânica quântica em um dispositivo prático, o *maser* de amônia. Você deve estar se questionando por que interrompemos nosso desenvolvimento formal da mecânica quântica para tratar de um problema em especial, mas você verá que várias características desse problema em especial são bastante comuns na teoria geral da mecânica quântica, e aprenderá bastante considerando esse problema em detalhe. O *maser* de amônia é um dispositivo para gerar ondas eletromagnéticas, cuja operação é baseada nas propriedades da molécula de amônia discutidas no capítulo anterior. Começamos resumindo o que já foi visto.

A molécula de amônia tem vários estados, mas a estamos considerando como um sistema de dois estados, pensando agora o que acontece apenas quando a molécula está em um dado estado específico de rotação e translação. Um modelo físico para os dois estados pode ser visualizado como segue. Se consideramos que a molécula está rodando em torno de um eixo que passa pelo átomo de nitrogênio e perpendicular ao plano dos átomos de hidrogênio, como ilustrado na Fig. 9-1, então ainda assim existem duas condições possíveis – o nitrogênio pode estar em um lado do plano dos átomos de hidrogênio ou do outro. Chamamos esses estados de $|1\rangle$ e $|2\rangle$. Os escolhemos como o conjunto de estados de base para nossa análise do comportamento da molécula de amônia.

Em um sistema com dois estados de base, qualquer estado ψ do sistema sempre pode ser descrito por uma combinação linear desses estados; isto é, existe uma certa amplitude C_1 de estar em um estado de base e uma amplitude C_2 de estar no outro. Podemos escrever esse vetor de estado como:

$$|\psi\rangle = |1\rangle C_1 + |2\rangle C_2, \qquad (9.1)$$

no qual

$$C_1 = \langle 1|\psi\rangle \quad \text{e} \quad C_2 = \langle 2|\psi\rangle.$$

Essas duas amplitudes mudam com o tempo de acordo com as equações Hamiltonianas, Eq. (8.43). Usando a simetria dos dois estados da molécula de amônia, temos $H_{11} = H_{22} = E_0$ e $H_{12} = H_{21} = -A$ e obtemos a solução [veja Eqs. (8.50) e (8.51)]:

$$C_1 = \frac{a}{2} e^{-(i/\hbar)(E_0 - A)t} + \frac{b}{2} e^{-(i/\hbar)(E_0 + A)t}, \qquad (9.2)$$

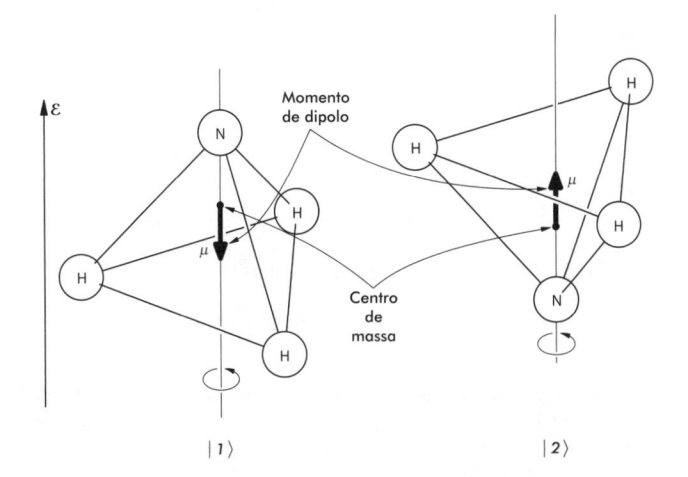

9–1 Os estados da molécula de amônia
9–2 A molécula em um campo elétrico estático
9–3 Transições em um campo dependente do tempo
9–4 Transições em ressonância
9–5 Transições fora da ressonância
9–6 Absorção de luz

MASER = Amplificação de Micro-ondas por Emissão Estimulada de Radiação, do inglês *Microwave Amplification by Stimulated Emission of Radiation*

Figura 9–1 Um modelo físico de dois estados de base para a molécula de amônia. Esses estados têm momento de dipolo elétrico μ.

$$C_2 = \frac{a}{2} e^{-(i/\hbar)(E_0 - A)t} - \frac{b}{2} e^{-(i/\hbar)(E_0 + A)t}. \tag{9.3}$$

Queremos agora analisar mais profundamente essas soluções gerais. Admita que a molécula estava inicialmente em um estado $|\psi_{II}\rangle$ no qual o coeficiente b é nulo. Então, em $t = 0$ as amplitudes de estar nos estados $|1\rangle$ e $|2\rangle$ são idênticas, e *elas permanecem assim para sempre*. Ambas as fases variam com o tempo da mesma maneira – com frequência $(E_0 - A)/\hbar$. Analogamente, se tivéssemos colocado a molécula em um estado $|\psi_I\rangle$ no qual $a = 0$, então a amplitude C_2 seria o negativo de C_1, e essa relação se manteria assim para sempre. Nesse caso, as duas amplitudes variariam no tempo com a frequência $(E_0 + A)/\hbar$. Esses são os dois únicos estados possíveis para os quais a relação entre C_1 e C_2 é independente do tempo.

Achamos duas soluções especiais nas quais as duas amplitudes *não variam a magnitude* e, além disso, têm fases que variam com a mesma frequência. Esses são *estados estacionários* conforme a definição da Seção 7-1, o que significa que eles são *estados com energia definida*. O estado $|\psi_{II}\rangle$ tem energia $E_{II} = E_0 - A$, e o estado $|\psi_I\rangle$ tem energia $E_I = E_0 + A$. Eles são os dois únicos estados estacionários que existem, portanto achamos que a molécula tem dois níveis de energia, sendo a diferença de energia igual a $2A$. (Isto é, obviamente temos dois níveis de energia para os estados de rotação e vibração supostos nas nossas condições iniciais.)†

Se não tivéssemos permitido a possibilidade do nitrogênio de "subir" e "descer", teríamos feito A igual a zero, e os dois níveis de energia seriam os mesmos para a energia E_0. Os níveis reais não são assim; a *média* de suas energias é E_0, mas eles são separados em $\pm A$, dando uma separação de $2A$ entre as energias dos estados. De fato, como A é muito pequeno, a diferença de energia também é muito pequena.

Para excitar um *elétron* dentro de um átomo, a energia envolvida é relativamente muito alta – exigindo fótons na faixa ótica ou do ultravioleta. Já excitar as *vibrações* das moléculas envolve fótons no infravermelho. Se você estiver falando de excitações *rotacionais*, então as diferenças de energia dos estados correspondem a fótons no infravermelho longínquo. Porém, a diferença de energia $2A$ é menor do que qualquer uma dessas e, de fato, é menor do que o infravermelho e está na região de micro-ondas. Experimentalmente, foi achado um par de níveis de energia separados por 10^{-4} *elétrons--volts* – correspondente a uma frequência de 24.000 megaciclos. Evidentemente, isso significa que $2A = hf$, sendo $f = 24.000$ megaciclos (correspondente a um comprimento de onda de $1\frac{1}{4}$ cm). Portanto, temos aqui uma molécula que tem uma transição que não emite luz no senso comum, porém emite micro-ondas.

Para o trabalho que se segue, temos de definir um pouco melhor esses dois estados com energia definida. Admita que construímos uma amplitude C_{II} tomando a soma dos dois números C_1 e C_2:

$$C_{II} = C_1 + C_2 = \langle 1 | \Phi \rangle + \langle 2 | \Phi \rangle. \tag{9.4}$$

O que isso significaria? Bom, isso é exatamente a amplitude de achar o estado $|\Phi\rangle$ em um novo estado $|II\rangle$ no qual as amplitudes são iguais às dos estado de base originais. Isto é, escrevendo $C_{II} = \langle II | \Phi \rangle$, podemos abstrair $|\Phi\rangle$ da Eq. (9.4) – pois é válida para qualquer Φ – e obtemos

$$\langle II | = \langle 1 | + \langle 2 |,$$

o que significa o mesmo que

$$|II\rangle = |1\rangle + |2\rangle. \tag{9.5}$$

A amplitude de o estado $|II\rangle$ estar no estado $|1\rangle$ é

$$\langle 1 | II \rangle = \langle 1 | 1 \rangle + \langle 1 | 2 \rangle,$$

---

† No que se segue, ajuda – tanto para ler sozinho quanto para conversar com outras pessoas – ter uma maneira útil de se distinguir entre 1 e 2 arábicos do I e II romanos. Achamos conveniente chamar de "um" e "dois" os números arábicos, e de "*eins*" e "*zwei*" os números romanos I e II (apesar de "*uno*" e "*duo*" ser mais lógico!).

que é, obviamente, exatamente 1, uma vez que $|1\rangle$ e $|2\rangle$ são estados de base. A amplitude de o estado $|II\rangle$ estar no estado $|2\rangle$ também é 1, portanto o estado $|II\rangle$ tem amplitudes iguais de estar nos dois estados de base $|1\rangle$ e $|2\rangle$.

Entretanto, temos alguns problemas. O estado $|II\rangle$ tem uma probabilidade total maior do que um de estar *em um* estado de base *ou em outro*. No entanto, isso significa simplesmente que o vetor de estado não está "normalizado" apropriadamente. Podemos resolver isso lembrando que devemos ter $\langle II | II \rangle = 1$, que deve ser assim para qualquer estado. Usando a relação geral:

$$\langle \chi | \Phi \rangle = \sum_i \langle \chi | i \rangle \langle i | \Phi \rangle,$$

fazendo ambos, Φ e χ, serem o estado II e tomando a soma sobre os estados de base $|1\rangle$ e $|2\rangle$, temos que

$$\langle II | II \rangle = \langle II | 1 \rangle \langle 1 | II \rangle + \langle II | 2 \rangle \langle 2 | II \rangle.$$

Isso será igual a um, como deveria ser, se trocarmos nossa definição de C_{II} – na Eq. (9.4) – por:

$$C_{II} = \frac{1}{\sqrt{2}} [C_1 + C_2].$$

Da mesma forma, podemos construir a amplitude:

$$C_I = \frac{1}{\sqrt{2}} [C_1 - C_2],$$

ou

$$C_I = \frac{1}{\sqrt{2}} [\langle 1 | \Phi \rangle - \langle 2 | \Phi \rangle]. \tag{9.6}$$

Essa amplitude é a projeção do estado $|\Phi\rangle$ em um novo estado $|I\rangle$ que possui amplitudes opostas de estar nos estados $|1\rangle$ e $|2\rangle$. A saber, a Eq. (9.6) significa o mesmo que

$$\langle I | = \frac{1}{\sqrt{2}} [\langle 1 | - \langle 2 |],$$

ou

$$|I\rangle = \frac{1}{\sqrt{2}} [|1\rangle - |2\rangle], \tag{9.7}$$

da qual segue que

$$\langle 1 | I \rangle = \frac{1}{\sqrt{2}} = -\langle 2 | I \rangle.$$

A razão pela qual fizemos tudo isso é porque os estados $|I\rangle$ e $|II\rangle$ *podem ser considerados como um novo conjunto de estados de base* que são especialmente convenientes na descrição de estados estacionários da molécula de amônia. Você deve lembrar que o requisito para um conjunto de bases é que

$$\langle i | j \rangle = \delta_{ij}.$$

Já arrumamos tudo de maneira que

$$\langle I | I \rangle = \langle II | II \rangle = 1.$$

Pode-se mostrar facilmente a partir das Eqs. (9.5) e (9.7) que

$$\langle I | II \rangle = \langle II | I \rangle = 0.$$

As amplitudes $C_I = \langle I | \phi \rangle$ e $C_{II} = \langle II | \phi \rangle$ para que qualquer estado ϕ esteja nos nossos novos estados de base $|I\rangle$ e $|II\rangle$ também devem satisfazer à equação Hamiltoniana na forma da Eq. (8.39). De fato, se simplesmente subtrairmos as duas equações (9.2) e (9.3) e derivar em relação a t, veremos que

$$i\hbar \frac{dC_I}{dt} = (E_0 + A)C_I = E_I C_I. \tag{9.8}$$

Somando as Eqs. (9.2) e (9.3), vemos que

$$i\hbar \frac{dC_{II}}{dt} = (E_0 - A)C_{II} = E_{II} C_{II}. \tag{9.9}$$

Usando $|I\rangle$ e $|II\rangle$ como os estados de base, a matriz Hamiltoniana é simplesmente dada por:

$$H_{I,I} = E_I, \quad H_{I,II} = 0,$$
$$H_{II,I} = 0, \quad H_{II,II} = E_{II}.$$

Note que cada uma das Eqs. (9.8) e (9.9) parecem exatamente com o que tínhamos na Seção 8-6 para a equação do sistema de um estado. Elas têm uma dependência temporal exponencial simples correspondente a uma única energia. À medida que o tempo passa, as amplitudes de estar em cada estado agem independentemente.

Os dois estados estacionários $|\psi_I\rangle$ e $|\psi_{II}\rangle$ que achamos anteriormente são, obviamente, soluções das Eqs. (9.8) e (9.9). O estado $|\psi_I\rangle$ (para o qual $C_1 = -C_2$) tem

$$C_I = e^{-(i/\hbar)(E_0+A)t}, \quad C_{II} = 0. \tag{9.10}$$

E o estado $|\psi_{II}\rangle$ (para o qual $C_1 = C_2$) tem

$$C_I = 0, \quad C_{II} = e^{-(i/\hbar)(E_0-A)t}. \tag{9.11}$$

Lembre-se de que as amplitudes na Eq. (9.10) são

$$C_I = \langle I | \psi_I \rangle, \quad \text{e} \quad C_{II} = \langle II | \psi_I \rangle;$$

portanto a Eq. (9.10) significa o mesmo que

$$|\psi_I\rangle = |I\rangle e^{-(i/\hbar)(E_0+A)t}.$$

Isto é, o vetor de estado do estado estacionário $|\psi_I\rangle$ é o mesmo que o vetor de estado do estado de base $|I\rangle$ exceto por um fator exponencial apropriado para a energia do estado. De fato, em $t = 0$

$$|\psi_I\rangle = |I\rangle;$$

o estado $|I\rangle$ tem a mesma configuração física que o estado estacionário de energia $E_0 + A$. Do mesmo modo, temos para o segundo estado estacionário que

$$|\psi_{II}\rangle = |II\rangle e^{-(i/\hbar)(E_0-A)t}.$$

O estado $|II\rangle$ é simplesmente o estado estacionário com energia $E_0 - A$ para $t = 0$. Portanto, nossos dois novos estados de base $|I\rangle$ e $|II\rangle$ têm fisicamente a forma dos estados com energia definida, sem o fator exponencial de tempo para que assim eles sejam estados de base independentes do tempo. (No que segue, veremos que é conveniente não distinguir sempre entre os estados estacionários $|\psi_I\rangle$ e $|\psi_{II}\rangle$ e os seus estados de base $|I\rangle$ e $|II\rangle$, pois eles diferem apenas pelo fator temporal óbvio.)

Resumindo, os vetores de estado $|I\rangle$ e $|II\rangle$ são um par de vetores de base apropriados para a descrição dos estados de energia definida da molécula de amônia. Eles estão relacionados com nossos vetores de base originais por

$$|I\rangle = \frac{1}{\sqrt{2}}[|1\rangle - |2\rangle], \qquad |II\rangle = \frac{1}{\sqrt{2}}[|1\rangle + |2\rangle]. \qquad (9.12)$$

As amplitudes de estar em $|I\rangle$ e $|II\rangle$ estão relacionadas a C_1 e C_2 por:

$$C_I = \frac{1}{\sqrt{2}}[C_1 - C_2], \qquad C_{II} = \frac{1}{\sqrt{2}}[C_1 + C_2]. \qquad (9.13)$$

Qualquer estado pode ser representado por uma combinação linear de $|1\rangle$ e $|2\rangle$ – com coeficientes C_1 e C_2 – ou por uma combinação linear de estados de base com energia definida $|I\rangle$ e $|II\rangle$ – com coeficientes C_I e C_{II}. Assim,

$$|\Phi\rangle = |1\rangle C_1 + |2\rangle C_2$$

ou

$$|\Phi\rangle = |I\rangle C_I + |II\rangle C_{II}.$$

A segunda forma nos fornece as amplitudes de encontrar o estado $|\phi\rangle$ em um estado com energia $E_I = E_0 + A$ ou em um estado com energia $E_{II} = E_0 - A$.

9–2 A molécula em um campo elétrico estático

Se a molécula de amônia estiver em um dos dois estados de energia definida e nós a perturbarmos com uma frequência ω tal que $\hbar\omega = E_I - E_{II} = 2A$, então o sistema pode fazer uma transição de um estado para o outro. Ou, se ela estiver no estado superior, ela pode mudar para o estado inferior e emitir um fóton. Porém, para induzir essas transições deve-se ter uma conexão física nos estados – alguma forma de perturbar o sistema. Deve existir algum mecanismo externo para afetar os estados, tal como um campo magnético ou elétrico. Nesse caso em particular, os estado são sensíveis a um campo elétrico. Dessa forma, veremos em seguida o problema do comportamento da molécula de amônia em um campo elétrico externo.

Para discutir o comportamento em um campo elétrico, voltaremos ao sistema de base original $|1\rangle$ e $|2\rangle$, em vez de usar $|I\rangle$ e $|II\rangle$. Admita que existe um campo elétrico em uma direção perpendicular ao plano dos átomos de hidrogênio. Desconsiderando por enquanto a possibilidade de "subida e descida" (*flipping*), seria válido dizer que essa molécula possui a mesma energia para as duas posições do átomo de nitrogênio? Geralmente, não. Os elétrons tendem a ficar mais próximos do núcleo do nitrogênio do que do de hidrogênio, portanto os hidrogênios são um pouco mais positivos. A quantidade real depende dos detalhes da distribuição eletrônica. É um problema complicado descobrir como é a distribuição exatamente, mas de qualquer forma o resultado líquido é que a molécula tem um momento de dipolo elétrico, como indicado na Fig. 9-1. Podemos continuar nossa análise sem saber detalhadamente a direção ou a quantidade de deslocamento da carga. Entretanto, para ser consistente com a notação dos outros, vamos admitir que o momento de dipolo elétrico é μ, com uma direção que aponta a partir do átomo de nitrogênio e é perpendicular ao plano dos átomos de hidrogênio.

Agora, quando o nitrogênio vai de um lado para o outro, o centro de massa não se move, porém o momento de dipolo elétrico mudará. Como resultado desse momento, a energia em um campo elétrico $\mathcal{E}$ dependerá da orientação molecular.[†] Com a suposição feita acima, a energia potencial será maior se o átomo de nitrogênio estiver apontando na direção do campo, e menor se ele estiver na direção oposta; a separação entre as energias será $2\mu\mathcal{E}$.

Até o momento, admitimos valores para E_0 e A sem saber como calculá-los. De acordo com a teoria física correta, deveria ser possível calcular essas constantes em termos das posições e dos movimentos de todos os núcleos e elétrons. Ainda assim, ninguém jamais

---

[†] Sentimos ter de introduzir uma nova notação. Já que usamos **p** e E para momento e energia não queremos usá-los novamente para momento dipolo e campo elétrico. Lembre-se de que, nesta seção, μ é o momento dipolo *elétrico*.

fez isso. Tal sistema envolve dez elétrons e quatro núcleos, e esse é simplesmente um problema muito complicado. A verdade é que não existe ninguém que saiba muito mais sobre essa molécula do que nós sabemos. Tudo que se pode dizer é que quando existe um campo elétrico, a energia dos dois estados é diferente, sendo essa diferença proporcional ao campo elétrico. Chamamos o coeficiente de proporcionalidade de 2μ, mas seu valor deve ser determinado experimentalmente. Além disso, podemos dizer que a molécula tem uma amplitude A de trocar de lado, mas isso terá de ser medido experimentalmente. Ninguém pode nos fornecer valores teóricos acurados para μ e A, pois esses cálculos são muito complicados para serem feitos em detalhes.

Para a molécula de amônia em um campo elétrico, devemos mudar nossa descrição. Se ignorarmos a amplitude de a molécula mudar de uma configuração para outra, então esperaríamos que as energias dos dois estados $|\,1\,\rangle$ e $|\,2\,\rangle$ fossem $(E_0 \pm \mu\mathcal{E})$. Seguindo o procedimento do capítulo anterior, temos que

$$H_{11} = E_0 + \mu\mathcal{E}, \qquad H_{22} = E_0 - \mu\mathcal{E}. \tag{9.14}$$

Além disso, admitiremos também que os campos elétricos de interesse não afetam notavelmente a geometria da molécula e portanto, não afetam a amplitude do nitrogênio de passar de uma posição para outra. Assim, podemos considerar que H_{12} e H_{21} não mudam; logo

$$H_{12} = H_{21} = -A. \tag{9.15}$$

Devemos agora resolver as equações Hamiltonianas, Eq. (8.43), com esses novos valores para H_{ij}. Poderíamos resolvê-las da mesma forma como fizemos anteriormente, porém como teremos várias ocasiões em que estaremos interessados nas soluções para sistemas de dois estados, vamos resolver de uma vez por todas as equações no caso geral com H_{ij} arbitrários – supondo apenas que eles não mudam com o tempo.

Queremos a solução geral do par de equações Hamiltonianas

$$i\hbar \frac{dC_1}{dt} = H_{11}C_1 + H_{12}C_2, \tag{9.16}$$

$$i\hbar \frac{dC_2}{dt} = H_{21}C_1 + H_{22}C_2. \tag{9.17}$$

Como essas são equações diferenciais lineares com coeficientes constantes, sempre podemos achar soluções que são funções exponenciais dependentes da variável t. Inicialmente buscaremos uma solução na qual ambos, C_1 e C_2, têm a mesma dependência temporal; podemos experimentar as funções

$$C_1 = a_1 e^{-i\omega t}, \qquad C_2 = a_2 e^{-i\omega t}.$$

Como essa solução corresponde a um estado de energia $E = \hbar\omega$, podemos também escrever

$$C_1 = a_1 e^{-(i/\hbar)Et}, \tag{9.18}$$
$$C_2 = a_2 e^{-(i/\hbar)Et}, \tag{9.19}$$

nas quais E ainda não é conhecido e deve ser determinado de modo que as equações diferenciais (9.16) e (9.17) sejam satisfeitas.

Quando substituímos C_1 e C_2 de (9.18) e (9.19) nas equações diferenciais (9.16) e (9.17), as derivadas nos fornecem exatamente $-iE/\hbar$ vezes C_1 ou C_2, e então os termos do lado esquerdo se tornam simplesmente EC_1 e EC_2. Cancelando os fatores exponenciais em comum, obtemos

$$Ea_1 = H_{11}a_1 + H_{12}a_2, \qquad Ea_2 = H_{21}a_1 + H_{22}a_2.$$

Ou, rearranjando os termos, temos

$$(E - H_{11})a_1 - H_{12}a_2 = 0, \tag{9.20}$$

$$-H_{21}a_1 + (E - H_{22})a_2 = 0. \tag{9.21}$$

Com tal conjunto de equações algébricas homogêneas, existirão soluções não nulas para a_1 e a_2 somente se o determinante dos coeficientes para a_1 e a_2 for nulo, isto é, se

$$\text{Det}\begin{pmatrix} E - H_{11} & -H_{12} \\ -H_{21} & E - H_{22} \end{pmatrix} = 0. \tag{9.22}$$

Entretanto, quando temos apenas duas incógnitas e duas equações, não precisamos dessa ideia tão sofisticada. Cada uma das duas equações (9.20) e (9.21) fornece uma razão para os dois coeficientes a_1 e a_2, e essas duas razões devem ser iguais. Da Eq. (9.20) temos que

$$\frac{a_1}{a_2} = \frac{H_{12}}{E - H_{11}}, \tag{9.23}$$

e da (9.21) temos que

$$\frac{a_1}{a_2} = \frac{E - H_{22}}{H_{21}}. \tag{9.24}$$

Igualando essas duas razões, obtemos que E deve satisfazer a

$$(E - H_{11})(E - H_{22}) - H_{12}H_{21} = 0.$$

Esse é o mesmo resultado que obteríamos resolvendo a Eq. (9.22). De qualquer modo, temos uma equação quadrática para E que possui duas soluções:

$$E = \frac{H_{11} + H_{22}}{2} \pm \sqrt{\frac{(H_{11} - H_{22})^2}{4} + H_{12}H_{21}}. \tag{9.25}$$

Existem dois valores possíveis para a energia E. Note que ambas as soluções fornecem *números* reais para a energia, pois H_{11} e H_{22} são iguais, e $H_{12}H_{21}$ é igual a $H_{12}H_{12}^* = |H_{12}|^2$, ambos reais e positivos.

Adotando a mesma convenção utilizada anteriormente, denominaremos a energia mais alta de E_I e a mais baixa de E_{II}. Temos que

$$E_I = \frac{H_{11} + H_{22}}{2} + \sqrt{\frac{(H_{11} - H_{22})^2}{4} + H_{12}H_{21}}, \tag{9.26}$$

$$E_{II} = \frac{H_{11} + H_{22}}{2} - \sqrt{\frac{(H_{11} - H_{22})^2}{4} + H_{12}H_{21}}. \tag{9.27}$$

Usando cada uma dessas energias separadamente nas Eqs. (9.18) e (9.19), temos as amplitudes para os dois estados estacionários (os estados com energia definida). Se não existe perturbação externa, então um sistema que se encontra inicialmente em um desses estados permanecerá assim para sempre – apenas sua fase muda.

Podemos checar nossos resultados para dois casos especiais. Se $H_{12} = H_{21} = 0$, temos que $E_I = H_{11}$ e $E_{II} = H_{22}$. Seguramente isso está correto, pois assim as Eqs. (9.16) e (9.17) se desacoplam e cada uma representa um estado de energia H_{11} e H_{22}. Em seguida, se fizermos $H_{11} = H_{22} = E_0$ e $H_{21} = H_{12} = -A$, temos as soluções obtidas anteriormente:

$$E_I = E_0 + A \quad \text{e} \quad E_{II} = E_0 - A.$$

Para o caso geral, as duas soluções E_I e E_{II} referem-se aos dois estados – novamente, podemos denominar esses estados de

$$|\psi_I\rangle = |I\rangle e^{-(i/\hbar)E_I t} \quad \text{e} \quad |\psi_{II}\rangle = |II\rangle e^{-(i/\hbar)E_{II} t}.$$

Os coeficientes C_1 e C_2 desses estados serão dados pelas Eqs. (9.18) e (9.19), nas quais a_1 e a_2 ainda precisam ser determinados. A razão entre eles é dada tanto pela Eq. (9.23) quanto pela Eq. (9.24). Além disso, eles devem satisfazer a mais uma condição. Se soubermos que o sistema encontra-se em um dos estados estacionários, então a soma das probabilidades de encontrá-lo em $|1\rangle$ ou $|2\rangle$ deve ser igual a um. Assim, temos que

$$|C_1|^2 + |C_2|^2 = 1, \qquad (9.28)$$

ou, de forma equivalente,

$$|a_1|^2 + |a_2|^2 = 1. \qquad (9.29)$$

Essas condições não especificam univocamente a_1 e a_2; eles ainda estão indeterminados por uma fase arbitrária – em outras palavras, por um fator do tipo $e^{i\delta}$. Apesar de podermos escrever soluções gerais para os a†, normalmente é mais conveniente obtê-los para cada caso em especial.

Vamos retornar para nosso exemplo em particular da molécula de amônia em um campo elétrico. Usando os valores de H_{11}, H_{22} e H_{12} dados pelas Eqs. (9.14) e (9.15), temos para as energias dos estados estacionários:

$$E_I = E_0 + \sqrt{A^2 + \mu^2 \mathcal{E}^2}, \qquad E_{II} = E_0 - \sqrt{A^2 + \mu^2 \mathcal{E}^2}. \qquad (9.30)$$

Essas duas energias são desenhadas em função da intensidade do campo elétrico $\mathcal{E}$ na Fig. 9.2. Quando o campo elétrico é nulo, obviamente, as duas energias são simplesmente $E_0 \pm A$. Quando o campo elétrico é aplicado, a diferença entre os dois níveis de energia aumenta. Inicialmente, essa separação cresce lentamente com $\mathcal{E}$, mas finalmente se torna proporcional a $\mathcal{E}$ (a curva é uma hipérbole). Para campos muito intensos, as energias são simplesmente:

$$E_I = E_0 + \mu\mathcal{E} = H_{11}, \qquad E_{II} = E_0 - \mu\mathcal{E} = H_{22}. \qquad (9.31)$$

O fato de que existe uma amplitude para o átomo de hidrogênio subir e descer tem um efeito pequeno quando as duas posições possuem energias muito diferentes. Esse é um ponto interessante que retomaremos depois.

Finalmente estamos prontos para entender o funcionamento do *maser* de amônia. A ideia é a seguinte: primeiro, achamos uma maneira de separar as moléculas no estado

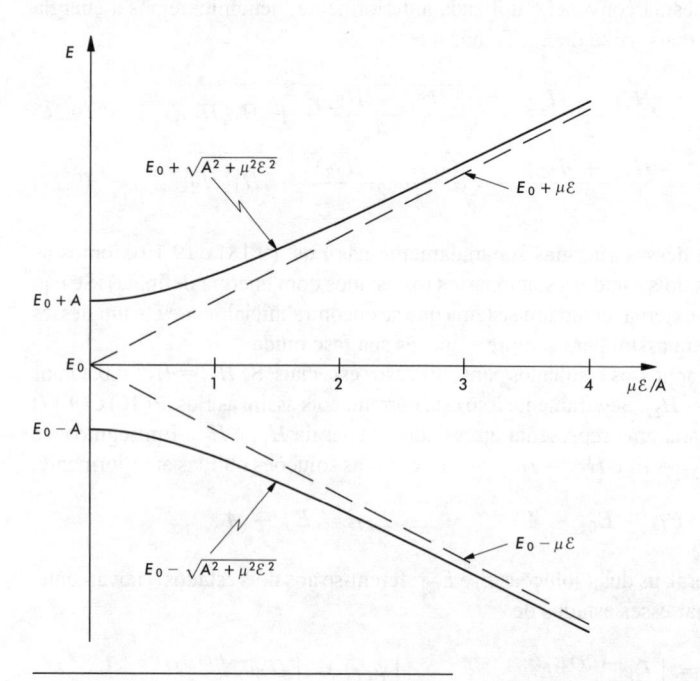

Figura 9–2 Níveis de energia da molécula de amônia em um campo elétrico.

† Por exemplo, o seguinte conjunto é uma possível solução, como você pode verificar facilmente:

$$a_1 = \frac{H_{12}}{[(E - H_{11})^2 + H_{12}H_{21}]^{1/2}}, \qquad a_2 = \frac{E - H_{11}}{[(E - H_{11})^2 + H_{12}H_{21}]^{1/2}}.$$

$|I\rangle$ das que estão no estado $|II\rangle^\dagger$. Em seguida, passamos as moléculas que estão no estado de energia maior $|I\rangle$ em uma cavidade com frequência ressonante de 24.000 megaciclos. As moléculas podem liberar energia para a cavidade – discutiremos mais adiante como – e deixar a cavidade no estado $|II\rangle$. Cada molécula que faz essa transição transferirá uma energia $E = E_I - E_{II}$ para a cavidade. A energia das moléculas aparecerá como energia elétrica na cavidade.

Como podemos separar os dois estados moleculares? Um método é o seguinte: o gás de amônia é liberado de um pequeno jato e atravessa um par de fendas produzindo um feixe estreito, como ilustrado na Fig. 9-3. Então, passa-se o feixe em uma região na qual existe um grande campo elétrico transversal. Os eletrodos que produzem o campo são preparados de tal forma que o campo elétrico varia rapidamente através do feixe. Assim, o quadrado do campo elétrico $\mathcal{E} \cdot \mathcal{E}$ terá um gradiente maior perpendicular ao feixe. Agora, uma molécula no estado $|I\rangle$ tem uma energia que cresce com $\mathcal{E}^2$ e portanto essa parte do feixe será defletida em direção à região de menor $\mathcal{E}^2$. Por outro lado, uma molécula no estado $|II\rangle$ será defletida em direção à região de $\mathcal{E}^2$ grande, dado que sua energia diminui com o aumento de $\mathcal{E}^2$.

Por falar nisso, com os campos elétricos que podem ser gerados em laboratório, a energia $\mu\mathcal{E}$ é sempre muito menor do que A. Nesses casos, a raiz quadrada na Eq. (9.30) pode ser aproximada por

$$A\left(1 + \frac{1}{2}\frac{\mu^2\mathcal{E}^2}{A^2}\right). \tag{9.32}$$

Portanto, para fins práticos, os níveis de energia são:

$$E_I = E_0 + A + \frac{\mu^2\mathcal{E}^2}{2A} \tag{9.33}$$

e

$$E_{II} = E_0 - A - \frac{\mu^2\mathcal{E}^2}{2A}. \tag{9.34}$$

E as energias variam aproximadamente linearmente com $\mathcal{E}^2$. Assim, a força nas moléculas é dada por

$$\mathbf{F} = \frac{\mu^2}{2A}\boldsymbol{\nabla}\mathcal{E}^2. \tag{9.35}$$

Várias moléculas possuem energia em um campo elétrico proporcional a $\mathcal{E}^2$. O coeficiente é a polarizabilidade da molécula. A amônia tem uma rara polarizabilidade alta devido ao valor pequeno de A no denominador. Portanto, moléculas de amônia são extraordinariamente sensíveis a um campo elétrico. (O que você esperaria para o coeficiente dielétrico de um gás de NH_3?)

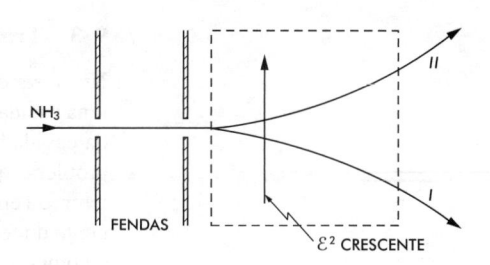

Figura 9-3 O feixe de amônia pode ser separado por um campo elétrico no qual $\mathcal{E}^2$ tem um gradiente perpendicular ao feixe.

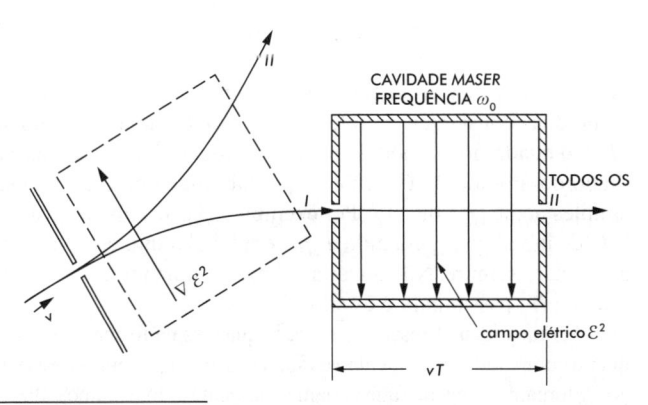

Figura 9-4 Diagrama esquemático do *maser* de amônia.

---

† A partir de agora, escreveremos $|I\rangle$ e $|II\rangle$ em vez de $|\psi_I\rangle$ e $|\psi_{II}\rangle$. Você deve lembrar que os estados reais $|\psi_I\rangle$ e $|\psi_{II}\rangle$ são os estados de base de energia multiplicados por um fator exponencial apropriado.

9–3 Transições em um campo dependente do tempo

No *maser* de amônia, passa-se o feixe com moléculas no estado $|I\rangle$ e com energia E_I em uma cavidade ressonante, como ilustrado na Fig. 9-4. O outro feixe é descartado. Dentro da cavidade, existirá um campo elétrico que varia com o tempo, portanto o próximo problema que discutiremos é o comportamento da molécula num campo dependente do tempo. Temos um problema completamente diferente – um com a Hamiltoniana dependente do tempo. Como H_{ij} depende de $\mathcal{E}$, H_{ij} varia com o tempo, e devemos determinar o comportamento do sistema nessas circunstâncias.

Para começar, escreveremos as equações a serem resolvidas:

$$i\hbar \frac{dC_1}{dt} = (E_0 + \mu\mathcal{E})C_1 - AC_2, \qquad (9.36)$$

$$i\hbar \frac{dC_2}{dt} = -AC_1 + (E_0 - \mu\mathcal{E})C_2.$$

Para ser exato, vamos admitir que o campo elétrico varie senoidalmente; assim, podemos escrever:

$$\mathcal{E} = 2\mathcal{E}_0 \cos \omega t = \mathcal{E}_0(e^{i\omega t} + e^{-i\omega t}). \qquad (9.37)$$

Quando está funcionando, a frequência real ω será praticamente igual à frequência de ressonância da transição molecular $\omega_0 = 2A/\hbar$, mas como no momento queremos manter as coisas genéricas, deixaremos que ela tenha qualquer valor. A melhor maneira de resolver nossas equações é formar uma combinação linear de C_1 e C_2, como fizemos anteriormente. Portanto, somando-se as duas equações, dividindo-se pela raiz quadrada de 2 e usando-se as definições de C_I e C_{II} que temos na Eq. (9.13), temos:

$$i\hbar \frac{dC_{II}}{dt} = (E_0 - A)C_{II} + \mu\mathcal{E}C_I. \qquad (9.38)$$

Note que essa equação é a mesma da Eq. (9.9) com um termo extra devido ao campo elétrico. Analogamente, se subtrairmos as duas equações (9.36), temos

$$i\hbar \frac{dC_I}{dt} = (E_0 + A)C_I + \mu\mathcal{E}C_{II}. \qquad (9.39)$$

Agora a questão é: como resolver essas equações? Elas são mais difíceis do que as anteriores, pois $\mathcal{E}$ depende de t; e, de fato, para um $\mathcal{E}(t)$ genérico a solução não pode ser expressa em termos de funções elementares. No entanto, podemos ter uma boa aproximação contanto que o campo elétrico seja pequeno. Primeiro, temos:

$$\begin{aligned} C_I &= \gamma_I e^{-i(E_0+A)t/\hbar} = \gamma_I e^{-i(E_I)t/\hbar}, \\ C_{II} &= \gamma_{II} e^{-i(E_0-A)t/\hbar} = \gamma_{II} e^{-i(E_{II})t/\hbar}. \end{aligned} \qquad (9.40)$$

Se não houvesse campo elétrico, as soluções estariam corretas escolhendo-se γ_I e γ_{II} como duas constantes complexas. De fato, como a probabilidade de estar no estado $|I\rangle$ é o quadrado do módulo de C_I e a probabilidade de estar no estado $|II\rangle$ é o quadrado do módulo de C_{II}, então a probabilidade de estar no estado $|I\rangle$ ou no $|II\rangle$ é simplesmente $|\gamma_I|^2$ ou $|\gamma_{II}|^2$. Por exemplo, se o sistema estava originalmente no estado $|II\rangle$ de modo que γ_I era nulo e $|\gamma_{II}|^2$ era igual a um, então essa condição permanecerá assim para sempre. Não haveria chance de uma molécula que estava inicialmente no estado $|II\rangle$ passar para o estado $|I\rangle$.

Agora, a ideia de escrever nossas equações na forma da Eq. (9.40) é que se $\mu\mathcal{E}$ for pequeno comparado com A, então as soluções ainda podem ser escritas dessa maneira, porém γ_I e γ_{II} tornam-se funções que variam lentamente com o tempo – dizer que "varia lentamente" significa dizer que é lento quando comparado com as funções exponenciais. Esse é o truque. Usamos o fato de que γ_I e γ_{II} variam lentamente para obter uma solução aproximada.

Queremos agora substituir C_I da Eq. (9.40) na equação diferencial (9.39), porém devemos lembrar que γ_I também é uma função de t. Temos:

$$i\hbar \frac{dC_I}{dt} = E_I \gamma_I e^{-iE_I t/\hbar} + i\hbar \frac{d\gamma_I}{dt} e^{-iE_I t/\hbar}.$$

A equação diferencial se torna:

$$\left(E_I \gamma_I + i\hbar \frac{d\gamma_I}{dt}\right) e^{-(i/\hbar)E_I t} = E_I \gamma_I e^{-(i/\hbar)E_I t} + \mu\mathcal{E}\gamma_{II} e^{-(i/\hbar)E_{II} t}. \quad (9.41)$$

Analogamente, a equação para dC_{II}/dt fica:

$$\left(E_{II} \gamma_{II} + i\hbar \frac{d\gamma_{II}}{dt}\right) e^{-(i/\hbar)E_{II} t} = E_{II} \gamma_{II} e^{-(i/\hbar)E_{II} t} + \mu\mathcal{E}\gamma_I e^{-(i/\hbar)E_I t}. \quad (9.42)$$

Agora note que temos termos iguais nos dois lados de cada equação. Cancelamos esses termos e multiplicamos a primeira equação por $e^{+iE_I t/\hbar}$ e a segunda por $e^{+iE_{II} t/\hbar}$. Finalmente, lembrando que $(E_I - E_{II}) = 2A = \hbar\omega_0$, temos:

$$i\hbar \frac{d\gamma_I}{dt} = \mu\mathcal{E}(t) e^{i\omega_0 t} \gamma_{II},$$
$$i\hbar \frac{d\gamma_{II}}{dt} = \mu\mathcal{E}(t) e^{-i\omega_0 t} \gamma_I. \quad (9.43)$$

Agora temos um par de equações aparentemente simples – e obviamente, elas ainda são exatas. A derivada de uma variável é uma função do tempo $\mu\mathcal{E}(t)e^{i\omega_0 t}$ multiplicada pela segunda variável; a derivada da segunda é uma função temporal análoga, multiplicada pela primeira. Apesar de essas equações simples não poderem ser resolvidas em geral, as resolveremos para alguns casos especiais.

Ao menos até o momento, estamos interessados apenas no caso de um campo elétrico oscilante. Tomando $\mathcal{E}(t)$ tal como dado na Eq. (9.37), encontramos que as equações para γ_I e γ_{II} ficam:

$$i\hbar \frac{d\gamma_I}{dt} = \mu\mathcal{E}_0 [e^{i(\omega+\omega_0)t} + e^{-i(\omega-\omega_0)t}] \gamma_{II},$$
$$i\hbar \frac{d\gamma_{II}}{dt} = \mu\mathcal{E}_0 [e^{i(\omega-\omega_0)t} + e^{-i(\omega+\omega_0)t}] \gamma_I. \quad (9.44)$$

Agora, se $\mathcal{E}_0$ for suficientemente pequeno, então as razões de troca de γ_I e γ_{II} também são pequenas. Os dois γ não variarão muito com o tempo, especialmente quando comparado com as variações rápidas devido aos termos exponenciais. Esses termos exponenciais possuem parte real e imaginária que oscilam com frequência $\omega + \omega_0$ ou $\omega - \omega_0$. Os termos com $\omega + \omega_0$ oscilam muito rapidamente em torno de um valor médio nulo e, portanto, não contribuem muito, em média, para a razão de troca de γ. Assim, podemos ter uma boa aproximação substituindo esses termos pelos seus valores médios, ou seja, zero. Os desconsideraremos e ficaremos com nossa aproximação:

$$i\hbar \frac{d\gamma_I}{dt} = \mu\mathcal{E}_0 e^{-i(\omega-\omega_0)t} \gamma_{II},$$
$$i\hbar \frac{d\gamma_{II}}{dt} = \mu\mathcal{E}_0 e^{i(\omega-\omega_0)t} \gamma_I. \quad (9.45)$$

Mesmo os termos remanescentes, com exponenciais proporcionais a $(\omega - \omega_0)$, também irão variar rapidamente a não ser que ω seja próximo de ω_0. Apenas assim o termo do lado direito irá variar de forma lenta o suficiente para que qualquer quantidade apreciável se acumule ao integrarmos as equações em relação a t. Em outras palavras, com um campo elétrico *fraco*, as únicas frequências significativas são as próximas de ω_0.

Com as aproximações feitas para obter a Eq. (9.45), as equações podem ser resolvidas exatamente, porém o trabalho é um pouco elaborado, e portanto não o faremos até que apareça outro problema do mesmo tipo. Agora queremos simplesmente resolvê-las aproximadamente – ou melhor, acharemos a solução exata para o caso de ressonância perfeita, $\omega = \omega_0$, e uma solução aproximada para frequências próximas à ressonante.

9–4 Transições em ressonância

Vamos considerar inicialmente o caso de ressonância perfeita. Se tivermos $\omega = \omega_0$, as exponenciais são iguais a um nas duas Eqs. (9.45), e temos simplesmente:

$$\frac{d\gamma_I}{dt} = -\frac{i\mu\mathcal{E}_0}{\hbar}\gamma_{II}, \qquad \frac{d\gamma_{II}}{dt} = -\frac{i\mu\mathcal{E}_0}{\hbar}\gamma_I. \qquad (9.46)$$

Se eliminarmos primeiro γ_I dessas equações e em seguida γ_{II}, encontramos que cada uma satisfaz à equação diferencial de movimento harmônico simples:

$$\frac{d^2\gamma}{dt^2} = -\left(\frac{\mu\mathcal{E}_0}{\hbar}\right)^2 \gamma. \qquad (9.47)$$

A solução geral para essas equações pode ser obtida por senos e cossenos. Como você pode verificar facilmente, as seguintes equações são uma solução:

$$\gamma_I = a\cos\left(\frac{\mu\mathcal{E}_0}{\hbar}\right)t + b\,\mathrm{sen}\left(\frac{\mu\mathcal{E}_0}{\hbar}\right)t,$$
$$\gamma_{II} = ib\cos\left(\frac{\mu\mathcal{E}_0}{\hbar}\right)t - ia\,\mathrm{sen}\left(\frac{\mu\mathcal{E}_0}{\hbar}\right)t, \qquad (9.48)$$

nas quais a e b são constantes a serem determinadas de forma a se ajustar para qualquer situação física em particular.

Por exemplo, suponha que para $t = 0$ nosso sistema molecular esteja no estado de energia superior $|I\rangle$, o que requer – da Eq. (9.40) – que $\gamma_I = 1$ e $\gamma_{II} = 0$ para $t = 0$. Para essa situação, devemos ter $a = 1$ e $b = 0$. A probabilidade de a molécula estar no estado $|I\rangle$ em algum instante t posterior é o quadrado do módulo de γ_I, ou

$$P_I = |\gamma_I|^2 = \cos^2\left(\frac{\mu\mathcal{E}_0}{\hbar}\right)t. \qquad (9.49)$$

Analogamente, a probabilidade de que a molécula esteja no estado $|II\rangle$ é dada pelo módulo ao quadrado de γ_{II},

$$P_{II} = |\gamma_{II}|^2 = \mathrm{sen}^2\left(\frac{\mu\mathcal{E}_0}{\hbar}\right)t. \qquad (9.50)$$

Contanto que $\mathcal{E}$ seja pequeno e estejamos em ressonância, então as probabilidades são dadas por funções oscilatórias simples. A probabilidade de estar no estado $|I\rangle$ cai de um a zero e retorna novamente a um, enquanto a probabilidade de estar no estado $|II\rangle$ cresce de zero até um e retorna. A variação temporal das duas probabilidades é mostrada na Fig. 9-5. Não é necessário dizer que a soma das duas probabilidades é sempre igual a um, a molécula sempre está *em algum* estado!

Vamos supor que a molécula leve um tempo T para atravessar a cavidade. Se a fizermos longa o suficiente de maneira que $\mu\mathcal{E}_0 T/\hbar = \pi/2$, então a molécula que entrar no estado $|I\rangle$ certamente sairá no estado $|II\rangle$. Se ela entrar na cavidade com o estado superior, ela sairá da cavidade no estado inferior. Em outras palavras, sua energia decresce, e a perda de energia não pode ir para qualquer lugar a não ser para o mecanismo que gerou o campo. Os detalhes para que você veja como a energia da molécula supre

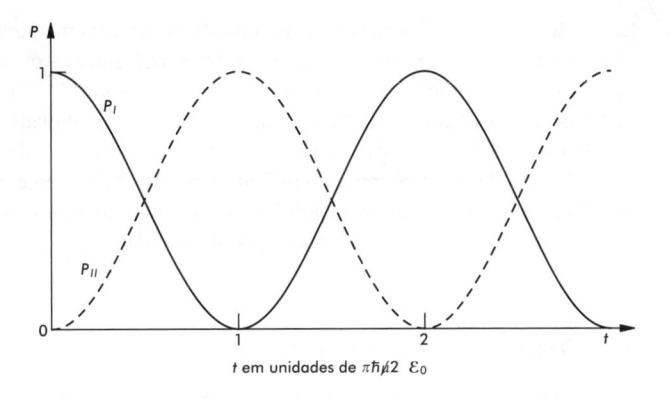

Figura 9-5 Probabilidades dos dois estados da molécula de amônia em um campo elétrico senoidal.

as oscilações da cavidade não são simples; entretanto, não precisamos estudá-los, pois podemos usar o princípio de conservação da energia. (Poderíamos estudá-lo se fosse necessário, porém neste caso teríamos de tratar a mecânica quântica do campo na cavidade além da mecânica quântica do átomo.)

Resumindo: a molécula entra na cavidade, o campo da cavidade – oscilando exatamente na frequência certa – induz uma transição do estado superior para o inferior e a energia liberada é alimentada no campo oscilante. Em um *maser* em funcionamento, as moléculas liberam energia suficiente para manter as oscilações da cavidade – produzindo não apenas uma quantidade de energia suficiente para suprir as perdas da cavidade, como fornecendo pequenas quantidades de energia em excesso que podem ser retiradas da cavidade. Portanto, a energia molecular é convertida em energia de um campo eletromagnético externo.

Lembre-se de que antes de o feixe entrar na cavidade, tivemos de usar um filtro para separar o feixe de maneira que apenas os estados superiores entrassem. É fácil demonstrar que se tivéssemos iniciado com as moléculas no estado inferior, então o processo teria ocorrido no sentido inverso e tiraria energia da cavidade. Se você passasse o feixe sem filtrá-lo, teria a mesma quantidade de moléculas retirando e fornecendo energia, portanto nada de mais aconteceria. Obviamente, em um funcionamento real, não é necessário fazer $(\mu \mathcal{E}_0 T/\hbar)$ exatamente igual a $\pi/2$. Para qualquer outro valor (exceto um múltiplo inteiro de π), existe alguma probabilidade de transições do estado $|I\rangle$ para o estado $|II\rangle$. No entanto, para outros valores, o dispositivo não é 100% eficiente; várias moléculas que saíram da cavidade poderiam ter fornecido alguma energia para a cavidade, mas não o fizeram.

Na prática, a velocidade de todas as moléculas não é a mesma; elas têm algum tipo de distribuição de Maxwell. Isso significa que os períodos de tempo ideais para moléculas diferentes serão diferentes, e é impossível ter 100% de eficiência para todas as moléculas ao mesmo tempo. Além disso, existe outra complicação que é fácil de ser considerada, entretanto não queremos nos preocupar com isso no momento. Você deve lembrar que o campo elétrico em uma cavidade geralmente varia de ponto para ponto através da cavidade. Assim, à medida que as moléculas são levadas pela cavidade, o campo elétrico na molécula varia de uma maneira muito mais complicada do que a oscilação senoidal no tempo como havíamos suposto. Claramente, seria necessário usar uma integração muito mais complicada para resolver o problema exatamente, porém a ideia geral permanece a mesma.

Existem outras maneiras de se fazer *masers*. Em vez de separar os átomos no estado $|I\rangle$ dos no estado $|II\rangle$ utilizando um aparato de Stern-Gerlach, pode-se já ter os átomos em uma cavidade (seja gás ou sólido) e transferir os átomos do estado $|II\rangle$ para o estado $|I\rangle$ de algum modo. Uma maneira é a utilizada no denominado *maser* de três estados. Para tanto, são usados sistemas atômicos que tenham três níveis de energia, como ilustrado na Fig. 9-6, com as seguintes propriedades especiais. O sistema absorverá radiação (digamos, luz) com frequência $\hbar\omega_1$ e passará do estado E_{II} de menor energia para algum nível E' de maior energia e então rapidamente emitirá fótons com frequência $\hbar\omega_2$, indo para o estado $|I\rangle$ com energia E_I. O estado $|I\rangle$ tem um

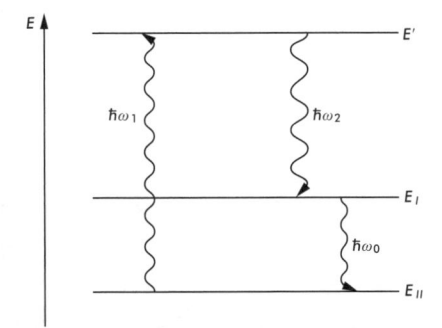

Figura 9-6 Níveis de energia para um *maser* de "três estados".

tempo de vida maior e portanto sua população pode ser aumentada e então as condições são apropriadas para o funcionamento de um *maser* entre os estados $|I\rangle$ e $|II\rangle$. Apesar de esse dispositivo ser chamado de *maser* de "três estados", o funcionamento do *maser* trabalha apenas com um sistema de dois estados, como estávamos descrevendo.

Um *laser* (Amplificação de Luz por Emissão Estimulada de Radiação – *Light Amplification by Stimulated Emission of Radiation*) é simplesmente um *maser* funcionando com frequências óticas. A "cavidade" para o *laser* geralmente consiste em dois espelhos planos entre os quais ondas estacionárias são geradas.

9–5 Transições fora da ressonância

Finalmente, gostaríamos de descobrir como os estados variam no caso em que a frequência da cavidade é praticamente, mas não exatamente, igual a ω_0. Poderíamos resolver esse problema exatamente, mas ao invés de tentar fazer isso, consideraremos o caso importante em que o campo elétrico e o período T são pequenos, de modo que $\mu\mathcal{E}_0 T/\hbar$ é muito menor do que um. Assim, mesmo no caso de ressonância perfeita que acabamos de analisar, a probabilidade de fazer transições é pequena. Suponha que iniciemos novamente com $\gamma_I = 1$ e $\gamma_{II} = 0$. Durante o tempo T, esperamos que γ_I permaneça praticamente igual a um e γ_{II} permaneça muito pequeno comparado com a unidade. Então o problema é muito simples. Podemos calcular γ_{II} da segunda equação em (9.45), fazendo γ_I igual a um e integrando de $t = 0$ a $t = T$. Temos então:

$$\gamma_{II} = \frac{\mu\mathcal{E}_0}{\hbar}\left[\frac{1 - e^{i(\omega-\omega_0)T}}{\omega - \omega_0}\right]. \tag{9.51}$$

Esse γ_{II} utilizado com a Eq. (9.40) fornece a amplitude de ter uma transição do estado $|I\rangle$ para o estado $|II\rangle$ durante o intervalo de tempo T. A probabilidade $P(I \to II)$ de fazer a transição é $|\gamma_{II}|^2$, ou

$$P(I \to II) = |\gamma_{II}|^2 = \left[\frac{\mu\mathcal{E}_0 T}{\hbar}\right]^2 \frac{\operatorname{sen}^2\left[(\omega - \omega_0)T/2\right]}{\left[(\omega - \omega_0)T/2\right]^2}. \tag{9.52}$$

É interessante representar essa probabilidade para um intervalo fixo de tempo em função da frequência da cavidade, para ver o quanto ela é sensível às frequências próximas à frequência de ressonância ω_0. Mostramos tal representação de $P(I \to II)$ na Fig. 9-7. (A escala vertical foi ajustada para que fosse um no pico, dividindo-se pelo valor da probabilidade quando $\omega = \omega_0$.) Vimos uma curva como essa na teoria de difração,

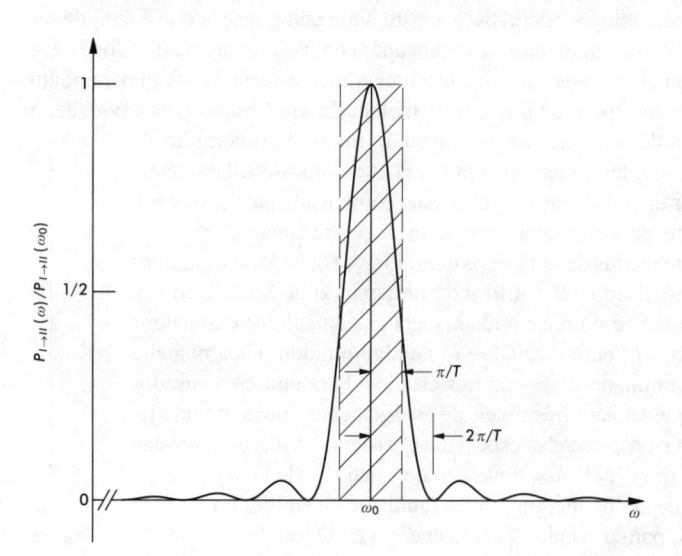

Figura 9–7 Probabilidade de transição para a molécula de amônia em função da frequência.

portanto você já deve estar familiarizado com ela. A curva cai abruptamente para zero quando $(\omega - \omega_0) = 2\pi/T$ e nunca mais recupera tamanho suficiente para grandes desvios de frequência. De fato, a maior parte da área sob a curva permanece dentro do intervalo $\pm\pi/T$. É possível mostrar[†] que a área sob a curva é exatamente $2\pi/T$ e é igual à área do retângulo sombreado na figura.

Vamos examinar as implicações dos nossos resultados para um *maser* real. Suponha que a molécula de amônia esteja em uma cavidade por um tempo razoável, digamos por um milissegundo. Assim, para $f_0 = 24.000$ megaciclos, podemos calcular qual a probabilidade de a transição cair a zero para um desvio de frequência de $(f - f_0)/f_0 = 1/f_0T$, que é igual a uma parte em 10^8. Evidentemente, a frequência deve ser muito próxima de ω_0 para se ter uma probabilidade de transição significativa. Tal efeito é base da grande precisão que se pode obter com os relógios "atômicos", que funcionam no princípio do *maser*.

9–6 Absorção de luz

Nosso tratamento anterior aplica-se a uma situação mais geral do que o *maser* de amônia. Tratamos o comportamento de uma molécula sob a influência de um campo elétrico, seja esse campo confinado em uma cavidade ou não. Portanto, podíamos simplesmente iluminar a molécula com um feixe de "luz" – com frequências de micro-ondas – e nos perguntar qual a probabilidade de emissão ou absorção. Nossas equações aplicam-se igualmente bem nesse caso, porém vamos reescrevê-las em termos da *intensidade* da radiação ao invés do campo elétrico. Se definimos a intensidade $\mathcal{I}$ como sendo a energia média que flui por unidade de área por segundo, então, do Capítulo 27 do Volume II, temos que:

$$\mathcal{I} = \epsilon_0 c^2 |\mathcal{E} \times \mathbf{B}|_{\text{média}} = \tfrac{1}{2}\epsilon_0 c^2 |\mathcal{E} \times \mathbf{B}|_{\text{máx}} = 2\epsilon_0 c \mathcal{E}_0^2.$$

(O valor máximo de $\mathcal{E}$ é $2\mathcal{E}_0$.) A probabilidade de transição fica então:

$$P(I \to II) = 2\pi \left[\frac{\mu^2}{4\pi\epsilon_0 \hbar^2 c}\right] \mathcal{I} T^2 \frac{\text{sen}^2[(\omega - \omega_0)T/2]}{[(\omega - \omega_0)T/2]^2}. \quad (9.53)$$

Comumente, a luz que ilumina tal sistema não é exatamente monocromática. Portanto, é interessante resolver mais um problema – isto é, calcular a probabilidade de transição quando a luz tem uma intensidade $\mathcal{I}(\omega)$ por unidade de intervalo de frequência, percorrendo uma larga extensão que inclua ω_0. Assim, a probabilidade de ir de $|I\rangle$ para $|II\rangle$ torna-se uma integral:

$$P(I \to II) = 2\pi \left[\frac{\mu^2}{4\pi\epsilon_0 \hbar^2 c}\right] T^2 \int_0^\infty \mathcal{I}(\omega) \frac{\text{sen}^2[(\omega - \omega_0)T/2]}{[(\omega - \omega_0)T/2]^2} d\omega. \quad (9.54)$$

Em geral, $\mathcal{I}(\omega)$ irá variar muito mais lentamente com ω do que o termo agudo de ressonância. As duas funções devem se parecer com o mostrado na Fig. 9-8. Nesses casos, podemos substituir $\mathcal{I}(\omega)$ por seu valor $\mathcal{I}(\omega_0)$ no centro da curva aguda de ressonância e retirá-lo da integral. O que resta é justamente a integral sob a curva da Fig. 9-7, que é, como nós já vimos, exatamente igual a $2\pi/T$. Obtemos o resultado

$$P(I \to II) = 4\pi^2 \left[\frac{\mu^2}{4\pi\epsilon_0 \hbar^2 c}\right] \mathcal{I}(\omega_0) T. \quad (9.55)$$

Esse é um resultado importante, pois ele é *a teoria geral da absorção de luz por qualquer sistema molecular ou atômico*. Apesar de termos começado considerando um caso em que o estado $|I\rangle$ tinha uma energia maior do que o estado $|II\rangle$, nenhum dos nossos argumentos depende desse fato. A Equação (9.55) ainda é válida se o estado $|I\rangle$ tiver uma energia *mais baixa* do que o estado $|II\rangle$; nesse caso, $P(I \to II)$ representa a

---

[†] Usando a fórmula $\int_{-\infty}^{\infty} (\text{sen}^2 x/x^2) dx = \pi$.

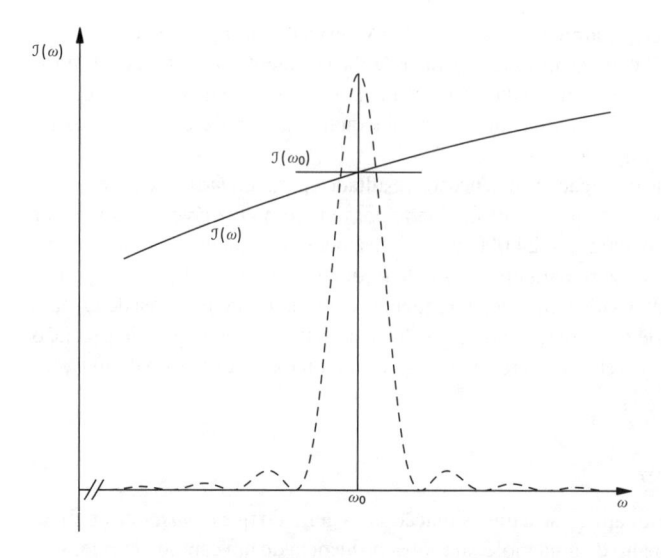

Figura 9–8 O espectro de intensidade $\mathfrak{I}(\omega)$ pode ser aproximado pelo seu valor em ω_0.

probabilidade para uma transição com *absorção* de energia proveniente da onda eletromagnética incidente. A absorção de luz por qualquer sistema atômico sempre envolve a amplitude para uma transição entre dois estados separados por uma energia $E = \hbar\omega_0$ em um campo elétrico oscilante. Para qualquer caso particular, resolve-se sempre exatamente da maneira que fizemos e obtém-se uma expressão como a Eq. (9.55). Portanto, enfatizamos os seguintes aspectos desse resultado. Primeiro, a probabilidade é proporcional a T. Em outras palavras, existe uma probabilidade constante por unidade de tempo de que ocorram transições. Segundo, essa probabilidade é proporcional à *intensidade* da luz incidente no sistema. Finalmente, a probabilidade de transição é proporcional a μ^2, sendo, você deve lembrar, $\mu\mathcal{E}$ definido pela diferença de energia devido ao campo elétrico $\mathcal{E}$. Por causa disso, $\mu\mathcal{E}$ também apareceu nas Eqs. (9.38) e (9.39) como o termo de acoplamento responsável pela transição entre os estados estacionários $|I\rangle$ e $|II\rangle$. Em outras palavras, para o $\mathcal{E}$ pequeno que estávamos considerando, $\mu\mathcal{E}$ é o denominado "termo de perturbação" dos elementos da matriz Hamiltoniana que conecta os estados $|I\rangle$ e $|II\rangle$. No caso geral, teríamos que $\mu\mathcal{E}$ seria substituído pelos elementos de matriz $\langle II|H|I\rangle$ (veja a Seção 5-6).

No Volume I (Seção 42-5), discutimos as relações entre absorção de luz, emissão induzida e emissão espontânea em termos dos coeficientes A e B de Einstein. Aqui, tivemos ao fim o procedimento da mecânica quântica para obter esses coeficientes. O que denominamos $P(I \to II)$ para nossa molécula de amônia de dois estados corresponde precisamente ao coeficiente de absorção B_{nm} da teoria de Einstein para radiação. Para a complicada molécula de amônia – que é muito difícil para qualquer um calcular –, consideramos os elementos de matriz $\langle II|H|I\rangle$ como $\mu\mathcal{E}$, dizendo que μ deve ser obtido experimentalmente. Para sistemas atômicos mais simples, o μ_{mn} que pertence a qualquer transição em particular pode ser calculado a partir da *definição*:

$$\mu_{mn}\mathcal{E} = \langle m|H|n\rangle = H_{mn}, \qquad (9.56)$$

na qual H_{mn} é o elemento de matriz da Hamiltoniana que inclui os efeitos de um campo elétrico fraco. O μ_{mn} calculado dessa maneira é chamado de *elemento de matriz do dipolo elétrico*. A teoria mecânica quântica da absorção e emissão de luz é, portanto, reduzida ao cálculo desses elementos de matriz para sistemas atômicos particulares.

Nosso estudo de um sistema simples de dois estados nos proporcionou uma compreensão do problema geral de absorção e emissão de luz.

10

Outro Sistema de Dois Estados

10–1 Íon da molécula de hidrogênio

No capítulo anterior, discutimos alguns aspectos da molécula de amônia, na aproximação que ela poderia ser considerada como um sistema de dois estados. Com certeza, ela não é um sistema de dois estados – existem muitos estados de rotação, vibração, translação e assim por diante –, mas cada um desses estados de movimento deve ser analisado em termos dos dois estados internos devido ao "*flip-flop*" do átomo de nitrogênio. Aqui, iremos considerar exemplos de outros sistemas de dois estados. Muitas coisas serão aproximadas, devido à existência de muitos outros estados e, em uma análise mais precisa, elas devem ser levadas em conta. Ainda assim, em cada um de nossos exemplos seremos capazes de entender muito, somente pensando sobre sistemas de dois estados.

Uma vez que não estamos apenas tratando de sistemas de dois estados, a Hamiltoniana de que precisaremos irá se parecer com a que usamos no capítulo anterior. Quando a Hamiltoniana é independente do tempo, sabemos que existem dois estados estacionários com energias bem definidas e usualmente diferentes. Geralmente, contudo, começaremos nossa análise com um conjunto de estados da base, que não são estados estacionários, mas sim, estados que devem, talvez, possuir algum outro significado físico simples. Então, os estados estacionários do sistema serão representados por uma combinação linear desses estados da base.

Por conveniência, iremos resumir as equações importantes do Capítulo 9. Seja a escolha original dos estados da base como $|\,1\,\rangle$ e $|\,2\,\rangle$. Então, qualquer estado $|\,\psi\,\rangle$ é representado pela combinação linear

$$|\psi\rangle = |1\rangle\langle 1|\psi\rangle + |2\rangle\langle 2|\psi\rangle = |1\rangle C_1 + |2\rangle C_2. \qquad (10.1)$$

As amplitudes C_i (pelas quais queremos dizer C_1 ou C_2) satisfazem às duas equações diferenciais lineares

$$i\hbar \frac{dC_i}{dt} = \sum_j H_{ij} C_j, \qquad (10.2)$$

onde i e j tomam os valores 1 e 2.

Quando os termos da Hamiltoniana H_{ij} não dependem de t, os dois estados de energia definida (estados estacionários), que chamamos de

$$|\psi_I\rangle = |I\rangle e^{-(i/\hbar)E_I t} \qquad \text{e} \qquad |\psi_{II}\rangle = |II\rangle e^{-(i/\hbar)E_{II} t},$$

possuem energias

$$\begin{aligned} E_I &= \frac{H_{11} + H_{22}}{2} + \sqrt{\left(\frac{H_{11} - H_{22}}{2}\right)^2 + H_{12}H_{21}}, \\ E_{II} &= \frac{H_{11} + H_{22}}{2} - \sqrt{\left(\frac{H_{11} - H_{22}}{2}\right)^2 + H_{12}H_{21}}. \end{aligned} \qquad (10.3)$$

Os dois Cs para cada um desses estados possuem a mesma dependência temporal. Os vetores de estado $|\,I\,\rangle$ e $|\,II\,\rangle$ que vão com os estados estacionários são relacionados aos nossos estados originais da base $|\,1\,\rangle$ e $|\,2\,\rangle$ por

$$\begin{aligned} |I\rangle &= |1\rangle a_1 + |2\rangle a_2, \\ |II\rangle &= |1\rangle a'_1 + |2\rangle a'_2. \end{aligned} \qquad (10.4)$$

10–1 Íon da molécula de hidrogênio

10–2 Forças nucleares

10–3 A molécula de hidrogênio

10–4 A molécula de benzeno

10–5 Corantes

10–6 O Hamiltoniano de uma partícula de spin meio em um campo magnético

10–7 O elétron girante em um campo magnético

Os a são constantes complexas, que satisfazem a

$$|a_1|^2 + |a_2|^2 = 1,$$
$$\frac{a_1}{a_2} = \frac{H_{12}}{E_I - H_{11}}, \qquad (10.5)$$

$$|a'_1|^2 + |a'_2|^2 = 1,$$
$$\frac{a'_1}{a'_2} = \frac{H_{12}}{E_{II} - H_{11}}. \qquad (10.6)$$

Se H_{11} e H_{22} forem iguais – digamos ambos são iguais a E_0 – e $H_{12} = H_{21} = -A$, então $E_I = E_0 + A$, $E_{II} = E_0 - A$, e os estados $|I\rangle$ e $|II\rangle$ são particularmente simples:

$$|I\rangle = \frac{1}{\sqrt{2}}\Big[|1\rangle - |2\rangle\Big], \qquad |II\rangle = \frac{1}{\sqrt{2}}\Big[|1\rangle + |2\rangle\Big]. \qquad (10.7)$$

Agora iremos usar esses resultados para discutir um número de exemplos interessantes tomados dos campos da física e da química. O primeiro exemplo é a molécula do íon de hidrogênio. Uma molécula de hidrogênio ionizada positivamente consiste em dois prótons com um elétron que se movimenta entre eles. Se os prótons estiverem bem separados um do outro, quais estados são esperados para esse sistema? A resposta é muito clara: o elétron estará perto de um próton formando um átomo de hidrogênio no seu estado mais baixo, e o outro próton permanecerá sozinho como um íon positivo. Então, se os dois prótons estão bem separados um do outro, podemos visualizar um estado físico em que o elétron está "fixo" a um dos prótons. Há, claramente, outro estado simétrico a este íon, em que o elétron está perto do outro próton, e o primeiro próton é o que será o íon. Iremos tomar esses dois estados como nossos estados da base, e iremos chamá-los de $|1\rangle$ e $|2\rangle$. Eles são esboçados na Fig. 10-1. Com certeza, existem muitos estados de um elétron perto de um próton, pois a combinação pode existir como qualquer um dos estados excitados do átomo de hidrogênio. Não estamos interessados nessa variedade de estados agora; iremos considerar somente a situação em que o átomo de hidrogênio está no seu estado mais baixo no estado fundamental e iremos, no momento, desconsiderar o spin do elétron. Podemos então supor que, para todos os estados dos nossos elétrons, eles possuem spin "para cima" ao longo do eixo z[†].

Para remover um elétron do átomo de hidrogênio, é necessária uma energia de 13,6 elétrons-volts. Então como os dois prótons do hidrogênio molecular estão bem afastados, é exigida por volta dessa mesma quantidade de energia – que é para as nossas atuais considerações uma boa quantidade de energia – para ter o elétron em algum lugar perto do ponto intermediário entre os dois prótons. Então é impossível, classicamente, para o elétron saltar de um próton ao outro. Entretanto, na mecânica quântica é possível, mas muito improvável. Existe alguma pequena amplitude para o elétron se mover de um próton ao outro. Como uma primeira aproximação, então, cada um dos nossos estados da base $|1\rangle$ e $|2\rangle$ terão energia E_0, que é justamente a energia do átomo de hidrogênio mais um próton. Podemos ter que os elementos da matriz Hamiltoniana H_{11} e H_{22} são, ambos, aproximadamente iguais a E_0. Os outros elementos da matriz H_{12} e H_{21}, que são as amplitudes do elétron de ir de um lado para o outro, iremos novamente escrever como $-A$.

Você vê que essa é a mesma energia que obtivemos nos dois últimos capítulos. Se desprezarmos o fato de que o elétron pode saltar de um lado para o outro, teremos dois estados com exatamente a mesma energia. Essa energia será, entretanto, desdobrada em dois níveis pela possibilidade de o

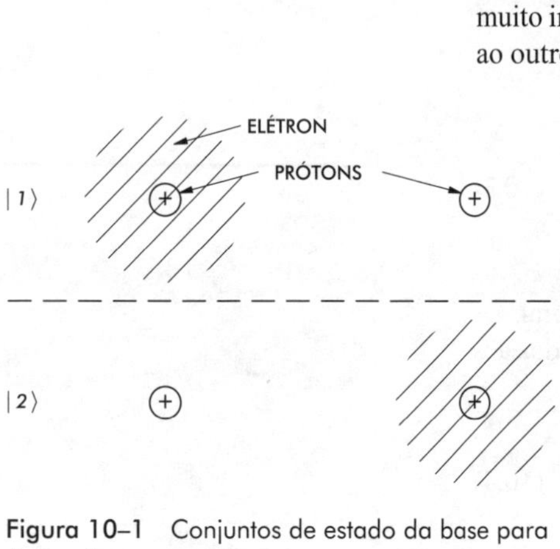

Figura 10–1 Conjuntos de estado da base para dois prótons e um elétron.

[†] Isso é satisfatório contanto que não haja a presença de um campo magnético importante. Iremos discutir a importância de um campo magnético no elétron mais adiante, neste capítulo, e os pequenos efeitos do spin, no átomo de hidrogênio no Capítulo 12.

elétron ir de um lado para o outro – quanto maior a probabilidade de transição, maior será o desdobramento. Então os dois níveis de energia do sistema são $E_0 + A$ e $E_0 - A$, e os estados que possuem essas energias bem definidas são dados pelas Eqs. (10.7).

Da nossa solução, observamos que se um próton e um átomo de hidrogênio forem colocados em qualquer lugar perto um do outro, o elétron não ficará em um próton, mas saltará de um próton ao outro. Se ele começar em um dos prótons, ele oscilará entre os dois estados $|1\rangle$ e $|2\rangle$ – dando uma solução que varia no tempo. Para obter a solução de mínima energia (que não varia com o tempo), é necessário começar o sistema com amplitudes iguais para estar ao redor de cada próton. Lembre-se de que não existem dois elétrons – não estamos dizendo que existe um elétron ao redor de cada próton. Existe somente *um* elétron, e *ele* possui a mesma amplitude – com magnitude $1/\sqrt{2}$ – de estar em cada posição.

Agora a amplitude A para um elétron que está perto de um próton para ir para o outro depende da separação entre os prótons. Quando mais perto estão os prótons um do outro, maior é a probabilidade. Lembre que falamos no Capítulo 7 sobre a amplitude de um elétron "penetrar um barreira", que não poderia fazer classicamente. Temos a mesma situação aqui. A amplitude para um elétron cruzar decresce aproximadamente de forma exponencial com a distância – para grandes distâncias. Uma vez que a probabilidade de transição, e consequentemente A, fica maior quando os prótons são trazidos um para junto do outro, a separação dos níveis de energia também ficará maior. Se o sistema estiver no estado $|I\rangle$, a energia $E_0 + A$ aumenta com o decréscimo da distância, então esses quânticos criam uma força *repulsiva* que tende a manter os prótons separados. Por outro lado, se o sistema estiver no estado $|II\rangle$, a energia total *diminui* se os prótons são trazidos um para perto do outro; existe uma força *atrativa* colocando os prótons juntos. A variação dessas duas energias com a distância entre os dois prótons deve ser aproximadamente como mostrado na Fig. 10-2. Temos, então, uma explicação quântica para a força de ligação que mantém unido o íon H_2^+.

Porém, esquecemos uma coisa. Além da força que descrevemos, existe também uma força de repulsão eletrostática entre os dois prótons. Quando os dois prótons estão bem afastados – como na Fig. 10-1 –, o próton "nu" vê somente um átomo neutro, então existe uma força eletrostática desprezível. A distâncias muito próximas, entretanto, o próton "nu" começa a ficar "dentro" da distribuição eletrônica ou seja, em média está mais perto do outro próton que do elétron. Então, começa a haver alguma energia eletrostática extra que é, sem dúvida, positiva. Essa energia – que também varia com a distância de separação – deve ser incluída em E_0. Então para E_0 devemos ter algo como a linha pontilhada na Fig. 10-2 que cresce rapidamente para distâncias menores que o raio do átomo de hidrogênio. Devemos somar e subtrair a energia "*flip-flop*" A deste E_0. Quando fazemos isso, as energias E_I e E_{II} irão variar com a distância D entre os prótons como mostrado na Fig. 10-3. [Nesta figura, plotamos os resultados de um cálculo mais detalhado. A distância entre os prótons é dada em unidades de 1 Å (10^{-8}cm), e o excesso de energia com relação à do sistema próton mais átomo de hidrogênio, é dada em unidades da energia de ligação do átomo de hidrogênio chamada de energia de "Rydberg", 13,6 eV.] Vimos que o estado $|II\rangle$ possui um ponto de energia mínima. Esta será a configuração de equilíbrio – a condição de menor energia – para o íon H_2^+. A energia neste ponto é menor que a energia do próton separado e do íon de hidrogênio, então o sistema está ligado. Um elétron simples, atua para manter os dois prótons juntos. Um químico chamaria isso de "ligação de um elétron".

Esse tipo de ligação química também é chamado de "ressonância quântica" (por analogia com os dois pêndulos acoplados que descrevemos anteriormente). Isso realmente parece mais misterioso do que realmente é; é somente uma "ressonância" se você começa fazendo uma escolha pobre para seus estados da base – como nós também fizemos! Se você escolher o estado $|II\rangle$, terá o estado de menor energia – isso é tudo.

Podemos ver de outra maneira, porque tal estado deve ter menor energia que um próton e um átomo de hidrogênio. Vamos pensar em um elétron perto de dois prótons, com alguma distância de separação fixa, mas não muito grande. Lembre que, com um único próton, o elétron está "espalhado", devido ao princípio de incerteza. Ele busca um equilíbrio entre ter uma baixa energia *potencial* de coulomb e não estar confinado em um espaço muito pequeno, o que o faz ter uma alta energia *cinética* (devido à relação

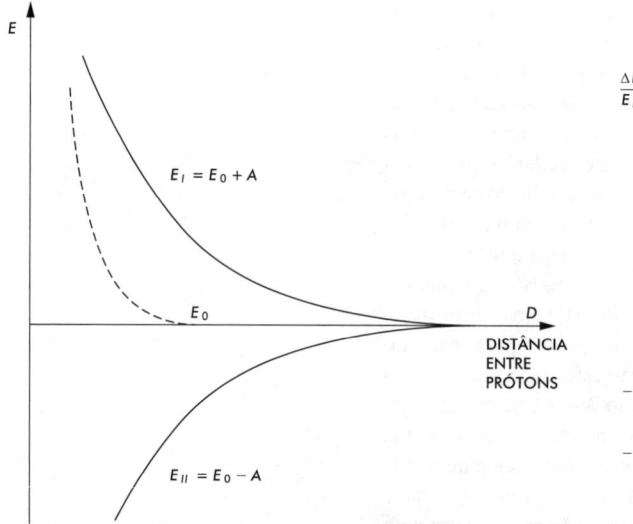

Figura 10-2 Energias dos dois estados estacionários do íon H^+ como função da distância entre os dois prótons.

Figura 10-3 Níveis de energia do íon H_2^+ como função da distância interprótons D. (E_H = 13,6 eV.)

de incerteza $\Delta p\, \Delta x \approx \hbar$). Agora, se existem dois prótons, existe mais espaço onde o elétron pode ter uma baixa energia potencial. Ele pode ficar espalhado – abaixando a sua energia cinética – sem aumentar a sua energia potencial. O resultado líquido é uma energia mais baixa que o átomo de hidrogênio. Então por que o outro estado $|I\rangle$ possui uma energia maior? Note que esse estado é a *diferença* dos estados $|1\rangle$ e $|2\rangle$. Devido à simetria de $|1\rangle$ e $|2\rangle$, a diferença deve possuir uma amplitude zero de encontrar o elétron na metade do caminho entre os dois prótons. Isso significa que o elétron está um pouco mais confinado, o que nos leva a uma energia maior.

Devemos dizer que nosso tratamento aproximado do íon H_2^+ como um sistema de dois estados vem a ser muito ruim quando os prótons chegam a uma distância correspondente ao mínimo da curva da Fig. 10-3, e então, não irá dar um bom valor da verdadeira energia de ligação. Para pequenas separações, as energias dos dois "estados" que imaginamos na Fig. 10-1 não são, na realidade, iguais a E_0; um tratamento quântico mais refinado é necessário.

Agora, suponha que perguntemos o que ocorreria se no lugar dos prótons tivéssemos dois objetos diferentes, como por exemplo um próton e um íon positivo de lítio (ambas as partículas com somente uma carga positiva). Neste caso, os dois termos H_{11} e H_{22} da Hamiltoniana não serão mais iguais; eles devem, de fato, ser um pouco diferentes. Se ocorrer que a diferença $(H_{11} - H_{22})$ fosse, em módulo, muito maior que $A = -H_{12}$, a força atrativa seria mais fraca, como podemos ver da seguinte maneira.

Se colocarmos $H_{12}H_{21} = A^2$ nas Eqs. (10.3), obtemos

$$E = \frac{H_{11} + H_{22}}{2} \pm \frac{H_{11} - H_{22}}{2}\sqrt{1 + \frac{4A^2}{(H_{11} - H_{22})^2}}.$$

Quando $H_{11} - H_{22}$ é muito maior que A^2, a raiz quadrada é aproximadamente igual a

$$1 + \frac{2A^2}{(H_{11} - H_{22})^2}.$$

As duas energias são então

$$E_I = H_{11} + \frac{A^2}{(H_{11} - H_{22})},$$
$$E_{II} = H_{22} - \frac{A^2}{(H_{11} - H_{22})}. \qquad (10.8)$$

Agora elas são precisamente quase as mesmas energias H_{11} e H_{22} dos átomos isolados, separados ligeiramente da amplitude A de *flip-flop*.

A diferença de energia $E_I - E_{II}$ é

$$(H_{11} - H_{22}) + \frac{2A^2}{H_{11} - H_{22}}.$$

A separação adicional proveniente do "*flip-flop*" dos elétrons não é mais igual a $2A$; ela é diminuída pelo fator $A/(H_{11} - H_{22})$, que estamos supondo agora ser muito menor que um. Também, a dependência de $E_I - E_{II}$ com a separação dos dois núcleos é muito menor que para o íon de H_2^+ – também é reduzido pelo fator $A/(H_{11} - H_{22})$. Podemos agora ver por que a energia de ligação da molécula diatômica antissimétrica é geralmente muito fraca.

Em nossa teoria do íon de H_2^+ descobrimos uma explicação para o mecanismo em que um elétron compartilhado por dois prótons sente o efeito de uma força efetiva de atração entre ambos os prótons, a qual pode existir mesmo quando os dois prótons estão a grandes distâncias. A força atrativa vem da energia reduzida do sistema devido à possibilidade de o elétron saltar de um próton ao outro. Nesses saltos, o sistema muda da configuração (átomo de hidrogênio, próton) para a configuração (próton, átomo de hidrogênio), ou vice-versa. Podemos escrever esse processo simbolicamente como

$$(H, p) \rightleftharpoons (p, H).$$

A troca de energia devido a esse processo é proporcional à amplitude A de que um elétron cuja energia é $-W_H$ (sua energia de ligação no átomo de hidrogênio) pode passar de um próton ao outro.

Para grandes distâncias R entre os dois prótons, a energia potencial eletrostática é perto do zero na maior parte do espaço onde ele deve ir para realizar o salto. Nesse espaço, então, o elétron se movimenta praticamente como uma partícula livre no espaço vazio – mas com uma energia *negativa*! Vimos no Capítulo 3 [Eq. (3.7)] que a amplitude para que uma partícula de energia definida vá de um lugar para o outro a uma distância r é proporcional a

$$\frac{e^{(i/\hbar)pr}}{r},$$

onde p é o momento correspondente a essa energia definida. No caso presente (usando a fórmula não relativística), p é dado por

$$\frac{p^2}{2m} = -W_H. \qquad (10.9)$$

Isso significa que p é um número imaginário arbitrário,

$$p = i\sqrt{2mW_H}$$

(o outro sinal para a raiz não faz sentido aqui).

Devemos esperar, então, que a amplitude A para o íon de H_2^+ varie como

$$A \propto \frac{e^{-(\sqrt{2mW_H}/\hbar)R}}{R} \qquad (10.10)$$

para grandes distâncias de separação R entre os dois prótons. O deslocamento da energia devido à ligação eletrônica é proporcional a A, então deve existir uma força que puxa os prótons para perto um do outro, que é proporcional – para R grande – à derivada de (10.10) com relação a R.

Finalmente, para completar, devemos notar que em um sistema de dois prótons e um elétron, ainda há um efeito que dá uma dependência de R na energia. Nós o negligenciamos até agora porque ele normalmente não é importante – a exceção é para essas distâncias muito grandes em que a energia do termo de troca A decai exponencialmente para valores muito pequenos. O novo efeito em que estamos pensando é a atração eletrostática do próton com o átomo de hidrogênio, que ocorre da mesma maneira quando um objeto carregado atrai outro eletricamente neutro. O próton, sozinho, cria um campo elétrico $\mathcal{E}$ (variando com $1/R^2$) no átomo de hidrogênio neutro. O átomo se torna polarizado, adquirindo um momento dipolar induzido μ proporcional a $\mathcal{E}$. A energia do dipolo é $\mu\mathcal{E}$, que é proporcional a $\mathcal{E}^2$ – ou a $1/R^4$. Então deve existir um termo na energia do sistema que decai com a quarta potência da distância. (É uma correção a E_0.) Essa energia decai com a distância mais lentamente que o deslocamento A dado por (10.10); a uma certa distância de separação R grande ele se torna o único termo importante que sobra, dando uma variação da energia com R e, consequentemente, a única força restante. Note que o termo eletrostático possui o mesmo sinal para ambos os estados da base (as forças são atrativas, então a energia é negativa), sendo assim também para os estados estacionários, considerando que o termo de troca eletrônica A tem sinais opostos para os dois estados estacionários.

10–2 Forças nucleares

Vimos que o sistema de um átomo de hidrogênio e um próton possui uma energia de interação devido à troca do único elétron, o qual varia nas separações R grandes como

$$\frac{e^{-\alpha R}}{R}, \tag{10.11}$$

com $\alpha = \sqrt{2mW_H}/\hbar$. (Usualmente, diz-se que existe uma troca de um elétron "virtual" quando – assim como aqui – o elétron tem de saltar por um espaço no qual haveria uma energia negativa. Mais especificamente, uma "troca virtual" significa que o fenômeno envolve uma interferência quântica entre um estado trocado e um estado não trocado.)

Agora podemos formular a seguinte questão: poderiam forças entre outros tipos de partículas terem uma origem análoga? Que tal, por exemplo, a força nuclear entre um nêutron e um próton, ou entre dois prótons? Em uma tentativa de explicar a natureza das forças nucleares, Yukawa propôs que a força entre dois nucleons é proveniente de um efeito de troca similar – apenas, neste caso, devido a uma troca virtual, não de um elétron, mas de uma nova partícula, que ele chamou de "méson". Hoje, identificaríamos o méson de Yukawa como o méson π (ou "píon") produzido em colisões de altas energias de prótons ou outras partículas.

Vamos ver, como um exemplo, qual tipo de força esperaríamos da troca de um píon positivo (π^+) de massa m_π entre um próton e um nêutron. Assim como um átomo de hidrogênio H^0 pode se transformar em um próton p^+ doando um elétron e^-,

$$H^0 \rightarrow p^+ + e^-, \tag{10.12}$$

um próton p^+ pode se transformar em um nêutron n^0 doando um méson π^+:

$$p^+ \rightarrow n^0 + \pi^+. \tag{10.13}$$

Então se temos um próton em a e um nêutron em b separados por uma distância R, o próton pode se tornar um nêutron emitindo um π^+, o qual é então absorvido pelo nêutron em b, o transformando em um próton. Existe uma energia de interação do sistema de dois núcleons (mais o píon) que depende da amplitude A para a troca de píon assim como encontramos para a troca de elétron no íon H_2^+.

No processo (10.12), a energia do átomo H^0 é menor que a do próton por W_H (calculando não relativisticamente e omitindo a energia de repouso mc^2 do elétron), então o elétron possui uma energia *cinética* negativa ou momento imaginário assim como na Eq. (10.9). No processo nuclear (10.13), o próton e o nêutron possuem massas aproximadamente iguais, portanto o π^+ terá energia *total* zero. A relação entre a energia total E e o momento p para um píon de massa m_π é

$$E^2 = p^2c^2 + m_\pi^2 c^4.$$

Uma vez que E é zero (ou ao menos negligenciável em relação a m_π), o momento é novamente imaginário:

$$p = im_\pi c.$$

Utilizando os mesmos argumentos que demos para a amplitude de que um elétron ligado penetraria a barreira no espaço entre dois prótons, temos para o caso nuclear uma amplitude de troca A que poderia – para R grande – ser

$$\frac{e^{-(m_\pi c/\hbar)R}}{R}. \tag{10.14}$$

A energia de interação é proporcional a A e, portanto, varia do mesmo jeito. Obtemos uma variação de energia na forma de um *potencial de Yukawa* entre dois núcleons. A propósito, obtivemos previamente essa mesma fórmula diretamente da equação diferencial para o movimento de um píon no espaço livre. [Veja o Capítulo 28, Vol. II. Eq. (28.18).]

Podemos, seguindo a mesma linha de argumento, discutir a interação entre dois prótons (ou entre dois nêutrons) a qual resulta da troca de um píon (π^0) *neutro*. O processo básico é agora

$$p^+ \to p^+ + \pi^0. \tag{10.15}$$

Um próton pode emitir um π^0 virtual, mas então ele continua a ser um próton. Se temos dois prótons, o próton N.º 1 pode emitir um π^0 virtual que é absorvido pelo próton N.º 2. No fim, ainda temos dois prótons. Isso é um tanto diferente do íon H_2^+. Lá o H^0 entrou em uma condição diferente – o próton – depois de emitir o elétron. Agora estamos assumindo que o próton pode emitir um π^0 sem mudar seu caráter. Tais processos são, de fato, observados em colisões de altas energias. O processo é análogo à maneira como o elétron emite um fóton e termina ainda um elétron:

$$e \to e + \text{fóton}. \tag{10.16}$$

Não "vemos" os fótons dentro dos elétrons antes de eles serem emitidos ou depois de eles serem absorvidos, e sua emissão não muda a "natureza" do elétron.

Voltando para os dois prótons, existe uma energia de interação que surge da amplitude A de um próton que emite um píon neutro que viaja (com momento imaginário) até o outro próton e é absorvido lá. Esta amplitude é novamente proporcional a (10.14), com m_π sendo a massa do píon neutro. Todos os mesmos argumentos resultam em uma energia de interação idêntica para dois nêutrons. Como as forças nucleares (negligenciando efeitos elétricos) entre nêutron e próton, entre próton e próton, entre nêutron e nêutron são as mesmas, concluímos que as massas dos píons carregados e neutros devem ser a mesma. Experimentalmente, as massas são realmente quase iguais, e a pequena diferença é o que se esperaria das correções de autoenergia elétricas (veja o Capítulo 28, Vol. II).

Há outros tipos de partículas, como mésons K, que podem ser trocados entre dois núcleons. É também possível para dois píons trocarem-se ao mesmo tempo. No entanto, todas essas outras trocas de objetos possuem uma massa de repouso m_x maior que a massa do píon m_π, e nos levam a termos na amplitude de troca, os quais variam como

$$\frac{e^{-(m_x c/\hbar)R}}{R}.$$

Esses termos vão a zero tão rapidamente com o aumento de R quanto o termo correspondente ao méson. Ninguém sabe, atualmente, como calcular esses termos de massas maiores, mas para valores de R suficientemente grandes, somente sobrevive o termo correspondente a um píon. E realmente, aqueles experimentos que envolvem interações nucleares mostram apenas em grandes distâncias que a energia de interação é como a forma prevista pela teoria de troca de um píon.

Na teoria clássica da eletricidade e do magnetismo, a interação eletrostática de coulomb e a radiação da luz por uma carga acelerada são intimamente relacionadas – ambas vêm das equações de Maxwell. Vimos na teoria quântica que a luz pode ser representada como excitações quânticas de osciladores harmônicos do campo eletromagnético clássico em uma caixa. Alternativamente, a teoria quântica pode ser estabelecida descrevendo a luz em termos de partículas – fótons – que obedecem à estatística de Bose. Enfatizamos na Seção 4-5 que os dois pontos de vista alternativos sempre dão previsões idênticas. É possível, usando somente o segundo ponto de vista, incluir completamente *todos* os efeitos eletromagnéticos? Em particular, se queremos descrever o campo eletromagético puramente em termos das partículas de Bose, ou seja, em termos de fótons, o que se sabe da força coulombiana?

Do ponto de vista de "partícula", a interação coulombiana entre dois elétrons *vem da troca virtual de fótons*. Um elétron emite um fóton – como na reação (10.16) – que vai até o segundo elétron, onde ele é absorvido segundo a mesma reação, inversa. A energia de interação é novamente dada por uma fórmula como (10.14), mas agora com m_π substituída pela massa de repouso do fóton que é zero. Então a troca virtual de fótons entre dois elétrons nos dá uma energia de interação que varia simplesmente com o inverso de R, a distância entre os dois elétrons – exatamente a energia potencial de coulomb! Na teoria de "partícula" do eletromagnetismo, o processo de troca de fótons virtual dá origem a todos os fenômenos da eletrostática.

10–3 A molécula de hidrogênio

Como nosso próximo sistema de dois estados, vamos analisar a molécula de hidrogênio neutra H_2. Ela é, naturalmente, mais complicada de entender, pois possui dois elétrons. Novamente, começamos pensando no que acontece quando os dois prótons estão bem separados. Só que agora temos de colocar dois elétrons. Para diferenciar um do outro, chamaremos um deles de "elétron a" e o outro de "elétron b". Podemos novamente

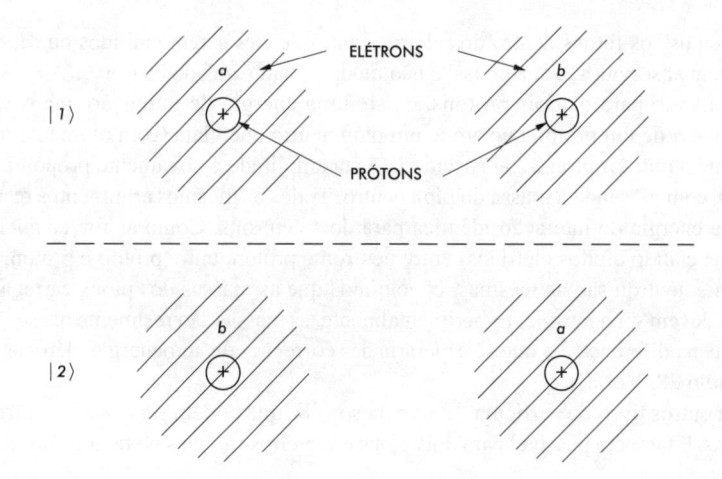

Figura 10–4 Conjunto de estados da base para a molécula de H_2.

imaginar dois possíveis estados. Uma possibilidade é que o "elétron a" esteja ao redor do primeiro próton e o "elétron b" esteja ao redor do segundo próton, como mostrado na parte superior da Fig. 10-4. Temos simplesmente dois átomos de hidrogênio. Iremos chamar esse estado de $|\,1\,\rangle$. Existe também outra possibilidade: o "elétron b" está ao redor do primeiro próton e o "elétron a" está ao redor do segundo próton. Chamaremos esse estado de $|\,2\,\rangle$. A partir da simetria da situação, essas duas possibilidades devem ser energeticamente equivalentes, mas, como veremos, a energia do sistema não é simplesmente a energia dos dois átomos de hidrogênio. Devemos mencionar que existem muitas outras possibilidades. Por exemplo, o "elétron a" pode estar perto do primeiro próton e o "elétron b" pode estar em outro estado ao redor do *mesmo* próton. Descartamos esse caso, já que ele certamente terá uma energia maior (devido à grande repulsão coulombiana entre os dois elétrons). Para uma maior precisão, teríamos de incluir tais casos, mas podemos obter o essencial para a ligação molecular considerando somente os dois estados da Fig. 10-4. Nesta aproximação, podemos descrever qualquer estado dando a amplitude $\langle\,1\,|\,\phi\,\rangle$ de estar no estado $|\,1\,\rangle$ e a amplitude $\langle\,2\,|\,\phi\,\rangle$ de estar no estado $|\,2\,\rangle$. Em outras palavras, o vetor de estado $|\,\phi\,\rangle$ pode ser escrito como a combinação linear:

$$|\phi\rangle = \sum_i |i\rangle\langle i|\phi\rangle.$$

Para continuar, assumiremos – como de costume – que existe alguma amplitude A de que os elétrons possam se mover no espaço intermediário e trocar de posições. Essa possibilidade de troca significa que a energia do sistema é desdobrada, como vimos para os outros sistemas de dois estados. Tal como para o íon da molécula de hidrogênio, o desdobramento é muito pequeno quando a distância entre os prótons é grande. À medida que os prótons se aproximam, as amplitudes para os elétrons irem e virem aumentam, então o desdobramento aumenta. O decréscimo do estado de menor energia significa que deve haver uma força atrativa que puxa os átomos para perto uns dos outros. Novamente, os níveis de energia crescem quando os prótons ficam muito próximos entre si, devido à repulsão coulombiana. O resultado final efetivo é que os estados estacionários possuem energias que variam com a distância de separação, como mostrado na Fig. 10-5. Em uma separação de 0,74 Å, o nível de energia mais baixo alcança um mínimo; essa é a distância próton-próton na molécula de hidrogênio real.

Agora provavelmente você deve estar pensando em uma objeção. E sobre o fato de os elétrons serem partículas idênticas? Nós os chamamos de "elétron a" e "elétron b", mas na realidade não há como dizer quem é quem. Dissemos no Capítulo 4 que, para elétrons – que são partículas de Fermi –, se existirem duas maneiras de alguma coisa acontecer pela troca de elétrons, as duas amplitudes irão interferir com um sinal *negativo*. Isso significa que se trocarmos qual elétron é qual, o sinal da amplitude deve se inverter. Acabamos de concluir que, contudo, o estado ligado da molécula de hidrogênio deve ser (em $t = 0$)

$$|II\rangle = \frac{1}{\sqrt{2}}(|\,1\rangle + |\,2\rangle).$$

Entretanto, de acordo com as nossas regras do Capítulo 4, esse estado não é permitido. Se invertermos qual elétron é qual, obtemos o estado

$$\frac{1}{\sqrt{2}}(|\,2\rangle + |\,1\rangle),$$

e teremos o mesmo sinal em vez do oposto.

Esses argumentos estão corretos se ambos os elétrons possuírem o mesmo spin. Está correto que se ambos os elétrons possuírem spin para cima (ou ambos com spin para baixo), o único estado permitido é

$$|I\rangle = \frac{1}{\sqrt{2}}(|\,1\rangle - |\,2\rangle).$$

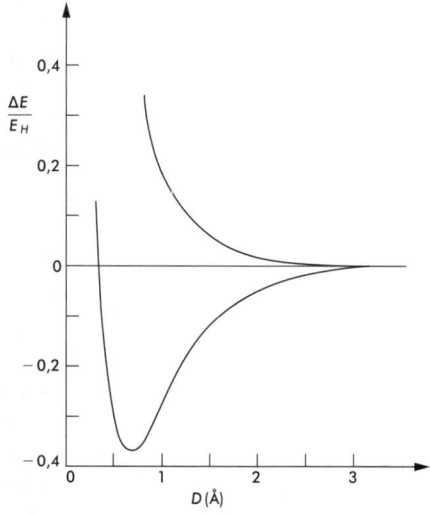

Figura 10–5 Níveis de energia da molécula de H_2 para diferentes distâncias interprótons D. (E_H = 13,6 eV.)

Para esse estado, uma troca entre os dois elétrons dá

$$\frac{1}{\sqrt{2}} \ (|\ 2\rangle - |\ 1\rangle),$$

que é $-|\ 1\rangle$, como exigido. Então, se trouxermos os dois átomos de hidrogênio para perto um do outro com seus elétrons com spin na mesma direção, eles podem ir para o estado $|\ I\rangle$ e não para o estado $|\ II\rangle$. Note que o estado $|\ I\rangle$ é o estado de energia *superior*. Sua curva de energia *versus* separação não possui nenhum mínimo. Os dois hidrogênios serão sempre repelidos e não irão formar uma molécula. Então concluímos que a molécula de hidrogênio não pode existir com elétrons com spins paralelos. E isso está correto.

Por outro lado, nosso estado $|\ II\rangle$ é perfeitamente simétrico para os dois elétrons. De fato, se trocarmos o elétron que chamamos de a e o que chamamos de b, iremos obter o mesmo estado. Vimos na Seção 4-7 que se duas partículas de Fermi estiverem no mesmo estado, elas *devem* possuir spins opostos. Então, a ligação da molécula de hidrogênio deve ter um elétron com spin para cima e um com spin para baixo.

Todo o assunto da molécula de hidrogênio é realmente muito complicado se quisermos incluir os spins dos prótons. Não é mais correto pensar na molécula como um sistema de *dois* estados. Ela teria de ser considerada como um sistema de *oito* estados – existem quatro combinações possíveis para cada um dos estados $|\ 1\rangle$ e $|\ 2\rangle$, então abreviamos muito as coisas negligenciando os spins. Ainda assim, nossas conclusões finais são corretas.

Encontramos que o estado de mais baixa energia – ou único estado ligado – da molécula de H_2 possui dois elétrons com spins opostos. O momento angular total de spin do elétron é zero. Por outro lado, dois átomos de hidrogênio com spins paralelos – e com momento angular total $\hbar$ – devem estar em um estado (não ligado) de maior energia; os átomos se repelem. Existe uma correlação interessante entre os spins e as energias. Isso nos proporciona outra ilustração de algo que mencionamos antes, que parece haver uma energia de "interação" entre dois spins porque o caso de spins paralelos possui uma energia maior que o caso oposto. De certa maneira, você poderia dizer que os spins tentam alcançar um estado antiparalelo e, fazendo isso, têm energia potencial para liberar – não devido à força magnética, mas devido ao princípio de exclusão.

Vimos na Seção 10-1 que a ligação de dois íons *diferentes* por meio de *somente um* elétron é provavelmente fraca. Isso *não* é verdade para a ligação por dois elétrons. Suponha que os dois prótons na Fig. 10-4 sejam substituídos por quaisquer outros dois íons (com camadas eletrônicas internas fechadas e uma carga iônica simples), e que as energias de ligação de um elétron nos dois íons sejam diferentes. As energias dos estados $|\ 1\rangle$ e $|\ 2\rangle$ continuariam sendo iguais porque em cada um desses estados temos um elétron ligado a cada íon. Consequentemente, teremos um desdobramento proporcional a A. A ligação de dois elétrons está em toda parte – é a ligação de valência mais comum. Ligações químicas usualmente envolvem este jogo de "*flip-flop*" dos elétrons. Apesar de dois átomos poderem ser ligados por somente um elétron, isso é relativamente raro – porque exige as condições corretas.

Finalmente, gostaríamos de mencionar que se a energia de atração para um elétron com um núcleo for muito maior do que a outra, então, o que havíamos dito antes sobre ignorar outros possíveis estados já não está mais correto. Suponha que um núcleo a (ou um íon positivo) possua uma atração com um elétron muito mais forte que um núcleo b. Então pode acontecer que a energia total ainda seja pequena mesmo quando ambos os elétrons estão no núcleo a e nenhum elétron esteja no núcleo b. A forte atração pode compensar a repulsão mútua dos dois elétrons. Se é assim, o estado de energia mais baixa pode ter uma grande amplitude de encontrar ambos os elétrons em a (formando um íon negativo) e uma pequena amplitude de encontrar qualquer elétron em b. O estado se parece com um íon positivo que possui um íon negativo. Isso é, de fato, o que acontece em uma molécula "iônica" como o NaCl. Você pode ver que todas essas transições entre ligações covalentes e iônicas são possíveis.

Você pode começar a ver agora como é que muitos dos fatos da química podem ser claramente entendidos em termos de uma descrição quântica.

10–4 A molécula de benzeno

Os químicos inventaram belos diagramas para representar as moléculas orgânicas complicadas. Agora, vamos estudar uma das mais interessantes delas – a molécula de benzeno mostrada na Fig. 10-6. Ela contém seis átomos de carbono e seis átomos de hidrogênio em um arranjo simétrico. Cada barra no diagrama representa um *par* de elétrons, com spins opostos, estabelecendo as ligações covalentes. Cada átomo de hidrogênio contribui com um elétron, e cada átomo de carbono contribui com quatro elétrons, perfazendo um total de 30 elétrons envolvidos. (Existem mais dois elétrons perto do núcleo do carbono que formam a primeira camada, ou camada K. Esses não são mostrados já que estão fortemente ligados e não intervêm de forma apreciável na ligação covalente.) Então cada barra na figura representa uma *ligação*, ou par de elétrons, e as ligações duplas significam *dois* pares de elétrons entre pares alternados de átomos de carbono.

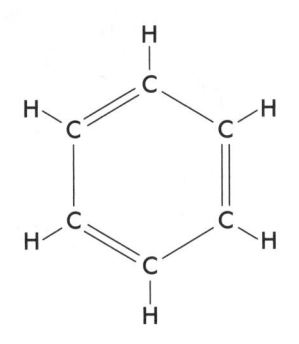

Figura 10–6 Molécula de benzeno, C_6H_6.

Existe um mistério sobre esta molécula de benzeno. Podemos calcular qual é a energia exigida para formar este composto químico, pois os químicos já mediram as energias dos vários compostos que envolvem os pedaços do anel – por exemplo, eles conhecem a energia da ligação dupla estudando o etileno, e assim por diante. Então, podemos calcular a energia total que seria esperada para a molécula de benzeno. Entretanto, a energia real para o anel de benzeno é muito menor do que a que obtemos por esses cálculos; está mais fortemente ligado do que poderíamos esperar do chamado "sistema duplamente não saturado". Usualmente um sistema de ligações duplas que não forma um anel como este, é facilmente atacado quimicamente, porque tem uma energia relativamente muito alta – as ligações duplas podem ser facilmente quebradas pela adição de outros hidrogênios. No entanto, no benzeno o anel é muito estável e difícil de romper. Em outras palavras, o benzeno tem uma energia muito menor do que a obtida se calcularmos a partir do modelo de ligações.

Logo, existe outro mistério. Suponha que substituamos dois hidrogênios adjacentes por átomos de bromo para fazer o orthodibromobenzeno. Existem duas maneiras de se fazer isso, como mostrado na Fig. 10-7. Os bromos podem estar nos extremos opostos de uma ligação dupla, como mostrado na parte (a) da figura, ou podem estar nos extremos opostos de uma ligação simples, como mostrado na parte (b) da figura. Alguém poderia pensar que o orthodibromobenzeno deve ter duas formas diferentes, mas não é assim. Existe somente um composto químico deste tipo[†].

Agora queremos resolver esses mistérios, e quem sabe você já tenha adivinhado como: observando, naturalmente, que o "estado fundamental" do anel benzeno pode ser realmente um sistema de dois estados. Poderíamos imaginar que as ligações no benzeno poderiam estar em qualquer uma das duas configurações mostradas na Fig. 10-8. Você diz, "Mas eles são na realidade os mesmos; eles devem ter a mesma energia". Realmente, eles deveriam, e por essa razão eles devem ser analisados como um sistema de dois esta-

Figura 10–7 Duas possibilidade do orthodibromobenzeno. Os dois bromos podem estar separados por uma ligação simples ou por uma ligação dupla.

[†] Estamos simplificando isso um pouco. Originalmente, os químicos pensavam que deveriam haver *quatro* formas do dibromobenzeno: duas formas com os bromos em átomos de carbonos adjacentes (orthodibromobenzeno), uma terceira forma com os bromos em carbonos alternados (metadibromobenzeno) e uma quarta forma com os bromos opostos uns aos outros (paradibromobenzeno). Entretanto, eles foram encontrados em apenas três formas – existe somente *uma* forma de orthomolécula.

Figura 10–8 Conjunto de estados da base para a molécula de benzeno.

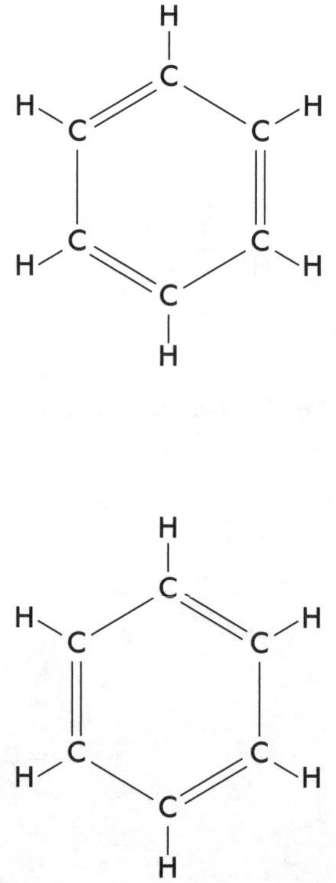

dos. Cada estado representa uma configuração diferente de todo o conjunto de elétrons, e deve haver alguma amplitude A em que todo o grupo possa passar de uma configuração para outra – há uma possibilidade de os elétrons poderem saltar de uma dança para outra.

Como já vimos, essa probabilidade de salto de um lado para o outro cria uma mistura cuja energia é menor do que a que se obteria considerando separadamente as imagens da Fig. 10-8. Em vez disso, existem dois estados estacionários – um com energia maior e outro com energia menor do que o valor esperado. Logo, o verdadeiro estado normal (menor energia) do benzeno é nenhuma das possibilidades mostradas na Fig. 10-8, mas ele tem uma amplitude $1/\sqrt{2}$ de estar em cada um desses estados mostrados. É o único estado que é envolvido na química do benzeno a temperaturas normais. Incidentalmente, o estado superior também existe; podemos dizer que está lá porque o benzeno absorve fortemente a luz ultravioleta a uma frequência $\omega = (E_I - E_{II})/\hbar$. Você deve lembrar que, na amônia, na qual os objetos que vão para frente e para trás são três prótons, a energia de separação está na região do micro-ondas. No benzeno, os objetos são elétrons, e porque eles são muito mais leves, encontram maior facilidade para ir para frente e para trás, o que faz o coeficiente A ser muito maior. O resultado é que a diferença de energia é muito maior – por volta de 3 eV, que é a energia de um fóton ultravioleta[†].

O que acontece se substituirmos o bromo? Novamente as duas "possibilidades" (a) e (b) na Fig. 10.7 representam duas configurações eletrônicas diferentes. A única diferença é que os dois estados da base com os quais começamos devem possuir energias um pouco diferentes. O estado estacionário de menor energia ainda irá envolver uma combinação linear de dois estados, mas com amplitudes diferentes. A amplitude para o estado $|1\rangle$ deve ter um valor absoluto como $\sqrt{2/3}$, enquanto que o estado $|2\rangle$ deve possuir uma magnitude $\sqrt{1/3}$. Não podemos afirmar com certeza sem mais informações, mas uma vez que as duas energias H_{11} e H_{22} não são mais iguais, então as amplitudes C_1 e C_2 não possuem mais amplitudes iguais. Isso significa, é claro, que uma das duas possibilidades na figura é mais provável que a outra, mas os elétrons possuem mobilidade suficiente para que exista amplitude para ambas. O outro estado possui uma amplitude diferente (como $\sqrt{1/3}$ e $-\sqrt{2/3}$) mas está em uma energia maior. Existe somente um estado de baixa energia, e não dois, como sugere a ingênua teoria das ligações químicas fixas.

10–5 Corantes

Daremos mais um exemplo de fenômeno químico de dois estados – desta vez, em grande escala molecular. Ele tem a ver com a teoria de corantes. Muitos corantes – de fato, a maioria dos corantes artificiais – apresentam uma característica importante; eles apresentam um tipo de simetria. A Fig. 10-9 mostra um íon de um corante particular chamado magenta, o qual tem cor vermelha. A molécula apresenta três anéis estruturais dos quais dois são anéis de benzeno. O terceiro não é propriamente um anel de benzeno, pois apresenta apenas duas ligações duplas dentro do anel. A figura mostra duas imagens igualmente satisfatórias,

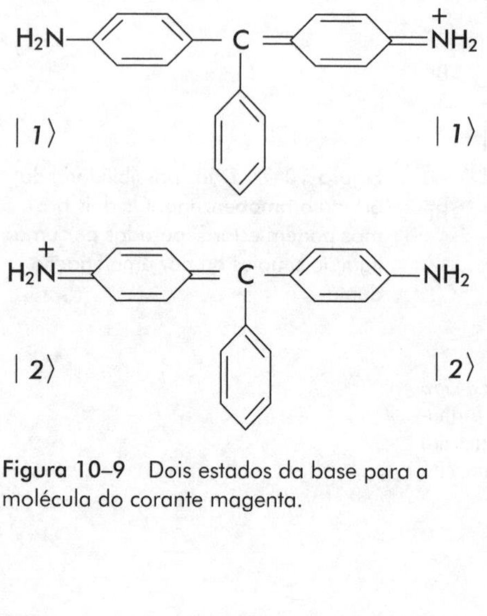

Figura 10–9 Dois estados da base para a molécula do corante magenta.

[†] O que dissemos pode induzir em erro. A absorção da luz ultravioleta seria muito fraca no sistema de dois estados que supomos para o benzeno, porque o elemento de matriz do momento de dipolo dos dois estados é zero. [Os dois estados são eletricamente simétricos, então em nossa fórmula na Eq. (9.55) para a probabilidade de uma transição, o momento de dipolo μ é zero, e nenhuma luz é absorvida.] Se esses forem os dois únicos estados a existência de um estado superior tem que ser demonstrado de outra maneira. Entretanto, uma teoria mais completa do benzeno, que inicia com mais estados da base (tal como aqueles que possuem ligações duplas adjacentes) mostra que os verdadeiros estados estacionários do benzeno são ligeiramente distorcidos dos que encontramos. O momento de dipolo resultante permite a transição que mencionamos no texto, ocorrendo pela absorção de luz ultravioleta.

mas devemos nos perguntar se elas têm energias iguais. Há uma certa amplitude na qual todos os elétrons podem mudar de uma configuração para outra, mudando a posição não preenchida para a extremidade oposta. Como há muitos elétrons envolvidos, a amplitude de mudança de configuração é de alguma forma mais baixa do que é no caso do benzeno, e a diferença de energia entre dois estados estacionários é muito pequena. Entretanto, existem dois estados estacionários usuais, $|I\rangle$ e $|II\rangle$, que são a soma e a diferença das combinações dos dois estados de base mostrados na figura. A energia de separação de $|I\rangle$ e $|II\rangle$ apresenta a mesma energia de um fóton na região óptica. Se alguém incide luz em uma molécula, há uma grande absorção em uma determinada frequência, e consequentemente ela fica brilhantemente colorida. É por isso que ela é um corante!

Outra propriedade interessante de uma molécula corante é que, na base dos dois estados mostrados, o centro da carga elétrica encontra-se localizado em lugares diferentes. Como resultado, a molécula deve ser fortemente afetada por um campo elétrico externo. Um efeito similar é encontrado na molécula de amônia. Evidentemente, ela pode ser analisada com o uso da mesma matemática, fornecidos os números E_0 e A. Geralmente, eles são obtidos por dados experimentais. Caso alguém faça medições com muitos corantes, é possível perguntar o que ocorre com alguma molécula de corante relacionada. Devido ao grande desvio na posição do centro de carga elétrica, o valor μ na fórmula (9.55) é maior, e o material apresenta grande probabilidade de absorver luz de uma frequência característica $2A/\hbar$. Portanto, ela não é apenas colorida, mas fortemente colorida – uma pequena quantia da substância absorve uma grande quantia de luz.

A taxa de mudança de uma configuração para outra – e, portanto, A – é muito sensível para a estrutura completa de uma molécula. Pela mudança de A, a energia de mudança de uma configuração para outra, e com ela a cor do corante, pode ser mudada. Também, as moléculas não são simetricamente perfeitas. Temos visto que os mesmos fenômenos básicos existem com ligeiras modificações, mesmo que exista alguma pequena assimetria presente. Então, podemos obter algumas modificações nas cores pela introdução de uma ligeira assimetria nas moléculas. Por exemplo, um outro corante importante, o verde malachita, é muito similar ao magenta, mas apresenta dois dos hidrogênios trocados por CH_3. Ela é uma cor diferente porque o A é ligeiramente mudado e a taxa de mudança de uma configuração para outra é trocada.

10–6 O Hamiltoniano de uma partícula de spin meio em um campo magnético

Agora queremos discutir um sistema de dois estados que envolve um objeto de spin meio, alguns dos quais podemos dizer que abordamos em capítulos anteriores, mas lidar com eles novamente torna alguns pontos do quebra-cabeças um pouco mais claros. Podemos pensar no elétron em repouso como um sistema de dois estados. Todavia, nesta seção falaremos sobre "um elétron", o que descobrirmos ser válido para *qualquer* partícula de spin meio. Suponha que os estados base escolhidos sejam e $|1\rangle$ e $|2\rangle$, os quais indicam que a componente z do spin do elétron é $+\hbar/2$ e $-\hbar/2$.

Estes estados são os mesmos que chamamos de (+) e (–) nos capítulos anteriores. Para manter a notação deste capítulo consistente, chamamos o estado de spin "mais" de $|1\rangle$ e o estado de spin "menos" de $|2\rangle$, onde "mais" e "menos" referem-se ao momento angular na direção z.

Qualquer estado possível ψ para o elétron pode ser descrito como na Eq. (10.1), especificando a amplitude C_1 de que o elétron encontra-se no estado $|1\rangle$ e a amplitude C_2 de estar no estado $|2\rangle$. Para lidar com esse problema é necessário conhecer o Hamiltoniano para este sistema de dois estados ou seja, para um elétron em um campo magnético. Começamos com o caso especial do campo magnético na direção z.

Suponha que o vetor $\mathbf{B}$ tenha apenas um componente z, B_z. Da definição da base de dois estados (qual seja, spin paralelo e antiparalelo a B), sabemos que eles já são estados estacionários com energia definida no campo magnético. O estado $|1\rangle$ corresponde a uma energia[†] igual a $-\mu B_z$ e o estado $|2\rangle$, a $+\mu B_z$. Neste caso o Hamiltoniano deve ter uma estrutura muito simples, pois a amplitude C_1 de estar no estado $|1\rangle$, não é afetada por C_2, e vice-versa:

$$i\hbar \frac{dC_1}{dt} = E_1 C_1 = -\mu B_z C_1,$$
$$i\hbar \frac{dC_2}{dt} = E_2 C_2 = +\mu B_z C_2.$$
(10.17)

Para este caso especial, o Hamiltoniano é

$$H_{11} = -\mu B_z, \qquad H_{12} = 0,$$
$$H_{21} = 0, \qquad H_{22} = +\mu B_z.$$
(10.18)

Então conhecemos qual é o Hamiltoniano para o campo magnético na direção z e conhecemos a energia dos estados estacionários.

Agora suponha que o campo *não* esteja na direção z. Qual é o Hamiltoniano? Como ficam os elementos da matriz caso o campo não esteja na direção z? Estamos supondo que exista um tipo de princípio de superposição para os termos do Hamiltoniano. Mais especificamente, desejamos assumir que se dois campos magnéticos são superpostos, os termos no Hamiltoniano simplesmente são somados – caso conheçamos o H_{ij} para B_z puro e o H_{ij} para B_x *puro*, então o H_{ij} para ambos, B_z e B_x, é simplesmente uma soma. Isso certamente é verdade caso consideremos apenas o campo na direção z; caso B_z seja dobrado, então todos os H_{ij} são dobrados. Então assumimos que H é linear no campo **B**. Isso é tudo o que precisamos para encontrar H_{ij} para qualquer campo magnético.

Suponha que temos um campo constante **B**. *Podemos* escolher o eixo z nesta direção, e *devemos* encontrar dois estados estacionários com energia $\pm\mu B$. A escolha de eixos em direções diferentes não muda a *física*. Nossa *descrição* para os estados estacionários será diferente, mas suas energias *permanecerão* sendo $\pm\mu B$ – ou seja

$$E_I = -\mu\sqrt{B_x^2 + B_y^2 + B_z^2}$$
(10.19)

e
$$E_{II} = +\mu\sqrt{B_x^2 + B_y^2 + B_z^2}.$$

O resto do jogo é fácil. Temos aqui as fórmulas para as energias. Desejamos um Hamiltoniano que é linear em B_x, B_y e B_z, e que dará estas energias quando usado em nossa fórmula geral da Equação (10.3). O problema: encontrar o Hamiltoniano. Primeiro, perceba que a energia de mudança de uma configuração para outra é simétrica, com um valor médio nulo. Verificando na Eq. (10.3), percebemos diretamente que ela requer

$$H_{22} = -H_{11}.$$

(Note que isso confere com o que já sabíamos quando B_x e B_y são nulos; naquele caso, $H_{11} = -\mu B_z$ e $H_{22} = \mu B_z$.) Agora, caso igualemos as energias da Eq. (10.3) com o que conhecemos da Eq. (10.19), temos

$$\left(\frac{H_{11} - H_{22}}{2}\right)^2 + |H_{12}|^2 = \mu^2(B_x^2 + B_y^2 + B_z^2).$$
(10.20)

(Também fazemos uso do fato de que $H_{21} = H_{12}^*$, de modo que $H_{12}H_{21}$ também pode ser escrito como $|H_{12}|^2$.) Novamente, para o caso especial de um campo na direção z, temos

$$\mu^2 B_z^2 + |H_{12}|^2 = \mu^2 B_z^2.$$

---

† Tomamos como energia de repouso $m_0 c^2$ como nosso "zero" de energia e lidamos com o momento magnético μ do elétron como um número *negativo*, uma vez que ele é orientado contrariamente ao spin.

Claramente, $|H_{12}|$ deve ser nulo para este caso especial, o que significa que H_{12} não pode ter quaisquer termos em B_z. (Lembre-se de que dissemos que todos os termos devem ser lineares em B_x, B_y e B_z.)

Então, descobrimos que H_{11} e H_{22} apresentam termos em B_z, enquanto que H_{12} e H_{21} não. Podemos fazer uma pergunta simples sobre se a Eq. (10.20) será satisfeita caso adotemos

$$H_{11} = -\mu B_z,$$
$$H_{22} = \mu B_z \qquad (10.21)$$

e
$$|H_{12}|^2 = \mu^2(B_x^2 + B_y^2).$$

E concluímos que este é o *único* modo de fazê-lo!

"Espere" – você diz – "H_{12} não é linear em B; a Eq. (10.21) fornece $H_{12} = \mu\sqrt{B_x^2 + B_y^2}$". Não necessariamente. Há outra possibilidade a qual *é* linear, a saber,

$$H_{12} = \mu(B_x + iB_y).$$

Há de fato muitas possibilidades – de uma forma mais geral, podemos escrever

$$H_{12} = \mu(B_x \pm iB_y)e^{i\delta},$$

onde δ é alguma fase arbitrária. Qual sinal e fase devemos usar? Pode ser escolhido qualquer sinal, ou qualquer fase que você desejar: a física resultante será sempre a mesma. A escolha é apenas uma questão de convenção. Algumas pessoas adotam o sinal de menos e escolhem $e^{i\delta} = -1$. Podemos seguir essa convenção e escrever

$$H_{12} = -\mu(B_x - iB_y), \qquad H_{21} = -\mu(B_x + iB_y).$$

(A propósito, essas convenções são relacionadas e consistentes com algumas das escolhas arbitrárias feitas no Capítulo 6.)

Então, o Hamiltoniano completo para um elétron em um campo magnético arbitrário é

$$H_{11} = -\mu B_z, \qquad H_{12} = -\mu(B_x - iB_y),$$
$$H_{21} = -\mu(B_x + iB_y), \qquad H_{22} = +\mu B_z. \qquad (10.22)$$

As equações para as amplitudes C_1 e C_2 são

$$i\hbar \frac{dC_1}{dt} = -\mu[B_z C_1 + (B_x - iB_y)C_2],$$
$$i\hbar \frac{dC_2}{dt} = -\mu[(B_x + iB_y)C_1 - B_z C_2]. \qquad (10.23)$$

Portanto descobrimos as "equações de movimento para os estados do spin" de um elétron em um campo magnético. Nós a inferimos por meio de alguns argumentos físicos, entretanto o teste real de qualquer Hamiltoniano é que ele deve fornecer predições que concordem com o experimento. De acordo com qualquer teste que tenha sido realizado, essas equações estão corretas. De fato, mesmo que tenhamos feito nossos argumentos apenas para campos constantes, o Hamiltoniano que foi obtido também é válido para campos magnéticos que variam com o tempo. Então, podemos agora usar a Eq. (10.23) para verificar toda sorte de problemas interessantes.

10–7 O elétron girante em um campo magnético

Exemplo número um: começamos com um campo constante na direção z. Há dois estados estacionários com energias $\pm\mu B_z$. Suponha que adicionemos um pequeno campo na direção

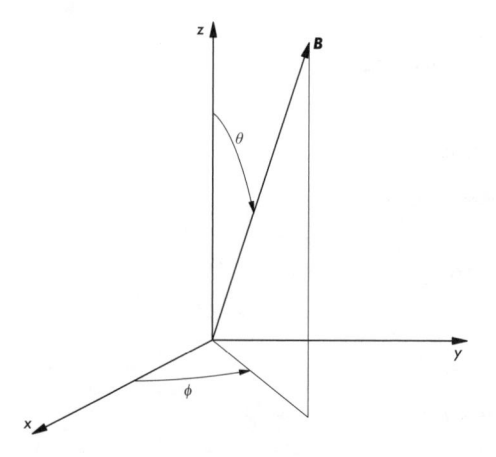

Figura 10–10 A direção de **B** é definida pelo ângulo polar θ e pelo ângulo azimutal ϕ.

x. Então as equações se parecem com o nosso velho problema de dois estados. Podemos lidar com a mudança de configuração mais uma vez, e os níveis de energia separam-se um pouco. Agora considere que a componente *x* do campo varia no tempo – diz-se cos ωt. As equações então são as mesmas que usamos no Capítulo 9 em um campo elétrico oscilante que atua sobre um molécula de amônia. Você pode lidar com os detalhes da mesma maneira. Você obterá como resultado que um campo oscilante causa transições do estado +*z* para o estado –*z*, e vice-versa, quando o campo horizontal oscila perto da frequência de ressonância $\omega_0 = 2\mu B z/\hbar$. *Isso resulta na teoria quântica do fenômeno de ressonância magnética que discutimos no Capítulo 35 do Volume II* (veja Apêndice).

Também é possível fazer um *maser* que usa um sistema de spin meio. Um aparato de Stern-Gerlach é usado para produzir um feixe de partículas polarizadas na, digamos, direção *z*, o qual é enviado para uma cavidade em um campo magnético constante. Os campos oscilantes na cavidade podem se acoplar com o momento magnético e induzir transições que fornecem energia para a cavidade.

Agora examinemos a seguinte questão. Suponha que temos um campo magnético **B** que aponta na direção cujo ângulo polar é θ e o ângulo azimutal é ϕ, conforme a Fig. 10-10. Suponha, adicionalmente, que haja um elétron que tenha sido preparado com seu spin apontando ao longo do campo. Quais são as amplitudes C_1 e C_2 para tal elétron? Em outras palavras, chamando o estado do elétron de $|\psi\rangle$, queremos escrever

$$|\psi\rangle = |1\rangle C_1 + |2\rangle C_2,$$

onde C_1 e C_2 são

$$C_1 = \langle 1|\psi\rangle, \qquad C_2 = \langle 2|\psi\rangle,$$

onde por $|1\rangle$ e $|2\rangle$ queremos dizer a mesma coisa que usamos para chamar $|+\rangle$ e $|-\rangle$ (referindo-se ao nosso eixo *z* escolhido).

A resposta para essa questão também se encontra em nossas equações gerais para sistemas de dois níveis. Primeiro, sabemos que uma vez que o spin do elétron é paralelo a **B**, ele está em um estado estacionário com energia $E_I = -\mu B$. Portanto, C_1 e C_2 devem variar com $e^{-iE_I t/\hbar}$, como em (9.18); e seus coeficientes a_1 e a_2 são dados por (10.5), a saber,

$$\frac{a_1}{a_2} = \frac{H_{12}}{E_I - H_{11}}. \tag{10.24}$$

Uma condição adicional é que a_1 e a_2 devem ser normalizados, tal que $|a_1|^2 + |a_2|^2 = 1$. Podemos tomar H_{11} e H_{12} de (10.22) usando

$$B_z = B\cos\theta, \qquad B_x = B\,\text{sen}\,\theta\cos\phi, \qquad B_y = B\,\text{sen}\,\theta\,\text{sen}\,\phi.$$

Então temos

$$H_{11} = -\mu B\cos\theta,$$
$$H_{12} = -\mu B\,\text{sen}\,\theta\,(\cos\phi - i\,\text{sen}\,\phi). \tag{10.25}$$

O último fator na segunda equação é, incidentalmente, $e^{i\phi}$, então é mais simples escrever

$$H_{12} = -\mu B\,\text{sen}\,\theta\,e^{-i\phi}. \tag{10.26}$$

Usando estes elementos da matriz na Eq. (10.24), e cancelando $-\mu B$ do numerador e denominador, encontramos

$$\frac{a_1}{a_2} = \frac{\text{sen}\,\theta\,e^{-i\phi}}{1 - \cos\theta}. \tag{10.27}$$

Com essa razão e a condição de normalização, podemos encontrar ambos, a_1 e a_2. Não é muito difícil, mas podemos fazer um atalho com um pequeno truque. Perceba que $1 - \cos\theta = 2\,\text{sen}^2(\theta/2)$, e que $\text{sen}\,\theta = 2\,\text{sen}(\theta/2)\cos(\theta/2)$. Então a Eq. (10.27) é equivalente a

$$\frac{a_1}{a_2} = \frac{\cos\dfrac{\theta}{2}\,e^{-i\phi}}{\text{sen}\,\dfrac{\theta}{2}}. \tag{10.28}$$

Logo, uma resposta possível é

$$a_1 = \cos\frac{\theta}{2}\,e^{-i\phi}, \qquad a_2 = \text{sen}\,\frac{\theta}{2}, \tag{10.29}$$

uma vez que ela concorda com (10.28) e também faz

$$|a_1|^2 + |a_2|^2 = 1.$$

Como você sabe, a multiplicação de a_1 e a_2 por um fator de fase arbitrário não muda nada. As pessoas geralmente preferem deixar as Eqs. (10.29) mais simétricas pela multiplicação de ambas por $e^{i\phi/2}$, então a forma geralmente usada é

$$a_1 = \cos\frac{\theta}{2}\,e^{-i\phi/2}, \qquad a_2 = \text{sen}\,\frac{\theta}{2}\,e^{+i\phi/2}, \tag{10.30}$$

e essa é a resposta para nossa questão. Os números a_1 e a_2 são as amplitudes para encontrar um elétron com seu spin para cima ou para baixo ao longo do eixo z quando sabemos que seu spin se encontra ao longo do eixo em θ e ϕ. (As amplitudes C_1 e C_2 são justamente a_1 e a_2 vezes $e^{-iE_I t/\hbar}$.)

Notamos agora algo interessante. A grandeza B do campo magnético não aparece em lugar algum de (10.30). O resultado é claramente o mesmo no limite que B tende para zero. Isso significa que respondemos *em geral* à questão de como representar uma partícula cujo spin se encontra ao logo de um eixo arbitrário. As amplitudes de (10.30) são as amplitudes de projeção para partículas de spin meio correspondendo às amplitudes de projeção que demos no Capítulo 5 [Eqs. (5.38)] para partículas de spin meio. Agora, podemos encontrar as amplitudes para feixes filtrados de partículas com spin meio que atravessam qualquer filtro de Stern-Gerlach em particular.

Seja $|+z\rangle$ que representa um estado com spin, para cima ao longo do eixo z, e $|-z\rangle$ que representa o estado de spin para baixo. Caso $|+z\rangle$ represente um estado com spin para cima ao longo do eixo z' que apresenta ângulos polares θ e ϕ com o eixo z, então na notação do Capítulo 5 temos

$$\langle +z\,|+z'\rangle = \cos\frac{\theta}{2}\,e^{-i\phi/2}, \qquad \langle -z\,|+z'\rangle = \text{sen}\,\frac{\theta}{2}\,e^{+i\phi/2}. \tag{10.31}$$

Esses resultados são equivalentes àqueles que encontramos no Capítulo 6, Eq. (6.36), por argumentos puramente geométricos. (Então se você resolveu pular o Capítulo 6, tem os resultados essenciais de qualquer forma.)

Como nosso exemplo final, vamos nos deter em um caso mencionado várias vezes. Suponha que consideremos o seguinte problema. Partimos com um elétron cujo o spin encontra-se em alguma direção dada, então um campo magnético é ligado na direção z por 25 minutos e então é desligado. Qual é o estado final? Novamente representamos o estado por uma combinação linear $|\psi\rangle = |1\rangle C_1 + |2\rangle C_2$. Todavia, para este problema, os estados de energia definida também são nossos estados base $|1\rangle$ e $|2\rangle$. Então C_1 e C_2 variam apenas em fase. Sabemos que

$$C_1(t) = C_1(0)e^{-iE_I t/\hbar} = C_1(0)e^{+i\mu B t/\hbar},$$

e

$$C_2(t) = C_2(0)e^{-iE_{II} t/\hbar} = C_2(0)e^{-i\mu B t/\hbar}.$$

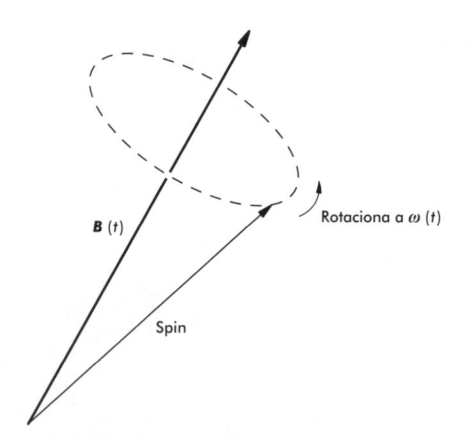

Figura 10–11 A direção do spin de um elétron em um campo magético variável **B**(*t*) precessa em uma frequência ω(*t*) ao redor de um eixo paralelo a **B**.

Agora, dizemos inicialmente que o spin do elétron foi colocado em uma direção dada. Isso significa que C_1 e C_2 são dois números dados pelas Eqs. (10.30). Após esperarmos por um período de tempo T, os novos C_1 e C_2 são os mesmos números multiplicados por $e^{i\mu B_z T/\hbar}$ e $e^{-i\mu B_z T/\hbar}$. Que estado é esse? Isso é fácil. É exatamente o mesmo como se o ângulo ϕ tivesse sido alterado pela subtração de $2\mu B_z T/\hbar$ e o ângulo θ fosse deixado inalterado. O que significa que, no fim do tempo T, o estado $|\psi\rangle$ representa um elétron alinhado em uma direção que difere da direção original apenas por uma *rotação* em torno do eixo z através de um ângulo $\Delta\phi = 2\mu B_z T/\hbar$. Uma vez que este ângulo é proporcional a T, também podemos dizer a direção de *precessamento* da velocidade angular do spin $2\mu B_z/\hbar$ em torno do eixo z. Esse resultado foi discutido muitas vezes antes em uma maneira menos completa e rigorosa. Agora obtivemos uma descrição mecânico quântica completa e acurada da precessão de magnetos atômicos.

É interessante que as ideias matemáticas que acabamos de ver para o elétron girante em um campo magnético podem ser aplicadas para *qualquer* sistema de dois estados. Isso significa que fazendo uma *analogia* matemática com o elétron girante, *qualquer problema* relacionado com sistemas de dois estados pode ser resolvido por pura geometria. Isso funciona da seguinte maneira. Primeiro, o ponto zero da energia é alterado, de modo que ($H_{11} + H_{22}$) seja igual a zero, tal que $H_{11} = -H_{22}$. Então qualquer problema de dois estados é *formalmente* o mesmo que o de um elétron em um campo magnético. Tudo o que você tem a fazer é *identificar* $-\mu B_z$ com H_{11} e $-\mu(B_x - iB_y)$ com H_{12}. Não importa qual é a física originalmente – uma molécula de amônia, ou outra qualquer –, você pode traduzir o problema para o caso de um elétron girante. Então se você puder resolver o problema do elétron *em geral*, você resolveu *todos* os problemas de dois estados.

E temos a solução geral para o elétron! Suponha que você tenha algum estado inicial com spin para cima em alguma direção, e você tem um campo magnético **B** que aponta em outra direção. Você apenas rotaciona a direção do spin em torno do eixo de **B** com o *vetor* velocidade angular ω(*t*) igual a uma constante vezes o vetor **B** (a saber ω $=2\mu B/\hbar$). À medida que **B** varia com o tempo, você continua movendo o eixo de rotação para mantê-lo paralelo a **B** e continua mudando a velocidade de rotação de modo que ela seja sempre proporcional à intensidade de **B**. Veja a Fig. (10-11). Caso você continue fazendo isso, acabará com uma orientação final do eixo do spin, e as amplitudes C_1 e C_2 são dadas pelas projeções usando (10.30) em seu sistema de coordenadas. Perceba que este é um problema geométrico para manter a trilha de onde será o seu extremo após todas as rotações. Entretanto é fácil ver o que está envolvido, este problema geométrico (de encontrar o caminho resultante de uma rotação com um vetor de velocidade angular variável) não é fácil de ser resolvido explicitamente no caso geral. De qualquer modo, percebemos, *em princípio*, a solução geral para qualquer problema de dois estados. No próximo capítulo, voltaremos nossa atenção a mais algumas técnicas matemáticas para lidar com o importante caso da partícula com spin meio e, portanto, lidar com problemas de dois estados em geral.

11

Mais Sistemas de Dois Estados

11–1 As matrizes de spin de Pauli

Continuamos a nossa discussão dos sistemas de dois estados. No final do capítulo anterior, estávamos falando de uma partícula com spin semi-inteiro em um campo magnético. Descrevemos um estado de spin definindo que as componentes z do momento angular sejam dadas pelas amplitudes C_1 e C_2 com valores $+\hbar/2$ e $-\hbar/2$, respectivamente. Nos capítulos anteriores, denominamos tais estados por $|+\rangle$ e $|-\rangle$. Iremos agora voltar a essa notação, mas ocasionalmente podemos achar conveniente usar alternadamente $|+\rangle$ ou $|1\rangle$ e $|-\rangle$ ou $|2\rangle$.

Vimos também que quando uma partícula de spin semi-inteiro e momento magnético μ está em um campo magnético $\mathbf{B} = (B_x, B_y, B_z)$, as amplitudes $C_+(=C_1)$ e $C_-(=C_2)$ são conectadas pelas seguintes equações diferenciais:

$$i\hbar \frac{dC_+}{dt} = -\mu[B_z C_+ + (B_x - iB_y)C_-],$$
$$i\hbar \frac{dC_-}{dt} = -\mu[(B_x + iB_y)C_+ - B_z C_-]. \quad (11.1)$$

Em outras palavras, a matriz Hamiltoniana H_{ij} é

$$H_{11} = -\mu B_z, \qquad H_{12} = -\mu(B_x - iB_y),$$
$$H_{21} = -\mu(B_x + iB_y), \qquad H_{22} = +\mu B_z. \quad (11.2)$$

E as Eqs. (11.1) são, é claro, as mesmas que

$$i\hbar \frac{dC_i}{dt} = \sum_j H_{ij} C_j, \quad (11.3)$$

onde i e j assumem os valores $+$ e $-$ (ou 1 e 2).

O sistema de dois estados do spin do elétron é tão importante que é muito útil possuir uma maneira ordenada de escrever as coisas. Faremos agora uma pequena digressão matemática, para mostrar como as pessoas usualmente escrevem as equações de um sistema de dois estados. É feito assim: em primeiro lugar, observe que cada termo na Hamiltoniana é proporcional a μ e a alguma componente de $\mathbf{B}$; então de forma *puramente formal* escrevemos que

$$H_{ij} = -\mu[\sigma_{ij}^x B_x + \sigma_{ij}^y B_y + \sigma_{ij}^z B_z]. \quad (11.4)$$

Aqui não há nada de novo do ponto de vista da física; esta equação significa somente que os coeficientes σ_{ij}^x, σ_{ij}^y e σ_{ij}^z – existem $4 \times 3 = 12$ deles – podem ser escritos de tal forma que, (11.4) é idêntico a (11.2).

Vamos ver como devem ser. Começamos com B_z. Uma vez que B_z aparece somente em H_{11} e H_{22}, tudo estará certo se

$$\sigma_{11}^z = 1, \qquad \sigma_{12}^z = 0,$$
$$\sigma_{21}^z = 0, \qquad \sigma_{22}^z = -1.$$

Com frequência, escrevemos a matriz H_{ij} como uma pequena tabela, como abaixo:

$$H_{ij} = \overset{j\rightarrow}{\underset{i\downarrow}{\begin{pmatrix} H_{11} & H_{12} \\ H_{21} & H_{22} \end{pmatrix}}}.$$

11–1 As matrizes de spin de Pauli
11–2 As matrizes de spin como operadores
11–3 A solução da equação de dois estados
11–4 Estados de polarização do fóton
11–5 O méson K neutro[†]
11–6 Generalização a um sistema de N estados

Revisão: Capítulo 33, Volume I, *Polarização*

[†] Esta seção poderia ser omitida em uma primeira leitura deste livro. Ela é um tanto avançada para iniciantes.

Para a Hamiltoniana de uma partícula com spin semi-inteiro em um campo magnético B_z, isso é o mesmo que

$$H_{ij} = \overset{i\downarrow\overset{j\longrightarrow}{}}{\begin{pmatrix} -\mu B_z & -\mu(B_x - iB_y) \\ -\mu(B_x + iB_y) & +\mu B_z \end{pmatrix}}.$$

Da mesma maneira, podemos escrever os coeficientes σ_{ij}^z como a matriz

$$\sigma_{ij}^z = \overset{i\downarrow\overset{j\longrightarrow}{}}{\begin{pmatrix} 1 & 0 \\ 0 & -1 \end{pmatrix}}. \tag{11.5}$$

Trabalhando com os coeficientes de B_x, obtemos que os elementos de σ_x devem ser

$$\sigma_{11}^x = 0, \quad \sigma_{12}^x = 1,$$
$$\sigma_{21}^x = 1, \quad \sigma_{22}^x = 0.$$

Ou, de uma maneira abreviada,

$$\sigma_{ij}^x = \begin{pmatrix} 0 & 1 \\ 1 & 0 \end{pmatrix}. \tag{11.6}$$

Finalmente, olhando para B_y, obtemos

$$\sigma_{11}^y = 0, \quad \sigma_{12}^y = -i,$$
$$\sigma_{21}^y = i, \quad \sigma_{22}^y = 0;$$

ou

$$\sigma_{ij}^y = \begin{pmatrix} 0 & -i \\ i & 0 \end{pmatrix}. \tag{11.7}$$

Com essas três matrizes sigma, as Eqs. (11.2) e (11.4) são idênticas. Para eliminar os índices i e j, mostramos que σ está relacionado com cada componente de **B** pelo uso dos índices x, y e z. Usualmente, entretanto, os índices i e j são omitidos – é fácil de imaginar que eles estão lá – e os x, y, z são escritos como subscritos. Então a Eq. (11.4) é escrita como

$$H = -\mu[\sigma_x B_x + \sigma_y B_y + \sigma_z B_z]. \tag{11.8}$$

Visto que as matrizes sigma são tão importantes – elas são usadas todo o tempo pelos profissionais –, nós as agrupamos na Tabela 11–1. (Qualquer um que vá trabalhar com física quântica tem realmente que memorizá-las.) Elas são comumente chamadas de *matrizes de spin de Pauli*, em homenagem ao físico que as descobriu.

Na tabela, incluímos uma matriz dois por dois a mais, que é necessária para estudar sistemas que possuem dois estados de spin com a mesma energia, ou se quisermos escolher uma energia diferente de zero. Para tais situações, devemos adicionar $E_0 C_+$ à primeira equação em (11.1) e $E_0 C_-$ à segunda equação em (11.1). Podemos incluir essa nova situação, se definirmos a *matriz unitária* "1" como δ_{ij},

$$1 = \delta_{ij} = \begin{pmatrix} 1 & 0 \\ 0 & 1 \end{pmatrix}, \tag{11.9}$$

e reescreveremos a Eq. (11.8) como

$$H = E_0 \delta_{ij} - \mu(\sigma_x B_x + \sigma_y B_y + \sigma_z B_z). \tag{11.10}$$

Tabela 11–1
Matrizes de spin de Pauli

$$\sigma_z = \begin{pmatrix} 1 & 0 \\ 0 & -1 \end{pmatrix}$$

$$\sigma_x = \begin{pmatrix} 0 & 1 \\ 1 & 0 \end{pmatrix}$$

$$\sigma_y = \begin{pmatrix} 0 & -i \\ i & 0 \end{pmatrix}$$

$$1 = \begin{pmatrix} 1 & 0 \\ 0 & 1 \end{pmatrix}$$

Usualmente, está *entendido* que qualquer constante como E_0 tem de ser multiplicada pela matriz identidade; então escrevemos simplesmente

$$H = E_0 - \mu(\sigma_x B_x + \sigma_y B_y + \sigma_z B_z). \tag{11.11}$$

Uma razão pela qual as matrizes de spin de Pauli são muito úteis é que *qualquer* matriz dois por dois pode ser escrita em termos das matrizes de Pauli. Qualquer matriz que possa ser escrita tem quatro números, digamos,

$$M = \begin{pmatrix} a & b \\ c & d \end{pmatrix}.$$

Podemos sempre escrevê-la como uma combinação linear de quatro matrizes. Por exemplo,

$$M = a\begin{pmatrix} 1 & 0 \\ 0 & 0 \end{pmatrix} + b\begin{pmatrix} 0 & 1 \\ 0 & 0 \end{pmatrix} + c\begin{pmatrix} 0 & 0 \\ 1 & 0 \end{pmatrix} + d\begin{pmatrix} 0 & 0 \\ 0 & 1 \end{pmatrix}.$$

Existem muitas maneira de fazê-lo, mas uma em especial é dizendo que M é uma certa quantidade de σ_x, mais uma certa quantidade de σ_y, e assim por diante, desta maneira:

$$M = \alpha \mathbf{1} + \beta \sigma_x + \gamma \sigma_y + \delta \sigma_z,$$

onde as "quantidades" α, β, γ e δ, em geral, são números complexos.

Como qualquer matriz dois por dois pode ser representada em termos da matriz unitária e das matrizes sigma, temos tudo aquilo de que podemos precisar para *qualquer* sistema de dois estados. Sem fazer distinção de qualquer sistema – moléculas de amônia, corante magenta, qualquer coisa –, a Hamiltoniana pode ser escrita em termos dos sigmas. Além disso as matrizes sigma possuem um significado geométrico na situação física de um elétron em um campo magnético; não obstante, são matrizes úteis para qualquer problema de dois estados.

Por exemplo, um próton e um nêutron podem ser vistos como a mesma partícula em ambos os estados. Dizemos que o *núcleon* (próton ou nêutron) é um sistema de dois estados – neste caso, dois estados com relação à sua carga. Dessa maneira, o estado $|1\rangle$ pode representar o próton e o estado $|2\rangle$ pode representar o nêutron. Algumas pessoas dizem que o núcleon possui dois estados de "spin isotópico".

Uma vez que vamos usar as matrizes sigma como a "aritmética" da mecânica quântica dos sistemas de dois estados, vamos fazer uma revisão rápida da álgebra matricial. Por "soma" de duas ou mais matrizes quaisquer, entendemos simplesmente o que era óbvio na Eq. (11.4). Geralmente, se "somamos" duas matrizes A e B, a "soma" C significa que cada elemento C_{ij} é dado por

$$C_{ij} = A_{ij} + B_{ij}$$

Cada termo de C é a soma dos termos de mesma posição das matrizes A e B.

Na Seção 5-6, introduzimos a ideia de matriz "produto". A mesma ideia será útil para tratarmos com as matrizes sigma. Em geral, o "produto" de duas matrizes A e B (nessa ordem) é definido como a matriz C, cujos elementos são dados por

$$C_{ij} = \sum_k A_{ik} B_{kj}. \tag{11.12}$$

Essa é a soma do produto dos elementos tomados em pares da i-ésima linha de A e a j-ésima coluna de B. Se as matrizes forem tabuladas, como na Fig. 11-1, esse é um bom "sistema" para se obter os elementos da matriz produto. Suponha que você esteja calculando C_{23}. Para o índice da esquerda, você percorre a *segunda linha* de A, e o índice da direita, você percorre a *terceira coluna* de B, multiplicando cada par correspondente e somando à medida que avança. Tentamos indicar como fazê-lo na figura.

$$\begin{pmatrix} A_{11} & A_{12} & A_{13} & A_{14} \\ A_{21} & A_{22} & A_{23} & A_{24} \\ A_{31} & A_{32} & A_{33} & A_{34} \\ A_{41} & A_{42} & A_{43} & A_{44} \end{pmatrix} \cdot \begin{pmatrix} B_{11} & B_{12} & B_{13} & B_{14} \\ B_{21} & B_{22} & B_{23} & B_{24} \\ B_{31} & B_{32} & B_{33} & B_{34} \\ B_{41} & B_{42} & B_{43} & B_{44} \end{pmatrix} = \begin{pmatrix} C_{11} & C_{12} & C_{13} & C_{14} \\ C_{21} & C_{22} & C_{23} & C_{24} \\ C_{31} & C_{32} & C_{33} & C_{34} \\ C_{41} & C_{42} & C_{43} & C_{44} \end{pmatrix}$$

$$C_{ij} = \sum_k A_{ik} B_{kj}$$

Exemplo: $C_{23} = A_{21}B_{13} + A_{22}B_{23} + A_{23}B_{33} + A_{24}B_{43}$

Figura 11-1 Multiplicação de duas matrizes.

Isso é, com certeza, particularmente simples para matrizes dois por dois. Por exemplo se multiplicarmos σ_x por σ_x, obtemos

$$\sigma_x^2 = \sigma_x \cdot \sigma_x = \begin{pmatrix} 0 & 1 \\ 1 & 0 \end{pmatrix} \cdot \begin{pmatrix} 0 & 1 \\ 1 & 0 \end{pmatrix} = \begin{pmatrix} 1 & 0 \\ 0 & 1 \end{pmatrix},$$

que é justamente a matriz unitária 1. Tomando outro exemplo, calculamos $\sigma_x\sigma_y$:

$$\sigma_x\sigma_y = \begin{pmatrix} 0 & 1 \\ 1 & 0 \end{pmatrix} \cdot \begin{pmatrix} 0 & -i \\ i & 0 \end{pmatrix} = \begin{pmatrix} i & 0 \\ 0 & -i \end{pmatrix}.$$

Observando a Tabela 11-1, temos que esse produto é simplesmente a matriz σ_z multiplicada por i. (Lembre-se de que um número multiplicando uma matriz consiste em multiplicar cada termo da matriz por esse número.) Como os produtos das matrizes sigma tomados dois a dois são de grande importância – tal como bem divertidos –, os listamos na Tabela 11-2. Podemos calculá-los, como fizemos com σ_x^2 e $\sigma_x\sigma_y$.

Há um outro ponto muito importante e interessante sobre essas matrizes σ. Podemos imaginar, se quisermos, que as três matrizes σ_x, σ_y e σ_z são análogas a três componentes de um vetor – às vezes chamado de "vetor sigma" e escrito como **σ**. É realmente um "vetor matricial" ou uma "matriz vetorial". São três matrizes diferentes, cada uma delas associada com um dos três eixos, x, y e z. Com isso, podemos escrever a matriz Hamiltoniana do sistema de uma forma melhor, que funciona para qualquer sistema de coordenadas:

$$H = -\mu\boldsymbol{\sigma} \cdot \boldsymbol{B}. \tag{11.13}$$

Embora tenhamos escrito nossas três matrizes na representação em que "para cima" e "para baixo" estão na direção de z – tal que σ_z possui uma simplicidade particular –, poderíamos escrever matrizes em qualquer outra representação. Embora seja exigida muita álgebra, você pode mostrar que elas mudam entre si, como as componentes de um vetor. (Não nos preocupamos em provar isso, mas você pode provar se quiser.) Você pode usar **σ** em diferentes sistemas de coordenadas, já que é um vetor.

Lembre que na mecânica quântica H está relacionado com energia. E é, de fato, igual à energia na situação mais simples em que existe somente um estado. Quando escrevemos a Hamiltoniana como na Eq. (11.13) mesmo para um sistema de dois estados do spin do elétron, ela se parece muito com a fórmula *clássica* para a energia de um pequeno ímã, com momento magnético $\boldsymbol{\mu}$ em um campo magnético $\boldsymbol{B}$. Classicamente, queremos dizer

$$U = -\boldsymbol{\mu} \cdot \boldsymbol{B}, \tag{11.14}$$

onde $\boldsymbol{\mu}$ é a propriedade do objeto e $\boldsymbol{B}$ é um campo magnético externo. Podemos imaginar que a Eq. (11.14) possa ser convertida na Eq. (11.13) se substituirmos a energia clássica

Tabela 11-2
Produtos das matrizes de spin

$\sigma_x^2 = 1$
$\sigma_y^2 = 1$
$\sigma_z^2 = 1$
$\sigma_x\sigma_y = -\sigma_y\sigma_x = i\sigma_z$
$\sigma_y\sigma_z = -\sigma_z\sigma_y = i\sigma_x$
$\sigma_z\sigma_x = -\sigma_x\sigma_z = i\sigma_y$

pela Hamiltoniana e o μ clássico pela matriz $\mu\boldsymbol{\sigma}$. Então, após essa substituição puramente formal, interpretamos o resultado como uma equação matricial. Algumas vezes é dito que, a cada quantidade clássica, existe uma correspondente matriz na mecânica quântica. Na realidade, é mais correto dizer que a matriz Hamiltoniana corresponde à energia, e qualquer quantidade que pode ser definida via energia possui uma matriz correspondente.

Por exemplo, o momento magnético pode ser definido via energia, dizendo-se que a energia em um campo magnético externo $\boldsymbol{B}$ é $-\boldsymbol{\mu} \cdot \boldsymbol{B}$. Isso define o vetor momento magnético $\boldsymbol{\mu}$. Então examinamos a expressão do Hamiltoniano de um objeto real (quântico) em um campo magnético e tratamos de identificar quais são as matrizes que correspondem às quantidades clássicas. Esse é o truque pelo qual *algumas vezes* quantidades clássicas possuem a sua correspondente quântica.

Você pode tentar entender, se quiser, como um vetor clássico é igual à matriz $\mu\boldsymbol{\sigma}$, e talvez você descubra alguma coisa – mas não quebre a cabeça fazendo isso. Essa não é a ideia – elas *não são iguais*. A mecânica quântica é um tipo diferente de teoria para representar o mundo. Isso só acontece quando existem certos tipos de correspondências que são nada mais do que artifícios mnemotécnicos – coisas que nos ajudam a recordar. Ou seja, você se lembra da Eq. (11.14) que aprendeu em física clássica; então se você se lembrar da correspondência $\boldsymbol{\mu} \to \mu\boldsymbol{\sigma}$, terá uma alavanca para se lembrar da Eq. (11.13). É claro, a natureza sabe mecânica quântica, e a mecânica clássica é somente uma aproximação; então não há mistério no fato de que na mecânica clássica exista alguma sombra das leis da mecânica quântica – que são as que realmente estão por trás. Não é possível, por nenhum caminho direto, reconstruir um objeto a partir da sua sombra, mas a sombra ajuda a nos lembrar como o objeto é. A Eq. (11.13) é a verdadeira, e a Eq. (11.14) é a sombra. Já que aprendemos a mecânica clássica primeiro, queremos ser capazes de obter as fórmulas quânticas por elas; porém não há um método infalível de fazer isso. Sempre teremos de retornar ao mundo real e descobrir as equações quânticas corretas. Quando as obtemos observando algo na física clássica, estamos com sorte.

Se as advertências anteriores parecem repetitivas e demasiado elaboradas – e creio que temos repetido verdades evidentes sobre as relações da física clássica com a quântica, por favor desculpe os reflexos condicionados de um professor que normalmente ensina mecânica quântica a estudantes de pós-graduação que ainda não tinham ouvido falar de matrizes de spin de Pauli. Eles então pareciam estar sempre esperando que, de alguma maneira, a mecânica quântica pudesse ser vista como uma consequência lógica da mecânica clássica a qual eles já tinham aprendido completamente. (Talvez eles quisessem evitar ter de aprender algo novo.) Você aprendeu a fórmula clássica, Eq. (11.14), há pouco tempo – e então com advertências sobre as suas inadequações –, assim talvez você não esteja tão aminado em ter a fórmula quântica, Eq. (11.13), como a verdade básica.

11–2 As matrizes de spin como operadores

Enquanto estamos no assunto da notação matemática, gostaríamos ainda de descrever *outro* modo de escrever as coisas – um modo que é frequentemente usado, pois é mais compacto. Ele segue diretamente a notação introduzida no Capítulo 8. Se temos um sistema em um estado $|\psi(t)\rangle$, que varia com o tempo, podemos – como fizemos na Eq. (8.34) – escrever a amplitude de o sistema estar no estado $|i\rangle$ em $t + \Delta t$ como

$$\langle i | \psi(t + \Delta t)\rangle = \sum_j \langle i | U(t + \Delta t, t) | j\rangle \langle j | \psi(t)\rangle.$$

O elemento de matriz $\langle i | U(t + \Delta t, t) | j\rangle$ é a amplitude de o estado da base $|j\rangle$ ser convertido no estado da base $|i\rangle$ no intervalo de tempo Δt. Então *definimos* H_{ij} escrevendo

$$\langle i | U(t + \Delta t, t) | j\rangle = \delta_{ij} - \frac{i}{\hbar} H_{ij}(t)\, \Delta t,$$

e mostramos que as amplitudes $C_i(t) = \langle i \mid \psi(t) \rangle$ são relacionadas pela equação diferencial

$$i\hbar \frac{dC_i}{dt} = \sum_j H_{ij} C_j. \tag{11.15}$$

Se escrevermos as amplitudes C_i explicitamente, a mesma equação aparece como

$$i\hbar \frac{d}{dt} \langle i \mid \psi \rangle = \sum_j H_{ij} \langle j \mid \psi \rangle. \tag{11.16}$$

Agora os elementos da matriz H_{ij} são também amplitudes que podemos escrever como $\langle i \mid H \mid j \rangle$; nossa equação diferencial se parece com:

$$i\hbar \frac{d}{dt} \langle i \mid \psi \rangle = \sum_j \langle i \mid H \mid j \rangle \langle j \mid \psi \rangle. \tag{11.17}$$

Observamos que $-i/\hbar \langle i \mid H \mid j \rangle \, dt$ é a amplitude que – sob condições físicas descritas por H – um estado $\mid j \rangle$ irá, durante um intervalo de tempo dt, "gerar" o estado $\mid i \rangle$. (Tudo isso estava implícito na discussão da Seção 8-4.)

Seguindo as ideias da Seção 8-2, podemos jogar fora o termo em comum $\langle i \mid$ na Eq. (11.17) – uma vez que é verdade para qualquer estado $\mid i \rangle$ – e escrevemos simplesmente como

$$i\hbar \frac{d}{dt} \mid \psi \rangle = \sum_j H \mid j \rangle \langle j \mid \psi \rangle. \tag{11.18}$$

Ou, dando um passo adiante, podemos também remover j e escrever

$$i\hbar \frac{d}{dt} \mid \psi \rangle = H \mid \psi \rangle. \tag{11.19}$$

No Capítulo 8, assinalamos que quando escrevemos as coisas dessa maneira, H em $H \mid j \rangle$ ou $H \mid \psi \rangle$ é chamado de *operador*. A partir de agora, iremos colocar um chapéu (^) em cima de um operador, para lembrá-lo de que ele é um operador, e não somente um número. Vamos escrever $\hat{H} \mid \psi \rangle$. Embora as Eqs. (11.18) e (11.19) *signifiquem exatamente a mesma coisa* que a Eq. (11.17) ou (11.15), podemos *pensar* sobre elas de modos diferentes. Por exemplo, podemos descrever a Eq. (11.18) da seguinte maneira: "A derivada temporal do *vetor de estado* $\mid \psi \rangle$ é igual ao que você obtém operando com o *operador* Hamiltoniano $\hat{H}$ em cada estado da base, multiplicado pela amplitude $\langle j \mid \psi \rangle$ de ψ estar no estado j, e somar sobre todos os j". Ou a Eq. (11.19) pode ser descrita da seguinte maneira: "A derivada temporal (vezes $i\hbar$) de um estado $\mid \psi \rangle$ é igual ao que você obtém se operar com a Hamiltoniana $\hat{H}$ no vetor estado $\mid \psi \rangle$". Esse é um modo abreviado de dizer o que está na Eq. (11.17), mas, como você verá, pode ser uma grande conveniência.

Se desejarmos, podemos avançar um pouco mais essa ideia de "abstração". A Eq. (11.19) é verdadeira para *qualquer estado* $\mid \psi \rangle$. O primeiro membro do lado esquerdo, $i\hbar d/dt$, também é um operador – é a operação de derivar por t e multiplicar por $i\hbar$. Além disso, a Eq. (11.19) também pode ser pensada como uma equação entre operadores, a equação operacional

$$i\hbar \frac{d}{dt} = \hat{H}.$$

O operador Hamiltoniano (dentro de uma constante) produz o mesmo efeito que d/dt atuando em qualquer estado. Lembre que esta equação – tal como a Eq. (11.19) – *não* afirma que o operador $\hat{H}$ é identicamente a mesma *operação* que $i\hbar \dfrac{d}{dt}$. Essas equações são leis dinâmicas da natureza – leis de movimento – para um sistema quântico.

Para praticar essas ideias, mostraremos outra forma de se obter a Eq. (11.18). Você sabe que podemos escrever qualquer estado $|\psi\rangle$ em termos de suas projeções em algum conjunto da base [veja a Eq. (8.8)],

$$|\psi\rangle = \sum_i |i\rangle\langle i|\psi\rangle. \qquad (11.20)$$

Como $|\psi\rangle$ varia no tempo? Bem, tomando simplesmente a sua derivada:

$$\frac{d}{dt}|\psi\rangle = \frac{d}{dt}\sum_i |i\rangle\langle i|\psi\rangle. \qquad (11.21)$$

Os estados da base $|i\rangle$ não variam no tempo (pelo menos *nós* os estamos sempre tomando como estados definidos e fixos), mas as amplitudes $\langle i|\psi\rangle$ são números que devem variar. Então a Eq. (11.21) se torna

$$\frac{d}{dt}|\psi\rangle = \sum_i |i\rangle \frac{d}{dt}\langle i|\psi\rangle. \qquad (11.22)$$

Uma vez que conhecemos $d\langle i|\psi\rangle/dt$ da Eq. (11.16), obtemos

$$\frac{d}{dt}|\psi\rangle = -\frac{i}{\hbar}\sum_i |i\rangle \sum_j H_{ij}\langle j|\psi\rangle$$

$$= -\frac{i}{\hbar}\sum_{ij} |i\rangle\langle i|H|j\rangle\langle j|\psi\rangle = -\frac{i}{\hbar}\sum_j H|j\rangle\langle j|\psi\rangle$$

que é novamente a Eq. (11.18).

Assim, temos muitas maneiras de olhar para a Hamiltoniana. Podemos pensar nos coeficientes H_{ij} como um monte de números, podemos pensar nas "amplitudes" $\langle i|H|j\rangle$, podemos pensar sobre a "matriz" H_{ij}, ou podemos pensar sobre o "operador" $\hat{H}$. Tudo significa a mesma coisa.

Agora, vamos retornar aos nossos sistemas de dois estados. Se escrevermos a Hamiltoniana em termos das matrizes sigma (com os coeficientes numéricos apropriados, como B_x, etc.), certamente podemos pensar em σ_{ij}^x como uma amplitude $\langle i|\sigma_x|j\rangle$ ou, para simplificar, como o operador $\hat{\sigma}_x$. Se usarmos a ideia de operador, podemos escrever a equação de movimento de um estado $|\psi\rangle$ em um campo magnético como

$$i\hbar \frac{d}{dt}|\psi\rangle = -\mu(B_x\hat{\sigma}_x + B_y\hat{\sigma}_y + B_z\hat{\sigma}_z)|\psi\rangle. \qquad (11.23)$$

Quando queremos "usar" esta equação, normalmente temos de expressar $|\psi\rangle$ em termos dos vetores da base (do mesmo modo que quando queremos encontrar as componentes dos vetores espaciais temos de especificar números). Assim, normalmente iremos colocar a Eq. (11.23) em uma forma expandida:

$$i\hbar \frac{d}{dt}|\psi\rangle = -\mu \sum_i (B_x\hat{\sigma}_x + B_y\hat{\sigma}_y + B_z\hat{\sigma}_z)|i\rangle\langle i|\psi\rangle. \qquad (11.24)$$

Agora você poderá ver como a ideia do operador é engenhosa. Para usar a Eq. (11.24), temos de saber o que acontece quando o operador $\hat{\sigma}$ atua em cada estado da base. Vamos descobrir. Suponha que tenhamos $\hat{\sigma}_z|+\rangle$; isso é algum vetor $|?\rangle$, mas qual? Bem, vamos multiplicar o lado esquerdo por $\langle +|$; temos então

$$\langle +|\hat{\sigma}_z|+\rangle = \sigma_{11}^z = 1$$

Tabela 11–3
Propriedades do operador $\hat{\sigma}$

$$\hat{\sigma}_z \,|+\rangle = |+\rangle$$
$$\hat{\sigma}_z \,|-\rangle = -|-\rangle$$
$$\hat{\sigma}_x \,|+\rangle = |-\rangle$$
$$\hat{\sigma}_x \,|-\rangle = |+\rangle$$
$$\hat{\sigma}_y \,|+\rangle = i|-\rangle$$
$$\hat{\sigma}_y \,|-\rangle = -i|+\rangle$$

(usando a Tabela 11-1). Então sabemos que

$$\langle + \,|\, ?\rangle = 1. \tag{11.25}$$

Agora, multipliquemos $\hat{\sigma}_z \,|\,+\,\rangle$ no lado esquerdo por $\langle -\,|$. Obtemos

$$\langle -\,|\,\hat{\sigma}_z\,|\,+\rangle = \sigma_{21}^z = 0;$$

então

$$\langle - \,|\, ?\rangle = 0. \tag{11.26}$$

Existe somente um vetor de estado que satisfaz às Eqs. (11.25) e (11.26); é $|\,+\,\rangle$. Descobrimos então que

$$\hat{\sigma}_z \,|\,+\rangle = |\,+\rangle. \tag{11.27}$$

A partir desse tipo de argumento, você pode facilmente mostrar que todas as propriedades das matrizes sigma podem ser descritas na notação de operadores, por meio de um conjunto de regras dadas na Tabela 11-3.

Se temos produtos das matrizes sigma, elas viram produtos de operadores. Quando dois operadores aparecem juntos como um produto, você efetua primeiro a operação com o operador que está mais à direita. Por exemplo, por $|\,\hat{\sigma}_x\hat{\sigma}_y\,|\,+\,\rangle$, nós entendemos $\hat{\sigma}_x(\hat{\sigma}_y\,|\,+\,\rangle)$. Da Tabela 11-3, temos $\hat{\sigma}_y\,|\,+\,\rangle = i\,|\,-\,\rangle$, então

$$\hat{\sigma}_x\hat{\sigma}_y \,|\,+\rangle = \hat{\sigma}_x(i\,|\,-\rangle). \tag{11.28}$$

Agora, qualquer número – como i – somente se move através de um operador (operadores somente agem sobre vetores de estado); então a Eq. (11.28) é a mesma que

$$\hat{\sigma}_x\hat{\sigma}_y \,|\,+\rangle = i\hat{\sigma}_x\,|\,-\rangle = i\,|\,+\rangle.$$

Se você fizer a mesma coisa para $\hat{\sigma}_x\hat{\sigma}_y\,|\,-\,\rangle$, vai descobrir que

$$\hat{\sigma}_x\hat{\sigma}_y \,|\,-\rangle = -i\,|\,-\rangle.$$

Olhando para a Tabela 11-3, você vê que $\hat{\sigma}_x\hat{\sigma}_y$ operando em $|\,+\,\rangle$ ou $|\,-\,\rangle$ nos dá exatamente o que obtemos quando operamos com $\hat{\sigma}_z$ e multiplicamos por i. Podemos, dessa forma, dizer que a operação $\hat{\sigma}_x\hat{\sigma}_y$ é idêntica à operação $i\hat{\sigma}_z$ e escrever esse enunciado como uma equação operacional:

$$\hat{\sigma}_x\hat{\sigma}_y = i\hat{\sigma}_z. \tag{11.29}$$

Note que essa equação é idêntica a uma das nossas equações matriciais da Tabela 11-2. Então, novamente encontramos a correspondência entre os pontos de vista das matrizes e operadores. Cada uma das equações na Tabela 11-2 pode, dessa maneira, também ser considerada como equações dos operadores sigma. Você pode checar então que elas são consequências da Tabela 11-3. Melhor ainda, quando estiver trabalhando com esses itens, *não* insista se uma quantidade como σ ou H é um operador ou uma matriz. Todas as equações são as mesmas de qualquer forma, então, a Tabela 11-2 serve tanto para os operadores sigma quanto para as matrizes sigma, como você quiser.

11–3 A solução da equação de dois estados

Podemos escrever nossas equações de dois estados de várias formas; por exemplo, desta maneira

$$i\hbar \frac{dC_i}{dt} = \sum_j H_{ij}C_j$$

ou

$$i\hbar \frac{d|\psi\rangle}{dt} = \hat{H}|\psi\rangle. \qquad (11.30)$$

Ambas significam a mesma coisa. Para uma partícula de spin semi-inteiro em um campo magnético, a Hamiltoniana H é dada pela Eq. (11.8) ou pela Eq. (11.13).

Se o campo estiver na direção z, então – como já vimos algumas vezes até agora – a solução é que o estado $|\psi\rangle$, qualquer que seja, precessa ao redor de z (exatamente como se você tivesse um objeto e o girasse ao redor do seu eixo z) a uma velocidade angular igual a duas vezes o campo magnético vezes $\mu/\hbar$. É claro, o mesmo é verdade, para um campo magnético ao longo das outras direções, pois a física é independente do sistema de coordenadas. Se tivermos uma situação na qual o campo magnético varia no tempo de uma forma complicada, então podemos analisar a situação da seguinte maneira. Suponha que você comece com o spin na direção $+z$ e possua um campo magnético em x. O spin começa a girar. Então, se o campo em x é desligado, o spin para de girar. Se ligarmos agora um campo z o spin precessa ao redor de z e assim por diante. Assim, dependendo de como o campo varia no tempo, você pode calcular qual é o estado final – ao longo de que eixo ele irá apontar. Dessa maneira, você pode relacionar esse estado aos originais $|+\rangle$ e $|-\rangle$ com relação ao eixo z, usando as fórmulas para a projeção que temos no Capítulo 10 (ou Capítulo 6). Se o estado termina com seu spin na direção (θ, ϕ), ele terá uma amplitude $\cos(\theta/2)e^{-i\phi/2}$ de apontar para cima e $\sin(\theta/2)e^{+i\phi/2}$ de apontar para baixo. Isso resolve qualquer problema. Essa é uma discussão verbal das soluções das equações diferenciais.

A solução que acabamos de descrever é geral o suficiente para darmos conta de *qualquer sistema de dois estados*. Vamos usar o nosso exemplo da molécula de amônia – incluindo os efeitos de uma campo elétrico. Se descrevermos esse sistema em termos dos estados $|I\rangle$ e $|II\rangle$, as Equações (9.38) e (9.39) se parecerão com isto:

$$i\hbar \frac{dC_I}{dt} = +AC_I + \mu\mathcal{E}C_{II},$$

$$i\hbar \frac{dC_{II}}{dt} = -AC_{II} + \mu\mathcal{E}C_I. \qquad (11.31)$$

Você diz, "Não, eu me lembro que existia um E_0 ali". Bem, nós modificamos a origem da energia, de modo que E_0 seja zero. (Sempre podemos fazer isso, mudando as amplitudes por um mesmo fator – $e^{iE_0T/\hbar}$ – e nos livrando de qualquer constante de energia.) Agora, se as equações correspondentes possuem a mesma solução, não precisamos fazer isso duas vezes. Se olharmos para essas equações e para a Eq. (11.1), então podemos fazer as seguintes identificações. Chamaremos de $|I\rangle$ o estado $|+\rangle$ e de $|II\rangle$ o estado $|-\rangle$. Isso *não significa* de modo algum que estejamos alinhando a molécula no espaço, ou que $|+\rangle$ e $|-\rangle$ tenham algo a ver com o eixo z. Tudo isso é puramente artificial. Temos um espaço artificial que podemos chamar de "espaço representativo da molécula de amônia", ou qualquer outra coisa – um "diagrama" tridimensional no qual estar "para cima" corresponde a ter a molécula no estado $|I\rangle$ e estar "para baixo", ao longo desse falso eixo z, corresponde a termos a molécula no estado $|II\rangle$. Então as equações serão identificadas como segue. Antes de tudo, vemos que a Hamiltoniana pode ser escrita em termos das matrizes sigma como

$$H = +A\sigma_z + \mu\mathcal{E}\sigma_x. \qquad (11.32)$$

Ou, escrevendo de outra maneira, μB_z na Eq. (11.1) corresponde a $-A$ na Eq. (11.32) e μB_x corresponde a $-\mu\mathcal{E}$. Em nosso espaço "modelo", então, temos um campo B constante ao longo da direção z. Se tivermos um campo elétrico $\mathcal{E}$ que está variando no tempo, então temos um campo B, ao longo da direção x, que varia em proporção. *Assim, o comportamento de um elétron em um campo magnético com uma componente constante na direção z e uma componente oscilante na direção x é matematicamente* *análogo e correspondente exatamente ao comportamento de uma molécula de amônia em um campo elétrico oscilante.* Infelizmente, não temos tempo para entrar nos detalhes desta correspondência ou para calcular qualquer detalhe técnico. Somente desejamos assinalar o ponto de que *todos* os sistemas de dois estados podem ser tratados de uma forma análoga a um objeto de spin semi-inteiro que precessa em um campo magnético.

11–4 Estados de polarização do fóton

Existem outros sistemas de dois estados que são interessantes para o nosso estudo. Para descrever um fóton, devemos dar primeiro o seu vetor momento. Para um fóton livre, a frequência é determinada pelo momento, assim também não temos de dizer o que é a frequência. Além disso, ainda temos uma propriedade chamada de polarização. Imagine que temos um fóton com uma frequência monocromática definida (que iremos manter a mesma ao longo de toda a nossa discussão, para que não tenhamos uma grande variedade de estados de momento.) Então existem duas direções de polarização. Na teoria clássica, a luz pode ser descrita como tendo um campo elétrico que oscila horizontalmente ou um campo elétrico que oscila verticalmente (por exemplo); esses dois tipos de luz são chamados de luz polarizada x ou luz polarizada y. A luz também pode ser polarizada em alguma outra direção, o que pode ser feito pela superposição de campos na direção x e y. Ou se você tomar componentes x e y fora de fase por 90°, você obterá um campo elétrico que gira – a luz é polarizada elipticamente. (Essa é somente uma rápida recordação da teoria clássica da polarização da luz que estudamos no Capítulo 33, Vol. I.)

Suponha agora que tenhamos um *único* fóton – somente um. Não existe um campo elétrico para podermos discutir da maneira anterior. Tudo que temos é *um fóton*, mas *um fóton* tem de ter o seu análogo nos fenômenos clássicos de polarização. Deve haver pelo menos dois tipos diferentes de fótons. Primeiramente, você pode pensar que deve existir uma variedade infinita – depois de tudo, o vetor campo elétrico pode apontar em toda a classe de direções. Entretanto, podemos descrever a polarização de um fóton como um sistema de dois estados. Um fóton pode estar no estado $|x\rangle$ ou no estado $|y\rangle$. Por $|x\rangle$ entendemos os estados de polarização de um dos fótons em um feixe de luz que *classicamente* é polarizado na direção x. Por outro lado, $|y\rangle$ significa que o estado de polarização de cada um dos fótons em um feixe é polarizado na direção y. Então, podemos tomar $|x\rangle$ e $|y\rangle$ como os estados da base de um fóton com um momento dado apontando na sua direção – a qual chamaremos de direção z. Assim, temos dois estados da base $|x\rangle$ e $|y\rangle$, e eles são tudo de que necessitamos para descrever qualquer fóton.

Por exemplo, se tivermos um pedaço de polaroide com seu eixo onde a luz polarizada passa na direção x, e enviarmos um fóton que sabemos estar na direção $|y\rangle$, ele será completamente absorvido pelo polaroide. Se enviarmos um fóton que sabemos estar no estado $|x\rangle$, ele irá passar através dele como $|x\rangle$. Se pegarmos um pedaço de calcita que divide um feixe de luz polarizada em um feixe no estado $|x\rangle$ e outro no estado $|y\rangle$, essa lâmina é completamente análoga ao aparato de Stern-Gerlach, que divide um feixe de átomos de prata em dois estados, $|+\rangle$ e $|-\rangle$. Então, tudo o que fizemos antes com partículas e com o aparato de Stern-Gerlach, podemos fazer novamente com a luz e o pedaço de calcita. O que ocorre então com a luz filtrada através de um polaroide que faz um ângulo θ? Isso é outro estado? De fato, é outro estado sim. Vamos chamar o eixo desse polaroide de x' para distingui-lo dos nossos estados da base. Veja a Fig. 11-2. Um fóton que sai por ele deve estar no estado $|x'\rangle$. Porém, qualquer estado pode ser representado como uma combinação linear dos nossos estados da base, e a fórmula para essa combinação é,

$$|x'\rangle = \cos\theta\,|x\rangle + \mathrm{sen}\,\theta\,|y\rangle. \tag{11.33}$$

Ou seja, se um fóton atravessa um polaroide que forma um ângulo θ (com relação ao x), ele ainda pode ser resolvido nos feixes $|x\rangle$ e $|y\rangle$ – mediante uma lâmina de calcita, por exemplo. Ou pode, se desejar, apenas analisá-lo nas coordenadas x e y, mentalmente. De

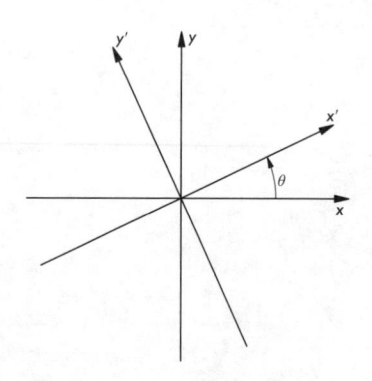

Figura 11-2 Coordenadas em ângulos retos do vetor momento do fóton.

qualquer maneira, sempre irá encontrar a amplitude $\cos\theta$ no estado $|x\rangle$ e a amplitude $\text{sen}\,\theta$ no estado $|y\rangle$.

Agora, nos perguntamos: suponha que um fóton esteja polarizado na direção x por um pedaço de polaroide que forma um ângulo θ, e que chega em um polaroide a um ângulo zero, como na Fig. 11-3; o que irá acontecer? Com qual probabilidade ele irá atravessar? A resposta é a seguinte. Após atravessar o primeiro polaroide, ele com certeza está no estado $|x'\rangle$. O segundo polaroide deixará que o fóton passe, se ele se encontrar no estado $|x\rangle$ (mas o absorverá se estiver no estado $|y\rangle$). Então estamos perguntando qual a probabilidade de o fóton aparecer no estado $|x\rangle$. Obtemos essa probabilidade do quadrado do valor absoluto da amplitude $\langle x|x'\rangle$ que um fóton no estado $|x'\rangle$ esteja também no estado $|x\rangle$. O que é $\langle x|x'\rangle$? Apenas multiplique a Eq. (11.33) por $\langle x|$ para obter

$$\langle x | x' \rangle = \cos\theta \langle x | x \rangle + \text{sen}\,\theta \langle x | y \rangle.$$

Agora $\langle x|y\rangle = 0$, pela física – como eles *devem* ser, se $|x\rangle$ e $|y\rangle$ são os estados da base – e $\langle x|x\rangle = 1$. Então, obtemos

$$\langle x | x' \rangle = \cos\theta,$$

e a probabilidade é $\cos^2\theta$. Por exemplo, se o primeiro polaroide está a 30°, um fóton atravessará em 3/4 das vezes; em 1/4 das vezes, o fóton colidirá, sendo absorvido.

Agora vamos ver o que acontece classicamente, na mesma situação. Teríamos um feixe de luz com um campo elétrico que está variando em uma direção ou outra – digamos "não polarizado". Depois de atravessar o primeiro polaroide, o campo elétrico estará oscilando na direção x' e com um tamanho $\mathcal{E}$; podemos desenhar o campo como um vetor que oscila com um valor máximo $\mathcal{E}_0$, no diagrama mostrado na Fig. 11-4. Agora, quando a luz chega no segundo polaroide, somente a componente x, $\mathcal{E}_0\cos\theta$, do campo elétrico passa por ele. A *intensidade* é proporcional ao quadrado do campo elétrico e, por isso, a $\mathcal{E}_0^2 \cos^2\theta$. Assim, a energia que está passando é $\cos^2\theta$ mais fraca que a que penetra no último polaroide.

As figuras clássica e quântica nos dão resultados similares. Se você lança 10 bilhões de fótons no segundo polaroide, a probabilidade média de que cada um atravesse é, digamos 3/4, então você esperará que 3/4 dos 10 bilhões passem. Dessa maneira, a energia que eles transportariam seria 3/4 da energia que eles tinham antes de passar. A teoria clássica não nos diz nada sobre essa estatística – ela simplesmente nos diz que a energia que atravessa será precisamente 3/4 da energia que enviamos. Isso, obviamente, é impossível se existir somente um fóton. Não existe algo como 3/4 de um fóton. Ou ele está *inteiro*, ou não está. A mecânica quântica nos diz que ele estará *todo* lá 3/4 do *tempo*. A relação das duas teorias é clara.

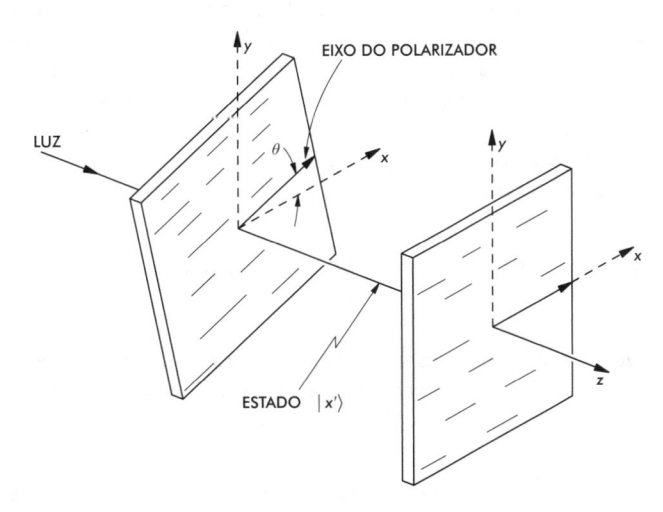

Figura 11-3 Duas lâminas de polaroide com um ângulo θ entre os planos de polarização.

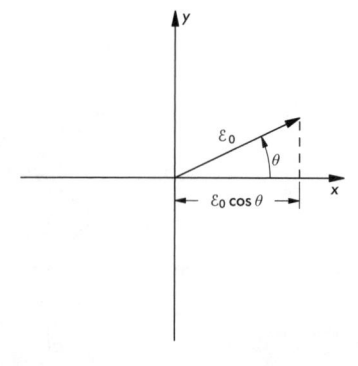

Figura 11–4 Figura clássica do vetor campo elétrico ε.

E sobre os outros tipos de polarização? Por exemplo, polarização circular da mão direita? Na teoria clássica, polarização circular da mão direita possui componentes iguais em x e y e estão 90° fora de fase. Na teoria quântica, um fóton com polarização circular da mão direita possui amplitudes iguais para essa polarização $|x\rangle$ e $|y\rangle$, e as *amplitudes* estão defasadas de 90°. Chamando um fóton RHC de estado $|R\rangle$ e o fóton LHC de estado $|L\rangle$, podemos escrever (veja Volume I, Seção 33-1)

$$|R\rangle = \frac{1}{\sqrt{2}}(|x\rangle + i|y\rangle),$$
$$|L\rangle = \frac{1}{\sqrt{2}}(|x\rangle - i|y\rangle). \quad (11.34)$$

colocamos o fator $1/\sqrt{2}$ para deixar os estados normalizados. Com esses estados, você pode calcular qualquer efeito de filtros ou de interferência que quiser, usando as leis da teoria quântica. Se quiser, você pode escolher $|R\rangle$ e $|L\rangle$ como os estados da base, e representar qualquer coisa em termos deles. Você somente precisa mostrar primeiro que $\langle R|L\rangle = 0$ – o que você pode fazer tomando a forma conjugada da primeira das equações anteriores [veja a Eq. (8.13)] e multiplicando-a pela outra. Você pode decompor a luz com relação aos estados de polarização x e y, x' e y', ou polarização direita ou esquerda.

Somente com exemplo, vamos tentar voltar às nossas equações anteriores. Podemos representar o estado $|x\rangle$ como uma combinação linear de direita e esquerda? Sim, aqui está:

$$|x\rangle = \frac{1}{\sqrt{2}}(|R\rangle + |L\rangle),$$
$$|y\rangle = -\frac{i}{\sqrt{2}}(|R\rangle - |L\rangle). \quad (11.35)$$

Prova: Some e subtraia as duas equações em (11.34). É muito fácil passar de uma forma para outra.

Desse modo, temos de falar de um ponto curioso. Se um fóton estiver polarizado circularmente para a direita, ele não deverá ter nada a ver com os eixos x e y. Se considerarmos a mesma coisa como um sistema de coordenadas girando a um certo ângulo ao redor da direção de propagação, a luz ainda estará com uma polarização circular polarizada à direita ou à esquerda. A luz polarizada para a direita ou esquerda é a mesma para qualquer rotação ao redor da direção de propagação. Essa definição é independente da escolha da direção x (exceto quando a direção do fóton é dada). Isso não é interessante? Não necessita de nenhum eixo para sua definição. Muito melhor que x e y. Por outro lado, não é um milagre que quando você *soma* as polarizações direita e esquerda, pode encontrar qual é a direção x? Se "direita" ou "esquerda" não dependem de x de qualquer maneira, por que quando as colocamos juntas obtemos x? Podemos, em parte, responder a essa pergunta especificando o estado $|R'\rangle$, que representa um fóton com polarização RHC na direção do sistema x', y'. Nesse sistema, você pode escrever:

$$|R'\rangle = \frac{1}{\sqrt{2}}(|x'\rangle + i|y'\rangle).$$

Qual é a aparência desse estado no sistema x, y? Simplesmente substituímos $|x'\rangle$ da Eq. (11.33) e o $|y'\rangle$ correspondente; não escrevemos isso antes, mas é $(-\text{sen }\theta)|x\rangle + (\cos\theta)|y\rangle$. Então

$$|R'\rangle = \frac{1}{\sqrt{2}} [\cos\theta \, |x\rangle + \sen\theta \, |y\rangle - i\sen\theta \, |x\rangle + i\cos\theta \, |y\rangle]$$

$$= \frac{1}{\sqrt{2}} [(\cos\theta - i\sen\theta) \, |x\rangle + i(\cos\theta - i\sen\theta) \, |y\rangle]$$

$$= \frac{1}{\sqrt{2}} (|x\rangle + i \, |y\rangle)(\cos\theta - i\sen\theta).$$

O primeiro termo é simplesmente $|R\rangle$, e o segundo termo é $e^{-i\theta}$, nosso resultado é

$$|R'\rangle = e^{-i\theta} \, |R\rangle. \tag{11.36}$$

Os estados $|R'\rangle$ e $|R\rangle$ são os mesmos, exceto pelo fator de fase $e^{-i\theta}$. Se fizermos o mesmo para $|L'\rangle$, obtemos[†]

$$|L'\rangle = e^{+i\theta} \, |L\rangle. \tag{11.37}$$

Agora você vê o que acontece. Se somarmos $|R\rangle$ e $|L\rangle$, obtemos algo diferente do que temos somando $|R'\rangle$ e $|L'\rangle$. Por exemplo, um fóton polarizado na direção x é [Eq. (11.35)] a soma de $|R\rangle$ e $|L\rangle$, mas um fóton polarizado na direção y é essa mesma soma, porém com a fase de um deslocada em 90° para frente ou para trás. Isso é exatamente o que obteríamos da soma de $|R'\rangle$ e $|L'\rangle$ para o ângulo especial $\theta = 90°$. Uma polarização x no referencial acima é a mesma coisa que uma polarização y no referencial original. Então, não é exatamente verdade que fótons polarizados circularmente parecem a mesma coisa para qualquer conjunto de eixos. Sua *fase* (a relação da fase entre os estados de polarização circular direita e esquerda) mantém o caminho da direção x.

11–5 O méson K neutro[‡]

Agora vamos descrever um sistema de dois estados no mundo das partículas estranhas – um sistema ao qual a mecânica quântica dá uma notável previsão. Para descrevê-lo completamente, deveríamos nos envolver em uma grande quantidade de matéria sobre as partículas estranhas, a qual, infelizmente, teremos de cortar. Podemos somente fornecer um resumo sobre a sua descoberta para mostrar-lhe as razões que estavam envolvidas. Tudo começou na descoberta do conceito de *estranheza*, por Gell-Mann e Nishijima, e de uma nova lei, a *conservação da estranheza*. Foi quando Gell-Mann e Pais estavam analisando as consequências dessas novas ideias que eles esbarraram com a predição de um fenômeno muito notável que iremos descrever. Primeiro temos de falar um pouco sobre "estranheza".

Devemos começar com as chamadas *interações fortes* das partículas nucleares. Elas são as interações responsáveis pelas forças nucleares fortes – que são distintas, por exemplo, das interações eletromagnéticas, relativamente mais fracas. As interações são "fortes" no sentido de que se duas partículas se aproximam o bastante para interagir, elas interagem tão fortemente que produzem outras partículas muito facilmente. As partículas nucleares possuem também o que se chama de "interações fracas", por meio das quais

---

[†] Isso é muito similar ao que encontramos (no Capítulo 6) para partículas de spin semi-inteiro. Quando giramos os sistemas de coordenadas ao redor do eixo z, obtemos o fator de fase $e^{\pm i\phi/2}$. Isso é, de fato, exatamente o que escrevemos na Seção 5-7 para os estados de spin semi-inteiro $|+\rangle$ e $|-\rangle$, o que não é nenhuma coincidência. O fóton é uma partícula de spin um que não possui, entretanto, estado "zero".

[‡] Percebemos agora que o material desta seção é mais longo e difícil do que seria apropriado neste ponto de desenvolvimento. Sugerimos que você o pule e continue a partir da Seção 11-6. Se você for ambicioso e tiver tempo, retorne mais tarde. Ele será mantido aqui, pois é um exemplo bonito – tomado dos mais recentes trabalhos de física de alta energia – do que pode ser feito com o nosso formalismo da mecânica quântica dos sistemas de dois estados.

algumas coisas podem acontecer, tal como o decaimento beta, mas sempre lentamente na escala de tempo nuclear – as interações fracas são muitas ordens de magnitude mais fracas que as interações fortes e também muito mais fracas que as interações eletromagnéticas.

Quando estavam estudando as interações fortes com os grandes aceleradores, as pessoas ficaram surpresas em descobrir que certas coisas que "deveriam" acontecer – que eram esperadas – não ocorriam. Por exemplo, em algumas interações uma partícula de um tipo não aparecia quando era esperada. Gell-Mann e Nishijima notaram que muitos desses acontecimentos peculiares poderiam ser explicados inventando-se uma nova lei de conservação: a *conservação da estranheza*. Eles propuseram que havia um novo tipo de atributo associado com cada partícula – que eles chamaram de número de "estranheza" – e que em qualquer interação forte a "quantidade de estranheza" deveria ser conservada.

Suponha, por exemplo, que um méson K negativo de alta energia – digamos muitos GeV – colide com um próton. Da interação poderiam emergir muitas outras partículas: mésons π, mésons K, partículas lambda, partículas sigma – qualquer um dos mésons ou bárions listados na Tabela 2-2 do Volume I. Observou-se, entretanto, que somente algumas combinações apareciam, e nunca outras. Agora, algumas leis de conservação já eram conhecidas e poderiam ser aplicadas. Primeiro, a energia e o momento sempre se conservam. A energia total e o momento antes do evento devem ser os mesmos depois do evento. Em segundo lugar, existe a conservação da carga elétrica que diz que a carga total das partículas que saem deve ser igual à "carga total" carregada pelas partículas originais. Em nosso exemplo, do méson K colidindo com o próton, as seguintes reações *devem* ocorrer:

$$\mathrm{K}^- + \mathrm{p} \rightarrow \mathrm{p} + \mathrm{K}^- + \pi^+ + \pi^- + \pi^0$$

ou
$$\mathrm{K}^- + \mathrm{p} \rightarrow \Sigma^- + \pi^+. \tag{11.38}$$

Nunca vamos observar:

$$\mathrm{K}^- + \mathrm{p} \rightarrow \mathrm{p} + \mathrm{K}^- + \pi^+ \quad \text{ou} \quad \mathrm{K}^- + \mathrm{p} \rightarrow \Lambda^0 + \pi^+, \tag{11.39}$$

devido à conservação da carga. Também era conhecido que o *número* de *bárions* se conserva. O número de bárions *saindo* deve ser igual ao número de bárions *chegando*. A partir dessa lei, uma *antipartícula* de um bárion é contada como *menos* um bárion. Isso significa que podemos ver – e *realmente* vemos:

$$\mathrm{K}^- + \mathrm{p} \rightarrow \Lambda^0 + \pi^0$$

ou
$$\mathrm{K}^- + \mathrm{p} \rightarrow \mathrm{p} + \mathrm{K}^- + \mathrm{p} + \bar{\mathrm{p}} \tag{11.40}$$

(onde $\bar{\mathrm{p}}$ é o antipróton, que carrega uma carga negativa). No entanto, *nunca* veremos

$$\mathrm{K}^- + \mathrm{p} \rightarrow \mathrm{K}^- + \pi^+ + \pi^0$$

ou
$$\mathrm{K}^- + \mathrm{p} \rightarrow \mathrm{p} + \mathrm{K}^- + \mathrm{n} \tag{11.41}$$

(mesmo quando houver muita energia), pois os bárions não se conservam.

Essas leis, entretanto, *não* explicam o estranho fato de que as seguintes reações – que de imediato não parecem ser muito diferentes daquelas de (11.38) ou (11.40) – também não são observadas:

$$\mathrm{K}^- + \mathrm{p} \rightarrow \mathrm{p} + \mathrm{K}^- + \mathrm{K}^0$$

ou
$$\mathrm{K}^- + \mathrm{p} \rightarrow \mathrm{p} + \pi^- \tag{11.42}$$

ou
$$\mathrm{K}^- + \mathrm{p} \rightarrow \Lambda^0 + \mathrm{K}^0.$$

A explicação para isso é a conservação da estranheza. Cada partícula é acompanhada de um número – sua *estranheza S* –, e existe uma lei que em qualquer interação *forte*, a estranheza total *saindo* deve ser igual à estranheza total *chegando*. O próton e o antipróton (p,$\bar{p}$), o nêutron e o antinêutron (n, $\bar{n}$) e os mésons π (π^+, π^0, π^-), todos possuem número de estranheza *zero*; e os mésons K^+ e K^0 possuem estranheza $+1$; o K^- e $\bar{K}^0$ (o anti--K^0)[†], o Λ^0 e as partículas Σ ($+, 0, -$) possuem estranheza -1. Existe também uma partícula com estranheza -2 – a partícula Ξ ("csi" maiúsculo) – e talvez outras ainda desconhecidas. Fizemos uma lista dessas estranhezas na Tabela 11-4.

Vamos ver como a conservação da estranheza funciona em algumas das reações que escrevemos. Se começarmos com um K^- e um próton, temos uma estranheza total de $(-1 + 0) = -1$. A conservação da estranheza nos diz que a estranheza dos produtos *depois* da reação também deve ser -1. Você vê que é isso para as reações de (11.38) e (11.40), mas nas reações em (11.42) a estranheza no lado direito é *zero* em cada caso. Tais reações não conservam a estranheza, e não devem ocorrer. Por quê? Ninguém sabe. Não se sabe nada além do que já falamos aqui. A natureza funciona dessa maneira.

Agora vamos examinar a seguinte reação: um π^- se choca com um próton. Você pode, por exemplo, obter uma partícula Λ^0 mais uma partícula neutra K – duas partículas neutras. Qual K neutro você irá obter? Uma vez que as partículas Λ possuem estranheza -1, e o π e o p^+ possuem estranheza zero, e uma vez que isso é uma reação de rápida produção, a estranheza não deve variar. As partículas K devem possuir estranheza $+1$ – assim, devemos ter o K^0. A reação é

$$\pi^- + p \rightarrow \Lambda^0 + K^0,$$

com

$$S = 0 + 0 = -1 + +1 \quad \text{(conservado)}.$$

Se o $\bar{K}^0$ estiver lá, no lugar do K^0, a estranheza do lado direito deve ser -2, o que a natureza não permite já que a estranheza do lado esquerdo é zero. Por outro lado, o $\bar{K}^0$ pode ser produzido em outras reações, como

$$n + n \rightarrow n + \bar{p} + \bar{K}^0 + K^+,$$

$$S = 0 + 0 = 0 + 0 + -1 + +1$$

ou

$$K^- + p \rightarrow n + \bar{K}^0,$$

$$S = -1 + 0 = 0 + -1.$$

Você pode estar pensando, "Isso é uma perda de tempo; como sabemos quem é $\bar{K}^0$ ou K^0? Eles parecem ser os mesmos. Eles são uma antipartícula um do outro, então

Tabela 11–4
Número de estranheza das partículas que interagem fortemente

	S			
	-2	-1	0	$+1$
Bárions		Σ^+	p	
	Ξ^0	Λ^0, Σ^0	n	
	Ξ^-	Σ^-		
Mésons			π^+	K^+
		$\bar{K}^0$	π^0	K^0
		K^-	π^-	

Nota: O π^- é a antipartícula de π^+ (ou vice-versa).

---

† Lê-se "K-zero-barra".

possuem exatamente a mesma massa, e ambos possuem carga elétrica zero. Como você distingue um do outro?" Por meio das reações que *eles* produzem. Por exemplo, um $\overline{K}^0$ pode interagir com a matéria e produzir uma partícula Λ, assim:

$$\overline{K}^0 + p \rightarrow \Lambda^0 + \pi^+,$$

mas um K^0 não. *Não* existe uma maneira de um K^0 produzir uma partícula Λ quando ele interage com a matéria ordinária (prótons e nêutrons)[†]. Então, a distinção experimental entre um K^0 e um $\overline{K}^0$ deve ser que um deles irá, e o outro não, produzir um Λ.

Uma das previsões da teoria da estranheza é esta – se, em um experimento com píons de alta energia, uma partícula Λ for produzida com um méson K neutro, então *esse* méson K neutro indo em outros pedaços de matéria nunca produzirá um Λ. O experimento funciona da seguinte maneira. Você envia um feixe de mésons π^- em uma grande câmara de bolhas de hidrogênio. Um dos rastros do π^- desaparece, mas em algum lugar aparece um par de rastros (um próton e um π^-), indicando que uma partícula Λ foi desintegrada[‡] – veja a Fig. 11-5. Então você sabe que deve ter um K^0 em algum lugar que você não pode ver.

Você pode, entretanto, calcular onde ele estará, usando conservação do momento e energia. [Ele pode se revelar depois, através da sua desintegração em duas partículas, como mostrado na Fig. 11-5(a).] Quando o K^0 está viajando, ele pode interagir com um núcleo de hidrogênio (próton), produzindo talvez outras partículas. A previsão da teoria da estranheza é que ele *nunca* irá produzir uma partícula Λ em uma reação simples como,

$$K^0 + p \rightarrow \Lambda^0 + \pi^+,$$

apesar de um $\overline{K}^0$ poder. Ou seja, em uma câmara de bolhas, um $\overline{K}^0$ pode produzir o evento esboçado na Fig. 11-5(b) em que o Λ^0 é visto pois ele decai – mas um K^0 nunca. Essa é a primeira parte da nossa história. Essa é a conservação da estranheza.

Entretanto, a conservação da estranheza *não é perfeita*. Existem desintegrações muito lentas de partículas estranhas – decaimentos tomando um longo tempo, como 10^{-10} segundos[§], em que a estranheza *não* se conserva. Esses são chamados de decaimentos

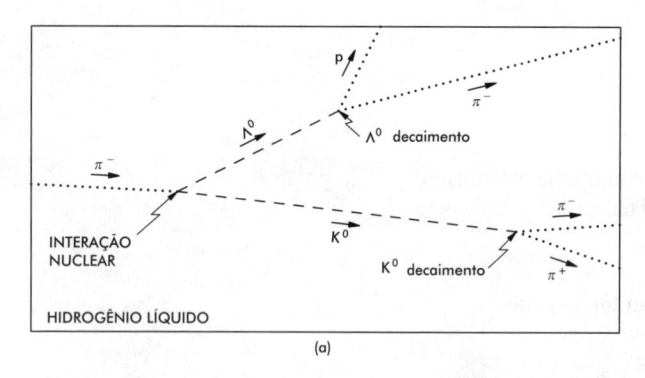

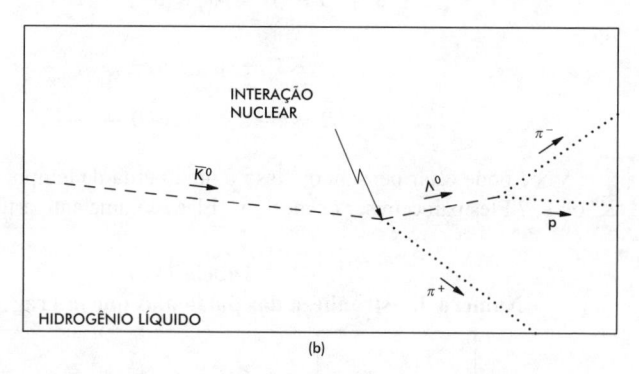

Figura 11-5 Eventos de alta energia como são vistos em uma câmara de bolhas de hidrogênio. (a) Um méson π^- interage com um núcleo de hidrogênio (próton) produzindo uma partícula Λ^0 e um méson K^0. Ambas as partículas decaem na câmara. (b) Um méson $\overline{K}^0$ interage com um próton produzindo um méson π^+ e uma partícula Λ^0 que então decaem. (As partículas neutras não deixam rastros. Suas trajetórias inferidas são indicadas aqui pelas linhas pontilhadas.)

[†] Exceto, é claro, se ele também produzir *dois* K^+ ou outras partículas com estranheza total $+2$. Podemos pensar aqui em reações nas quais não existe uma quantidade suficiente de energia para produzir essas partículas estranhas adicionais.

[‡] Uma partícula Λ livre decai devagar, via interação fraca (então a estranheza não precisa ser conservada). Os produtos do decaimento são um p e um π^-, ou um n e um π^0. O tempo de vida médio é $2,2 \times 10^{-10}$ s.

[§] O tempo típico para uma interação forte é de 10^{-23} s.

"fracos". Por exemplo, o K^0 se desintegra em um par de mésons π (+ e −) com uma vida média de 10^{-10} segundos. De fato, foi dessa maneira que as partículas K foram observadas pela primeira vez. Note que a reação de decaimento

$$K^0 \to \pi^+ + \pi^-$$

não conserva a estranheza, então ela não pode ocorrer muito "rapidamente" através de interação forte; ela pode somente ocorrer via processos de decaimentos fracos.

Agora, o $\bar{K}^0$ também se desintegra *da mesma maneira* – em um π^+ e um π^- – também com o mesmo tempo de vida média

$$\bar{K}^0 \to \pi^- + \pi^+.$$

Novamente temos um decaimento fraco porque ele não conserva a estranheza. Existe um princípio segundo o qual para qualquer reação existe uma reação correspondente na qual a "matéria" é substituída pela "antimatéria" e vice-versa. Uma vez que o $\bar{K}^0$ é a antipartícula do K^0, ele deve decair nas antipartículas dos π^+ e π^-, mas a antipartícula de um π^+ é um π^-. (Ou se você preferir, vice-versa. Para os mésons π, não importa o que você chama de "matéria".) Então, como uma consequência do decaimento fraco, o K^0 e o $\bar{K}^0$ resultam nos mesmos produtos finais. Quando "vistos" pelo seu decaimento – como em uma câmara de bolhas –, eles parecem a mesma partícula. Somente suas interações fortes são diferentes.

Agora, já estamos prontos para descrever o trabalho de Gell-Mann e Pais. Eles primeiro notaram que uma vez que o K^0 e o $\bar{K}^0$ podem, ambos, se transformar em estados de dois mésons π, deve haver alguma amplitude em que um K^0 vire um $\bar{K}^0$, e também um $\bar{K}^0$ vire um K^0. Escrevendo essas reações como se faz na química, teremos

$$K^0 \rightleftharpoons \pi^- + \pi^+ \rightleftharpoons \bar{K}^0. \tag{11.43}$$

Essas reações implicam que deve haver alguma amplitude por unidade de tempo, digamos $-i/\hbar$ vezes $\langle \bar{K}^0 | W | K^0 \rangle$, que um K^0 vire um $\bar{K}^0$ através da interação fraca, responsável pelo decaimento em dois mésons π. E existe uma amplitude correspondente $\langle K^0 | W | \bar{K}^0 \rangle$ para o processo inverso. Devido à matéria e à antimatéria se comportarem da mesma maneira, essas duas amplitudes são numericamente iguais; chamaremos ambas de A:

$$\langle \bar{K}^0 | W | K^0 \rangle = \langle K^0 | W | \bar{K}^0 \rangle = A. \tag{11.44}$$

Agora – Gell-Mann e Pais disseram – aqui temos uma situação interessante. O que as pessoas têm chamado de dois estados do mundo distintos – o K^0 e o $\bar{K}^0$ – deve ser realmente considerado como *um sistema* de dois estados, pois existe uma amplitude de um virar o outro. Para um tratamento completo, podemos, é claro, trabalhar com mais de dois estados, porque também existem os estados dos 2π, e assim por diante; mas como o principal interesse é na relação entre K^0 e o $\bar{K}^0$, eles não precisam complicar as coisas e podem fazer a aproximação a um sistema de dois estados. Os outros estados *foram* considerados no sentido de que seus efeitos estão implícitos na amplitude da Eq. (11.44).

De acordo com isso, Gell-Mann e Pais analisaram as partículas neutras como um sistema de dois estados. Eles começaram escolhendo como seus estados da base os estados $| K^0 \rangle$ e $| \bar{K}^0 \rangle$. (Daqui pra frente, a história é muito parecida com o que fizemos para a molécula de amônia.) Qualquer estado $| \psi \rangle$ das partículas K neutras pode ser descrito, dadas as amplitudes existentes em cada estado da base. Chamaremos essas amplitudes de

$$C_+ = \langle K^0 | \psi \rangle, \quad C_- = \langle \bar{K}^0 | \psi \rangle. \tag{11.45}$$

O próximo passo é escrever as equações Hamiltonianas para esse sistema de dois estados. Se não houver nenhum acoplamento entre o K^0 e o $\bar{K}^0$, as equações são simplesmente

$$i\hbar \frac{dC_+}{dt} = E_0 C_+,$$

$$i\hbar \frac{dC_-}{dt} = E_0 C_-. \tag{11.46}$$

Uma vez que existe uma amplitude $\langle K^0 | W | \overline{K}^0 \rangle$ para o $\overline{K}^0$ virar um K^0, deve haver então um termo adicional

$$\langle K^0 | W | \overline{K}^0 \rangle C_- = AC_-$$

somado ao lado direito da primeira equação. Da mesma maneira, um termo AC_+ deve ser inserido na equação para a taxa de variação de C_-.

Isso não é tudo. Quando o efeito dos dois píons é levado em conta, existe uma amplitude *adicional* para o K^0 se transformar *nele mesmo* através do processo

$$K^0 \to \pi^- + \pi^+ \to K^0.$$

A amplitude adicional, que iremos escrever como $\langle K^0 | W | K^0 \rangle$, é justamente igual à amplitude $\langle \overline{K}^0 | W | K^0 \rangle$, uma vez que as amplitudes de ir para um par de mésons π e vir desses são idênticas para os dois, K^0 e $\overline{K}^0$. Se você desejar, esse argumento pode ser escrito em mais detalhes. Primeiro escreva[†]

$$\langle \overline{K}^0 | W | K^0 \rangle = \langle \overline{K}^0 | W | 2\pi \rangle \langle 2\pi | W | K^0 \rangle$$

e

$$\langle K^0 | W | K^0 \rangle = \langle K^0 | W | 2\pi \rangle \langle 2\pi | W | K^0 \rangle.$$

Devido à simetria da matéria e da antimatéria

$$\langle 2\pi | W | K^0 \rangle = \langle 2\pi | W | \overline{K}^0 \rangle,$$

e também

$$\langle K^0 | W | 2\pi \rangle = \langle \overline{K}^0 | W | 2\pi \rangle.$$

Disso, obtemos que $\langle K^0 | W | K^0 \rangle = \langle \overline{K}^0 | W | K^0 \rangle$, e também que $\langle \overline{K}^0 | W | K^0 \rangle = \langle K^0 | W | \overline{K}^0 \rangle$, como havíamos dito antes. De qualquer forma, existem duas amplitudes adicionais $\langle K^0 | W | K^0 \rangle$ e $\langle \overline{K}^0 | W | \overline{K}^0 \rangle$, ambas iguais a A, que podem ser incluídas nas equações Hamiltonianas. A primeira nos dá o termo AC_+ do lado direito da equação para dC_+/dt e a segunda nos dá um novo termo AC_- na equação para dC_-/dt. Raciocinando dessa maneira, Gell-Mann e Pais concluíram que as equações Hamiltonianas para o sistema $K^0 \overline{K}^0$ devem ser

$$i\hbar \frac{dC_+}{dt} = E_0 C_+ + AC_- + AC_+,$$

$$i\hbar \frac{dC_-}{dt} = E_0 C_- + AC_+ + AC_-. \tag{11.47}$$

Devemos agora corrigir o que dissemos em capítulos anteriores: que duas amplitudes como $\langle K^0 | W | \overline{K}^0 \rangle$ e $\langle \overline{K}^0 | W | K^0 \rangle$, que são o inverso uma da outra, são sempre complexos conjugados. Isso é verdade quando estamos pensando sobre partículas que não decaem. No entanto se as partículas podem decair – e podem, portanto, "se perder" –, as duas amplitudes não são necessariamente complexos conjugados. Então a igualdade de (11.44) não significa que as amplitudes sejam números reais; elas são de fato números complexos. O coeficiente A é, consequentemente, complexo; assim, não podemos somente incorporá-lo na energia E_0.

[†] Aqui estamos fazendo uma simplificação. O sistema 2π pode ter muitos estados correspondendo aos vários momentos do méson π, e devemos fazer o lado direito desta equação em uma soma dos vários estados de base dos π. O tratamento completo ainda leva às mesmas conclusões.

Tendo tratado com frequência com os spins dos elétron e coisas parecidas, nossos heróis sabiam que as equações Hamiltonianas de (11.47) significavam que havia outro par de estados da base que também poderia ser usado para representar o sistema de partículas K e que teria um comportamento especialmente simples. Eles disseram, "Vamos tomar a soma e a diferença dessas duas equações. Também, vamos medir todas as energias a partir de E_0 e usar as unidades para energia e para o tempo que fazem $\hbar = 1$". (Isso é o que os modernos físicos teóricos sempre fazem. Isso não muda a física, mas faz as equações terem uma forma simples.) Eles obtiveram:

$$i\frac{d}{dt}(C_+ + C_-) = 2A(C_+ + C_-), \qquad i\frac{d}{dt}(C_+ - C_-) = 0. \qquad (11.48)$$

É aparente que a combinação das amplitudes $(C_+ + C_-)$ e $(C_+ - C_-)$ atuam independentemente uma da outra (correspondendo, é claro, aos estados estacionários que havíamos estudado antes). Então, eles concluíram que era muito mais conveniente usar uma representação diferente para as partículas K. Eles definiram dois estados

$$|K_1\rangle = \frac{1}{\sqrt{2}}(|K^0\rangle + |\overline{K}^0\rangle), \qquad |K_2\rangle = \frac{1}{\sqrt{2}}(|K^0\rangle - |\overline{K}^0\rangle). \qquad (11.49)$$

E disseram que ao invés de pensarmos nos mésons K^0 e $\overline{K}^0$, poderíamos igualmente pensar em termos de duas "partículas" (ou seja, "estados") K_1 e K_2. (Isso corresponde, é claro, aos estados que usualmente chamamos de $|I\rangle$ e $|II\rangle$. Não estamos usando a nossa notação antiga pois queremos seguir a notação original dos autores – que é a que vocês irão ver nos seminários.)

Agora, Gell-Mann e Pais não fizeram tudo isso somente para dar nome às partículas – há também uma certa física nova e estranha nisso. Suponha que C_1 e C_2 sejam as amplitudes de que um certo estado $|\psi\rangle$ seja um méson K_1 ou um méson K_2:

$$C_1 = \langle K_1|\psi\rangle, \qquad C_2 = \langle K_2|\psi\rangle.$$

A partir das equações de (11.49),

$$C_1 = \frac{1}{\sqrt{2}}(C_+ + C_-), \qquad C_2 = \frac{1}{\sqrt{2}}(C_+ - C_-). \qquad (11.50)$$

Então as Eqs. (11.48) tornam-se

$$i\frac{dC_1}{dt} = 2AC_1, \qquad i\frac{dC_2}{dt} = 0. \qquad (11.51)$$

As soluções são

$$C_1(t) = C_1(0)e^{-i2At}, \qquad C_2(t) = C_2(0), \qquad (11.52)$$

onde, é claro, $C_1(0)$ e $C_2(0)$ são as amplitudes em $t = 0$.

Essas equações dizem que se uma partícula neutra K começa no estado $|K_1\rangle$ em $t = 0$, [então $C_1(0) = 1$ e $C_2(0) = 0$], as amplitudes no tempo t são

$$C_1(t) = e^{-i2At}, \qquad C_2(t) = 0.$$

Lembrando que A é um número complexo, é conveniente escrever $2A = \alpha - i\beta$. (Posto que a parte imaginária de $2A$ é negativa, escrevemos isso como *menos* $i\beta$.) Com essa substituição, $C_1(t)$ fica

$$C_1(t) = C_1(0)e^{-\beta t}e^{-i\alpha t}. \qquad (11.53)$$

A probabilidade de encontrar uma partícula K_1 no tempo t é o módulo quadrado dessa amplitude, que é $e^{-2\beta t}$. E, das Eqs. (11.52), a probabilidade de encontrar o estado K_2 em qualquer tempo é zero. Isso significa que se você tem uma partícula K no estado $|K_1\rangle$, a probabilidade de você encontrá-la no mesmo estado decresce exponencialmente com o tempo, mas você nunca irá encontrá-la no estado $|K_2\rangle$. Para onde ela vai? Ela se desintegra em dois mésons π com vida média de $\tau = 1/2\beta$, que é, experimentalmente, 10^{-10} s. Já havíamos previsto isso, quando dissemos que A era complexo.

Por outro lado, a Eq. (11.52) diz que se temos uma partícula K completamente no estado K_2, ela ficará aí para sempre. Bem, isso não é realmente verdade. É observado experimentalmente que ela se desintegra em *três* mésons π, mas 600 vezes mais lentamente que a desintegração em dois píons que descrevemos. Ainda há outros pequenos termos que deixamos de lado em nossa aproximação, mas se considerarmos somente a desintegração em dois píons, o estado K_2 irá durar "para sempre".

Agora, vamos terminar a história de Gell-Mann e Pais. Eles continuaram considerando o que acontece quando uma partícula K é produzida *com uma partícula* Λ^0 em uma interação *forte*. Uma vez que ela deve ter então uma estranheza de $+1$, ela deve ser produzida no estado de K^0. Então, em $t = 0$ ela não é nem K_1 nem K_2, mas uma *mistura*. As condições iniciais são

$$C_+(0) = 1, \quad C_-(0) = 0.$$

Isso significa – da Eq. (11.50) – que

$$C_1(0) = \frac{1}{\sqrt{2}}, \quad C_2(0) = \frac{1}{\sqrt{2}},$$

e – a partir das Equações (11.52) e (11.53) – que

$$C_1(t) = \frac{1}{\sqrt{2}} e^{-\beta t} e^{-i\alpha t}, \quad C_2(t) = \frac{1}{\sqrt{2}}. \tag{11.54}$$

Agora lembre-se de que K^0 e $\bar{K}^0$ são, cada um, combinações lineares de K_1 e K_2. Nas Eqs. (11.54) as amplitudes têm de ser escolhidas tal que em $t = 0$ a parte $\bar{K}^0$ se cancele uma com a outra por interferência, sobrando somente o estado K^0. Contudo, o estado $|K_1\rangle$ *varia com o tempo*, e o estado $|K_2\rangle$ *não*. Depois de $t = 0$, a interferência de C_1 e C_2 nos dará amplitudes finitas para ambos, K^0 e $\bar{K}^0$.

O que isso significa? Vamos voltar um pouco e pensar no experimento que esquematizamos na Fig. 11-5. Um méson π^- produziu uma partícula Λ^0 e um méson K^0 está deslizando pelo hidrogênio na câmara de bolhas. À medida que ele avança, existe uma pequena mas uniforme chance de que ele venha a colidir com um núcleo de hidrogênio. Primeiro pensávamos que a conservação da estranheza impediria uma partícula K de criar uma partícula Λ^0 em tais interações. Entretanto, agora vemos que isso não está certo. Apesar de nossa partícula K *começar* como um K^0 – que não pode produzir um Λ^0 –, ela não *fica* dessa maneira. Após um tempo, existe alguma *amplitude* para ela saltar para o estado $\bar{K}^0$. Consequentemente, podemos esperar ver Λ^0 sendo produzido ao longo do caminho da partícula K. A chance de isso ocorrer é dada pela amplitude C_-, que podemos [usando a Eq. (11.50)] relacionar com C_1 e C_2. A relação é

$$C_- = \frac{1}{\sqrt{2}}(C_1 - C_2) = \tfrac{1}{2}(e^{-\beta t}e^{-i\alpha t} - 1). \tag{11.55}$$

À medida que a nossa partícula K avança, a probabilidade de que ela "atue como" um $\bar{K}^0$ é igual a $|C_-|^2$, que é

$$|C_-|^2 = \tfrac{1}{4}(1 + e^{-2\beta t} - 2e^{-\beta t} \cos \alpha t). \tag{11.56}$$

Um resultado complicado e estranho!

Então, essa é a previsão notável de Gell-Mann e Pais: quando um K^0 é produzido, a chance de ele se tornar um $\bar{K}^0$ – como se pode demonstrar sendo capaz de produzir um Λ^0 – varia com o tempo de acordo com a Eq. (11.56). Essa previsão surgiu do uso de pura lógica e dos princípios básicos de mecânica quântica sem nenhum conhecimento de todo o funcionamento interno da partícula K. Uma vez que ninguém sabe algo sobre o mecanismo interno, isso é o mais longe que Gell-Mann e Pais conseguiram avançar. Eles não poderiam dar nenhum valor teórico para α e β. E ninguém era capaz de fazer

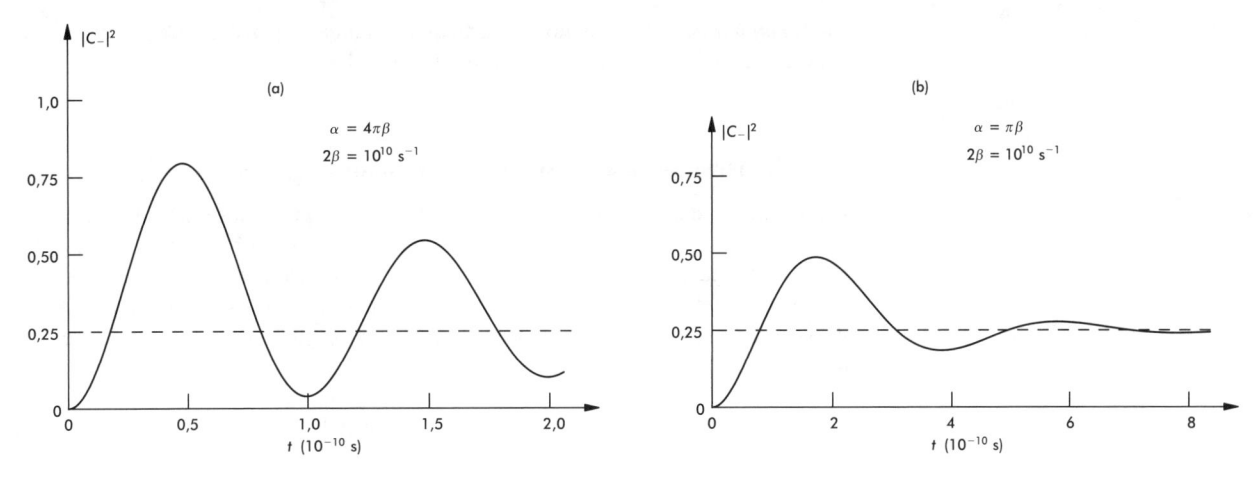

Figura 11–6 Função da Eq. (11.56): (a) para $\alpha = 4\pi\beta$, (b) para $\alpha = \pi\beta$ (com $2\beta = 10^{10}\,\text{s}^{-1}$).

isso nessa época. Eles puderam dar um valor para β obtido experimentalmente da taxa de decaimento em dois π ($2\beta = 10^{10}\,\text{s}^{-1}$), mas não puderam dizer nada sobre α.

Desenhamos a função da Eq. (11.56) para dois valores de α na Fig. 11-6. Você pode ver que a forma depende muito da razão de α com β. Não há nenhuma probabilidade para $\overline{K}^0$ no início; ela se forma depois. Se α for grande, a probabilidade deve apresentar grandes oscilações. Se α for pequeno, haverá pequenas oscilações ou nenhuma – a probabilidade suavemente aumentará até 1/4.

Agora, normalmente, a partícula K estará viajando a uma velocidade constante perto da velocidade da luz. As curvas da Fig. 11-6 representam também a probabilidade de se observar um $\overline{K}^0$ ao longo do caminho com distâncias de alguns centímetros. Você pode ver o porquê de essa previsão ser notavelmente peculiar. Você produz uma única partícula e no lugar dela apenas se desintegrar, ela faz algo a mais. Algumas vezes ela se desintegra e outras vezes ela se torna um tipo diferente de partícula. A sua probabilidade característica de produzir um efeito varia de uma maneira estranha à medida que ela avança. Não há nada na natureza que se pareça com isso. E essa previsão notável foi feita somente por argumentos sobre interferência das amplitudes.

Se houver algum lugar onde temos a possibilidade de testar os princípios gerais da mecânica quântica do modo mais puro – se a superposição das amplitudes funciona ou não –, é aqui. Apesar de este efeito ter sido previsto há alguns anos, não há nenhuma determinação experimental que esteja muito clara. Existem alguns resultados aproximados que indicam que α não é zero e que esse efeito realmente ocorre – eles indicam que α está entre 2β e 4β. Isso é tudo o que se sabem experimentalmente. Seria muito bonito verificar experimentalmente a curva para ver se o princípio da superposição realmente funciona dessa maneira, nesse mundo misterioso das partículas estranhas – com razões desconhecidas para os decaimentos e razões desconhecidas para a estranheza.

A análise que fizemos é uma característica do modo como se usa a mecânica atualmente na busca de um entendimento das partículas estranhas. Todas as teorias mais complicadas de que você já deve ter ouvido falar são nada mais nada menos que este tipo elementar de artifícios que são utilizados usando os princípios de superposição e outros princípios da mecânica quântica desse mesmo nível. Algumas pessoas dizem que têm teorias em que é possível se calcular o β e o α, ou pelo menos o α em termos de β, mas essas teorias são completamente inúteis. Por exemplo, a teoria que dá uma previsão para o valor de α, dando o β, nos diz que o valor de α deve ser infinito. O conjunto de equações com as quais eles começam originalmente envolvem dois mésons π, e então eles passam dos dois π para os K^0 e assim por diante. Quando está tudo bem trabalhado, eles verdadeiramente obtêm um par de equações como as que obtivemos; mas devido à existência de um número infinito de estados para os π, dependendo dos seus momentos, integrando sobre todas as possibilidades elas nos dão um número α que é infinito. Contudo, o α na natureza *não* é infinito. Então as teorias dinâmicas estão erradas. É realmente impressionante que esses fenômenos notáveis que podem ser previstos *completamente* no mundo das partículas estranhas sejam derivados de princípios da mecânica quântica no nível que você está aprendendo agora.

11–6 Generalização a um sistema de N estados

Já abordamos todos os sistemas de dois estados de que queríamos tratar. Nos capítulos seguintes, iremos estudar sistemas de mais estados. A extensão para sistemas de N estados das ideias que já trabalhamos para os sistemas de dois estados é bem direta. Vejamos.

Se um sistema possui N estados distintos, podemos representar qualquer estado $|\psi(t)\rangle$ como uma combinação linear de qualquer conjunto de estados da base $|i\rangle$, onde $i = 1, 2, 3, ..., N$;

$$|\psi(t)\rangle = \sum_{\text{todo } i} |i\rangle C_i(t). \tag{11.57}$$

Os coeficientes $C_i(t)$ são amplitudes $\langle i|\psi(t)\rangle$. O comportamento temporal das amplitudes C_i é governado pelas equações

$$i\hbar \frac{dC_i(t)}{dt} = \sum_j H_{ij} C_j, \tag{11.58}$$

onde a matriz de energia H_{ij} descreve um problema físico. Parece igual ao sistemas de dois estados. Somente agora, i e j devem estender sobre todos os estados da base N, e a matriz de energia H_{ij} ou, se você preferir, a Hamiltoniana é uma matriz N por N com N^2 números. Como antes, $H_{ij}^* = H_{ji}$ – sempre que as partículas se conservam – e os elementos da diagonal H_{ii} são números reais.

Já encontramos uma solução geral para os coeficientes C dos sistemas de dois estados, quando a matriz de energia é constante (não depende de t). Também não é difícil resolver a Eq. (11.58) para um sistemas de N estados quando H não depende do tempo. Novamente estamos buscando uma solução possível em que todas as amplitudes possuam *a mesma* dependência temporal. Tentamos

$$C_i = a_i e^{-(i/\hbar)Et}. \tag{11.59}$$

Quando esses C_i são substituídos na Eq. (11.58), a derivada $dC_i(t)/dt$ se converte simplesmente em $(-i/\hbar)EC_i$. Cancelando os fatores exponenciais, comuns a todos os termos, obtemos:

$$Ea_i = \sum_j H_{ij} a_j. \tag{11.60}$$

Esse é um conjunto de N equações algébricas lineares para as N incógnitas $a_1, a_2, ..., a_N$, e existe uma solução apenas se você tiver sorte – só se o determinante dos coeficientes de todos os a for zero. Não precisa ser tão sofisticado; você pode começar a resolver as equações de qualquer forma que queira, e você encontrará que elas podem ser resolvidas apenas para certos valores de E. (Lembre que E é a única coisa ajustável que temos nas equações.)

Se você quiser ser formal, entretanto, pode escrever a Eq. (11.60) como

$$\sum_j (H_{ij} - \delta_{ij}E)a_j = 0. \tag{11.61}$$

Então você pode usar a regra – se conhecê-la – segundo a qual essas equações terão uma solução somente para esses valores de E em que

$$\text{Det }(H_{ij} - \delta_{ij}E) = 0. \tag{11.62}$$

Cada termo do determinante é justamente H_{ij}, exceto que E é subtraído de todos os elementos da diagonal. Ou seja, (11.62) significa que

$$\text{Det} \begin{pmatrix} H_{11} - E & H_{12} & H_{13} & \cdots \\ H_{21} & H_{22} - E & H_{23} & \cdots \\ H_{31} & H_{32} & H_{33} - E & \cdots \\ \cdots & \cdots & \cdots & \cdots \end{pmatrix} = 0. \quad (11.63)$$

Isso é, obviamente, somente uma maneira especial de se escrever uma equação algébrica para E que é a soma de uma quantidade de produtos de todos os termos tomados de uma certa maneira. Esses produtos irão nos dar potências de E até E^N.

Então, teremos um polinômio de ordem N igual a zero, e existem, em geral, N raízes. (Entretanto, devemos lembrar que algumas delas podem ser raízes múltiplas significando que duas ou mais raízes são iguais.) Vamos chamá-las de N raízes

$$E_I, E_{II}, E_{III}, \ldots, E_\mathbf{n}, \ldots, E_\mathbf{N}. \quad (11.64)$$

(Iremos usar **n** para representar o n-ésimo número romano, para que **n** tome os valores I, II,..., **N**.) Pode ser que algumas dessas energias sejam iguais – digamos $E_{II} = E_{III}$ – mas iremos ainda escolher chamá-las de nomes diferentes.

As Eqs. (11.60) ou (11.61) possuem uma solução para cada valor de E. Se você colocar qualquer um desses valores de E – digamos $E_\mathbf{n}$ – em (11.60) e resolver para o a_i, você obtém um conjunto que pertence à energia $E_\mathbf{n}$. Vamos chamar esse conjunto de $a_i(\mathbf{n})$.

Usando esses $a_i(\mathbf{n})$ na Eq. (11.59), temos as amplitudes $C_i(\mathbf{n})$ dos estados de energia bem definidos que, estão nos estados da base $|i\rangle$. Se $|\mathbf{n}\rangle$ representa o vetor de estado para a energia definida em $t = 0$, podemos escrever

$$C_i(\mathbf{n}) = \langle i | \mathbf{n} \rangle e^{-(i/\hbar)E_\mathbf{n}t},$$

com

$$\langle i | \mathbf{n} \rangle = a_i(\mathbf{n}). \quad (11.65)$$

O estado completo de energia definida $|\psi_\mathbf{n}(t)\rangle$ pode então ser escrito como

$$|\psi_\mathbf{n}(t)\rangle = \sum_i |i\rangle a_i(\mathbf{n}) e^{-(i/\hbar)E_\mathbf{n}t},$$

ou

$$|\psi_\mathbf{n}(t)\rangle = |\mathbf{n}\rangle e^{-(i/\hbar)E_\mathbf{n}t}. \quad (11.66)$$

O vetor de estado $|\mathbf{n}\rangle$ descreve a configuração dos estados de energia definida, mas tem a dependência temporal fatorada para fora. Então, eles são vetores constantes que podem ser usados como um novo conjunto da base se quisermos.

Cada um dos estados $|\mathbf{n}\rangle$ possui a propriedade – como você pode facilmente mostrar – de que quando operado pelo operador Hamiltoniano $\hat{H}$ dará justamente $E_\mathbf{n}$ vezes o mesmo estado:

$$\hat{H}|\mathbf{n}\rangle = E_\mathbf{n}|\mathbf{n}\rangle. \quad (11.67)$$

A energia $E_\mathbf{n}$ é, então, um número característico do operador Hamiltoniano $\hat{H}$. Como vimos, o Hamiltoniano irá, em geral, possuir algumas características. No mundo da matemática, eles são chamados de "valores característicos" da matriz H_{ij}. Os físicos, usualmente os chamam de "autovalores" de $\hat{H}$. Com cada autovalor de $\hat{H}$ – em outras palavras, para cada energia –, existe um estado de energia definida, que iremos chamar de "estados estacionários". Os físicos usualmente chamam os estados $|\mathbf{n}\rangle$ de "autoestados de $|\hat{H}$". Cada autoestado corresponde a um autovalor $E_\mathbf{n}$ particular.

Agora, geralmente, o estado $|\mathbf{n}\rangle$ – de que existem N – pode também ser usado como um conjunto da base. Para isso ser verdade, todos esses estados têm de ser ortogonais, significando que para dois estados quaisquer deles, digamos $|\mathbf{n}\rangle$ e $|\mathbf{m}\rangle$,

$$\langle \mathbf{n} | \mathbf{m} \rangle = 0. \quad (11.68)$$

Isso será verdade automaticamente se todas as energias forem diferentes. Podemos também multiplicar todos os $a_i(\mathbf{n})$ por um fator conveniente tal que todos os estados sejam normalizados – por isso entendemos que

$$\langle \mathbf{n} | \mathbf{n} \rangle = 1 \tag{11.69}$$

para todo $\mathbf{n}$.

Quando acontece de a Eq. (11.63) acidentalmente possuir duas (ou mais) raízes com a mesma energia, existem então complicações maiores. Primeiro, existirão dois conjuntos diferentes de a_i que vão com duas energias iguais, mas os estados que eles dão podem *não* ser ortogonais. Suponha que você faça o procedimento normal e encontre dois estados estacionários com energias iguais – vamos chamá-los de $|\mu\rangle$ e $|\nu\rangle$. Então eles necessariamente não têm de ser ortogonais – se você não tiver sorte,

$$\langle \mu | \nu \rangle \neq 0.$$

Entretanto, é sempre verdade que você pode considerar dois novos estados, que iremos chamar de $|\mu'\rangle$ e $|\nu'\rangle$, que possuem a mesma energia e também são ortogonais, tal que:

$$\langle \mu' | \nu' \rangle = 0. \tag{11.70}$$

Você pode fazê-lo tornando $|\mu'\rangle$ e $|\nu'\rangle$ uma combinação linear de $|\mu\rangle$ e $|\nu\rangle$ com os coeficientes escolhidos para que a Eq. (11.70) seja verdadeira. É sempre conveniente fazer isso. Geralmente iremos assumir que isso tem de ser feito, tal que podemos sempre assumir que os nossos estados de energia $|\mathbf{n}\rangle$ são todos ortogonais.

Gostaríamos, por diversão, de provar que quando dois de nossos estados estacionários possuem diferentes energias, eles são na realidade ortogonais. Para o estado $|\mathbf{n}\rangle$ com energia $E_\mathbf{n}$, temos que

$$\hat{H} | \mathbf{n} \rangle = E_\mathbf{n} | \mathbf{n} \rangle. \tag{11.71}$$

Essa equação operacional realmente significa que existe uma relação entre números. Completando as partes que faltam, ela significa o mesmo que

$$\sum_j \langle i | \hat{H} | j \rangle \langle j | \mathbf{n} \rangle = E_\mathbf{n} \langle i | \mathbf{n} \rangle. \tag{11.72}$$

Tomando o complexo conjugado dessa equação, temos:

$$\sum_j \langle i | \hat{H} | j \rangle^* \langle j | \mathbf{n} \rangle^* = E_\mathbf{n}^* \langle i | \mathbf{n} \rangle^*. \tag{11.73}$$

Lembre-se agora de que o complexo conjugado de uma amplitude é o inverso da amplitude, então (11.73) pode ser escrita como

$$\sum_j \langle \mathbf{n} | j \rangle \langle j | \hat{H} | i \rangle = E_\mathbf{n}^* \langle \mathbf{n} | i \rangle. \tag{11.74}$$

Uma vez que essa equação é valida para *qualquer* i, sua "forma reduzida" é

$$\langle \mathbf{n} | \hat{H} = E_\mathbf{n}^* \langle \mathbf{n} |, \tag{11.75}$$

que é chamada de *adjunta* da Eq. (11.71).

Agora podemos provar facilmente que $E_\mathbf{n}$ é um número real. Multiplicamos a Eq. (11.71) por $\langle \mathbf{n} |$ para obter

$$\langle \mathbf{n} | \hat{H} | \mathbf{n} \rangle = E_\mathbf{n}, \tag{11.76}$$

pois $\langle \mathbf{n} | \mathbf{n} \rangle = 1$. Então, multiplicamos a Eq. (11.75) na direita por $|\mathbf{n}\rangle$ para obter:

$$\langle \mathbf{n} | \hat{H} | \mathbf{n} \rangle = E_\mathbf{n}^*. \tag{11.77}$$

Comparando (11.76) com (11.77), é claro que:

$$E_n = E_n^*, \qquad (11.78)$$

o que significa que E_n é real. Podemos apagar o asterisco em E_n na Eq. (11.75).

Finalmente estamos prontos para mostrar que estados com diferentes energias são ortogonais. Sejam $|\,\mathbf{n}\,\rangle$ e $|\,\mathbf{m}\,\rangle$ dois dos estados da base com energia definida. Usando a Eq. (11.75) para o estado **m** e multiplicando por $|\,\mathbf{n}\,\rangle$, obtemos que

$$\langle \mathbf{m}\,|\hat{H}|\,\mathbf{n}\rangle = E_m \langle \mathbf{m}\,|\,\mathbf{n}\rangle.$$

Contudo, se multiplicarmos (11.71) por $\langle\,\mathbf{m}\,|$, temos

$$\langle \mathbf{m}\,|\hat{H}|\,\mathbf{n}\rangle = E_n \langle \mathbf{m}\,|\,\mathbf{n}\rangle.$$

Uma vez que os lados esquerdos dessas duas equações são iguais, os lados direitos também são, logo:

$$E_m \langle \mathbf{m}\,|\,\mathbf{n}\rangle = E_n \langle \mathbf{m}\,|\,\mathbf{n}\rangle. \qquad (11.79)$$

Se $E_m = E_n$, a equação não nos diz nada, mas se as energias dos dois estados $|\,\mathbf{m}\,\rangle$ e $|\,\mathbf{n}\,\rangle$ *são diferentes* ($E_m \neq E_n$), a Eq. (11.79) diz que $\langle\,\mathbf{m}\,|\,\mathbf{n}\,\rangle$ deve ser zero, como queríamos provar. Os dois estados são necessariamente ortogonais sempre que E_n e E_m forem numericamente diferentes.

12

Desdobramento Hiperfino no Hidrogênio

12–1 Estados da base para um sistema de duas partículas de spin semi-inteiro

Neste capítulo, abordaremos do "desdobramento hiperfino" do hidrogênio, um exemplo físico interessante do que já somos capazes de fazer com mecânica quântica. É um exemplo com mais de dois estados, e será ilustrativo dos métodos de mecânica quântica aplicados a problemas ligeiramente mais complicados. De fato, é bastante complicado, mas, uma vez que você entenda como funciona, pode obter uma generalização para todo tipo de problema.

Como sabemos, o átomo de hidrogênio consiste em um elétron que está nas vizinhanças de um próton, onde ele pode existir em qualquer um dos estados discretos de energia, em cada um dos quais as características do movimento do elétron são diferentes. O primeiro estado excitado, por exemplo, está em 3/4 de um Rydberg, ou em torno de 10 elétrons-volts acima do estado fundamental. Mesmo o chamado estado fundamental do átomo de hidrogênio não é realmente um simples estado de energia definida, devido ao spin do elétron e do próton. Esses spins são responsáveis pela "estrutura hiperfina" nos níveis de energia, os quais desdobram todos os níveis de energia em alguns níveis quase coincidentes.

O elétron pode ter seu spin tanto "para cima" como "para baixo", e o próton também pode ter o seu spin tanto "para cima" como "para baixo". Existem, portanto, *quatro* possibilidades de spin para o estado dinâmico do átomo. Ou seja, quando as pessoas dizem "o estado fundamental" do hidrogênio, elas realmente querem dizer os "quatro estados fundamentais", e não apenas o mais baixo dos estados. Os quatro estados de spin não têm exatamente a mesma energia; existem pequenos deslocamentos das energias comparado ao que teríamos se não houvessem os spins. Entretanto, os deslocamentos são muitíssimo menores que os cerca de 10 elétrons-volts de separação que existem entre o estado fundamental e o estado seguinte acima. Como consequência, cada estado dinâmico tem sua energia desdobrada em um conjunto de níveis de energia muito próximos – o chamado *desdobramento hiperfino*.

As diferenças de energia entre os quatro estados de spin é o que queremos calcular neste capítulo. O desdobramento hiperfino se deve à interação dos momentos magnéticos do elétron e do próton, que nos dão uma energia magnética ligeiramente diferente para cada estado de spin. Esses aumentos de energia são da ordem de dez milionésimos de um elétron-volt – realmente muito menores que 10 eV! É devido a essa grande lacuna de energia que podemos pensar no estado fundamental do átomo de hidrogênio como um sistema de "quatro estados", sem nos preocuparmos com o fato de haver realmente muito mais níveis de energia com energias maiores. Iremos nos limitar em estudar a estrutura hiperfina do estado fundamental do átomo de hidrogênio.

Para nossos propósitos, não estamos interessados em detalhes das *posições* do elétron e do próton porque isso já foi trabalhado pelo átomo por assim dizer – trabalhou-se entrando no estado fundamental. Somente presisamos saber que temos um elétron e um próton na vizinhança um do outro, com alguma relação espacial definida. Além disso, eles podem ter diferentes orientações relativas de spin. É somente o efeito dos spins que queremos observar.

A primeira questão a que temos de responder é: Quais são os *estados da base* para o sistema? A questão foi colocada incorretamente. Não existe algo assim como "*o*" estado da base, pois, com certeza, o conjunto de estados da base que você pode escolher não é único. Novos conjuntos podem ser feitos a partir de combinações lineares dos antigos. Existem sempre muitas escolhas para os estados da base, e entre elas, qualquer uma é legítima. Então a questão não é qual *o* estado da base, mas qual *pode* ser? Podemos escolher qualquer um que quisermos para nossa conveniência. Usualmente é melhor começar com um conjunto da base que seja *fisicamente* o mais claro. Pode não ser a solução de qualquer problema, ou pode não ter importância *direta*, mas geralmente tornará mais fácil entender o que está acontecendo.

12–1 Estados da base para um sistema de duas partículas de spin semi-inteiro

12–2 A Hamiltoniana para o estado fundamental do hidrogênio

12–3 Os níveis de energia

12–4 O desdobramento Zeeman

12–5 Os estados em um campo magnético

12–6 A matriz de projeção para spin um

Escolhemos os quatro seguintes estados da base:

Estado 1: O elétron e o próton, ambos com spin para "cima".
Estado 2: O elétron com spin para "cima" e o próton com spin para "baixo".
Estado 3: O elétron com spin para "baixo" e o próton com spin para "cima".
Estado 4: O elétron e o próton, ambos com spin para "baixo".

Temos de ter uma notação conveniente para esses quatro estados, então iremos representá-los desta maneira:

Estado 1: $|++\rangle$; elétron *para cima*, próton *para cima*.
Estado 2: $|+-\rangle$; elétron *para cima*, próton *para baixo*.
Estado 3: $|-+\rangle$; elétron *para baixo*, próton *para cima*. (12.1)
Estado 4: $|--\rangle$; elétron *para baixo*, próton *para baixo*.

Você deve lembrar que o *primeiro* sinal de mais ou menos refere-se ao elétron e o *segundo*, ao próton. Para uma referência conveniente, também resumimos a notação na Fig. 12-1. Algumas vezes, será conveniente chamar esses estados de $|1\rangle, |2\rangle, |3\rangle$ e $|4\rangle$.

Você pode dizer, "Mas as partículas interagem, assim esses estados da base podem não estar corretos. Dessa maneira, parece que você está considerando as duas partículas independentemente". Sim, de fato! Na interação surge o problema: qual é a *Hamiltoniana* para o sistema? Os estados da base que escolhemos para o sistema não têm nada a ver com o que vai acontecer depois. Pode ser que o átomo não possa *ficar* em um desses estados da base, mesmo começando nele. Essa é outra questão. Como as amplitudes mudam com o tempo em uma base particular (fixa)? Escolhendo os estados da base, estamos escolhendo somente os "vetores unitários" para a nossa descrição.

Enquanto estamos no assunto, vamos olhar para o problema geral de achar um conjunto de estados da base quando houver mais de uma partícula. Um elétron, por exemplo, é completamente descrito na vida real – não em nossos casos simplificados, mas na vida real – dando as amplitudes de estar em cada um dos seguintes estados:

$$|\text{elétron para "cima" com momento } \mathbf{p}\rangle$$

ou

$$|\text{elétron para "baixo" com momento } \mathbf{p}\rangle$$

Existem realmente dois conjuntos infinitos de estados, um estado para cada valor de $\mathbf{p}$. Isso é como dizer que um estado do elétron $|\psi\rangle$ é completamente descrito se você conhecer as amplitudes

$$\langle +, \mathbf{p} | \psi \rangle \quad \text{e} \quad \langle -, \mathbf{p} | \psi \rangle,$$

onde + e – representam as componentes do momento angular em algum eixo – usualmente o eixo z – e $\mathbf{p}$ é o vetor momento. Então, deve haver duas amplitudes para cada momento possível (um conjunto multi-infinito de estados da base.)

Quando existe mais de uma partícula, os estados da base podem ser escritos de uma maneira similar. Por exemplo, se houver um elétron e um próton em uma situação mais complicada que aquela que estamos considerando, os estados da base podem ser do seguinte tipo:

$$|\text{um elétron com spin para "cima", movendo-se com momento } \mathbf{p}_1 \text{ e}$$
$$\text{um próton com spin para "baixo", movendo-se com momento } \mathbf{p}_2\rangle.$$

E assim por diante, para as outras combinações de spin. Se existirem mais de duas partículas, a ideia é a mesma. Então, você vê que escrever os *possíveis* estados da base é realmente muito fácil. O único problema é, qual é a Hamiltoniana?

Para o nosso estudo do estado fundamental do hidrogênio, não precisamos usar o conjunto completo de estados da base – para os vários momentos. Estamos especificando estados particulares de momentos para o próton e o elétron quando dizemos "o estado fundamental". Os detalhes dessa configuração – as amplitudes para todos os momentos dos estados da base – podem ser calculados, mas esse é outro problema. Agora estamos concentrados somente nos efeitos do spin, então iremos usar somente

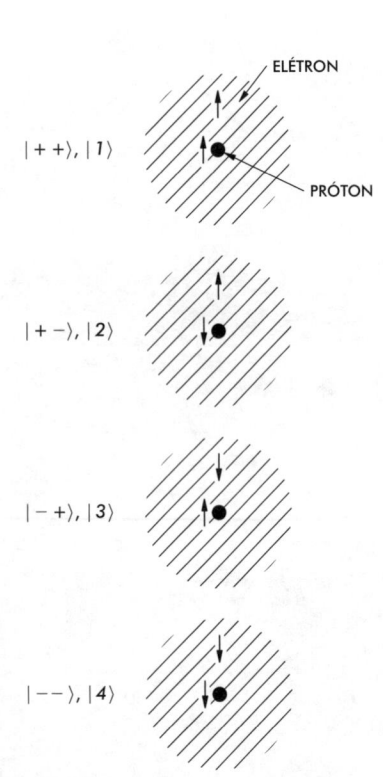

Figura 12-1 Conjunto de estados da base para o estado fundamental do átomo de hidrogênio.

os quatro estados da base de (12.1). Nosso próximo problema é: Qual é a Hamiltoniana para esse conjunto de estados?

12–2 A Hamiltoniana para o estado fundamental do hidrogênio

Em um momento diremos qual é. Primeiro, devemos lembrá-los de uma coisa: qualquer estado pode ser sempre escrito como uma combinação linear dos estados da base. Para qualquer estado $|\psi\rangle$, podemos escrever

$$|\psi\rangle = |++\rangle\langle++|\psi\rangle + |+-\rangle\langle+-|\psi\rangle + |-+\rangle\langle-+|\psi\rangle \\ + |--\rangle\langle--|\psi\rangle. \quad (12.2)$$

Lembre-se de que os colchetes completos são somente números complexos, então podemos escrever da forma usual como C_i, onde $i = 1, 2, 3$ ou 4, e escrever a Eq. (12.2) como

$$|\psi\rangle = |++\rangle C_1 + |+-\rangle C_2 + |-+\rangle C_3 + |--\rangle C_4. \quad (12.3)$$

Fornecendo as quatro amplitudes C_i, descrevemos completamente o estado de spin $|\psi\rangle$. Se essas quatro amplitudes variam com o tempo, como elas o farão, a taxa de variação no tempo é dada pelo operador $\hat{H}$. O problema é encontrar $\hat{H}$.

Não existe regra geral para escrever a Hamiltoniana de um sistema atômico, e encontrar a fórmula correta é muito mais uma arte do que encontrar um conjunto de estados da base. Estamos prontos para contar uma regra geral para escrever um conjunto de estados da base para qualquer problema de um próton e um elétron, mas descrever uma Hamiltoniana geral de tal combinação é muito difícil neste nível. No lugar disso, iremos conduzi-lo a uma Hamiltoniana por alguns argumentos heurísticos, e você terá que aceitá-la como correta, pois os resultados irão concordar com a observação experimental.

Você deve lembrar que, no capítulo anterior, fomos capazes de descrever a Hamiltoniana de uma partícula simples, com spin semi-inteiro, usando as matrizes sigma ou as matrizes na Tabela 12-1. Esses operadores – que são apenas uma maneira conveniente e simplificada de se obter os elementos de matriz do tipo $\langle +|\sigma_z|+\rangle$ – são úteis para descrever o comportamento de uma *simples* partícula com spin semi-inteiro. A questão é: podemos encontrar um sistema análogo para descrever um sistema com dois spins? A resposta é sim, de forma muito simples, como segue. Inventamos uma coisa que chamaremos de "sigma eletrônico", que representaremos pelo vetor $\boldsymbol{\sigma}^e$ e que possui as componentes x, y e z, σ_x^e, σ_y^e e σ_z^e. Faremos agora uma *convenção* de que quando um desses operadores atua em qualquer de nossos quatro estados da base do átomo de hidrogênio, ele atua somente no spin do *elétron* e exatamente da mesma forma como se o elétron estivesse sozinho. Exemplo: o que é $\sigma_y^e|-+\rangle$? Uma vez que σ_y agindo em um elétron "para baixo" é $-i$ vezes o estado correspondente ao elétron "para cima",

$$\sigma_y^e|-+\rangle = -i|++\rangle.$$

(Quando σ_y^e atua em um estado combinado, ele eleva o estado do elétron mas não faz nada com o estado do próton, e ainda multiplica o resultado por $-i$.) Atuando nos outros estados, σ_y^e deve dar

$$\sigma_y^e|++\rangle = i|-+\rangle,$$
$$\sigma_y^e|+-\rangle = i|--\rangle,$$
$$\sigma_y^e|--\rangle = -i|+-\rangle.$$

Lembre que o operador $\boldsymbol{\sigma}^e$ atua somente no *primeiro* símbolo de spin, ou seja, no spin do *elétron*.

Agora, definiremos o correspondente operador "sigma do próton" para o spin do próton. Suas três componentes σ_x^p, σ_y^p e σ_z^p, atuam da mesma maneira que $\boldsymbol{\sigma}^e$, mas somente

Tabela 12–1

$$\sigma_z|+\rangle = +|+\rangle$$
$$\sigma_z|-\rangle = -|-\rangle$$
$$\sigma_x|+\rangle = +|-\rangle$$
$$\sigma_x|-\rangle = +|+\rangle$$
$$\sigma_y|+\rangle = +i|-\rangle$$
$$\sigma_y|-\rangle = -i|+\rangle$$

no spin do *próton*. Por exemplo, se temos σ_x^p atuando em cada um dos estados da base, temos – sempre usando a Tabela 12-1

$$\sigma_x^p \mid ++ \rangle = \mid +- \rangle,$$
$$\sigma_x^p \mid +- \rangle = \mid ++ \rangle,$$
$$\sigma_x^p \mid -+ \rangle = \mid -- \rangle,$$
$$\sigma_x^p \mid -- \rangle = \mid -+ \rangle.$$

Como você pode ver, não é muito difícil.

Agora, no caso mais geral, podemos ter coisas mais complexas. Por exemplo, podemos ter produtos de dois operadores como $\sigma_y^e \sigma_z^p$. Quando temos tal produto, fazemos primeiro o que o operador da direita fala, e então fazemos o que o outro operador diz[†]. Por exemplo, podemos ter que

$$\sigma_x^e \sigma_z^p \mid +- \rangle = \sigma_x^e(\sigma_z^p \mid +- \rangle) = \sigma_x^e(- \mid +- \rangle) = -\sigma_x^e \mid +- \rangle = - \mid -- \rangle.$$

Note que esses operadores não fazem nada em números puros – usamos este fato quando escrevemos $\sigma_x^e(-1) = (-1)\sigma_x^e$. Dizemos que os operadores "comutam" com números puros, ou que um número "pode ser movido através" do operador. Você pode praticar isso mostrando que o produto $\sigma_x^e \sigma_z^p$ nos dá os seguintes resultados para os quatro estados:

$$\sigma_x^e \sigma_z^p \mid ++ \rangle = + \mid -+ \rangle,$$
$$\sigma_x^e \sigma_z^p \mid +- \rangle = - \mid -- \rangle,$$
$$\sigma_x^e \sigma_z^p \mid -+ \rangle = + \mid ++ \rangle,$$
$$\sigma_x^e \sigma_z^p \mid -- \rangle = - \mid +- \rangle.$$

Se tomarmos todos os operadores possíveis, usando cada tipo de operador somente uma vez, teríamos dezesseis possibilidades. Sim, *dezesseis* – contanto que incluíssemos também o "operador unitário" $\hat{1}$. Primeiro, temos três σ_x^e, σ_y^e e σ_z^e. Temos também σ_z^p, σ_y^p e σ_z^p – são seis. Além disso, existem os nove possíveis produtos da forma $\sigma_x^e \sigma_z^p$, o que aumenta para 15. Existe ainda o vetor unitário que deixa qualquer estado sem modificação. Dezesseis no total.

Note agora que para um sistema de quatro estados, a matriz Hamiltoniana deve ser uma matriz quatro por quatro de coeficientes – ela terá 16 entradas. Consequentemente, a matriz Hamiltoniana em particular pode ser escrita como uma combinação linear das dezesseis duplas de matrizes de spin correspondendo ao conjunto de operadores que fizemos acima. Dessa forma, para a interação entre um próton e um elétron que envolva somente seus spins, podemos esperar que o operador Hamiltoniano possa ser escrito como uma combinação linear dos mesmos 16 operadores. A única questão é, como?

Bem, primeiro, sabemos que a interação não depende da nossa escolha dos eixos do sistema de coordenadas. Se não há nenhuma perturbação externa – como campo magnético – para determinar uma direção única no espaço, a Hamiltoniana não pode depender da nossa escolha das direções dos eixos x, y e z. Isso significa que a Hamiltoniana não pode ter um termo como σ_x^e sozinho. Isso seria ridículo, pois então alguém com um sistema de coordenadas diferentes obteria resultados diferentes.

As únicas possibilidades são um termo com a matriz unitária, digamos uma constante a (vezes $\hat{1}$), e algumas combinações das matrizes sigma que não dependem das coordenadas – algumas combinações "invariantes". A única combinação escalar invariante de dois vetores é o produto escalar, que para as nossas sigmas é

$$\boldsymbol{\sigma}^e \cdot \boldsymbol{\sigma}^p = \sigma_x^e \sigma_x^p + \sigma_y^e \sigma_y^p + \sigma_z^e \sigma_z^p. \tag{12.4}$$

[†] Para esses operadores *particulares*, você notará que a sequência dos operadores não fará diferença alguma.

Esse operador é invariante com relação a qualquer rotação do sistema de coordenadas. Então a única possibilidade para a Hamiltoniana com a simetria própria no espaço é uma constante vezes a matriz unitária mais uma constante vezes esse produto escalar, digamos,

$$\hat{H} = E_0 + A\,\sigma^e \cdot \sigma^p. \tag{12.5}$$

Essa é nossa Hamiltoniana. É a única que ela pode ser, pela simetria do espaço, *caso não haja nenhum campo externo*. O termo constante não nos diz muita coisa; ele depende somente do nível que escolhemos para medir a energia a partir dele. Podemos muito bem tomar $E_0 = 0$. O segundo termo nos diz tudo o que temos de saber para encontrar o nível de desdobramento do hidrogênio.

Se você quiser, pode pensar na Hamiltoniana de um modo diferente. Se existem dois ímãs, um perto do outro, com momentos magnéticos $\boldsymbol{\mu}_e$ e $\boldsymbol{\mu}_p$, a energia mútua irá depender de $\boldsymbol{\mu}_e \cdot \boldsymbol{\mu}_p$ – entre outras coisas. E, você lembra, encontramos que a coisa clássica que chamamos de $\boldsymbol{\mu}_e$ aparece na mecânica quântica como $\mu_e\boldsymbol{\sigma}^e$. Similarmente, o que aparece classicamente como $\boldsymbol{\mu}_p$ na mecânica quântica usualmente irá aparecer como $\mu_p\boldsymbol{\sigma}^p$ (onde μ_p é o momento magnético do próton, que é por volta de 1000 vezes menor que μ_e e possui sinal oposto). Então a Eq. (12.5) nos diz que a energia de interação é como a interação entre dois ímãs mas não totalmente, pois a interação de dois ímãs depende da distância de separação radial entre eles. No entanto, a Eq. (12.5) pode ser, e de fato é algum tipo de interação média. O elétron está se movendo por toda parte dentro do átomo, e nossa Hamiltoniana nos dá somente a energia de interação média. Tudo o que ela diz é que para um determinado arranjo no espaço para o elétron e o próton existe uma energia proporcional ao cosseno do ângulo entre os dois momentos magnéticos, falando classicamente. Tal quadro qualitativo clássico pode ajudá-lo a entender de onde isso vem, mas o importante é que a Eq. (12.5) é a fórmula correta na mecânica quântica.

A ordem de magnitude da interação clássica entre dois ímãs deve ser o produto dos dois momentos magnéticos dividido pelo cubo da distância entre eles. A distância entre o próton e o elétron no átomo de hidrogênio, falando de uma maneira aproximada, é metade do raio atômico, ou 0,5 angstrons. Então, é possível fazer uma estimativa de que a constante A deve ser mais ou menos igual ao produto dos dois momentos magnéticos μ_e e μ_p dividido pelo cubo de 1/2 angstrons. Tal estimativa nos dá um número bem próximo do correto. Isso mostra que A pode ser calculado exatamente uma vez que você entenda a teoria quântica completa do átomo de hidrogênio – o que até agora não é possível. Isso já foi, de fato, calculado com uma precisão de 30 partes em um milhão. Então, ao contrário da constante de *flip-flop* A da molécula de amônia, que não pôde ser tão bem calculada pela teoria, nossa constante A para o hidrogênio *pode* ser calculada a partir de uma teoria mais detalhada. Iremos, devido aos nossos objetivos presentes, pensar em A como um número que pode ser determinado pela experiência, e analisar a física da situação.

Tomando a Hamiltoniana da Eq. (12.5), podemos usá-la com a equação

$$i\hbar \dot{C}_i = \sum_j H_{ij} C_j \tag{12.6}$$

para encontrar o que as interações entre os spins fazem com os níveis de energia. Para fazer isso, precisamos trabalhar com os dezesseis elementos de matriz $H_{ij} = \langle i | H | j \rangle$ correspondendo a cada par dos nossos quatro estados da base em (12.1).

Começamos trabalhando o que $\hat{H}\,|j\rangle$ é para cada um dos quatro estados da base. Por exemplo,

$$\hat{H}\,|++\rangle = A\boldsymbol{\sigma}^e \cdot \boldsymbol{\sigma}^p\,|++\rangle = A\{\sigma_x^e\sigma_x^p + \sigma_y^e\sigma_y^p + \sigma_z^e\sigma_z^p\}\,|++\rangle. \tag{12.7}$$

Usando o método que descrevemos um pouco antes – é fácil se você já memorizou a Tabela 12-1 – encontramos o que cada par das σ faz em $|++\rangle$. A resposta é

$$\sigma_x^e \sigma_x^p \,|++\rangle = +\,|--\rangle,$$
$$\sigma_y^e \sigma_y^p \,|++\rangle = -\,|--\rangle, \qquad (12.8)$$
$$\sigma_z^e \sigma_z^p \,|++\rangle = +\,|++\rangle.$$

Então (12.7) se torna

$$\hat{H}\,|++\rangle = A\{|--\rangle - |--\rangle + |++\rangle\} = A\,|++\rangle. \qquad (12.9)$$

Uma vez que os nossos quatro estados da base são ortogonais, isso nos dá imediatamente que

$$\langle++|H|++\rangle = A\langle++|++\rangle = A,$$
$$\langle+-|H|++\rangle = A\langle+-|++\rangle = 0,$$
$$\langle-+|H|++\rangle = A\langle-+|++\rangle = 0, \qquad (12.10)$$
$$\langle--|H|++\rangle = A\langle--|++\rangle = 0.$$

Lembrando que $\langle j|H|i\rangle = \langle i|H|j\rangle*$, podemos escrever abaixo as equações diferenciais para as amplitudes C_1:

$$i\hbar\dot{C}_1 = H_{11}C_1 + H_{12}C_2 + H_{13}C_3 + H_{14}C_4$$

ou

$$i\hbar\dot{C}_1 = AC_1. \qquad (12.11)$$

Isso é tudo! Obtemos somente o primeiro termo.

Agora para obter o resto das equações Hamiltonianas temos de repetir o mesmo procedimento para $\hat{H}$ operando nos outros estados. Primeiro, iremos deixar você praticar checando todos os produtos das matrizes sigma que escrevemos na Tabela 12-2. Então podemos usá-los para obter:

$$\hat{H}\,|+-\rangle = A\{2\,|-+\rangle - |+-\rangle\},$$
$$\hat{H}\,|-+\rangle = A\{2\,|+-\rangle - |-+\rangle\}, \qquad (12.12)$$
$$\hat{H}\,|--\rangle = A\,|--\rangle.$$

Tabela 12–2
Operadores de spin para o átomo de hidrogênio

$$\sigma_x^e \sigma_x^p \,|++\rangle = +\,|--\rangle$$
$$\sigma_x^e \sigma_x^p \,|+-\rangle = +\,|-+\rangle$$
$$\sigma_x^e \sigma_x^p \,|-+\rangle = +\,|+-\rangle$$
$$\sigma_x^e \sigma_x^p \,|--\rangle = +\,|++\rangle$$

$$\sigma_y^e \sigma_y^p \,|++\rangle = -\,|--\rangle$$
$$\sigma_y^e \sigma_y^p \,|+-\rangle = +\,|-+\rangle$$
$$\sigma_y^e \sigma_y^p \,|-+\rangle = +\,|+-\rangle$$
$$\sigma_y^e \sigma_y^p \,|--\rangle = -\,|++\rangle$$

$$\sigma_z^e \sigma_z^p \,|++\rangle = +\,|++\rangle$$
$$\sigma_z^e \sigma_z^p \,|+-\rangle = -\,|+-\rangle$$
$$\sigma_z^e \sigma_z^p \,|-+\rangle = -\,|-+\rangle$$
$$\sigma_z^e \sigma_z^p \,|--\rangle = +\,|--\rangle$$

Então, multiplicando cada termo da esquerda por todos os outros vetores de estado, obtemos a seguinte matriz Hamiltoniana, H_{ij}:

$$H_{ij} = \begin{pmatrix} A & 0 & 0 & 0 \\ 0 & -A & 2A & 0 \\ 0 & 2A & -A & 0 \\ 0 & 0 & 0 & A \end{pmatrix}. \qquad (12.13)$$

Isso significa, é claro, nada além de que nossas equações diferenciais para as quatro amplitudes C_i são

$$i\hbar\dot{C}_1 = AC_1,$$
$$i\hbar\dot{C}_2 = -AC_2 + 2AC_3,$$
$$i\hbar\dot{C}_3 = 2AC_2 - AC_3, \qquad (12.14)$$
$$i\hbar\dot{C}_4 = AC_4.$$

Antes de resolver essas equações, não podemos resistir à tentação de apresentar uma regra genial de Dirac – ela fará vocês sentirem que estão realmente avançados –, ainda que não precisemos disso para o nosso trabalho. Temos – das Equações (12.9) e (12.12) – que

$$\sigma^e \cdot \sigma^p \mid + \, + \rangle = \mid + \, + \rangle,$$
$$\sigma^e \cdot \sigma^p \mid + \, - \rangle = 2 \mid - \, + \rangle - \mid + \, - \rangle,$$
$$\sigma^e \cdot \sigma^p \mid - \, + \rangle = 2 \mid + \, - \rangle - \mid - \, + \rangle, \quad (12.15)$$
$$\sigma^e \cdot \sigma^p \mid - \, - \rangle = \mid - \, - \rangle.$$

Veja, disse Dirac, eu também posso escrever a primeira e a última equações como

$$\sigma^e \cdot \sigma^p \mid + \, + \rangle = 2 \mid + \, + \rangle - \mid + \, + \rangle,$$
$$\sigma^e \cdot \sigma^p \mid - \, - \rangle = 2 \mid - \, - \rangle - \mid - \, - \rangle;$$

então, elas são todas completamente similares. Agora eu invento um novo operador, que irei chamar de $P_{\text{troca de spin}}$ e que eu *defino* como tendo as seguintes propriedades[†]:

$$P_{\text{troca de spin}} \mid + \, + \rangle = \mid + \, + \rangle,$$
$$P_{\text{troca de spin}} \mid + \, - \rangle = \mid - \, + \rangle,$$
$$P_{\text{troca de spin}} \mid - \, + \rangle = \mid + \, - \rangle,$$
$$P_{\text{troca de spin}} \mid - \, - \rangle = \mid - \, - \rangle.$$

Tudo o que os operadores fazem é permutar as direções dos spins de duas partículas. Então eu posso escrever todo o conjunto de equações em (12.15) como uma simples equação entre operadores:

$$\sigma^e \cdot \sigma^p = 2P_{\text{troca de spin}} - 1. \quad (12.16)$$

Esta é a fórmula de Dirac. Seu "operador de troca de spin" dá uma regra cômoda para determinar $\sigma^e \cdot \sigma^p$. (Como pode ver, você pode fazer tudo agora. Os portões estão abertos.)

12–3 Os níveis de energia

Agora já somos capazes de falar sobre os níveis de energia do estado fundamental do hidrogênio resolvendo as equações Hamiltonianas (12.14). Queremos encontrar as energias dos estados estacionários. Isso significa que queremos encontrar aqueles estados especiais $\mid \psi \rangle$ para os quais cada amplitude $C_i = \langle i \mid \psi \rangle$ do conjunto pertencente a $\mid \psi \rangle$ possui a mesma dependência temporal $e^{-i\omega t}$. Então o estado terá a energia $E = \hbar \omega$. Então queremos um conjunto em que

$$C_i = a_i e^{(-i/\hbar)Et}, \quad (12.17)$$

onde os quatro coeficientes a_i são independentes do tempo. Para ver como conseguimos calcular essas amplitudes, substituímos (12.17) na Eq. (12.14) e vemos o que acontece. Cada $i\hbar \, dC/dt$ na Eq. (12.14) se converte em EC, e – após cancelar os fatores exponenciais comuns – cada C se torna um a; temos

$$Ea_1 = Aa_1,$$
$$Ea_2 = -Aa_2 + 2Aa_3,$$
$$Ea_3 = 2Aa_2 - Aa_3, \quad (12.18)$$
$$Ea_4 = Aa_4,$$

[†] Este operador é agora chamado de "Operador de troca de spin de Pauli".

que temos de resolver para a_1, a_2, a_3 e a_4. É muito bom que a primeira equação seja independente do resto – isso significa que podemos obter uma solução diretamente. Se escolhermos $E = A$,

$$a_1 = 1, \quad a_2 = a_3 = a_4 = 0,$$

obtemos uma solução. (É claro, fazendo todos os a igual a zero também temos uma solução, mas não é nenhum estado!) Vamos chamar o estado $|I\rangle$ como a nossa primeira solução[†]:

$$|I\rangle = |1\rangle = |++\rangle. \tag{12.19}$$

Sua energia é

$$E_I = A.$$

Com isso, podemos ver imediatamente outra solução para a última equação em (12.18):

$$a_1 = a_2 = a_3 = 0, \quad a_4 = 1,$$
$$E = A.$$

Chamaremos essa solução de estado $|II\rangle$:

$$|II\rangle = |4\rangle = |--\rangle,$$
$$E_{II} = A. \tag{12.20}$$

Agora começa a ficar um pouco mais difícil; as duas equações da esquerda em (12.18) são misturadas uma com a outra, mas já fizemos isso anteriormente. Somando as duas, temos

$$E(a_2 + a_3) = A(a_2 + a_3). \tag{12.21}$$

Subtraindo, temos

$$E(a_2 - a_3) = -3A(a_2 - a_3). \tag{12.22}$$

Por uma inspeção simples e lembrando a amônia, vemos que existem duas soluções:

$$a_2 = a_3, \quad E = A$$

e

$$a_2 = -a_3, \quad E = -3A. \tag{12.23}$$

Elas são misturas de $|2\rangle$ e $|3\rangle$. Chamando esses estados de $|III\rangle$ e $|IV\rangle$ e colocando um fator $1/\sqrt{2}$ para normalizá-los adequadamente, temos

$$|III\rangle = \frac{1}{\sqrt{2}}(|2\rangle + |3\rangle) = \frac{1}{\sqrt{2}}(|+-\rangle + |-+\rangle),$$
$$E_{III} = A \tag{12.24}$$

e

$$|IV\rangle = \frac{1}{\sqrt{2}}(|2\rangle - |3\rangle) = \frac{1}{\sqrt{2}}(|+-\rangle - |-+\rangle),$$
$$E_{IV} = -3A. \tag{12.25}$$

Encontramos, então, quatro estados estacionários e suas energias. A propósito, observe que os quatro estados são ortogonais, então eles também podem ser usados para os estados da base se desejarmos. Nosso problema está completamente resolvido.

[†] O estado é realmente $|I\rangle e^{-(i/\hbar)E_I t}$; mas, como de costume, iremos identificar os estados por vetores constantes que são iguais a vetores complexos em $t = 0$.

Três desses estados possuem energia A, e o último possui energia $-3A$. A média é zero – o que significa que quando tomamos $E_0 = 0$ na Eq. (12.5), estamos escolhendo medir todas as energias a partir da média das energias. Podemos desenhar os níveis de energia em um diagrama para os estado fundamental do hidrogênio, como mostrado na Fig. 12-2.

Agora a diferença de energia entre o estado $|IV\rangle$ e qualquer um dos outros estados é $4A$. Um átomo que tenha alcançado o estado $|I\rangle$ pode decair ao estado $|IV\rangle$ e emitir luz. Não luz óptica, pois a energia é muito pequena – irá emitir um quantum de micro-ondas. Ou, se iluminarmos o gás de hidrogênio com micro-ondas, observaremos uma absorção de energia dos átomos que estão no estado $|IV\rangle$ tomando essa energia e passando a um dos estados superiores mas somente a uma frequência $\omega = 4A/\hbar$. Essa frequência já foi medida experimentalmente; o melhor resultado, obtido muito recentemente[†] é

$$f = \omega/2\pi = (1.420.405.751,800 \pm 0,028) \text{ ciclos por segundo.} \quad (12.26)$$

O erro é somente duas partes em 100 bilhões! Provavelmente, nenhuma quantidade física é medida tão bem – essa é uma das medidas mais notavelmente precisas em física. Os teóricos já estavam felizes que podiam calcular a energia com uma precisão de 3 partes em 10^5, mas enquanto isso essa medida foi feita com precisão de 2 partes em 10^{11} – um milhão de vezes mais preciso que a teoria. Então os experimentais estão muito mais adiantados que os teóricos. Na teoria do estado fundamental do átomo de hidrogênio, *você* é tão bom quanto qualquer um. Você, também, pode obter o valor de A a partir da experiência – isso é o que todo mundo tem de fazer no final.

Você provavelmente já ouviu antes sobre a "linha de 21 centímetros" do hidrogênio. Esse é o comprimento de onda da linha espectral de 1420 megaciclos entre os estados hiperfinos. Radiações desse comprimento de onda são emitidas ou absorvidas pelo gás de hidrogênio atômico em galáxias. Então, com um rádio telescópio sintonizado para ondas de 21 cm (ou aproximadamente 1420 megaciclos), podemos observar a velocidade e localização de concentrações do gás de hidrogênio atômico. Medindo essa intensidade, podemos estimar a quantidade de hidrogênio, e medindo a frequência devido ao efeito Doppler, podemos obter informações sobre o movimento do gás na galáxia. Esse é um dos grandes programas da rádio astronomia. Então, estamos falando de alguma coisa muito real – não é somente um problema artificial.

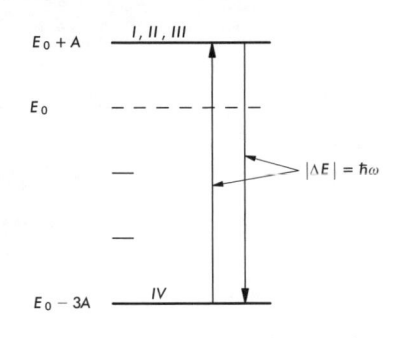

Figura 12-2 Diagrama de níveis de energia para o estado fundamental do hidrogênio atômico.

12–4 O desdobramento Zeeman

Embora tenhamos terminado o problema de encontrar os níveis de energia do estado fundamental do átomo de hidrogênio, queremos estudar esse sistema interessante mais um pouco. Para falarmos algo mais sobre ele, por exemplo, para calcularmos a taxa em que o átomo de hidrogênio absorve ou emite ondas de rádio em 21 centímetros, temos de saber o que acontece quando o átomo é perturbado. Temos de fazer o que fizemos para a molécula de amônia após encontrarmos os níveis de energia, iremos estudar o que acontece com a molécula quando a colocamos em um campo elétrico. Seremos, então, capazes de calcular o campo elétrico em uma onda de rádio. Para o átomo de hidrogênio, o campo elétrico não faz nada com os níveis, exceto movê-los de alguma quantidade constante, proporcional ao quadrado do campo elétrico, que não nos interessa pois não muda as *diferenças* de energia. Agora, o que é importante é o campo *magnético*. Então, o próximo passo é escrever a Hamiltoniana para uma situação mais complicada, em que o átomo está na presença de um campo magnético externo.

Qual é, então, a Hamiltoniana? Iremos dizer-lhes somente a resposta, pois não podemos fornecer nenhuma "prova", exceto dizer que é dessa maneira que o átomo funciona.

A Hamiltoniana é:

$$\hat{H} = A(\boldsymbol{\sigma}^e \cdot \boldsymbol{\sigma}^p) - \mu_e \boldsymbol{\sigma}^e \cdot \boldsymbol{B} - \mu_p \boldsymbol{\sigma}^p \cdot \boldsymbol{B}. \quad (12.27)$$

[†] Crampton, Kleppner e Ramsey; *Physical Review Letters*, Vol. **11**, página 338 (1963).

Ela agora consiste em três partes. O primeiro $A\boldsymbol{\sigma}^e \cdot \boldsymbol{\sigma}^p$ representa a interação magnética entre o elétron e o próton – seria a mesma se não houvesse nenhum campo magnético externo. Este é o termo que tínhamos anteriormente, e a influência do campo magnético na constante A é desprezível. A influência do campo magnético externo está presente nos dois últimos termos. O segundo termo, $-\mu_e\boldsymbol{\sigma}^e \cdot \mathbf{B}$, é a energia que o elétron deve ter no campo magnético se ele estiver sozinho[†]. Da mesma maneira, o último termo $-\mu_p\boldsymbol{\sigma}^p \cdot \mathbf{B}$, deve ser a energia do próton sozinho. Classicamente, a energia de dois deles juntos dever ser, então, a soma dos dois, e assim funciona na mecânica quântica. Em um campo magnético, a energia de interação devido ao campo magnético é simplesmente a soma da energia de interação do elétron com o campo externo e do próton com o campo – ambos expressos em termos dos operadores sigma. Na mecânica quântica, esses termos não são realmente energias, mas pensar classicamente para as fórmulas da energia é uma maneira de recordar as regras para escrever a Hamiltoniana. De qualquer maneira, a Hamiltoniana correta é a Eq. (12.27).

Agora, temos de retornar ao início e resolver todo o problema novamente. A maior parte do trabalho já está feita, e precisamos somente solucionar os efeitos dos novos termos. Vamos tomar um campo magnético $\mathbf{B}$ na direção z. Assim, temos de adicionar ao nosso operador Hamiltoniano $\hat{H}$ os dois novos termos – que iremos chamar de $\hat{H}'$:

$$\hat{H}' = -(\mu_e \sigma_z^e + \mu_p \sigma_z^p)B.$$

Usando a Tabela 12-1, temos diretamente que:

$$\begin{aligned}
\hat{H}'|++\rangle &= -(\mu_e + \mu_p)B|++\rangle, \\
\hat{H}'|+-\rangle &= -(\mu_e - \mu_p)B|+-\rangle, \\
\hat{H}'|-+\rangle &= -(-\mu_e + \mu_p)B|-+\rangle, \\
\hat{H}'|--\rangle &= (\mu_e + \mu_p)B|--\rangle.
\end{aligned} \quad (12.28)$$

Isso é muito conveniente! O $\hat{H}'$ operando em cada estado nos dá somente um número vezes o estado. A matriz $\langle i|H'|j\rangle$ possui, então, somente os elementos na diagonal – podemos apenas somar os coeficientes em (12.28) aos termos correspondentes da diagonal de (12.13), e as equações Hamiltonianas de (12.14) tornam-se:

$$\begin{aligned}
i\hbar dC_1/dt &= \{A - (\mu_e + \mu_p)B\}C_1, \\
i\hbar dC_2/dt &= -\{A + (\mu_e - \mu_p)B\}C_2 + 2AC_3, \\
i\hbar dC_3/dt &= 2AC_2 - \{A - (\mu_e - \mu_p)B\}C_3, \\
i\hbar dC_4/dt &= \{A + (\mu_e + \mu_p)B\}C_4.
\end{aligned} \quad (12.29)$$

A forma das equações não é diferente – somente os coeficientes. Como B não varia no tempo, podemos continuar como fizemos antes. Substituindo $C_i = a_i e^{-(i/\hbar)Et}$, obtemos – como uma modificação de (12.18) –

$$\begin{aligned}
Ea_1 &= \{A - (\mu_e + \mu_p)B\}a_1, \\
Ea_2 &= -\{A + (\mu_e - \mu_p)B\}a_2 + 2Aa_3, \\
Ea_3 &= 2Aa_2 - \{A - (\mu_e - \mu_p)B\}a_3, \\
Ea_4 &= \{A + (\mu_e + \mu_p)B\}a_4.
\end{aligned} \quad (12.30)$$

[†] Lembre-se de que, classicamente, $U = -\boldsymbol{\mu} \cdot \mathbf{B}$, então a energia é menor quando o momento magnético é ao longo do campo. Para partículas positivas, o momento magnético é paralelo ao spin, e para partículas negativas é o oposto. Então, na Eq. (12.27), μ_p é um número *positivo*, mas μ_e é um número *negativo*.

Felizmente, a primeira e a quarta equações ainda são independentes do resto, então a mesma técnica funcionará novamente.

Uma solução é o estado $|I\rangle$ para o qual $a_1 = 1, a_2 = a_3 = a_4 = 0$, ou

$$|I\rangle = |1\rangle = |++\rangle,$$

com

$$E_I = A - (\mu_e + \mu_p)B. \quad (12.31)$$

Outra é

$$|II\rangle = |4\rangle = |--\rangle, \quad (12.32)$$

com

$$E_{II} = A + (\mu_e + \mu_p)B.$$

Para as outras equações, temos de trabalhar um pouco mais, pois os coeficientes de a_2 e a_3 não são mais iguais. No entanto, eles são como os pares que temos para a molécula de amônia. Olhando para trás na Eq. (9.20), podemos fazer a seguinte analogia (lembrando que os índices 1 e 2 lá devem corresponder a 2 e 3 aqui):

$$\begin{aligned} H_{11} &\to -A - (\mu_e - \mu_p)B, \\ H_{12} &\to 2A, \\ H_{21} &\to 2A, \\ H_{22} &\to -A + (\mu_e - \mu_p)B. \end{aligned} \quad (12.33)$$

As energias são dadas então por (9.25), que era

$$E = \frac{H_{11} + H_{22}}{2} \pm \sqrt{\frac{(H_{11} - H_{22})^2}{4} + H_{12}H_{21}}. \quad (12.34)$$

Fazendo as substituições da Eq. (12.33), a fórmula para a energia torna-se

$$E = -A \pm \sqrt{(\mu_e - \mu_p)^2 B^2 + 4A^2}.$$

Embora no Capítulo 9 tenhamos chamado essas energias de E_I e E_{II}, neste problema iremos chamá-las de E_{III} e E_{IV},

$$\begin{aligned} E_{III} &= A\{-1 + 2\sqrt{1 + (\mu_e - \mu_p)^2 B^2/4A^2}\}, \\ E_{IV} &= -A\{1 + 2\sqrt{1 + (\mu_e - \mu_p)^2 B^2/4A^2}\}. \end{aligned} \quad (12.35)$$

Então, encontramos as energias para os quatro estados estacionários do átomo de hidrogênio em um campo magnético constante. Vamos checar o nosso resultado fazendo B ir para zero e vendo se obtemos as mesmas energias que tínhamos na seção anterior. Você vê que realmente é assim. Para $B = 0$, as energias E_I, E_{II} e E_{III} vão para $+A$, e E_{IV} vai para $-3A$. Até mesmo a designação dos nossos estados concorda com o que fizemos antes. Quando ligamos o campo magnético, todas as energias mudam de uma maneira diferente. Vamos ver como.

Primeiro, temos de lembrar que, para o elétron, μ_e é negativo, e por volta de 1000 vezes maior que μ_p, que é positivo. Então $\mu_e + \mu_p$ e $\mu_e - \mu_p$ são, ambos, números negativos e quase iguais. Vamos chamá-los de $-\mu$ e $-\mu'$:

$$\mu = -(\mu_e + \mu_p), \quad \mu' = -(\mu_e - \mu_p). \quad (12.36)$$

(μ e μ' são números positivos e quase iguais ao módulo de μ_e – que é por volta de um magnéton de Bohr.) Então, nossas quatro energias são

$$\begin{aligned} E_I &= A + \mu B, \\ E_{II} &= A - \mu B, \\ E_{III} &= A\{-1 + 2\sqrt{1 + \mu'^2 B^2/4A^2}\}, \\ E_{IV} &= -A\{1 + 2\sqrt{1 + \mu'^2 B^2/4A^2}\}. \end{aligned} \quad (12.37)$$

A energia E_I começa em A e aumenta linearmente com B – com inclinação μ. A energia E_{II} também começa em A, mas *decresce* linearmente com o aumento de B – sua inclinação é $-\mu$. Esses dois níveis variam com B como mostrado na Fig. 12-3. Também mostramos na figura as energias E_{III} e E_{IV}. Elas possuem dependências diferentes em B. Para B pequeno, elas dependem quadraticamente de B, então começam com uma inclinação horizontal e começam a se curvar; para B grande, elas se aproximam de linhas retas com inclinação $\pm\mu'$, que são quase as mesmas inclinações de E_I e E_{II}.

O desdobramento dos níveis de energia de um átomo devido ao campo magnético é chamado de *efeito Zeeman*. Dizemos que as curvas na Fig. 12-3 mostram o *desdobramento Zeeman* do estado fundamental do átomo de hidrogênio. Quando não há nenhum campo magnético, temos somente as linhas espectrais da estrutura hiperfina do hidrogênio. As transições entre o estado $|IV\rangle$ e qualquer um dos outros estados ocorrem com a absorção ou a emissão de um fóton cuja frequência de 1420 megaciclos é $1/h$ vezes a diferença de energia $4A$. Quando o átomo está em um campo magnético **B**, entretanto, existem muito mais linhas. Pode haver transições entre quaisquer dois dos quatro estados. Então, se tivermos átomos em todos os quatro estados, a energia pode ser absorvida – ou emitida – em qualquer uma das seis transições mostradas pelas setas verticais na Fig. 12-4. Muitas dessas transições podem ser observadas pela técnica do feixe molecular de Rabi que descrevemos no Volume II, Seção 35-3 (veja o Apêndice).

O que faz as transições acontecerem? As transições devem ocorrer se você aplicar um pequeno campo magnético perturbador que varia com o tempo (além do campo forte fixo **B**). É a mesma coisa que vimos para uma variação do campo elétrico na molécula de amônia. Apenas aqui, o campo magnético acopla com os momentos magnéticos e faz o truque. A teoria é simples se você tomar um campo magnético perturbativo que gira no plano $x - y$ – apesar de que qualquer campo horizontal oscilante fará isso. Quando você coloca este campo perturbativo como um termo adicional na Hamiltoniana, você obtém uma solução em que as amplitudes variam como tempo – como encontramos para a molécula de amônia. Então você pode calcular facilmente e com precisão as probabilidades de transição de um estado para outro, e verá que tudo isso concorda com a experiência.

Figura 12–3 Níveis de energia do estado fundamental do hidrogênio em um campo magnético **B**.

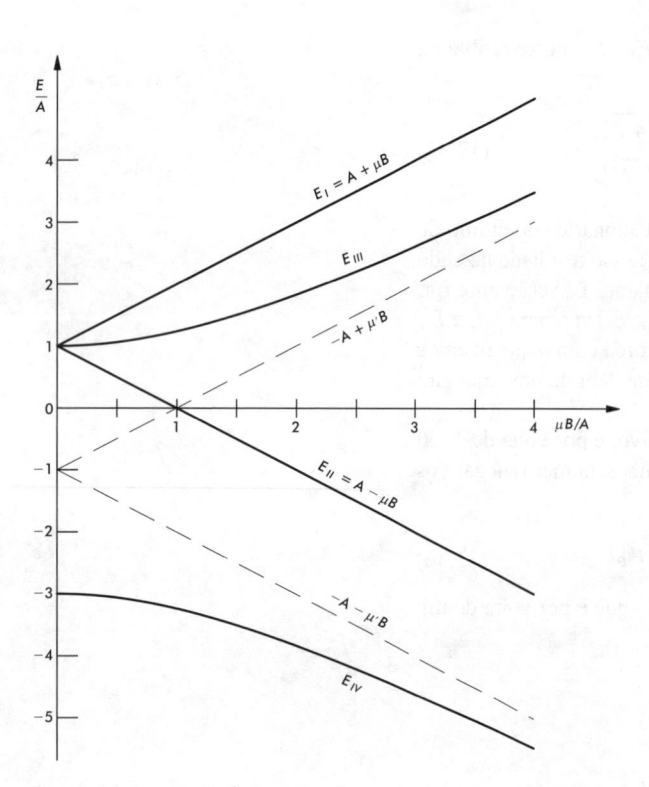

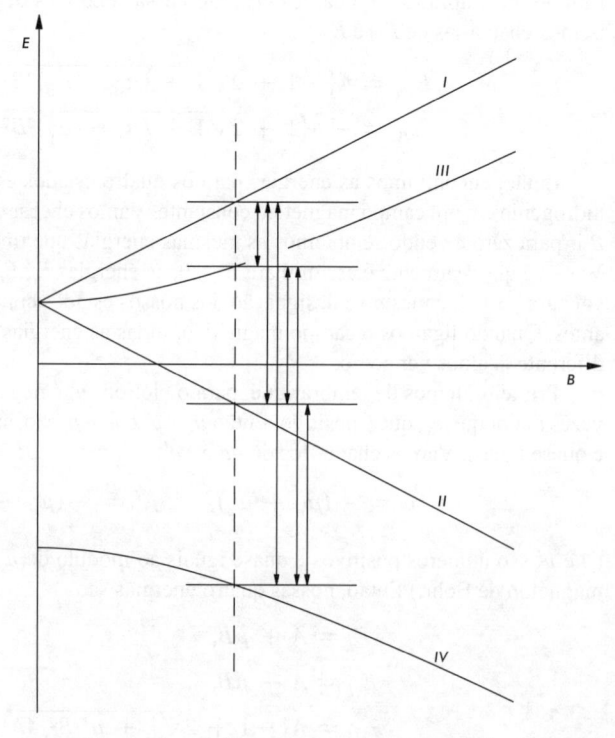

Figura 12–4 Transições entre os níveis do estado fundamental do hidrogênio em algum campo magnético **B**.

12–5 Os estados em um campo magnético

Queremos agora discutir a forma das curvas na Fig. 12-3. Em primeiro lugar, as energias para grandes campos são fáceis de entender e bastante interessantes. Para B grande o suficiente (digamos para $\mu B/A \gg 1$), podemos desprezar o 1 nas fórmulas de (12.37). As quatro energias tornam-se

$$E_I = A + \mu B, \qquad E_{II} = A - \mu B,$$
$$E_{III} = -A + \mu' B, \qquad E_{IV} = -A - \mu' B. \qquad (12.38)$$

Essas são as equações para as quatro linhas retas na Fig. 12-3. Podemos entender estas energias fisicamente da seguinte maneira. A natureza dos estados estacionários em um campo *zero* é determinada completamente pela interação de dois momentos magnéticos. A mistura dos estados da base $|+-\rangle$ e $|-+\rangle$ nos estados estacionários $|III\rangle$ e $|IV\rangle$ é decorrente dessa interação. Em campos *externos grandes*, entretanto, o próton e o elétron serão influenciados fortemente pelo campo do outro; cada um agindo como se estivesse sozinho em um campo externo. Então – como já vimos muitas vezes – o spin do elétron estará paralelo ou oposto ao campo magnético externo.

Suponha que o spin do elétron esteja para "cima", ao longo do campo; sua energia será $-\mu_e B$. O próton pode estar também da mesma maneira. Se o spin do próton também estiver para "cima", sua energia será $-\mu_p B$. Então a soma dos dois é $-(\mu_e + \mu_p)B = \mu B$. Isso é justamente o que encontramos para E_I – o que está muito bom, pois estamos descrevendo o estado $|++\rangle = |I\rangle$. Ainda existe um pequeno termo adicional A (agora $\mu B \gg A$) que representa a energia de interação do próton e do elétron quando os seus spins estiverem paralelos. (Originalmente tomamos A como positivo, pois a teoria que estávamos usando dizia que ele tinha de ser assim, e experimentalmente isso é verdade.) Por outro lado, o próton pode ter o seu spin para baixo. Então a sua energia em um campo externo vai para $+\mu_p B$, assim ele e o elétron possuem a energia $-(\mu_e - \mu_p)B = \mu' B$. E a energia de interação torna-se $-A$. A soma é justamente a energia E_{III} em (12.38). Então o estado $|III\rangle$ para grandes campos torna-se o estado $|+-\rangle$.

Suponha agora que o spin do elétron esteja para "baixo". Sua energia em um campo externo é $\mu_e B$. Se o próton também estiver para "baixo", os dois juntos possuem a energia $(\mu_e + \mu_p)B = -\mu B$, *mais* a energia de interação A – desde que os seus spins sejam paralelos. Isso é a energia E_{II} em (12.38) e corresponde ao estado $|--\rangle = |II\rangle$ – o que é bom. Finalmente se o elétron estiver para "baixo" e o próton para "cima", obtemos a energia $(\mu_e - \mu_p)B - A$ (*menos* A para a interação pois os spins são opostos) que é justamente E_{IV}. E o estado correspondente é $|-+\rangle$.

"Mas espere um momento!", você provavelmente está dizendo "Os estados $|III\rangle$ e $|IV\rangle$ não são os estados $|+-\rangle$ e $|-+\rangle$; eles são *misturas* dos dois". Bem, somente em parte. Eles são de fato misturas para $B = 0$, mas vimos o que eles são para B grande. Quando usamos as analogias de (12.33) em nossas fórmulas do Capítulo 9 para obter as energias dos estados estacionários, podíamos ter tomado também as amplitudes correspondentes. Elas são provenientes da Eq. (9.24), que é

$$\frac{a_2}{a_3} = \frac{E - H_{22}}{H_{21}}.$$

A razão a_2/a_3 é, certamente, somente C_2/C_3. Inserindo as quantidades análogas de (12.33), obtemos

$$\frac{C_2}{C_3} = \frac{E + A - (\mu_e - \mu_p)B}{2A}$$

ou

$$\frac{C_2}{C_3} = \frac{E + A + \mu' B}{2A}, \qquad (12.39)$$

onde para E estamos usando a energia apropriada E_{III} ou E_{IV}. Por exemplo, para o estado $III\rangle$, temos

$$\left(\frac{C_2}{C_3}\right)_{III} \approx \frac{\mu' B}{A}. \qquad (12.40)$$

Então para B grande o estado $|III\rangle$ possui $C_2 \gg C_3$; o estado se converte quase completamente no estado $|2\rangle = |+-\rangle$. Similarmente, se colocarmos E_{IV} em (12.39), obtemos $(C_2/C_3)_{IV} \ll 1$; para grandes campos o estado $|IV\rangle$ é simplesmente $|3\rangle = |-+\rangle$. Note que os coeficientes na combinação linear dos nossos quatro estados da base que constituem o estado estacionário dependem de B. O estado que chamamos de $|III\rangle$ é uma mistura meio a meio de e $|+-\rangle$ e $|-+\rangle$ em campos muito baixos, mas praticamente convertem-se completamente em $|+-\rangle$ em campos muito grandes. De froma similar, o estado $|IV\rangle$, que em campos fracos é também uma mistura meio a meio (com sinal oposto) de $|+-\rangle$ e $|-+\rangle$, se torna o estado $|-+\rangle$ quando os spins são desacoplados por um campo externo forte.

Gostaríamos de chamar a sua atenção particularmente para o que acontece em campos magnéticos *muito fracos*. Existe uma energia – em $-3A$ – *que não muda* quando você liga um campo magnético pequeno. E existe outra energia – em $+A$ – que se desdobra em três diferentes níveis de energia quando você liga um campo magnético pequeno. Para campos fracos, a energia varia com B como mostrado na Fig. 12-5. Suponha que de alguma forma tenhamos selecionado uma quantidade de átomos de hidrogênio na qual todos possuem a energia $-3A$. Se os colocarmos em um experimento de Stern-Gerlach – com campos que não são tão fortes – iríamos encontrar que eles passam diretamente através dele. (Uma vez que suas energias não dependem de B, não há – de acordo com o princípio do trabalho virtual – nenhuma força atuando neles em um gradiente de campo magnético.) Suponha, por outro lado, que selecionemos uma quantidade de átomos com energia $+A$ e os coloquemos em um aparato de Stern-Gerlach, um aparato S. (Novamente o campo no aparato não é tão forte a ponto de romper o interior dos átomos, por isso entendemos que é um campo pequeno o bastante tal que as energias variem linearmente com B.) Encontraremos *três feixes*. Os estados $|I\rangle$ e $|II\rangle$ adquirem forças opostas – suas energias variam linearmente com B com a inclinação $\pm\mu$, então *as forças* são como aquelas em um dipolo com $\mu_z = \pm\mu$; mas o estado $|III\rangle$ passa direto. Assim, retomamos brevemente o Capítulo 5. Um *átomo de hidrogênio com energia* $+A$ *é uma partícula de spin um*. Este estado de energia é uma "partícula" com $j = 1$ e pode ser descrito – com relação a algum conjunto de eixos no espaço – em termos dos estados da base $|+S\rangle$, $|0S\rangle$ e $|-S\rangle$ que usamos no Capítulo 5. Por outro lado, quando um átomo de hidrogênio possui a energia $-3A$, é uma partícula de spin zero. (Lembre-se de que o que estamos falando é somente para campos magnéticos infinitesimais.) Então podemos agrupar os estados do hidrogênio em um campo magnético zero desta maneira:

$$\left.\begin{array}{l} |I\rangle = |++\rangle \\ |III\rangle = \dfrac{|+-\rangle + |-+\rangle}{\sqrt{2}} \\ |II\rangle = |--\rangle \end{array}\right\} \text{spin 1} \quad \left\{\begin{array}{l} |+S\rangle \\ |0\,S\rangle \\ |-S\rangle \end{array}\right. \qquad (12.41)$$

$$|IV\rangle = \frac{|+-\rangle - |-+\rangle}{\sqrt{2}} \quad \text{spin 0}. \qquad (12.42)$$

Dissemos, no Capítulo 35 do Volume II (Apêndice), que para qualquer partícula sua componente do momento angular ao longo de um eixo pode possuir somente alguns valores sempre separados por $\hbar$. A componente z do momento angular J_z pode ser $j\hbar, (j-1)\hbar, (j-2)\hbar,\ldots,(-j)\hbar$, onde j é o spin da partícula (que pode ser um inteiro ou semi-inteiro). Embora tenhamos desprezado dizê-lo naquela ocasião, as pessoas usualmente escrevem

$$J_z = m\hbar, \qquad (12.43)$$

onde m é um dos números $j, j-1, j-2,\ldots,-j$. Você verá, então, pessoas escrevendo em livros os quatro estados fundamentais do hidrogênio pelos chama-

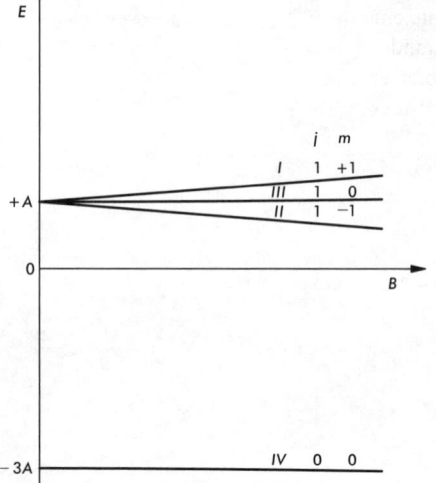

Figura 12–5 Estados do hidrogênio atômico para um campo magnético pequeno.

dos *números quânticos j* e *m* [algumas vezes chamados de "número quântico de momento angular total" (*j*) e "número quântico magnético" (*m*)]. Então, no lugar dos símbolos $|I\rangle$ e $|II\rangle$ para os nossos estados, e assim por diante, eles escreverão o estado como $|j, m\rangle$. Então, escreverão a nossa pequena tabela dos estados para campo zero em (12.41) e (12.42) como mostrado na Tabela 12-3. Não é nenhuma física nova, é somente uma questão de notação.

12–6 A matriz de projeção para spin um†

Agora gostaríamos de usar nosso conhecimento do átomo de hidrogênio para fazer alguma coisa especial. No Capítulo 5, discutimos que uma partícula de spin um que está em uma dos estados da base (+, 0, ou –) com relação a um aparato de Stern-Gerlach em uma orientação particular – um aparato S – deve ter certa amplitude de estar em um desses três estados com relação a um aparato T com uma orientação espacial diferente. Existem então nove amplitudes $\langle jT | iS \rangle$ que fazem a matriz de projeção. Na Seção 5-7, demos sem provas os termos dessa matriz para várias orientações de T com relação a S. Agora mostraremos uma maneira de elas serem obtidas.

No átomo de hidrogênio, encontramos um sistema de spin um que é feito de duas partículas de spin meio. No Capítulo 6, já trabalhamos como transformar as amplitudes de spin meio. Podemos usar essa informação para calcular a transformação para spin um. É assim que funciona: temos um sistema – um átomo de hidrogênio com energia $+A$ – que possui spin um. Suponha que o coloquemos em um filtro S de Stern-Gerlach, então sabemos que ele estará em um dos estados da base com relação a S, digamos $|+S\rangle$. Qual é a amplitude de ele estar em um dos estados da base, digamos $|+T\rangle$ com relação ao aparato T? Se chamarmos o sistema de coordenadas do aparato S de sistema x, y, z, o estado $|+S\rangle$ é o que chamamos de $|++\rangle$. Suponha agora que outra pessoa tomou o eixo z ao longo do eixo de T. Ele irá se referir aos seus estados com o que chamamos de referencial x', y', z'. Seus estados do elétron e do próton "para cima" e "para baixo" serão diferentes dos nossos. *Seu* estado "mais-mais" – que podemos escrever como $|+' +'\rangle$, com referência ao "primeiro" arranjo, é o estado $|+T\rangle$ para a partícula de spin um. O que queremos é $\langle +T | +S \rangle$, que é somente outra maneira de escrever a amplitude $\langle +' +' | ++ \rangle$.

Podemos encontrar a amplitude $\langle +' +' | ++ \rangle$ da seguinte maneira. Em *nosso* arranjo o *elétron* no estado $|++\rangle$ possui spin "para cima". Isso significa que ele possui uma amplitude $\langle +' | + \rangle_e$ de estar "para cima" no referencial *dele*, e alguma amplitude $\langle -' | + \rangle_e$ de estar "para baixo" naquele referencial. Similarmente, o *próton* no estado $|++\rangle$ possui spin "para cima" em nosso referencial e as amplitudes $\langle +' | + \rangle_p$ e $\langle -' | + \rangle_p$ de possuir spin "para cima" ou spin "para baixo" no "primeiro" referencial. Uma vez que estamos falando de duas partículas diferentes, a amplitude de *ambas* as partículas estarem "para cima" *juntas* no referencial *dele* é o produto das duas amplitudes,

$$\langle +' +' | ++ \rangle = \langle +' | + \rangle_e \langle +' | + \rangle_p. \qquad (12.44)$$

Colocamos os subscritos e e p nas amplitudes $\langle +' | + \rangle$ para deixar claro o que estamos fazendo. Contudo, ambas são somente a transformação de amplitudes para uma partícula de spin semi-inteiro, então realmente são números idênticos. De fato, são apenas as amplitudes que chamamos de $\langle +T | +S \rangle$ no Capítulo 6 e que listamos nas tabelas no final daquele capítulo.

Porém, agora, estamos a ponto de entrar em dificuldade com a notação. Temos de ser capazes de distinguir a amplitude $\langle +T | +S \rangle$ para uma partícula de *spin meio* do que temos também chamado de $\langle +T | +S \rangle$ para uma partícula de *spin um* – elas são completamente diferentes! Esperamos que isso não fique confuso, mas *no momento*, pelo menos, iremos usar símbolos diferentes para as amplitudes de spin meio. Para ajudá-lo a manter as coisas em ordem, resumimos a nova notação na Tabela 12-4. Continuaremos a usar a notação $|+S\rangle$, $|0S\rangle$ e $|-S\rangle$ para os estados das partículas de spin um.

Com a nossa nova notação, a Eq. (12.44) fica simplesmente

Tabela 12–3
Estados de campo zero do átomo de hidrogênio

Estado $|j, m\rangle$	j	m	Nossa notação
$|1, +1\rangle$	1	+1	$|I\rangle = |+S\rangle$
$|1, 0\rangle$	1	0	$|III\rangle = |0S\rangle$
$|1, -1\rangle$	1	−1	$|II\rangle = |-S\rangle$
$|0, 0\rangle$	0	0	$|IV\rangle$

---

† Aqueles que escolheram pular o Capítulo 6 devem fazer o mesmo com esta seção.

$$\langle +' +' | + + \rangle = a^2,$$

e essa é somente a amplitude de spin *um* $\langle +T | +S \rangle$. Agora, vamos supor, por exemplo, que o referencial de coordenadas da outra pessoa – ou seja o aparato T – esteja somente girado em um ângulo ϕ com relação ao *nosso* eixo z; então, da Tabela 6-2,

$$a = \langle +' | + \rangle = e^{i\phi/2}.$$

Então de (12.44) temos que a amplitude para o spin um é

$$\langle +T | +S \rangle = \langle +' +' | + + \rangle = (e^{i\phi/2})^2 = e^{i\phi}. \quad (12.45)$$

Você pode ver como as coisas funcionam.

Agora, iremos trabalhar com o caso geral para todos os estados. Se o próton e o elétron estão, ambos, "para cima" em *nosso* referencial – referencial S –, as amplitudes de ele estar em *qualquer um dos outros quatro* possíveis estados do referencial da outra pessoa – referencial T – são

$$\begin{aligned}
\langle +' +' | + + \rangle &= \langle +' | + \rangle_e \langle +' | + \rangle_p = a^2, \\
\langle +' -' | + + \rangle &= \langle +' | + \rangle_e \langle -' | + \rangle_p = ab, \\
\langle -' +' | + + \rangle &= \langle -' | + \rangle_e \langle +' | + \rangle_p = ba, \\
\langle -' -' | + + \rangle &= \langle -' | + \rangle_e \langle -' | + \rangle_p = b^2.
\end{aligned} \quad (12.46)$$

Podemos então escrever o estado $| + + \rangle$ como a seguinte combinação linear:

$$| + + \rangle = a^2 | +' +' \rangle + ab\{| +' -' \rangle + | -' +' \rangle\} + b^2 | -' -' \rangle. \quad (12.47)$$

Agora notemos que $| +' +' \rangle$ é o estado $| + T \rangle$, que $\{| +' -' \rangle + | -' +' \rangle\}$ é somente o estado $| 0T \rangle$ *multiplicado* por $\sqrt{2}$ – veja (12.41) – e que $| -' -' \rangle = | -T \rangle$. Em outras palavras, a Eq. (12.47) pode ser escrita como

$$| +S \rangle = a^2 | +T \rangle + \sqrt{2}\, ab\, | 0T \rangle + b^2 | -T \rangle. \quad (12.48)$$

De uma maneira similar, você pode mostrar que

$$| -S \rangle = c^2 | +T \rangle + \sqrt{2}\, cd\, | 0T \rangle + d^2 | -T \rangle. \quad (12.49)$$

Para $| 0S \rangle$ é um pouco mais complicado, pois

$$| 0S \rangle = \frac{1}{\sqrt{2}} \{| + - \rangle + | - + \rangle\}.$$

Podemos expressar cada um dos estados $| + - \rangle$ e $| - + \rangle$ em termos dos "primeiros" estados e tomar a soma. Ou seja,

$$| + - \rangle = ac | +' +' \rangle + ad | +' -' \rangle + bc | -' +' \rangle + bd | -' -' \rangle \quad (12.50)$$

e

$$| - + \rangle = ac | +' +' \rangle + bc | +' -' \rangle + ad | -' +' \rangle + bd | -' -' \rangle. \quad (12.51)$$

Tomando $1/\sqrt{2}$ vezes a soma, obtemos

$$| 0S \rangle = \frac{2}{\sqrt{2}} ac | +' +' \rangle + \frac{ad + bc}{\sqrt{2}} \{| +' -' \rangle + | -' +' \rangle\} + \frac{2}{\sqrt{2}} bd | -' -' \rangle.$$

**Tabela 12–4
Amplitudes de spin meio**

Neste capítulo	Capítulo 6
$a = \langle +' | + \rangle$	$\langle +T | +S \rangle$
$b = \langle -' | + \rangle$	$\langle -T | +S \rangle$
$c = \langle +' | - \rangle$	$\langle +T | -S \rangle$
$d = \langle -' | - \rangle$	$\langle -T | -S \rangle$

Disso segue que

$$|0\,S\rangle = \sqrt{2}\,ac\,|+T\rangle + (ad+bc)\,|0\,T\rangle + \sqrt{2}\,bd\,|-T\rangle. \qquad (12.52)$$

Temos agora todas as amplitudes que queremos. Os coeficientes das Eqs. (12.48), (12.49) e (12.52) são os elementos de matriz $\langle jT \mid iS \rangle$. Colocando todos juntos:

$$\langle jT \mid iS \rangle = \;\;jT\downarrow \overset{iS}{\longrightarrow}\begin{pmatrix} a^2 & \sqrt{2}\,ac & c^2 \\ \sqrt{2}\,ab & ad+bc & \sqrt{2}\,cd \\ b^2 & \sqrt{2}\,bd & d^2 \end{pmatrix}. \qquad (12.53)$$

Assim, expressamos a transformação de spin um em termos das amplitudes de spin meio a, b, c e d.

Por exemplo, se o referencial T for girado com relação a S por um ângulo α ao redor do eixo y – como na Fig. 5-6 –, as amplitudes na Tabela 12-4 são somente os elementos da matriz $R_y(\alpha)$ na Tabela 6-2.

$$\begin{aligned} a &= \cos\frac{\alpha}{2}, & b &= -\operatorname{sen}\frac{\alpha}{2}, \\ c &= \operatorname{sen}\frac{\alpha}{2}, & d &= \cos\frac{\alpha}{2}. \end{aligned} \qquad (12.54)$$

Usando isso em (12.53), obtemos as fórmulas de (5.38), que demos sem nenhuma demonstração.

O que aconteceu ao estado $|IV\rangle$? Bem, ele é um sistema de spin zero, então possui somente um estado – é o *mesmo em todos os sistemas de coordenadas*. Podemos checar que tudo funciona tomando-se a diferença das Eqs. (12.50) e (12.51); obtemos que

$$|+\,-\rangle - |-\,+\rangle = (ad-bc)\{|+'\,-'\rangle - |-'\,+'\rangle\}.$$

Contudo, $(ad-bc)$ é o determinante da matriz de spin um, assim é igual a 1. Obtemos que

$$|IV'\rangle = |IV\rangle$$

para qualquer orientação relativa dos dois sistemas de coordenadas.

13

Propagação em uma Rede Cristalina

13–1 Estados para um elétron em uma rede unidimensional

Você pensaria, à primeira vista, que um elétron com pouca energia teria uma enorme dificuldade para atravessar um sólido cristalino. Os átomos estão empacotados no cristal de tal forma que a distância entre seus centros é de somente alguns angstroms, e o diâmetro efetivo de um átomo para espalhar um elétron é da ordem de um angstrom, mais ou menos. Ou seja, os átomos são grandes quando comparados com a separação entre eles, e, portanto, você esperaria que o caminho médio livre entre colisões fosse também da ordem de alguns angstroms – o que é praticamente nada. Você esperaria que um elétron colidisse com um átomo e quase que imediatamente em seguida com outro. Entretanto, é um fenômeno da natureza de caráter geral que se a rede é perfeita, os elétrons são capazes de viajar através do cristal facilmente – quase como se estivessem no vácuo. Esse fato estranho é o que faz com que metais conduzam eletricidade tão facilmente; ele também permitiu o desenvolvimento de muitos dispositivos práticos. É ele, por exemplo, que permite que um transistor imite uma válvula. Em uma válvula, os elétrons se movem livremente através do vácuo, enquanto que em um transistor eles se movem livremente através da rede cristalina. Neste capítulo, descreveremos o que está por trás do funcionamento de um transistor; no próximo, veremos a aplicação desses princípios em vários dispositivos práticos.

A condução de elétrons em um cristal é um exemplo de um fenômeno muito comum. Os elétrons não só podem viajar por cristais, mas outras "coisas", como excitações atômicas, também podem viajar de forma semelhante. Ou seja, o fenômeno que iremos discutir aparece de muitos modos no estudo da física do estado sólido.

Você deve lembrar que já discutimos vários exemplos de sistemas de dois estados. Vamos agora considerar um elétron que pode estar em qualquer uma de duas posições, sendo que cada uma delas tem o mesmo tipo de vizinhança. Vamos também supor que exista uma dada amplitude para ir de uma posição a outra, e que, obviamente, a amplitude para retornar à posição original seja a mesma, como já discutimos para o íon de hidrogênio molecular na Seção 10-1. As leis da mecânica quântica nos fornecem os seguintes resultados. Há dois estados possíveis de energia bem definida para o elétron. Cada um deles pode ser descrito pela amplitude de o elétron estar em cada uma das duas posições consideradas. Em cada um dos estados de energia bem definida, as magnitudes dessas duas amplitudes são constantes no tempo, e suas fases variam no tempo com a mesma frequência. Por outro lado, se o elétron for inicialmente colocado em uma das duas posições, ele irá posteriormente se mover para a outra posição e depois voltará para a primeira posição. A amplitude é análoga ao movimento de dois pêndulos acoplados.

Considere agora uma rede cristalina perfeita na qual imaginamos que um elétron pode se situar em um tipo de "poço" localizado em um dado átomo com uma certa energia. Suponha também que o elétron tenha uma amplitude para se deslocar para um outro poço distinto em um dos átomos próximos. Isso é algo semelhante ao sistema de dois estados – mas com uma complicação adicional. Quando o elétron chega a um dos átomos vizinhos, ele pode posteriormente tanto continuar se movendo para outra posição quanto retornar à posição inicial. Agora temos uma situação que é análoga não a um sistema de *dois* pêndulos acoplados, mas sim a um sistema composto de um *número infinito* de pêndulos acoplados. É algo semelhante a um desses aparatos – composto de uma longa fila de barras montadas em um fio de torção – que é utilizado em aulas do primeiro ano de física para demonstrar propagação de ondas.

Se você tiver um oscilador harmônico acoplado a um outro oscilador harmônico, e este a um outro, e assim por diante…, e se você iniciar uma perturbação em um dado lugar, essa perturbação irá se propagar como uma onda ao longo da linha de osciladores. A mesma situação ocorre se você colocar um elétron em um átomo que está em uma longa cadeia de átomos.

Usualmente, a maneira mais simples de analisar o problema mecânico é não pensar em termos do que acontece se um pulso for iniciado em um lugar em particular, mas

13–1 Estados para um elétron em uma rede unidimensional

13–2 Estados com energia bem definida

13–3 Estados dependentes do tempo

13–4 Um elétron em uma rede tridimensional

13–5 Outros estados em uma rede

13–6 Espalhamento por imperfeições na rede

13–7 Aprisionamento por uma imperfeição na rede

13–8 Amplitudes de espalhamento e estados ligados

sim em termos de soluções estacionárias. Existem certos padrões de deslocamento que se propagam pelo cristal como uma onda com uma frequência fixa e bem definida. A mesma coisa acontece com o elétron – e pela mesma razão, porque ele é descrito na mecânica quântica por equações semelhantes.

Você deve, entretanto, perceber uma coisa; a amplitude para o elétron estar em um dado lugar é uma *amplitude*, e não uma probabilidade. Se elétrons estivessem vazando de um ponto a outro, como água através de um buraco, o comportamento seria completamente diferente. Por exemplo, se tivéssemos dois tanques de água conectados por um tubo que permitisse a vazão entre eles, então os níveis da água nos dois tanques iriam eventualmente se igualar em um tempo exponencialmente longo. Para elétrons, o que ocorre é um vazamento de amplitude, e não simplesmente um vazamento de probabilidade. E é uma característica do termo imaginário – o i na equação diferencial da mecânica quântica – que muda a solução exponencial para uma solução oscilatória. O que ocorre, portanto, é bastante diferente de um vazamento entre tanques interconectados.

Queremos agora analisar de maneira quantitativa a situação na mecânica quântica. Imagine um sistema unidimensional composto por uma longa linha de átomos, como mostrado na Fig. 13-1(a). (Um cristal é, obviamente, um sistema tridimensional, mas a física é basicamente a mesma; uma vez entendido o problema unidimensional, você será capaz de entender o que acontece em três dimensões.) Queremos, agora, ver o que acontece quando colocamos um único elétron nessa linha de átomos. É óbvio que em um cristal real existem milhões de elétrons, mas a maioria deles (quase todos para um cristal isolante) está posicionada em um certo padrão de movimento em torno de seus próprios átomos – e tudo é basicamente estacionário. Queremos agora, entretanto, entender o que ocorre quando introduzimos um elétron *adicional*. Não iremos considerar o que os outros elétrons estão fazendo porque supomos que uma grande quantidade de energia seria necessária para alterar seus movimentos. Vamos adicionar um elétron como se estivéssemos produzindo um íon negativo com o elétron fracamente ligado. Ao observarmos o que esse elétron *adicional* está fazendo, estamos fazendo uma aproximação na qual desconsideramos a mecânica de funcionamento interno dos átomos.

Naturalmente o elétron pode se mover para outro átomo, transferindo o íon negativo para outro local. Iremos supor que, de maneira semelhante a um elétron pulando entre dois prótons, o elétron pode saltar a partir de um átomo para cada um de seus vizinhos laterais com uma certa amplitude.

Como descrevemos esse sistema? Como fazemos uma escolha razoável para os estados de base? Se você se lembrar do que fizemos quando tínhamos somente duas posições, poderá adivinhar o que iremos fazer. Suponha que em nossa linha de átomos as distâncias entre eles sejam todas iguais; e que iremos numerar os átomos em sequência, como mostrado na Fig. 13-1(a). Um dos estados de base é para quando o elétron está no átomo de número 6, outro estado de base é para quando o elétron está no átomo 7, ou no átomo 8, e assim por diante. O n-ésimo estado de base é caracterizado pelo fato de o elétron estar no átomo de número n. Vamos chamar esse estado de base de $|n\rangle$. A Figura 13-1 mostra o que queremos simbolizar com os três estados de base

$$|n-1\rangle, \quad |n\rangle \quad \text{e} \quad |n+1\rangle.$$

Utilizando esses estados de base, qualquer estado $|\phi\rangle$ do elétron em nosso cristal unidimensional pode ser descrito fornecendo-se todas as amplitudes $\langle n | \phi \rangle$ de que o estado $|\phi\rangle$ esteja em um dos estados de base – o que significa a sua amplitude estar localizada em um dado átomo. Podemos, então, escrever o estado $|\phi\rangle$ como uma superposição de estados de base

$$|\phi\rangle = \sum_n |n\rangle\langle n | \phi\rangle. \tag{13.1}$$

Vamos agora supor que quando o elétron está em um dado átomo, existe uma certa amplitude que ele escoe para um dos átomos em cada um dos dois lados da cadeia. Consideremos o caso mais simples em que ele só possa escoar para os primeiros vizinhos – para ir aos segundos vizinhos o elétron tem de

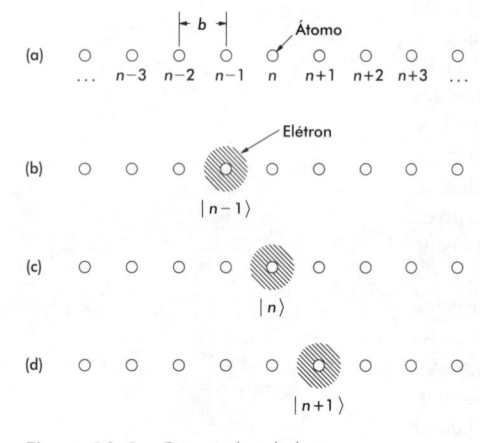

Figura 13–1 Os estados de base para um elétron em um cristal unidimensional.

fazer isso em dois passos. A amplitude para o elétron saltar de um átomo para o próximo é $iA/\hbar$ (por unidade de tempo).

Por ora, vamos escrever a amplitude $\langle n \mid \phi \rangle$ de estar no n-ésimo átomo como C_n. A Eq. (13.1) pode então ser escrita como

$$\mid \phi \rangle = \sum_n \mid n \rangle C_n. \tag{13.2}$$

Se conhecêssemos cada uma das amplitudes C_n em um dado momento, poderíamos calcular os seus módulos quadrados e obter a probabilidade de encontrar o elétron no átomo n naquele instante de tempo.

Como seria a situação em um tempo posterior? Analogamente ao sistema de dois estados que já estudamos, poderíamos propor que as equações do Hamiltoniano para esse sistema seriam compostas por expressões como as seguintes:

$$i\hbar \frac{dC_n(t)}{dt} = E_0 C_n(t) - A C_{n+1}(t) - A C_{n-1}(t). \tag{13.3}$$

O primeiro coeficiente à direita, E_0, é, fisicamente falando, a energia que o elétron teria se ele não pudesse escoar de nenhum dos átomos. (Não importa exatamente o valor de E_0; como já vimos várias vezes, ele não representa, no fundo, nada além da nossa escolha para o zero da energia.) O próximo termo representa a amplitude por unidade de tempo que o elétron esteja escoando para o n-ésimo poço a partir do poço $(n + 1)$; e o último termo é a amplitude de escoamento a partir do poço $(n - 1)$. Vamos supor, como usualmente é feito, que A é uma constante (independente de t).

Para uma descrição completa do comportamento de um estado genérico $\mid \phi \rangle$, teríamos uma equação igual à (13.3) para cada uma das amplitudes C_n. Como estamos interessados em um cristal com um número muito grande de átomos, vamos supor que exista um número de estados indefinidamente grande – ou seja, que os átomos se estendam sem fim nas duas direções. (Para estudar o sistema finito, temos de tomar cuidado com o que ocorre nas bordas.) Se o número N de estados de base é indefinidamente grande, então temos um conjunto infinito de equações para o Hamiltoniano! Vamos escrever somente uma pequena amostra:

$$\begin{aligned} &\vdots \quad\quad\quad\quad \vdots \\ i\hbar \frac{dC_{n-1}}{dt} &= E_0 C_{n-1} - A C_{n-2} - A C_n, \\ i\hbar \frac{dC_n}{dt} &= E_0 C_n - A C_{n-1} - A C_{n+1}, \\ i\hbar \frac{dC_{n+1}}{dt} &= E_0 C_{n+1} - A C_n - A C_{n+2}, \\ &\vdots \quad\quad\quad\quad \vdots \end{aligned} \tag{13.4}$$

13–2 Estados com energia bem definida

Podemos estudar várias coisas relacionadas a um elétron em uma rede, mas vamos inicialmente tentar encontrar os estados de energia bem definida. Como vimos em capítulos anteriores, isso significa que temos uma situação em que, se as amplitudes dependem do tempo, todas elas mudam com a mesma frequência. Procuramos por soluções do tipo

$$C_n = a_n e^{-iEt/\hbar}. \tag{13.5}$$

O número complexo a_n nos fornece informação sobre a parte independente do tempo da amplitude de se encontrar o elétron no átomo n. Se substituirmos essa solução tentativa nas equações de (13.4), obtemos os resultados

$$E a_n = E_0 a_n - A a_{n+1} - A a_{n-1}. \tag{13.6}$$

Temos um número infinito dessas equações para um número infinito de incógnitas a_n – o que é assustador.

Tudo o que temos de fazer é calcular o determinante... mas espere! Determinantes são ótimos quando temos 2, 3 ou 4 equações. Se tivermos um número muito grande – ou um número infinito – de equações, os determinantes não são muito convenientes. Vamos nos sair melhor tentando resolver as equações de maneira direta. Primeiramente, vamos indexar os átomos pelas suas *posições*; dizemos que o átomo n está em x_n e que o átomo $(n + 1)$ está em x_{n+1}. Se a distância entre os átomos for b – como na Fig. 13-1 – temos que $x_{n+1} = x_n + b$. Escolhendo nossa origem no átomo zero, conseguimos escrever $x_n = nb$. Podemos reescrever a Eq. (13.5) como

$$C_n = a(x_n)e^{-iEt/\hbar}, \qquad (13.7)$$

e a Eq. (13.6) fica

$$Ea(x_n) = E_0 a(x_n) - Aa(x_{n+1}) - Aa(x_{n-1}). \qquad (13.8)$$

Ou, utilizando o fato de que $x_{n+1} = x_n + b$, podemos ainda escrever

$$Ea(x_n) = E_0 a(x_n) - Aa(x_n + b) - Aa(x_n - b). \qquad (13.9)$$

Essa equação é mais ou menos semelhante a uma equação diferencial. Ela nos diz que a quantidade $a(x)$ no ponto (x_n) está relacionada à mesma quantidade em pontos vizinhos $(x_n \pm b)$. (Uma equação diferencial relaciona o valor de uma função em um ponto com seus valores em pontos vizinhos infinitesimalmente próximos.) Talvez os métodos que utilizamos para resolver equações diferencias também funcionem aqui; vamos tentar.

Equações diferenciais lineares com coeficientes constantes podem sempre ser resolvidas utilizando-se funções exponenciais. Podemos tentar a mesma coisa; vamos considerar a seguinte tentativa de solução

$$a(x_n) = e^{ikx_n}. \qquad (13.10)$$

A Eq. (13.9) então fica

$$Ee^{ikx_n} = E_0 e^{ikx_n} - Ae^{ik(x_n+b)} - Ae^{ik(x_n-b)}. \qquad (13.11)$$

Podemos dividir pelo fator comum e^{ikx_n}; obtemos então

$$E = E_0 - Ae^{ikb} - Ae^{-ikb}. \qquad (13.12)$$

Os dois últimos termos são iguais a $(2A \cos kb)$, portanto

$$E = E_0 - 2A \cos kb. \qquad (13.13)$$

Encontramos que *para qualquer* escolha da constante k, existe uma solução com energia fornecida por essa equação. Existem vários possíveis valores de energia dependendo do valor de k, e a cada k corresponde uma solução diferente. Existe um número infinito de soluções – o que não é surpreendente visto que começamos com um número infinito de estados de base.

Vamos ver o que essas soluções significam. Para cada k, os a são dados pela Eq. (13.10). As amplitudes C_n são então fornecidas por

$$C_n = e^{ikx_n}e^{-(i/\hbar)Et}, \qquad (13.14)$$

onde você deve lembrar que a energia E também depende de k segundo a Eq. (13.13). A *dependência espacial* das amplitudes é dada por e^{ikx_n}. As amplitudes oscilam à medida que vamos de um dado átomo até o próximo.

O que queremos dizer é que a amplitude, no espaço, se comporta como uma oscilação *imaginária* – a *magnitude* é a mesma em todos os átomos, mas a fase em um dado tempo avança pela quantidade (ikb) de um átomo até o próximo. Podemos visualizar o que está acontecendo desenhando uma linha vertical que representa a parte real de C_n em cada átomo como feito na Fig. 13-2. A função envelope dessas linhas verticais (como marcada pela curva tracejada) é, claramente, um cosseno. A parte imaginária de C_n é também uma função oscilatória, mas defasada em 90° de tal forma que o módulo ao quadrado (que é a soma do quadrado das partes real e imaginária) é o mesmo para todos os C.

Assim, se escolhemos um valor de k, obtemos um estado estacionário com um valor particular de energia E. E para cada um desses estados, o elétron tem probabilidade igual de ser encontrado em cada um dos átomos – não existe preferência por este ou aquele átomo. Somente a fase é diferente para diferentes átomos. Além disso, à medida que o tempo passa, as fases mudam. Da Eq. (13.14) vemos que as partes real e imaginária se propagam ao longo do cristal como ondas – a saber, como as partes real e imaginária de

$$e^{i[kx_n - (E/\hbar)t]}. \tag{13.15}$$

A onda pode se propagar tanto para direções positivas quanto negativas de x dependendo do sinal que escolhemos para k.

Note que assumimos a hipótese que o número k que utilizamos na solução tentativa, Eq. (13.10), era um número real. Podemos ver agora o porquê disso considerando que temos uma linha infinita de átomos. Suponha que k fosse um número imaginário, por exemplo, ik'. Então as amplitudes a_n se comportariam como $e^{k'x_n}$, o que significa que as amplitudes ficariam cada vez maiores à medida que x ficasse também cada vez maior – ou para valores de x cada vez mais negativos se k' fosse um número negativo. Esse tipo de solução estaria correta se estivéssemos considerando uma linha de átomos que tivesse fim, mas não pode ser uma solução física para uma cadeia infinita de átomos. Ela daria amplitudes infinitas – e, portanto, probabilidades infinitas – que não podem representar uma situação real. Mais tarde, veremos um exemplo em que um k imaginário faz sentido.

A relação entre a energia E e o número de onda k como fornecida pela Eq. (13.13) é apresentada no gráfico da Fig. 13-3. Como pode ser visto da figura, a energia pode variar desde $(E_0 - 2A)$ para $k = 0$ até $(E_0 + 2A)$ para $k = \pm\pi/b$. O gráfico é mostrado para um valor de A positivo; se A fosse negativo, a curva seria simplesmente invertida, mas o intervalo seria o mesmo. O resultado importante é que qualquer valor de energia é aceitável dentro de um certo intervalo ou "faixa" ("banda") de energia, mas não fora deste. Dentro de nossas hipóteses, se um elétron em um cristal estiver em um estado estacionário, ele não pode ter nenhuma energia fora dos valores dessa banda.

Segundo a Eq. (13.13), os k de valores mais baixos correspondem a estados de energia mais baixa – $E \approx (E_0 - 2A)$. À medida que k aumenta em magnitude (tanto para valores positivos como negativos), a energia no início aumenta, mas então atinge um valor máximo em $k = \pm\pi/b$, como mostrado na Fig. 13.3. Para valores de k maiores do que π/b, a energia começaria a diminuir novamente. Não temos, na verdade, que considerar tais valores de k, porque eles não fornecem novos estados – eles simplesmente repetem estados que já temos para valores menores de k. Podemos ver isso do seguinte modo. Considere o estado de energia mais baixo para o qual $k = 0$. Os coeficientes $a(x_n)$ são os mesmos para todos os x_n. A mesma energia seria obtida para $k = 2\pi/b$. Utilizando a Eq. (13.10), temos que

$$a(x_n) = e^{i(2\pi/b)x_n}.$$

Contudo, considerando x_0 como origem, podemos estabelecer $x_n = nb$; desta forma $a(x_n)$ fica

$$a(x_n) = e^{i2\pi n} = 1.$$

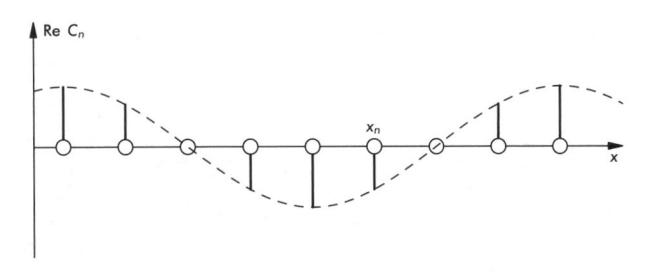

Figura 13–2 Variação da parte real de C_n com relação a x_n.

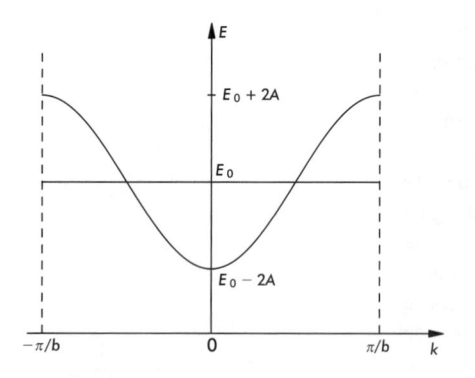

Figura 13–3 Energia dos estados estacionários como função do parâmetro k.

O estado descrito por esses $a(x_n)$ é fisicamente o mesmo estado que obtivemos para $k = 0$. Ele não representa uma solução distinta.

Como outro exemplo, suponha que k fosse $-\pi/4b$. A parte real de $a(x_n)$ variaria como mostrado pela curva 1 na Fig. 13-4. Se k fosse $7\pi/4b$, a parte real de $a(x_n)$ variaria como mostrado pela curva 2 nesta figura. (As curvas do cosseno, obviamente, não significam nada; o que importa realmente são seus valores *nos pontos* x_n. As curvas são simplesmente para auxiliá-lo a ver como as coisas estão indo.) Você vê que ambos os valores de k dão as mesmas amplitudes para todos os pontos x_n.

O resultado é que temos todas as possíveis soluções do nosso problema se considerarmos valores de k somente em um certo intervalo limitado. Escolheremos os valores entre $-\pi/b$ e $+\pi/b$ – a região apresentada na Fig. 13-3. Nesse intervalo, a energia dos estados estacionários aumenta uniformemente com um aumento na magnitude de k.

Uma observação sobre algo que você pode explorar. Suponha que o elétron pode não apenas pular para o primeiro vizinho mais próximo com a amplitude $iA/\hbar$, mas também tem a possibilidade de pular, via um salto direto, para o *segundo vizinho mais próximo* com uma outra amplitude $iB/\hbar$. Você encontrará que a solução pode ser novamente escrita na forma $a_n = e^{ikx_n}$ – esse tipo de solução é universal. Você também encontrará que os estados estacionários com número de onda k têm energia igual a ($E_0 - 2A \cos kb - 2B \cos 2kb$). Isso mostra que a forma da curva de E em função de k não é universal, mas depende das hipóteses específicas do problema. Ela não é sempre uma função cosseno – e nem é, necessariamente, simétrica com relação a uma linha horizontal. O que é sempre verdadeiro, contudo, é que a curva sempre se repete fora do intervalo entre $-\pi/b$ e $+\pi/b$, portanto você nunca tem de se preocupar com os outros valores de k.

Vamos observar com maior atenção o que acontece para pequenos valores de k – isto é, quando as variações das amplitudes de um x_n ao seguinte são bastante pequenas. Suponha que escolhemos o nosso zero da energia definindo $E_0 = 2A$; então o mínimo da curva no Fig. 13-3 está no zero da energia. Para valores de k suficientemente pequenos, podemos escrever

$$\cos kb \approx 1 - k^2b^2/2,$$

e a energia da Eq. (13.13) torna-se

$$E = Ak^2b^2. \quad (13.16)$$

Temos que a energia é proporcional ao quadrado do número de onda que descreve as variações espaciais das amplitudes C_n.

13–3 Estados dependentes do tempo

Nesta seção, gostaríamos de discutir o comportamento de estados na rede unidimensional de forma mais detalhada. Se a amplitude de um elétron estar em x_n é C_n, a probabilidade de encontrá-lo neste sítio é $|C_n|^2$. Para os estados *estacionários* descritos pela Eq. (13.14), essa probabilidade é a mesma para todos os x_n e não se modifica com o tempo.

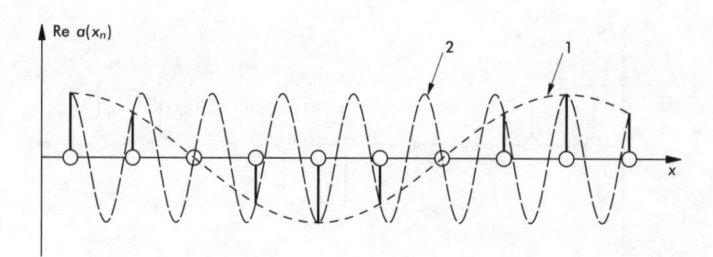

Figura 13–4 Dois valores de k que representam a mesma situação física; a curva 1 é para $k=-\pi/4b$, a curva 2 é para $k=7\pi/4b$.

Como podemos representar uma situação que descreveríamos grosseiramente como tendo um elétron com uma certa energia localizado em uma certa região – de tal forma que ele tem maior probabilidade de ser encontrado em um dado lugar do que em outro? Podemos fazer isso construindo uma superposição de várias soluções como as da Eq. (13.14) com valores ligeiramente diferentes de k – e, portanto, com energias ligeiramente diferentes. Então para $t = 0$, pelo menos, a amplitude C_n irá variar com a posição por causa da interferência entre os vários termos, da mesma maneira que se obtêm batimentos quando há uma mistura de ondas de comprimentos de onda diferentes (como discutimos no Capítulo 48, Vol. I). Portanto podemos construir "um pacote de onda" com um número de onda predominante k_0, mas com vários outros números de onda próximos de k_0.[†]

Na nossa superposição de estados estacionários, as amplitudes com diferentes valores de k representarão estados com energias ligeiramente diferentes, e, por isso, com frequências ligeiramente diferentes; o padrão de interferência para o C_n resultante, por isso, também variará com o tempo – existirá um padrão de "batimentos". Como vimos no Capítulo 48 do Volume I, os picos dos batimentos [o lugar onde $|C(x_n)|^2$ é grande] vai se mover ao longo de x à medida que o tempo passa; eles movem-se com a velocidade que chamamos de "velocidade de grupo". Encontramos que esta velocidade de grupo estava relacionada à variação de k com a frequência por

$$v_{\text{grupo}} = \frac{d\omega}{dk}; \quad (13.17)$$

a mesma derivação se aplica igualmente bem aqui. Um estado para o elétron que é "um pequeno monte" – ou seja, para o qual os C_n variam no espaço como o pacote de onda da Fig. 13-5 – irá se deslocar ao longo do nosso "cristal" unidimensional com a velocidade v igual a $d\omega/dk$, onde $\omega = E/\hbar$. Utilizando (13.6) para E, obtemos

$$v = \frac{2Ab^2}{\hbar} k. \quad (13.18)$$

Em outras palavras, os elétrons movem-se com uma velocidade proporcional ao valor de k típico. A Eq. (13.16) então diz que a energia de tal elétron é proporcional ao quadrado da sua velocidade – *ele se comporta como uma partícula clássica*. Desde que olhemos para as coisas em uma escala espacial bastante grosseira de tal forma que não vemos sua estrutura fina, a nossa descrição via mecânica quântica começa a dar resultados como a física clássica. De fato, se resolvemos a Eq. (13.18) para k e substituímos em (13.16), podemos escrever

$$E = \tfrac{1}{2} m_{\text{eff}} v^2, \quad (13.19)$$

onde m_{eff} é uma constante. A "energia de movimento" em excesso para o elétron em um pacote depende da velocidade da mesma forma que uma partícula clássica. A constante m_{eff} – chamada de "massa efetiva" – é dada por

$$m_{\text{eff}} = \frac{\hbar^2}{2Ab^2}. \quad (13.20)$$

Note ainda que podemos escrever

$$m_{\text{eff}}\, v = \hbar k. \quad (13.21)$$

Se decidirmos chamar $m_{\text{eff}} v$ de o "momento", ele está relacionado ao número de onda k da mesma maneira que descrevemos anteriormente para uma partícula livre.

Não se esqueça de que m_{eff} não tem nada a ver com a verdadeira massa de um elétron. Ela pode ser bastante diferente – embora em metais semicondutores comumente usados muitas vezes ela resulte ter a mesma ordem de grandeza, aproximadamente 0,1 a 30 vezes a massa de um elétron no espaço.

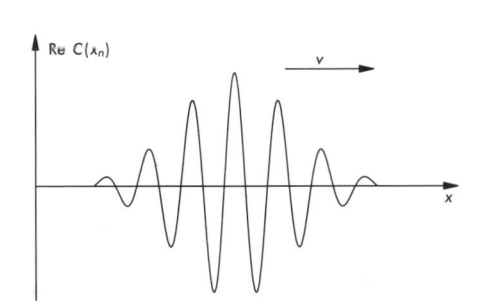

Figura 13–5 A parte real de $C(x_n)$ como função de x para uma superposição de vários estados com energia semelhante. (O espaçamento b é bastante pequeno comparado com a escala dos valores de x mostrados.)

[†] Desde que não tentemos fazer o pacote estreito demais.

Acabamos de explicar um mistério notável – como um elétron em um cristal (semelhante a um elétron extra posto no germânio) pode passear pelo cristal e fluir livremente embora ele tenha de colidir com todos os átomos. Ele assim o faz tendo as suas amplitudes fazendo pip-pip-pip desde um átomo até o seguinte, abrindo assim passagem pelo cristal. Essa é a maneira como um sólido pode conduzir eletricidade.

13–4 Um elétron em uma rede tridimensional

Vamos considerar por um momento como podemos aplicar as mesmas ideias para ver o que acontece a um elétron em três dimensões. Os resultados acabam sendo muito semelhantes. Suponha que tenhamos uma rede retangular de átomos com parâmetros de rede a, b, c nas três direções. (Se você quiser uma rede cúbica, considere os três parâmetros iguais.) Também suponha que a amplitude para saltar para um vizinho ao longo da direção x é $(iA_x/\hbar)$, ao longo da direção y é $(iA_y/\hbar)$ e ao longo da direção z é $(iA_z/\hbar)$. Agora, como devemos descrever os estados de base? Como no caso unidimensional, um estado de base corresponde ao elétron estar no átomo cujas coordenadas são x, y, z, onde (x, y, z) é um dos pontos da rede. Escolhendo a nossa origem em um átomo, esses pontos são todos escritos como

$$x = n_x a, \quad y = n_y b \quad \text{e} \quad z = n_z c,$$

onde n_x, n_y e n_z são quaisquer três números inteiros. Ao invés de usar subscritos para indicar tais pontos, usaremos somente x, y e z, daqui por diante, entendendo que eles adquirem seus valores somente nos pontos da rede. Assim o estado de base é representado pelo símbolo $|\text{elétron em } x, y, z \rangle$, e a amplitude de um elétron em um estado $|\psi\rangle$ estar nesse estado de base é $C(x, y, z) = \langle \text{elétron em } x, y, z | \psi \rangle$.

Como antes, as amplitudes $C(x, y, z)$ podem variar com o tempo. Com as nossas suposições, as equações Hamiltonianas devem ser:

$$i\hbar \frac{dC(x, y, z)}{dt} = E_0 C(x, y, z) - A_x C(x + a, y, z) - A_x C(x - a, y, z)$$
$$- A_y C(x, y + b, z) - A_y C(x, y - b, z)$$
$$- A_z C(x, y, z + c) - A_z C(x, y, z - c). \quad (13.22)$$

Isso parece bastante longo, mas você pode ver de onde cada termo vem.

Novamente podemos tentar encontrar um estado estacionário no qual todos os C variam com o tempo da mesma maneira. Novamente a solução é uma exponencial:

$$C(x, y, z) = e^{-iEt/\hbar} e^{i(k_x x + k_y y + k_z z)}. \quad (13.23)$$

Se você a substituir em (13.22), você vê que ela funciona, contanto que a energia E esteja relacionada aos k_x, k_y e k_z da seguinte maneira:

$$E = E_0 - 2A_x \cos k_x a - 2A_y \cos k_y b - 2A_z \cos k_z c. \quad (13.24)$$

A energia agora depende dos *três* números de onda k_x, k_y e k_z, os quais, incidentemente, são as componentes de um vetor tridimensional **k**. De fato, podemos escrever a Eq. (13.23) em notação vetorial como

$$C(x, y, z) = e^{-iEt/\hbar} e^{i\mathbf{k} \cdot \mathbf{r}} \quad (13.25)$$

A amplitude varia como uma *onda plana* complexa em três dimensões, movendo-se na direção de **k**, e com o número de onda $k = (k_x^2 + k_y^2 + k_z^2)^{1/2}$.

A energia associada com esses estados estacionários depende das três componentes de **k** da maneira complicada fornecida pela Eq. (13.24). A natureza da variação de E com **k** depende dos sinais e das magnitudes relativas dos A_x, A_y e A_z. Se esses três números forem todos positivos, e se estivermos interessados em valores pequenos de k, a dependência é relativamente simples.

Expandindo os cossenos como fizemos antes para obtermos a Eq. (13.16), podemos agora obter que

$$E = E_{\min} + A_x a^2 k_x^2 + A_y b^2 k_y^2 + A_z c^2 k_z^2. \tag{13.26}$$

Para uma rede cúbica simples com parâmetro de rede a, esperamos que A_x e A_y e A_z sejam todos iguais – digamos A –, e obteríamos simplesmente

$$E = E_{\min} + Aa^2(k_x^2 + k_y^2 + k_z^2),$$

ou

$$E = E_{\min} + Aa^2 k^2. \tag{13.27}$$

Isso é como a Eq. (13.16). Seguindo os argumentos usados naquele caso, concluiríamos que um pacote para um elétron em *três* dimensões (composto superpondo muitos estados com energias quase iguais) também se move como uma partícula clássica com alguma massa efetiva.

Em um cristal com uma simetria reduzida quando comparada com a cúbica (ou até em um cristal cúbico no qual o estado do elétron em cada átomo não é simétrico), os três coeficientes A_x, A_y e A_z são diferentes. Então a "massa efetiva" para um elétron localizado em uma pequena região *depende da sua direção do movimento*. Ele pode ter, por exemplo, uma diferente inércia para o movimento na direção x do que para o movimento na direção y. (Os detalhes de tal situação são às vezes descritos via um "tensor massa efetiva".)

13–5 Outros estados em uma rede

Segundo a Eq. (13.24), os estados de elétron que estivemos considerando só podem ter energias em uma certa "banda" de energias que varia desde o mínimo de energia

$$E_0 - 2(A_x + A_y + A_z)$$

até o máximo da energia

$$E_0 + 2(A_x + A_y + A_z).$$

Outras energias são possíveis, mas elas pertencem a uma classe diferente de estados de elétrons. Para os estados que já descrevemos, imaginamos estados de base nos quais um elétron é colocado em um átomo do cristal em algum determinado estado, por exemplo, o estado de energia mais baixo.

Se você tiver um átomo no espaço vazio e acrescentar um elétron para fazer um íon, o íon pode ser formado de muitos modos. O elétron pode levar ao estado da energia mais baixa ou a um ou outro dentre os muitos possíveis "estados excitados" do íon, cada um com uma energia bem definida acima da do estado de mais baixa energia. A mesma coisa pode acontecer em um cristal. Vamos supor que a energia E_0 que escolhemos anteriormente corresponda a estados de base que são íons com a energia mais baixa possível. Também podemos imaginar um novo conjunto de estados de base em que o elétron está perto do n-ésimo átomo de uma maneira distinta – em um dos estados excitados do íon – de tal maneira que a energia E_0 seja agora muito mais alta. Como antes, há uma amplitude A (diferente da anterior) associada ao processo de salto do elétron de seu estado excitado em um átomo para o mesmo estado excitado em um átomo vizinho. A análise inteira segue como antes, e encontramos uma banda de possíveis energias centradas em um valor de energia mais alto. Pode haver, em geral, muitas de tais bandas, cada uma correspondente a um nível diferente da excitação.

Há também outras possibilidades. Pode haver alguma amplitude de que o elétron salte de um estado excitado em um átomo para um estado não excitado no átomo seguinte. (Isso é chamado de interação entre bandas.) A teoria matemática fica cada vez mais complicada à medida que você considera um número cada vez maior de bandas e acrescenta cada vez mais coeficientes para o "vazamento" entre os estados possíveis. Nenhuma nova ideia, contudo, é necessária; as equações são montadas basicamente como fizemos no nosso exemplo simples.

Devemos também observar que não há muito mais para ser dito sobre os vários coeficientes, como as amplitudes A, que aparecem na teoria. Geralmente eles são muito difíceis de serem calculados, portanto em casos práticos muito pouco é conhecido teoricamente sobre esses parâmetros, e para qualquer situação real particular só podemos tomar valores determinados experimentalmente*.

Existem outras situações em que a física e a matemática se parecem quase que exatamente com o que encontramos para um elétron se movendo em um cristal, mas para as quais "o objeto" que se movimenta é bastante diferente. Por exemplo, suponha que o nosso cristal original – ou por exemplo, a rede linear – seja uma linha de átomos neutros, cada um com um elétron mais externo fracamente ligado. Imagine, então, que iremos remover um elétron. Qual átomo perdeu o seu elétron? Seja agora C_n a amplitude de que o elétron esteja *faltando* no átomo em x_n. Haverá, em geral, uma amplitude $iA/\hbar$ para que o elétron em um átomo vizinho – por exemplo, o átomo $(n-1)$ – salte para o átomo n deixando o átomo $(n-1)$ sem o seu elétron. Isso é o mesmo que afirmar que há uma amplitude A para "o elétron ausente" saltar do átomo n ao átomo $(n-1)$. Você pode ver que as equações serão exatamente as mesmas – obviamente os valores de A não precisam ser os mesmos que obtivemos anteriormente. Novamente vamos obter as mesmas fórmulas para os níveis de energia, para as "ondas" de probabilidade que se movem pelo cristal com a velocidade de grupo dada pela Eq. (13.18), para a massa efetiva e assim por diante. Só que agora as ondas descrevem o comportamento do *elétron ausente* – ou "buraco", como é chamado. Portanto um "buraco" se comporta como uma partícula com certa massa m_{eff}. Você pode ver que esta partícula parecerá ter uma carga positiva. Teremos um pouco mais para dizer sobre tais buracos no próximo capítulo.

Como outro exemplo, podemos pensar em uma linha de átomos *neutros* idênticos um dos quais foi posto em um estado excitado – ou seja, com mais do que a sua energia do estado fundamental. Seja agora C_n a amplitude de que o átomo n tenha a excitação. Ele pode interagir com um átomo vizinho transferindo-lhe a energia extra e voltando ao estado fundamental. Chame a amplitude para esse processo de $iA/\hbar$. Você pode ver que é a mesma matemática mais uma vez. O objeto que agora se movimenta é chamado de *exciton*. Ele se comporta como uma "partícula" neutra que se move pelo cristal, transportando a energia de excitação. Tal movimento pode estar envolvido em certos processos biológicos como visão ou fotossíntese. Foi proposto que a absorção da luz na retina produz um "exciton" que se move através de alguma estrutura periódica (como as camadas de bastonetes que descrevemos no Capítulo 36, Vol. I; veja a Fig. 36-5) para ser acumulado em alguma região especial onde a energia é usada para induzir uma reação química.

13–6 Espalhamento por imperfeições na rede

Queremos agora considerar o caso de um único elétron em um cristal que não é perfeito. A nossa análise anterior diz que os cristais perfeitos têm condutividade perfeita – que os elétrons podem ir deslizando pelo cristal, como no vácuo, sem atrito. Uma das coisas mais importantes que pode impedir um elétron de continuar para sempre é uma imperfeição ou irregularidade no cristal. Como um exemplo, suponha que em algum lugar no cristal haja um átomo ausente; ou suponha que alguém pôs um átomo incorreto em um dos sítios atômicos de tal forma que as coisas lá sejam diferentes do que em outros sítios atômicos. Considere que a energia E_0 ou a amplitude A podem ser diferentes. Como descreveríamos o que acontece então?

Para ser específico, voltaremos ao caso unidimensional e iremos supor que o átomo número "zero" é um átomo da "impureza" e tem um valor diferente de E_0 do que qualquer

---

* N. de T.: Atualmente tal observação não se aplica mais, pois o desenvolvimento das metodologias para os cálculos de bandas e dos computadores permite o cálculo desses coeficientes para sistemas bastante complexos.

um dos outros átomos. Vamos chamar esta energia ($E_0 + F$). O que acontece? Quando um elétron chega ao átomo "zero" há uma probabilidade de o elétron ser espalhado para trás. Se um pacote de onda estiver se movendo e chegar a um lugar onde as coisas são um pouco diferentes, uma parte dele continuará em frente e uma parte dele retornará. É bastante difícil analisar tal situação utilizando um pacote de onda, porque tudo varia no tempo. É muito mais fácil trabalhar com soluções estacionárias. Portanto trabalharemos com estados estacionários, os quais, como veremos, podem ser compostos de ondas contínuas que possuem partes transmitidas e refletidas. Em três dimensões, chamaríamos a parte refletida de onda espalhada, pois ela se espalharia em várias direções.

Começamos com um conjunto de equações que são como aquelas na Eq. (13.6), exceto que a equação para $n = 0$ é diferente de todo o resto. As cinco equações para $n = -2, -1, 0, +1$ e $+2$ ficam:

$$\begin{aligned} Ea_{-2} &= E_0 a_{-2} - Aa_{-1} - Aa_{-3}, \\ Ea_{-1} &= E_0 a_{-1} - Aa_0 - Aa_{-2}, \\ Ea_0 &= (E_0 + F)a_0 - Aa_1 - Aa_{-1}, \\ Ea_1 &= E_0 a_1 - Aa_2 - Aa_0, \\ Ea_2 &= E_0 a_2 - Aa_3 - Aa_1, \end{aligned} \qquad (13.28)$$

Há, naturalmente, todas as outras equações para $|n|$ maior que 2. Elas serão como as Eq. (13.16).

Para o caso geral, realmente deveríamos usar um A diferente para a amplitude de que o elétron ou salte para ou salte do átomo "zero", mas as características principais do que acontece decorrerão de um exemplo simplificado no qual todos os A são iguais.

A Eq. (13.10) ainda funcionaria como uma solução de todas das equações, exceto para o átomo "zero" – ela não é correta para aquela equação. Precisamos de uma solução diferente que podemos bolar da seguinte maneira. A Eq. (13.10) representa uma onda que se propaga na direção positiva de x. Uma onda que se propaga na direção negativa de x teria sido uma solução igualmente boa. Ela seria escrita como

$$a(x_n) = e^{-ikx_n}.$$

A solução mais geral que poderíamos ter considerado para a Eq. (13.6) seria uma combinação de uma solução propagando na direção positiva e uma propagando na direção negativa, ou seja

$$a_n = \alpha e^{ikx_n} + \beta e^{-ikx_n}. \qquad (13.29)$$

Essa solução representa uma onda complexa de amplitude α propagando na direção $+x$ e uma onda de amplitude β propagando na direção $-x$.

Agora dê uma olhada no conjunto de equações do nosso novo problema – aqueles em (13.28) em conjunto com aqueles para todos os outros átomos. As equações para os a_ns com $n \leq -1$ são todas satisfeitas pela Eq. (13.29), com a condição de que o k está relacionado à energia E e ao parâmetro de rede b por

$$E = E_0 - 2A \cos kb. \qquad (13.30)$$

O significado físico é uma onda "incidente" de amplitude α se aproximando do átomo "zero" (o centro "espalhador") pela esquerda, e uma onda "espalhada" ou "refletida" de amplitude β retornando em direção à esquerda. Não perdemos nenhuma generalidade se tomamos a amplitude α da onda incidente igual a 1. Então a amplitude β é, em geral, um número complexo.

Podemos dizer as mesmas coisas sobre as soluções para os a_n para $n \geq 1$. Os coeficientes podem ser diferentes, portanto teríamos para eles

$$a_n = \gamma e^{ikx_n} + \delta e^{-ikx_n}, \quad \text{para} \quad n \geq 1. \tag{13.31}$$

Aqui, γ é a amplitude de uma onda propagando para a direita e δ é uma onda que vem da direita. Queremos considerar a situação *física* na qual uma onda é originária somente da esquerda, e há somente uma onda "transmitida" que passa pelo centro espalhador – ou átomo da impureza. Tentaremos uma solução em que $\delta = 0$. Podemos satisfazer, com certeza, a todas as equações para os a_n com exceção das três intermediárias nas Eqs. (13.28) pelas seguintes soluções tentativas.

$$a_n \text{ (para } n < 0) = e^{ikx_n} + \beta e^{-ikx_n},$$
$$a_n \text{ (para } n > 0) = \gamma e^{ikx_n}. \tag{13.32}$$

A situação sobre a qual estamos falando é ilustrada na Fig. 13-6.

Usando as fórmulas na Eq. (13.32) para a_1 e a_{+1}, as três equações intermediárias na Eq. (13.28) permitirão que encontremos a solução para a_0 e também para os dois coeficientes β e γ. Portanto encontramos uma solução completa. Estabelecendo $x_n = nb$, temos de resolver as três equações

$$(E - E_0)\{e^{ik(-b)} + \beta e^{-ik(-b)}\} = -A\{a_0 + e^{ik(-2b)} + \beta e^{-ik(-2b)}\},$$
$$(E - E_0 - F)a_0 = -A\{\gamma e^{ikb} + e^{ik(-b)} + \beta e^{-ik(-b)}\}, \tag{13.33}$$
$$(E - E_0)\gamma e^{ikb} = -A\{\gamma e^{ik(2b)} + a_0\}.$$

Lembre-se de que E é fornecida em termos de k pela Eq. (13.30). Se você substituir esse valor por E nas equações e lembrar que $\cos x = \frac{1}{2}(e^{ix} + e^{-ix})$, você obtém da primeira equação que

$$a_0 = 1 + \beta, \tag{13.34}$$

e da terceira equação que

$$a_0 = \gamma. \tag{13.35}$$

Essas equações são consistentes somente se

$$\gamma = 1 + \beta. \tag{13.36}$$

Essa equação nos diz que a onda transmitida (γ) é simplesmente a onda incidente original (1) com uma onda adicionada (β) igual à onda refletida. Isto não é sempre verdade, mas resulta ser assim para o espalhamento por um átomo somente. Se houvesse um monte de átomos de impureza, o que seria adicionado à onda incidente não seria necessariamente o mesmo que a onda refletida.

Podemos obter a amplitude β da onda refletida a partir da equação do meio na Eq. (13.33); encontramos que

$$\beta = \frac{-F}{F - 2iA \operatorname{sen} kb}. \tag{13.37}$$

Temos a solução completa para a rede com um átomo estranho.

Você pode estar se perguntando como a onda transmitida pode ser "mais" do que a onda incidente, como aparenta ser da Eq. (13.34). Lembre, entretanto, que β e γ são números complexos, e que o número de partículas (ou melhor, a probabilidade de encontrar uma partícula) em uma onda é proporcional ao módulo quadrado da amplitude. De fato, haverá "conservação de elétrons" somente se

$$|\beta|^2 + |\gamma|^2 = 1. \tag{13.38}$$

Você pode mostrar que isso é verdadeiro para a nossa solução.

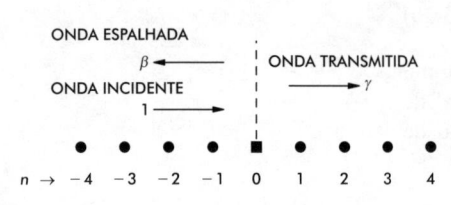

Figura 13-6 Ondas em uma rede unidimensional com um átomo de "impureza" em $n=0$.

13–7 Aprisionamento por uma imperfeição na rede

Há outra situação interessante que pode surgir se F for um número negativo. Se a energia do elétron for mais baixa no átomo da impureza (em $n = 0$) do que em qualquer outro lugar, então o elétron pode ser aprisionado neste átomo. Isto é, se $(E_0 + F)$ estiver abaixo do fundo da banda em $(E_0 - 2A)$, então o elétron pode ser "aprisionado" em um estado com $E < E_0 - 2A$. Tal solução não pode ser obtida a partir do que fizemos até o momento. Podemos obter tal solução, contudo, se permitirmos que a solução tentativa que consideramos na Eq. (13.10) tenha um número imaginário para k. Vamos considerar $k = \pm i\kappa$. Novamente, podemos ter soluções diferentes para $n < 0$ e para $n > 0$. Uma solução possível para $n < 0$ poderia ser

$$a_n \text{ (para } n < 0) = c e^{+\kappa x_n}. \tag{13.39}$$

Temos de considerar o expoente positivo; caso contrário, a amplitude se tornaria indefinidamente grande para grandes valores negativos de n. De maneira semelhante, uma solução possível para $n > 0$ seria

$$a_n \text{ (para } n > 0) = c' e^{-\kappa x_n}. \tag{13.40}$$

Se considerarmos essas soluções tentativas na Eq. (13.28), todas exceto as três equações do meio são satisfeitas, contanto que

$$E = E_0 - A(e^{\kappa b} + e^{-\kappa b}). \tag{13.41}$$

Como a soma dos dois termos exponenciais é sempre maior do que 2, essa energia está abaixo da banda regular, e é o que estamos procurando. As três equações restantes na Eq. (13.28) são satisfeitas se $a_0 = c = c'$ e se κ for escolhido tal que

$$A(e^{\kappa b} - e^{-\kappa b}) = -F. \tag{13.42}$$

Combinando essa equação com a Eq. (13.41), podemos encontrar a energia do elétron aprisionado; consideramos

$$E = E_0 - \sqrt{4A^2 + F^2}. \tag{13.43}$$

O elétron aprisionado tem uma única energia – posicionada em algum lugar abaixo da banda de condução.

Note que as amplitudes que obtivemos nas Eqs. (13.39) e (13.40) *não* dizem que o elétron aprisionado se localiza diretamente no átomo da impureza. A probabilidade de encontrar o elétron em átomos próximos é dada pelo quadrado dessas amplitudes. Para uma determinada escolha dos parâmetros, ela poderia variar como mostrado no gráfico da Fig. 13-7. A probabilidade é maior para encontrar o elétron no átomo da impureza. Para átomos próximos, a probabilidade decai exponencialmente com a distância a partir do átomo de impureza. Este é um outro exemplo de "penetração de barreira". Do ponto de vista da física clássica, o elétron não tem a energia necessária para escapar do "buraco" de energia no centro de aprisionamento, mas do ponto de vista da mecânica quântica, ele pode vazar um pouco.

13–8 Amplitudes de espalhamento e estados ligados

Finalmente, o nosso exemplo pode ser usado para ilustrar um ponto muito útil ultimamente na física de partículas de altas energias. Ele está associado com uma relação entre amplitudes de espalhamento e estados ligados. Suponha que tenhamos descoberto – através de experimentos e análise teórica – a maneira como píons são espalhados por prótons. Então uma nova partícula é descoberta e alguém se pergunta se talvez ela é somente

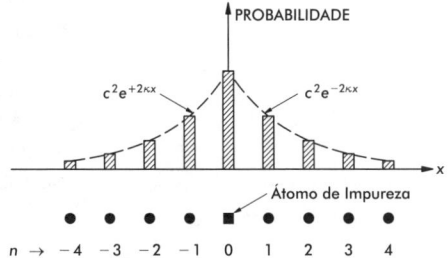

Figura 13–7 As probabilidades relativas de encontrar um elétron aprisionado em sítios atômicos próximos do átomo de impureza.

uma combinação de um píon e um próton mantidos juntos de alguma forma em um estado ligado (em analogia ao modo com que um elétron é ligado a um próton para fazer um átomo de hidrogênio). Por um estado ligado pensamos em uma combinação que tem uma energia mais baixa do que a das duas partículas livres.

Há uma teoria geral que diz que um estado ligado existirá para a energia na qual a amplitude de espalhamento torna-se infinita se extrapolada de forma algébrica (o termo matemático é "continuação analítica") para regiões de energia fora da banda permitida.

A razão física para isso é a seguinte. Um estado ligado é uma situação na qual há somente ondas ligadas a um certo ponto e não há nenhuma onda incidente para iniciá-lo, ele simplesmente existe lá por si mesmo. A proporção relativa entre a chamada onda "espalhada" ou onda gerada e a onda "sendo incidida" é infinita. Podemos testar essa ideia no nosso exemplo. Vamos escrever nossa expressão Eq. (13.37) para a amplitude espalhada diretamente em função da energia E da partícula que é espalhada (ao invés de k). Como a Eq. (13.30) pode ser reescrita como

$$2A \operatorname{sen} kb = \sqrt{4A^2 - (E - E_0)^2},$$

a amplitude de espalhamento é

$$\beta = \frac{-F}{F - i\sqrt{4A^2 - (E - E_0)^2}}. \tag{13.44}$$

Da nossa derivação, essa equação deve ser usada apenas para estados reais – aqueles com energias na banda de energia, $E = E_0 \pm 2A$. Suponha que esqueçamos esse fato e estendamos essa fórmula para as regiões de energia "não físicas" onde $|E - E_0| > 2A$. Para essas regiões não físicas, podemos escrever[†]

$$\sqrt{4A^2 - (E - E_0)^2} = i\sqrt{(E - E_0)^2 - 4A^2}.$$

Então a "amplidão de espalhamento", seja lá o que ela signifique, é

$$\beta = \frac{-F}{F + \sqrt{(E - E_0)^2 - 4A^2}}. \tag{13.45}$$

Agora perguntamos: Existe alguma energia E para a qual β torna-se infinito (ou seja, para a qual a expressão para β tem um "polo")? Sim, contanto que F seja negativo, o denominador da Eq. (13.45) será zero quando

$$(E - E_0)^2 - 4A^2 = F^2,$$

ou quando

$$E = E_0 \pm \sqrt{4A^2 + F^2}.$$

O sinal de menos fornece simplesmente a energia que encontramos na Eq. (13.43) para a energia de ligação.

Que tal o sinal positivo? Isso dá uma energia *acima* da banda de energia permitida. E de fato há outro estado ligado lá que desconsideramos quando resolvemos as equações da Eq. (13.28). Deixamos como uma quebra-cabeça para você encontrar a energia e as amplitudes a_n para este estado ligado.

A relação entre estado espalhado e estados ligados fornece uma das pistas mais úteis na pesquisa atual para a compreensão das observações experimentais sobre as novas partículas estranhas.

[†] O sinal da raiz a ser escolhida é um ponto técnico relacionado aos sinais permitidos de κ nas Eqs. (13.39) e (13 40). Não entraremos em detalhes aqui.

14

Semicondutores

14–1 Elétrons e buracos em semicondutores

Um dos desenvolvimentos notáveis e significativos nos últimos anos foi a aplicação da ciência do estado sólido em desenvolvimentos técnicos de dispositivos elétricos, como transistores. O estudo de semicondutores levou à descoberta das suas propriedades úteis e a um grande número de aplicações. O campo está se modificando tão rapidamente que o que afirmamos hoje pode ser incorreto no próximo ano. Será certamente incompleto. E é perfeitamente claro que, com o estudo continuado desses materiais, muitas coisas novas e maravilhosas serão possíveis com o passar do tempo. Você não precisa entender este capítulo para acompanhar o conteúdo dos próximos, mas pode achar interessante ver que pelo menos algo do que você está aprendendo tem relação com o mundo prático.

Há um grande número de semicondutores conhecidos, mas vamos nos concentrar naqueles que no momento têm a maior aplicação técnica. Eles também são aqueles que entendemos melhor e, compreendendo esses, vamos compreender muitos outros. As substâncias semicondutoras de uso mais comum hoje são o silício e o germânio. Esses elementos cristalizam-se na rede do diamante, uma espécie de estrutura cúbica na qual os átomos fazem ligações tetraédricas com os seus quatro vizinhos mais próximos. Eles são isolantes em temperaturas muito baixas – perto do zero absoluto –, embora conduzam um pouco de eletricidade à temperatura ambiente. Eles não são metais; são chamados de *semicondutores*.

Se, de alguma maneira, introduzirmos um elétron extra em um cristal de silício ou germânio que está em uma temperatura baixa, teremos simplesmente a situação que descrevemos no capítulo anterior. O elétron será capaz de vagar pelo cristal saltando de um sítio atômico para outro. De fato, somente investigamos o comportamento de elétrons em uma rede retangular, e as equações seriam um pouco diferentes para a verdadeira rede do silício ou germânio. Todos os pontos essenciais são, contudo, ilustrados pelos resultados da rede retangular.

Como vimos no Capítulo 13, esses elétrons podem ter energias somente em certas banda de energia – chamada de *banda de condução*. Dentro dessa banda, a energia está relacionada ao número de onda **k** da amplitude de probabilidade C (ver Eq. 13.24) por

$$E = E_0 - 2A_x \cos k_x a - 2A_y \cos k_y b - 2A_z \cos k_z c \tag{14.1}$$

Os A são as amplitudes para saltar ao longo das direções x, y e z; e a, b e c são os parâmetros de rede nessas direções.

Para energias próximas ao fundo da banda, podemos aproximar a Eq. (14.1) por

$$E = E_{\min} + A_x a^2 k_x^2 + A_y b^2 k_y^2 + A_z c^2 k_z^2, \tag{14.2}$$

(ver a Seção 13-4).

Se considerarmos o movimento do elétron em uma dada direção, de maneira que as componentes do vetor **k** estejam sempre na mesma proporção, a energia é uma função quadrática do número de onda – e como vimos do momento do elétron. Podemos escrever

$$E = E_{\min} + \alpha k^2, \tag{14.3}$$

onde α é uma constante, e podemos fazer um gráfico de E em função de k como na Fig. 14-1. Chamaremos esse gráfico de um "diagrama de energia". Um elétron em um determinado estado de energia e momento pode ser indicado por um ponto, como o ponto S na figura.

Como também mencionamos no Capítulo 13, podemos ter uma situação semelhante se *retirarmos* um elétron de um isolante neutro. Então, um elétron

14–1 Elétrons e buracos em semicondutores
14–2 Semicondutores impuros
14–3 O efeito Hall
14–4 Junções semicondutoras
14–5 Retificação em uma junção semicondutora
14–6 O transistor

Referência: C. Kittel, *Introduction to Solid State Physics*, John Wiley and Sons, Inc., Nova York, 2ª edição, Capítulos 13, 14 e 18

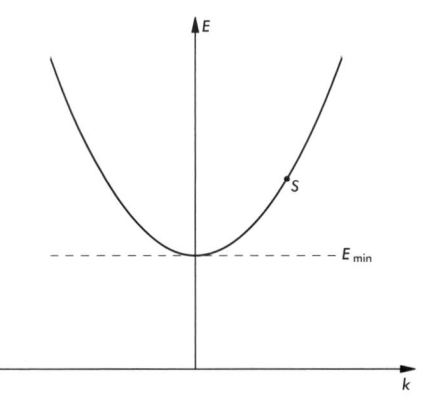

Figura 14–1 Diagrama de energia para um elétron em um cristal isolante.

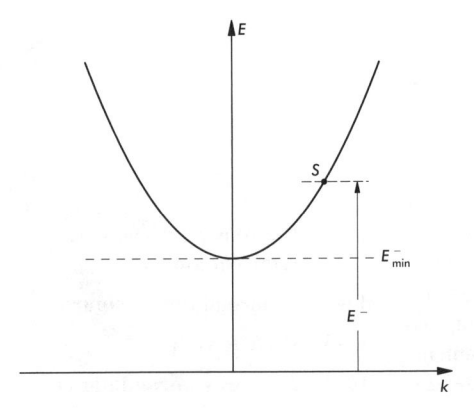

Figura 14–2 Energia E^- necessária para "criar" um elétron livre.

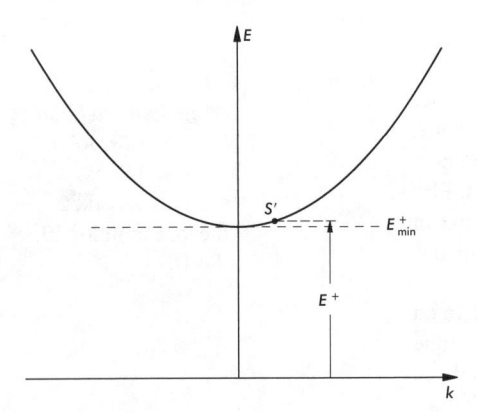

Figura 14–3 Energia E^+ necessária para "criar" um buraco no estado S'.

pode saltar de um átomo próximo e preencher o "buraco", mas deixando outro "buraco" no átomo do qual ele partiu. Podemos descrever esse comportamento escrevendo uma amplitude para encontrar o *buraco* em qualquer um dos átomos e dizendo que o *buraco* pode saltar de um átomo ao seguinte. (Claramente, a amplitude A de que o buraco salte do átomo a ao átomo b é a mesma que a amplitude de que um elétron no átomo b pule no buraco do átomo a.) A matemática é exatamente a mesma para o *buraco* como foi para o elétron adicional, e obtemos mais uma vez que a energia do buraco está relacionada ao seu número de onda por uma equação como a Eq. (14.1) ou (14.2), exceto, naturalmente, com valores numéricos diferentes para as amplitudes A_x, A_y e A_z. O buraco tem a energia relacionada ao número de onda das suas amplitudes de probabilidade. As suas energias localizam-se em uma banda restrita, e próximo do fundo da banda a sua energia varia de maneira quadrática com o número de onda – ou momento – tal como na Fig. 14-1. Repetindo os argumentos da Seção 13-3, encontraríamos que *o buraco também se comporta como uma partícula clássica* com uma certa massa efetiva – exceto que em cristais não cúbicos a massa depende da direção do movimento. Portanto o buraco comporta-se como uma *partícula positiva* que se move pelo cristal. A carga da partícula-buraco é positiva, porque ela está localizada no sítio de um elétron ausente; e quando ela se move em uma direção há de fato elétrons que se movem no sentido contrário.

Se pusermos vários elétrons em um cristal neutro, eles vão se mover pelo cristal de maneira semelhante aos átomos de um gás à baixa pressão. Se não houver um número demasiado deles, as suas interações não serão muito importantes. Se então pusermos um campo elétrico através do cristal, os elétrons começarão a se mover e uma corrente elétrica fluirá. Eventualmente todos seriam levados a uma das bordas do cristal, e, se houvesse um eletrodo metálico lá, eles seriam coletados, deixando o cristal neutro.

Da mesma maneira, podemos pôr muitos buracos em um cristal. Eles vagariam pelo cristal à toa a menos que houvesse um campo elétrico. Com um campo, eles fluiriam em direção ao terminal negativo e seriam "coletados" – o que de fato acontece é que eles são neutralizados por elétrons do terminal metálico.

Podemos também ter tanto buracos como elétrons em conjunto no cristal. Se não houver um número demasiado, eles todos seguirão os seus caminhos de maneira independente. Com um campo elétrico, eles todos contribuirão para a corrente. Por razões óbvias, os elétrons são chamados de *portadores negativos* e os buracos são chamados de *portadores positivos*.

Consideramos até o momento que os elétrons são inseridos no cristal do exterior, ou são retirados para fazer um buraco. É também possível "criar" um par elétron-buraco retirando um elétron de um átomo neutro e colocando-o distante, mas no mesmo cristal. Então temos um elétron livre e um buraco livre, e os dois podem se deslocar como já descrevemos.

A energia necessária para colocar um elétron em um estado S – dizemos "para criar" o estado S – é a energia E^- – mostrada na Fig. 14-2. Ela é uma energia um pouco acima de E^-_{min}. A energia necessária para "criar" um buraco em algum estado S' é a energia E^+ da Fig. 14-3, que é uma energia um pouco maior do que E^+_{min}. Agora, se criamos um par nos estados S e S', a energia necessária é simplesmente $E^- + E^+$.

A criação de pares é um processo tão comum (como veremos posteriormente), que muitas pessoas gostam de colocar as Fig. 14-2 e Fig. 14-3 juntas no mesmo gráfico – com a energia do *buraco* traçada *para baixo*, embora seja, naturalmente uma energia *positiva*. Combinamos os nossos dois gráficos desse modo na Fig. 14-4. A vantagem de tal gráfico é que a energia $E_{par} = E^- + E^+$ necessária para criar um par com o elétron em S e o buraco em S' é simplesmente a distância vertical entre S e S', como mostrado na Fig. 14-4. A energia mínima necessária para criar um par é chamada de energia do "gap" e é igual a $E^-_{min} + E^+_{min}$.

Às vezes, você verá um diagrama mais simples chamado de diagrama de níveis de energia, que é desenhado quando as pessoas não estão interessadas na variável k. Tal diagrama – mostrado na Fig. 14-5 – simplesmente apresenta as energias possíveis dos elétrons e dos buracos.†

Como os pares elétron-buraco podem ser criados? Há várias maneiras. Por exemplo, fótons de luz (ou raios X) podem ser absorvidos e criar um par se a energia do fóton for maior que a energia do gap. A taxa com a qual os pares são produzidos é proporcional à intensidade da luz. Se uma bolacha ("*wafer*") do cristal for colocada entre dois eletrodos e uma diferença de potencial for aplicada, os elétrons e os buracos serão conduzidos aos eletrodos. A corrente no circuito será proporcional à intensidade da luz. Esse mecanismo é responsável pelo fenômeno da fotocondutividade e a operação de células fotocondutoras.

Os pares elétron-buraco também podem ser produzidos por partículas de alta energia. Quando uma partícula rápida e carregada – por exemplo, um próton ou um píon com uma energia de dezenas ou centenas de MeV – atravessa um cristal, o seu campo elétrico irá retirar elétrons para fora dos seus estados ligados criando pares elétron-buraco. Tais eventos ocorrem centenas de milhares de vezes por milímetro ao longo do caminho da partícula carregada. Após a passagem da partícula, os portadores podem ser coletados e, nesse processo, gerarão um pulso elétrico. Este é o mecanismo em jogo nos detectores de semicondutores recentemente empregados em experimentos de física nuclear. Tais detectores não necessitam de semicondutores: eles também podem ser feitos com cristais isolantes. De fato, o primeiro de tais detectores foi feito usando um cristal de diamante, que é um isolante à temperatura ambiente. Cristais extremamente puros são necessários se os buracos e os elétrons devem ser capazes de mover-se livremente aos eletrodos sem serem aprisionados. Os semicondutores silício e germânio são utilizados porque eles podem ser produzidos com alta pureza e em tamanhos razoavelmente grandes (dimensões de centímetros).

Por enquanto, estivemos preocupados com cristais de semicondutores em temperaturas próximas do zero absoluto. Em qualquer temperatura finita há ainda outro mecanismo pelo qual os pares elétron-buraco podem ser criados. A energia do par pode ser fornecida pela energia térmica do cristal. As vibrações térmicas do cristal podem transferir a sua energia para um par – dando origem à uma criação "espontânea".

A probabilidade por unidade de tempo de que uma energia tão grande quanto a energia do gap E_{gap} seja concentrada em um sítio atômico é proporcional a $e^{-E_{\text{gap}}/\kappa T}$, onde T é a temperatura e κ é a constante de Boltzmann (ver o Capítulo 40, Vol. I). Perto do zero absoluto, não há nenhuma probabilidade apreciável, mas com o aumento da temperatura existe uma probabilidade crescente de produzir tais pares. Em qualquer temperatura finita, a produção deve continuar para sempre com uma taxa constante produzindo mais e mais portadores negativos e positivos. Obviamente isso não ocorre porque após um tempo os elétrons e os buracos acidentalmente se encontram – o elétron pula para o buraco e a energia em excesso é fornecida à rede. Dizemos que o elétron e o buraco se "aniquilam". Há uma certa probabilidade por segundo de que um buraco encontre um elétron e que os dois se aniquilem.

Se o número de elétrons por unidade de volume for N_n (n para portadores negativos) e a densidade de portadores positivos for N_p, a possibilidade por unidade de tempo de que um elétron e um buraco encontrem um ao outro e se aniquilem é proporcional ao produto $N_n N_p$. Em equilíbrio, essa taxa deve ser igual à taxa com a qual os pares são criados. Você vê que em equilíbrio o produto de N_n e N_p deve ser dado por uma constante vezes o fator de Boltzmann:

$$N_n N_p = \text{const}\, e^{-E_{\text{gap}}/\kappa T}. \quad (14.4)$$

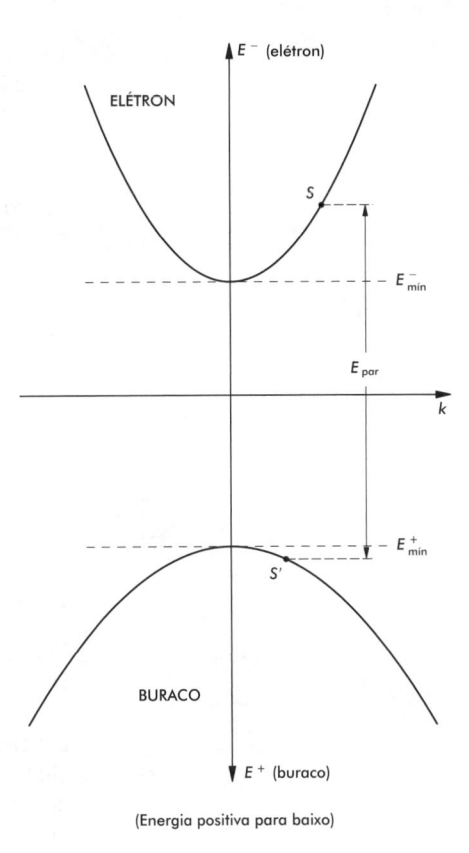

Figura 14–4 Diagramas de energia para um elétron e um buraco desenhados juntos.

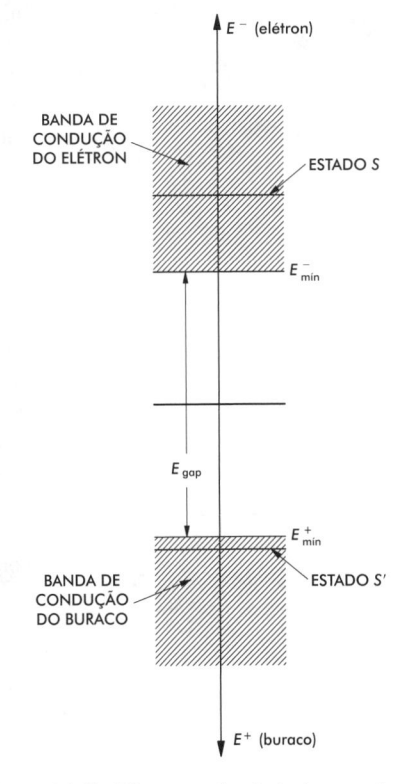

Figura 14–5 Diagrama de níveis de energia para elétrons e buracos.

---

† Em muitos livros, este mesmo diagrama de energia é interpretado de um modo diferente. A escala de energia refere-se só a *elétrons*. Em vez de pensar na energia do buraco, eles pensam na energia que um elétron *teria* se ele preenchesse o buraco. Esta energia é *mais baixa* do que a energia do elétron livre – com efeito, exatamente pelo valor mais baixo que você vê na Fig. 14-5. Com essa interpretação da escala de energia, a energia do gap é a energia mínima que deve ser dada *a um elétron* para movê-lo do seu estado ligado para a banda de condução.

Quando dizemos constante, queremos dizer quase constante. Uma teoria mais completa – que inclui mais detalhes sobre como os buracos e os elétrons se "encontram" – mostra que a "constante" é ligeiramente dependente da temperatura, mas a dependência principal com a temperatura está no fator exponencial.

Vamos considerar, como um exemplo, um material puro que está originalmente neutro. Em uma temperatura finita você esperaria que o número de portadores positivos e negativos fosse igual, $N_n = N_p$. E cada um deles deve variar com a temperatura como $e^{-E_{gap}/2\kappa T}$. A variação de muitas das propriedades de um semicondutor – a condutividade, por exemplo – é basicamente determinada pelo fator exponencial porque todos os outros fatores variam muito mais lentamente com a temperatura. A energia do gap para o germânio é aproximadamente 0,72 eV e para o silício é 1,1 eV.

À temperatura ambiente, κT é aproximadamente 1/40 de um elétron-volt. A essas temperaturas há suficientes buracos e elétrons para dar uma condutividade significante, enquanto que, digamos, a 30°K – um décimo da temperatura ambiente – a condutividade é imperceptível. A energia do gap do diamante é 6 ou 7 eV, e o diamante é um bom isolante à temperatura ambiente.

14–2 Semicondutores impuros

Por enquanto, falamos sobre duas maneiras como elétrons extras podem ser inseridos em uma rede cristalina perfeita. Um caminho foi injetar o elétron de uma fonte exterior; outro caminho foi extrair um elétron ligado de um átomo neutro e criar simultaneamente um elétron e um buraco. É possível pôr elétrons na banda de condução de um cristal ainda de outro modo. Suponha que imaginemos um cristal de germânio no qual um dos átomos de germânio é substituído por um átomo de arsênio. Os átomos de germânio têm uma valência 4, e a estrutura cristalina é controlada pelos quatro elétrons de valência. O arsênio, por outro lado, tem uma valência 5. Resulta que um átomo de arsênio pode se instalar na rede do germânio (porque ele tem aproximadamente o tamanho correto), mas ao fazer isso ele deve atuar como um átomo de valência 4 – e utilizar quatro dos seus elétrons de valência para formar as ligações cristalinas ficando com um elétron de sobra. Este elétron extra é ligado muito fracamente – a energia de ligação é menos do que 1/100 de um elétron-volt. À temperatura ambiente, o elétron facilmente extrai essa energia da energia térmica do cristal e decola seguindo o seu caminho – movendo-se através da rede como um elétron livre. Chama-se um átomo de impureza como o arsênio um *sítio doador* porque ele pode doar um portador negativo ao cristal. Se um cristal de germânio for crescido a partir de sua fase derretida à qual uma quantidade muito pequena de arsênio foi acrescentada, os sítios doadores de arsênio serão distribuídos ao longo de todo o cristal, o qual terá uma certa densidade de portadores negativos incorporada.

Você poderia pensar que esses portadores seriam varridos logo que qualquer pequeno campo elétrico fosse estabelecido através do cristal. Isso não acontecerá, contudo, porque os átomos de arsênio no cristal têm, cada um, uma carga positiva. Se o cristal deve permanecer neutro, a densidade média de elétrons que são portadores negativos deve ser igual à densidade de sítios doadores. Se você puser dois eletrodos nas bordas de tal cristal e os conectar a uma bateria, uma corrente fluirá; mas à medida que os elétrons portadores são varridos por um dos lados, novos elétrons de condução devem ser introduzidos no eletrodo no outro lado de modo que a densidade média de elétrons de condução seja mantida muito próxima à densidade de sítios doadores.

Como os sítios doadores são positivamente carregados, haverá uma tendência para que eles capturem alguns dos elétrons de condução à medida que eles se difundem através do cristal. Um sítio doador, por isso, pode atuar como uma armadilha como aquelas que discutimos na seção anterior. Se a energia de aprisionamento for suficientemente pequena – como é para o arsênio – o número de portadores que são aprisionados em qualquer instante de tempo é uma pequena fração do total. Para uma compreensão completa do comportamento de semicondutores, deve-se considerar esse aprisionamento. Para o resto da nossa discussão, contudo, iremos supor que a energia de aprisionamento é suficientemente pequena e a temperatura é suficientemente alta, que todos os sítios doadores perderam os seus elétrons. Isso é, naturalmente somente uma aproximação.

É também possível incorporar em um cristal de germânio algum átomo de impureza cuja valência seja 3, como o alumínio. O átomo de alumínio tenta atuar como um objeto de valência 4 roubando um elétron extra. Ele pode roubar um elétron de algum átomo próximo de germânio e terminar como um átomo negativamente carregado com uma valência efetiva 4. Naturalmente, quando ele rouba o elétron de um átomo de germânio, ele deixa um buraco lá; e este buraco pode vagar pelo cristal como um portador positivo. Um átomo de impureza que pode produzir um buraco desse modo é chamado de um *aceitador* porque ele "aceita" um elétron. Se cristais de germânio ou de silício crescerem a partir de uma fase líquida à qual uma pequena quantidade da impureza de alumínio foi acrescentada, o cristal terá uma certa densidade de buracos que podem atuar como portadores positivos.

Quando uma impureza doadora ou aceitadora é acrescentada a um semicondutor, dizemos que o material foi "dopado".

Quando um cristal de germânio com algumas impurezas doadoras estiver à temperatura ambiente, alguns dos elétrons de condução são gerados via criação de pares elétron-buraco induzida termicamente e outros por meio dos sítios doadores. Os elétrons de ambas as fontes são, naturalmente, equivalentes, e é o número total N_n que importa para os processos estatísticos que levam ao equilíbrio. Se a temperatura não for demasiado baixa, o número de portadores negativos contribuídos pelos átomos das impurezas doadoras é basicamente igual ao número total de átomos de impureza. Em equilíbrio, a Eq. (14.4) ainda deve ser válida; em uma dada temperatura o produto $N_n N_p$ é determinado. Isso significa que se acrescentarmos algumas impurezas doadoras que aumentem N_n, o número N_p de portadores positivos terá de diminuir por uma quantidade tal que $N_n N_p$ fica inalterado. Se a concentração de impurezas é bastante alta, o número N_n de portadores negativos é determinado pelo número de sítios doadores e é basicamente independente da temperatura – toda a variação no fator exponencial é fornecida por N_p, embora ele seja muito menor do que N_n. Um cristal puro, a não ser por uma pequena concentração de impurezas doadoras, terá uma maioria de portadores negativos; tal material é chamado de um semicondutor "tipo-n".

Se uma impureza do tipo aceitadora for acrescentada à rede cristalina, alguns dos novos buracos irão vagar pelo cristal e aniquilarão alguns dos elétrons livres produzidos pelas flutuações térmicas. Esse processo continuará até que a Eq. (14.4) seja satisfeita. Em condições de equilíbrio, o número de portadores positivos será aumentado e o número de portadores negativos será reduzido, deixando o produto uma constante. Chama-se um material com um excesso de portadores positivos de um semicondutor "tipo-p".

Se pusermos dois eletrodos em um pedaço de cristal semicondutor e os conectarmos a uma fonte de diferença de potencial, haverá um campo elétrico dentro do cristal. O campo elétrico fará que os portadores positivos e negativos se movam, e uma corrente elétrica fluirá. Vamos considerar primeiro o que acontecerá em um material do tipo-n no qual há uma grande maioria de portadores negativos. Neste material podemos desconsiderar os buracos, eles contribuirão muito pouco para a corrente porque há poucos deles. Em um cristal ideal, os portadores iriam se mover sem qualquer impedimento. Em um cristal real a uma temperatura finita, contudo – especialmente em um cristal com algumas impurezas –, os elétrons não se movem completamente livres. Eles estão constantemente realizando colisões que os desviam de suas trajetórias originais, ou seja, que modificam o seu momento. Essas colisões são exatamente os espalhamentos sobre os quais falamos no capítulo anterior e que ocorrem em qualquer irregularidade na rede cristalina. Em um material do tipo-n, as causas principais de espalhamento são os próprios sítios dos doadores que estão produzindo os portadores. Como os elétrons de condução têm uma energia um pouco diferente nos sítios doadores, as ondas de probabilidade são espalhadas por esses pontos. Mesmo em um cristal perfeitamente puro, contudo, há (em qualquer temperatura finita) irregularidade na rede devido às vibrações térmicas. Do ponto de vista clássico, podemos dizer que os átomos não estão alinhados perfeitamente em uma rede regular, mas estão, em qualquer instante, ligeiramente fora do lugar devido às suas vibrações térmicas. A energia E_0 associada com cada ponto da rede na teoria que descrevemos no Capítulo 13 varia um pouco de um lugar a outro, de modo que as ondas de amplitude de probabilidade não são transmitidas perfeitamente, mas são espalhadas de uma maneira irregular. A temperaturas muito altas ou para materiais muito puros, esse espalhamento pode tornar-se importante, mas na maior parte de materiais dopados usados em dispositivos práticos os átomos de impureza contribuem para a maior parte do espalhamento. Agora gostaríamos de fazer uma estimativa da condutividade elétrica de tal material.

Quando um campo elétrico é aplicado a um semicondutor do tipo-n, cada portador negativo será acelerado neste campo, ganhando velocidade até que seja espalhado por um dos sítios doadores. Isso significa que os portadores, que em geral estão se deslocando de uma maneira aleatória com as suas energias térmicas, adquirirão uma velocidade de arrasto média ao longo das linhas do campo elétrico e darão origem a uma corrente pelo cristal. A velocidade de arrasto é em geral bastante pequena quando comparada com a velocidade térmica típica, de tal forma que podemos estimar a corrente supondo que o tempo médio que os portadores se deslocam entre espalhamentos é uma constante. Vamos considerar que um portador negativo tem uma carga elétrica efetiva q_n. Na presença de um campo elétrico $\mathcal{E}$, a força no portador será $q_n\mathcal{E}$. Na Seção 43-3 do Volume I, calculamos a velocidade média de arrasto em tais circunstâncias e encontramos que é dada por $F\tau/m$, onde F é a força na carga, τ é o tempo médio entre colisões e m é a massa. Deveríamos utilizar a massa efetiva que calculamos no capítulo anterior, mas como desejamos fazer somente uma estimativa, vamos supor que essa massa efetiva é a mesma para todas as direções. Aqui iremos chamá-la de m_n. Com essa aproximação, a velocidade de arrasto média será

$$v_{\text{arrasto}} = \frac{q_n \mathcal{E} \tau_n}{m_n}. \qquad (14.5)$$

Conhecendo a velocidade de arrasto, podemos encontrar a corrente. A densidade de corrente elétrica j é simplesmente o número de portadores por unidade de volume, N_n, multiplicado pela velocidade de arrasto média e pela carga de cada portador. A densidade de corrente é, portanto,

$$j = N_n v_{\text{arrasto}} q_n = \frac{N_n q_n^2 \tau_n}{m_n} \mathcal{E}. \qquad (14.6)$$

Vemos que a densidade de corrente é proporcional ao campo elétrico; tal material semicondutor obedece à lei de Ohm. O coeficiente da proporcionalidade entre j e $\mathcal{E}$, a condutividade σ, é

$$\sigma = \frac{N_n q_n^2 \tau_n}{m_n}. \qquad (14.7)$$

Para um material do tipo-n, a condutividade é relativamente independente da temperatura. Em primeiro lugar, o número de portadores majoritários N_n é determinado principalmente pela densidade de doadores no cristal (contanto que a temperatura não seja tão baixa que muitos dos portadores sejam aprisionados). Em segundo lugar, o tempo médio entre colisões τ_n é principalmente controlado pela densidade de átomos de impureza, que é, naturalmente, independente da temperatura.

Podemos aplicar todos os mesmos argumentos a um material do tipo-p, modificando somente os valores dos parâmetros que aparecem na Eq. (14.7). Se houver números comparáveis de portadores negativos e positivos presentes no cristal ao mesmo tempo, devemos acrescentar as contribuições de cada espécie de portadores. A condutividade total será dada por

$$\sigma = \frac{N_n q_n^2 \tau_n}{m_n} + \frac{N_p q_p^2 \tau_p}{m_p}. \qquad (14.8)$$

Para materiais muito puros, N_p e N_n serão quase iguais. Eles serão menores do que em um material dopado, portanto a condutividade será menor. Eles também variarão rapidamente com a temperatura (como $e^{-E_{\text{gap}}/2\kappa T}$, como já vimos), portanto a condutividade pode modificar-se de maneira bastante rápida com a temperatura.

14–3 O efeito Hall

É certamente uma coisa peculiar que em uma substância na qual os únicos objetos relativamente livres são elétrons, deve haver uma corrente elétrica transportada por buracos que se comportam como partículas positivas. Gostaríamos, por isso, de descrever um experimento que mostra de um modo bastante claro que o sinal dos portadores da corrente elétrica é, de forma bastante definitiva, positivo. Suponha que tenhamos um bloco feito de material semicondutor – ele também poderia ser um metal – e colocamos um campo elétrico nele de tal forma a estabelecer uma corrente em alguma direção, por exemplo, na direção horizontal como desenhado na Fig. 14-6. Agora suponha que coloquemos um campo magnético no bloco fazendo um ângulo reto com a corrente, digamos, *para dentro* do plano da figura. Os portadores livres sentirão uma força magnética $q(\boldsymbol{v} \times \mathbf{B})$. Uma vez que a velocidade de arrasto média é ou para a direita ou para a esquerda – dependendo do sinal da carga do portador –, a força magnética média nos portadores será ou para cima ou para baixo. Não, isso não está correto! Para as direções que consideramos para a corrente e para o campo magnético, a força magnética nas cargas móveis será sempre *para cima*. As cargas positivas que se movem na direção de **j** (para a direita) sentirão uma força para cima. Se a corrente for transportada por cargas negativas, elas estarão movendo-se para a esquerda (para o mesmo sinal da corrente de condução) e elas também sentirão uma força para cima. Em condições estacionárias, contudo, não há nenhum movimento dos portadores para cima porque a corrente pode fluir somente da esquerda para a direita. O que acontece é que algumas das cargas inicialmente fluem para cima, produzindo uma densidade de carga de superfície ao longo da superfície superior do semicondutor – deixando uma densidade de carga de superfície igual e oposta ao longo da superfície inferior do cristal. As cargas acumulam-se nas superfícies superior e inferior até que as forças elétricas que elas produzem nas cargas móveis cancelem exatamente a força magnética (na média) de tal maneira que a corrente estacionária flua horizontalmente. As cargas nas superfícies superior e inferior produzirão uma diferença de potencial vertical através do cristal que pode ser medida com um voltímetro de alta resistência, como mostrado na Fig. 14-7. O sinal da diferença de potencial registrada pelo voltímetro dependerá do sinal das cargas dos portadores responsáveis pela corrente.

Quando tais experimentos foram feitos pela primeira vez, esperava-se que o sinal da diferença de potencial fosse negativo, como se esperaria para elétrons de condução negativos. As pessoas ficaram, entretanto, bastante surpresas ao descobrir que para alguns materiais o sinal da diferença de potencial era na direção contrária. Parecia que o portador da corrente era uma partícula com uma carga positiva. Da nossa discussão de semicondutores dopados é compreensível que um semicondutor do tipo-*n* deva produzir o sinal da diferença de potencial apropriado a portadores negativos, e que um semicondutor do tipo-*p* deva dar uma diferença de potencial oposta, pois a corrente é transportada pelos buracos positivamente carregados.

A descoberta original do sinal anômalo da diferença de potencial no efeito Hall foi feita em um metal e não em um semicondutor. Supunha-se que em metais a condução fosse sempre por elétrons; contudo, descobriu-se que para o berílio a diferença de potencial tinha o sinal incorreto. Hoje entendemos que em metais como em semicondutores é possível, em certas circunstâncias, que os "objetos" responsáveis pela condução sejam buracos. Embora sejam, no final das contas, os elétrons no cristal que se movem, a relação entre o momento e a energia, e a resposta a campos externos são exatamente as que se esperariam para uma corrente elétrica transportada por partículas positivas.

Vamos ver se podemos fazer uma estimativa quantitativa da magnitude da diferença de voltagem esperada no efeito Hall. Se a corrente através do voltímetro na Fig. 14-7 for desprezível, então as cargas dentro do semicondutor devem estar se movendo da esquerda para a direita, e a força magnética vertical deve ser precisamente cancelada por um campo elétrico vertical que chamaremos $\mathcal{E}_{tr}$ (o "tr" é para "transversal"). Se este campo elétrico dever cancelar as forças magnéticas, devemos ter

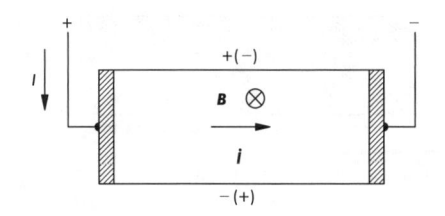

$$\mathcal{E}_{tr} = -\boldsymbol{v}_{arrasto} \times \mathbf{B}. \qquad (14.9)$$

Figura 14–6 O efeito Hall resulta de forças magnéticas nos portadores.

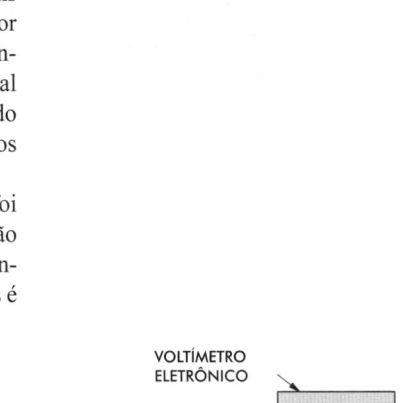

Figura 14–7 Medição do efeito Hall.

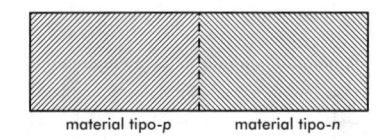

Figura 14-8 Uma junção p-n.

A utilização da relação entre a velocidade de arrasto e a densidade de corrente elétrica dada na Eq. (14.6) fornece

$$\mathcal{E}_{tr} = -\frac{1}{qN}jB.$$

A diferença de potencial entre o topo e o fundo do cristal é, naturalmente, essa intensidade de campo elétrico multiplicado pela altura do cristal. A intensidade de campo elétrico $\mathcal{E}_{tr}$ no cristal é proporcional à densidade de corrente e à intensidade do campo magnético. A constante de proporcionalidade $1/qN$ é chamada de coeficiente Hall e é normalmente representada pelo símbolo R_H. O coeficiente Hall depende somente da densidade de portadores – contanto que os portadores com um dado sinal estejam em ampla maioria. A medida do efeito Hall é, por isso, uma maneira conveniente de determinar experimentalmente a densidade de portadores em um semicondutor.

14–4 Junções semicondutoras

Gostaríamos de discutir agora o que acontece se tomamos dois pedaços de germânio ou silício com diferentes características internas – como, por exemplo, diferentes tipos ou quantidades de dopantes – e os colocamos juntos para fazer uma "junção". Vamos começar com o que é chamado de uma junção p-n, na qual temos um germânio tipo-p de um lado da emenda e um germânio tipo-n do outro lado – como esboçado na Fig. 14-8. De fato, não é prático juntar duas partes separadas de um cristal e fazê-las ter um contato uniforme em uma escala atômica. Em vez disso, as junções são feitas a partir de um cristal único que foi modificado em duas regiões separadas. Uma das maneiras de se fazer isso é acrescentar alguma impureza dopante apropriada ao material derretido somente após metade do cristal ter sido crescida. Outro caminho é pintar um pouco do elemento da impureza na superfície e então aquecer o cristal, o que faz com que alguns átomos da impureza difundam-se para dentro do cristal. As ligações feitas desses modos não têm uma separação abrupta, embora essas separações possam ser feitas tão estreitas quanto 10^{-4} centímetros mais ou menos. Para as nossas discussões, imaginaremos uma situação ideal em que essas duas regiões do cristal com propriedades diferentes se encontram em uma interface abrupta.

No lado do tipo-n da junção p-n, há elétrons livres que podem se deslocar, bem como os sítios dos doadores fixos que equilibram a carga elétrica total. No lado tipo-p, há buracos livres que podem se deslocar e um número igual de sítios aceitadores negativos resultando em um balanço da carga. De fato, isso descreve a situação antes que coloquemos os dois materiais em contato. Uma vez que eles são unidos, a situação se modifica perto da interface. Quando os elétrons do material tipo-n chegam à interface eles não são refletidos para trás como eles seriam em uma superfície livre, mas são capazes de seguir direto para o material do tipo-p. Alguns dos elétrons do material do tipo-n tenderão, portanto, a se difundir para o material do tipo-p onde há menos elétrons. Isso não pode ocorrer para sempre porque, como perdemos elétrons do lado-n, a carga positiva líquida lá aumenta até que finalmente uma voltagem elétrica se estabelece e bloqueia a difusão de elétrons para o lado-p. De um modo semelhante, os portadores positivos do material do tipo-p podem difundir-se através da junção para o material do tipo-n. Quando eles fazem isso, eles deixam um excesso da carga negativa para trás. Em condições de equilíbrio, a difusão líquida de corrente deve ser nula. Isso é ocasionado pelos campos elétricos que são estabelecidos de tal modo a enviar os portadores positivos de volta em direção ao material do tipo-p.

Os dois processos de difusão que estivemos descrevendo ocorrem simultaneamente e, você notará, ambos atuam na direção que carregará o material do tipo-n positivamente e o material do tipo-p negativamente. Devido à condutividade finita do material semicondutor, a modificação no potencial do lado-p ao lado-n ocorrerá em uma região relativamente estreita próxima da fronteira; a região principal de cada bloco do material terá um potencial uniforme. Vamos imaginar a direção x como uma direção perpendicular à superfície da interface. Então o potencial

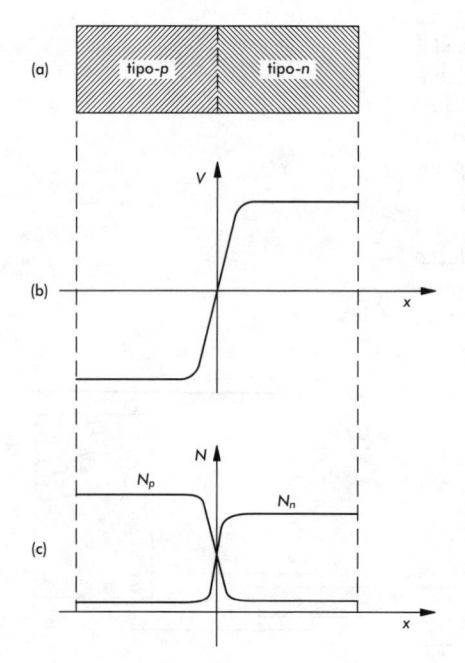

Figura 14-9 Potencial elétrico e densidade de portadores em uma junção semicondutora sem diferença de potencial externo.

elétrico variará com *x*, como mostrado na Fig. 14-9(b). Também mostramos na parte (c) da figura a variação esperada para a densidade N_n dos portadores tipo-*n* e a densidade N_p de portadores-*p*. Longe da interface as densidades de portadores N_p e N_n deve ser nada mais que a densidade de equilíbrio que esperaríamos para pedaços isolados dos materiais à mesma temperatura. (Desenhamos a figura para uma junção na qual o material tipo-*p* é mais fortemente dopado do que o material de tipo-*n*.) Devido ao gradiente do potencial na junção, os portadores positivos têm de subir uma rampa de potencial para chegar ao lado tipo-*p*. Isso significa que, em condições de equilíbrio, pode haver menos portadores positivos no material tipo-*n* do que há no material tipo-*p*. Relembrando as leis da mecânica estatística, esperamos que a proporção de portadores tipo-*p* nos dois lados seja dada pela equação seguinte:

$$\frac{N_p(\text{lado-}n)}{N_p(\text{lado-}p)} = e^{-q_p V/\kappa T}. \qquad (14.10)$$

O produto $q_p V$ no numerador da exponencial é exatamente a energia necessária para transportar uma carga q_p por uma diferença de potencial V.

Temos uma equação completamente semelhante para as densidades de portadores tipo-*n*:

$$\frac{N_n(\text{lado-}n)}{N_n(\text{lado-}p)} = e^{-q_n V/\kappa T}. \qquad (14.11)$$

Se soubermos as densidades de equilíbrio em cada um dos dois materiais, podemos usar qualquer uma das duas equações acima para determinar a diferença de potencial através da junção.

Perceba que se as Eqs. (14.10) e (14.11) devem fornecer o mesmo valor para a diferença de potencial V, o produto $N_p N_n$ deve ser o mesmo no lado-*p* e no lado-*n*. (Lembre-se de que $q_n = -q_p$.) Vimos anteriormente, contudo, que esse produto depende só da temperatura e da energia do gap do cristal. Contanto que ambos os lados do cristal estejam na mesma temperatura, as duas equações são compatíveis com o mesmo valor da diferença de potencial.

Como há uma diferença de potencial de um lado da junção ao outro, ela se parece com uma bateria. Talvez se conectarmos o lado tipo-*n* ao lado tipo-*p* com um fio obtenhamos uma corrente elétrica. Isso seria ótimo porque então a corrente fluiria para sempre sem gastar qualquer material, e teríamos uma fonte infinita da energia, violando a segunda lei da termodinâmica! Não há, contudo, nenhuma corrente se você conectar o lado-*p* ao lado-*n*, com um fio. E a razão é fácil de ver. Vamos primeiro imaginar um fio feito de um pedaço de material não dopado. Quando conectamos esse fio ao lado tipo-*n*, temos uma junção. Haverá uma diferença de potencial através dessa junção. Digamos que ela seja somente a metade da diferença de potencial entre o material do tipo-*p* e o material do tipo-*n*. Quando conectamos o nosso fio não dopado ao lado tipo-*p* da junção, há também uma diferença de potencial nessa junção – novamente, metade da queda de potencial através da junção *p-n*. Em todas as junções, as diferenças de potencial ajustam-se para que não haja nenhum fluxo líquido de corrente no circuito. Seja lá qual for o tipo de fio que você utilizar para conectar os dois lados da junção *n-p*, você está produzindo duas novas junções, e desde que todas as junções estejam à mesma temperatura, os saltos do potencial nas junções compensam uns aos outros, e nenhuma corrente fluirá. Realmente resulta, contudo – se você destrinchar os detalhes – que se uma das junções estiver a uma temperatura diferente do que as outras junções, correntes circularão. Algumas junções serão aquecidas e outras serão resfriadas por essa corrente, e energia térmica será convertida em energia elétrica. Esse efeito é responsável pela operação do termopar que é usado para medir temperaturas e pela operação dos geradores termoelétricos. O mesmo efeito também é usado para fazer pequenos refrigeradores.

Se não podemos medir a diferença de potencial entre os dois lados de uma junção *n-p*, como podemos realmente estar seguros de que o gradiente de potencial mostrado na Fig. 14-9 realmente existe? Uma maneira é iluminar a junção com luz. Quando os fótons são absorvidos, eles podem produzir um par elétron-buraco. Na presença do campo elétrico intenso que existe na ligação (igual à inclinação da curva do potencial da Fig. 14-9), o buraco será levado para a região do tipo-p e o elétron será levado para a região do tipo-n. Se os dois lados da junção forem agora conectados a um circuito externo, essas cargas adicionais fornecerão uma corrente. A energia da luz será convertida em energia elétrica na junção. As células solares que geram potência elétrica para a operação de alguns dos nossos satélites funcionam segundo esse princípio.

Na nossa discussão da operação de uma junção semicondutora, estivemos supondo que os buracos e os elétrons agem de maneira mais ou menos independente – exceto que eles de alguma maneira atingem o equilíbrio estatístico apropriado. Quando descrevíamos a corrente produzida pela iluminação da junção, estávamos supondo que um elétron ou um buraco produzido na região da junção entraria no corpo principal do cristal antes de ser aniquilado por um portador de polaridade oposta. Na vizinhança imediata da junção, onde a densidade de portadores de ambos os sinais é aproximadamente igual, o efeito da aniquilação buraco-elétron (ou como muitas vezes é chamada, "recombinação") é um efeito importante, e em uma análise detalhada de uma junção semicondutora deve ser apropriadamente considerada. Estivemos supondo que um buraco ou um elétron produzido na região da junção têm uma boa possibilidade de entrar no corpo principal do cristal antes de se recombinar. O tempo típico para um elétron ou um buraco encontrar um parceiro oposto e ser aniquilado está, para materiais semicondutores típicos, no intervalo de 10^{-3} a 10^{-7} segundos. Esse tempo é, incidentalmente, muito maior do que o tempo médio τ entre colisões com sítios espalhadores no cristal que usamos na análise da condutividade. Em uma junção n-p típica, o tempo para um elétron ou um buraco formado na região da junção ser varrido para o corpo do cristal é geralmente muito menor do que o tempo de recombinação. A maior parte dos pares, por isso, contribui para uma corrente externa.

14–5 Retificação em uma junção semicondutora

Gostaríamos de mostrar a seguir como uma junção p-n pode atuar como um retificador. Se pusermos uma voltagem através da junção, uma grande corrente circulará se a polaridade estiver em uma direção, mas uma corrente muito pequena fluirá se a mesma voltagem for aplicada no sentido contrário. Se uma voltagem alternante for aplicada através da ligação, uma corrente líquida fluirá em uma direção – a corrente é "retificada". Vamos olhar novamente para o que está acontecendo com a condição de equilíbrio descrita pelos gráficos da Fig. 14-9. No material do tipo-p, há uma grande concentração N_p de portadores positivos. Esses portadores estão se difundindo a esmo, e a cada segundo um certo número deles se aproxima da junção. Essa corrente de portadores positivos que se aproxima da junção é proporcional a N_p. A maior parte deles, contudo, retorna devido à alta barreira de potencial na junção, e só a fração $e^{-qV/\kappa T}$ consegue atravessar. Há também uma corrente de portadores positivos que se aproxima da junção pelo outro lado. Essa corrente é também proporcional à densidade de portadores positivos na região do tipo-n, mas a densidade de portadores aqui é muito menor do que a densidade no lado do tipo-p. Quando os portadores positivos se aproximam da junção pelo lado do tipo-n, eles encontram uma curva com inclinação negativa e imediatamente escorregam para baixo para o lado do tipo-p da junção. Vamos chamar essa corrente de I_0. Em equilíbrio, as correntes nas duas direções são iguais. Esperamos então a relação seguinte:

$$I_0 \propto N_p(\text{lado-}n) = N_p(\text{lado-}p)e^{-qV/\kappa T}. \tag{14.12}$$

Você notará que essa equação é na realidade a mesma que a Eq. (14.10). Acabamos de obtê-la de um modo diferente.

Suponha, contudo, que reduzimos a voltagem no lado-n da junção pelo valor ΔV – o que podemos fazer aplicando uma diferença de potencial externa na junção. Agora a diferença de potencial através da barreira de potencial não é mais V, mas $V - \Delta V$.

A corrente de portadores positivas do lado-p ao lado-n terá agora esta diferença de potencial no seu fator exponencial. Chamando esta corrente de I_1, obtemos

$$I_1 \propto N_p(\text{lado-}p)e^{-q(V-\Delta V)/\kappa T}.$$

Essa corrente é maior do que I_0 exatamente pelo fator $e^{q\Delta V/\kappa T}$. Portanto temos a relação seguinte entre I_1 e I_0:

$$I_1 = I_0 e^{+q\Delta V/\kappa T}. \tag{14.13}$$

A corrente do lado-p aumenta exponencialmente com a voltagem ΔV aplicada externamente. A corrente de portadores positivos do lado-n, contudo, permanece constante contanto que ΔV não seja demasiado grande. Quando eles se aproximam da barreira, esses portadores ainda encontrarão um potencial decrescente e cairão todos para o lado-p. (Se ΔV fosse maior do que a diferença de potencial natural V, a situação se modificaria, mas não consideraremos o que acontece para essas altas voltagens.) A corrente líquida I de portadores positivos que circula através da junção é então a diferença entre as correntes dos dois lados:

$$I = I_0(e^{+q\Delta V/\kappa T} - 1). \tag{14.14}$$

A corrente líquida I de buracos flui para a região tipo-n. Lá os buracos difundem-se para o corpo da região-n, onde eles são eventualmente aniquilados pelos portadores majoritários do tipo-n – os elétrons. Os elétrons que são perdidos nessa aniquilação serão substituídos pela corrente externa de elétrons do terminal do material tipo-n.

Quando ΔV é zero, a corrente líquida na Eq. (14.14) é zero. Para ΔV positivo, a corrente aumenta rapidamente com a voltagem aplicada. Para ΔV negativo, a corrente reverte de sinal, mas o termo exponencial logo fica desprezível, e a corrente negativa nunca excede I_0 – a qual para as nossas suposições é um tanto pequena. Esta corrente de fuga I_0 é limitada pela pequena densidade de portadores minoritários tipo p no lado-n da junção.

Se você fizer exatamente a mesma análise para a corrente de portadores negativos que circula através da junção, primeiro sem diferença de potencial e depois com uma pequena diferença de potencial externa ΔV, você obtém novamente uma equação como a Eq. (14.14) para a corrente líquida de elétrons. Como a corrente total é a soma das correntes contribuídas pelos dois portadores, a Eq. (14.14) ainda pode ser utilizada para descrever a corrente total desde que identifiquemos I_0 como a corrente máxima que pode circular para uma voltagem reversa.

A característica de voltagem-corrente da Eq. (14.14) é mostrada na Fig. 14-10. Ela mostra o comportamento típico de diodos de estado sólido – como os usados em computadores modernos. Devemos observar que a Eq. (14.14) é verdadeira apenas para pequenas voltagens. Para voltagens comparáveis com ou maiores que a diferença de voltagem interna natural V, outros efeitos entram em jogo e a corrente não obedece mais à equação simples.

Você pode lembrar, a propósito, que obtivemos exatamente a mesma equação que encontramos aqui na Eq. (14.14) quando discutimos o "retificador mecânico" – a catraca e lingueta – no Capítulo 46 do Volume I. Obtemos as mesmas equações na duas situações porque os processos físicos básicos são bastante semelhantes.

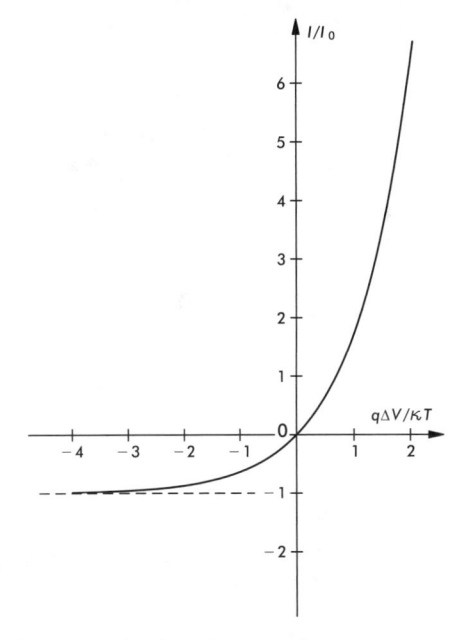

Figura 14-10 Corrente que passa por uma junção como função da voltagem através dela.

14–6 O transistor

Possivelmente a aplicação mais importante dos semicondutores está no transistor. O transistor compõe-se de duas junções semicondutoras muito próximas. A sua operação é baseada, em parte, nos mesmos princípios que acabamos de descrever para o diodo semicondutor – a junção retificadora. Suponha que façamos uma pequena barra de germânio com três regiões distintas, uma região tipo-p, uma região tipo-n e outra região tipo-p, como mostrado na Fig. 14-11(a). Essa combinação é

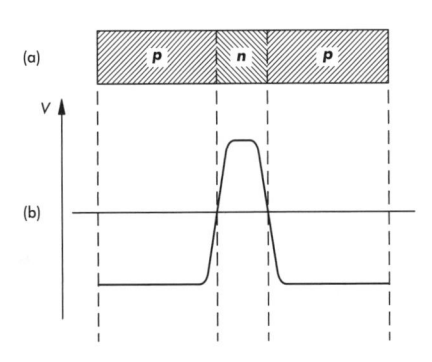

Figura 14-11 Distribuição do potencial em um transistor sem voltagem aplicada.

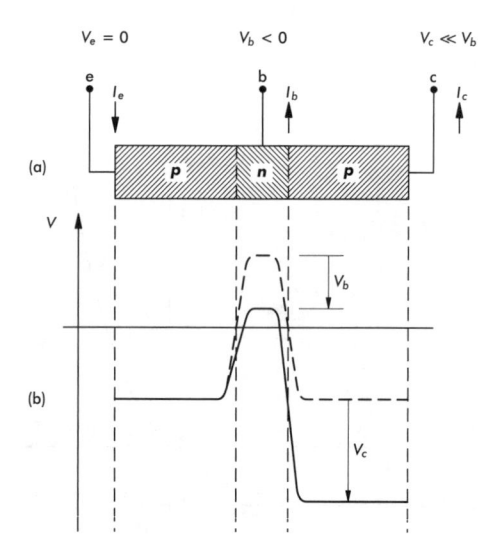

Figura 14–12 Distribuição do potencial em um transistor em operação.

chamada de transistor *p-n-p*. Cada uma das duas junções no transistor vai se comportar de maneira muito parecida com o que descrevemos na seção anterior. Especialmente, haverá um gradiente de potencial em cada junção com uma certa queda de potencial da região do tipo-*n* para cada região do tipo-*p*. Se as duas regiões do tipo-*p* tiverem as mesmas propriedades internas, a variação no potencial à medida que andamos através do cristal será como mostrada no gráfico da Fig. 14-11(b).

Vamos agora imaginar que conectamos cada uma das três regiões a fontes de voltagem externas como mostrado na parte (a) da Fig. 14-12. Vamos referenciar todas as voltagens ao terminal conectado à região-*p* à esquerda de tal forma que ela será, por definição, o zero do potencial. Chamaremos esse terminal de *emissor*. A região do tipo-*n* é chamada de *base* e é conectada a um potencial ligeiramente negativo. A região do tipo-*p* à direita é chamada de *coletor* e é conectada a um potencial negativo um pouco maior. Nessas circunstâncias a variação do potencial através do cristal será como mostrada no gráfico da Fig. 14-12(b).

Vamos primeiramente ver o que acontece aos portadores positivos, pois é principalmente o seu comportamento que controla a operação do transistor *p-n-p*. Como o emissor está em um potencial levemente mais positivo do que a base, uma corrente de portadores positivos fluirá da região do emissor para a região da base. Uma corrente relativamente alta circulará, pois temos uma junção funcionando com uma voltagem "direta" – correspondendo à metade direita do gráfico na Fig. 14-10. Nessas condições, os portadores positivos ou buracos estão sendo "emitidos" da região tipo-*p* para a região tipo-*n*. Você poderia pensar que essa corrente circularia da região do tipo-*n* pelo terminal de base *b*. Agora, contudo, vem o segredo do transistor. A região do tipo-*n* é feita bastante estreita – tipicamente 10^{-3} centímetros ou menos, muito mais estreita do que as suas dimensões transversais. Isso significa que à medida que os buracos entram na região do tipo-*n* eles têm uma possibilidade muito boa de se difundirem através dela em direção à outra junção antes que sejam aniquilados pelos elétrons na região do tipo-*n*. Quando eles chegam à interface do lado direito da região do tipo-*n*, encontram uma queda de potencial íngreme e imediatamente caem na região do tipo-*p* à direita. Este lado do cristal é chamado de coletor porque ele "coleta" os buracos depois que eles se difundiram através da região do tipo-*n*. Em um transistor típico, toda exceto uma fração de uns por cento da corrente de buraco que sai do emissor e entra na base é coletada na região do coletor, e só essa pequena fração contribui para a corrente de base resultante. A soma das correntes de base e do coletor é, naturalmente, igual à corrente do emissor.

Agora imagine o que acontece se variamos ligeiramente o potencial V_b no terminal de base. Como estamos em uma parte relativamente íngreme da curva da Fig. 14-10, uma pequena variação do potencial V_b causará uma modificação bastante grande na corrente I_e do emissor. Como a voltagem do coletor V_c é muito mais negativa do que a voltagem de base, essas pequenas variações no potencial não afetarão de maneira significativa a queda de potencial íngreme entre a base e o coletor. A maior parte dos portadores positivos emitidos para a região-*n* ainda será apanhada pelo coletor. Logo, à medida que variamos o potencial do eletrodo de base, haverá uma variação correspondente na corrente do coletor I_c. O ponto essencial, contudo, é que a corrente de base I_b sempre permanece uma pequena fração da corrente do coletor. O transistor é um amplificador; uma pequena corrente I_b introduzida no eletrodo de base dá origem a uma corrente grande – 100 ou mais vezes maior – no eletrodo coletor.

E os elétrons – os portadores negativos que estivemos ignorando por enquanto? Primeiro, observe que não esperamos que nenhuma corrente de elétrons significativa flua entre a base e o coletor. Com uma grande voltagem negativa no coletor, os elétrons na base teriam de subir uma barreira de energia potencial muito alta, e a probabilidade de isso ocorrer é muito pequena. Há uma corrente muito pequena de elétrons ao coletor.

Por outro lado, os elétrons na base *podem* entrar na região do emissor. Na realidade, você poderia esperar que a corrente de elétrons nessa direção fosse comparável com a corrente de buraco do emissor para a base. Tal corrente de elétrons não é útil, e, ao contrário, é ruim porque ela aumenta a corrente total de base necessária para uma dada corrente de buracos ao coletor. O transistor é, por isso, projetado para minimizar a corrente de elétrons ao emissor. A corrente de elétrons é proporcional a N_n (base), a densidade de portadores negativos no material de base enquanto a corrente de buracos a partir do emissor depende do N_p (emissor), a densidade de transportadoras positivas na região do emissor. Usando uma dopagem relativamente pequena no material do tipo-n N_n (base) pode ser feito muito menor do que N_p (emissor). (A região bastante estreita de base também ajuda muito porque a varredura dos buracos nessa região pelo coletor aumenta significativamente a corrente média de buraco do emissor à base, enquanto deixa a corrente de elétrons inalterada.) O resultado líquido é que a corrente de elétrons através da junção emissor-base pode ser feita muito menor do que a corrente de buracos, de tal forma que os elétrons não desempenhem nenhum papel significativo na operação do transistor *p-n-p*. As correntes são dominadas pelo movimento dos buracos, e o transistor funciona como um amplificador como descrevemos anteriormente.

É também possível fazer um transistor permutando os materiais do tipo-*p* e os materiais do tipo-*n* na Fig. 14-11. Então temos o que é chamado um transistor *n-p-n*. No transistor *n-p-n*, as correntes principais são transportadas pelos elétrons que fluem do emissor para a base e daí ao coletor. Obviamente, todos os argumentos que fizemos para o transistor *p-n-p* também se aplicam ao transistor *n-p-n* se os potenciais dos eletrodos forem escolhidos com os sinais opostos.

15

A Aproximação de Partículas Independentes

15–1 Ondas de spin

No Capítulo 13, desenvolvemos a teoria para a propagação de um elétron ou de alguma outra "partícula", como uma excitação atômica, por uma rede cristalina. No capítulo anterior, aplicamos a teoria a semicondutores. Ainda assim, quando discutimos situações nas quais há muitos elétrons, desconsideramos qualquer interação entre eles. Fazer isso é naturalmente só uma aproximação. Neste capítulo, discutiremos um pouco mais a ideia de que você pode desconsiderar a interação entre os elétrons. Também usaremos a oportunidade para mostrar-lhe mais algumas aplicações da teoria sobre a propagação de partículas. Como em geral continuaremos desconsiderando as interações entre as partículas, há muito pouco realmente novo neste capítulo, exceto as novas aplicações. O primeiro exemplo a ser considerado é, contudo, um em que é possível escrever de forma bastante exata as equações corretas quando há mais de uma "partícula" presente. A partir delas, seremos capazes de ver como a aproximação de desconsiderar as interações é feita. Não analisaremos, entretanto, o problema de forma muito cuidadosa.

15–1 Ondas de spin
15–2 Duas ondas de spin
15–3 Partículas independentes
15–4 A molécula de benzeno
15–5 Mais química orgânica
15–6 Outros usos da aproximação

Como nosso primeiro exemplo, iremos considerar uma "onda de spin" em um cristal ferromagnético. Discutimos a teoria do ferromagnetismo no Capítulo 36 do Volume II. À temperatura nula, todos os spins dos elétrons que contribuem para o magnetismo no corpo de um cristal ferromagnético estão paralelos. Há uma energia de interação entre os spins, que é mais baixa quando todos os spins estão para baixo. Em qualquer temperatura não nula, contudo, existe a possibilidade de que alguns spins estejam virados. Calculamos a probabilidade de uma maneira aproximada no Capítulo 36. Desta vez descreveremos a teoria mecânico quântica – e desta forma você verá o que deve fazer se quiser resolver o problema de maneira mais exata. (Ainda faremos algumas idealizações supondo que os elétrons estejam localizados nos átomos e que os spins interajam somente com os spins vizinhos.)

Vamos considerar um modelo no qual os elétrons em cada átomo estão todos emparelhados, exceto um, de tal forma que todos os efeitos magnéticos têm origem em um elétron de spin-1/2 por átomo. Além disso, imaginemos que esses elétrons estão localizados nos sítios atômicos da rede. O modelo corresponde aproximadamente ao níquel metálico.

Também vamos supor que há uma interação entre quaisquer dois desses elétrons adjacentes, o que dá um termo para a energia do sistema

$$E = -\sum_{i,j} K\boldsymbol{\sigma}_i \cdot \boldsymbol{\sigma}_j, \tag{15.1}$$

onde os $\boldsymbol{\sigma}$ representam os spins e a soma é sobre todos os pares de elétrons adjacentes. Já discutimos essa espécie de energia de interação quando consideramos o desdobramento hiperfino no hidrogênio devido à interação entre os momentos magnéticos do elétron e do próton em um átomo de hidrogênio. Naquele caso, essa interação foi representada como $A\boldsymbol{\sigma}_e \cdot \boldsymbol{\sigma}_p$. Agora, para um certo par, por exemplo, os elétrons no átomo 4 e no átomo 5, o Hamiltoniano seria $-K\boldsymbol{\sigma}_4 \cdot \boldsymbol{\sigma}_5$. Temos um termo para cada par como esse, e o Hamiltoniano é (como você esperaria para energias clássicas) a soma desses termos para cada par que interage. A energia é escrita com o fator $-K$ de tal forma que um K positivo corresponderá ao ferromagnetismo – isso é, a energia mais baixa resulta quando os spins adjacentes estão paralelos. Em um cristal real, pode haver outros termos que são as interações com os segundos vizinhos mais próximos, e assim por diante, mas não temos de considerar tais complicações nesta etapa.

Com o Hamiltoniano da Eq. (15.1), temos uma descrição completa do ferromagneto – dentro das nossas aproximações –, e as propriedades da magnetização devem surgir. Também devemos ser capazes de calcular as propriedades termodinâmicas devido à magnetização. Se pudermos encontrar todos os níveis de energia, as propriedades do cristal em uma temperatura T podem ser encontradas a partir do princípio de que a probabilidade de um sistema ser encontrado em um dado estado de energia E é proporcional a $e^{-E/\kappa T}$. Este problema nunca foi completamente resolvido.

Mostraremos alguns dos problemas tomando um exemplo simples no qual todos os átomos estão em uma linha – uma rede unidimensional. Você pode estender facilmente as ideias a três dimensões. Em cada posição atômica, há um elétron que tem dois estados possíveis, ou o spin para cima ou o spin para baixo, e o sistema como um todo é descrito fornecendo o arranjo de todos os spins. Consideramos o Hamiltoniano do sistema como o operador da energia de interação. Interpretando os vetores de spin da Eq. (15.1) como os operadores-sigma – ou as matrizes-sigma –, escrevemos para a rede linear

$$\hat{H} = \sum_n -\frac{A}{2}\,\hat{\boldsymbol{\sigma}}_n \cdot \hat{\boldsymbol{\sigma}}_{n+1}. \qquad (15.2)$$

Nessa equação escrevemos a constante como $A/2$ por conveniência (de tal forma que algumas equações posteriores sejam exatamente as mesmas que as do Capítulo 13).

Agora qual é o estado fundamental deste sistema? O estado de energia mais baixa é aquele no qual todos os spins são paralelos – digamos, todo para cima[†]. Podemos escrever este estado como $|\cdots+++\cdots\rangle$, ou $|\text{fnd}\rangle$ para "fundamental" ou de energia mais baixa. É fácil obter a energia deste estado. Um caminho é escrever todo os vetores sigmas em função dos $\hat{\sigma}_x, \hat{\sigma}_y$ e $\hat{\sigma}_z$, calcular cuidadosamente o que cada termo do Hamiltoniano faz ao estado fundamental e então somar os resultados. Também podemos, contudo, usar um bom atalho. Vimos na Seção 12-2 que $\hat{\boldsymbol{\sigma}}_i \cdot \hat{\boldsymbol{\sigma}}_j$ pode ser escrito em função do operador de troca de spin de Pauli como:

$$\hat{\boldsymbol{\sigma}}_i \cdot \hat{\boldsymbol{\sigma}}_j = (2\hat{P}_{ij}^{\text{spin ex}} - 1), \qquad (15.3)$$

onde o operador $\hat{P}_{ij}^{\text{spin ex}}$ permuta os spins dos elétrons i e j. Com essa substituição, o Hamiltoniano fica

$$\hat{H} = -A\sum_n (\hat{P}_{n,\,n+1}^{\text{spin ex}} - \tfrac{1}{2}). \qquad (15.4)$$

É fácil agora calcular o que ocorre a estados diferentes. Por exemplo, se i e j estão, ambos, para cima, então trocar os spins deixa tudo inalterado, e desta forma $\hat{P}_{ij}$ atuando no estado simplesmente retorna o mesmo estado, e é equivalente à multiplicação por $+1$. A expressão $(\hat{P}_{ij} - \tfrac{1}{2})$ é simplesmente igual a meio. (Daqui para frente não mais escreveremos os sobrescritos descritivos em $\hat{P}$.)

Para o estado fundamental, todos os spins estão para cima; desta forma, se você intercambiar um determinado par de spins, você recupera o estado original. O estado fundamental é um estado estacionário. Se você atuar nele com o Hamiltoniano, obtém o mesmo estado novamente multiplicado por uma soma de termos, $-(A/2)$ para cada par de spins. Isso é, a energia do sistema no estado fundamental é $-A/2$ por átomo.

Posteriormente gostaríamos de estudar as energias de alguns estados excitados. Será conveniente medir as energias com relação ao estado fundamental, isso é, escolheremos o estado fundamental como o nosso zero da energia. Podemos fazer isso acrescentando a energia $A/2$ a cada termo no Hamiltoniano. Isso simplesmente modifica o "1/2" na Eq. (15.4) para "1". Nosso novo Hamiltoniano fica

$$\hat{H} = -A\sum_n (\hat{P}_{n,n+1} - 1). \qquad (15.5)$$

[†] Aqui o estado fundamental é realmente "degenerado"; há outros estados com a mesma energia – por exemplo, todos os spins para baixo ou todos em qualquer outra direção. O campo externo mais fraco na direção z dará uma energia diferente para todos esses estados, e aquele que escolhemos será o verdadeiro estado fundamental.

Com esse Hamiltoniano, a energia do estado fundamental é zero; o operador de troca de spin é equivalente à multiplicação pela unidade (para o estado fundamental) que é cancelado pelo "1" em cada termo.

Para descrever outros estados além do fundamental, precisaremos de um conjunto apropriado de estados de base. Uma maneira conveniente é agrupar os estados entre os que têm um elétron com spin para baixo, ou dois elétrons com spin para baixo, e assim por diante. Há, naturalmente, muitos estados com um spin para baixo. O spin para baixo pode estar no átomo "4", ou no átomo "5", ou no átomo "6"... Podemos escolher, de fato, justamente tais estados como nossos estados de base. Poderíamos escrevê-los desta forma: $|4\rangle, |5\rangle, |6\rangle,\ldots$, entretanto, posteriormente será mais conveniente se classificarmos "o átomo estranho" – aquele com o elétron com spin para baixo – pela sua coordenada x. Isto é, definiremos o estado $|x_5\rangle$ como o que possui todos os elétrons com spin para cima exceto aquele no átomo em x_5, que tem um elétron com spin para baixo (ver a Fig. 15-1). Em geral, $|x_n\rangle$ é o estado com um spin para baixo localizado na coordenada x_n do n-ésimo átomo.

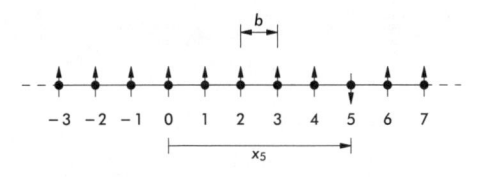

Figura 15-1 Estados de base $|x_5\rangle$ para um arranjo linear de spins. Todos os spins estão para cima exceto um deles em x_5, que está para baixo.

Qual é a ação do Hamiltoniano (15.5) no estado $|x_5\rangle$? Um termo do Hamiltoniano é, digamos $-A(\hat{P}_{7,8} - 1)$. O operador $\hat{P}_{7,8}$ troca os dois spins dos átomos adjacentes 7, 8. No estado $|x_5\rangle$, ambos estão para cima, e nada acontece; $\hat{P}_{7,8}$ é equivalente à multiplicação por 1:

$$\hat{P}_{7,8} |x_5\rangle = |x_5\rangle.$$

Resulta que

$$(\hat{P}_{7,8} - 1) |x_5\rangle = 0.$$

Assim todos os termos do Hamiltoniano dão zero – exceto os que envolvem o átomo 5, naturalmente. No estado $|x_5\rangle$, a operação $\hat{P}_{4,5}$ troca o spin do átomo 4 (para cima) com o do átomo 5 (para baixo). O resultado é o estado com todos os spins para cima exceto o no átomo em 4. Ou seja

$$\hat{P}_{4,5} |x_5\rangle = |x_4\rangle.$$

Do mesmo modo

$$\hat{P}_{5,6} |x_5\rangle = |x_6\rangle.$$

Desta forma, os únicos termos do Hamiltoniano que sobrevivem são $-A(\hat{P}_{4,5} - 1)$ e $-A(\hat{P}_{5,6} - 1)$. Atuando em $|x_5\rangle$, eles produzem $-A|x_4\rangle + A|x_5\rangle$ e $-A|x_6\rangle + A|x_5\rangle$, respectivamente. O resultado é

$$\hat{H}|x_5\rangle = -A\sum_n (\hat{P}_{n,n+1} - 1)|x_5\rangle = -A\{|x_6\rangle + |x_4\rangle - 2|x_5\rangle\}. \quad (15.6)$$

Quando o Hamiltoniano atua no estado $|x_5\rangle$, ele dá origem a amplitudes de estar nos estados $|x_4\rangle$ e $|x_6\rangle$. Isso significa somente que há certa amplitude de que o spin para baixo salte para o átomo seguinte. Assim devido à interação entre os spins, se começarmos com um spin para baixo, então há uma certa probabilidade de que, em um tempo posterior, em vez dele um outro esteja para baixo. Operando no estado genérico $|x_n\rangle$, o Hamiltoniano fornece

$$\hat{H}|x_n\rangle = -A\{|x_{n+1}\rangle + |x_{n-1}\rangle - 2|x_n\rangle\}. \quad (15.7)$$

Note em particular que se tomarmos um conjunto completo de estados com somente um spin para baixo, eles só serão misturados entre si. O Hamiltoniano nunca misturará esses estados com outros que têm mais spins para baixo. Contanto que só troque spins, você nunca modifica o número total de spins para baixo.

Será conveniente usar a notação matricial para o Hamiltoniano, digamos $H_{n,m} \equiv \langle x_n|\hat{H}|x_m\rangle$; a Eq. (15.7) é equivalente a

$$H_{n,n} = 2A;$$
$$H_{n,n+1} = H_{n,n-1} = -A; \tag{15.8}$$
$$H_{n,m} = 0, \quad \text{para} \quad |n-m| > 1.$$

Agora, quais são os níveis de energia dos estados com um spin para baixo? Como de costume, escrevemos C_n como a amplitude de que algum estado $|\psi\rangle$ esteja no estado $|x_n\rangle$. Se $|\psi\rangle$ deve ser um estado de energia definido, todos os C_n devem variar com o tempo de mesmo modo, a saber,

$$C_n = a_n e^{-iEt/\hbar}. \tag{15.9}$$

Podemos inserir essa solução tentativa na nossa equação Hamiltoniana habitual

$$i\hbar \frac{dC_n}{dt} = \sum_m H_{nm} C_m, \tag{15.10}$$

utilizando a Eq. (15.8) para os elementos de matriz. Naturalmente obtemos um número infinito de equações, mas elas podem ser todas escritas como

$$Ea_n = 2Aa_n - Aa_{n-1} - Aa_{n+1}. \tag{15.11}$$

Temos mais uma vez exatamente o mesmo problema que resolvemos no Capítulo 13, exceto que onde tínhamos E_0 agora temos $2A$. As soluções correspondem a amplitudes C_n (a amplitude de spin para baixo) que se propagam ao longo da rede com uma constante de propagação k e uma energia

$$E = 2A(1 - \cos kb), \tag{15.12}$$

onde b é o parâmetro de rede.

As soluções de energia definidas correspondem a "ondas" de spin para baixo – chamadas de "ondas de spin". E para cada comprimento de onda há uma energia correspondente. Para grandes comprimentos de onda (k pequeno), esta energia varia como

$$E = Ab^2 k^2. \tag{15.13}$$

Tal como antes, podemos considerar um pacote de onda localizado (contendo, contudo, somente comprimentos de onda grande) que corresponde a um elétron com spin para baixo em alguma parte da rede. Este spin para baixo irá se comportar como uma "partícula". Como a sua energia está relacionada a k por (15.13), a "partícula" terá uma massa efetiva:

$$m_{\text{eff}} = \frac{\hbar^2}{2Ab^2}. \tag{15.14}$$

Essas "partículas" são às vezes chamadas de "magnons".

15–2 Duas ondas de spin

Agora gostaríamos de discutir o que acontece se houver *dois* spins para baixo. Novamente escolhemos um conjunto de estados para a base. Escolheremos estados nos quais existem spins para baixo em duas posições atômicas, como o estado mostrado na Fig. 15-2. Podemos classificar tal estado pelas coordenadas x dos dois sítios com spins para baixo. O estado mostrado pode ser chamado de $|x_2, x_5\rangle$. Em geral os estados da base são $|x_n, x_m\rangle$ – um conjunto duplamente infinito! Neste sistema de classificação, o estado $|x_4, x_9\rangle$ e o estado $|x_9, x_4\rangle$ são exatamente o mesmo estado, porque cada um simplesmente diz que há um spin para baixo em 4 e um em 9; não há nenhum significado na ordem. Além disso,

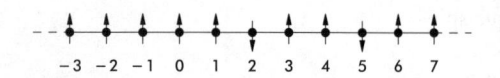

Figura 15–2 Um estado com dois spins para baixo.

o estado $|x_4, x_4\rangle$ não tem nenhum significado, não existe tal coisa. Podemos descrever qualquer estado $|\psi\rangle$ fornecendo as amplitudes de ele estar em cada um dos estados da base. Assim $C_{m,n} = \langle x_m, x_n | \psi \rangle$ significa agora a amplitude de um sistema no estado $|\psi\rangle$ estar em um estado no qual tanto o m-ésimo quanto o n-ésimo átomo têm spins para baixo. As complicações que surgem agora não são complicações de ideias – elas são simplesmente complexidades na contabilidade. (Uma das complexidades da mecânica quântica é justamente a contabilidade. Com cada vez mais spins para baixo, a notação fica cada vez mais complicada, com muitos índices, e as equações sempre parecem aterrorizadoras; mas as ideias não são necessariamente mais complicadas do que no caso mais simples.)

As equações do movimento do sistema de spins são as equações diferenciais para os $C_{n,m}$. Elas são

$$i\hbar \frac{dC_{n,m}}{dt} = \sum_{i,j} (H_{nm,ij}) C_{ij}. \tag{15.15}$$

Suponha que queremos encontrar os estados estacionários. Como de hábito, as derivadas com relação ao tempo ficam iguais a E vezes as amplitudes e os $C_{m,n}$ podem ser substituídos pelos coeficientes $a_{m,n}$. Depois temos de estudar cuidadosamente o efeito de H em um estado com spins m e n para baixo. Não é difícil de aprender. Suponha por um instante que m e n estejam suficientemente distantes de tal forma que não tenhamos de nos preocupar com o problema óbvio. A operação da troca na posição x_n moverá o spin para baixo, ou para o átomo $(n + 1)$ ou para o átomo $(n - 1)$, e assim há uma amplitude de que o estado atual tenha se originado do estado $|x_m, x_{n+1}\rangle$ e também uma amplitude que ele tenha se originado do estado $|x_m, x_{n-1}\rangle$. Ou pode ter sido o outro spin que se moveu; assim há uma certa amplitude de que o $C_{m,n}$ provenha do $C_{m+1,n}$ ou do $C_{m-1,n}$. Esses efeitos devem ser todos iguais. O resultado final para a equação Hamiltoniana para o $C_{m,n}$ é

$$Ea_{m,n} = -A(a_{m+1,n} + a_{m-1,n} + a_{m,n+1} + a_{m,n-1}) + 4Aa_{m,n}. \tag{15.16}$$

Esta equação é correta exceto em duas situações. Se $m = n$, não existe equação alguma, e se $m = n \pm 1$, então dois dos termos na Eq. (15.16) deveriam estar ausentes. *Iremos desprezar essas exceções.* Simplesmente ignoraremos o fato de que algumas poucas dessas equações sejam ligeiramente alteradas. Afinal de contas, supõe-se que o cristal seja infinito, e temos um número infinito de termos; desprezar alguns não deveria importar muito. Portanto, para uma primeira aproximação grosseira, vamos esquecer as equações modificadas. Em outras palavras, supomos que a Eq. (15.16) é verdadeira para todo o m e n, mesmo para m e n um ao lado do outro. *Isso é a parte essencial da nossa aproximação.*

Então a solução não é difícil de encontrar. Obtemos imediatamente

$$C_{m,n} = a_{m,n} e^{-iEt/\hbar}, \tag{15.17}$$

com

$$a_{m,n} = (\text{const.}) \, e^{ik_1 x_m} e^{ik_2 x_n}, \tag{15.18}$$

onde

$$E = 4A - 2A \cos k_1 b - 2A \cos k_2 b. \tag{15.19}$$

Pense por um momento no que aconteceria se tivéssemos duas ondas de spin *isoladas, independentes* (como na seção anterior), correspondendo a $k = k_1$ e $k = k_2$; elas teriam, da Eq. (15.12), as energias

$$\epsilon_1 = (2A - 2A \cos k_1 b)$$

e

$$\epsilon_2 = (2A - 2A \cos k_2 b).$$

Note que a energia E na Eq. (15.19) é somente a soma desses valores

$$E = \epsilon(k_1) + \epsilon(k_2). \tag{15.20}$$

Em outras palavras, podemos pensar na nossa solução deste modo. Há duas partículas – ou seja, duas ondas de spin. Uma delas tem um momento descrito por k_1, a outra por k_2, e a energia do sistema é a soma das energias dos dois objetos. As duas partículas atuam de maneira completamente independente. Isso é tudo que há.

Naturalmente fizemos algumas aproximações, mas não desejamos discutir a precisão da nossa resposta neste momento. Contudo, você pode adivinhar que em um cristal de tamanho razoável com bilhões de átomos – e, por isso, bilhões de termos na Hamiltoniana –, deixar de fora alguns termos não causaria um erro muito grande. Se tivéssemos um número grande de spins para baixo resultando em uma densidade apreciável, então teríamos certamente que nos preocupar com as correções.

[É bastante interessante notar que uma solução exata pode ser escrita se houver exatamente os *dois* spins para baixo. O resultado não é especialmente importante, mas é interessante que as equações possam ser resolvidas de maneira exata neste caso. A solução é:

$$a_{m,n} = \exp[ik_c(x_m + x_n)] \operatorname{sen}(k|x_m - x_n|), \tag{15.21}$$

com a energia

$$E = 4A - 2A \cos k_1 b - 2A \cos k_2 b,$$

e com os números de onda k_c e k relacionados a k_1 e k_2 por

$$k_1 = k_c - k, \qquad k_2 = k_c + k. \tag{15.22}$$

Essa solução inclui a "interação" entre os dois spins. Ela descreve o fato de que, quando os spins se encontram, há uma certa possibilidade de espalhamento. Os spins atuam de maneira parecida com partículas com uma interação. Contudo, a teoria detalhada dos seus espalhamentos vai além do que queremos falar aqui.]

15–3 Partículas independentes

Na seção anterior, escrevemos um Hamiltoniano, Eq. (15.15), para um sistema de duas partículas. Então usando uma aproximação que é equivalente a desprezar qualquer "interação" entre as duas partículas, encontramos os estados estacionários descritos pelas Eqs. (15.17) e (15.18). Este estado é exatamente o produto de dois estados de partícula única. A solução que demos para os $a_{m,n}$ na Eq. (15.18) é, contudo, claramente não satisfatória. Anteriormente indicamos de maneira bastante cuidadosa que o estado $|x_9, x_4\rangle$ *não* é um estado distinto de $|x_4, x_9\rangle$ – a *ordem* do x_m e x_n não tem nenhum significado. Em geral, a expressão algébrica para a amplitude $C_{m,n}$ deve ficar inalterada se permutarmos os valores de x_m e x_n, pois isso não modifica o estado. De qualquer forma, ela deve representar a amplitude para encontrar um spin para baixo em x_m e um spin para baixo em x_n. No entanto, note que (15.18) *não* é simétrica em x_m e x_n – pois k_1 e k_2 podem ser em geral diferentes.

O problema é que não forçamos a nossa solução dada pela Eq. (15.15) a satisfazer a esta condição adicional. Afortunadamente é fácil corrigir as coisas. Note primeiro que uma solução da equação Hamiltoniana tão boa como (15.18) é

$$a_{m,n} = K e^{ik_2 x_m} e^{ik_1 x_n}. \tag{15.23}$$

Ela tem até a mesma energia que obtivemos para (15.18). Qualquer combinação linear de (15.18) e (15.23) é também uma boa solução e tem uma energia ainda descrita pela Eq. (15.19). A solução que deveríamos ter escolhido – devido à nossa exigência de simetria – é simplesmente a soma de (15.18) e (15.23):

$$a_{m,n} = K[e^{ik_1 x_m} e^{ik_2 x_n} + e^{ik_2 x_m} e^{ik_1 x_n}]. \tag{15.24}$$

Agora, considerando qualquer k_1 e k_2, a amplitude $C_{m,n}$ independe da maneira como colocamos x_m e x_n – se por acaso definíssemos x_m e x_n de maneira reversa, obteríamos a mesma amplitude. A nossa interpretação da Eq. (15.24) em termos de "magnons" também deve ser diferente. Não podemos mais dizer que a equação representa *uma* partícula com o número de onda k_1 e uma *segunda* partícula com número de onda k_2. A amplitude (15.24) representa *um* estado com duas partículas (magnons). O *estado* é caracterizado pelos dois números de onda k_1 e k_2. Nossa solução se parece com um estado composto por uma partícula com momento $p_1 = \hbar k_1$ e outra partícula com momento $p_2 = \hbar k_2$, mas no nosso estado não podemos dizer qual partícula é qual.

Esta discussão deve lembrá-lo do Capítulo 4 e da nossa história de partículas idênticas. Estivemos mostrando justamente que as partículas das ondas de spin – os magnons – comportam-se como partículas idênticas de Bose. Todas as amplitudes devem ser simétricas nas coordenadas das duas partículas – que é o mesmo que afirmar que se "permutarmos as duas partículas", recobramos a mesma amplitude e com o mesmo sinal. Contudo, você pode estar pensando, por que decidimos *somar* os dois termos para obter a Eq. (15.24). Por que não subtrair? Com um sinal de menos, a permutação de x_m e x_n iria somente modificar o sinal de $a_{m,n}$, o que não importa. A permutação de x_m e x_n *não modifica nada* – todos os elétrons do cristal estão exatamente onde estavam antes, assim não há razão para que mesmo o sinal da amplitude seja modificado. Os magnons vão se comportar como partículas de Bose.†

Os pontos principais desta discussão são dois: Primeiro, mostrar-lhe algo sobre ondas de spin, e, em segundo lugar, apresentar um estado cuja amplitude é um *produto* de duas amplitudes e cuja energia é a *soma* das energias correspondente às duas amplitudes. Para *partículas independentes*, a amplitude é o produto e a energia é a soma. Você pode ver facilmente por que a energia é a soma. A energia é o coeficiente de t em uma exponencial imaginária – ela é proporcional à frequência. Se dois objetos estão fazendo algo, um deles com a amplitude $e^{-iE_1 t/\hbar}$ e outro com a amplitude $e^{-iE_2 t/\hbar}$, e se a amplitude para as duas coisas acontecerem em conjunto for o produto das amplitudes para cada uma separadamente, então há uma frequência única no produto que é a soma das duas frequências. A energia correspondente ao produto de amplitudes é a soma das duas energias.

Percorremos um argumento complexo bastante longo para dizer uma coisa simples. Quando você não considera nenhuma interação entre partículas, você pode pensar em cada partícula independentemente. Elas podem existir individualmente em vários estados diferentes que teriam sozinhas, e elas contribuirão cada uma com a energia que teriam tido se estivessem sozinhas. Contudo, você deve lembrar-se de que se elas são partículas idênticas: podem comportar-se ou como partículas de Bose ou como partículas de Fermi, dependendo do problema. Dois elétrons extras acrescentados a um cristal, por exemplo, teriam de comportar-se como partículas de Fermi. Quando as posições dos dois elétrons são permutadas, a amplitude deve trocar de sinal. Na equação correspondente à Eq. (15.24) deveria haver um sinal de menos entre os dois termos à direita. Por conseguinte, duas partículas Fermi não podem estar exatamente na mesma condição – com spins iguais e iguais k. A amplitude para esse estado é zero.

15–4 A molécula de benzeno

Embora a mecânica quântica forneça as leis básicas que determinam as estruturas das moléculas, essas leis podem ser aplicadas de maneira exata apenas aos compostos mais simples. Os químicos, por isso, desenvolveram vários métodos aproximados para calcular algumas propriedades de moléculas complicadas. Gostaríamos agora de mostrar-lhe como a aproximação de partículas independentes é usada pelos químicos orgânicos. Começamos com a molécula de benzeno.

---

† Em geral, as quase partículas do tipo que estamos discutindo podem se comportar tanto como partículas de Bose quanto partículas de Fermi, e como para partículas livres, as partículas com valores de spin inteiros são bósons e aquelas com valores de spin semi-inteiros são férmions. Um "magnon" corresponde a um elétron com spin para cima que foi virado. A *modificação* no spin é *um*. O magnon tem um spin de valor inteiro, e é um bóson.

Figura 15–3 Os dois estados de base para a molécula de benzeno utilizados no Capítulo 10.

Figura 15–4 Um anel de benzeno com seis elétrons removidos.

Figura 15–5 A molécula de etileno.

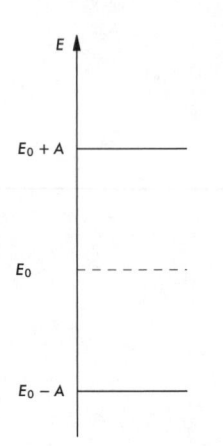

Figura 15–6 Possíveis níveis de energia para os elétrons "extra" na molécula de etileno.

Discutimos a molécula de benzeno de um outro ponto da vista no Capítulo 10. Lá consideramos uma visão aproximada da molécula como um sistema de dois estados, com os dois estados de base mostrados na Fig. 15-3. Há um anel de seis carbonos com um hidrogênio ligado a um carbono em cada posição. Com a visão convencional de ligações de valência, é necessário supor ligações duplas entre metade dos átomos de carbono, e na condição de energia mais baixa há as duas possibilidades mostradas na figura. Há também outros estados de mais alta energia. Quando discutimos o benzeno no Capítulo 10, consideramos somente os dois estados e esquecemos o resto. Encontramos que a energia para o estado fundamental da molécula não era a energia de um dos estados da figura, mas era mais baixa do que esta por um montante proporcional à amplitude para saltar de um desses estados ao outro.

Agora iremos olhar para a mesma molécula de um ponto de vista completamente diferente – utilizando um tipo distinto de aproximação. Os dois pontos de vista nos darão respostas diferentes, mas se melhorarmos qualquer uma das aproximações, elas devem levar à verdade, uma descrição válida do benzeno. Contudo, se não nos incomodamos em melhorá-las, que é naturalmente a situação habitual, então você não deve se surpreender se as duas descrições não concordarem exatamente. Mostraremos pelo menos que com o novo ponto de vista também a energia mais baixa para a molécula de benzeno é mais baixa do que qualquer das estruturas de três ligações da Fig. 15-3.

Agora queremos usar a seguinte visão. Suponha que imaginemos os seis átomos de carbono de uma molécula de benzeno conectados somente por ligações simples como na Fig. 15-4. Com isso, removemos seis elétrons – pois uma ligação corresponde a um par de elétrons – portanto temos a molécula de benzeno seis vezes ionizada. Agora consideraremos o que acontece quando repomos os seis elétrons um após o outro, imaginando que cada um pode se mover livremente em volta do anel. Supomos também que todas as ligações mostradas na Fig. 15-4 são satisfeitas e não precisam ser mais consideradas.

O que acontece quando repomos um elétron no íon molecular? Ele pode, obviamente, estar localizado em qualquer uma das seis posições em volta do anel – correspondendo a seis estados de base. Ele também teria uma certa amplitude, que vamos chamar de A, de passar de uma posição para a seguinte. Se analisarmos os estados estacionários, haveria certos níveis de energia possíveis. Isso é só para um elétron.

Depois ponha um segundo elétron. E agora faremos a aproximação mais ridícula que você pode imaginar – *que o que um elétron faz não é afetado pelo que o outro está fazendo*. Naturalmente na realidade eles interagirão; eles repelem um ao outro pela força coulombiana, e, além disso, quando eles estão ambos no mesmo sítio, eles devem ter energia consideravelmente diferente do que duas vezes a energia para que um esteja lá. Certamente a aproximação de partículas independentes não é legítima quando há somente seis sítios – mais ainda quando queremos pôr *seis* elétrons. Entretanto, os químicos orgânicos foram capazes de aprender muita coisa fazendo esse tipo de aproximação.

Antes de estudarmos a molécula de benzeno em detalhes, vamos considerar um exemplo mais simples – a molécula de etileno que contém somente dois átomos de carbono com dois átomos de hidrogênio em ambos os lados, como mostrado na Fig. 15-5. Esta molécula tem uma ligação "extra" que é associada a dois elétrons entre os dois átomos de carbono. Retire agora um desses elétrons; o que temos? Podemos vê-lo como um sistema de dois estados – o elétron remanescente pode estar em um carbono ou no outro. Podemos analisá-lo como um sistema com dois estados. As energias possíveis do elétron solitário são ou $(E_0 - A)$ ou $(E_0 + A)$, como mostrado na Fig. 15-6.

Agora acrescente o segundo elétron. Bem, se tivermos dois elétrons, podemos pôr o primeiro no estado mais baixo e o segundo no superior. Não exatamente; esquecemos algo. Cada um dos estados é realmente duplo. Quando dizemos que há um estado possível com a energia $(E_0 - A)$, há realmente dois. Dois elétrons podem entrar no mesmo estado se um tiver seu spin para cima e o outro tiver o seu spin para baixo. (Não se pode colocar mais devido ao princípio de exclusão.) Assim há realmente dois estados possíveis com energia $(E_0 - A)$. Podemos desenhar um diagrama, como na Fig. 15-7, que indique tanto os níveis de energia como as suas ocupações. Na condição de energia mais baixa, ambos os elétrons estarão no estado mais baixo com os seus spins opostos. A energia da ligação extra na molécula de etileno, portanto, é $2(E_0 - A)$ se desprezarmos a interação entre os dois elétrons.

Vamos retornar ao benzeno. Cada um dos dois estados da Fig. 15-3 tem três ligações duplas. Cada uma dessas é como a ligação no etileno, e contribui $2(E_0 - A)$ para a energia se E_0 for agora a energia para colocar um elétron em um sítio do benzeno e A for a amplitude para saltar ao sítio seguinte. Portanto a energia deve ser aproximadamente $6(E_0 - A)$. Quando estudamos o benzeno anteriormente, obtivemos que a energia era mais baixa do que a energia da estrutura com três ligações extras. Vamos ver se a energia do benzeno resulta mais baixa do que a das três ligações do nosso novo ponto da vista.

Começamos com o benzeno ionizado seis vezes e acrescentamos um elétron. Agora temos um sistema de seis estados. Não resolvemos esse sistema ainda, mas sabemos o que fazer. Podemos escrever seis equações para as seis amplitudes, e assim por diante. Vamos economizar um pouco de trabalho – notando que já resolvemos o problema quando estudamos o problema de um elétron em uma linha infinita de átomos. Naturalmente, o benzeno não é uma linha infinita, ele tem 6 sítios atômicos em um círculo, mas imagine que abrimos o círculo em uma linha e numeramos os átomos ao longo da linha de 1 a 6. Em uma linha infinita, a posição seguinte seria 7, mas se insistimos que esta posição seja idêntica à de número 1 e assim por diante, a situação será como a do anel de benzeno. Em outras palavras, podemos considerar a solução de uma linha infinita *com a exigência a mais* de que a solução deve ser periódica com um ciclo de comprimento de seis átomos. Do Capítulo 13 o elétron em uma linha tem estados de energia bem definida quando a amplitude em cada sítio for $e^{ikx_n} = e^{ikbn}$. Para cada k, a energia vale

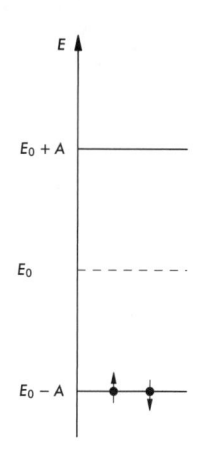

$$E = E_0 - 2A \cos kb. \qquad (15.25)$$

Figura 15-7 Na ligação extra na molécula de etileno, dois elétrons (um com spin para cima, um com spin para baixo) podem ocupar o nível de energia mais baixo.

Queremos usar agora só aquelas soluções que se repetem a cada 6 átomos. Vamos inicialmente considerar o caso geral de um anel de N átomos. Se a solução deve ter um período de N espaçamentos atômicos, e^{ikbn} deve ser igual à unidade; ou kbN deve ser um múltiplo de 2π. Considerando que s possa representar qualquer número inteiro, a nossa condição resulta em

$$kbN = 2\pi s. \qquad (15.26)$$

Vimos antes que não há nenhum significado em considerar os k fora do intervalo $\pm \pi / b$. Isso significa que obtemos todos os estados possíveis considerando os valores de s no intervalo $\pm N/2$.

Encontramos então que para um anel de N-átomos há N estados de energia bem definida[†], e eles têm números de onda k_s, dados por

$$k_s = \frac{2\pi}{Nb} s. \qquad (15.27)$$

Cada estado tem a energia (15.25). Temos um espectro de linha de níveis de energia possíveis. O espectro do benzeno ($N = 6$) é mostrado na Fig. 15-8(b). (Os números em parênteses indicam o número de estados *diferentes* com a mesma energia.)

Há um modo legal de visualizar os seis níveis de energia, como mostramos na parte (a) da figura. Imagine um círculo centrado em um nível com E_0 e com um raio de $2A$. Se começarmos na posição mais baixa e separarmos seis arcos iguais (em ângulos, a partir do ponto inferior, de $k_s b = 2\pi s/N$, ou $2\pi s/6$ para o benzeno), então as alturas verticais dos pontos no círculo são as soluções da Eq. (15.25). Os seis pontos representam os seis estados possíveis.

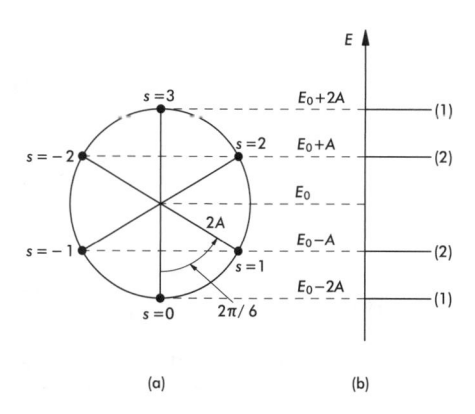

Figura 15-8 Níveis de energia para um anel com seis posições para elétrons (por exemplo, um anel de benzeno).

---

† Você pode pensar que para N par há $N+1$ estados. Isso não é verdade, pois $s = \pm N/2$ fornecem o mesmo estado.

O nível de energia mais baixo vale $(E_0 - 2A)$; há dois estados com a mesma energia $(E_0 - A)$, e assim por diante[†]. Esses são os estados possíveis de um elétron. Se tivermos mais de um elétron, dois – com spins opostos – podem entrar em cada estado.

Para a molécula de benzeno, temos de pôr seis elétrons. Para o estado fundamental, eles irão para os estados com as menores energias possíveis, dois em $s = 0$, dois em $s = +1$ e dois em $s = -1$. Segundo a aproximação de partícula independente, a energia do estado fundamental é

$$E_{\text{fundamental}} = 2(E_0 - 2A) + 4(E_0 - A)$$
$$= 6E_0 - 8A. \qquad (15.28)$$

A energia é de fato menor do que a de três ligações duplas isoladas – pelo montante $2A$.

Comparando a energia do benzeno à energia do etileno, é possível determinar A. Ele resulta ser 0,8 eV, ou, nas unidades que os químicos gostam, 18 kcal/mol.

Podemos usar essa descrição para calcular ou entender outras propriedades do benzeno. Por exemplo, utilizando a Fig. 15-8, podemos discutir a excitação do benzeno pela luz. O que aconteceria se tentássemos excitar um dos elétrons? Ele pode mover-se até um dos estados desocupados de mais alta energia. A energia de excitação mais baixa seria uma transição do nível ocupado de mais alta energia para o nível desocupado de mais baixa energia. Isso requer a energia $2A$. O benzeno absorverá luz de frequência ν quando $h\nu = 2A$. Também haverá absorção de fótons com as energias $3A$ e $4A$. Obviamente, o espectro de absorção do benzeno foi medido, e o modelo de linhas espectrais é mais ou menos correto, exceto que a transição mais baixa ocorre no ultravioleta; e para ajustar os dados um valor de A entre 1,4 e 2,4 eV deveria ser escolhido. Isto é, o valor numérico de A é duas ou três vezes maior do que é previsto através da energia da ligação química.

O que o químico faz em situações como essa é analisar muitas moléculas semelhantes e formular algumas regras empíricas. Ele aprende, por exemplo: para calcular energias de ligação, use tal e tal valor de A, mas para obter o espectro de absorção aproximadamente correto, use outro valor de A. Você pode achar que isso soa um pouco absurdo. Não é muito satisfatório do ponto da vista de um físico que está tentando entender a natureza a partir de primeiros princípios, mas o problema do químico é diferente. Ele deve tentar adivinhar o que irá acontecer com moléculas que não foram feitas ainda, ou que não são entendidas completamente. O que ele precisa é uma série de regras empíricas; não faz muita diferença de onde elas vieram. Portanto ele usa a teoria de um modo bastante diferente do que o físico. Ele utiliza equações que têm uma sombra da verdade, alterando então suas constantes – fazendo correções empíricas.

No caso do benzeno, a razão principal da inconsistência é a nossa suposição de que os elétrons são independentes – a teoria com que começamos não é realmente legítima. Sem dúvida ela tem uma sombra de verdade porque os seus resultados parecem estar apontando na direção certa. Com tais equações e mais algumas regras empíricas – que incluem várias exceções –, o químico orgânico traça o seu caminho pelo amaranhado de coisas complicadas que ele decide estudar. (Não esqueça que a razão de um físico realmente poder calcular a partir de primeiros princípios é que ele escolhe somente problemas simples. Ele nunca resolve um problema com 42 ou mesmo 6 elétrons. Por enquanto, ele foi capaz de calcular de forma razoavelmente exata só o átomo de hidrogênio e o átomo de hélio.)

15–5 Mais química orgânica

Vamos ver como as mesmas ideias podem ser usadas para estudar outras moléculas. Considere uma molécula como o butadieno (1, 3) – que está desenhado na Fig. 15-9 segundo a visão habitual da teoria da ligação de valência.

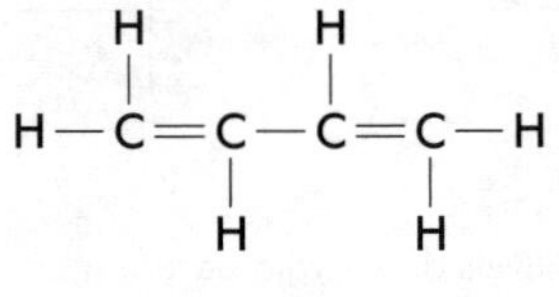

Figura 15–9 Representação de uma ligação de valência em uma molécula de butadieno (1, 3).

[†] Quando existem dois estados (que terão diferentes distribuições de amplitude) com a mesma energia, dizemos que os dois estados são "degenerados". Note que *quatro* elétrons podem ter energia $E_0 A$.

Podemos jogar o mesmo jogo com os quatro elétrons extras correspondente às duas ligações duplas. Se retirarmos quatro elétrons, teremos quatro átomos de carbono em uma linha. Você já sabe como resolver uma linha. Você diz, "Oh não, só sei como resolver uma linha *infinita*." As soluções da linha infinita também incluem aquelas para uma linha finita. Observe. Seja N o número de átomos na linha e numere-os de 1 a N como mostrado na Fig. 15-10. Ao escrever as equações para a amplitude da posição 1, você não teria um termo vindo da posição 0. De forma semelhante, a equação para a posição N seria diferente daquela que usamos para uma linha infinita porque não haveria nada conectando à posição $N + 1$. Suponha que possamos obter uma solução para a linha infinita que tem a seguinte propriedade: a amplitude para estar no átomo 0 é zero e a amplitude para estar no átomo $(N + 1)$ é também zero. Dessa forma, o conjunto de equações para todas as posições entre 1 e N para a linha finita também é satisfeito. Você poderia pensar que tal solução não existe para a linha infinita porque todas as nossas soluções têm a forma e^{ikx_n} que tem o mesmo valor absoluto para a amplitude em todos os lugares. Contudo, lembre que a energia depende somente do valor absoluto de k, de forma que outra solução, que é igualmente legítima para a mesma energia, é e^{-ikx_n}. O mesmo é verdadeiro para qualquer superposição dessas duas soluções. Subtraindo-as podemos obter a solução sen kx_n, que satisfaz à exigência de que a amplitude seja zero em $x = 0$. Ele ainda corresponde à energia $(E_0 - 2A \cos kb)$. Agora, por uma escolha conveniente do valor de k, também podemos fazer a amplitude igual a zero em x_{N+1}. Isso requer que $(N + 1)kb$ seja um múltiplo de π, ou que

$$kb = \frac{\pi}{(N + 1)} s, \quad (15.29)$$

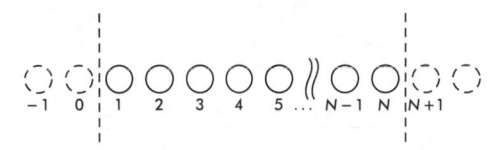

Figura 15-10 Uma linha de N moléculas.

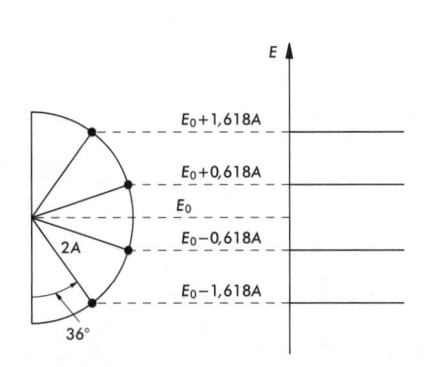

Figura 15-11 Níveis de energia para o butadieno.

onde s é um número inteiro entre 1 e N. (Utilizamos somente valores de k positivos porque cada solução contém $+k$ e $-k$; mudar o sinal de k leva novamente ao mesmo estado.) Para a molécula de butadieno, $N = 4$, assim há quatro estados com

$$kb = \pi/5, \quad 2\pi/5, \quad 3\pi/5 \quad \text{e} \quad 4\pi/5. \quad (15.30)$$

Podemos representar os níveis de energia utilizando um diagrama de círculo semelhante àquele do benzeno. Desta vez, usamos um semicírculo dividido em cinco partes iguais como mostrado na Fig. 15-11. O ponto na parte inferior corresponde a $s = 0$, que não fornece nenhum estado. O mesmo é verdadeiro para o ponto em cima, que corresponde a $s = N + 1$. O outros 4 pontos restantes fornecem quatro energias permitidas. Há quatro estados estacionários, o que é esperado visto que começamos com quatro estados de base. No diagrama de círculo, os intervalos angulares são $\pi/5$ ou 36 graus. A energia mais baixa resulta $(E_0 - 1{,}618A)$. (Ah, as maravilhas da matemática; a proporção áurea dos gregos[†] fornece os estados de energia mais baixa para a molécula de butadieno segundo essa teoria!)

Podemos agora calcular a energia da molécula de butadieno quando colocamos quatro elétrons. Com quatro elétrons, preenchemos os dois níveis mais baixos, cada um com dois elétrons de spins opostos. A energia total fica

$$E = 2(E_0 - 1{,}618A) + 2(E_0 - 0{,}618A) = 4(E_0 - A) - 0{,}472A. \quad (15.31)$$

Esse resultado parece razoável. A energia é um pouco mais baixa do que para duas ligações duplas simples, mas a ligação não é tão forte como no benzeno. De qualquer forma, esse é o modo que os químicos analisam algumas moléculas orgânicas.

[†] A proporção dos lados de um retângulo que pode ser dividido em um quadrado e um retângulo semelhante.

Figura 15-12 Molécula de "clorofila a".

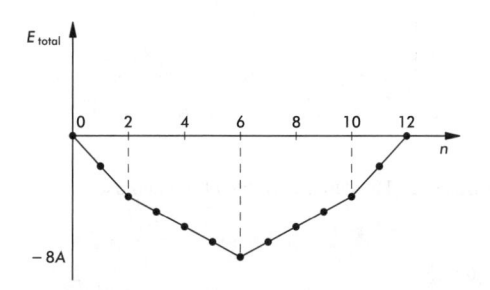

Figura 15–13 Soma de todas as energias dos elétrons quando todos os níveis de energia mais baixa na Fig. 15-8 estão ocupados por n elétrons, se escolhermos $E_0 = 0$.

O químico pode usar não somente as energias, mas também as amplitudes de probabilidade. Conhecendo as amplitudes para cada estado, e quais estados estão ocupados, ele pode dizer a probabilidade de encontrar um elétron em qualquer lugar na molécula. Aqueles lugares onde os elétrons têm maior probabilidade de estar têm tendência de serem reativos em substituições químicas que necessitam que um elétron seja compartilhado com algum outro grupo de átomos. Os outros sítios têm maior probabilidade de serem reativos naquelas substituições que têm uma tendência de fornecer um elétron extra ao sistema.

As mesmas ideias que estivemos usando podem dar-nos alguma compreensão de uma molécula tão complicada como a clorofila, que tem uma versão mostrada na Fig. 15-12. Note que as ligações duplas e simples que desenhamos com linhas mais grossas formam um anel longo e fechado com vinte intervalos. Os elétrons extras das ligações duplas podem se mover em volta deste anel. Usando o método de partículas independentes, podemos obter um grande conjunto de níveis de energia. Há linhas de absorção fortes associadas a transições entre esses níveis que estão na região visível do espectro e dão a esta molécula a sua cor forte. Outras moléculas igualmente complicadas, como as xantofilas, que fazem as folhas ficarem vermelhas, podem ser estudadas do mesmo modo.

Há mais uma ideia que emerge da aplicação deste tipo de teoria na química orgânica. É provavelmente a mais bem-sucedida ou, pelo menos de certa forma, a mais precisa. Esta ideia tem a ver com a pergunta: em que situações pode-se obter uma ligação química particularmente forte? A resposta é muito interessante. Considere o exemplo, primeiro, do benzeno, e imagine a sequência de eventos que ocorre quando começamos com a molécula ionizada seis vezes e acrescentamos mais e mais elétrons. Então estaríamos pensando em vários íons de benzeno – negativos ou positivos. Suponha que tracemos a energia do íon (ou molécula neutra) como uma função do número de elétrons. Se escolhermos $E_0 = 0$ (pois não sabemos o que ele é), obtemos a curva mostrada na Fig. 15-13. Para os dois primeiros elétrons, a inclinação da função é uma linha reta. Para cada grupo sucessivo, a inclinação aumenta, e há uma descontinuidade na inclinação entre os grupos de elétrons. A inclinação modifica-se quando se termina de preencher um conjunto de níveis com a mesma energia e deve-se mover para o próximo conjunto mais alto de níveis para o próximo elétron.

A energia real do íon de benzeno é realmente bastante diferente da curva da Fig. 15-13 por causa das interações dos elétrons e por causa de energias eletrostáticas que estivemos desprezando. Essas correções, contudo, variarão com n de um modo bastante suave. Mesmo se fôssemos fazer todas essas correções, a curva de energia resultante ainda teria quebras para os valores de n que justamente preenchem um determinado nível de energia.

Considere agora uma curva muito suave que ajusta os pontos na média como desenhado na Fig. 15-14. Podemos dizer que os pontos *acima* desta curva têm energias "acima do normal", e os pontos *abaixo* da curva têm energias "abaixo do normal". Esperaríamos que as configurações com uma energia abaixo do normal tivessem uma estabilidade química acima da média – quimicamente falando. Note que as configurações mais abaixo na curva sempre ocorrem no fim de um dos segmentos de linha reta – a saber, quando há elétrons suficientes para preencher "uma camada de energia", como é chamada. Essa é a previsão bastante exata da teoria. As moléculas – ou os íons – são especialmente estáveis (em comparação com outras configurações semelhantes) quando os elétrons disponíveis preenchem exatamente uma camada de energia.

Esta teoria explicou e predisse alguns fatos químicos muito peculiares. Para um exemplo muito simples, considere um anel de três. É quase inacreditável que o químico possa fazer um anel de três e tê-lo estável, mas foi feito. O círculo de energia de três elétrons é mostrado na Fig. 15-15. Se você põe agora dois elétrons no estado mais baixo, você tem só dois dos três elétrons de que necessita. O terceiro elétron deve ser posto em um nível muito mais alto. Pelo nosso argumento, esta molécula não deve ser especialmente estável, ao passo que a estrutura de dois elétrons deve ser estável. Realmente ocorre, de fato, que a molécula neutra de trifenil ciclopropenil é muito difícil de ser sintetizada, mas que o íon positivo mostrado

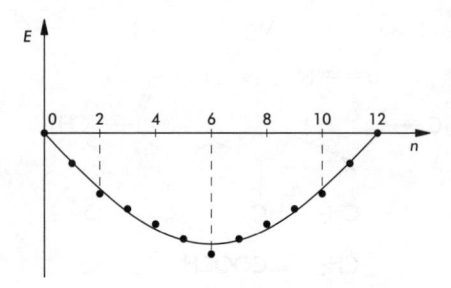

Figura 15–14 Os pontos da Fig. 15-13 com uma curva suave. Moléculas com $n = 2$, 6 e 10 são mais estáveis que outras.

na Fig. 15-16 é relativamente fácil de fazer. O anel de três nunca é realmente fácil de se fazer porque sempre há grande tensão quando as ligações em uma molécula orgânica fazem um triângulo equilátero. Para fazer um composto estável, a estrutura deve ser estabilizada de algum modo. Se você acrescentar três anéis de benzeno nos cantos, o íon positivo pode ser feito. (A razão desta exigência de adicionar anéis de benzeno não é realmente entendida.)

De forma semelhante, o anel de cinco lados também pode ser analisado. Se você desenhar o diagrama de energia, pode ver de um modo qualitativo que a estrutura de seis elétrons deve ser uma estrutura especialmente estável, de maneira que esta molécula deve ser mais estável como um íon negativo. Bem, o anel de cinco lados é bem conhecido e fácil de fazer e sempre atua como um íon negativo. De forma semelhante, você pode verificar facilmente que um anel de 4 ou 8 não é muito interessante, mas que um anel de 14 ou 10 – como um anel de 6 – deve ser especialmente estável como um objeto neutro.

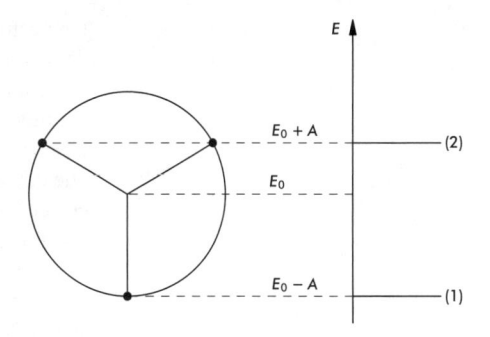

Figura 15-15 Diagrama de energia para um anel de três.

15–6 Outros usos da aproximação

Há duas outras situações semelhantes que descreveremos resumidamente. Examinando a estrutura de um átomo, podemos considerar que os elétrons preenchem camadas sucessivas. A teoria de Schroedinger do movimento eletrônico pode ser trabalhada facilmente só para *um* elétron que se move em um campo "central" – que depende somente da distância a um ponto. Como, então, podemos entender o que acontece em um átomo que tem 22 elétrons?! Um caminho é usar uma espécie de aproximação de partícula independente. Primeiro você calcula o que acontece com um elétron, depois obtém um número de níveis de energia; então, põe um elétron no estado de energia mais baixa. Você pode, para um modelo grosseiro, continuar ignorando as interações entre elétrons e continuar preenchendo as camadas sucessivas, mas há um modo de obter melhores respostas considerando – pelo menos de um modo aproximado – o efeito da carga elétrica transportada pelo elétron. Cada vez que acrescenta um elétron, você computa a sua amplitude para estar em vários lugares, e então usa essa amplitude para estimar uma espécie de distribuição de carga esfericamente simétrica. Você usa o campo desta distribuição – em conjunto com o campo do núcleo positivo e todos os elétrons precedentes – para calcular os estados disponíveis para o próximo elétron. Deste modo pode obter estimativas razoavelmente corretas das energias do átomo neutro e para vários estados de ionização. Você encontra que há camadas de energia, da mesma forma que vimos para os elétrons em uma molécula cíclica. Com uma camada parcialmente preenchida, o átomo mostrará uma preferência para adquirir um ou vários elétrons extras, ou para perder alguns elétrons de maneira a atingir o estado mais estável de uma camada preenchida.

Essa teoria explica o funcionamento por trás das propriedades químicas fundamentais que surgem na tabela periódica dos elementos. Os gases inertes são aqueles elementos nos quais uma camada acabou de ser completada, e é especialmente difícil fazê-los reagir. (Alguns deles obviamente reagem – com flúor e oxigênio, por exemplo; mas tais compostos são ligados muito fracamente; os assim chamados gases inertes são quase inertes.) Um átomo que tem um elétron a mais ou um elétron a menos do que um gás inerte irá facilmente perder ou ganhar um elétron para adquirir a condição especialmente estável (baixa energia) que advém de ter uma camada completamente preenchida – eles são os elementos químicos muito ativos de valência +1 ou –1.

Encontramos outra situação na física nuclear. Em núcleos atômicos, os prótons e os nêutrons interagem uns com os outros de maneira bastante intensa. Mesmo assim, o modelo de partícula independente pode ser novamente usado para analisar a estrutura nuclear. Foi primeiro descoberto experimentalmente que os núcleos eram especialmente estáveis se eles contivessem determinados números de nêutrons – a saber, 2, 8, 20, 28, 50, 82. Os núcleos contendo esses números de prótons são também especialmente estáveis. Como não houve inicialmente nenhuma explicação para esses números, eles foram denominados de "números mágicos" da física nuclear. É bem conhecido que os nêutrons e os prótons interagem fortemente uns com os outros; as pessoas, por isso, ficaram bastante surpresas quando foi descoberto que um modelo de partículas independentes predisse

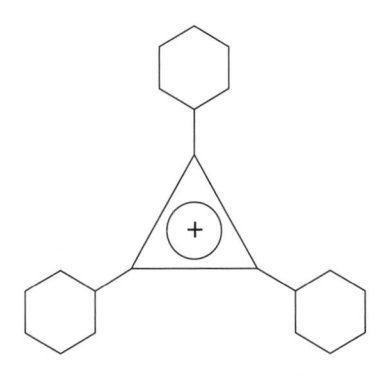

Figura 15-16 O cátion de trifenil ciclo-propenil.

uma estrutura de camadas que obtinha alguns dos primeiros números mágicos. O modelo supunha que cada núcleon (próton ou nêutron) se movia em um potencial central que foi criado pelos efeitos médios de todos os outros núcleons. Esse modelo falhou, contudo, em fornecer os valores corretos dos números mágicos mais altos. Então foi descoberto por Maria Mayer, e independentemente por Jensen e os seus colaboradores, que considerando o modelo de partículas independentes e acrescentando somente uma correção que é chamada de "interação spin-órbita", pôde-se fazer um modelo melhorado que forneceu todos os números mágicos. (A interação spin-órbita faz com que a energia de um núcleon seja mais baixa se o seu spin tiver a mesma direção que o seu momento angular orbital decorrente do movimento no núcleo.) A teoria fornece mais ainda – a sua visão da chamada "estrutura de camadas" dos núcleos permite-nos predizer certas características dos núcleos e de reações nucleares.

A aproximação de partículas independentes se mostrou útil em uma vasta gama de assuntos – da física do estado sólido à química, à biologia, à física nuclear. Ela é muitas vezes apenas uma aproximação grosseira, mas é capaz de dar uma compreensão de por que há condições especialmente estáveis – em camadas. Como ela omite toda a complexidade das interações entre as partículas individuais, não devemos ficar surpresos que ela muitas vezes erre completamente no cálculo de muitos detalhes importantes.

16

A Dependência das Amplitudes com a Posição

16–1 Amplitudes em uma linha

Vamos agora discutir como as amplitudes de probabilidade da mecânica quântica variam no espaço. Em capítulos anteriores, você pode ter tido a sensação pouco confortável de que algumas coisas estavam sendo deixadas de lado. Por exemplo, quando falávamos sobre a molécula de amônia, decidimos descrevê-la em termos de dois estados de base. Para um dos estados de base, escolhemos a situação na qual o átomo de nitrogênio estava "acima" do plano dos três átomos de hidrogênio, e para o outro estado de base escolhemos a condição na qual o átomo de nitrogênio estava "abaixo" do plano dos três átomos de hidrogênio. Por que escolhemos somente esses dois estados? Por que o átomo de nitrogênio não poderia estar a 2 angstroms acima do plano dos três átomos de hidrogênio, a 3 angstroms ou a 4 angstroms acima do plano? Certamente, há muitas posições que o átomo de nitrogênio pode ocupar. Novamente quando falamos sobre o íon de hidrogênio molecular, no qual há um elétron compartilhado por dois prótons, imaginamos dois estados de base: um para o elétron na vizinhança do próton número um e outro para o elétron na vizinhança do próton número dois. Claramente, estamos omitindo muitos detalhes. O elétron não está exatamente no próton número dois, mas está somente na vizinhança. Pode estar em algum lugar acima do próton, em algum lugar abaixo do próton, em algum lugar para a esquerda do próton ou em algum lugar para a direita do próton.

Intencionalmente evitamos discutir esses detalhes. Dissemos que estávamos interessados somente em certas características do problema, portanto imaginávamos que quando o elétron estava na proximidade do próton número um, ele ficaria em uma condição bastante específica. Naquela condição, a probabilidade para encontrar o elétron teria uma distribuição bastante bem definida em torno do próton, mas não estávamos interessados nos detalhes.

Também podemos colocar isso de outra maneira. Na nossa discussão do íon de hidrogênio molecular, escolhemos uma descrição aproximada quando descrevemos a situação em termos de dois estados de base. Na verdade há muitos e muitos desses estados. Um elétron pode ficar em uma certa condição em torno de um próton no seu estado mais baixo, ou estado fundamental, mas há também muitos estados excitados. Para cada estado excitado, a distribuição do elétron em torno do próton é diferente. Ignoramos esses estados excitados dizendo que estávamos interessados somente nas situações de energia baixa. Contudo, são exatamente esses outros estados excitados que dão a possibilidade de várias distribuições do elétron em torno do próton. Se quisermos descrever detalhadamente o íon de hidrogênio molecular, temos de considerar também esses outros possíveis estados de base. Podemos fazer isso de vários modos, e um caminho é considerar em detalhes estados nos quais a localização do elétron no espaço é mais cuidadosamente descrita.

Estamos agora prontos para considerar um procedimento mais complicado que nos permitirá falar detalhadamente sobre a posição do elétron, fornecendo uma amplitude de probabilidade para encontrar o elétron em qualquer e em todos os lugares em uma dada situação. Esta teoria mais completa fornece o arcabouço das aproximações que estivemos fazendo nas nossas discussões anteriores. De certo modo, as nossas equações anteriores podem ser obtidas como uma espécie de aproximação da teoria mais completa.

Você pode estar se perguntando por que não começamos com a teoria mais completa e fizemos as aproximações à medida que caminhamos. Achamos que seria muito mais fácil para você compreender o funcionamento básico da mecânica quântica começando com as aproximações de dois estados e trabalhando gradualmente até a teoria mais completa do que abordar o problema de maneira oposta. Por essa razão, a nossa descrição da matéria parece estar na ordem inversa àquela que você encontrará em muitos livros.

Conforme avançamos na matéria deste capítulo, você notará que estamos quebrando uma regra que sempre seguíamos no passado. Sempre que abordamos um assunto, tentamos fornecer uma descrição mais ou menos completa da física do problema – apresentando a você tanto quanto podíamos sobre para onde as ideias levavam. Tentamos

16–1 Amplitudes em uma linha
16–2 A função de onda
16–3 Estados de momento bem definido
16–4 Normalização dos estados em x
16–5 A equação de Schrödinger
16–6 Níveis de energia quantizados

descrever as consequências gerais de uma teoria bem como discutimos algum detalhe específico para que você pudesse ver aonde a teoria conduziria. Vamos agora quebrar essa regra; vamos descrever como se pode falar sobre amplitudes de probabilidade no espaço e mostraremos as equações diferenciais a que elas satisfazem. Não teremos tempo para discutir muitas das implicações óbvias que decorrem da teoria. Com efeito, não seremos nem capazes de avançar o suficiente para relacionar esta teoria a algumas formulações aproximadas que usamos antes – por exemplo, à molécula de hidrogênio ou à molécula de amônia. Desta vez, devemos deixar o nosso tratamento inacabado e em aberto. Estamos nos aproximando do fim do nosso curso, e devemos nos satisfazer com a tentativa de introduzir as ideias gerais e com a indicação das conexões entre o que estivemos descrevendo e algumas outras maneiras de aproximar o tópico da mecânica quântica. Esperamos fornecer-lhe conhecimento suficiente para que você possa seguir em frente por conta própria e, lendo livros, aprenda sobre muitas das implicações das equações que iremos descrever. Devemos deixar, no final das contas, algo para o futuro.

Vamos revisar mais uma vez o que descobrimos sobre como um elétron pode mover-se ao longo de uma linha de átomos. Quando um elétron tem uma amplitude para saltar de um átomo ao seguinte, há estados de energia bem definidos nos quais a amplitude de probabilidade para encontrar o elétron é distribuída ao longo da rede na forma de uma onda que se propaga. Para grandes comprimentos de onda – para pequenos valores do número de onda k – a energia do estado é proporcional ao quadrado do número de onda. Para uma rede cristalina com espaçamento b, na qual a amplitude por unidade de tempo para o elétron saltar de um átomo ao seguinte é $iA/\hbar$, a energia do estado está relacionada a k (para pequenos valores de kb) por

$$E = Ak^2b^2 \qquad (16.1)$$

(ver a Seção 13-2). Também vimos que grupos de tais ondas com energias semelhantes comporiam um pacote de onda que se comportaria como uma partícula clássica com uma massa m_{eff} dada por:

$$m_{\text{eff}} = \frac{\hbar^2}{2Ab^2}. \qquad (16.2)$$

Como ondas de amplitude de probabilidade em um cristal comportam-se como uma partícula, poderíamos muito bem esperar que a descrição mais geral de uma partícula no escopo da mecânica quântica apresentasse a mesma espécie de comportamento ondulatório que observamos para a rede. Suponha que estejamos pensando em uma rede em uma linha e imaginemos que o espaçamento da rede b seja tornado cada vez menor. No limite estaríamos pensando em uma situação na qual o elétron pode estar em qualquer lugar ao longo da linha. Teríamos passado a uma distribuição contínua de amplitudes de probabilidade. Teríamos a amplitude para encontrar um elétron em qualquer lugar ao longo da linha. Esta seria uma maneira de descrever o movimento de um elétron no vácuo. Em outras palavras, se imaginarmos que o espaço pode ser marcado por uma infinidade de pontos todos muito próximos e se pudermos escrever as equações que relacionam as amplitudes em um dado ponto às amplitudes em pontos vizinhos, teremos as leis da mecânica quântica para o movimento de um elétron no espaço.

Vamos iniciar relembrando alguns princípios gerais da mecânica quântica. Suponha que tenhamos uma partícula que pode existir em várias condições em um sistema mecânico quântico. Qualquer condição determinada na qual um elétron pode ser encontrado chamamos de um "estado", que identificamos com um vetor de estado, por exemplo, $|\phi\rangle$. Alguma outra condição seria identificada com outro vetor de estado, por exemplo $|\psi\rangle$. Introduzimos, então, a ideia de estados de base. Dizemos que há um conjunto de estados $|1\rangle, |2\rangle, |3\rangle, |4\rangle$ e assim por diante, que têm as seguintes propriedades. Em primeiro lugar, todos esses estados são bastante distintos – dizemos que eles são ortogonais. Queremos dizer com isso que, para quaisquer dois estados de base $|i\rangle$ e $|j\rangle$, a amplitude $\langle i|j\rangle$ que um elétron conhecido no estado $|i\rangle$ também está no estado $|j\rangle$ é zero – a não ser, obviamente, que $|i\rangle$ e $|j\rangle$ signifiquem o mesmo estado. Representamos isso simbolicamente por

$$\langle i | j \rangle = \delta_{ij}. \tag{16.3}$$

Você lembra que $\delta_{ij} = 0$ se i e j forem diferentes, e $\delta_{ij} = 1$ se i e j forem o mesmo número.

Em segundo lugar, os estados de base $|i\rangle$ devem formar um conjunto completo, de tal forma que qualquer estado possa ser descrito em função deles. Isto é, qualquer que seja o estado $|\phi\rangle$, ele pode ser descrito completamente fornecendo-se todas as amplitudes $\langle i | \phi \rangle$ de que uma partícula no estado $|\phi\rangle$ também seja encontrada no estado $|i\rangle$. Com efeito, o vetor de estado $|\phi\rangle$ é igual à soma sobre os estados da base cada um multiplicado por um coeficiente que é a amplitude de o estado $|\phi\rangle$ ser também encontrado no estado $|i\rangle$:

$$|\phi\rangle = \sum_i |i\rangle\langle i | \phi\rangle. \tag{16.4}$$

Finalmente, se considerarmos quaisquer dois estados $|\phi\rangle$ e $|\psi\rangle$, a amplitude de que o estado $|\psi\rangle$ também esteja no estado $|\phi\rangle$ pode ser encontrada fazendo-se primeiro a projeção do estado $|\psi\rangle$ nos estados de base e posteriormente projetando cada estado da base no estado $|\phi\rangle$. Escrevemos isso da seguinte forma:

$$\langle \phi | \psi \rangle = \sum_i \langle \phi | i \rangle \langle i | \psi \rangle. \tag{16.5}$$

A soma deve ser, naturalmente, feita sobre todos o conjunto de estados de base $|i\rangle$.

No Capítulo 13, quando estávamos estudando o que acontece quando um elétron é colocado em um arranjo linear de átomos, escolhemos um conjunto de estados de base para os quais o elétron estava localizado nos átomos na linha. O estado de base $|n\rangle$ representava a condição na qual o elétron estava localizado no átomo de número "n". (Não há, naturalmente, nenhum significado no fato de denominarmos os estados de base $|n\rangle$ em vez de $|i\rangle$.) Um pouco depois, achamos conveniente indexar os estados de base pela coordenada x_n do átomo e não pelo número do átomo na sequência linear. O estado $|x_n\rangle$ é somente outro modo de escrever o estado $|n\rangle$. Portanto, seguindo as regras gerais, qualquer estado, por exemplo, $|\psi\rangle$, é descrito fornecendo as amplitudes de que um elétron no estado $|\psi\rangle$ esteja também em um dos estados $|x_n\rangle$. Por conveniência, decidimos escolher o símbolo C_n para representar essas amplitudes,

$$C_n = \langle x_n | \psi \rangle. \tag{16.6}$$

Como os estados de base associam-se com uma posição ao longo da linha, podemos pensar na amplitude C_n como uma função da coordenada x e escrevê-la como $C(x_n)$. As amplitudes $C(x_n)$ variarão, em geral, com o tempo e são, por isso, também funções de t. Não nos preocuparemos geralmente em mostrar de forma explícita esta dependência.

No Capítulo 13, propusemos que as amplitudes $C(x_n)$ deveriam variar com o tempo de uma forma descrita pela equação Hamiltoniana (Eq. 13.3). Na nossa nova notação, esta equação fica

$$i\hbar \frac{\partial C(x_n)}{\partial t} = E_0 C(x_n) - A C(x_n + b) - A C(x_n - b). \tag{16.7}$$

Os dois últimos termos no lado direito dessa equação representam o processo no qual um elétron no átomo $(n + 1)$ ou no átomo $(n - 1)$ podem passar para o átomo n.

Encontramos que a Eq. (16.7) tem soluções que correspondem a estados de energia bem definidos, que escrevemos como

$$C(x_n) = e^{-iEt/\hbar} e^{ikx_n}. \tag{16.8}$$

Para os estados de energia baixa, os comprimentos de onda são grandes (k é pequeno), e a energia está relacionada a k por

$$E = (E_0 - 2A) + Ak^2 b^2, \tag{16.9}$$

ou, escolhendo o nosso zero de energia de tal forma que $(E_0 - 2A) = 0$, a energia é dada pela Eq. (16.1).

Vamos ver o que poderia acontecer se deixássemos o espaçamento da rede b ir a zero, mantendo o número de onda k fixo. Se isso fosse tudo o que acontecesse, o último termo na Eq. (16.9) iria simplesmente se tornar zero, e não haveria nenhuma física. Suponha que A e b variam simultaneamente de tal forma que, à medida que b tende a zero, o produto Ab^2 é mantido constante[†] – usando a Eq. (16.2), escreveremos Ab^2 como a constante $\hbar^2/2m_{\text{eff}}$. Nessas circunstâncias, a Eq. (16.9) permanece inalterada, mas o que aconteceria à equação diferencial (16.7)?

Primeiro reescreveremos a Eq. (16.7) como

$$i\hbar \frac{\partial C(x_n)}{\partial t} = (E_0 - 2A)C(x_n) + A[2C(x_n) - C(x_n + b) - C(x_n - b)]. \tag{16.10}$$

Para a nossa escolha de E_0, o primeiro termo desaparece. Depois, podemos pensar em uma função contínua $C(x)$ que passa suavemente pelos valores $C(x_n)$ em cada x_n. À medida que o espaçamento b vai a zero, os pontos x_n aproximam-se cada vez mais e mais, e (se mantivermos a variação de $C(x)$ razoavelmente suave) a quantidade em colchetes é exatamente proporcional à segunda derivada de $C(x)$. Podemos escrever – como você pode observar fazendo uma expansão de Taylor de cada termo – a igualdade

$$2C(x) - C(x+b) - C(x-b) \approx -b^2 \frac{\partial^2 C(x)}{\partial x^2}. \tag{16.11}$$

No limite, à medida que b vai a zero, conservando-se $b^2 A$ igual a $\dfrac{\hbar^2}{2m_{\text{eff}}}$, a Eq. (16.7) torna-se

$$i\hbar \frac{\partial C(x)}{\partial t} = -\frac{\hbar^2}{2m_{\text{eff}}} \frac{\partial^2 C(x)}{\partial x^2}. \tag{16.12}$$

Temos uma equação que diz que a taxa de variação com o tempo de $C(x)$ – a amplitude de se encontrar o elétron em x – depende da amplitude de se encontrar o elétron em pontos próximos de uma maneira proporcional à segunda derivada da amplitude com relação à posição.

A equação correta dentro da mecânica quântica que descreve o movimento de um elétron no espaço vazio foi primeiro descoberta por Schrödinger. Para o movimento ao longo de uma linha, ela tem exatamente a forma da Eq. (16.12) se substituímos m_{eff} por m, a massa do elétron no espaço livre. Para o movimento ao longo de uma linha no espaço livre, a equação de Schrödinger é

$$i\hbar \frac{\partial C(x)}{\partial t} = -\frac{\hbar^2}{2m} \frac{\partial^2 C(x)}{\partial x^2}. \tag{16.13}$$

Não pretendemos fazer você pensar que conseguimos deduzir a equação de Schrödinger, apenas desejamos mostrar um modo de pensar sobre ela. Quando Schrödinger primeiro a escreveu, ele deu uma espécie de derivação baseada em alguns argumentos heurísticos e algumas suposições intuitivas brilhantes. Alguns argumentos que ele usou eram até falsos, mas isso não importa; a única coisa importante é que a equação definitiva fornece uma descrição correta da natureza. O objetivo da nossa discussão é, portanto, mostrar-lhe simplesmente que a correta equação fundamental da mecânica quântica (16.13) tem a mesma forma que você obtém para o caso limite de um elétron que se move ao longo de uma linha de átomos. Isso significa que podemos pensar na equação diferencial em (16.13) como descrevendo a difusão de uma amplitude de probabilidade de um ponto próximo ao longo da linha. Isto é, se um elétron tiver uma dada amplitude para estar em

---

[†] Você pode imaginar que à medida que os pontos x_n se aproximam, a amplitude A para saltar de $x_{n\pm 1}$ para x_n irá aumentar.

um certo ponto, ele, pouco tempo depois, terá alguma amplitude para estar em pontos vizinhos. De fato, a equação se parece com as equações de difusão que usamos no Volume I, mas há uma diferença fundamental: o coeficiente imaginário em frente da derivada temporal faz com que o comportamento seja completamente diferente da equação de difusão ordinária que você teria para descrever um gás que se espalha ao longo de um tubo fino. A difusão ordinária dá origem a soluções exponenciais reais, ao passo que as soluções da Eq. (16.13) são ondas complexas.

16–2 A função de onda

Agora que você tem alguma ideia sobre como as coisas irão funcionar, voltemos ao começo para estudar o problema de descrever o movimento de um elétron ao longo de uma linha sem a necessidade de considerar estados associados a átomos em uma rede. Queremos voltar ao começo e ver que ideias temos de usar se quisermos descrever o movimento de uma partícula livre no espaço. Como estamos interessados no comportamento de uma partícula ao longo de um contínuo, estaremos trabalhando com um número infinito de estados possíveis e, como você verá, as ideias que desenvolvemos para tratar com um número finito de estados precisarão de algumas modificações técnicas.

Começamos estabelecendo que o vetor de estado $|x\rangle$ significa um estado no qual uma partícula está localizada precisamente na coordenada x. Para cada valor de x ao longo da linha – por exemplo, 1,73, 9,67 ou 10,00 – há um estado correspondente. Consideraremos esses estados $|x\rangle$ como os nossos estados de base e, se incluirmos todos os pontos na linha, teremos um conjunto completo para o movimento em uma dimensão. Agora suponha que tenhamos um tipo diferente de estado, por exemplo $|\psi\rangle$, no qual um elétron está distribuído de algum modo ao longo da linha. Uma maneira de descrever esse estado é fornecer todas as amplitudes de o elétron também ser encontrado em cada um dos estados de base $|x\rangle$. Devemos fornecer um conjunto infinito de amplitudes, uma para cada valor de x. Escreveremos essas amplitudes como $\langle x | \psi \rangle$. Cada uma dessas amplitudes é um número complexo, e uma vez que há um desses números complexos para cada valor de x, a amplitude $\langle x | \psi \rangle$ é de fato uma função de x. Também a escreveremos como $C(x)$.

$$C(x) \equiv \langle x | \psi \rangle. \qquad (16.14)$$

Já consideramos tais amplitudes que variam de um modo contínuo com as coordenadas quando falamos sobre as variações da amplitude com o tempo no Capítulo 7. Lá mostramos, por exemplo, que devemos esperar que uma partícula com um valor de momento bem definido tenha uma determinada variação da sua amplitude no espaço. Se uma partícula tem um momento bem definido p e uma correspondente energia E bem definida, a amplitude de ela ser encontrada em qualquer posição x se pareceria com

$$\langle x | \psi \rangle = C(x) \propto e^{+ipx/\hbar}. \qquad (16.15)$$

Essa equação exprime um importante princípio geral da mecânica quântica que conecta os estados de base correspondentes às diferentes posições no espaço a outro sistema de estados de base – todos os estados de momento bem definido. Os estados de momento bem definido são muitas vezes mais convenientes do que os estados em x para certos tipos de problemas. Qualquer um desses conjuntos de estados de base é, naturalmente, igualmente aceitável para a descrição de uma situação na mecânica quântica. Voltaremos depois à questão da conexão entre eles. Por enquanto, queremos nos ater à nossa discussão de uma descrição em termos dos estados $|x\rangle$.

Antes de prosseguirmos, faremos uma pequena modificação na notação que, esperamos, não será demasiado confusa. A função $C(x)$, definida na Eq. (16.14), terá naturalmente uma forma que depende do estado específico $|\psi\rangle$ que está sendo considerado. Devemos indicar isso de algum modo. Por exemplo, podemos especificar a qual função $C(x)$ estamos nos referindo utilizando um subscrito, $C_\psi(x)$. Embora essa seja uma notação perfeitamente satisfatória, é um bocado incômoda e não é a que você encontrará na maioria dos livros. Em geral, a letra C é simplesmente omitida e usa e o símbolo ψ é usado para definir a função

$$\psi(x) \equiv C_\psi(x) = \langle x \mid \psi \rangle. \tag{16.16}$$

Como essa é a notação usada por todos no mundo, é bom você se acostumar a ela para que não se assuste quando encontrá-la em outro lugar. Lembre-se, contudo, de que estaremos usando a partir de agora ψ de dois modos diferentes. Na Eq. (16.14), ψ simboliza o índice que demos para um determinado estado físico do elétron. No lado esquerdo da Eq. (16.16), por outro lado, o símbolo ψ é utilizado para definir uma função matemática de x que é igual à amplitude de estar associado a cada x ao longo da linha. Esperamos que não seja demasiado confuso uma vez que você se acostume com essa ideia. Incidentemente, a função $\psi(x)$ é normalmente chamada de "função de onda" – porque ela frequentemente tem a forma de uma onda complexa nas suas variáveis.

Desde que definimos $\psi(x)$ como a amplitude de que um elétron no estado ψ seja encontrado na posição x, gostaríamos de interpretar o módulo quadrado de ψ como a probabilidade de encontrar um elétron na posição x. Infelizmente, a probabilidade de encontrar uma partícula exatamente em um determinado ponto é zero. O elétron estará, em geral, espalhado em uma certa região da linha, e como em qualquer pequena parte da linha há um número infinito de pontos, a probabilidade de que ele esteja em qualquer um deles não pode ser um número finito. Só podemos descrever a probabilidade de encontrar um elétron em termos de uma *distribuição de probabilidade*[†], que dá a probabilidade *relativa* de encontrar o elétron em várias posições aproximadas ao longo da linha. Vamos estabelecer que prob$(x, \Delta x)$ significa a possibilidade de encontrar o elétron em um pequeno intervalo Δx localizado perto de x. Se considerarmos uma escala suficientemente pequena em qualquer situação física, a probabilidade estará variando suavemente de um lugar para outro, e a probabilidade de encontrar o elétron em qualquer pequeno segmento finito de linha Δx será proporcional a Δx. Podemos modificar as nossas definições para levar isso em conta.

Podemos pensar na amplitude $\langle x \mid \psi \rangle$ como a representação de uma espécie de "densidade de amplitude" para todos os estados de base $\mid x \rangle$ em uma pequena região. Uma vez que a probabilidade de encontrar um elétron em um pequeno intervalo Δx em torno de x deve ser proporcional ao intervalo Δx, escolhemos a nossa definição para $\langle x \mid \psi \rangle$ de tal forma que a relação a seguir seja válida:

$$\text{prob}(x, \Delta x) = |\langle x \mid \psi \rangle|^2 \, \Delta x.$$

A amplitude $\langle x \mid \psi \rangle$ é, portanto, proporcional à amplitude de que um elétron no estado ψ seja encontrado no estado de base x, e a constante de proporcionalidade é escolhida para que o módulo quadrado da amplitude $\langle x \mid \psi \rangle$ dê a *densidade de probabilidade* de encontrar um elétron em qualquer pequena região. Podemos escrever, de forma equivalente,

$$\text{prob}(x, \Delta x) = |\psi(x)|^2 \, \Delta x. \tag{16.17}$$

Teremos de modificar agora algumas das nossas equações anteriores para torná-las compatíveis com essa nova definição de uma amplitude de probabilidade. Suponha que temos um elétron no estado $\mid \psi \rangle$ e queremos saber a amplitude para encontrá-lo em um estado diferente $\mid \phi \rangle$ que pode corresponder a uma condição distinta de distribuição do elétron. Quando falávamos sobre um conjunto finito de estados discretos, utilizávamos a Eq. (16.5). Antes de modificar a nossa definição para as amplitudes, teríamos escrito

$$\langle \phi \mid \psi \rangle = \sum_{\text{todo } x} \langle \phi \mid x \rangle \langle x \mid \psi \rangle. \tag{16.18}$$

[†] Para uma discussão sobre distribuições de probabilidade, veja o Vol. I, Seção 6-4.

Agora, se essas duas amplitudes forem normalizadas do mesmo modo que descrevemos anteriormente, temos que a soma sobre todos os estados em uma pequena região em torno de x seria equivalente à multiplicação por Δx, e a soma sobre todos os valores de x simplesmente fica uma integral. Com as nossas definições modificadas, a forma correta fica

$$\langle \phi \mid \psi \rangle = \int_{\text{todo } x} \langle \phi \mid x \rangle \langle x \mid \psi \rangle \, dx. \tag{16.19}$$

A amplitude $\langle x \mid \psi \rangle$ é o que estamos chamando agora de $\psi(x)$, e, de um modo semelhante, iremos deixar a amplitude $\langle x \mid \phi \rangle$ ser representada por $\phi(x)$. Lembrando que $\langle \phi \mid x \rangle$ é o complexo conjugado de $\langle x \mid \phi \rangle$, podemos escrever a Eq. (16.19) como

$$\langle \phi \mid \psi \rangle = \int \phi^*(x) \psi(x) \, dx. \tag{16.20}$$

Com as nossas novas definições, tudo segue com as mesmas fórmulas anteriores se você sempre substituir o sinal de adição por uma integral em x.

Devemos mencionar um ponto particular sobre o que estivemos discutindo. Qualquer conjunto apropriado de estados de base deve ser completo se for usado para uma descrição do que está acontecendo. Para um elétron em uma dimensão, não é realmente suficiente especificar somente os estados de base $\mid x \rangle$, porque para cada um desses estados o elétron pode ter um spin que está para cima ou para baixo. Uma maneira de obter um conjunto completo é considerar dois conjuntos de estados em x, um para os spins para cima e outro para os spins para baixo. Contudo, não nos incomodaremos com tais complicações por enquanto.

16–3 Estados de momento bem definido

Suponha que tenhamos um elétron em um estado $\mid \psi \rangle$ que é descrito pela amplitude de probabilidade $\langle x \mid \psi \rangle = \psi(x)$. Sabemos que isso representa um estado no qual o elétron está espalhado ao longo da linha com uma dada distribuição de tal forma que a probabilidade de encontrar o elétron em um pequeno intervalo dx na posição x é exatamente

$$\text{prob}(x, dx) = |\psi(x)|^2 \, dx.$$

O que podemos dizer sobre o momento deste elétron? Poderíamos perguntar qual é a probabilidade de este elétron ter o momento p? Vamos começar calculando a amplitude de que o estado $\mid \psi \rangle$ esteja em outro estado $\mid \text{mom } p \rangle$, que definimos como um estado com momento bem definido p. Podemos encontrar esta amplitude usando a nossa equação básica para a resolução de amplitudes, Eq. (16.19). Em termos do estado $\mid \text{mom } p \rangle$

$$\langle \text{mom } p \mid \psi \rangle = \int_{x=-\infty}^{+\infty} \langle \text{mom } p \mid x \rangle \langle x \mid \psi \rangle \, dx. \tag{16.21}$$

E a probabilidade de que o elétron seja encontrado com o momento p deve ser dada em termos do módulo quadrado desta amplitude. Temos novamente, contudo, um pequeno problema sobre as normalizações. Em geral, só podemos perguntar sobre a probabilidade de encontrar um elétron com um momento em um pequeno intervalo dp em torno do momento p. A probabilidade de que o momento tenha exatamente algum valor p deve ser zero (a menos que o estado $\mid \psi \rangle$ seja um estado de momento bem definido). Somente se perguntarmos a probabilidade de encontrar o momento em um pequeno intervalo dp em torno do momento p obteremos uma probabilidade finita. Há vários modos como as normalizações podem ser ajustadas. Escolheremos um deles, que acreditamos ser o mais conveniente, embora possa não ser evidente para você no momento.

Escolhemos as nossas normalizações para que a probabilidade esteja relacionada à amplitude por

$$\text{prob}(p, dp) = |\langle \text{mom } p | \psi \rangle|^2 \frac{dp}{2\pi\hbar}. \tag{16.22}$$

Com essa definição, a normalização da amplitude $|\text{mom } p | x \rangle$ fica determinada. A amplitude $|\text{mom } p | x \rangle$ é, naturalmente, exatamente o complexo conjugado da amplitude $\langle x | \text{mom } p \rangle$, que é exatamente aquela que escrevemos na Eq. (16.15). Com a normalização que escolhemos, resulta que a constante de proporcionalidade apropriada em frente da exponencial é exatamente 1. A saber,

$$\langle \text{mom } p | x \rangle = \langle x | \text{mom } p \rangle^* = e^{-ipx/\hbar}. \tag{16.23}$$

A Equação (16.21) então fica

$$\langle \text{mom } p | \psi \rangle = \int_{-\infty}^{+\infty} e^{-ipx/\hbar} \langle x | \psi \rangle \, dx. \tag{16.24}$$

Essa equação, juntamente à Eq. (16.22), permite-nos encontrar a distribuição de momento para qualquer estado $|\psi\rangle$.

Vamos examinar um exemplo particular – por exemplo, aquele no qual um elétron está localizado em uma certa região em torno de $x = 0$. Suponha que temos uma função de onda que tem a seguinte forma:

$$\psi(x) = Ke^{-x^2/4\sigma^2}. \tag{16.25}$$

A distribuição de probabilidade em x para essa função de onda é o módulo quadrado, ou

$$\text{prob}(x, dx) = P(x) \, dx = K^2 e^{-x^2/2\sigma^2} \, dx. \tag{16.26}$$

A função densidade de probabilidade $P(x)$ é a curva Gaussiana mostrada na Fig. 16-1. A maior parte da probabilidade está concentrada entre $x = +\sigma$ e $x = -\sigma$. Dizemos que a "meia-largura" da curva é σ. (Mais precisamente, σ é igual ao desvio quadrático médio da coordenada x para algo espalhado segundo esta distribuição.) Normalmente escolheríamos a constante K de tal forma que a densidade de probabilidade $P(x)$ não fosse simplesmente *proporcional* à probabilidade por unidade de comprimento em x de encontrar o elétron, mas tenha uma escala tal que $P(x)\Delta x$ seja *igual* à probabilidade de encontrar o elétron no Δx em torno de x. A constante K que faz isso pode ser encontrada exigindo que $\int_{-\infty}^{+\infty} P(x) \, dx = 1$, pois deve haver probabilidade igual a um que o elétron seja encontrado em algum lugar. Com isso, obtemos $K = (2\pi\sigma^2)^{-1/4}$. [Usamos o fato de que $\int_{-\infty}^{+\infty} e^{-t^2} \, dt = \sqrt{\pi}$; veja o Vol. I, página 40-6.]

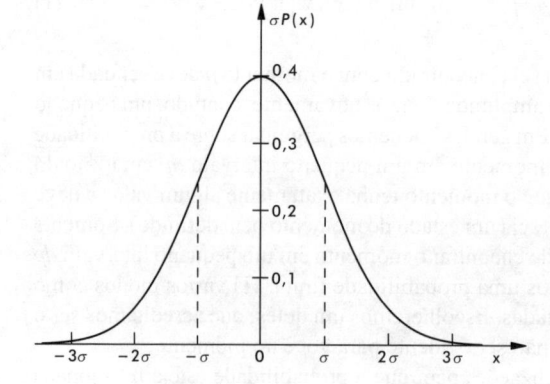

Figura 16–1 Densidade de probabilidade para a função de onda da Eq. (16-25).

Vamos agora encontrar a distribuição de momentos. Vamos chamar $\phi(p)$ de a amplitude para encontrar o elétron com o momento p,

$$\phi(p) \equiv \langle \text{mom } p \mid \psi \rangle. \tag{16.27}$$

A substituição da Eq. (16.25) na Eq. (16.24) fornece

$$\phi(p) = \int_{-\infty}^{+\infty} e^{-ipx/\hbar} \cdot K e^{-x^2/4\sigma^2} dx. \tag{16.28}$$

e a integral também pode ser reescrita como

$$K e^{-p^2\sigma^2/\hbar^2} \int_{-\infty}^{+\infty} e^{-(1/4\sigma^2)(x+2ip\sigma^2/\hbar)^2} dx. \tag{16.29}$$

Podemos fazer agora a substituição $u = x + 2ip\sigma^2/\hbar$, e a integral fica

$$\int_{-\infty}^{+\infty} e^{-u^2/4\sigma^2} du = 2\sigma\sqrt{\pi}. \tag{16.30}$$

(Os matemáticos provavelmente objetariam ao modo como chegamos até aqui, mas o resultado é, sem dúvida, correto.)

$$\phi(p) = (8\pi\sigma^2)^{1/4} e^{-p^2\sigma^2/\hbar^2}. \tag{16.31}$$

Temos o resultado interessante de que a função de amplitude em p tem precisamente a mesma forma matemática que a função de amplitude em x; só a largura da Gaussiana é diferente. Podemos escrevê-la como

$$\phi(p) = (\eta^2/2\pi\hbar^2)^{-1/4} e^{-p^2/4\eta^2}, \tag{16.32}$$

onde a meia-largura η da função de distribuição p está relacionada à meia-largura σ da distribuição x por

$$\eta = \frac{\hbar}{2\sigma}. \tag{16.33}$$

O nosso resultado diz: se fizermos a largura da distribuição em x muito pequena fazendo σ pequeno, η fica grande e a distribuição em p torna-se muito espalhada. Ou, de modo inverso, se tivermos uma distribuição estreita em p, ela deve corresponder a uma distribuição estendida em x. Podemos, se preferirmos, considerar η e σ como uma medida da incerteza na localização do momento e da posição do elétron no estado que estamos estudando. Se os chamarmos de Δp e Δx, respectivamente, a Eq. (16.33) fica

$$\Delta p \, \Delta x = \frac{\hbar}{2}. \tag{16.34}$$

O que é muito interessante é que é possível demonstrar que para qualquer outra forma das distribuições em x ou em p, o produto $\Delta p \Delta x$ não pode ser menor do que aquele que encontramos aqui. A distribuição Gaussiana fornece o menor valor possível para o produto dos desvios quadráticos médios. Em geral, podemos dizer

$$\Delta p \, \Delta x \geq \frac{\hbar}{2}. \tag{16.35}$$

Essa é uma afirmação quantitativa do princípio de incerteza de Heisenberg, que discutimos qualitativamente muitas vezes antes. Fazíamos normalmente a afirmação aproximada de que o valor mínimo do produto $\Delta p \Delta x$ é da mesma ordem de grandeza que $\hbar$.

16–4 Normalização dos estados em x

Voltamos agora à discussão das modificações nas nossas equações básicas que são necessárias quando estamos trabalhando com um contínuo de estados de base. Quando temos um número finito de estados discretos, uma condição fundamental que deve ser satisfeita pelo conjunto de estados de base é

$$\langle i \mid j \rangle = \delta_{ij}. \qquad (16.36)$$

Se uma partícula estiver em um estado de base, a amplitude para estar em outro estado de base é 0. Escolhendo uma normalização conveniente, definimos a amplitude $\langle x \mid i \rangle$ para ser 1. Essas duas condições estão descritas pela Eq. (16.36). Queremos agora ver como esta relação deve ser modificada quando usamos os estados de base $\mid x \rangle$ para uma partícula em uma linha. Se sabemos que a partícula está em um dos estados de base $\mid x \rangle$, qual é a amplitude de ela estar em outro estado de base $\mid x' \rangle$? Se x e x' forem duas posições diferentes ao longo da linha, então a amplitude $\langle x \mid x' \rangle$ é certamente 0, para que seja compatível com a Eq. (16.36). Se x e x' forem iguais, a amplitude $\langle x \mid x' \rangle$ não será 1, por causa do mesmo velho problema de normalização. Para ver como temos de remendar as coisas, voltemos à Eq. (16.19) e apliquemos esta equação ao caso especial no qual o estado $\mid \phi \rangle$ é exatamente o estado de base $\mid x' \rangle$. Teríamos então

$$\langle x' \mid \psi \rangle = \int \langle x' \mid x \rangle \psi(x)\, dx. \qquad (16.37)$$

A amplitude $\langle x \mid \psi \rangle$ é, porém, justamente o que estivemos chamando de função $\psi(x)$. Do mesmo modo, a amplitude $\langle x' \mid \psi \rangle$, como ela se refere ao mesmo estado $\mid \psi \rangle$, é a mesma função da variável x', a saber $\psi(x')$. Podemos, desta forma, reescrever a Eq. (16.37) como

$$\psi(x') = \int \langle x' \mid x \rangle \psi(x)\, dx. \qquad (16.38)$$

Esta equação deve ser verdadeira para qualquer estado $\mid \psi \rangle$ e, por isso, para qualquer função arbitrária $\psi(x)$. Esta exigência deve determinar completamente a natureza da amplitude $\langle x \mid x' \rangle$ – que é, naturalmente, somente uma função que depende de x e x'.

O nosso problema agora é encontrar uma função $f(x, x')$ que, quando multiplicada por $\psi(x)$ e integrada por os valores de x, dá exatamente a quantidade $\psi(x')$. Resulta que não há função matemática que fará isso! Pelo menos nada como o que ordinariamente queremos dizer como uma "função".

Suponha que escolhamos x' para ser o número especial 0 e definamos a amplitude $\langle 0 \mid x \rangle$ para ser alguma função de x, digamos $f(x)$. Então a Eq. (16.36) ficaria da seguinte forma:

$$\psi(0) = \int f(x)\psi(x)\, dx. \qquad (16.39)$$

Que tipo de função $f(x)$ poderia satisfazer a essa equação? Como a integral não deve depender de que valores $\psi(x)$ toma para valores de x além de 0, $f(x)$ deve ser claramente 0 para todos os valores de x exceto 0. Contudo, se $f(x)$ é 0 em todo lugar, a integral será 0 também, e a Eq. (16.39) não será satisfeita. Portanto, temos uma situação impossível: desejamos que uma função seja 0 em todo lugar, exceto em um ponto, e ainda forneça uma integral finita. Como não podemos encontrar uma função que faz isso, o caminho mais fácil é simplesmente *dizer* que a função $f(x)$ é *definida* pela Eq. (16.39). Ou seja, $f(x)$ é a função que faz (16.39) correta. A função que faz isso foi pela primeira vez inventada por Dirac e possui o seu nome. Ela é escrita como $\delta(x)$. Tudo o que estamos dizendo é que a função $\delta(x)$ tem a estranha propriedade de que se ela for substituída por $f(x)$ na Eq. (16.39), a integral seleciona o valor que $\psi(x)$ tem quando x for igual 0; e, uma vez que a integral deve ser independente de $\psi(x)$ para todos os valores de x diferentes de 0, a função $\delta(x)$ deve ser 0 em todo lugar exceto em $x = 0$. Resumindo, escrevemos

$$\langle 0 | x \rangle = \delta(x), \qquad (16.40)$$

onde $\delta(x)$ é definida por

$$\psi(0) = \int \delta(x)\psi(x)\, dx. \qquad (16.41)$$

Note o que acontece se usamos a função especial "1" para a função ψ na Eq. (16.41). Então temos o resultado

$$1 = \int \delta(x)\, dx. \qquad (16.42)$$

Ou seja, a função $\delta(x)$ tem a propriedade de ser 0 em todo lugar exceto em $x = 0$ mas tem uma integral finita igual à unidade. Devemos imaginar que a função $\delta(x)$ tem um infinito tão fantástico em um certo ponto que a área total resulta igual a um.

Um modo de imaginarmos como a função δ de Dirac se parece é pensar em uma sequência de retângulos – ou qualquer outra função com um pico que você preferir – que se torna mais e mais estreita e mais e mais alta, sempre mantendo uma área igual à unidade, como esboçado na Fig. 16-2. A integral desta função de $-\infty$ a $+\infty$ é sempre 1. Se multiplicá-la por qualquer função $\psi(x)$ e integrar o produto, você obtém algo que é aproximadamente o valor da função em $x = 0$, a aproximação ficando cada vez melhor à medida que você usa retângulos mais e mais estreitos. Você pode, se desejar, imaginar a função δ em termos deste procedimento de tomar o limite. A única coisa importante, contudo, é que a função δ seja definida para que a Eq. (16.41) seja verdadeira para todas as possíveis funções $\psi(x)$. Isso define de forma unívoca a função δ. As suas propriedades são então como descrevemos.

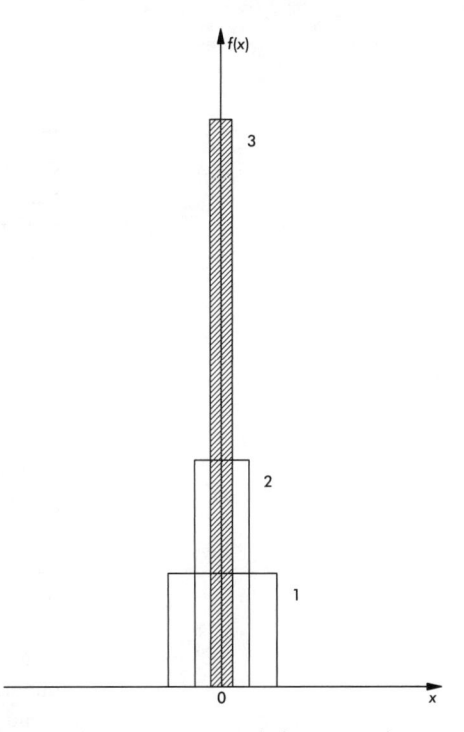

Figura 16-2 Um conjunto de funções, todas com área unitária, que se parecem mais e mais com $\delta(x)$.

Se modificarmos o argumento da função δ de x para $x - x'$, as relações correspondentes são

$$\delta(x - x') = 0, \qquad x' \neq x,$$
$$\int \delta(x - x')\psi(x)\, dx = \psi(x'). \qquad (16.43)$$

Se usamos $\delta(x - x')$ para a amplitude $\langle x | x' \rangle$ na Eq. (16.38), aquela equação é satisfeita. O nosso resultado é então válido para os nossos estados de base em x, a condição correspondente a (16.36) sendo

$$\langle x' | x \rangle = \delta(x - x'). \qquad (16.44)$$

Concluímos agora as modificações necessárias nas nossas equações básicas que são fundamentais para tratar com um contínuo de estados de base correspondentes aos pontos ao longo de uma linha. A extensão a três dimensões é bastante óbvia; primeiro substituímos a coordenada x pelo vetor $\mathbf{r}$. Depois substituímos as integrais em x por integrais em x, y e z. Em outras palavras, elas se transformam em integrais de volume. Finalmente, a função δ unidimensional deve ser substituída simplesmente pelo produto de três funções δ, uma em x, uma em y e outra em z, $\delta(x - x')\, \delta(y - y')\, \delta(z - z')$. Reunindo tudo isso, obtemos o seguinte conjunto de equações para as V amplitudes de uma partícula em três dimensões:

$$\langle \phi | \psi \rangle = \int \langle \phi | \mathbf{r} \rangle \langle \mathbf{r} | \psi \rangle\, dV, \qquad (16.45)$$
$$\langle \mathbf{r} | \psi \rangle = \psi(\mathbf{r}), \qquad (16.46)$$
$$\langle \mathbf{r} | \phi \rangle = \phi(\mathbf{r}),$$
$$\langle \phi | \psi \rangle = \int \phi^*(\mathbf{r})\psi(\mathbf{r})\, dV, \qquad (16.47)$$

$$\langle \mathbf{r}' \mid \mathbf{r} \rangle = \delta(x - x')\,\delta(y - y')\,\delta(z - z'), \tag{16.48}$$

O que acontece quando há mais de uma partícula? Iremos lhe dizer como trabalhar com duas partículas e você verá facilmente o que deve fazer se quiser trabalhar com um número maior. Suponha que haja duas partículas, que podemos chamar de partícula Nº 1 e partícula Nº 2. O que usaremos para os estados de base? Um conjunto perfeitamente bom pode ser descrito dizendo que a partícula 1 está em x_1 e a partícula 2 está em x_2, que podemos escrever como $\mid x_1, x_2 \rangle$. Note que a descrição da posição *de somente uma partícula não define* um estado de base. Cada estado de base deve definir a condição do sistema por inteiro. Você não deve pensar que cada partícula se move independentemente como uma onda em três dimensões. Qualquer estado físico $\mid \psi \rangle$ pode ser definido fornecendo-se todas as amplitudes $\langle x_1, x_2 \mid \psi \rangle$ para encontrar as duas partículas em x_1 e x_2. Esta amplitude generalizada é, portanto, uma função dos *dois* conjuntos de coordenadas x_1 e x_2. Você vê que tal função não é uma onda no sentido de uma oscilação que se desloca em três dimensões. Nem é, em geral, simplesmente um produto de duas ondas individuais, uma para cada partícula. Ela é, em geral, uma espécie de onda nas seis dimensões definidas por x_1 e x_2. Se houver duas partículas na natureza que estejam interagindo, não há nenhum modo de descrever o que acontece a uma das partículas tentando escrever uma função de onda para ela sozinha. Os famosos paradoxos que consideramos em capítulos anteriores – em que se afirmou que por meio das medidas feitas em uma partícula era possível dizer o que iria acontecer a outra partícula, ou seriam capazes de destruir uma interferência – causaram todos os tipos de preocupação em muitas pessoas porque elas tentaram pensar na função de onda de uma partícula sozinha, e não na função de onda correta que depende das coordenadas de ambas as partículas. A descrição completa só pode ser dada corretamente em termos de funções das coordenadas de ambas as partículas.

16–5 A equação de Schrödinger

Até o momento, estivemos preocupados simplesmente com como podemos descrever estados que estão associados a um elétron estar em qualquer lugar do espaço. Agora temos de nos preocupar com a introdução na nossa descrição da física do que pode acontecer em várias circunstâncias. Como anteriormente, temos de nos preocupar com como os estados podem se modificar com o tempo. Se tivermos um estado $\mid \psi \rangle$ que posteriormente evolui para um outro estado $\mid \psi' \rangle$, podemos descrever a situação para todos os tempos fazendo a função de onda – que é exatamente a amplitude $\langle \mathbf{r} \mid \psi \rangle$ – uma função do tempo bem como uma função da coordenada. Uma partícula em uma dada situação pode então ser descrita fornecendo-se uma função de onda que varia com o tempo $\psi(\mathbf{r}, t) = \psi(x, y, z, t)$. Esta função de onda que varia com o tempo descreve a evolução de estados sucessivos que ocorrem à medida que o tempo evolui. Esta assim chamada "representação de coordenadas" – que dá as projeções do estado $\mid \psi \rangle$ nos estados de base $\mid \mathbf{r} \rangle$ – não é sempre a mais conveniente para se usar, mas é a que iremos considerar primeiro.

No Capítulo 8, descrevemos como os estados variaram no tempo de acordo com o Hamiltoniano H_{ij}. Vimos que a variação temporal de várias amplitudes era fornecida pela equação matricial

$$i\hbar \frac{dC_i}{dt} = \sum_j H_{ij} C_j. \tag{16.49}$$

Essa equação diz que a variação temporal de cada amplitude C_i é proporcional a todas as outras amplitudes C_j, com os coeficientes sendo H_{ij}.

Como esperaríamos que a Eq. (16.49) se parecesse quando usamos um contínuo de estados de base? Vamos primeiro lembrar que a Eq. (16.49) também pode ser escrita como

$$i\hbar \frac{d}{dt} \langle i \mid \psi \rangle = \sum_j \langle i \mid \hat{H} \mid j \rangle \langle j \mid \psi \rangle.$$

Agora fica claro o que devemos fazer. Para a representação x, esperaríamos obter

$$i\hbar \frac{\partial}{\partial t} \langle x \mid \psi \rangle = \int \langle x \mid \hat{H} \mid x' \rangle \langle x' \mid \psi \rangle \, dx'. \qquad (16.50)$$

A soma sobre os estados de base $|j\rangle$ é substituída por um integral com relação a x'. Como $\langle x \mid \hat{H} \mid x' \rangle$ deve ser alguma função de x e x', podemos escrevê-la como $H(x, x')$ – que corresponde a H_{ij} na Eq. (16.49). Então, a Eq. (16.50) é a mesma que

$$i\hbar \frac{\partial}{\partial t} \psi(x) = \int H(x, x') \psi(x') \, dx'$$

com

$$H(x, x') \equiv \langle x \mid \hat{H} \mid x' \rangle. \qquad (16.51)$$

De acordo com a Eq. (16.51), a taxa de mudança de ψ em x dependeria do valor de ψ em todos os outros pontos x'; o fator $H(x, x')$ é a amplitude por unidade de tempo de que o elétron irá saltar de x' para x. *É um fato da natureza, entretanto, que essa amplitude é zero exceto para pontos x' muito próximos de x.* Isso significa – como vimos no exemplo da cadeia de átomos no início do capítulo, Eq. (16.12) – que o lado direito da Eq. (16.51) pode ser escrito completamente em função de ψ e suas derivadas com relação a x, tudo calculado na posição x.

Para uma partícula que se move livremente no espaço sem forças, sem nenhuma perturbação, a lei correta da física é

$$\int H(x, x') \psi(x') \, dx' = -\frac{\hbar^2}{2m} \frac{\partial^2}{\partial x^2} \psi(x).$$

De onde obtivemos isso? De lugar algum. Não é possível derivá-la a partir de qualquer coisa que você conhece. Ela saiu da mente de Schrödinger, inventada na sua luta para encontrar uma compreensão das observações experimentais do mundo real. Você talvez possa ter uma ideia de por que ela deve ser assim pensando na nossa derivação da Eq. (16.12) que obtivemos observando a propagação de um elétron em um cristal.

Naturalmente, as partículas livres não são muito excitantes. O que acontece se aplicamos forças na partícula? Bem, se a força em uma partícula pode ser descrita por um potencial escalar $V(x)$ – que significa que estamos pensando em forças elétricas, mas não em forças magnéticas – e se nos restringirmos a baixas energias para que possamos ignorar complexidades que vêm de movimentos relativísticos, então o Hamiltoniano que se ajusta ao mundo real dá

$$\int H(x, x') \psi(x') \, dx' = -\frac{\hbar^2}{2m} \frac{\partial^2}{\partial x^2} \psi(x) + V(x) \psi(x). \qquad (16.52)$$

Novamente, você pode ter alguma ideia quanto à origem desta equação se retornar ao movimento de um elétron em um cristal e ver como as equações teriam de ser modificadas se a energia do elétron variasse lentamente de um sítio atômico ao outro – como ele poderia fazer se houvesse um campo elétrico através do cristal. Assim, o termo E_0 na Eq. (16.7) iria variar lentamente com a posição e corresponderia ao novo termo que acrescentamos em (16.52).

[Você pode estar se perguntando por que fomos diretamente da Eq. (16.51) para a Eq. (16.52) em vez de dar-lhe simplesmente a função correta para a amplitude $H(x, x')$ = $\langle x \mid \hat{H} \mid x' \rangle$. Fizemos isso porque $H(x, x')$ só pode ser escrita em termos de funções algébricas estranhas, embora toda a integral no lado direito da Eq. (16.51) possa ser expressa em função de coisas com as quais você está acostumado. Se você estiver realmente curioso, $H(x, x')$ pode ser escrito da seguinte maneira:

$$H(x, x') = -\frac{\hbar^2}{2m} \delta''(x - x') + V(x)\, \delta(x - x'),$$

onde δ'' significa a segunda derivada da função delta. Esta função bastante estranha pode ser substituída por um operador diferencial algébrico um tanto mais conveniente, que é completamente equivalente:

$$H(x, x') = \left\{ -\frac{\hbar^2}{2m} \frac{\partial^2}{\partial x^2} + V(x) \right\} \delta(x - x').$$

Não usaremos essas expressões, mas trabalharemos diretamente com a forma dada na Eq. (16.52).]

Se agora usarmos a expressão que temos em (16.52) para a integral em (16.50), obtemos a seguinte equação diferencial para $\psi(x) = \langle x \mid \psi \rangle$:

$$i\hbar \frac{\partial \psi}{\partial t} = -\frac{\hbar^2}{2m} \frac{\partial^2}{\partial x^2} \psi(x) + V(x)\psi(x). \tag{16.53}$$

É bastante óbvio o que devemos usar no lugar da Eq. (16.53) se estivermos interessados no movimento em três dimensões. As únicas modificações consistem na substituição de $\partial^2/\partial x^2$ por

$$\nabla^2 = \frac{\partial^2}{\partial x^2} + \frac{\partial^2}{\partial y^2} + \frac{\partial^2}{\partial z^2},$$

e $V(x)$ é substituído por $V(x, y, z)$. A amplitude $\psi(x, y, z)$ para um elétron que se move em um potencial $V(x, y, z)$ obedece à equação diferencial

$$i\hbar \frac{\partial \psi}{\partial t} = -\frac{\hbar^2}{2m} \nabla^2 \psi + V\psi. \tag{16.54}$$

É chamada de equação de Schrödinger e foi a primeira equação da mecânica quântica a ser descoberta. Foi escrita por Schrödinger antes de qualquer uma das outras equações quânticas que descrevemos neste livro terem sido descobertas.

Embora tenhamos abordado o problema por um caminho completamente diferente, o grande momento histórico que marca o nascimento da descrição mecânico quântica da matéria ocorreu quando Schrödinger escreveu, pela primeira vez, sua equação em 1926. Por muitos anos, a estrutura atômica interna da matéria tinha sido um grande mistério. Ninguém havia sido capaz de entender o que mantinha a matéria unida, por que havia ligações químicas e, especialmente, como era possível que os átomos fossem estáveis. Embora Bohr tivesse sido capaz de dar uma descrição do movimento interno de um elétron em um átomo de hidrogênio que parecia explicar o espectro observado da luz emitida por este átomo, a razão pela qual os elétrons se moviam deste modo permanecia um mistério. A descoberta de Schrödinger das equações apropriadas para o movimento de elétrons em uma escala atômica forneceu uma teoria a partir da qual os fenômenos atômicos, podiam ser calculados quantitativamente, com precisão e detalhadamente. Em princípio, a equação de Schrödinger é capaz de explicar todos os fenômenos atômicos, exceto os que implicam magnetismo e relatividade. Ela explica os níveis de energia de um átomo e todos os fatos sobre ligações químicas. Isso é verdadeiro apenas em princípio – a matemática logo fica tão complicada que não se pode resolver nenhum problema a não ser os mais simples. Somente os átomos de hélio e hidrogênio foram calculados com uma alta precisão. Contudo, com várias aproximações, algumas muito rudimentares, muitos dos fatos sobre os átomos mais complicados e sobre as ligações químicas em moléculas podem ser entendidos. Já mostramos algumas dessas aproximações em capítulos anteriores.

A equação de Schrödinger como a escrevemos não considera nenhum efeito magnético. É possível levar em conta tais efeitos de um modo aproximado acrescentando mais alguns termos à equação. Contudo, como vimos no Volume II, o magnetismo é essencialmente um efeito relativístico, e, portanto uma descrição correta do movimento de um elétron em um campo eletromagnético arbitrário só pode ser feita utilizando-se uma equação relativística apropriada. A equação relativística correta para o movimento de um elétron foi descoberta por Dirac um ano depois de Schrödinger ter escrito a sua equação, e tem uma forma bastante diferente. Não seremos capazes de discuti-la em absoluto aqui.

Antes de continuarmos vendo algumas consequências da equação de Schrödinger, gostaríamos de mostrar-lhe como ela se parece para um sistema com um grande número de partículas. Não iremos utilizar esta equação, mas queremos simplesmente mostrá-la para enfatizar que a função de onda ψ não é simplesmente uma onda no espaço, mas é uma função de muitas variáveis. Se houver muitas partículas, a equação fica

$$i\hbar \frac{\partial \psi(r_1, r_2, r_3, \ldots)}{\partial t} = \sum_i -\frac{\hbar^2}{2m_i}\left\{\frac{\partial^2 \psi}{\partial x_i^2} + \frac{\partial^2 \psi}{\partial y_i^2} + \frac{\partial^2 \psi}{\partial z_i^2}\right\} + V(r_1, r_2, \ldots)\psi. \qquad (16.55)$$

A função potencial V é o que corresponde classicamente à energia potencial total de todas as partículas. Se não houver nenhuma força externa que atue nas partículas, a função V é simplesmente a energia eletrostática da interação entre todas as partículas. Isto é, se a partícula i possuir a carga $Z_i q_e$, então a função V é simplesmente[†]

$$V(r_1, r_2, r_3, \ldots) = \sum_{\substack{\text{todos} \\ \text{os pares}}} \frac{Z_i Z_j}{r_{ij}} e^2. \qquad (16.56)$$

16–6 Níveis de energia quantizados

Em um capítulo posterior, olharemos detalhadamente para uma solução da equação de Schrödinger de um determinado exemplo. Gostaríamos agora, contudo, de mostrar como uma das consequências mais notáveis da equação de Schrödinger surge – a saber, o fato surpreendente de que uma equação diferencial que trata somente com funções contínuas de variáveis contínuas no espaço pode dar a origem a efeitos quânticos como os níveis de energia discretos em um átomo. O fato essencial a se entendido é como pode ser que um elétron que é confinado a uma certa região do espaço por algum tipo de "poço" de potencial deve ter necessariamente só uma ou outra energia de um conjunto de valores bem definidos de energias discretas.

Suponha que pensemos em um elétron em uma situação unidimensional na qual a sua energia potencial varie com x da maneira descrita pelo gráfico na Fig. 16-3. Vamos supor que esse potencial seja estático – ele não varia com o tempo. Como fizemos tantas vezes antes, gostaríamos de procurar soluções correspondentes a estados de energia bem definida, o que significa de frequência bem definida. Vamos tentar uma solução da forma

$$\psi = a(x)e^{-iEt/\hbar}. \qquad (16.57)$$

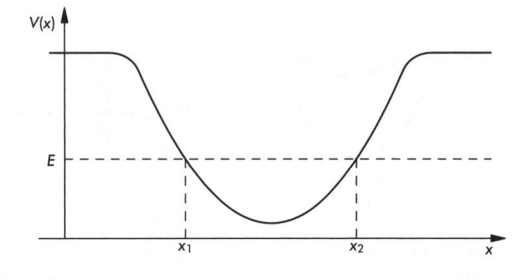

Figura 16-3 Um poço de potencial para uma partícula se movendo na direção x.

[†] Estamos usando a convenção dos volumes anteriores segundo a qual $e^2 \equiv q_e^2/4\pi\epsilon_0$.

Se substituímos essa função na equação de Schrödinger, encontramos que a função $a(x)$ deve satisfazer à seguinte equação diferencial:

$$\frac{d^2 a(x)}{dx^2} = \frac{2m}{\hbar^2}[V(x) - E]a(x). \tag{16.58}$$

Essa equação diz que em cada x a segunda derivada de $a(x)$ com relação a x é proporcional a $a(x)$, o coeficiente de proporcionalidade sendo dado pela quantidade $(2m/\hbar^2)(V - E)$. A segunda derivada de $a(x)$ é a taxa de mudança da sua inclinação. Se o potencial V for maior do que a energia E da partícula, a taxa da modificação da inclinação de $a(x)$ terá o mesmo sinal que $a(x)$. Isso significa que a curva de $a(x)$ será côncava se afastando do eixo x. Isto é, ele terá, mais ou menos, o caráter da função exponencial positiva ou negativa, $e^{\pm x}$. Isso significa que na região à esquerda de x_1, na Fig. 16-3, onde V é maior do que a energia escolhida E, a função $a(x)$ teria de parecer uma das curvas mostradas na parte (a) da Fig. 16-4.

Se, por outro lado, a função potencial V for menor do que a energia E, a segunda derivada de $a(x)$ com relação a x tem o sinal oposto de $a(x)$, e a curva de $a(x)$ sempre será côncava em direção ao eixo x como um dos segmentos mostrados na parte (b) da Fig. 16-4. A solução em tal região tem, pedaço por pedaço, aproximadamente a forma de uma curva senoidal.

Vamos ver se agora podemos construir graficamente uma solução para a função $a(x)$ que corresponde a uma partícula de energia E_a em um potencial V mostrado na Fig. 16-3. Como estamos tentando descrever uma situação na qual uma partícula está ligada *dentro* do poço de potencial, queremos procurar soluções para as quais a amplitude de onda adquira valores muito pequenos quando x está bem fora do poço de potencial. Podemos imaginar facilmente uma curva como a apresentada na Fig. 16-5 que tende em direção ao zero para grandes valores negativos de x e cresce suavemente à medida que este se aproxima de x_1. Como V é igual a E_a em x_1, a curvatura da função se anula neste ponto. Entre x_1 e x_2, a quantidade $V - E_a$ é sempre um número negativo, portanto a função $a(x)$ é sempre côncava em direção ao eixo, e a curvatura é maior quanto maior for a diferença entre E_a e V. Se continuarmos a curva na região entre x_1 e x_2, ela deverá se comportar mais ou menos como mostrado na Fig. 16-5.

Vamos agora continuar esta curva na região à direita de x_2. Lá ela se curva para longe do eixo e decola em direção a grandes valores positivos, como desenhado na Fig. 16-6. Para a energia E_a que selecionamos, a solução para $a(x)$ torna-se cada vez maior

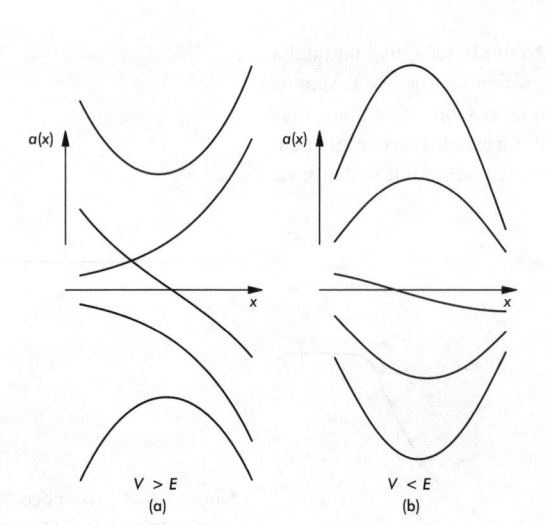

Figura 16–4 Possíveis formatos para a função de onda $a(x)$ para $V>E$ e para $V<E$.

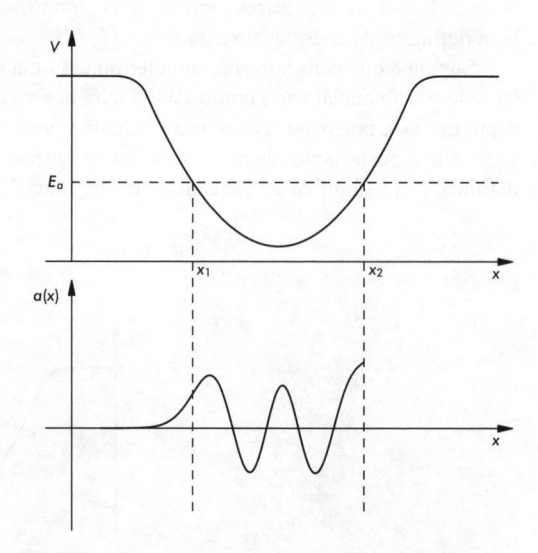

Figura 16–5 A função de onda para a energia E_a que vai a zero para valores negativos de x.

Figura 16-6 A função de onda $a(x)$ da Fig. 16-5 continuada além de x_2.

Figura 16-7 A função de onda $a(x)$ para a energia E_b maior que E_a.

com o aumento de x. De fato, a sua *curvatura* também está aumentando (se o potencial continuar constante). A amplitude cresce rapidamente, adquirindo proporções imensas.

O que isso significa? Simplesmente significa que a partícula não está "ligada" no poço de potencial. É infinitamente mais provável encontrá-la *fora* do poço do que *dentro*. Para a solução que construímos, o elétron tem maior probabilidade de ser encontrado em $x = +\infty$ do que em qualquer outro lugar. Não conseguimos encontrar uma solução para uma partícula ligada.

Vamos tentar outra energia, uma que é um pouco maior que E_a – a energia E_b na Fig. 16-7. Se começarmos com as mesmas condições à esquerda, obtemos a solução desenhada na metade inferior esquerda da Fig. 16-7. No início, parecia que a solução fosse ser melhor, mas ela termina tão mal como a solução para E_a – exceto que agora $a(x)$ está ficando cada vez mais *negativo* à medida que avançamos em direção a grandes valores de x.

Talvez essa seja uma pista. Uma vez que uma pequena modificação da energia aumentando de E_a para E_b faz com que a curva salte de um lado do eixo ao outro, possivelmente há alguma energia que está entre E_a e E_b para a qual a curva se aproximará de zero para grandes valores de x. Há, de fato, e fizemos um esboço de como a solução poderia se parecer na Fig. 16-8.

Você deve notar que a solução que desenhamos na figura é uma solução muito especial. Se fôssemos levantar ou abaixar a energia mesmo que muito pouco, a função se comportaria como uma das curvas tracejadas mostradas na Fig. 16-8, e não teríamos as condições apropriadas para uma partícula ligada. Obtivemos o resultado de que se uma partícula deve estar ligada a um poço de potencial, ela pode fazer isso somente se tiver uma energia muito bem definida.

Isso significa que só há uma energia para uma partícula ligada em um poço de potencial? Não. Outras energias são possíveis, mas não energias muito próximas a E_c. Note que a função de onda que desenhamos na Fig. 16-8 cruza o eixo quatro vezes na

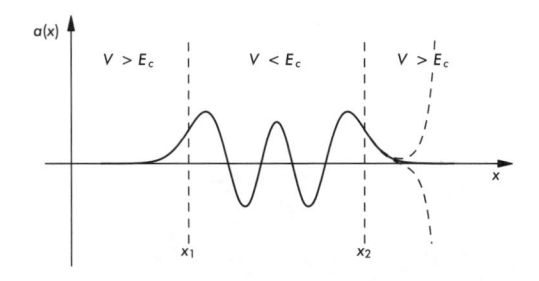

Figura 16-8 A função de onda para a energia E_c entre E_a e E_b.

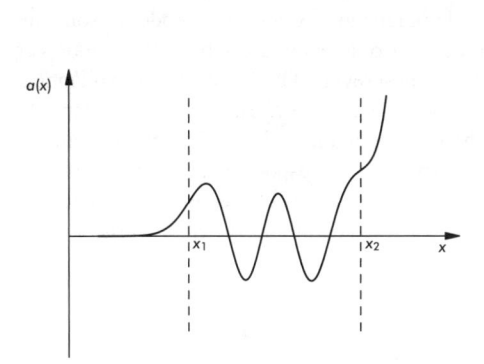

região entre x_1 e x_2. Se tivéssemos escolhido uma energia muito mais baixa do que E_c, poderíamos ter uma solução que cruza o eixo só três vezes, só duas vezes, só uma vez ou nenhuma vez. As possíveis soluções estão esboçadas na Fig. 16-9. (Também pode haver outras soluções correspondentes a valores da energia mais altos do que aqueles mostrados.) A nossa conclusão é que se uma partícula for ligada a um poço de potencial, a sua energia pode ter somente certos valores especiais em um espectro de energia discreto. Você pode ver como uma equação diferencial pode descrever o fato básico da física quântica.

Podemos observar outra coisa. Se a energia E estiver acima do topo do poço de potencial, então não há mais nenhuma solução discreta, e qualquer energia possível é permitida. Tais soluções correspondem ao espalhamento de partículas livres por um poço de potencial. Vimos um exemplo de tais soluções quando consideramos os efeitos de átomos de impurezas em um cristal.

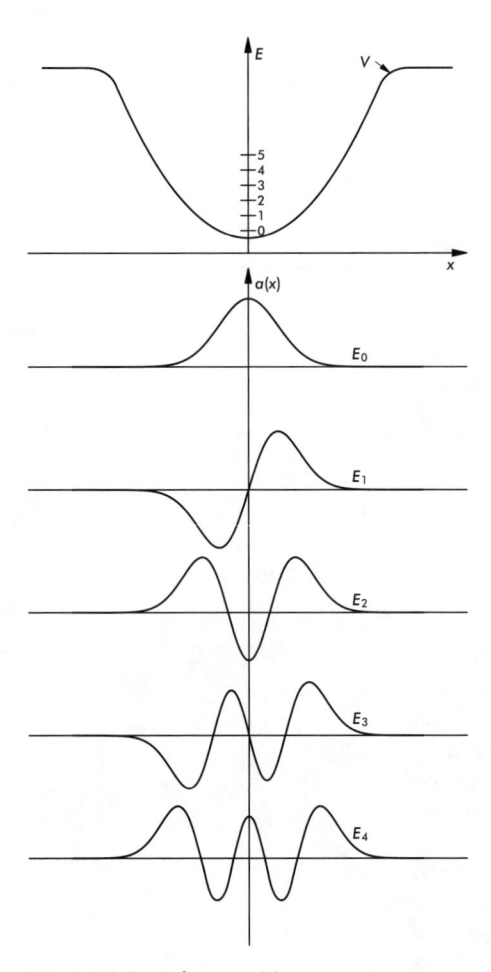

Figura 16-9 A função $a(x)$ para os cinco estados ligados de energia mais baixa.

17

Simetria e Leis de Conservação

17–1 Simetria

Na física clássica, algumas quantidades são *conservadas* – como momento, energia e momento angular. Teoremas de conservação das grandezas correspondentes também existem na mecânica quântica. A coisa mais bonita da mecânica quântica é que os teoremas de conservação podem, de certo modo, ser derivados de outra coisa, ao passo que na mecânica clássica eles praticamente são os pontos de partida das leis. (Na mecânica clássica há maneiras de se fazer algo parecido com o que faremos na mecânica quântica, mas somente em um nível muito avançado.) Contudo, na mecânica quântica, as leis de conservação estão muito profundamente relacionadas ao princípio da superposição de amplitudes e à simetria de sistemas físicos sob várias modificações. Esse é o assunto deste capítulo. Vamos aplicar essas ideias na maior parte das vezes à conservação do momento angular, mas o ponto essencial é que os teoremas sobre a conservação de todos os tipos de grandezas estão – na mecânica quântica – relacionados à simetria do sistema.

Começamos, portanto, estudando a questão das simetrias dos sistemas. Um exemplo muito simples é o íon molecular de hidrogênio – poderíamos igualmente considerar a molécula de amônia – no qual há dois estados. Para o íon molecular de hidrogênio, tomamos como estados de base aquele no qual o elétron foi localizado perto do próton número 1 e o outro aquele onde o elétron foi localizado perto do próton número 2. Os dois estados – que chamamos de $|1\rangle$ e $|2\rangle$ – são mostrados novamente na Fig. 17-1(a). Agora, contanto que os dois núcleos sejam exatamente iguais, existe uma certa *simetria* nesse sistema físico. Isso é, se fôssemos *refletir* o sistema em um plano situado na metade da distância entre os dois prótons – com isso queremos dizer que tudo de um lado do plano é movido para a posição simétrica do outro lado – obteríamos as situações da Fig. 17-1(b). Como os prótons são idênticos, a *operação de reflexão* troca $|1\rangle$ por $|2\rangle$ e $|2\rangle$ por $|1\rangle$. Chamaremos essa operação de reflexão de $\hat{P}$ e escrevemos

$$\hat{P}|1\rangle = |2\rangle, \qquad \hat{P}|2\rangle = |1\rangle. \qquad (17.1)$$

Portanto, $\hat{P}$ é um operador no sentido de que ele *"faz algo"* a um estado de modo a torná-lo um novo estado. A coisa interessante é que $\hat{P}$ operando em *qualquer* estado produz algum *outro* estado do sistema.

Porém $\hat{P}$, como qualquer um dos outros operadores que descrevemos, possui elementos de matriz que podem ser definidos pela óbvia notação usual. A saber,

$$P_{11} = \langle 1|\hat{P}|1\rangle \quad \text{e} \quad P_{12} = \langle 1|\hat{P}|2\rangle$$

são os elementos de matriz que obtemos se multiplicarmos $\hat{P}|1\rangle$ e $\hat{P}|2\rangle$ à esquerda por $\langle 1|$. Da Eq. (17.1), eles são

$$\langle 1|\hat{P}|1\rangle = P_{11} = \langle 1|2\rangle = 0,$$
$$\langle 1|\hat{P}|2\rangle = P_{12} = \langle 1|1\rangle = 1. \qquad (17.2)$$

Do mesmo modo, podemos obter P_{21} e P_{22}. A matriz de $\hat{P}$ – com relação ao sistema de base $|1\rangle$ e $|2\rangle$ – é

$$P = \begin{pmatrix} 0 & 1 \\ 1 & 0 \end{pmatrix}. \qquad (17.3)$$

17–1	Simetria
17–2	Simetria e conservação
17–3	As leis de conservação
17–4	Luz polarizada
17–5	A desintegração do Λ^0
17–6	Resumo das matrizes de rotação

Revisão: Capítulo 52, Vol. I, *Simetria nas Leis Físicas*

Referência: Angular Momentum in Quantum Mechanics: A. R. Edmonds, Princeton University Press, 1957

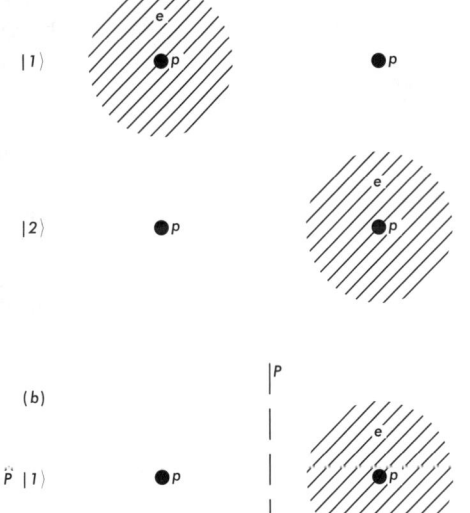

Figura 17–1 Se os estados $|1\rangle$ e $|2\rangle$ são refletidos no plano P-P, eles passam a $|2\rangle$ e $|1\rangle$, respectivamente.

Vemos mais uma vez que as palavras *operador* e *matriz* na mecânica quântica são praticamente intercambiáveis. Existem pequenas diferenças técnicas – como a diferença entre um "numeral" e um "número" –, mas a distinção é algo pedante com o qual não precisamos nos incomodar. Dessa maneira, quer $\hat{P}$ defina uma operação, quer seja de fato usado para definir uma matriz de números, iremos nos referir a ele tanto como operador como matriz.

Agora gostaríamos de chamar a atenção para algo. Vamos *supor* que a *física* do sistema do íon molecular de hidrogênio inteiro seja *simétrica*. Não é necessário que seja – depende, por exemplo, do que mais está perto dele. Se o sistema for simétrico, a ideia a seguir deve certamente ser verdadeira. Suponha que iniciemos em $t = 0$ com o sistema no estado $|1\rangle$ e verifiquemos, depois de um intervalo do tempo t, que o sistema parece estar em uma situação mais complicada – em alguma combinação linear de dois estados de base. Lembre que no Capítulo 8 representávamos "avançar por um período do tempo" multiplicando pelo operador $\hat{U}$. Isso significa que o sistema após um tempo – digamos 15 segundos para sermos precisos – poderia estar em algum outro estado. Por exemplo, ele poderia ser $\sqrt{2/3}$ partes do estado $|1\rangle$ e $i\sqrt{1/3}$ partes do estado $|2\rangle$, então escreveríamos

$$|\psi \text{ em } 15\text{ s}\rangle = \hat{U}(15, 0)|1\rangle = \sqrt{2/3}\,|1\rangle + i\sqrt{1/3}\,|2\rangle. \quad (17.4)$$

O que acontece se iniciarmos o sistema no estado *simétrico* $|2\rangle$ e esperarmos durante 15 segundos sob as *mesmas condições*? É claro que se o mundo for simétrico – como estamos supondo – deveríamos obter o estado simétrico a (17.4):

$$|\psi \text{ em } 15\text{ s}\rangle = \hat{U}(15, 0)|2\rangle = \sqrt{2/3}\,|2\rangle + i\sqrt{1/3}\,|1\rangle. \quad (17.5)$$

As mesmas ideias são esboçadas esquematicamente na Fig. 17-2. Portanto, se *a física* de um sistema for simétrica com relação a algum plano, e calculamos o comportamento de um estado em particular, também conheceremos o comportamento do estado que obteríamos ao refletir o estado original no plano de simetria.

Gostaríamos de dizer as mesmas coisas de forma um pouco mais geral – o que significa de maneira um pouco mais abstrata. Seja $\hat{Q}$ qualquer uma de um número de operações que podem ser executadas em um sistema *sem uma mudança da física*. Por exemplo, poderíamos pensar em $\hat{Q}$ como $\hat{P}$, a operação de *reflexão* no plano entre os dois átomos na molécula de hidrogênio. Ou, em um sistema com dois elétrons, poderíamos estar pensando na operação de *permutação* dos dois elétrons. Outra possibilidade seria, em um sistema esfericamente simétrico, a operação de *rotação* do sistema inteiro por um ângulo finito em volta de algum eixo – a qual não modificaria a física. Claro que normalmente gostaríamos de dar a cada caso especial uma notação especial para $\hat{Q}$. De forma específica, definiremos normalmente $\hat{R}_y(\theta)$ como sendo a operação "rotacione o sistema em torno do eixo y pelo ângulo θ". Por $\hat{Q}$ queremos dizer qualquer um dos operadores que descrevemos ou qualquer outro – que deixe a situação física básica inalterada.

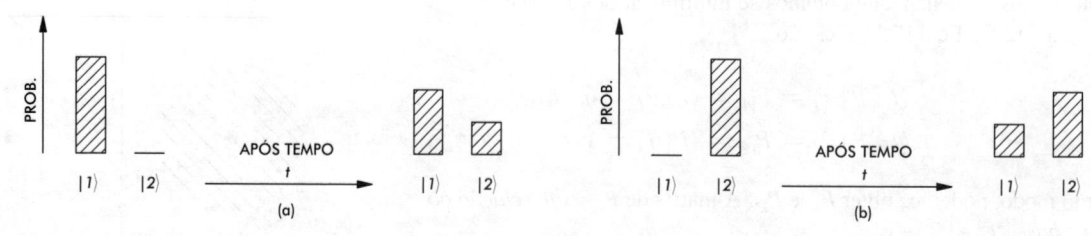

Figura 17–2 Em um sistema simétrico, se um estado puro $|1\rangle$ se desenvolve conforme mostrado na parte (a), um estado puro $|2\rangle$ se desenvolverá conforme a parte (b).

Vamos pensar em alguns outros exemplos. Se tivermos um átomo *sem* um campo *magnético externo* ou *nenhum* campo *elétrico externo*, e se girássemos as coordenadas em torno de algum eixo, teríamos o mesmo sistema físico. Novamente, a molécula de amônia é simétrica com relação a uma reflexão em um plano paralelo ao dos três hidrogênios – contanto que não haja nenhum campo elétrico. Quando houver um campo elétrico, quando fizermos uma reflexão também teríamos de modificar o campo elétrico, e isso modifica o problema físico. Se não tivermos nenhum campo externo, a molécula é simétrica.

Agora consideremos uma situação geral. Suponha que comecemos com o estado $|\psi_1\rangle$ e, depois de algum tempo, sob certas condições físicas, ele se torna o estado $|\psi_2\rangle$. Podemos escrever

$$|\psi_2\rangle = \hat{U}|\psi_1\rangle. \qquad (17.6)$$

[Você pode estar pensando na Eq. (17.4).] Agora imagine que executemos a operação $\hat{Q}$ no sistema inteiro. O estado $|\psi_1\rangle$ será transformado em um estado $|\psi'_1\rangle$, que também podemos escrever como $\hat{Q}|\psi_1\rangle$. Também o estado $|\psi_2\rangle$ é transformado em $|\psi'_2\rangle = \hat{Q}|\psi_2\rangle$. Porém, se a *física* for simétrica sob a aplicação de $\hat{Q}$ (não se esqueça o *se;* não é uma propriedade geral de sistemas), então, esperando durante o mesmo tempo sob as mesmas condições, devemos ter

$$|\psi'_2\rangle = \hat{U}|\psi'_1\rangle. \qquad (17.7)$$

[Como a Eq. (17.5).] Podemos escrever $\hat{Q}|\psi_1\rangle$ como $|\psi'_1\rangle$ e $\hat{Q}|\psi_2\rangle$ como $|\psi'_2\rangle$, assim (17.7) também pode ser escrita

$$\hat{Q}|\psi_2\rangle = \hat{U}\hat{Q}|\psi_1\rangle. \qquad (17.8)$$

Se agora substituirmos $|\psi_2\rangle$ por $\hat{U}|\psi_1\rangle$ – Eq. (17.6) –, obtemos

$$\hat{Q}\hat{U}|\psi_1\rangle = \hat{U}\hat{Q}|\psi_1\rangle. \qquad (17.9)$$

Não é difícil entender o que isso significa. Pensando no íon de hidrogênio, concluímos que "fazendo uma reflexão e esperando um pouco" – a expressão à direita da Eq. (17.9) – é o mesmo que "esperando um pouco e então fazer uma reflexão" – a expressão no lado esquerdo da (17.9). Ambas devem ser iguais contanto que U não mude com a reflexão.

Como (17.9) é verdadeira para *qualquer* estado inicial $|\psi_1\rangle$, ela é realmente uma equação sobre os operadores:

$$\hat{Q}\hat{U} = \hat{U}\hat{Q}. \qquad (17.10)$$

Isso é o que queríamos obter – é *uma afirmação matemática de simetria*. Quando a Eq. (17.10) for verdadeira, dizemos que os operadores $\hat{U}$ e $\hat{Q}$ *comutam*. Podemos então *definir* "simetria" da seguinte maneira: um sistema físico é *simétrico* com relação à operação $\hat{Q}$ quando $\hat{Q}$ comutar com $\hat{U}$, a operação da passagem do tempo. [Em termos de matrizes, o produto de dois operadores é equivalente ao produto matricial, portanto a Eq. (17.10) também é válida para as matrizes Q e U de um sistema que é simétrico para a transformação Q.]

Incidentalmente, como para tempos infinitesimais ϵ temos $\hat{U} = 1 - i\hat{H}\epsilon/\hbar$ – onde $\hat{H}$ é o Hamiltoniano habitual (ver Capítulo 8) – pode-se ver que se (17.10) for verdadeira, também é verdade que

$$\hat{Q}\hat{H} = \hat{H}\hat{Q}. \qquad (17.11)$$

Desse modo, (17.11) é a afirmação matemática da condição para a simetria de uma situação física relacionada ao operador $\hat{Q}$. Ela *define* uma simetria.

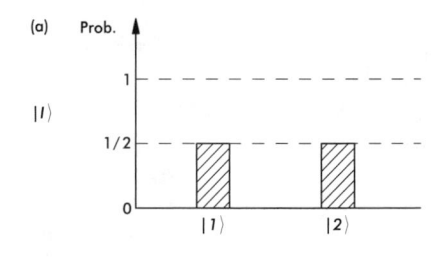

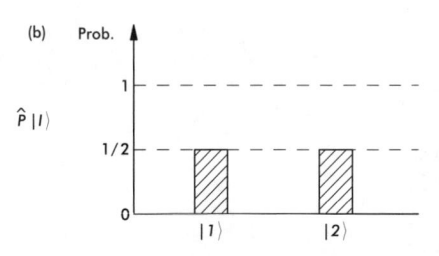

Figura 17-3 O estado $|I\rangle$ e o estado $\hat{P}|I\rangle$ obtido ao se refletir $|I\rangle$ no plano central.

17–2 Simetria e conservação

Antes de aplicar o resultado que acabamos de encontrar, gostaríamos de discutir a ideia da simetria um pouco mais. Suponha que tenhamos uma situação muito especial: após operarmos em um estado com $\hat{Q}$, obtemos o mesmo estado. Isso é um caso muito especial, mas suponhamos que seja verdade para um estado $|\psi_0\rangle$ que $|\psi'\rangle = \hat{Q}|\psi_0\rangle$ é fisicamente o mesmo estado que $|\psi_0\rangle$. Isso significa que $|\psi'\rangle$ é igual a $|\psi_0\rangle$, exceto por algum fator de fase.[†] Como isso pode acontecer? Por exemplo, suponha que temos um íon H_2^+ no estado que uma vez chamamos de $|I\rangle$.[‡] Para esse estado as amplitudes de se estar nos estados de base $|1\rangle$ ou $|2\rangle$ são iguais. As probabilidades são mostradas como um gráfico de barras na Fig. 17-3(a). Se atuarmos em $|I\rangle$ com o operador $\hat{P}$ de reflexão, ele troca o estado mudando $|1\rangle$ para $|2\rangle$ e $|2\rangle$ para $|1\rangle$ – obtemos as probabilidades mostradas na Fig. 17-3(b). Esse é justamente o estado $|I\rangle$ novamente. Se começarmos com o estado $|II\rangle$, as probabilidades antes e depois da reflexão parecem ser as mesmas. No entanto, existe uma diferença se olharmos as *amplitudes*. Para o estado $|I\rangle$, as amplitudes são as *mesmas* depois da reflexão, mas para o estado $|II\rangle$ as amplitudes têm o sinal oposto. Em outras palavras,

$$\hat{P}|I\rangle = \hat{P}\left\{\frac{|1\rangle + |2\rangle}{\sqrt{2}}\right\} = \frac{|2\rangle + |1\rangle}{\sqrt{2}} = |I\rangle,$$

$$\hat{P}|II\rangle = \hat{P}\left\{\frac{|1\rangle - |2\rangle}{\sqrt{2}}\right\} = \frac{|2\rangle - |1\rangle}{\sqrt{2}} = -|II\rangle. \quad (17.12)$$

Se escrevermos $\hat{P}|\psi_0\rangle = e^{i\delta}|\psi_0\rangle$, temos $e^{i\delta} = 1$ para o estado $|I\rangle$ e $e^{i\delta} = -1$ para o estado $|II\rangle$.

Vamos considerar outro exemplo. Suponha que tenhamos um fóton circularmente polarizado à direita que propaga na direção z. Se realizarmos a operação de rotação em torno do eixo z, sabemos que isso somente multiplica a amplitude por $e^{i\phi}$, onde ϕ é o ângulo da rotação. Assim, para a operação de rotação desse caso, δ é justamente igual ao ângulo da rotação.

Nessas circunstâncias é claro que, *caso seja verdade* que um operador $\hat{Q}$ apenas modifica a fase de um estado em algum tempo, digamos $t = 0$, *é verdade para sempre*. Em outras palavras, se o estado $|\psi_1\rangle$ passa para o estado $|\psi_2\rangle$ após um tempo t, ou

$$\hat{U}(t,0)|\psi_1\rangle = |\psi_2\rangle \quad (17.13)$$

e caso a simetria da situação faça com que

$$\hat{Q}|\psi_1\rangle = e^{i\delta}|\psi_1\rangle, \quad (17.14)$$

então também é verdade que

$$\hat{Q}|\psi_2\rangle = e^{i\delta}|\psi_2\rangle. \quad (17.15)$$

Isso é claro, pois

$$\hat{Q}|\psi_2\rangle = \hat{Q}\hat{U}|\psi_1\rangle = \hat{U}\hat{Q}|\psi_1\rangle,$$

e se $\hat{Q}|\psi_1\rangle = e^{i\delta}|\psi_1\rangle$, então

$$\hat{Q}|\psi_2\rangle = \hat{U}e^{i\delta}|\psi_1\rangle = e^{i\delta}\hat{U}|\psi_1\rangle = e^{i\delta}|\psi_2\rangle.$$

[†] A propósito, você pode mostrar que $\hat{Q}$ é necessariamente um *operador unitário* – o que significa que se ele opera em $|\psi\rangle$ resultando em um número vezes $|\psi\rangle$, o número deve ser da forma $e^{i\delta}$, onde δ é real. É uma questão menor, e a prova reside na seguinte observação. Qualquer operação como uma reflexão ou uma rotação não resulta na perda de nenhuma partícula, portanto a normalização de $|\psi'\rangle$ e $|\psi\rangle$ deve ser a mesma; elas apenas podem ser diferentes por um fator de fase puramente imaginário.

[‡] Veja a Seção 10-1. Os estados $|I\rangle$ e $|II\rangle$ estão invertidos nesta seção em relação à discussão anterior.

[A sequência de igualdades resulta de (17.13) e (17.10) para um sistema simétrico, de (17.14), e do fato de que um número como $e^{i\delta}$ comuta com um operador.]

Portanto, com certas simetrias, algo que é verdadeiro inicialmente é verdadeiro para todos os tempos. Não é justamente uma *lei de conservação?* Sim! Ela diz que se você olhar o estado original e, fazendo algumas contas, descobrir que uma operação *a qual é uma operação de simetria do sistema* produz apenas uma multiplicação por uma certa fase, então saberá que a mesma propriedade será verdadeira no estado final – a mesma operação multiplica o estado final pelo mesmo fator de fase. Isso é sempre verdadeiro mesmo que não conheçamos nada mais sobre o mecanismo interior do universo que modifica um sistema do estado inicial ao estado final. Mesmo que não nos preocupemos em olhar os detalhes do mecanismo pelo qual o sistema passa de um estado ao outro, ainda podemos dizer que se uma coisa estiver em um estado com um certo caráter de simetria originalmente, e se o Hamiltoniano dessa coisa for simétrico para essa operação de simetria, então o estado terá o mesmo caráter de simetria sempre. Essa é a base de todas as leis de conservação da mecânica quântica.

Vamos considerar um exemplo especial. Vamos retornar ao operador $\hat{P}$. Primeiramente, gostaríamos de modificar um pouco a nossa definição de $\hat{P}$. Queremos considerar $\hat{P}$ não somente como um reflexo de espelho, porque isso requer definir o plano no qual colocamos o espelho. Existe um tipo especial de reflexão que não requer a especificação de um plano. Suponha que redefinamos a operação $\hat{P}$ da seguinte maneira: primeiro se reflete em um espelho no plano z tal que z se torne $-z$, x se mantenha x, e y permaneça y; então gira-se o sistema em $180°$ em torno do eixo z tal que x seja levado a $-x$ e y para $-y$. Isso é chamado de *inversão*. Cada ponto é projetado *através da origem* à posição diametralmente oposta. Todas as coordenadas de tudo são invertidas. Ainda usaremos o símbolo $\hat{P}$ para essa operação. Isso é mostrado na Fig. 17-4. É um pouco mais conveniente do que uma reflexão simples porque não é necessário especificar qual o plano de coordenadas usado para a reflexão – apenas é necessário especificar o ponto do centro da simetria.

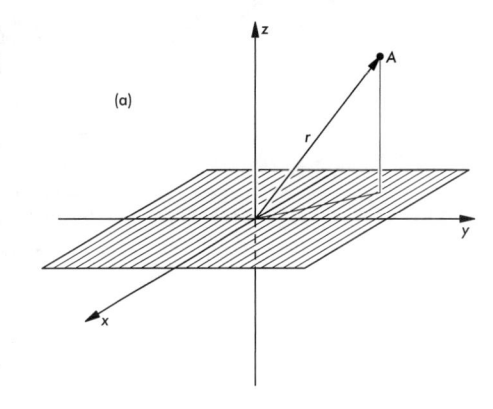

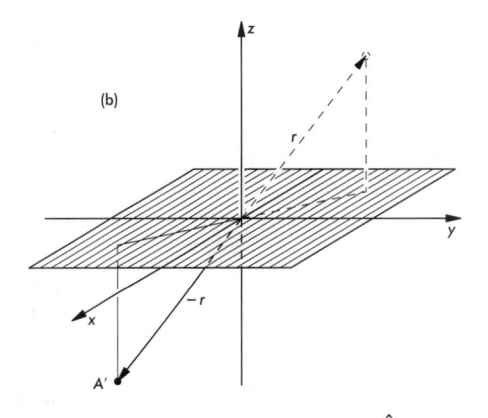

Figura 17–4 A operação de inversão, $\hat{P}$. Qualquer coisa que esteja no ponto A em (x, y, z) é movida para o ponto A' em $(-x, -y, -z)$.

Agora vamos supor que tenhamos um estado $|\psi_0\rangle$ o qual, pela operação de inversão, muda para $e^{i\delta}|\psi_0\rangle$ – isto é,

$$|\psi_0'\rangle = \hat{P}|\psi_0\rangle = e^{i\delta}|\psi_0\rangle. \quad (17.16)$$

Então suponha que invertamos novamente. Após *duas* inversões, retornamos exatamente para onde saímos – nada se modificou em absoluto. Devemos ter que

$$\hat{P}|\psi_0'\rangle = \hat{P}\cdot\hat{P}|\psi_0\rangle = |\psi_0\rangle.$$

Contudo,

$$\hat{P}\cdot\hat{P}|\psi_0\rangle = \hat{P}e^{i\delta}|\psi_0\rangle = e^{i\delta}\hat{P}|\psi_0\rangle = (e^{i\delta})^2|\psi_0\rangle.$$

Resulta que

$$(e^{i\delta})^2 = 1.$$

Portanto, *se o operador de inversão for uma operação de simetria* de um estado, existem apenas duas possibilidades para $e^{i\delta}$:

$$e^{i\delta} = \pm 1,$$

o que significa que

$$\hat{P}|\psi_0\rangle = |\psi_0\rangle \quad \text{ou} \quad \hat{P}|\psi_0\rangle = -|\psi_0\rangle. \quad (17.17)$$

Classicamente, se um estado for simétrico por uma inversão, a operação retorna o mesmo estado. Na mecânica quântica, contudo, há duas possibilidades: obtemos o *mesmo estado* ou *menos* o mesmo estado. Quando obtemos o *mesmo* estado, $\hat{P}|\psi_0\rangle = |\psi_0\rangle$, dizemos que o estado $|\psi_0\rangle$ tem *paridade par*. Quando o sinal é invertido tal que $\hat{P}|\psi_0\rangle = -|\psi_0\rangle$, dizemos que o estado tem *paridade ímpar*. (O operador de inversão $\hat{P}$ também é conhecido como operador de paridade.) O estado $|I\rangle$ do íon H_2^+ tem paridade par; e o estado $|II\rangle$ possui paridade ímpar – ver Eq. (17.12). Há, naturalmente, estados que não são simétricos pela operação $\hat{P}$; esses são estados sem paridade definida. Por exemplo, no sistema H_2^+, o estado $|I\rangle$ tem paridade par, enquanto o estado $|II\rangle$ tem paridade ímpar, e o estado $|1\rangle$ não possui nenhuma paridade definida.

Quando falamos de uma operação como a inversão sendo executada *"em um sistema físico"*, podemos pensar nela de duas maneiras. Podemos pensar em *mover fisicamente* o que quer que esteja no ponto *r* para o ponto inverso em −*r*, ou podemos pensar em *olhar* o mesmo sistema em um novo referencial x', y', z' relacionado ao antigo por $x' = -x$, $y' = -y$ e $z' = -z$. Analogamente, quando pensamos em rotações, podemos pensar em girar conjuntamente um sistema físico, ou em girar o referencial de coordenadas com relação ao qual medimos o sistema, mantendo o "sistema" fixo no espaço. Geralmente, os dois pontos da vista são essencialmente equivalentes. Para a rotação, eles são equivalentes, *exceto* que rotacionar um *sistema* pelo ângulo θ é como rotacionar o referencial pelo *negativo* de θ. Nestas conferências, consideramos normalmente o que acontece quando uma projeção é feita em um novo conjunto de eixos. O que se obtém dessa maneira é o mesmo que se obtém se mantivermos os eixos fixos e girarmos o sistema *ao contrário* pela mesma quantidade. Quando isso é feito, os sinais dos ângulos se invertem.†

Muitas das *leis* da física – mas não todas – permanecem inalteradas por uma reflexão ou uma inversão das coordenadas. Elas são *simétricas* com relação a uma inversão. As leis da eletrodinâmica, por exemplo, são inalteradas se trocarmos *x* por −*x*, *y* por −*y* e *z* por −*z* em *todas* as equações. O mesmo é verdadeiro para as leis da gravidade e para as interações fortes da física nuclear. Somente as interações fracas – responsáveis pelo decaimento β – não possuem essa simetria. (Discutimos isso no Capítulo 52, Volume I.) Omitiremos por ora qualquer consideração sobre os decaimentos β. Então em qualquer sistema físico em que não se espera que decaimentos β produzam qualquer efeito apreciável – um exemplo seria a emissão de luz por um átomo – o Hamiltoniano $\hat{H}$ e o operador $\hat{P}$ comutarão. Nessas circunstâncias, temos a seguinte proposição. Se um estado originalmente possuir paridade par, e se olharmos a situação física em algum tempo posterior, ele terá novamente paridade par. Por exemplo, suponha que um átomo prestes a emitir um fóton esteja em um estado conhecido por possuir paridade par. Analisando a coisa inteira – incluindo o fóton – após a emissão; ele terá novamente paridade par (igualmente se começar com a paridade ímpar). Este princípio é chamado de *conservação de paridade*. Pode-se ver por que as palavras "conservação de paridade" e "simetria de reflexão" são estreitamente relacionadas na mecânica quântica. Embora até alguns anos atrás se pensasse que a natureza sempre conservava a paridade, hoje se sabe que isso não é verdade. Descobriu-se que isso era falso porque a reação do decaimento β não possui a simetria de inversão que é encontrada em outras leis da física.

Agora podemos provar um teorema interessante (que é verdadeiro desde que possamos desconsiderar as interações fracas): qualquer estado da energia bem definida que não seja degenerada deve ter uma paridade definida. Ele deve ter paridade par ou paridade ímpar. (Lembre que às vezes vemos sistemas nos quais vários estados têm a mesma energia – dizemos que tais estados são *degenerados*. O nosso teorema não se aplicará a eles.)

Para um estado $|\psi_0\rangle$ com energia definida, sabemos que

$$\hat{H}|\psi_0\rangle = E|\psi_0\rangle, \tag{17.18}$$

onde *E* é somente um número – a energia do estado. Se tivermos *qualquer* operador $\hat{Q}$, o qual é um operador de simetria do sistema, podemos provar que

$$\hat{Q}|\psi_0\rangle = e^{i\delta}|\psi_0\rangle \tag{17.19}$$

---

† Em outros livros, é possível encontrar fórmulas com sinais diferentes; provavelmente, eles estão usando uma definição diferente para os ângulos.

desde que $|\psi_0\rangle$ seja um estado único de energia definida. Considere o novo estado $|\psi'_0\rangle$ que resulta da atuação do operador $\hat{Q}$. Se a física for simétrica, então $|\psi'_0\rangle$ deve ter a mesma energia que $|\psi_0\rangle$. Tomamos uma situação na qual *há somente um* estado daquela energia, a saber $|\psi_0\rangle$, portanto $|\psi'_0\rangle$ deve ser o mesmo estado – ele apenas pode diferir por uma fase. Esse é o argumento físico.

A mesma coisa resulta da matemática. A nossa definição da simetria é Eq. (17.10) ou Eq. (17.11) (válida para qualquer estado ψ),

$$\hat{H}\hat{Q}|\psi\rangle = \hat{Q}\hat{H}|\psi\rangle. \qquad (17.20)$$

No entanto, estamos considerando somente um estado $|\psi_0\rangle$ que é um estado de energia definida, tal que $\hat{H}|\psi_0\rangle = E|\psi_0\rangle$. Como E é apenas um número que passa por $\hat{Q}$ se quisermos, temos

$$\hat{Q}\hat{H}|\psi_0\rangle = \hat{Q}E|\psi_0\rangle = E\hat{Q}|\psi_0\rangle.$$

Portanto
$$\hat{H}\{\hat{Q}|\psi_0\rangle\} = E\{\hat{Q}|\psi_0\rangle\}. \qquad (17.21)$$

Assim $|\psi'_0\rangle = \hat{Q}|\psi_0\rangle$ é também um estado de energia definida de $\hat{H}$ – e com o mesmo E. Pela nossa hipótese, existe apenas um estado desse tipo, que deve ser $|\psi'_0\rangle = e^{i\delta}|\psi_0\rangle$.

O que acabamos de provar é verdadeiro para qualquer operador $\hat{Q}$ que seja um operador de simetria do sistema físico. Desse modo, em uma situação na qual consideramos somente as forças elétricas e interações fortes – sem decaimento β – tal que a simetria de inversão seja uma aproximação permitida, temos que $\hat{P}|\psi\rangle = e^{i\delta}|\psi\rangle$. Também vimos que $e^{i\delta}$ deve ser $+1$ ou -1. Portanto, qualquer estado com uma energia definida (que não seja degenerado) possui uma paridade par ou uma paridade ímpar.

17–3 As leis de conservação

Agora vamos falar de outro exemplo interessante de operação: rotação. Consideraremos o caso especial de um operador que rotaciona um sistema atômico pelo ângulo ϕ em torno do eixo z. Chamaremos esse operador[†] de $\hat{R}_z(\phi)$, iremos supor que temos uma situação física na qual não temos nenhuma influência na direção ao longo dos eixos x e y. Qualquer campo magnético ou campo elétrico é tomado como sendo paralelo ao eixo[‡] z tal que não ocorra nenhuma modificação nas condições *externas* se girarmos o sistema físico como um todo em torno do eixo z. Por exemplo, se tivermos um átomo no espaço vazio e girarmos o átomo em volta do eixo z por um ângulo ϕ, temos o mesmo sistema físico.

Porém, existem *estados especiais* que têm a propriedade tal que essa operação produz um novo estado o qual é o estado original multiplicado por algum fator de fase. Vamos fazer uma breve observação para mostrar que quando isso é verdadeiro a variação da fase deve sempre ser proporcional ao ângulo ϕ. Suponha que giremos duas vezes pelo ângulo ϕ. Isso é equivalente a realizar uma rotação pelo ângulo 2ϕ. Se uma rotação por ϕ tem o efeito de multiplicar o estado $|\psi_0\rangle$ por uma fase $e^{i\delta}$ tal que

$$\hat{R}_z(\phi)|\psi_0\rangle = e^{i\delta}|\psi_0\rangle,$$

duas rotações sucessivas desse tipo multiplicariam o estado pelo fator $(e^{i\delta})^2 = e^{i2\delta}$, pois

$$\hat{R}_z(\phi)\hat{R}_z(\phi)|\psi_0\rangle = \hat{R}_z(\phi)e^{i\delta}|\psi_0\rangle = e^{i\delta}\hat{R}_z(\phi)|\psi_0\rangle = e^{i\delta}e^{i\delta}|\psi_0\rangle.$$

[†] Muito precisamente, definiremos $\hat{R}_z(\phi)$ como uma rotação do sistema físico por $-\phi$ em torno do eixo z, que é o mesmo que girar o referencial de coordenadas por $+\phi$.

[‡] Sempre podemos escolher z ao longo da direção do campo, desde que exista apenas um campo por vez e que sua direção não se modifique.

A variação da fase δ deve ser proporcional a ϕ.[†] Estamos considerando então aqueles estados especiais $|\psi_0\rangle$ para os quais

$$\hat{R}_z(\phi)|\psi_0\rangle = e^{im\phi}|\psi_0\rangle, \qquad (17.22)$$

onde m é algum número real.

Também conhecemos o fato notável de que *se* o sistema for simétrico com relação a uma rotação em torno de z *e se* o estado original tiver a propriedade que (17.22) é verdadeira, então ele também terá a mesma propriedade mais tarde. Portanto, este número m é muito importante. Se conhecermos inicialmente o seu valor, saberemos o seu valor no final do jogo. É um número que é *conservado* – m é *uma constante de movimento*. A razão pela qual enfatizamos m é porque ele não tem nada a ver com qualquer ângulo especial ϕ e porque ele corresponde a algo na mecânica clássica. Na mecânica *quântica*, decidimos chamar $m\hbar$ – para estados como $|\psi_0\rangle$ – de *momento angular em torno do eixo z*. Se fizermos isso, descobrimos que no limite de grandes sistemas a mesma quantidade é igual à *componente z do momento angular* da mecânica clássica. Portanto, se tivermos um estado para o qual uma rotação sobre o eixo z apenas produz um fator de fase $e^{im\phi}$, então temos um estado com momento angular definido em torno daquele eixo – e o momento angular é conservado. Ele é $m\hbar$ agora e para sempre. Naturalmente, pode-se girar em torno de qualquer eixo, e obtém-se a conservação do momento angular para os vários eixos. Note que a conservação do momento angular está relacionada ao fato de que quando se gira um sistema obtém-se o mesmo estado somente com um novo fator de fase.

Gostaríamos de mostrar quão geral é essa ideia. Iremos aplicá-la a duas outras leis de conservação que correspondem exatamente às ideias físicas da conservação do momento angular. Na física clássica, também temos a conservação de momento e a conservação de energia, e é interessante ver que ambas estão relacionadas da mesma maneira a alguma simetria física. Suponha que temos um sistema físico – um átomo, algum núcleo complicado, uma molécula ou qualquer coisa – e não faz diferença se tomarmos o sistema inteiro e o movermos para um lugar diferente. Portanto temos um Hamiltoniano com a propriedade de que ele depende somente das *coordenadas internas* de alguma maneira, e não depende da *posição absoluta* no espaço. Nessas circunstâncias, existe uma operação especial de simetria que podemos executar que é uma translação no espaço. Vamos definir $\hat{D}_x(a)$ como a operação associada ao deslocamento de uma distância a ao longo do eixo x. Então para qualquer estado podemos realizar essa operação e obter um novo estado. Porém novamente podem existir estados muito especiais que têm a propriedade de que, quando são deslocados ao longo do eixo x, tornam-se o mesmo estado exceto por um fator de fase. Também é possível provar, assim como fizemos acima, que quando isso acontece, a fase deve ser proporcional a a. Portanto podemos escrever, para esses estados especiais $|\psi_0\rangle$,

$$\hat{D}_x(a)|\psi_0\rangle = e^{ika}|\psi_0\rangle. \qquad (17.23)$$

O coeficiente k, quando multiplicado por $\hbar$, é chamado de a *componente x do momento*. A razão de ser chamado assim é que esse número é numericamente igual ao momento clássico p_x quando temos um sistema grande. A afirmação geral é a seguinte: se o Hamiltoniano permanecer inalterado quando o sistema for deslocado, e se o estado tiver inicialmente um momento definido na direção x, então o momento na direção x permanecerá o mesmo conforme o tempo passa. O momento total de um sistema antes e depois de colisões – ou depois de explosões ou qualquer coisa – será o mesmo.

Existe outra operação bastante análoga ao deslocamento no espaço: um atraso no tempo. Suponha que tenhamos uma situação física na qual *nenhum fator externo* depende do tempo, e em um certo momento damos início a um dado estado e o deixamos evoluir. Agora se começássemos a mesma coisa novamente (em outro experimento)

[†] Para uma prova mais sofisticada, devemos aplicar esse argumento para pequenas rotações ϵ. Como qualquer ângulo ϕ é a soma de um número apropriado n dessas rotações, $\phi = n\epsilon$, $\hat{R}_z(\phi) = [\hat{R}_z(\epsilon)]^n$ e a variação total da fase é n vezes isso para o pequeno ângulo ϵ, e é, portanto, proporcional a ϕ.

dois segundos depois – ou digamos atrasados por um tempo τ –, e se nenhuma das condições externas dependesse do tempo absoluto, o desenvolvimento seria o mesmo e o estado final seria o mesmo que o outro estado final, exceto que ele chegaria lá depois de um tempo τ. Nessas circunstâncias também podemos encontrar estados especiais com a propriedade de que o desenvolvimento no tempo tem a característica especial do estado atrasado ser justamente o antigo, multiplicado por um fator de fase. Mais uma vez é claro que, para esses estados especiais, a variação da fase deve ser proporcional a τ. Podemos escrever

$$\hat{D}_t(\tau)\,|\,\psi_0\rangle = e^{-i\omega\tau}\,|\,\psi_0\rangle. \tag{17.24}$$

É convencional usar o sinal negativo na definição de ω; com essa convenção, $\omega\hbar$ é a *energia* do sistema, *e é conservada*. Portanto um sistema com energia definida é aquele que quando deslocado no tempo de τ é igual a ele mesmo multiplicado por $e^{-i\omega\tau}$. (Isso foi o que dissemos anteriormente quando definimos um estado quântico de energia definida, portanto estamos sendo consistentes.) Isso significa que se um sistema estiver em um estado de energia definida, e se o Hamiltoniano não depender de t, então não importa o que aconteça, o sistema terá a mesma energia em todos os tempos posteriores.

Consequentemente, vemos a relação entre as leis de conservação e a simetria do mundo. A simetria com relação a deslocamentos no tempo implica conservação da energia; a simetria com relação à posição em x, y, ou z implica a conservação daquela componente do momento. Simetria com relação a rotações em torno dos eixos x, y ou z significa a conservação das componentes x, y e z do momento angular. A simetria com relação à reflexão contém a conservação da paridade. A simetria com relação à permuta de dois elétrons implica a conservação de algo ainda sem denominação, e assim por diante. Alguns desses princípios possuem análogos clássicos e outros não. Existem mais leis de conservação na mecânica quântica do que as utilizadas na mecânica clássica – ou, pelo menos, das que são normalmente usadas.

Para que você seja capaz de ler outros livros de mecânica quântica, devemos fazer um pequeno aparte técnico – para descrever a notação utilizada. A operação de um deslocamento com relação ao tempo é, naturalmente, justamente a operação $\hat{U}$ sobre a qual falamos antes:

$$\hat{D}_t(\tau) = \hat{U}(t+\tau, t). \tag{17.25}$$

A maioria das pessoas gosta de discutir tudo em termos de deslocamentos *infinitesimais* no tempo, ou em termos de deslocamentos infinitesimais no espaço, ou em termos de rotações por ângulos infinitesimais. Como qualquer deslocamento finito ou ângulo podem ser obtidos por uma sucessão de deslocamentos ou ângulos infinitesimais, é muitas vezes mais fácil analisar primeiro o caso infinitesimal. O operador de um deslocamento infinitesimal Δt no tempo – como definimos no Capítulo 8 –

$$\hat{D}_t(\Delta t) = 1 - \frac{i}{\hbar}\Delta t \hat{H}. \tag{17.26}$$

Então $\hat{H}$ é análogo à quantidade clássica que chamamos de energia, porque se $\hat{H}\,|\,\psi\rangle$ for uma constante vezes $|\,\psi\rangle$, a saber, $\hat{H}\,|\,\psi\rangle = E\,|\,\psi\rangle$, então essa constante é a energia do sistema.

A mesma coisa ocorre para as outras operações. Se realizarmos um pequeno deslocamento em x, digamos pela quantidade Δx, um estado $|\,\psi\rangle$ passará, *em geral*, para algum outro estado $|\,\psi'\rangle$. Podemos escrever

$$|\,\psi'\rangle = \hat{D}_x(\Delta x)\,|\,\psi\rangle = \left(1 + \frac{i}{\hbar}\hat{p}_x\,\Delta x\right)|\,\psi\rangle, \tag{17.27}$$

como Δx vai a zero, o $|\,\psi'\rangle$ deve se tornar justamente $|\,\psi\rangle$ ou $\hat{D}_x(0) = 1$, e para pequenos Δx a variação de $\hat{D}_x(\Delta x)$ a partir de 1 deve ser proporcional a Δx. Definido dessa maneira, o operador $\hat{p}_x$ é chamado de o operador momento – para a componente x, naturalmente.

Por razões idênticas, para pequenas rotações normalmente se escreve

$$\hat{R}_z(\Delta\phi) \mid \psi \rangle = \left(1 + \frac{i}{\hbar}\hat{J}_z\,\Delta\phi\right) \mid \psi \rangle \tag{17.28}$$

e chamamos $\hat{J}_z$ de o operador da componente z do momento angular. Para esses estados especiais em que $\hat{R}_z(\phi) \mid \psi_0 \rangle = e^{im\phi} \mid \psi_0 \rangle$, podemos, para qualquer ângulo pequeno – digamos $\Delta\phi$ –, expandir o lado direito até a primeira ordem em $\Delta\phi$ e obter

$$\hat{R}_z(\Delta\phi) \mid \psi_0 \rangle = e^{im\Delta\phi} \mid \psi_0 \rangle = (1 + im\Delta\phi) \mid \psi_0 \rangle.$$

Comparando isso com a definição de $\hat{J}_z$ da Eq. (17.28), obtemos que

$$\hat{J}_z \mid \psi_0 \rangle = m\hbar \mid \psi_0 \rangle. \tag{17.29}$$

Em outras palavras, se operarmos com $\hat{J}_z$ em um estado *com um momento angular definido* em torno do eixo z, obteremos $m\hbar$ vezes o mesmo estado, onde $m\hbar$ é a quantidade da componente z do momento angular. É bastante análogo operar em um estado de energia definido com $\hat{H}$ para se obter $E \mid \psi \rangle$.

Gostaríamos agora de fazer algumas aplicações das ideias da conservação do momento angular – a fim de mostrar como elas funcionam. O fato é que elas são realmente muito simples. Você já sabia anteriormente que o momento angular é conservado. A única coisa da qual você realmente precisa se lembrar deste capítulo é que se um estado $\mid \psi_0 \rangle$ possuir a propriedade de, ao sofrer uma rotação por um ângulo ϕ em torno do eixo z, tornar-se $e^{im\phi} \mid \psi_0 \rangle$; ele possui uma componente z do momento angular igual a $m\hbar$. Isso é tudo de que precisamos para fazer uma série de coisas interessantes.

17–4 Luz polarizada

Em primeiro lugar gostaríamos de verificar uma ideia. Na Seção 11-4, mostramos que quando a luz polarizada circularmente à direita é observada em um referencial rotacionado pelo ângulo ϕ em torno do eixo z[†], ela é multiplicada por $e^{i\phi}$. Isso então significa que os fótons de luz que são circularmente polarizados à direita transportam um momento angular de *uma* unidade[‡] ao longo do eixo z? *De fato eles o fazem*. Também quer dizer que se tivermos um feixe de luz com um grande número de fótons todos circularmente polarizados da mesma maneira – como teríamos em um feixe clássico –, ele transportará momento angular. Se a energia total transportada pelo feixe em um certo tempo for W, então existem $N = W/\hbar\omega$ fótons. Cada um transportando o momento angular $\hbar$, assim o momento angular total é

$$J_z = N\hbar = \frac{W}{\omega}. \tag{17.30}$$

Será que podemos provar classicamente que a luz que é circularmente polarizada à direita transporta uma energia e um momento angular proporcional a W/ω? Essa deve ser uma proposição clássica se tudo estiver correto. Temos aqui um caso no qual podemos ir da coisa quântica à coisa clássica. Devemos verificar se a física clássica confere. Ela nos dará uma ideia de se temos o direito de chamar m de momento angular. Lembre-se, classicamente, do que é a luz circularmente polarizada à direita. Ela é descrita por um campo elétrico com uma componente x oscilante e uma componente y oscilante 90° fora da fase, de modo que o vetor elétrico resultante $\mathcal{E}$ se mova ao longo de um círculo – como

---

[†] Desculpe! Esse ângulo é o negativo daquele que usamos na Seção 11-4.

[‡] Normalmente é muito conveniente medir o momento angular de sistemas atômicos em unidades de $\hbar$. Então se pode dizer que uma partícula de spin meio tem momento angular $\pm 1/2$ com relação a qualquer eixo. Ou, em geral, que a componente z do momento angular é m. Não é necessário repetir o $\hbar$ todas as vezes.

desenhado na Fig. 17-5(a). Agora suponha que essa luz incida em uma parede que irá absorvê-la – ou pelo menos um pouco dela – e considere um átomo na parede de acordo com a física clássica. Muitas vezes, descrevemos o movimento do elétron no átomo como um oscilador harmônico o qual pode ser induzido a oscilar por um campo elétrico externo. Vamos supor que o átomo seja isotrópico, de maneira que ele possa oscilar igualmente bem nas direções x ou y. Então, na luz circularmente polarizada, o deslocamento x e o deslocamento y são os mesmos, porém um está 90° atrás do outro. O resultado líquido é que o elétron se move em um círculo, como mostrado na Fig. 17-5(b). O elétron é deslocado em algum deslocamento r da sua posição de equilíbrio na origem e circula com algum atraso de fase com relação ao vetor $\mathcal{E}$. A relação entre $\mathcal{E}$ e r poderia ser a mostrada na Fig. 17-5(b). Conforme o tempo passa, o campo elétrico gira e o deslocamento gira com a mesma frequência, portanto as suas orientações relativas permanecem as mesmas. A seguir veremos o trabalho realizado nesse elétron. A taxa com que a energia está sendo adicionada a esse elétron é a sua velocidade, v, vezes a componente $q\mathcal{E}$ paralela à velocidade:

$$\frac{dW}{dt} = q\mathcal{E}_t v. \quad (17.31)$$

Note, porém, que existe momento angular sendo despejado nesse elétron, pois sempre há um torque em torno da origem. O torque é $q\epsilon_t r$, que deve ser igual à taxa de variação do momento angular dJ_z/dt:

$$\frac{dJ_z}{dt} = q\mathcal{E}_t r. \quad (17.32)$$

Lembrando que $v = \omega r$, temos que

$$\frac{dJ_z}{dW} = \frac{1}{\omega}.$$

Portanto, se integrarmos o momento angular total que é absorvido, isso será proporcional à energia total – a constante da proporcionalidade sendo $1/\omega$, o que concorda com a Eq. (17.30). A luz realmente transporta momento angular -1 unidade (vezes $\hbar$) se for circularmente polarizada à direita ao longo do eixo z, e -1 unidade ao longo do eixo z se for circularmente polarizada à esquerda.

Agora vamos fazer a seguinte pergunta: Se a luz for linearmente polarizada na direção x, qual é o seu momento angular? A luz polarizada na direção x pode ser representada como uma superposição de luz polarizada circularmente à direita e circularmente à esquerda. Por isso, há um certa amplitude de que o momento angular seja $+\hbar$ e outra amplitude de que o momento angular seja $-\hbar$, portanto ela não tem um momento angular *definido*. Ela tem uma amplitude de aparecer com $+\hbar$ e igual amplitude de aparecer com $-\hbar$. A interferência dessas duas amplitudes produz a polarização linear, no entanto as probabilidades de aparecer com mais ou menos uma unidade do momento angular são *iguais*. As medidas macroscópicas feitas em um feixe de luz linearmente polarizada mostrarão que ele transporta momento angular nulo, porque em um grande número de fótons existem números quase iguais de fótons polarizados circularmente à direita e à esquerda que contribuem para quantidades opostas de momento angular – o momento angular médio é o zero. Na teoria clássica, não se encontra o momento angular a menos que haja alguma polarização circular.

Dissemos que qualquer partícula de spin um pode ter três valores de J_z, a saber $+1$, 0, -1 (os três estados que vimos no experimento de Stern-Gerlach). Contudo, a luz é maluca; ela só tem dois estados. Ela não possui o caso nulo. Essa estranha deficiência está relacionada ao fato de que a luz não pode permanecer imóvel. Para uma partícula de spin j que está imóvel, deve haver $2j + 1$ estados possíveis com valores de j_z variando em intervalos de 1 de $-j$ a $+j$. Porém acontece que para algo de spin j com massa nula, somente existem os estados com componentes $+j$ e $-j$ ao longo da direção do movimento. Por exemplo, a luz não possui três estados, mas apenas dois – embora um fóton seja ainda um objeto de spin

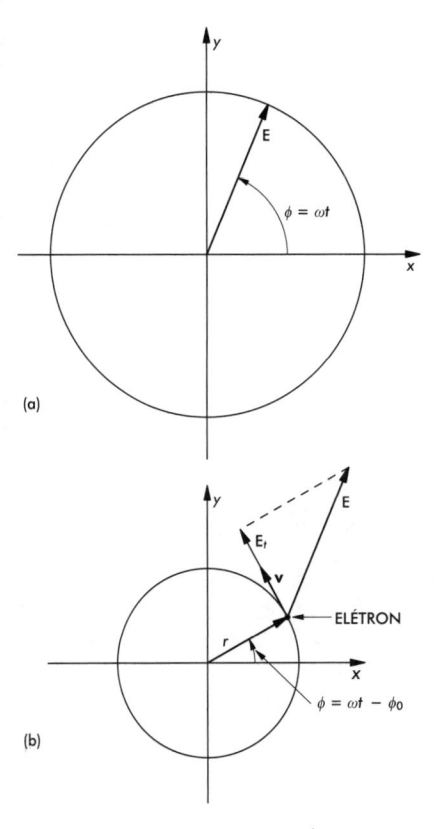

Figura 17-5 (a) O campo elétrico $\mathcal{E}$ de uma onda de luz circularmente polarizada. (b) O movimento do elétron induzido pela luz circularmente polarizada.

um. Como isso pode ser compatível com as nossas provas anteriores – baseadas no que acontece com rotações no espaço – nas quais partículas de spin 1 necessitam de três estados? Para uma partícula em repouso, rotações podem ser feitas em torno de qualquer eixo sem que seu estado de momento seja modificado. As partículas com massa de repouso zero (como fótons e neutrinos) não podem estar em repouso; somente as rotações em torno do eixo ao longo da direção de movimento não modificam o estado de momento. Os argumentos sobre rotações em torno de um eixo são insuficientes apenas para provar que três estados são necessários, dado que em um deles varia como $e^{i\phi}$ para rotações pelo ângulo ϕ.[†]

Um comentário a mais. Para uma partícula com massa de repouso nula, em geral, *somente um* dos dois estados de spin com relação à reta do movimento ($+j$, $-j$) é realmente necessário. Para neutrinos – que são partículas de spin meio –, apenas os estados com a componente do momento angular *oposta* à direção do movimento ($-\hbar/2$) existem na natureza [e somente *ao longo* do movimento ($+\hbar/2$) para antineutrinos]. Quando um sistema possui simetria de inversão (de modo que a paridade seja conservada, como é para a luz) ambas as componentes ($+j$ e $-j$) são necessárias.

17–5 A desintegração do Λ^0

Agora queremos dar um exemplo de como usamos o teorema da conservação do momento angular em um problema físico especificamente quântico. Consideraremos a quebra da partícula lambda (Λ^0), a qual se desintegra em um próton e um méson π^- por uma interação "fraca":

$$\Lambda^0 \to p + \pi^-.$$

Suponha que saibamos que o píon tem spin zero, que o próton tem spin meio e que o Λ^0 possui spin meio. Gostaríamos de resolver o seguinte problema: suponha que um Λ^0 seja produzido de uma maneira que o tornasse completamente polarizado – pelo que queremos dizer que o seu spin é, digamos "para cima", com relação a algum eixo z determinado de modo conveniente – ver a Fig. 17-6(a). A questão é, com qual probabilidade ele irá se desintegrar de maneira que o próton saia em um ângulo θ com relação ao eixo z – como na Fig. l7-6(b)? Em outras palavras, qual é a distribuição angular das desintegrações? Consideraremos a desintegração no sistema de coordenadas no qual Λ^0 está em repouso – mediremos os ângulos nesse referencial de repouso; assim eles sempre poderão ser transformados para outro referencial caso desejarmos.

Começamos considerando a circunstância especial na qual o próton é emitido em um pequeno ângulo sólido $\Delta\Omega$ ao longo do eixo z (Fig. 17-7). Antes da desintegração, temos um Λ^0 com spin "para cima", como na parte (a) da figura. Após um curto tempo – devido a razões desconhecidas até o presente, exceto que elas estão associadas aos decaimentos fracos –, o Λ^0 explode em um próton e um píon. Suponha que o próton suba ao longo do eixo $+z$. Então, da conservação do momento, o píon deve ir para baixo. Como o próton é uma partícula de spin meio, seu spin deve ser "para cima" ou "para abaixo" – existem, em princípio, as duas possibilidades mostradas nas partes (b) e (c) da figura. A conservação do momento angular, contudo, requer que o próton possua spin "para cima". Isso é mais facilmente visualizado a partir do seguinte argumento. Uma partícula se movendo ao longo do eixo z não pode contribuir com qualquer momento angular ao longo desse eixo em virtude do seu movimento; portanto, somente os spins podem contribuir para J_z. O momento angular de spin ao longo do eixo z é $+\hbar/2$ antes da desintegração, portanto

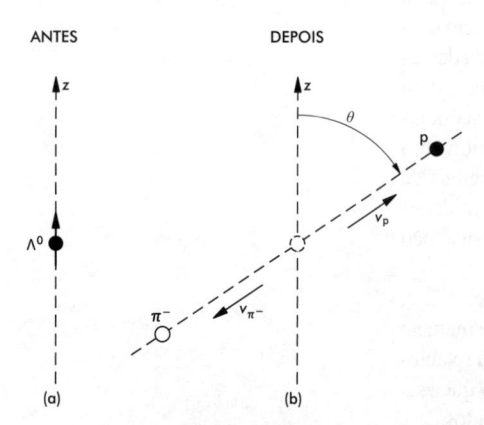

Figura 17–6 Um Λ^0 com spin "para cima" decai em um próton e um píon (no sistema do centro-de-massa). Qual é a probabilidade de que o próton saia com um ângulo θ?

[†] Tentamos encontrar pelo menos uma prova de que o componente do momento angular ao longo da direção do movimento para uma partícula de massa nula deve ser um múltiplo inteiro de $\hbar/2$ – e não algo como $\hbar/3$. Mesmo usando todos os tipos de propriedades da transformação de Lorentz e tudo mais, falhamos. Talvez não seja verdade. Teremos de falar sobre isso com o professor Wigner, que sabe tudo sobre tais coisas.

ele também deve ser $+\hbar/2$ depois. Podemos dizer que, como o píon não possui nenhum spin, o spin de próton deve ser "para cima".

Se você estiver preocupado que argumentos desse tipo podem não ser válidos na mecânica quântica, tomaremos um momento para mostrar que eles são. O estado inicial (antes da desintegração), que chamamos de $|\Lambda^0$, spin $+z\rangle$ possui a propriedade que se ele for girado em torno do eixo z pelo ângulo ϕ, o vetor de estado é multiplicado pelo fator de fase $e^{i\phi/2}$. (No sistema rotacionado, o vetor de estado é $e^{i\phi/2}|\Lambda^0$, spin $+z\rangle$.) Isso é o que queremos dizer por spin "para cima" de uma partícula de spin meio. Como o comportamento de natureza não depende da nossa escolha de eixos, o estado final (próton mais píon) deve ter a mesma propriedade. Podemos escrever o estado final, digamos, como

$$|\text{próton indo } +z, \text{ spin } +z; \text{ píon indo } -z\rangle.$$

Realmente não precisamos especificar o movimento de píon, pois no referencial escolhido o píon sempre se move de maneira oposta ao próton; podemos simplificar a nossa descrição do estado final para

$$|\text{próton indo } +z, \text{ spin } +z\rangle.$$

Porém o que acontece para esse vetor de estado se girarmos as coordenadas em torno do eixo z pelo ângulo ϕ?

Como o próton e píon estão se movendo ao longo do eixo z, o seu movimento não é modificado pela rotação. (Por isso escolhemos este caso especial; não poderíamos estabelecer esse argumento de outra maneira.) Também, nada acontece ao píon, pois seu spin é zero. No entanto, o próton, possui spin meio. Se o seu spin estiver "para cima", ele contribuirá para uma modificação de fase de $e^{i\phi/2}$ em resposta à rotação. (Se seu spin estivesse "para baixo", a variação da fase devido ao próton seria $e^{-i\phi/2}$.) A modificação da fase com a rotação antes e depois da excitação deve ser a mesma se o momento angular deve ser conservado. (E ela será, pois não há nenhuma influência exterior no Hamiltoniano.) Portanto a única possibilidade é que o spin do próton seja "para cima". Se o próton subir, seu spin também deve ser "para cima".

Concluímos, então, que a conservação do momento angular permite o processo mostrado na parte (b) da Fig. 17-7, mas não permite o processo mostrado na parte (c). Como sabemos que a desintegração ocorre, existe alguma amplitude para o processo (b) – próton subindo com spin "para cima". Seja a a amplitude de que a desintegração ocorre dessa maneira em qualquer intervalo infinitesimal de tempo.[†]

Agora veremos o que aconteceria se o spin de Λ^0 fosse inicialmente "para baixo". Novamente perguntamos sobre os decaimentos nos quais o próton sobe ao longo do eixo z, como mostrado na Fig. 17-8. Você perceberá que nesse caso o próton deve ter spin "para baixo" se o momento angular se conserva. Digamos que a amplitude de tal desintegração é b.

Não podemos dizer nada a mais sobre as duas amplitudes a e b. Elas dependem da maquinaria interna de Λ^0 e dos decaimentos fracos, e ninguém sabe ainda como calculá-los. Teremos de obtê-los a partir do experimento, mas com somente essas duas amplitudes *podemos* descobrir tudo que queremos conhecer sobre a distribuição angular da desintegração. Apenas temos de ter sempre o cuidado de definir completamente os estados dos quais estamos falando.

Queremos saber a probabilidade de que o próton saia com ângulo θ em relação ao eixo z (em um pequeno ângulo sólido $\Delta\Omega$) como desenhado na Fig. 17-6. Vamos colocar um novo eixo z nesta direção e chamá-lo eixo z'. Sabemos como analisar o que acontece ao longo desse eixo. Com relação a esse novo eixo, Λ^0 não possui mais o seu spin "para cima", mas tem uma certa amplitude de ter seu

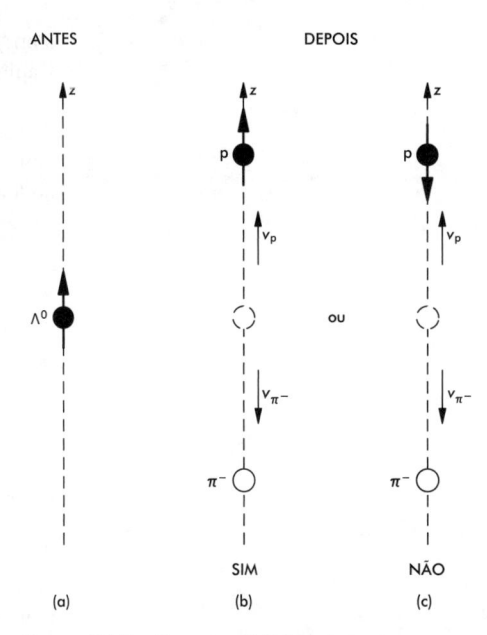

Figura 17–7 Duas possibilidades para o decaimento de um Λ^0 com spin "para cima" com o próton indo ao longo do eixo $+z$. Apenas (b) conserva o momento angular.

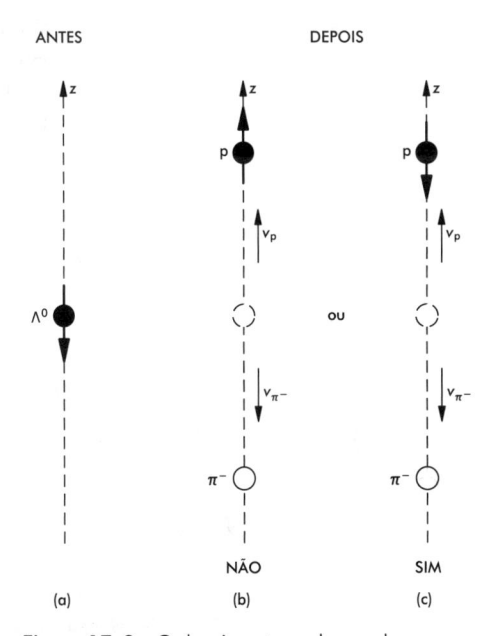

Figura 17–8 O decaimento ao longo do eixo z para um Λ^0 com spin "para baixo".

[†] Estamos supondo agora que o funcionamento da mecânica quântica seja suficientemente familiar a você para que possamos falar de coisas de um modo físico sem precisarmos escrever todos os detalhes matemáticos. No caso em que o que estamos dizendo aqui não for claro, colocamos alguns detalhes em uma nota no final da seção.

spin "para cima" e outra amplitude de ter seu spin "para baixo". Já calculamos isso no Capítulo 6, e novamente no Capítulo 10, Eq. (10.30). A amplitude de o spin ser "para cima" é cos $\theta/2$, e a amplitude do spin ser "para baixo" é[†] $-\text{sen }\theta/2$. Quando o spin de Λ^0 estiver "para cima" ao longo do eixo z', ele emitirá um próton na direção $+z'$ com a amplitude a. Portanto a amplitude de encontrar um próton de spin "para cima" saindo ao longo da direção z' é

$$a \cos \frac{\theta}{2}. \qquad (17.33)$$

Analogamente a amplitude de encontrar um próton com spin "para baixo" indo ao longo do eixo z' positivo é

$$-b \operatorname{sen} \frac{\theta}{2}. \qquad (17.34)$$

Os dois processos a que essas amplitudes se referem são mostrados na Fig. 17-9.

Vamos agora fazer a seguinte pergunta fácil. Se Λ^0 possuir spin "para cima" ao longo do eixo z, qual é a probabilidade de que o próton do decaimento saia com ângulo θ? Os dois estados de spin ("para cima" ou "para baixo" ao longo de z') são distinguíveis, embora não iremos vê-los. Portanto para obter a probabilidade elevamos ao quadrado as amplitudes e as somamos. A probabilidade $f(\theta)$ de encontrar um próton em um pequeno ângulo sólido $\Delta\Omega$ em θ é

$$f(\theta) = |a|^2 \cos^2 \frac{\theta}{2} + |b|^2 \operatorname{sen}^2 \frac{\theta}{2}. \qquad (17.35)$$

Lembrando que $\operatorname{sen}^2 \theta/2 = \frac{1}{2}(1 - \cos \theta)$ e que $\cos^2 \theta/2 = \frac{1}{2}(1 + \cos \theta)$, podemos escrever $f(\theta)$ como

$$f(\theta) = \left(\frac{|a|^2 + |b|^2}{2}\right) + \left(\frac{|a|^2 - |b|^2}{2}\right) \cos \theta. \qquad (17.36)$$

A distribuição angular tem a forma

$$f(\theta) = \beta(1 + \alpha \cos \theta). \qquad (17.37)$$

A probabilidade tem uma parte que é independente de θ e uma parte que varia linearmente com $\cos \theta$. Medindo a distribuição angular, podemos obter α e β e, portanto, $|a|$ e $|b|$.

Consequentemente há muitas outras perguntas a que podemos responder. Estamos interessados apenas nos prótons com spin "para cima" ao longo do eixo z antigo? Cada

---

[†] Escolhemos deixar z' no plano xz e usar os elementos de matriz para $R_y(\theta)$. Você obteria o mesmo resultado para qualquer outra escolha.

Amplitude $a \cos \theta/2$ Amplitude $-b \operatorname{sen} \theta/2$

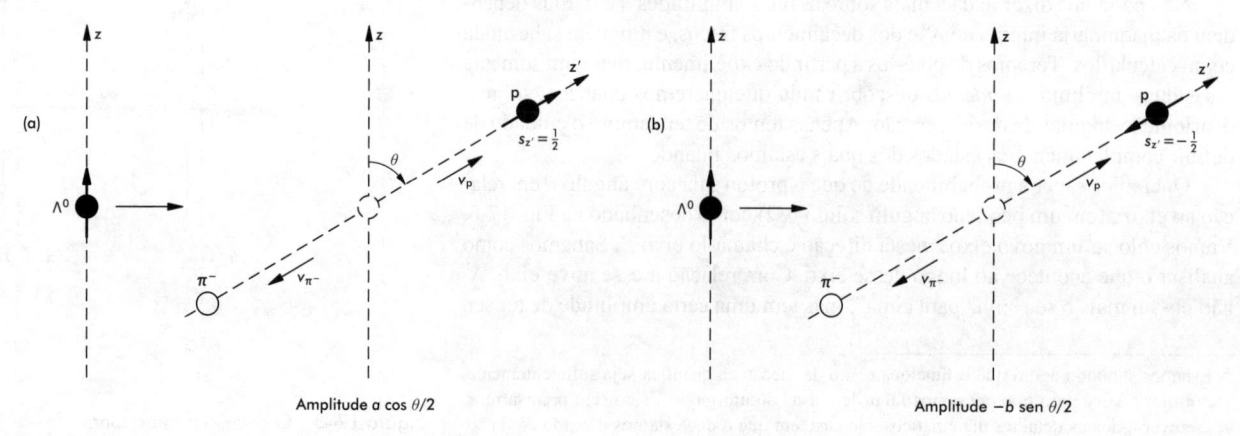

Figura 17–9 Dois possíveis estados de decaimento para o Λ^0.

um dos termos da (17.33) e (17.34) fornecerá uma amplitude para encontrar um próton com spin "para cima" e com spin "para baixo" com relação ao eixo z' ($+z'$ e $-z'$). Spin "para cima" com relação ao eixo anterior $|+z\rangle$ pode ser expresso em termos dos estados de base $|+z'\rangle$ e $|-z'\rangle$. Podemos então combinar as duas amplitudes (17.33) e (17.34) com os coeficientes adequados ($\cos \theta/2$ e $-\sin \theta/2$) para obter a amplitude total

$$\left(a \cos^2 \frac{\theta}{2} + b \sin^2 \frac{\theta}{2}\right).$$

O seu quadrado é a probabilidade de que o próton saia no ângulo θ com o mesmo spin que Λ^0 ("para cima" ao longo do eixo z).

Se a paridade for conservada, podemos dizer mais uma coisa. A desintegração da Fig. 17-8 é justamente a reflexão – digamos, no plano xy da desintegração da Fig. 17-7.[†] Se a paridade for conservada, b deveria ser igual a a ou a $-a$. Então o coeficiente α de (17.37) seria zero, e a desintegração seria igualmente provável de ocorrer em todas as direções.

Os resultados experimentais mostram, no entanto, que *há* uma assimetria na desintegração. A distribuição angular medida realmente se comporta como $\cos \theta$ conforme previmos e não como $\cos^2 \theta$ ou qualquer outra potência. De fato, como a distribuição angular possui essa forma, podemos deduzir a partir dessas medidas que o spin de Λ^0 é $1/2$. Além disso, vemos que a paridade não é conservada. De fato, encontramos experimentalmente que o valor do coeficiente α é $-0{,}62 \pm 0{,}05$, portanto b é aproximadamente duas vezes maior que a. A falta da simetria por uma reflexão é bastante clara.

Note o quanto podemos extrair da conservação do momento angular. Daremos mais alguns exemplos no próximo capítulo.

Nota parentética. Nesta seção, por amplitude *a* queremos dizer a amplitude de que o estado $|$ próton indo $+z$, spin $+z\rangle$ seja gerado em um tempo infinitesimal dt a partir do estado $|\Lambda, \text{spin } +z\rangle$, ou, em outras palavras, que

$$\langle \text{próton indo } +z, \text{ spin } +z | H | \Lambda, \text{ spin } +z \rangle = i\hbar a, \quad (17.38)$$

onde H é o Hamiltoniano do mundo – ou, pelo menos, do que quer que seja responsável pelo decaimento Λ. A conservação do momento angular significa que o Hamiltoniano deve ter a propriedade que

$$\langle \text{próton indo } +z, \text{ spin } -z | H | \Lambda, \text{ spin } +z \rangle = 0, \quad (17.39)$$

Por amplitude *b*, queremos dizer que

$$\langle \text{próton indo } +z, \text{ spin } -z | H | \Lambda, \text{ spin } -z \rangle = i\hbar b, \quad (17.40)$$

A conservação do momento angular implica

$$\langle \text{próton indo } +z, \text{ spin } +z | H | \Lambda, \text{ spin } -z \rangle = 0, \quad (17.41)$$

Se as amplitudes escritas em (17.33) e (17.34) não são claras, podemos representá-las mais matematicamente da seguinte maneira. Por (17.33) nos referimos à amplitude com que Λ de spin ao longo de $+z$ se desintegrará em um próton que se move ao longo da direção $+z'$ com seu spin também na direção $+z'$, a saber a amplitude

$$\langle \text{próton indo } +z', \text{ spin } +z' | H | \Lambda, \text{ spin } +z \rangle. \quad (17.42)$$

A partir dos teoremas gerais da mecânica quântica, essa amplitude pode ser escrita como

$$\sum_i \langle \text{próton indo } +z', \text{ spin } +z' | H | \Lambda, i \rangle \langle \Lambda, i | \Lambda, \text{ spin } +z \rangle, \quad (17.43)$$

onde a soma deve ser tomada sobre os estados de base $|\Lambda, i\rangle$ da partícula Λ em repouso. Como a partícula Λ possui spin meio, existem dois tais estados de base que podem estar em qualquer

---

[†] Lembrando que o spin é um vetor axial que se inverte na reflexão.

base de referência que desejamos. Se usarmos como estados de base spin "para cima" e spin "para baixo" *com relação a z'* ($+z', -z'$), a amplitude de (17.43) é igual à soma

$$\langle \text{ próton indo } +z', \text{ spin } +z' \mid H \mid \Lambda, +z' \rangle \langle \Lambda, +z' \mid \Lambda, +z \rangle$$
$$+ \langle \text{ próton indo } +z', \text{ spin } +z' \mid H \mid \Lambda, -z' \rangle \langle \Lambda, -z' \mid \Lambda, +z \rangle. \quad (17.44)$$

O primeiro fator do primeiro termo é *a*, e o primeiro fator do segundo termo é zero – a partir da definição de (17.38) e de (17.41), que por sua vez resulta da conservação de momento angular. O fator remanescente $\langle \Lambda, +z' \mid \Lambda, +z \rangle$ do primeiro termo é justamente a amplitude que uma partícula de spin meio com spin "para cima" ao longo de um eixo também terá spin "para cima" ao longo de um eixo inclinado por um ângulo θ, que é $\cos \theta/2$ – veja a Tabela 6-2. Portanto (17.44) é justamente $a \cos \theta/2$, conforme escrevemos em (17.33). A amplitude de (17.34) resulta do mesmo tipo de argumentos para uma partícula de spin "para baixo".

17–6 Resumo das matrizes de rotação

Gostaríamos agora de agrupar em um único lugar as várias coisas que aprendemos sobre rotação de partículas spin meio e spin um – de maneira que sejam convenientes para uma referência futura. A seguir, você encontrará tabelas das duas matrizes de rotação $R_z(\phi)$ e $R_y(\theta)$ para partículas de spin meio, para partículas de spin um e para fótons (partículas de spin um com massa de repouso nula). Para cada spin forneceremos os termos da matriz $\langle j \mid R \mid i \rangle$ para rotações em torno do eixo z ou do eixo y. Eles são, naturalmente, exatamente equivalentes às amplitudes como $\langle +T \mid 0S \rangle$ que usamos em capítulos anteriores. Queremos dizer com $R_z(\phi)$ que o estado é projetado em um novo sistema de coordenadas que é girado pelo ângulo ϕ em torno do eixo z – utilizando sempre a regra da mão direita para definir o sentido positivo da rotação. Por $R_y(\theta)$ queremos dizer que os eixos de referência estão rotacionados pelo ângulo θ em torno do eixo y. Conhecendo essas duas rotações, pode-se, é claro, calcular qualquer rotação arbitrária. Como de costume, escrevemos os elementos de matrizes tal que o estado à *esquerda* seja um estado de base do *novo* (girado) referencial e o estado à direita é um estado de base do antigo (não girado) referencial. Pode-se interpretar as entradas das tabelas de muitas maneiras. Por exemplo, a entrada, $e^{-i\phi/2}$ na Tabela 17-1 diz que o elemento matriz $\langle - \mid R \mid - \rangle = e^{-i\phi/2}$. Ela também significa que $\hat{R} \mid - \rangle = e^{-i\phi/2} \mid - \rangle$ ou que $\langle - \mid \hat{R} = \langle - \mid e^{-i\phi/2}$. Todos são a mesma coisa.

Tabela 17–1
Matrizes de rotação para spin meio

Dois estados: $\mid + \rangle$, "para cima" ao longo do eixo z, $m = +\tfrac{1}{2}$
$\mid - \rangle$, "para baixo" ao longo do eixo z, $m = -\tfrac{1}{2}$

$R_z(\phi)$	$\mid + \rangle$	$\mid - \rangle$
$\langle + \mid$	$e^{+i\phi/2}$	0
$\langle - \mid$	0	$e^{-i\phi/2}$

$R_y(\theta)$	$\mid + \rangle$	$\mid - \rangle$
$\langle + \mid$	$\cos \theta/2$	$\sen \theta/2$
$\langle - \mid$	$-\sen \theta/2$	$\cos \theta/2$

Tabela 17–2
Matrizes de rotação para spin um

Três estados: $|+\rangle$, $m = +1$
$|0\rangle$, $m = 0$
$|-\rangle$, $m = -1$

$R_z(\phi)$	$|+\rangle$	$|0\rangle$	$|-\rangle$
$\langle +|$	$e^{+i\phi}$	0	0
$\langle 0|$	0	1	0
$\langle -|$	0	0	$e^{-i\phi}$

$R_y(\theta)$	$|+\rangle$	$|0\rangle$	$|-\rangle$
$\langle +|$	$\frac{1}{2}(1 + \cos\theta)$	$+\frac{1}{\sqrt{2}}\operatorname{sen}\theta$	$\frac{1}{2}(1 - \cos\theta)$
$\langle 0|$	$-\frac{1}{\sqrt{2}}\operatorname{sen}\theta$	$\cos\theta$	$+\frac{1}{\sqrt{2}}\operatorname{sen}\theta$
$\langle -|$	$\frac{1}{2}(1 - \cos\theta)$	$-\frac{1}{\sqrt{2}}\operatorname{sen}\theta$	$\frac{1}{2}(1 + \cos\theta)$

Tabela 17–3
Fótons

Dois estados: $|R\rangle = \dfrac{1}{\sqrt{2}}(|x\rangle + i|y\rangle)$, $m = +1$ (polarizado circularmente à direita)

$|L\rangle = \dfrac{1}{\sqrt{2}}(|x\rangle - i|y\rangle)$, $m = -1$ (polarizado circularmente à esquerda)

$R_z(\phi)$	$|R\rangle$	$|L\rangle$
$\langle R|$	$e^{+i\phi}$	0
$\langle L|$	0	$e^{-i\phi}$

18

Momento Angular

18–1 Radiação de dipolo elétrico

No capítulo anterior, desenvolvemos a ideia de conservação de momento angular em mecânica quântica e mostramos como isso pode ser usado para prever a distribuição de momento angular do próton a partir da desintegração de uma partícula Λ. Queremos agora fornecer várias outras ilustrações similares das consequências da conservação de momento angular em sistemas atômicos. Nosso primeiro exemplo é o da radiação da luz a partir de um átomo. A conservação de momento angular (entre outras coisas) irá determinar a polarização e a distribuição angular dos fótons emitidos.

Suponha que tenhamos um átomo que está em um estado excitado de momento angular definido – digamos com um spin um – e realiza uma transição para um estado de momento angular zero com uma energia mais baixa, emitindo um fóton. O problema é como calcular a distribuição angular e a polarização dos fótons. (Esse problema é quase exatamente o mesmo que o da desintegração Λ^0, exceto que temos partículas de spin um no lugar de partículas com spin semi-inteiro.) Como o estado excitado de um átomo possui spin um, existem três possibilidades para a componente z do momento angular. O valor de m pode ser $+1$, ou 0 ou -1. Tomaremos $m = +1$ no nosso exemplo. Uma vez que você saiba como isso funciona, será possível calcular os outros casos. Iremos supor que o átomo com o momento angular se encontra ao longo do eixo $+z$ – como na Fig. 18-1(a) – e perguntamos com qual amplitude ele irá emitir uma luz circularmente polarizada à direita ao longo do eixo z, tal que o átomo termine com momento angular nulo – como mostrado na parte (b) da figura. Bem, não sabemos a resposta para isso, mas sabemos que a luz circularmente polarizada à direita possui uma unidade de momento angular ao longo da sua direção de propagação. Portanto, logo após o fóton ser emitido, a situação deve ser como mostrada na Fig. 18-1(b) – o átomo fica com momento angular zero em torno do eixo z, pois fizemos a hipótese de que o estado de energia mais baixo do átomo tem spin zero. Fixaremos uma amplitude a para ocorrer tal evento. Mais precisamente, fixaremos a como sendo a amplitude para emitir um fóton em um certo ângulo sólido pequeno $\Delta\Omega$, centrado em torno do eixo z, durante um tempo dt. Note que a amplitude para emitir um fóton polarizado circularmente à esquerda, na mesma direção é zero. O momento angular resultante em torno do eixo z seria -1 para esse fóton e zero para o átomo, totalizando -1, o que não conservaria o momento angular.

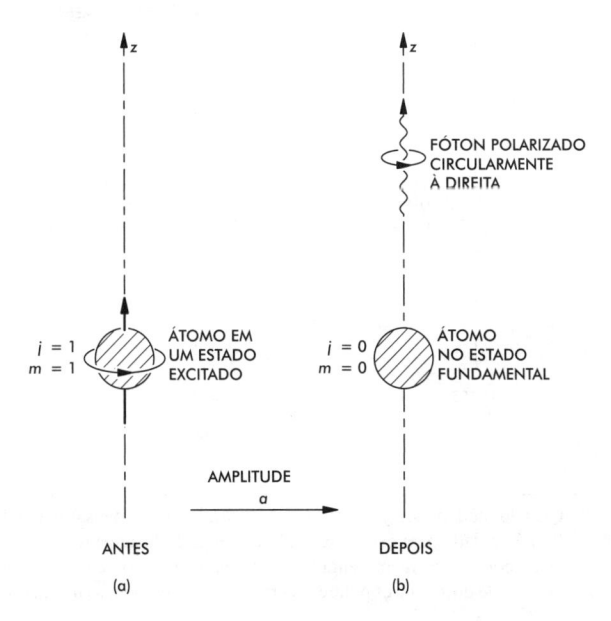

18–1	Radiação de dipolo elétrico
18–2	Espalhamento da luz
18–3	A aniquilação do positrônium
18–4	Matriz de rotação para qualquer spin
18–5	Medição do spin nuclear
18–6	Composição de momento angular
18–7	Nota adicional 1: Derivação da matriz de rotação
18–8	Nota adicional 2: Conservação da paridade em uma emissão de fótons

Figura 18–1 Um átomo com $m = +1$ emite um fóton polarizado circularmente à direita ao longo do eixo $+z$.

De maneira semelhante, se o spin do átomo é inicialmente para "baixo" (–1 ao longo do eixo z), ele pode emitir somente fótons com polarização circularmente à esquerda na direção do eixo $+z$, como mostrado na Fig. 18-2. Vamos fixar um valor b para a amplitude desse evento – significando novamente a amplitude de que um fóton saia em um certo ângulo sólido $\Delta\Omega$. Por outro lado, se o átomo está no estado $m = 0$, ele não pode emitir um fóton na direção z, porque o fóton somente pode ter momento angular $+1$ ou -1 ao longo da sua direção de movimento.

A seguir, podemos mostrar que b está relacionado com a. Suponha uma inversão da situação na Fig. 18-1, significando que devemos imaginar como o sistema iria se parecer se movêssemos cada parte do sistema a um ponto equivalente do lado oposto da origem. Isso *não* significa que devemos refletir os vetores de momento angular, pois eles são artificiais. Devemos, na verdade, inverter o caráter real do movimento que corresponde a tal momento angular. Na Fig. 18-3(a) e (b), mostramos como se parece o processo da Fig. 18-1, antes e depois da inversão com relação ao centro do átomo. Note que o sentido de rotação do átomo permanece inalterado[†]. No sistema invertido da Fig. 18-3(b), temos um átomo com $m = +1$ emitindo um fóton polarizado circularmente à esquerda para baixo.

Se agora girássemos o sistema da Fig. 18-3(b) em 180° em torno do eixo x ou y, ele se tornaria idêntico ao da Fig. 18-2. A combinação da inversão com a rotação transforma o segundo processo de volta no primeiro. Usando a Tabela 17-2, observamos que uma rotação de 180° em torno do eixo y transforma um estado com $m = -1$ em um estado com $m = +1$, tal que a amplitude b deve ser igual à amplitude a, *exceto por uma possível mudança de sinal devido à inversão*. A mudança de sinal na inversão irá depender das paridades dos estados final e inicial do átomo.

Em processos atômicos, a paridade é conservada, de tal forma que a paridade de todo o sistema deve ser a mesma antes e depois da emissão do fóton. O resultado irá depender de se as paridades dos estados inicial e final do átomo são pares ou ímpares – a distribuição angular da radiação será diferente para casos diferentes. Iremos considerar o caso comum da paridade *ímpar* para o estado inicial e paridade *par* para o estado final; isso irá nos fornecer o que chamamos de "radiação de dipolo elétrico". (Se os estados inicial e final possuem a mesma paridade, dizemos que temos uma "radiação de dipolo magnético", que possui a característica da radiação de uma corrente oscilatória em uma

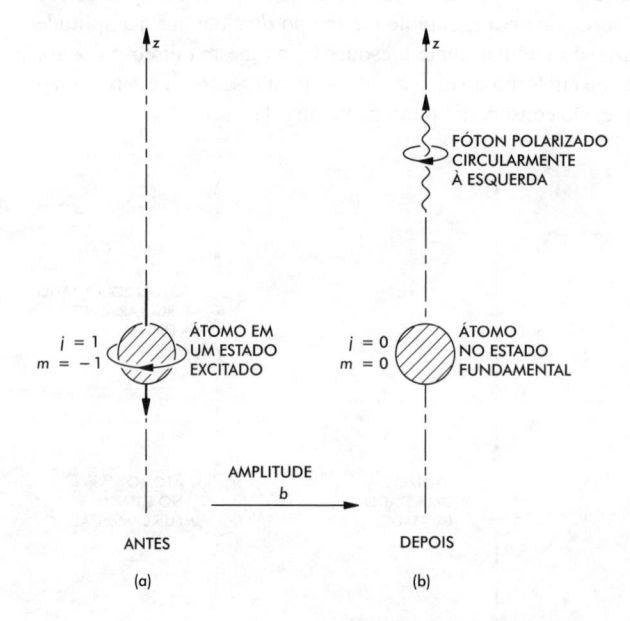

Figura 18–2 Um átomo com $m = -1$ emite um fóton polarizado circularmente à esquerda ao longo do eixo $+z$.

[†] Quando mudamos x, y, z em $-x, -y, -z$, você poderia pensar que todos os vetores seriam invertidos. Isso é verdade para os vetores polares como deslocamentos e velocidades, mas *não* para um vetor axial, como o momento angular – ou qualquer outro vetor que seja obtido a partir de um produto vetorial de dois vetores polares. Vetores axiais possuem as mesmas componentes após uma inversão.

espira.) Se a paridade do estado inicial for ímpar, suas amplitudes mudam de sinal na inversão que leva o sistema de (a) para (b) da Fig. 18-3. O estado final do átomo possui paridade par, então a sua amplitude não muda de sinal. Se a reação acontece conservando a paridade, a amplitude b deve ser igual a a em magnitude, mas com sinal oposto.

Concluímos que se a amplitude for a para um estado com $m = +1$ emitir um fóton para cima, então para as supostas paridades para o estado inicial e final, a amplitude de que um estado $m = -1$ irá emitir um *fóton polarizado circularmente à esquerda* para cima será $-a$.[†]

Sabemos tudo de que precisamos para encontrar a amplitude para um fóton ser emitido em qualquer ângulo θ com relação ao eixo z. Suponha que tenhamos um átomo originalmente polarizado com $m = +1$. podemos decompor esse estado em estados $+1$, 0 e -1 com relação a um novo eixo z' na direção de emissão do fóton. As amplitudes para esses três estados são justamente as que fornecemos na parte inferior da Tabela 17-2. A amplitude para que um fóton polarizado circularmente à direita seja emitido na direção θ é, então, a vezes a amplitude de obter $m = +1$ nessa direção, isto é,

$$a \langle + | R_y(\theta) | + \rangle = \frac{a}{2}(1 + \cos\theta). \quad (18.1)$$

A amplitude de que um fóton polarizado circularmente à esquerda seja emitido na mesma direção é $-a$ vezes a amplitude de ter $m = -1$ nessa nova direção. Usando a Tabela 17-2, isso é

$$-a \langle - | R_y(\theta) | + \rangle = \frac{a}{-2}(1 - \cos\theta). \quad (18.2)$$

Caso você esteja interessado em outras polarizações, é possível encontrar as amplitudes a partir da superposição dessas duas amplitudes. Para obter a intensidade de qualquer uma das componentes como função do ângulo, você deve, é claro, tomar o valor absoluto das amplitudes.

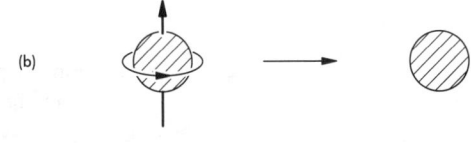

Figura 18-3 Se o processo (a) for transformado por uma inversão através do centro do átomo, isso se parecerá com (b).

18-2 Espalhamento da luz

Vamos usar esses resultados para resolver um problema um pouco mais complicado – mas também um que seja um pouco mais real. Iremos supor que os mesmos átomos estejam nos seus estados fundamentais ($j = 0$) e *espalhem* um feixe de luz incidente. Digamos que o feixe de luz esteja inicialmente vindo na direção $+z$, tal que tenhamos fótons chegando no átomo *a partir da direção* $-z$, como mostrado na Fig. 18-4(a). Podemos considerar o espalhamento da luz em dois processos: o fóton é absorvido e depois é reemitido. Se começarmos com um fóton polarizado circularmente à direita como na Fig. 18-4(a), e o momento angular for conservado, o átomo então estará em um estado $m = +1$ depois da absorção do fóton – como mostrado na Fig. 18-4(b). Chamamos a amplitude para esse processo de c. O átomo pode então emitir um fóton polarizado circularmente à direita na direção θ – como na Fig. 18-4(c). A amplitude total de que o fóton polarizado circularmente à direita seja espalhado na direção θ é simplesmente c vezes (18.1). Vamos chamar isso de amplitude de espalhamento $\langle R' | S | R \rangle$; temos

$$\langle R' | S | R \rangle = \frac{ac}{2}(1 + \cos\theta). \quad (18.3)$$

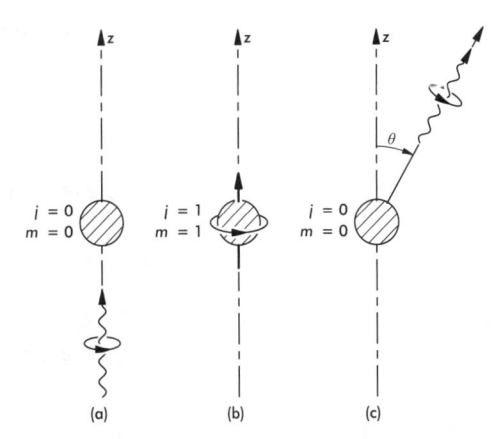

Figura 18-4 Espalhamento da luz por um átomo visto como um processo de dois estágios.

[†] Você pode ter objeções ao argumento que fizemos, baseado no fato de que o estado final que estivemos considerando não possui uma paridade definida. Você irá encontrar na Nota Adicional 2, ao final deste capítulo, outra demonstração, que talvez prefira.

Existe também uma amplitude de que um fóton polarizado circularmente à direita seja absorvido e que um fóton polarizado circularmente à esquerda seja emitido. O produto das duas amplitudes é a amplitude $\langle L'|S|R\rangle$ de que um fóton polarizado circularmente à direita seja espalhado como um fóton polarizado circularmente à esquerda. Usando (18.2), temos

$$\langle L' \mid S \mid R \rangle = -\frac{ac}{2}(1 - \cos\theta). \tag{18.4}$$

Agora, vamos nos perguntar o que acontece se um fóton polarizado circularmente à esquerda estiver chegando. Quando ele for absorvido, o átomo irá para o estado $m = -1$. Usando os mesmos tipos de argumentos que usamos na seção anterior, podemos mostrar que a amplitude deve ser $-c$. A amplitude para que um átomo no estado $m = -1$ emita um fóton polarizado circularmente à direita a um ângulo θ é a vezes a amplitude $\langle +|R_y(\theta)|-\rangle$, que é $\frac{1}{2}(1-\cos\theta)$. Então temos

$$\langle R' \mid S \mid L \rangle = -\frac{ac}{2}(1 - \cos\theta). \tag{18.5}$$

Finalmente, a amplitude para um fóton polarizado circularmente à esquerda ser espalhado como um fóton polarizado circularmente à esquerda é

$$\langle L' \mid S \mid L \rangle = \frac{ac}{2}(1 + \cos\theta). \tag{18.6}$$

(Existem dois sinais de menos que se cancelam.)

Se fizermos uma medida da intensidade *espalhada* para uma dada combinação de polarizações circulares, ela será proporcional ao quadrado de uma de nossas quatro amplitudes. Por exemplo, com um feixe incidente de luz polarizada circularmente à direita, a intensidade de uma luz polarizada circularmente à direita na radiação espalhada irá variar como $(1+\cos\theta)^2$.

Está tudo muito bem, mas suponha que comecemos com uma luz *linearmente* polarizada. E então? Se tivermos uma luz com polarização na direção x, ela pode ser representada como uma superposição da luz polarizada circularmente à direita e polarizada circularmente à esquerda. Escrevemos (veja a Seção 11-4)

$$|x\rangle = \frac{1}{\sqrt{2}}(|R\rangle + |L\rangle). \tag{18.7}$$

Ou, se tivermos uma luz polarizada na direção y, teríamos

$$|y\rangle = -\frac{i}{\sqrt{2}}(|R\rangle - |L\rangle). \tag{18.8}$$

Agora o que você quer saber? Você quer a amplitude de que um fóton polarizado em x irá ser espalhado em um fóton polarizado circularmente à direita em um ângulo θ? Isso pode ser obtido pela regra usual de combinação de amplitudes. Primeiro, multiplique (18.7) por $\langle R'|S$ para obter

$$\langle R' \mid S \mid x \rangle = \frac{1}{\sqrt{2}}(\langle R' \mid S \mid R \rangle + \langle R' \mid S \mid L \rangle), \tag{18.9}$$

e então use (18.3) e (18.5) para as duas amplitudes. Obtém-se

$$\langle R' \mid S \mid x \rangle = \frac{ac}{\sqrt{2}}\cos\theta. \tag{18.10}$$

Se você desejasse a amplitude de que um fóton x fosse espalhado em um fóton polarizado circularmente à esquerda, obteria

$$\langle L' \mid S \mid x \rangle = \frac{ac}{\sqrt{2}}\cos\theta. \tag{18.11}$$

Finalmente, suponha que se queira saber a amplitude para que um fóton polarizado em x seja espalhado, mas mantendo a sua polarização em x. O que se quer é $\langle x' | S | x \rangle$. Isso pode ser escrito como

$$\langle x' | S | x \rangle = \langle x' | R' \rangle \langle R' | S | x \rangle + \langle x' | L' \rangle \langle L' | S | x \rangle. \tag{18.12}$$

Se usarmos as relações

$$| R' \rangle = \frac{1}{\sqrt{2}} (| x' \rangle + i | y' \rangle), \tag{18.13}$$

$$| L' \rangle = \frac{1}{\sqrt{2}} (| x' \rangle - i | y' \rangle), \tag{18.14}$$

resulta que

$$\langle x' | R' \rangle = \frac{1}{\sqrt{2}}, \tag{18.15}$$

$$\langle x' | L' \rangle = \frac{1}{\sqrt{2}}. \tag{18.16}$$

Assim, obtém-se que

$$\langle x' | S | x \rangle = ac \cos \theta. \tag{18.17}$$

A resposta é que um feixe de luz polarizada em x será espalhado na direção θ (no plano xz), com uma *intensidade* proporcional a $\cos^2 \theta$. Se você perguntar sobre luz polarizada em y, irá encontrar que

$$\langle y' | S | x \rangle = 0. \tag{18.18}$$

Portanto, a luz espalhada será completamente polarizada na direção x.

No entanto, notamos uma coisa interessante. Os resultados (18.17) e (18.18) correspondem exatamente à teoria clássica do espalhamento da luz que discutimos no Vol. I, Seção 32-5, em que imaginamos que os elétrons estavam ligados ao átomo por uma força restauradora linear – de forma que ela age como um oscilador clássico. Talvez você esteja pensando: "É muito mais fácil na teoria clássica; se ela dá a resposta correta, por que nos incomodarmos com a teoria quântica?" Por um lado, consideramos somente os casos especiais – embora comuns – para um átomo com um estado excitado $j = 1$ e um estado fundamental $j = 0$. Se o estado excitado possuísse spin dois, obteríamos um resultado diferente. Também, não há nenhuma razão pela qual o modelo de um elétron preso a uma mola e movido por um campo elétrico oscilante devesse funcionar para um único fóton. Encontramos que isso de fato funciona, e que a polarização e intensidade da luz resultantes estão corretas. Assim, de uma certa forma, estamos trazendo o curso inteiro para a verdade de fato. Enquanto no Vol. I, desenvolvemos a teoria do índice de refração e do espalhamento da luz por meio da teoria clássica, mostramos agora que a teoria quântica nos fornece os mesmos resultados para o caso mais comum. De fato, tratamos agora a polarização da luz celeste, por exemplo, por argumentos quânticos, que é o único modo verdadeiramente legítimo.

É claro que todas as teorias clássicas que funcionam deveriam ser finalmente sustentadas por argumentos quânticos legítimos. Naturalmente, essas coisas as quais perdemos um grande tempo explicando foram selecionadas exatamente a partir de partes da física clássica que ainda mantêm validade na mecânica quântica. Você irá notar que não discutiremos em grande detalhe qualquer modelo do átomo que possui elétrons girando ao seu redor em órbitas, porque tal modelo não dá resultados que concordam com a mecânica quântica. O elétron ligado a uma mola funciona – o que, de certo modo, não é de maneira alguma como um átomo "aparenta ser" –, portanto, utilizamos esse modelo para a teoria do índice de refração.

18–3 A aniquilação do positrônium

Gostaríamos agora de considerar um exemplo muito bonito. Ele é bastante interessante, embora um pouco complicado, mas esperamos que não seja tanto assim. Nosso exemplo é o sistema chamado de *positrônium*, que é um "átomo" feito de um elétron e um pósitron – um estado ligado de um e^+ e um e^-. É como um átomo de hidrogênio, exceto pelo fato de o pósitron substituir o próton. Esse objeto possui – como o hidrogênio – muitos estados. Também como o hidrogênio, o estado fundamental é desdobrado em uma "estrutura hiperfina" pela interação dos momentos magnéticos. Os spins do elétron e do pósitron são, cada um, semi-inteiros e podem ser tanto paralelos quanto antiparalelos, com relação a um dado eixo. (No estado fundamental não há nenhum outro momento angular devido ao movimento orbital.) Portanto, existem quatro estados: três são estados de um sistema de spin um, todos com a mesma energia; e um é um estado de spin zero com uma energia diferente. O desdobramento de energia é, entretanto, muito maior que os 1420 megaciclos do átomo de hidrogênio, devido ao momento magnético do pósitron ser muito mais forte que o momento do próton – 1000 vezes maior.

A diferença mais importante, entretanto, é que o positrônium não pode durar para sempre. O pósitron é a antipartícula do elétron; eles podem aniquilar um ao outro. As duas partículas desaparecem completamente – convertendo as suas energias de repouso em radiação, em que aparecem como raios γ (fótons). Na desintegração, duas partículas com massas de repouso finitas viram dois ou mais objetos com massa de repouso zero†.

Começamos analisando a desintegração do estado de spin zero do positrônium. Ele se desintegra em dois raios γ, com tempo de vida por volta de 10^{-10} segundos. Inicialmente, temos um pósitron e um elétron próximos um do outro e com spins antiparalelos, criando o sistema positrônium. Após a desintegração, existem dois fótons liberados com energias iguais e momentos opostos (Fig. 18-5). Os momentos devem ser iguais e opostos, pois o momento total depois da desintegração deve ser zero, como era antes, se considerarmos o caso da aniquilação em repouso. Se o positrônium não estiver em repouso, podemos nos movimentar junto a ele, resolver o problema e então transformar tudo de volta, com relação ao sistema do laboratório. (Veja, podemos fazer qualquer coisa agora; possuímos todas as ferramentas.)

Primeiramente, notamos que a distribuição angular não é muito interessante. Como o estado inicial possui spin zero, ele não possui nenhum eixo especial – ele é simétrico perante todas as rotações. O estado final deve ser, então, simétrico perante todas as rotações. Isso significa que todos os ângulos para a desintegração são igualmente prováveis – a amplitude é a mesma para um fóton ir a qualquer direção. É claro, uma vez que encontrarmos *um* dos fótons em uma dada direção, o *outro* deve ter a direção oposta.

A única questão que resta, a qual queremos investigar, é sobre a polarização dos fótons. Vamos chamar as direções de movimento dos dois fótons de eixo *z* positivo e negativo. Podemos usar qualquer representação desejada para os estados de polarização dos fótons; iremos utilizar, para a nossa descrição, as polarizações circulares à direita e à esquerda – sempre em relação às direções de movimento‡. Imediatamente podemos ver que se um fóton emitido para cima for polarizado circularmente à direita, então o momento angular será conservado se o fóton emitido para baixo também for polarizado circularmente à direita. Cada um irá carregar +1 unidade de momento angular *em relação à direção do seu momento*, que significa mais

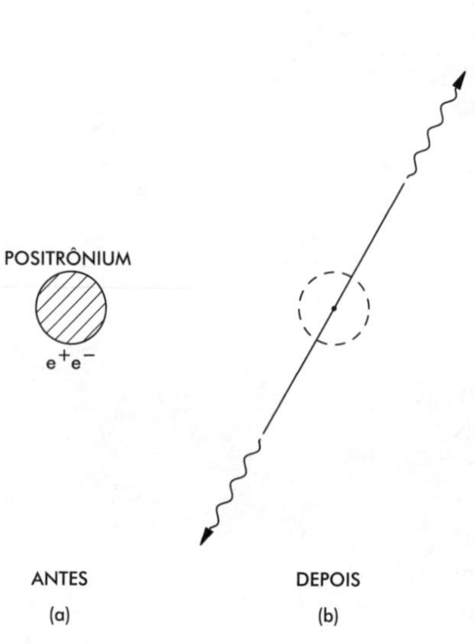

Figura 18–5 Aniquilação do positrônium para dois fótons.

---

† Em um entendimento mais profundo do mundo atual, não temos uma maneira fácil de distinguir se a energia de um fóton é menos "matéria" que a energia de um elétron, pois se você lembrar, todas as partículas possuem um comportamento muito semelhante. A única distinção é que o fóton possui massa de repouso zero.

‡ Note que sempre analisamos o momento angular em relação à direção de movimento da partícula. Se fôssemos perguntar sobre o momento angular em relação a outro eixo, teríamos de pensar na possibilidade de um momento angular "orbital" – a partir do termo $\mathbf{p} \times \mathbf{r}$. Por exemplo, não podemos dizer que os fótons saem exatamente a partir do centro do positrônium. Eles poderiam sair como duas coisas atiradas a partir da borda de uma roda girando. Não precisamos nos preocupar com tais possibilidades quando tomamos nosso eixo ao longo da direção de movimento.

e menos uma unidade em relação ao eixo z. O total será zero, e o momento angular depois da desintegração será o mesmo que antes. Veja a Fig. 18-6.

Os mesmos argumentos mostram que se o fóton emitido para cima for polarizado circularmente à direita, o emitido para baixo não pode ser polarizado circularmente à esquerda, pois o estado final teria duas unidades de momento angular. Isso não é permitido se o estado inicial possui spin zero. Note que tal estado final também não é permitido para os outros estados fundamentais do positrônium de spin um, pois ele pode ter no máximo uma unidade de momento angular em qualquer direção.

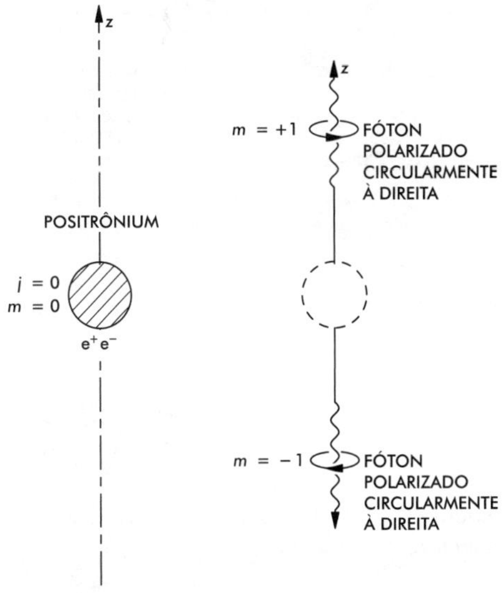

Agora queremos mostrar que de modo algum uma aniquilação com dois fótons é possível a partir de um estado de spin um. Você poderia pensar que se considerarmos o estado $j = 1$, $m = 0$ – o qual possui momento angular zero em torno do eixo z – ele deve ser como o estado de spin zero, e pode se desintegrar em dois fótons polarizados circularmente à direita. Certamente, a desintegração esquematizada na Fig. 18-7(a) conserva o momento angular em torno do eixo z. Agora veja o que acontece se girarmos o sistema em torno do eixo y por um ângulo de 180°; obtemos a imagem mostrada na Fig. 18-7(b). É exatamente a mesma que na parte (a) da figura. Tudo o que fizemos foi permutar os fótons. Porém, fótons são partículas de Bose; se os permutarmos, as amplitudes permanecem com o mesmo sinal, dessa forma a amplitude para a desintegração na parte (b) deve ser a mesma que na parte (a). Supusemos que o objeto inicial possui spin um. E quando giramos um objeto de spin um em um estado com $m = 0$ em 180° em torno do eixo y, suas amplitudes mudam de sinal (veja a Tabela 17-2 para $\theta = \pi$). Então, as amplitudes para (a) e (b) da Fig. 18-7 devem possuir sinais opostos; o estado de spin um *não pode se desintegrar em dois fótons*.

Quando o positrônium é formado, espera-se que ele termine no estado de spin zero 1/4 das vezes, e no estado de spin um (com $m = -1$, 0, ou $+1$) 3/4 das vezes. Então 1/4 das vezes ocorrerá aniquilações de dois fótons. Para os outros 3/4, não pode haver nenhuma aniquilação de dois fótons. Ainda existe uma aniquilação, mas ela tem de acontecer com *três* fótons. É difícil para ela fazer isso, e o tempo de vida é 1000 vezes maior – por volta de 10^{-7} segundos. Isso é o que observamos experimentalmente. Não iremos entrar em mais detalhe sobre as aniquilações de spin um.

Até o momento é isso que temos se apenas nos preocuparmos com o momento angular, o estado de spin zero do positrônium pode se transformar em dois fótons polarizados circularmente à direita. Existe também outra possibilidade: ele pode se transformar em dois fótons polarizados circularmente à esquerda como mostrado na Fig. 18-8. A próxima questão é, qual a relação entre as amplitudes para esses dois modos possíveis de decaimento? Podemos encontrar isso a partir da conservação da paridade.

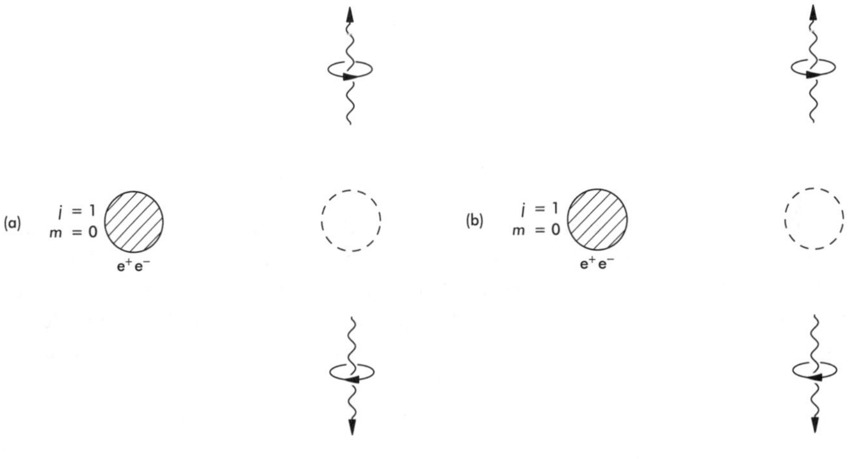

Figura 18-6 Uma possibilidade para a aniquilação do positrônium ao longo do eixo z.

Figura 18-7 Para o estado $j = 1$ do positrônium, o processo (a) e sua rotação de 180° em torno do eixo y (b) são exatamente os mesmos.

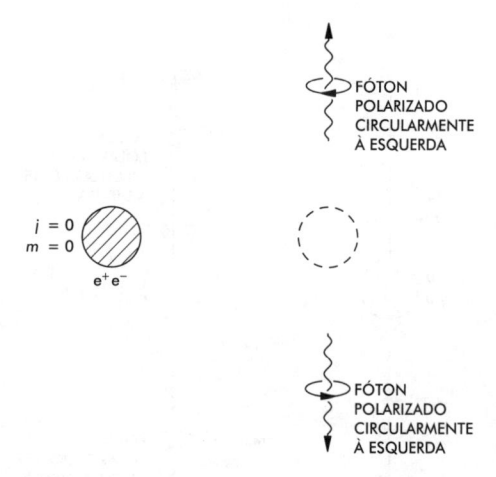

Figura 18-8 Outro possível processo para a aniquilação do positrônium.

Para fazê-lo, entretanto, precisamos saber qual a paridade do positrônium. Ora, os físicos teóricos mostraram de uma maneira que não é fácil de ser explicada que a paridade do elétron e do pósitron – sua antipartícula – deve ser oposta, de tal forma que o estado fundamental de spin zero do positrônium seja ímpar. Apenas iremos supor que ela é ímpar, e como obteremos uma concordância com o experimento, podemos tomar isso como prova suficiente.

Vejamos o que acontece se invertemos o processo da Fig. 18-6. Quando fazemos isso, os dois fótons invertem as suas direções e polarizações. A imagem invertida se parece com a Fig. 18-8. Supondo que a paridade do positrônium seja ímpar, as amplitudes para os dois processos das Figs. 18-6 e 18-8 devem ter sinais opostos. Vamos estabelecer $|R_1R_2\rangle$ para o estado final da Fig. 18-6 em que ambos os fótons são circularmente polarizados à direita, e estabelecer também $|L_1L_2\rangle$ para o estado final da Fig. 18-8, no qual ambos os fótons são circularmente polarizados à esquerda. O estado final real – que chamaremos de $|F\rangle$ – deve ser

$$|F\rangle = |R_1R_2\rangle - |L_1L_2\rangle. \tag{18.19}$$

Então uma inversão transforma os R em L e nos dá o estado

$$P|F\rangle = |L_1L_2\rangle - |R_1R_2\rangle = -|F\rangle, \tag{18.20}$$

que é o negativo de (18.19). Então o estado final $|F\rangle$ possui uma paridade negativa, que é a mesma que a do estado inicial de spin zero do positrônium. Esse é o único estado final que conserva tanto momento angular quanto paridade. Existe uma certa amplitude de que a desintegração para esse estado irá ocorrer, com que não precisamos nos preocupar agora, pois somente estamos interessados nas questões de polarização.

O que significa fisicamente o estado final de (18.19)? Um significado é o seguinte: se observarmos dois fótons em um detector capaz de contar separadamente fótons polarizados circularmente à direita e polarizados circularmente à esquerda, iremos sempre ver dois fótons polarizados circularmente à direita, ou dois fótons polarizados circularmente à esquerda. Ou seja, se você estiver de um lado do positrônium e alguém estiver do lado oposto, você pode medir a polarização e dizer à outra pessoa qual será a polarização que ela irá obter. Você tem uma chance de 50% de conseguir um fóton polarizado circularmente à direita ou um fóton polarizado circularmente à esquerda; seja qual for o que você obtenha, é possível prever que ele irá obter o mesmo.

Como existe uma chance de 50% para polarizações circularmente à direita e circularmente à esquerda, parece que isso pode ser considerado como polarização linear. Vamos ver o que acontece se observarmos os fótons em detectores que detectam somente luz polarizada linearmente. Para raios γ não é tão fácil medir a polarização como para a luz; não existe um polarizador que funcione tão bem para comprimentos de onda tão pequenos, mas imaginemos que exista, para tornar a discussão mais fácil. Suponha um detector que aceite somente luz com polarização x, e que exista uma outra pessoa do outro lado que também procura luz polarizada com, digamos, polarização y. Qual é a chance de você obter dois fótons a partir de uma aniquilação? O que precisamos é obter a amplitude de $|F\rangle$ estar no estado $|x_1y_2\rangle$. Em outras palavras, queremos a amplitude

$$\langle x_1y_2|F\rangle$$

que é, com certeza, somente

$$\langle x_1y_2|R_1R_2\rangle - \langle x_1y_2|L_1L_2\rangle. \tag{18.21}$$

Embora estejamos trabalhando com amplitudes de duas partículas para os dois fótons, podemos manipulá-las da mesma maneira como fizemos para as amplitudes de uma única partícula, pois cada partícula atua independentemente da outra. Isso significa que a amplitude $\langle x_1y_2|R_1R_2\rangle$ é justamente o produto de duas amplitudes independentes $\langle x_1|R_1\rangle$ e $\langle y_2|R_2\rangle$. Usando a Tabela 17-3, essas duas amplitudes são $1/\sqrt{2}$ e $i/\sqrt{2}$, então

$$\langle x_1y_2|R_1R_2\rangle = +\frac{i}{2}.$$

Analogamente, encontramos que

$$\langle x_1 y_2 \mid L_1 L_2 \rangle = -\frac{i}{2}.$$

Subtraindo essas duas amplitudes de acordo com (18.21), obtemos

$$\langle x_1 y_2 \mid F \rangle = +i. \tag{18.22}$$

Portanto existe uma probabilidade *unitária*[†] de que *se* você obtiver um fóton em seu detector para polarização x, a outra pessoa irá obter um fóton em seu detector para polarização y.

Agora suponha que a outra pessoa ajusta o seu detector para polarização x, a mesma que a sua. Ele não detectará nada quando você detectar alguma coisa. Fazendo as contas, você encontrará que

$$\langle x_1 x_2 \mid F \rangle = 0. \tag{18.23}$$

Naturalmente isso também funcionará se você ajustar o seu detector para uma polarização em y, ele obterá contagens coincidentes somente se ele ajustar o contador dele para uma polarização x.

Tudo isso nos leva a uma situação interessante. Suponha que você arranje um pedaço de alguma coisa, como um pedaço de calcita, que separa os fótons em feixes com polarização x e y, e coloque um detector em cada feixe. Vamos chamar um de detector x e o outro de detector y. Se a pessoa do outro lado fizer a mesma coisa, você poderá sempre lhe dizer para qual feixe o fóton irá. Sempre que você e ela obtiverem detecções simultâneas, você pode ver qual dos seus detectores detectou o fóton, e dessa maneira lhe dizer em qual dos detectores dela o fóton irá ser detectado. Digamos que, em uma certa desintegração, você observa que o fóton chegou ao seu detector x; você pode lhe dizer que ela deve ter obtido uma detecção no seu detector y.

Muitas pessoas que aprenderam mecânica quântica da maneira usual (forma antiquada) ficarão incomodadas. Elas gostariam de pensar que uma vez que os fótons são emitidos, eles se propagam como uma onda com um caráter definido. Elas pensariam que como "qualquer determinado fóton" possui alguma "amplitude" de ser polarizado em x ou ser polarizado em y, deve haver alguma probabilidade de encontrá-lo tanto no detector x quanto no detector y, e que essa probabilidade não deve depender de algo que qualquer outra pessoa descubra sobre um fóton completamente diferente. Elas argumentam que "outra pessoa realizando uma medida não deve ser capaz de mudar a probabilidade de que eu encontre alguma coisa". A nossa mecânica quântica diz, entretanto, que ao se realizar uma medida no fóton número um, é *possível* prever precisamente qual será a polarização do fóton número dois, quando ele for detectado. Esse ponto de vista nunca foi aceito por Einstein, tendo ele se preocupado muito com isso – isso ficou conhecido como o "Paradoxo de Einstein-Podolsky-Rosen". Ainda assim, quando a situação é descrita como fizemos aqui, não parece haver paradoxo algum; resulta naturalmente que o que está sendo medido em um lugar está correlacionado com o que está sendo medido em outro lugar. O argumento em que o resultado parece ser algo paradoxal é mais ou menos assim:

(1) Se você tiver um detector que diz se o fóton é polarizado circularmente à direita ou à esquerda, você pode prever exatamente qual o tipo de fóton (polarizado circularmente à direita ou polarizado circularmente à esquerda) que ele irá encontrar.

(2) Os fótons que ele recebe devem, portanto, ser puramente polarizados circularmente à direita ou puramente polarizados circularmente à esquerda, alguns de um tipo e alguns do outro tipo.

[†] Não normalizamos as nossas amplitudes, ou as multiplicamos pela amplitude de desintegração em qualquer estado final particular, mas podemos ver que esse resultado é correto, porque obtemos uma probabilidade zero quando consideramos a outra alternativa – veja a Eq. (18.23).

(3) Certamente você não pode alterar a natureza física dos fótons *dele* mudando o tipo de observação que você faz nos *seus* fótons. Não importa o tipo de medida que você faça nos seus, os deles ainda devem ser ou polarizados circularmente à direita ou polarizados circularmente à esquerda.

(4) Agora suponha que ele mude o seu aparato para separar seus fótons em dois feixes polarizados linearmente com um pedaço de calcita, tal que todos os seus fótons irão para feixes polarizados em x ou em y. Não existe absolutamente nenhuma maneira, de acordo com a mecânica quântica, de dizer em qual feixe qualquer fóton particular polarizado circularmente à direita irá ir. Existe uma probabilidade de 50% de que ele vá para o feixe x e 50% de que ele vá para o feixe y. O mesmo vale para um fóton polarizado circularmente à esquerda.

(5) Como cada fóton é polarizado circularmente à direita ou polarizado circularmente à esquerda – de acordo com (2) e (3) –, cada um deve ter uma probabilidade de 50% de ir para o feixe x ou y, e não há nenhuma maneira de prever aonde ele irá.

(6) Além disso, a teoria prevê que se *você* vir o seu fóton passando através de um polarizador x, você poderá prever *com certeza* que o fóton dele irá para o feixe polarizado em y. Isso contradiz (5), e aí está o paradoxo.

Entretanto, aparentemente a natureza não vê esse "paradoxo", porque o experimento mostra que a previsão (6) é, de fato, verdadeira. Já havíamos discutido a explicação desse "paradoxo" em nossa primeira aula sobre o comportamento quântico no Capítulo 37, Vol. I.[†] Na argumentação acima, os itens (1), (2), (4) e (6) são todos corretos, mas o (3) e sua consequência (5) são errados; eles não são a descrição verdadeira da natureza. O argumento (3) diz que por meio da *nossa* medida (observar um fóton polarizado circularmente à direita ou polarizado circularmente à esquerda), *e* mesmo que você *não* realize a medida, você ainda é capaz de dizer que o evento dele ainda irá ocorrer de uma maneira ou de outra. Esse era precisamente o objetivo do Capítulo 37, Vol. I, mostrar logo no começo que isso não ocorre na natureza. A maneira da natureza exige uma descrição em termos de interferência de amplitudes, uma amplitude para cada alternativa. Uma medida de qual alternativa de fato ocorre, destrói a interferência, mas se uma medida *não* for feita, não é mais possível dizer que "uma alternativa ou a outra ainda está ocorrendo".

Se, para cada um dos seus fótons, você puder determinar qual é polarizado circularmente à direita e qual é polarizado circularmente à esquerda, e *também* se ele é polarizado em x (tudo para o mesmo fóton), então realmente haveria um paradoxo. Contudo, você não pode fazer isso – isso é um exemplo do princípio da incerteza.

Você ainda pensa que existe um "paradoxo"? Tenha certeza de que isso é, na realidade, um paradoxo sobre o comportamento da natureza, ao criar um experimento imaginário no qual a teoria da mecânica quântica preveria resultados inconsistentes via dois argumentos diferentes. Caso contrário, o "paradoxo" é somente um conflito entre a realidade e o que você acha que a realidade "deveria ser".

Você acha que isso *não* é um "paradoxo", mas que ainda assim é muito peculiar? Com isso todos concordamos. E é isso que torna a física fascinante.

18–4 Matriz de rotação para qualquer spin

Esperamos que agora você possa perceber quão importante é a ideia de momento angular no entendimento dos processos atômicos. Até agora, consideramos somente sistemas com spins – ou "momento angular total" – zero, semi-inteiro ou um. Existem, naturalmente, sistemas atômicos com momento angular maior. Para analisar tais sistemas, precisaríamos de tabelas para as amplitudes de rotação como aquelas da Seção 17-6. Ou seja, precisaríamos da matriz das amplitudes para spins $\frac{33}{22}$, 2, $\frac{5}{2}$, 3, etc. Não iremos calcular essas tabelas em detalhe, mas gostaríamos de mostrar como isso é feito, de modo que você possa determiná-las quando precisar.

---

† Veja também o Capítulo 1 do presente volume.

Conforme vimos anteriormente, qualquer sistema que possua spin ou "momento angular total" j pode existir em qualquer um dos $(2j + 1)$ estados para os quais a componente z do momento angular pode ter qualquer um dos valores discretos da sequência $j, j - 1, j - 2,..., -(j - 1), -j$ (todos em unidades de $\hbar$). Chamando a componente z de momento angular, de qualquer estado particular de $m\hbar$, podemos definir um dado estado de momento angular, fornecendo valores numéricos para os dois "números quânticos de momento angular" j e m. Podemos identificar tal estado por um vetor de estado $|j,m\rangle$. No caso de uma partícula de spin semi-inteiro, os dois estados são $|\frac{1}{2}, \frac{1}{2}\rangle$ e $|\frac{1}{2}, -\frac{1}{2}\rangle$; ou para um sistema de spin um, os estados são escritos, nessa notação, como $|1, +1\rangle, |1, 0\rangle$, $|1, -1\rangle$. Uma partícula de spin zero possui, é claro, apenas um estado, o $|0, 0\rangle$.

Queremos saber, no entanto, o que acontece se projetarmos o estado geral $|j, m\rangle$ em uma representação com relação a um conjunto rotacionado de eixos. Primeiramente, sabemos que j é um número que caracteriza *o sistema*, portanto ele não deve mudar. Se girarmos os eixos, tudo que obtemos é uma mistura dos vários valores de m para o mesmo j. Em geral, existirá uma certa amplitude de que no referencial rotacionado o sistema estará no estado $|j, m'\rangle$, onde m' fornece a nova componente z do momento angular. Portanto o que desejamos são todos os elementos de matriz $\langle j, m'|R|j,m\rangle$ para várias rotações. Já sabemos o que acontece se girarmos em um ângulo ϕ em torno do eixo z. O novo estado é somente o antigo multiplicado por $e^{im\phi}$ – ele ainda possui o mesmo valor de m. Podemos escrever isso como

$$R_z(\phi)|j, m\rangle = e^{im\phi}|j, m\rangle. \qquad (18.24)$$

Ou, se você preferir,

$$\langle j, m'|R_z(\phi)|j, m\rangle = \delta_{m,m'}e^{im\phi} \qquad (18.25)$$

(onde $\delta_{m,m'}$ é 1 se $m = m'$, ou zero caso contrário).

Para uma rotação em torno de qualquer outro eixo, existirá uma mistura dos vários estados m. Poderíamos, naturalmente, tentar calcular os elementos de matriz para uma rotação arbitrária, descritos pelos ângulos de Euler β, α e γ. É mais fácil lembrar que a rotação mais geral pode ser construída a partir de três rotações $R_z(\gamma)$, $R_y(\alpha)$, $R_z(\beta)$; de maneira que se conhecermos os elementos de matriz para uma rotação em torno do eixo y, teremos tudo de que precisamos.

Como podemos determinar os elementos de matriz para uma rotação de um ângulo θ em torno do eixo y para uma partícula de spin j? Não é possível ensiná-lo de uma forma básica (com o que aprendemos). Fizemos isso para o spin meio usando um argumento de simetria complicado. Depois fizemos isso para o spin um tomando o caso especial de um sistema de spin constituído de duas partículas de spin meio. Se você nos acompanhar, e aceitar o fato de que no caso geral as respostas dependem somente do spin j, mas são independentes de como são compostas as entranhas internas do objeto de spin j, podemos estender o argumento de spin um para um spin arbitrário. Podemos, por exemplo, construir um sistema artificial de spin $\frac{3}{2}$ a partir de três objetos de spin meio. Até podemos evitar complicações, imaginando que todos eles são partículas distintas – como um próton, um elétron e um múon. Ao transformar cada objeto de spin meio, podemos ver o que acontece com todo o sistema – lembrando que as três amplitudes são multiplicadas para dar o estado combinado. Vejamos como isso funciona nesse caso.

Suponha que tomemos os três objetos de spin meio, todos com spin para "cima"; podemos indicar esse estado por $|+++\rangle$. Se olharmos para esse sistema em um referencial girado em torno do eixo z por um ângulo ϕ, cada sinal de + continua mais, mas é multiplicado por $e^{i\phi/2}$. Temos três fatores desse tipo, portanto

$$R_z(\phi)|+++\rangle = e^{i(3\phi/2)}|+++\rangle. \qquad (18.26)$$

Evidentemente, o estado $|+++\rangle$ é justamente o que entendemos pelo estado $m = +\frac{3}{2}$, ou o estado $|\frac{3}{2}, +\frac{3}{2}\rangle$.

Se girarmos agora o sistema em torno do eixo y, cada objeto de spin meio terá alguma amplitude de ser mais ou de ser menos, tal que o sistema será agora uma mistura de *oito* possíveis combinações: $|+++\rangle, |++-\rangle, |+-+\rangle, |-++\rangle, |+--\rangle, |-+-\rangle, |--+\rangle$ ou $|---\rangle$. É claro, entretanto, que elas podem ser divididas em quatro conjuntos, cada conjunto correspondendo a um valor de m. Primeiramente, temos $|+++\rangle$ para $m = \frac{3}{2}$. Portanto existem três estados, $|++-\rangle, |+-+\rangle$ e $|-++\rangle$, cada um com dois sinais de mais e um com um sinal de menos. Como cada objeto de spin meio possui a mesma probabilidade de se tornar menos sob uma rotação, as quantidades de cada uma dessas três combinações devem ser iguais. Dessa maneira, vamos tomar a combinação

$$\frac{1}{\sqrt{3}}\{|++-\rangle + |+-+\rangle + |-++\rangle\} \qquad (18.27)$$

com o fator $1/\sqrt{3}$ para normalizar os estados. Se girarmos esse sistema em torno do eixo z, teremos um fator $e^{i\phi/2}$ para cada sinal de mais, e $e^{-i\phi/2}$ para cada menos. Cada termo em (18.27) é multiplicado pelo fator $e^{i\phi/2}$, portanto existe um fator comum $e^{i\phi/2}$. Esse estado satisfaz à nossa ideia de um estado com $m = +\frac{1}{2}$; podemos concluir que

$$\frac{1}{\sqrt{3}}\{|++-\rangle + |+-+\rangle + |-++\rangle\} = |\tfrac{3}{2}, +\tfrac{1}{2}\rangle. \qquad (18.28)$$

Analogamente, podemos escrever

$$\frac{1}{\sqrt{3}}\{|+--\rangle + |-+-\rangle + |--+\rangle\} = |\tfrac{3}{2}, -\tfrac{1}{2}\rangle, \qquad (18.29)$$

que corresponde a um estado com $m = -\frac{1}{2}$. Note que tomamos somente as combinações *simétricas* – não consideramos nenhuma combinação com o sinal de menos. Elas corresponderiam a estados com o mesmo m, mas um j diferente. (É como o caso de spin um, no qual vimos que $(1/\sqrt{2})\{|+-\rangle + |-+\rangle\}$ era o estado $|1, 0\rangle$, porém o estado $(1/\sqrt{2})\{|+-\rangle - |-+\rangle\}$ era o estado $|0, 0\rangle$.) Finalmente, deveríamos obter

$$|\tfrac{3}{2}, -\tfrac{3}{2}\rangle = |---\rangle. \qquad (18.30)$$

Os nossos quatro estados estão resumidos na Tabela 18-1.

Tabela 18–1

$\|+++\rangle$	$= \|\tfrac{3}{2}, +\tfrac{3}{2}\rangle$
$\frac{1}{\sqrt{3}}\{\|++-\rangle + \|+-+\rangle + \|-++\rangle\}$	$= \|\tfrac{3}{2}, +\tfrac{1}{2}\rangle$
$\frac{1}{\sqrt{3}}\{\|+--\rangle + \|-+-\rangle + \|--+\rangle\}$	$= \|\tfrac{3}{2}, -\tfrac{1}{2}\rangle$
$\|---\rangle$	$= \|\tfrac{3}{2}, -\tfrac{3}{2}\rangle$

Logo tudo o que temos a fazer é tomar cada estado e girá-lo em torno do eixo y e ver quanto dos outros estados ele produz – usando a nossa conhecida matriz de rotação para partículas de spin meio. Podemos proceder exatamente da mesma maneira como fizermos para o caso de spin um na Seção 12-6. (Apenas necessitamos de um pouco mais de álgebra.) Seguiremos diretamente as ideias do Capítulo 12, portanto não repetiremos todas as explicações em detalhe. Os estados de um sistema S serão indicados por $|\tfrac{3}{2}, +\tfrac{3}{2}, S\rangle = |+++\rangle, |\tfrac{3}{2}, +\tfrac{1}{2}, S\rangle = (1/\sqrt{3})\{|++-\rangle + |+-+\rangle + |-++\rangle\}$ e assim por diante. Seja T o sistema girado em torno do eixo y de S por um ângulo θ. Os estados de T serão indicados por $|\tfrac{3}{2}, +\tfrac{3}{2}, T\rangle, |\tfrac{3}{2}, +\tfrac{1}{2}, T\rangle$ e assim por diante. Certamente, $|\tfrac{3}{2}, +\tfrac{3}{2}, T\rangle$ é o mesmo que $|+'+'+'\rangle$, onde as linhas referem-se sempre ao sistema T. Similarmente, $|\tfrac{3}{2}, +\tfrac{1}{2}, T\rangle$ será igual a $(1/\sqrt{3})\{|+'+'-'\rangle + |+'-'+'\rangle + |-'+'+'\rangle\}$ e assim por diante.

Cada estado $|+'\rangle$ no referencial T origina-se de ambos os estados, $|+\rangle$ e $|-\rangle$, de S a partir dos elementos de matriz da Tabela 12-4.

Quando temos três partículas de spin meio, a Eq. (12.47) é substituída por

$$|+++\rangle = a^3|+'+'+'\rangle + a^2b\{|+'+'-'\rangle + |+'-'+'\rangle + |-'+'+'\rangle\}$$
$$+ ab^2\{|+'-'-'\rangle + |-'+'-'\rangle + |-'-'+'\rangle\}$$
$$+ b^3|-'-'-'\rangle. \qquad (18.31)$$

Usando as transformações da Tabela 12-4, obtemos, no lugar da Eq. (12.48), a equação

$$|\tfrac{3}{2},+\tfrac{3}{2},S\rangle = a^3|\tfrac{3}{2},+\tfrac{3}{2},T\rangle + \sqrt{3}\,a^2b|\tfrac{3}{2},+\tfrac{1}{2},T\rangle$$
$$+ \sqrt{3}\,ab^2|\tfrac{3}{2},-\tfrac{1}{2},T\rangle + b^3|\tfrac{3}{2},-\tfrac{3}{2},T\rangle. \qquad (18.32)$$

Isso já nos fornece vários dos nossos elementos de matriz $\langle jT|iS\rangle$. Para obter a expressão para $|\tfrac{3}{2},+\tfrac{1}{2},S\rangle$, começamos com a transformação de um estado com dois "+" e um "−". Por exemplo,

$$|++-\rangle = a^2c|+'+'+'\rangle + a^2d|+'+'-'\rangle + abc|+'-'+'\rangle$$
$$+ bac|-'+'+'\rangle + abd|+'-'-'\rangle + bad|-'+'-'\rangle$$
$$+ b^2c|-'-'+'\rangle + b^2d|-'-'-'\rangle. \qquad (18.33)$$

Adicionando duas expressões similares para $|+-+\rangle$ e $|-++\rangle$ e dividindo por $\sqrt{3}$, encontramos

$$|\tfrac{3}{2},+\tfrac{1}{2},S\rangle = \sqrt{3}\,a^2c|\tfrac{3}{2},+\tfrac{3}{2},T\rangle$$
$$+(a^2d + 2abc)|\tfrac{3}{2},+\tfrac{1}{2},T\rangle$$
$$+(2bad + b^2c)|\tfrac{3}{2},-\tfrac{1}{2},T\rangle$$
$$+\sqrt{3}\,b^2d|\tfrac{3}{2},-\tfrac{3}{2},T\rangle. \qquad (18.34)$$

Continuando o processo, encontramos todos os elementos $\langle jT|iS\rangle$ da matriz de transformação dada na Tabela 18-2. A primeira coluna origina-se da Eq. (18.32); a segunda, de (18.34). As duas últimas colunas foram obtidas da mesma maneira.

Suponha agora que o referencial T seja girado com relação a S por um ângulo θ em torno dos seus eixos y. Então a, b, c e d possuem os valores $a = d = \cos\theta/2$, e $c = -b = \sin\theta/2$ [veja (12.54)]. Usando esses valores na Tabela 18-2, obtemos as formas que correspondem à segunda parte da Tabela 17-2, mas agora para um sistema de spin $\tfrac{3}{2}$.

A argumentação que acabamos de fazer pode ser prontamente generalizada a um sistema de spin qualquer j. Os estados $|j,m\rangle$ podem ser formados a partir de $2j$ partículas, cada uma com spin meio. (Existem $j+m$ delas no estado $|+\rangle$ e $j-m$ no estado

Tabela 18–2
Matriz de rotação para uma partícula de spin 3/2
(Os coeficientes a, b, c e d são dados na Tabela 12-4.)

$\langle jT\|iS\rangle$	$\|\tfrac{3}{2},+\tfrac{3}{2},S\rangle$	$\|\tfrac{3}{2},+\tfrac{1}{2},S\rangle$	$\|\tfrac{3}{2},-\tfrac{1}{2},S\rangle$	$\|\tfrac{3}{2},-\tfrac{3}{2},S\rangle$
$\langle\tfrac{3}{2},+\tfrac{3}{2},T\|$	a^3	$\sqrt{3}\,a^2c$	$\sqrt{3}\,ac^2$	c^3
$\langle\tfrac{3}{2},+\tfrac{1}{2},T\|$	$\sqrt{3}\,a^2b$	$a^2d + 2abc$	$c^2b + 2dac$	$\sqrt{3}\,c^2d$
$\langle\tfrac{3}{2},-\tfrac{1}{2},T\|$	$\sqrt{3}\,ab^2$	$2bad + b^2c$	$2cdb + d^2a$	$\sqrt{3}\,cd^2$
$\langle\tfrac{3}{2},-\tfrac{3}{2},T\|$	b^3	$\sqrt{3}\,b^2d$	$\sqrt{3}\,bd^2$	d^3

$|-\rangle$.) As somas são tomadas sobre todas as maneiras possíveis que isso pode ser feito, e o estado é normalizado multiplicando-se por uma constante adequada. Aqueles que possuem uma tendência para a matemática são capazes de mostrar o seguinte resultado[†]:

$$\langle j, m' | R_y(\theta) | j, m \rangle = [(j+m)!(j-m)!(j+m')!(j-m')!]^{1/2}$$
$$\times \sum_k \frac{(-1)^{k+m-m'}(\cos \theta/2)^{2j+m'-m-2k}(\text{sen } \theta/2)^{m-m'+2k}}{(m-m'+k)!(j+m'-k)!(j-m-k)!k!}, \quad (18.35)$$

onde k deve cobrir todos os valores com termos ≥ 0 em todos os fatoriais.

Essa é realmente uma fórmula confusa, mas usando-a é possível checar a Tabela 17-2 para $j = 1$ e preparar as suas próprias tabelas para j maiores. Vários elementos especiais de matriz são de suma importância e receberam nomes especiais. Por exemplo, os elementos de matriz com $m = m' = 0$ e j inteiro são conhecidos como os Polinômios de Legendre e são chamados de $P_j(\cos \theta)$:

$$\langle j, 0 | R_y(\theta) | j, 0 \rangle = P_j(\cos \theta). \quad (18.36)$$

Os primeiros desses polinômios são:

$$P_0 (\cos \theta) = 1, \quad (18.37)$$

$$P_1 (\cos \theta) = \cos \theta, \quad (18.38)$$

$$P_2 (\cos \theta) = \tfrac{1}{2}(3 \cos^2 \theta - 1), \quad (18.39)$$

$$P_3 (\cos \theta) = \tfrac{1}{2}(5 \cos^3 \theta - 3 \cos \theta). \quad (18.40)$$

18–5 Medição do spin nuclear

Gostaríamos de mostrar um exemplo da aplicação dos coeficientes que acabamos de descrever. Isso tem a ver com um experimento recente e interessante que você agora será capaz de entender. Alguns físicos queriam descobrir o spin de um certo estado excitado de núcleos de Ne^{20}. Para tanto, eles bombardearam um alvo de carbono com um feixe de íons de carbono acelerados e produziram o estado excitado desejado do Ne^{20} na reação – chamado de Ne^{20*}

$$C^{12} + C^{12} \to Ne^{20*} + \alpha_1,$$

onde α_1 é uma partícula α, ou He^4. Vários desses estados excitados do Ne^{20} produzidos desta maneira são instáveis e se desintegram na reação

$$Ne^{20*} \to O^{16} + \alpha_2$$

Portanto, experimentalmente existem duas partículas α que são produzidas na reação. São chamadas de α_1 e α_2; como elas são produzidas com diferentes energias, elas podem ser distinguidas uma da outra. Tomando também uma energia particular para α_1, podemos selecionar qualquer estado excitado particular do Ne^{20}.

O experimento foi montado como mostra a Fig. 18-9. Um feixe de íons de carbono de 16 MeV foi direcionado para uma fina folha de carbono. A primeira partícula α foi detectada em um detector de junção de silício difundido, denominado α_1 – projetado para aceitar partículas α com a energia apropriada que se movem na direção frontal. (Com relação ao feixe de C^{12} incidente). A segunda partícula α é detectada no detector α_2 a um ângulo θ com relação a α_1. As taxas de detecção dos sinais coincidentes a partir de α_1 e α_2 foram medidas como função do ângulo θ.

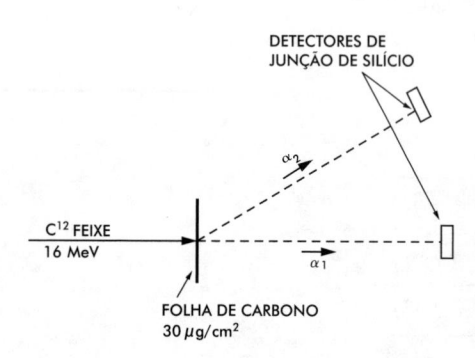

Figura 18–9 Arranjo experimental para a determinação do spin de um certo estado do Ne^{20}.

[†] Caso deseje, os detalhes são dados no apêndice deste capítulo.

A ideia do experimento é a seguinte. Primeiramente, é preciso saber que os spins do C^{12}, O^{16} e da partícula α são todos zero. Se chamarmos a direção de movimento do carbono inicial de direção $+z$, então sabemos que o Ne^{20*} deve ter momento angular nulo em torno do eixo z. Nenhuma das outras partículas possui qualquer spin; o C^{12} chega ao longo do eixo z e a α_1 sai ao longo do eixo z, portanto elas não podem ter nenhum momento angular em torno desse eixo. Logo, qualquer que seja o spin j do Ne^{20*}, sabemos que ele está no estado $|j, 0\rangle$. Porém, o que acontecerá quando o Ne^{20*} se desintegrar em um O^{16} e uma segunda partícula α? Bem, a partícula α é detectada no detector α_2 e para conservar momento angular, o O^{16} deve sair na direção oposta[†]. *Com relação ao novo eixo* em α_2, não pode haver nenhuma componente de momento angular. O estado final possui momento angular nulo em torno do novo eixo, tal que o Ne^{20*} possa se desintegrar dessa maneira somente se ele possuir alguma amplitude de ter m' igual a zero, onde m' é o número quântico da componente do momento angular em torno do novo eixo. De fato, a probabilidade de observar α_2 no ângulo θ é justamente o quadrado da amplitude (ou elemento de matriz)

$$\langle j, 0 \mid R_y(\theta) \mid j, 0 \rangle. \tag{18.41}$$

Para encontrar o spin do estado do Ne^{20*} em questão, a intensidade da segunda partícula α foi graficada em função do ângulo e comparada com a curva teórica para vários valores de j. Como dissemos na seção anterior, as amplitudes $\langle j, 0 \mid R_y(\theta) \mid j, 0 \rangle$ são simplesmente as funções $P_j(\cos\theta)$. Portanto, as possíveis distribuições angulares são curvas de $[P_j(\cos\theta)]^2$. Os resultados experimentais são mostrados na Fig. 18-10 para dois estados excitados. Pode-se ver que a distribuição angular para o estado de 5,80-MeV se ajusta muito bem à curva de $[P_1(\cos\theta)]^2$, e desse modo deve ser um estado de spin um. Os dados para o estado de 5,63-MeV, por outro lado, são um tanto diferentes; eles se ajustam à curva $[P_3(\cos\theta)]^2$. O estado possui spin 3.

A partir desse experimento, fomos capazes de determinar o momento angular dos dois estados excitados do Ne^{20*}. Essa informação pode então ser utilizada para se tentar entender qual a configuração dos prótons e nêutrons dentro do núcleo – um pouco mais de informação sobre as misteriosas forças nucleares.

18-6 Composição de momento angular

Quando estudamos a estrutura hiperfina do átomo de hidrogênio no Capítulo 12, tivemos de calcular os estados internos de um sistema composto por duas partículas – o elétron e o próton –, cada uma com spin meio. Verificamos que os quatro estados possíveis de spin de tal sistema podem ser agrupados em dois grupos – um grupo com uma energia que parece ao mundo externo com uma partícula de spin um e um estado remanescente que se comporta como uma partícula de spin zero. Ou seja, agrupando-se duas partículas de spin meio, podemos formar um sistema cujo "spin total" é um ou zero. Nesta seção, queremos discutir em termos mais gerais os estados de spin de um *sistema* composto de duas partículas com spins arbitrários. Esse é outro problema importante sobre o momento angular nos sistemas quânticos.

Vamos primeiramente reescrever os resultados do Capítulo 12 para o átomo de hidrogênio em uma forma que será mais fácil de estender para casos mais gerais. Iniciamos com duas partículas que chamaremos de partícula a (o elétron) e partícula b (o próton). A partícula a possui spin $j_a (= \frac{1}{2})$, e sua componente z do momento angular m_a pode possuir um dos vários valores (de fato 2, isto é, $m_a = +\frac{1}{2}$ ou $m_a = -\frac{1}{2}$). Analogamente, o estado de spin da partícula b é descrito pelo seu spin j_b e sua componente z do momento angular m_b. Várias combinações dos estados de spin de duas partículas podem ser formadas. Por exemplo, poderíamos ter a partícula a com $m_a = +\frac{1}{2}$ e a partícula b com $m_b = -\frac{1}{2}$, para criar o estado $|a, +\frac{1}{2}; b, -\frac{1}{2}\rangle$. Geralmente, os estados combinados formam um sistema cujo "spin

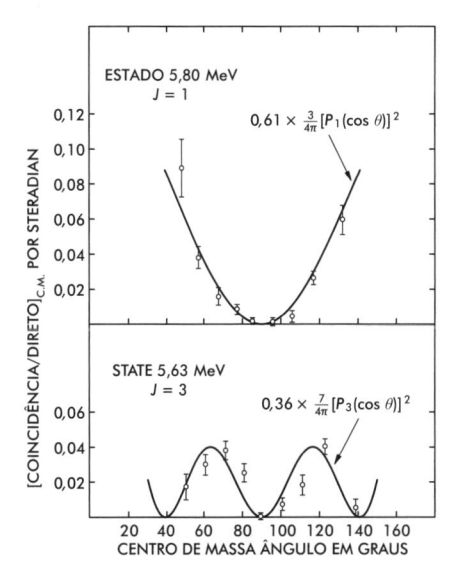

Figura 18-10 Resultados experimentais para a distribuição angular das partículas α a partir de dois estados excitados do Ne^{20}, produzidos no arranjo da Fig. 18-9. [De J. A. Kuehner, *Physical Review*, Vol. 125, p.1650, 1962.]

[†] Podemos desprezar o recuo dado ao núcleo de Ne^{20*} na primeira colisão. Ou, melhor ainda, podemos calculá-lo e fazer a correção para isso.

do sistema", ou "spin total", ou "momento angular total" J pode ser 1 ou 0. E o sistema pode ter a componente z do momento angular M, que é $+1$, 0 ou -1, quando $J = 1$, ou 0 quando $J = 0$. Nessa nova linguagem, podemos reescrever as fórmulas (12.41) e (12.42), como mostrado na Tabela 18-3.

A coluna da esquerda da tabela descreve o estado composto em termos do seu momento angular total J e M, sua componente z. A coluna da direita mostra como esses estados são formados em termos dos valores m das duas partículas a e b.

Queremos agora generalizar esse resultado para estados construídos a partir de dois objetos a e b com spins arbitrários j_a e j_b. Vamos começar considerando um exemplo para $j_a = \frac{1}{2}$ e $j_b = 1$, digamos o átomo de deutério em que a partícula a é um elétron (e) e a partícula b é o núcleo – um dêuterom (d). Então temos que $j_a = j_e = \frac{1}{2}$. O dêuteron é formado de um próton e um nêutron em um estado cujo spin total é um, portanto $j_b = j_d = 1$. Desejamos discutir os estados hiperfinos do deutério – da mesma forma que fizemos para o hidrogênio. Como o dêuteron possui três estados possíveis $m_b = m_d = +1, 0, -1$, e o elétron possui dois, $m_a = m_e = +\frac{1}{2}, -\frac{1}{2}$, existem os *seis* estados possíveis abaixo (usando a notação $|\,e, m_e; d, m_d\,\rangle$):

$$|\,e,+\tfrac{1}{2}; d,+1\,\rangle,$$
$$|\,e,+\tfrac{1}{2}; d,0\,\rangle; |\,e,-\tfrac{1}{2}; d,+1\,\rangle,$$
$$|\,e,+\tfrac{1}{2}; d,-1\,\rangle; |\,e,-\tfrac{1}{2}; d,0\,\rangle, \qquad (18.42)$$
$$|\,e,-\tfrac{1}{2}; d,-1\,\rangle.$$

Note que agrupamos os estados de acordo com os valores das somas de m_e e m_d – arranjados de forma decrescente.

Então perguntamos: O que acontece a esses estados se os projetarmos em um sistema de coordenada diferente? Se o novo sistema for apenas girado em torno do eixo z por um ângulo ϕ, então o estado $|\,e, m_e; d, m_d\,\rangle$ será multiplicado por

$$e^{im_e\phi}e^{im_d\phi} = e^{i(m_e+m_d)\phi}. \qquad (18.43)$$

(O estado pode ser visto como o produto $|\,e, m_e\,\rangle|\,d, m_d\,\rangle$, e cada vetor de estado contribui independentemente com o seu próprio fator exponencial.) O fator (18.43) é da forma $e^{iM\phi}$, portanto o estado $|\,e, m_e; d, m_d\,\rangle$ possui a componente z do momento angular igual a

$$M = m_e + m_d. \qquad (18.44)$$

A componente z do momento angular total é a soma das componentes z do momento angular das partes.

Portanto, na lista (18.42), o estado na linha do topo possui $M = +\frac{3}{2}$, os dois na segunda linha possuem $M = +\frac{1}{2}$, os próximos dois têm $M = -\frac{1}{2}$, e o último estado possui $M = -\frac{3}{2}$. Observamos imediatamente uma possibilidade para o spin J do estado

Tabela 18–3
Composição dos momentos angulares para duas partículas de spin ½ ($j_a = $ ½, $j_b = $ ½)

$$|\,J=1, M=+1\,\rangle = |\,a,+\tfrac{1}{2}; b,+\tfrac{1}{2}\,\rangle$$

$$|\,J=1, M=0\,\rangle = \frac{1}{\sqrt{2}}\{|\,a,+\tfrac{1}{2}; b,-\tfrac{1}{2}\,\rangle + |\,a,-\tfrac{1}{2}; b,+\tfrac{1}{2}\,\rangle\}$$

$$|\,J=1, M=-1\,\rangle = |\,a,-\tfrac{1}{2}; b,-\tfrac{1}{2}\,\rangle$$

$$|\,J=0, M=0\,\rangle = \frac{1}{\sqrt{2}}\{|\,a,+\tfrac{1}{2}; b,-\tfrac{1}{2}\,\rangle - |\,a,-\tfrac{1}{2}; b,+\tfrac{1}{2}\,\rangle\}$$

combinado (o momento angular total) que deve ser $\frac{3}{2}$, e isso exige quatro estados com $M = +\frac{3}{2}, +\frac{1}{2}, -\frac{1}{2}$ e $-\frac{3}{2}$.

Existe somente um candidato para $M = +\frac{3}{2}$, portanto já sabemos que

$$|J = \tfrac{3}{2}, M = +\tfrac{3}{2}\rangle = |\,e,+\tfrac{1}{2};d,+1\rangle. \qquad (18.45)$$

Qual é o estado $|J = \tfrac{3}{2}; M = \tfrac{1}{2}\rangle$? Temos dois candidatos na segunda linha de (18.42), e de fato, qualquer combinação linear deles também terá $M = \tfrac{1}{2}$. Logo, em geral, devemos esperar encontrar que

$$|J = \tfrac{3}{2}, M = +\tfrac{1}{2}\rangle = \alpha\,|\,e,+\tfrac{1}{2};d,0\rangle + \beta\,|\,e,-\tfrac{1}{2};d,+1\rangle, \qquad (18.46)$$

onde os coeficientes α e β são dois números. Eles são chamados de *coeficientes de Clebsch-Gordan*. Nosso próximo problema é determinar o que eles são.

Podemos calculá-los facilmente se lembrarmos que o dêuteron é composto de um nêutron e um próton e escrevermos os estados do dêuteron mais explicitamente usando as regras da Tabela 18-3. Se fizermos isso, os estados listados em (18.42) se parecerão com os mostrados na Tabela 18-4.

Queremos construir os quatro estados de $J = \tfrac{3}{2}$ usando os estados da tabela, mas já sabemos a resposta, pois na Tabela 18-1 temos os estados de spin $\tfrac{3}{2}$ formados a partir de três partículas de spin meio. O primeiro estado na Tabela 18-1 possui $|J = \tfrac{3}{2}, M = +\tfrac{3}{2}\rangle$ e ele é $|+++\rangle$, o qual – na nossa presente notação – é o mesmo que $|\,e, +\tfrac{1}{2}; n, +\tfrac{1}{2}; p, +\tfrac{1}{2}\rangle$, ou o primeiro estado da Tabela 18-4. Entretanto esse estado também é o mesmo que o primeiro da lista de (18.42), confirmando nossa afirmação em (18.45). A segunda linha da Tabela 18-1 diz que – mudando para a nossa presente notação –

$$|J = \tfrac{3}{2}; M = +\tfrac{1}{2}\rangle = \frac{1}{\sqrt{3}}\{|\,e,+\tfrac{1}{2};n,+\tfrac{1}{2};p,-\tfrac{1}{2}\rangle \\ + |\,e,+\tfrac{1}{2};n,-\tfrac{1}{2};p,+\tfrac{1}{2}\rangle + |\,e,-\tfrac{1}{2};n,+\tfrac{1}{2};p,+\tfrac{1}{2}\rangle\}. \qquad (18.47)$$

Tabela 18–4
Estados de momento angular para um átomo de deutério

$M = \tfrac{3}{2}$
$\|\,e,+\tfrac{1}{2};d,+1\rangle = \|\,e,+\tfrac{1}{2};n,+\tfrac{1}{2};p,+\tfrac{1}{2}\rangle$
$M = \tfrac{1}{2}$
$\|\,e,+\tfrac{1}{2};d,0\rangle = \dfrac{1}{\sqrt{2}}\{\|\,e,+\tfrac{1}{2};n,+\tfrac{1}{2};p,-\tfrac{1}{2}\rangle + \|e,+\tfrac{1}{2};n,-\tfrac{1}{2};p,+\tfrac{1}{2}\rangle\}$
$\|\,e,-\tfrac{1}{2};d,+1\rangle = \|\,e,-\tfrac{1}{2};n,+\tfrac{1}{2};p,+\tfrac{1}{2}\rangle$
$M = -\tfrac{1}{2}$
$\|\,e,+\tfrac{1}{2};d,-1\rangle = \|\,e,+\tfrac{1}{2};n,-\tfrac{1}{2};p,-\tfrac{1}{2}\rangle$
$\|\,e,-\tfrac{1}{2};d,0\rangle = \dfrac{1}{\sqrt{2}}\{\|\,e,-\tfrac{1}{2};n,+\tfrac{1}{2};p,-\tfrac{1}{2}\rangle + \|\,e,-\tfrac{1}{2};n,-\tfrac{1}{2};p,+\tfrac{1}{2}\rangle\}$
$M = -\tfrac{3}{2}$
$\|\,e,-\tfrac{1}{2};d,-1\rangle = \|\,e,-\tfrac{1}{2};n,-\tfrac{1}{2};p,-\tfrac{1}{2}\rangle$

O lado direito pode evidentemente ser formado a partir das duas entradas na segunda linha da Tabela 18-4 tomando $\sqrt{2/3}$ do primeiro termo com $\sqrt{1/3}$ do segundo. Ou seja, a Eq. (18.47) é equivalente a

$$| J = \tfrac{3}{2}, M = +\tfrac{1}{2} \rangle = \sqrt{2/3} \, | \, e, +\tfrac{1}{2}; d, 0 \rangle + \sqrt{1/3} \, | \, e, -\tfrac{1}{2}; d, +1 \rangle. \qquad (18.48)$$

Encontramos nossos dois coeficientes de Clebsch-Gordan α e β da Eq. (18.46):

$$\alpha = \sqrt{2/3}, \qquad \beta = \sqrt{1/3}. \qquad (18.49)$$

Seguindo o mesmo procedimento, podemos obter

$$| J = \tfrac{3}{2}, M = -\tfrac{1}{2} \rangle = \sqrt{1/3} \, | \, e, +\tfrac{1}{2}; d, -1 \rangle + \sqrt{2/3} \, | \, e, -\tfrac{1}{2}; d, 0 \rangle. \qquad (18.50)$$

E naturalmente, também

$$| J = \tfrac{3}{2}, M = -\tfrac{3}{2} \rangle = | \, e, -\tfrac{1}{2}; d, -1 \rangle. \qquad (18.51)$$

Essas são as regras para a composição do spin 1 e do spin $\tfrac{1}{2}$ para formar um total de $J = \tfrac{3}{2}$. Resumimos (18.45), (18.48), (18.50) e (18.51) na Tabela 18-5.

Entretanto, temos aqui somente quatro estados, enquanto que o sistema em consideração possui seis estados possíveis. Dos dois estados na segunda linha de (18.42), usamos somente uma combinação linear para formar $| J = \tfrac{3}{2}, M = +\tfrac{1}{2} \rangle$. Existe outra combinação linear ortogonal à considerada que possui também $M = +\tfrac{1}{2}$, a saber

$$\sqrt{1/3} \, | \, e, +\tfrac{1}{2}; d, 0 \rangle - \sqrt{2/3} \, | \, e, -\tfrac{1}{2}; d, +1 \rangle. \qquad (18.52)$$

Da mesma forma, os dois estados na terceira linha de (18.42) podem ser combinados para fornecer dois estados ortogonais, cada um com $M = -\tfrac{1}{2}$. O estado ortogonal a (18.52) é

$$\sqrt{2/3} \, | \, e, +\tfrac{1}{2}; d, -1 \rangle - \sqrt{1/3} \, | \, e, -\tfrac{1}{2}; d, 0 \rangle. \qquad (18.53)$$

Esses são os dois estados restantes. Eles possuem $M = m_e + m_d = \pm\tfrac{1}{2}$; e devem ser os dois estados correspondendo a $J = \tfrac{1}{2}$. Portanto temos

$$\begin{aligned} | J = \tfrac{1}{2}, M = +\tfrac{1}{2} \rangle &= \sqrt{1/3} \, | \, e, +\tfrac{1}{2}; d, 0 \rangle - \sqrt{2/3} \, | \, e, -\tfrac{1}{2}; d, +1 \rangle, \\ | J = \tfrac{1}{2}, M = -\tfrac{1}{2} \rangle &= \sqrt{2/3} \, | \, e, +\tfrac{1}{2}; d, -1 \rangle - \sqrt{1/3} \, | \, e, -\tfrac{1}{2}; d, 0 \rangle. \end{aligned} \qquad (18.54)$$

Podemos verificar que esses dois estados realmente se comportam como os estados de um objeto de spin meio, escrevendo-se as partes do deutério em termos dos estados do nêutron e do próton – usando a Tabela 18-4. O primeiro estado de (18.52) é

$$\sqrt{1/6}\{ | \, e, +\tfrac{1}{2}; n, +\tfrac{1}{2}; p, -\tfrac{1}{2} \rangle + | \, e, +\tfrac{1}{2}; n, -\tfrac{1}{2}; p, +\tfrac{1}{2} \rangle \}$$

$$- \sqrt{2/3} \, | \, e, -\tfrac{1}{2}; n, +\tfrac{1}{2}; p, +\tfrac{1}{2} \rangle, \qquad (18.55)$$

Tabela 18–5
Os estados $J = 3/2$ do átomo de deutério

$$\begin{aligned} | J = \tfrac{3}{2}, M = +\tfrac{3}{2} \rangle &= | \, e, +\tfrac{1}{2}; d, +1 \rangle \\ | J = \tfrac{3}{2}, M = +\tfrac{1}{2} \rangle &= \sqrt{2/3} \, | \, e, +\tfrac{1}{2}; d, 0 \rangle + \sqrt{1/3} \, | \, e, -\tfrac{1}{2}; d, +1 \rangle \\ | J = \tfrac{3}{2}, M = -\tfrac{1}{2} \rangle &= \sqrt{1/3} \, | \, e, +\tfrac{1}{2}; d, -1 \rangle + \sqrt{2/3} \, | \, e, -\tfrac{1}{2}; d, 0 \rangle \\ | J = \tfrac{3}{2}, M = -\tfrac{3}{2} \rangle &= | \, e, -\tfrac{1}{2}; d, -1 \rangle \end{aligned}$$

que também pode ser escrito

$$\sqrt{1/3}\left[\sqrt{1/2}\{|\,e,+\tfrac{1}{2};n,+\tfrac{1}{2};p,-\tfrac{1}{2}\rangle - |\,e,-\tfrac{1}{2};n,+\tfrac{1}{2};p,+\tfrac{1}{2}\rangle\}\right.$$
$$\left. + \sqrt{1/2}\{|\,e,+\tfrac{1}{2};n,-\tfrac{1}{2};p,+\tfrac{1}{2}\rangle - |\,e,-\tfrac{1}{2};n,+\tfrac{1}{2};p,+\tfrac{1}{2}\rangle\}\right]. \quad (18.56)$$

Observe agora os termos dentro das primeiras chaves, e considere e e p tomados juntos. Eles formam um estado de spin zero (veja a linha do final da Tabela 18-3) e não contribuem para o momento angular. Resta somente o nêutron, dessa maneira tudo dentro das *primeiras* chaves de (18.56) se comporta perante rotações como um nêutron, digamos, como um estado com $J = \tfrac{1}{2}, M = +\tfrac{1}{2}$. Seguindo o mesmo raciocínio, observamos que nas *segundas* chaves de (18.56) o elétron e o nêutron se juntam para produzir momento angular nulo, restando somente a contribuição do próton: $m_p = \tfrac{1}{2}$. Os termos se comportam como um objeto com $J = \tfrac{1}{2}, M = +\tfrac{1}{2}$. Portanto toda a expressão de (18.56) se transforma como $|\,J = +\tfrac{1}{2}, M = +\tfrac{1}{2}\,\rangle$, como deveria. O estado $M = -\tfrac{1}{2}$ que corresponde a (18.53) pode ser escrito (mudando os valores $+\tfrac{1}{2}$ por $-\tfrac{1}{2}$) para obtermos

$$\sqrt{1/3}\left[\sqrt{1/2}\{|\,e,+\tfrac{1}{2};n,-\tfrac{1}{2};p,-\tfrac{1}{2}\rangle - |\,e,-\tfrac{1}{2};n,-\tfrac{1}{2};p,+\tfrac{1}{2}\rangle\}\right.$$
$$\left. + \sqrt{1/2}\{|\,e,+\tfrac{1}{2};n,-\tfrac{1}{2};p,-\tfrac{1}{2}\rangle - |\,e,-\tfrac{1}{2};n,+\tfrac{1}{2};p,-\tfrac{1}{2}\rangle\}\right]. \quad (18.57)$$

Pode-se facilmente verificar que isso é igual à segunda linha de (18.54), como deveria ser se os dois termos daquele par fossem os dois estados de um sistema de spin meio. Logo, os nossos resultados são confirmados. Um dêuteron e um elétron podem existir em seis estados de spin, quatro onde eles se comportam como estados de objetos de spin $\tfrac{3}{2}$ (Tabela 18-5) e dois onde se comportam como objetos de spin meio (18.54).

Os resultados da Tabela 18-5 e da Eq. (18.54) foram obtidos utilizando-se o fato de que o dêuteron é composto de um próton e um nêutron. A verdade das equações não depende dessa circunstância especial. *Qualquer* objeto de spin um formado a partir de qualquer objeto de spin meio possui as mesmas leis de composição (e coeficientes). O conjunto de equações na Tabela 18-5 significa que, se as coordenadas são giradas em torno, digamos, do eixo y – tal que os estados de uma partícula de spin meio e de uma partícula de spin um variem de acordo com as Tabelas 17-1 e 17-2 – a combinação linear do lado direito irá variar da mesma maneira que um objeto de spin $\tfrac{3}{2}$. Perante as mesmas rotações, os estados de (18.54) irão variar como os estados de um objeto de spin meio. Os resultados dependem somente das propriedades da rotação das duas partículas originais (ou seja, dos estados de spin), mas de maneira alguma na origem dos seus momentos angulares. Apenas usamos esse fato para calcular as fórmulas ao escolher um caso especial no qual uma das partes das componentes em si era feita de duas partículas de spin semi-inteiro em um estado simétrico. Agrupamos todos os nossos resultados na Tabela 18-6, mudando a notação "e" e "d" para "*a*" e "*b*", para enfatizar a generalidade das conclusões.

Considere o problema geral de encontrar quais estados podem ser formados quando dois objetos de spin arbitrário são combinados. Digamos que um tenha spin j_a (de maneira que a sua componente z, m_a, percorre os $2j_a+1$ valores de $-j_a$ até $+j_a$) e o outro com j_b (com a componente z, m_b, percorrendo os valores de $-j_b$ até $+j_b$). Os estados combinados são $|\,a, m_a; b, m_b\,\rangle$, e existem $(2j_a+1)(2j_b+1)$ estados diferentes. Agora, quais estados com spin total J podem ser encontrados?

A componente z do momento angular total M é igual a $m_a + m_b$, e os estados podem ser listados de acordo com M [como em (18.42)]. O maior M é único; ele corresponde a $m_a = j_a$ e $m_b = j_b$, portanto, é justamente $j_a + j_b$. Isso significa que o maior spin total J é também igual à soma $j_a + j_b$:

$$J = (M)_{\max} = j_a + j_b.$$

Para o primeiro valor de M menor que $(M)_{\max}$, existem dois estados (tanto m_a quanto m_b são uma unidade menores que o seu máximo). Eles devem contribuir com um estado para o conjunto com $J = j_a + j_b$, e aquele que restar irá pertencer a um novo conjunto

Tabela 18–6
Composição de uma partícula de spin meio ($j_a = \frac{1}{2}$) e de uma partícula de spin um ($j_b = 1$)

$$|J = \tfrac{3}{2}, M = +\tfrac{3}{2}\rangle = |a, +\tfrac{1}{2}; b, +1\rangle$$

$$|J = \tfrac{3}{2}, M = +\tfrac{1}{2}\rangle = \sqrt{2/3}\,|a, +\tfrac{1}{2}; b, 0\rangle + \sqrt{1/3}\,|a, -\tfrac{1}{2}; b, +1\rangle$$

$$|J = \tfrac{3}{2}, M = -\tfrac{1}{2}\rangle = \sqrt{1/3}\,|a, +\tfrac{1}{2}; b, -1\rangle + \sqrt{2/3}\,|a, -\tfrac{1}{2}; b, 0\rangle$$

$$|J = \tfrac{3}{2}, M = -\tfrac{3}{2}\rangle = |a, -\tfrac{1}{2}; b, -1\rangle$$

$$|J = \tfrac{1}{2}, M = +\tfrac{1}{2}\rangle = \sqrt{1/3}\,|a, +\tfrac{1}{2}; b, 0\rangle - \sqrt{2/3}\,|a, -\tfrac{1}{2}; b, +1\rangle$$

$$|J = \tfrac{1}{2}, M = -\tfrac{1}{2}\rangle = \sqrt{2/3}\,|a, +\tfrac{1}{2}; b, -1\rangle - \sqrt{1/3}\,|a, -\tfrac{1}{2}; b, 0\rangle$$

com $J = j_a + j_b - 1$. O próximo valor de M – o terceiro a partir do topo da lista – pode ser formado de *três* maneiras. (A partir de $m_a = j_a - 2$, $m_b = j_b$; a partir de $m_a = j_a - 1$, $m_b = j_b - 1$; e a partir de $m_a = j_a$, $m_b = j_b - 2$.) Dois desses já pertencem ao grupo iniciado acima; o terceiro nos diz que estados com $J = j_a + j_b - 2$ também devem ser incluídos. Esse argumento se estende até alcançarmos um estágio no qual não podemos obter o termo abaixo da nossa lista diminuindo um do valor dos m para criar novos estados.

Seja j_b o menor valor de j_a e j_b (se eles forem iguais, pode-se tomar qualquer um dos dois); então somente os $2j_b$ valores de J são exigidos – seguindo em passos inteiros a partir de $j_a + j_b$ até $j_a - j_b$. Ou seja, quando dois objetos de spin j_a e j_b são combinados, o sistema pode possuir um momento angular total J igual a qualquer um dos valores

$$J = \begin{cases} j_a + j_b \\ j_a + j_b - 1 \\ j_a + j_b - 2 \\ \vdots \\ |j_a - j_b|. \end{cases} \tag{18.58}$$

(Escrevendo-se $|j_a - j_b|$ no lugar de $j_a - j_b$ evitamos a observação extra de que $j_a \geq j_b$.)

Para *cada* um desses valores de J existem $2J + 1$ estados de diferentes valores de M – com M indo de $+J$ até $-J$. Cada um desses é formado a partir de combinações lineares dos estados originais $|a, m_a; b, m_b\rangle$ com os fatores apropriados – os coeficientes de Clebsch-Gordan para cada termo em particular. Podemos considerar que esses coeficientes nos dão a "quantidade" do estado $|j_a, m_a; j_b, m_b\rangle$ que aparece no estado $|J, M\rangle$. Portanto cada um desses coeficientes de Clebsch-Gordan possui, conforme queira, *seis* índices, identificando sua posição nas fórmulas, como as das Tabelas 18-3 e 18-6. Isto é, chamando esses coeficientes de $C(J, M; j_a, m_a; j_b, m_b)$, poderíamos expressar a igualdade da segunda linha da Tabela 18-6, escrevendo

$$C(\tfrac{3}{2}, +\tfrac{1}{2}; \tfrac{1}{2}, +\tfrac{1}{2}; 1, 0) = \sqrt{2/3},$$

$$C(\tfrac{3}{2}, +\tfrac{1}{2}; \tfrac{1}{2}, -\tfrac{1}{2}; 1, +1) = \sqrt{1/3}.$$

Não iremos calcular aqui os coeficientes para qualquer outro caso especial.[†] Entretanto, é possível encontrar as tabelas em vários livros. Você mesmo deve tentar fazer isso para outro caso especial. O próximo seria fazer a composição de duas partículas de spin um. Fornecemos somente o resultado final na Tabela 18-7.

Essas leis de composição de momento angular são muito importantes na física de partículas – na qual elas possuem inúmeras aplicações. Infelizmente, não temos tempo para ver mais exemplos aqui.

[†] Uma grande parte desse trabalho já foi realizada, uma vez que temos a matriz geral de rotação Eq. (18.35).

Tabela 18–7
Composição de duas partículas de spin um ($j_a = 1, j_b = 1$)

$$|J=2, M=+2\rangle = |a,+1; b,+1\rangle$$

$$|J=2, M=+1\rangle = \frac{1}{\sqrt{2}}|a,+1; b,0\rangle + \frac{1}{\sqrt{2}}|a,0; b,+1\rangle$$

$$|J=2, M=0\rangle = \frac{1}{\sqrt{6}}|a,+1; b,-1\rangle + \frac{1}{\sqrt{6}}|a,-1; b,+1\rangle + \frac{2}{\sqrt{6}}|a,0; b,0\rangle$$

$$|J=2, M=-1\rangle = \frac{1}{\sqrt{2}}|a,0; b,-1\rangle + \frac{1}{\sqrt{2}}|a,-1; b,0\rangle$$

$$|J=2, M=-2\rangle = |a,-1; b,-1\rangle$$

$$|J=1, M=+1\rangle = \frac{1}{\sqrt{2}}|a,+1; b,0\rangle - \frac{1}{\sqrt{2}}|a,0; b,+1\rangle$$

$$|J=1, M=0\rangle = \frac{1}{\sqrt{2}}|a,+1; b,-1\rangle - \frac{1}{\sqrt{2}}|a,-1; b,+1\rangle$$

$$|J=1, M=-1\rangle = \frac{1}{\sqrt{2}}|a,0; b,-1\rangle - \frac{1}{\sqrt{2}}|a,-1; b,0\rangle$$

$$|J=0, M=0\rangle = \frac{1}{\sqrt{3}}\{|a,+1; b,-1\rangle + |a,-1; b,+1\rangle - |a,0; b,0\rangle\}$$

18–7 Nota Adicional 1: Derivação da matriz de rotação†

Para aqueles que queiram ver os detalhes, calculamos aqui a matriz de rotação geral para um sistema com spin j (momento angular total). Realmente não é muito importante calcular o caso geral; uma vez que se conheça a ideia, é possível encontrar os resultados gerais nas tabelas em muitos livros. Por outro lado, após ter chegado tão longe, você pode querer entender mesmo as mais complicadas fórmulas da mecânica quântica, como a Eq.(18.35), que entram na descrição do momento angular.

Estendemos a argumentação da Seção 18-4 para um sistema com spin j, que consideramos ser composto por $2j$ objetos de spin meio. O estado $m = j$ seria $|+++\ldots+\rangle$ (com $2j$ sinais de mais). Para $m = j-1$, deve haver $2j$ termos como $|++\ldots++-\rangle$, $|++\ldots+-+\rangle$ e assim por diante. Vamos considerar o caso geral em que existem r sinais de mais e s sinais de menos – onde $r + s = 2j$. Sob uma rotação em torno do eixo z, cada um dos r sinais de mais irão contribuir com $e^{i\phi/2}$. O resultado é uma mudança de fase de $(r/2 - s/2)\phi$. Veja que

$$m = \frac{r-s}{2}. \qquad (18.59)$$

Da mesma maneira que para $j = \frac{3}{2}$, cada estado de um dado m deve ser uma combinação linear com sinais de mais para todos os estados com o mesmo r e s – ou seja, estados correspondendo a todo arranjo possível que possua r sinais de mais e s sinais de menos. Consideramos que você pode concluir que existem $(r+s)!/r!s!$ arranjos desse tipo. Para normalizar cada estado, devemos dividir a soma pela raiz quadrada desse número. Podemos escrever

---

† O material deste apêndice estava originalmente incluído no corpo das lições. Pensamos agora que é desnecessário incluir um tratamento tão detalhado do caso geral.

$$\left[\frac{(r+s)!}{r!s!}\right]^{-1/2}\{\underbrace{|+++\cdots++}_{r}\underbrace{---\cdots--\rangle}_{s}$$
$$+ \text{(todos os rearranjos de ordem)}\} = |j,m\rangle \quad (18.60)$$

com

$$j = \frac{r+s}{2}, \quad m = \frac{r-s}{2}. \quad (18.61)$$

Nosso trabalho será facilitado se usarmos agora uma outra notação. Uma vez que definamos os estados pela Eq. (18.60), os dois números r e s definem um estado da mesma maneira que j e m. Será mais fácil acompanhar o cálculo se escrevermos

$$|j,m\rangle = |{}^r_s\rangle, \quad (18.62)$$

onde, usando as igualdades de (18.61),

$$r = j + m, \quad s = j - m.$$

A seguir, gostaríamos de escrever a Eq. (18.60) com uma *nova notação especial*

$$|j,m\rangle = |{}^r_s\rangle = \left[\frac{(r+s)!}{r!s!}\right]^{+1/2}\{|+\rangle^r|-\rangle^s\}_{\text{perm}}. \quad (18.63)$$

Note que mudamos o expoente do fator na frente do *mais* $\frac{1}{2}$. Fizemos isso porque existem somente $N = (r+s)!/r!s!$ termos dentro das chaves. Comparando (18.63) com (18.60), fica claro que

$$\{|+\rangle^r|-\rangle^s\}_{\text{perm}}$$

é somente uma maneira abreviada de escrever

$$\underbrace{\{|++\cdots--\rangle + \text{todos os rearranjos}\}}_{N},$$

onde N é o número de termos diferentes dentro do parêntese. A razão pela qual essa notação é conveniente é que, cada vez que fazemos uma rotação, todos os sinais de mais contribuem com o mesmo fator, portanto elevamos à r-ésima potência esse fator. Analogamente, todos os termos com sinais de menos contribuem com um fator à s-ésima potência, não importando qual a sequência dos termos.

Porém suponha que giremos nosso sistema em um ângulo θ em torno do eixo y. O que queremos é $R_y(\theta)|{}^r_s\rangle$. Quando $R_y(\theta)$ atua em cada $|+\rangle$, obtemos

$$R_y(\theta)|+\rangle = |+\rangle C + |-\rangle S, \quad (18.64)$$

onde $C = \cos\theta/2$ e $S = -\text{sen }\theta/2$. Quando $R_y(\theta)$ atua em cada $|-\rangle$, ele fornece

$$R_y(\theta)|-\rangle = |-\rangle C - |+\rangle S.$$

Portanto, o que queremos é

$$R_y(\theta)|{}^r_s\rangle = \left[\frac{(r+s)!}{r!s!}\right]^{1/2} R_y(\theta)\{|+\rangle^r|-\rangle^s\}_{\text{perm}}$$

$$= \left[\frac{(r+s)!}{r!s!}\right]^{1/2} \{(R_y(\theta)|+\rangle)^r(R_y(\theta)|-\rangle)^s\}_{\text{perm}}$$

$$= \left[\frac{(r+s)!}{r!s!}\right]^{1/2} \{(|+\rangle C + |-\rangle S)^r(|-\rangle C - |+\rangle S)^s\}_{\text{perm}}. \quad (18.65)$$

No entanto, cada binomial tem de ser expandido até a sua potência apropriada e as duas expressões multiplicadas uma pela outra. Existirão termos com $|+\rangle$ em todas as potências desde o zero até $(r+s)$. Vejamos todos os termos que possuem $|+\rangle$ à potência r'. Eles irão sempre aparecer multiplicados por $|-\rangle$ à potência s', onde $s' = 2j - r'$. Suponha que agrupemos todos esses termos. Para cada permutação eles terão um coeficiente numérico envolvendo os fatores da expansão binomial assim como os fatores C e S. Chamando esses fatores de $A_{r'}$, então a Eq. (18.65) se parecerá com

$$R_y(\theta) \mid {}^{r}_{s}\rangle = \sum_{r'=0}^{r+s} \{A_{r'} \mid +\rangle^{r'} \mid -\rangle^{s'}\}_{\text{perm}}. \qquad (18.66)$$

Agora digamos que dividimos $A_{r'}$ pelo fator $[(r'+s')!/r'!s'!]^{1/2}$ e chamamos o coeficiente de $B_{r'}$. A Eq. (18.66) é então equivalente a

$$R_y(\theta) \mid {}^{r}_{s}\rangle = \sum_{r'=0}^{r+s} B_{r'} \left[\frac{(r'+s')!}{r'!s'!}\right]^{1/2} \{\mid +\rangle^{r'} \mid -\rangle^{s'}\}_{\text{perm}}. \qquad (18.67)$$

(Poderíamos somente dizer que essa equação define $B_{r'}$ pelo requerido que (18.67) obtemos a mesma expressão que aparece em (18.65).)

Com essa definição de $B_{r'}$ os fatores restantes do lado direito da Eq. (18.67) são simplesmente os estados $\mid {}^{r'}_{s'}\rangle$. Portanto temos que

$$R_y(\theta) \mid {}^{r}_{s}\rangle = \sum_{r'=0}^{r+s} B_{r'} \mid {}^{r'}_{s'}\rangle, \qquad (18.68)$$

com s' sempre igual a $r + s - r'$. Isso significa, naturalmente, que os coeficientes $B_{r'}$ são justamente os elementos de matriz que procuramos, isto é

$$\langle {}^{r'}_{s'} \mid R_y(\theta) \mid {}^{r}_{s}\rangle = B_{r'}. \qquad (18.69)$$

Temos apenas que usar um pouco de álgebra para encontrar os vários $B_{r'}$. Comparando (18.65) com (18.67) – e lembrando que $r' + s' = r + s$ – vemos que $B_{r'}$ é justamente o coeficiente de $a^{r'} b^{s'}$ na seguinte expressão:

$$\left(\frac{r'!s'!}{r!s!}\right)^{1/2} (aC + bS)^r (bC - aS)^s. \qquad (18.70)$$

Agora, teremos somente um pouco de trabalho ao realizar as expansões pelo teorema binomial, e agrupar os termos com uma dada potência de a e b. Se você calcular tudo isso, encontrará que o coeficiente de $a^{r'} b^{s'}$ em (18.70) é

$$\left[\frac{r'!s'!}{r!s!}\right]^{1/2} \sum_k (-1)^k S^{r-r'+2k} C^{s+r'-2k} \cdot \frac{r!}{(r-r'+k)!(r'-k)!} \cdot \frac{s!}{(s-k)!k!}. \qquad (18.71)$$

A soma deve ser tomada sobre todos os inteiros k que fornecem termos maiores ou iguais a zero nos fatoriais. Essa expressão é então o elemento de matriz desejado.

Finalmente, podemos retornar à nossa notação original em termos de j, m e m' utilizando

$$r = j + m, \qquad r' = j + m', \qquad s = j - m, \qquad s' = j - m'.$$

Fazendo essas substituições, obtemos a Eq. (18.35) da Seção 18-4.

18–8 Nota Adicional 2: Conservação da paridade em uma emissão de fótons

Na Seção 18-1, consideramos a emissão de luz por um átomo que decai de um estado excitado de spin 1 para um estado fundamental de spin 0. Se o estado excitado tiver spin para cima ($m = +1$), ele poderá emitir um fóton *polarizado circularmente à direita* ao longo do eixo $+z$ ou um fóton *polarizado circularmente à esquerda* ao longo do eixo $-z$. Vamos chamar esses dois estados do fóton de $|R_{cima}\rangle$ e $|L_{baixo}\rangle$. Nenhum desses estados possui uma paridade definida. Definindo $\hat{P}$ como o operador de paridade, $\hat{P}|R_{cima}\rangle = |L_{baixo}\rangle$ e $\hat{P}|L_{baixo}\rangle = |R_{cima}\rangle$.

E a nossa prova anterior de que um átomo em um estado de energia definida possui uma paridade definida, e a nossa afirmação de que a paridade é conservada em processos atômicos? Não deveria o estado final, nesse problema (o estado após a emissão do fóton), possuir uma paridade definida? Ele *tem*, se considerarmos o estado final *completo* o qual contém amplitudes para a emissão dos fótons em todos os tipos de ângulos. Na Seção 18-1, escolhemos considerar somente uma parte do estado final completo.

Se desejarmos, podemos olhar somente para os estados finais que possuem uma paridade definida. Por exemplo, considere um estado final $|\psi_F\rangle$ que possui uma amplitude α de ser um fóton polarizado circularmente à direita se propagando ao longo de $+z$ e uma amplitude β de ser um fóton polarizado circularmente à esquerda ao longo de $-z$. Podemos escrever

$$|\psi_F\rangle = \alpha |R_{cima}\rangle + \beta |L_{baixo}\rangle. \quad (18.72)$$

A operação de paridade nesse estado dá

$$\hat{P}|\psi_F\rangle = \alpha |L_{baixo}\rangle + \beta |R_{cima}\rangle. \quad (18.73)$$

Esse estado será $\pm|\psi_F\rangle$ se $\beta = \alpha$ ou se $\beta = -\alpha$. Portanto, o estado final de paridade par é

$$|\psi_F^+\rangle = \alpha\{|R_{cima}\rangle + |L_{baixo}\rangle\}, \quad (18.74)$$

e o estado de paridade ímpar é

$$|\psi_F^-\rangle = \alpha\{|R_{cima}\rangle - |L_{baixo}\rangle\}. \quad (18.75)$$

A seguir, gostaríamos de considerar o decaimento de um estado excitado de paridade ímpar para um estado de paridade par. Para que a paridade seja conservada, o estado final do fóton deve possuir paridade ímpar. Ele deve ser o estado em (18.75). Se a amplitude de encontrar $|R_{cima}\rangle$ for α, a amplitude de encontrar $|L_{baixo}\rangle$ é $-\alpha$.

Entretanto, veja o que acontece quando realizamos uma rotação de 180° em torno do eixo y. O estado inicial do átomo se torna um estado de $m = -1$ (com nenhuma mudança de sinal, de acordo com a Tabela 17-2). E a rotação do estado final nos fornece

$$R_y(180°)|\psi_F^-\rangle = \alpha\{|R_{baixo}\rangle - |L_{cima}\rangle\}. \quad (18.76)$$

Comparando essa equação com (18.75), veja que para uma suposta paridade do estado final, a amplitude de obter um fóton polarizado circularmente à esquerda ao longo de $+z$ a partir do estado inicial $m = -1$ é o negativo da amplitude de obter um fóton polarizado circularmente à direita a partir do estado inicial $m = +1$. Isso concorda com o resultado encontrado na Seção 18-1.

19

O Átomo de Hidrogênio e a Tabela Periódica

19–1 Equação de Schrödinger para o átomo de hidrogênio

O sucesso mais dramático na história da mecânica quântica foi o entendimento dos detalhes do espectro de alguns átomos simples e a compreensão das periodicidades que são encontradas na tabela dos elementos químicos. Neste capítulo, iremos finalmente trazer nossa mecânica quântica até o ponto dessas importantes realizações, especificamente a compreensão do espectro do átomo de hidrogênio. Ao mesmo tempo, obteremos uma explicação qualitativa das propriedades misteriosas dos elementos químicos. Faremos isso estudando detalhadamente o comportamento do elétron em um átomo de hidrogênio – pela primeira vez, calculando em detalhe a distribuição no espaço de acordo com as ideias desenvolvidas no Capítulo 16.

Para uma descrição completa do átomo de hidrogênio, devemos descrever os movimentos do próton e do elétron. É possível fazer isso na mecânica quântica de uma maneira análoga à ideia clássica da descrição do movimento de cada partícula relativamente ao centro de gravidade, porém não faremos desse modo. Discutiremos apenas uma aproximação na qual consideramos o próton como sendo muito pesado, tal que podemos pensá-lo como estando fixo no centro do átomo.

Faremos outra aproximação ao esquecer que o elétron possui spin e deveria ser descrito pelas leis relativísticas da mecânica. Algumas pequenas correções ao nosso tratamento serão necessárias, pois usaremos a equação de Schrödinger não relativística, e os efeitos magnéticos serão desprezados. Pequenos efeitos magnéticos ocorrem porque o próton, do ponto de vista do elétron, é uma carga circulante que produz um campo magnético. Nesse campo, o elétron terá uma energia diferente com spin para cima do que com spin para baixo. A energia do átomo será um pouco diferente do que a que iremos calcular. Ignoraremos essa pequena diferença. Também imaginaremos que o elétron se comporte como um giroscópio, girando no espaço, sempre mantendo a mesma direção de spin. Como iremos considerar um átomo livre no espaço, o momento angular total será conservado. Em nossa aproximação vamos supor que o momento angular de spin do elétron permanece constante, portanto todo o momento angular restante do átomo – o qual é geralmente chamado de momento angular "orbital" – também será conservado. Uma excelente aproximação é que o elétron se move no átomo de hidrogênio como uma partícula sem spin – o momento angular do movimento é uma constante.

Com essas aproximações, a amplitude de encontrar o elétron em diferentes lugares no espaço pode ser representada por uma função da posição no espaço e no tempo. Seja $\psi(x, y, z, t)$ a amplitude de encontrar o elétron em algum lugar no tempo t. De acordo com a mecânica quântica, a taxa de variação dessa amplitude com o tempo é dada pelo operador Hamiltoniano atuando na mesma função. Do Capítulo 16,

$$i\hbar \frac{\partial \psi}{\partial t} = \hat{\mathcal{H}} \psi, \qquad (19.1)$$

com

$$\hat{\mathcal{H}} = -\frac{\hbar^2}{2m} \nabla^2 + V(\mathbf{r}). \qquad (19.2)$$

Aqui, m é a massa do elétron e $V(\mathbf{r})$ é a energia potencial do elétron no campo eletrostático do próton. Tomando $V = 0$ a grandes distâncias do próton, podemos escrever[†]

$$V = -\frac{e^2}{r}.$$

A função de onda ψ deve então satisfazer à equação

19–1 Equação de Schrödinger para o átomo de hidrogênio
19–2 Soluções esfericamente simétricas
19–3 Estados com uma dependência angular
19–4 A solução geral para o hidrogênio
19–5 As funções de onda do hidrogênio
19–6 A tabela periódica

[†] Como sempre, $e^2 = q_e^2/4\pi\epsilon_0$.

$$i\hbar \frac{\partial \psi}{\partial t} = -\frac{\hbar^2}{2m}\nabla^2\psi - \frac{e^2}{r}\psi. \qquad (19.3)$$

Desejamos procurar determinados estados de energia, portanto tentamos encontrar soluções que possuam a forma

$$\psi(\mathbf{r}, t) = e^{-(i/\hbar)Et}\psi(\mathbf{r}). \qquad (19.4)$$

A função $\psi(\mathbf{r})$ deve então ser uma solução de

$$-\frac{\hbar^2}{2m}\nabla^2\psi = \left(E + \frac{e^2}{r}\right)\psi, \qquad (19.5)$$

onde E é uma certa constante – a energia do átomo.

Como o termo de energia potencial depende somente do raio, é muito mais conveniente resolver essa equação em coordenadas polares, em vez de coordenadas retangulares. O Laplaciano é definido em coordenadas retangulares por

$$\nabla^2 = \frac{\partial^2}{\partial x^2} + \frac{\partial^2}{\partial y^2} + \frac{\partial^2}{\partial z^2}.$$

Queremos usar, em vez disso, as coordenadas r, θ, ϕ mostradas na Fig. 19-1. Essas coordenadas estão relacionadas com x, y, z por

$$x = r\,\text{sen}\,\theta\cos\phi; \qquad y = r\,\text{sen}\,\theta\,\text{sen}\,\phi; \qquad z = r\cos\theta.$$

É um pouco tedioso e confuso desenvolver essa álgebra, porém pode-se mostrar eventualmente que, para qualquer função $f(\mathbf{r}) = f(r, \theta, \phi)$,

$$\nabla^2 f(r, \theta, \phi) = \frac{1}{r}\frac{\partial^2}{\partial r^2}(rf) + \frac{1}{r^2}\left\{\frac{1}{\text{sen}\,\theta}\frac{\partial}{\partial \theta}\left(\text{sen}\,\theta\,\frac{\partial f}{\partial \theta}\right) + \frac{1}{\text{sen}^2\theta}\frac{\partial^2 f}{\partial \phi^2}\right\}. \qquad (19.6)$$

Portanto, em termos das coordenadas polares, a equação satisfeita por $\psi(r, \theta, \phi)$ é

$$\frac{1}{r}\frac{\partial^2}{\partial r^2}(r\psi) + \frac{1}{r^2}\left\{\frac{1}{\text{sen}\,\theta}\frac{\partial}{\partial \theta}\left(\text{sen}\,\theta\,\frac{\partial \psi}{\partial \theta}\right) + \frac{1}{\text{sen}^2\theta}\frac{\partial^2 \psi}{\partial \phi^2}\right\} = -\frac{2m}{\hbar^2}\left(E + \frac{e^2}{r}\right)\psi. \qquad (19.7)$$

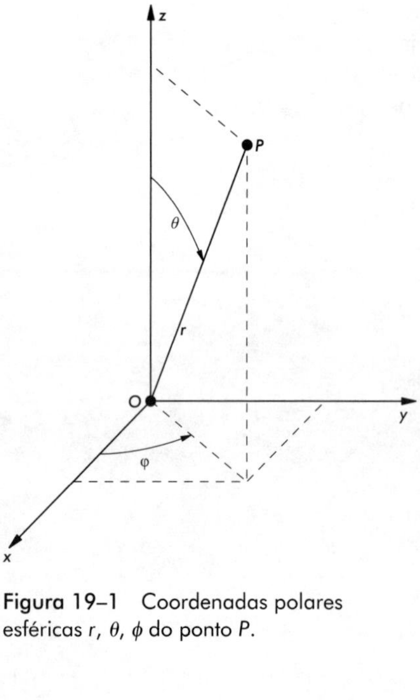

19–2 Soluções esfericamente simétricas

Vamos tentar encontrar alguma função muito simples que satisfaça a essa horrível Eq. (19.7). Embora a função de onda ψ, em geral, dependa dos ângulos θ e ϕ, assim como do raio r, podemos procurar uma situação especial na qual ψ *não* dependa dos ângulos. Para uma função de onda que não dependa dos ângulos, nenhuma das amplitudes irá variar de qualquer maneira caso o sistema de coordenadas seja girado. Isso significa que todas as componentes do momento angular são zero. Tal ψ deve corresponder a um estado cujo momento angular total é zero. (De fato, somente o momento angular orbital é zero, pois ainda temos o spin do elétron, mas estamos ignorando essa parte.) Um estado com momento angular orbital nulo recebe um nome especial. Ele é chamado de "estado *s*" – para lembrar, pense em "*s* de esfericamente* simétrico".[†]

Porém se ψ não depender de θ ou ϕ, então o Laplaciano completo contém somente o primeiro termo, e a Eq. (19.7) se torna muito mais simples:

Figura 19–1 Coordenadas polares esféricas r, θ, ϕ do ponto P.

[†] Como esses nomes especiais são parte do vocabulário comum da física atômica, você terá de aprendê-los. Iremos ajudar colocando-os todos juntos em um pequeno "dicionário" mais adiante neste capítulo.

* N. de T.: Do inglês, *spherically*.

$$\frac{1}{r}\frac{d^2}{dr^2}(r\psi) = -\frac{2m}{\hbar^2}\left(E + \frac{e^2}{r}\right)\psi. \qquad (19.8)$$

Antes de começar a resolver uma equação como essa, é uma boa ideia se livrar de todas as constantes que estão sobrando, como e^2, m e $\hbar$, realizando algumas mudanças de escala. Então, a álgebra será mais fácil. Fazendo as seguintes substituições:

$$r = \frac{\hbar^2}{me^2}\rho, \qquad (19.9)$$

e

$$E = \frac{me^4}{2\hbar^2}\epsilon, \qquad (19.10)$$

logo a Eq. (19.8) torna-se (após ser multiplicada por ρ)

$$\frac{d^2(\rho\psi)}{d\rho^2} = -\left(\epsilon + \frac{2}{\rho}\right)\rho\psi. \qquad (19.11)$$

Essas mudanças de escala significam que estamos medindo a distância r e a energia E como múltiplos de unidades atômicas "naturais". Isto é, $\rho = r/r_B$, onde $r_B = \hbar^2/me^2$, é chamado de o "raio de Bohr" e é por volta de 0,528 angstrons. Analogamente, $\epsilon = E/E_R$, onde $E_R = me^4/2\hbar^2$. Essa energia é chamada de "Rydberg" e é aproximadamente 13,6 elétrons-volts.

Como o produto $\rho\psi$ aparece em ambos os lados, é conveniente trabalhar com isso em vez de ψ apenas. Tomando

$$\rho\psi = f, \qquad (19.12)$$

temos uma equação aparentemente mais simples

$$\frac{d^2 f}{d\rho^2} = -\left(\epsilon + \frac{2}{\rho}\right)f. \qquad (19.13)$$

Agora temos de encontrar alguma função f que satisfaça à Eq. (19.13) – em outras palavras, simplesmente temos de resolver uma equação diferencial. Infelizmente, não há um método geral bastante útil capaz de resolver qualquer equação diferencial dada. Você tem de manipulá-la um pouco. Nossa equação não é fácil, mas algumas pessoas já verificaram que ela pode ser resolvida pelo seguinte procedimento. Primeiro, substitui-se f, que é alguma função de ρ, pelo produto de duas funções

$$f(\rho) = e^{-\alpha\rho}g(\rho). \qquad (19.14)$$

Isso simplesmente significa que se está fatorando $e^{-\alpha\rho}$ para fora de $f(\rho)$. Certamente pode-se fazer isso para qualquer $f(\rho)$. Isso somente desvia o problema para a procura da função correta $g(\rho)$.

Substituindo (19.14) em (19.13), obtemos a seguinte equação para g:

$$\frac{d^2 g}{d\rho^2} - 2\alpha\frac{dg}{d\rho} + \left(\frac{2}{\rho} + \epsilon + \alpha^2\right)g = 0. \qquad (19.15)$$

Como somos livres para escolher α, façamos

$$\alpha^2 = -\epsilon, \qquad (19.16)$$

para obter

$$\frac{d^2 g}{d\rho^2} - 2\alpha\frac{dg}{d\rho} + \frac{2}{\rho}g = 0. \qquad (19.17)$$

Pode-se pensar que não estamos melhor do que estávamos com a Eq. (19.13), no entanto, o ponto positivo dessa nossa nova equação é que ela pode ser resolvida facilmente em termos de uma série de potências em ρ. (É possível, em princípio, resolver (19.13) também dessa maneira, mas é muito mais difícil.) Estamos dizendo que a Eq (19.17) pode ser satisfeita por alguma $g(\rho)$ que pode ser escrita como uma série,

$$g(\rho) = \sum_{k=1}^{\infty} a_k \rho^k, \qquad (19.18)$$

na qual os a_k são coeficientes constantes. Agora tudo o que temos de fazer é encontrar um conjunto infinito conveniente para os coeficientes! Vamos verificar que essa solução de fato funciona. A primeira derivada de $g(\rho)$ é

$$\frac{dg}{d\rho} = \sum_{k=1}^{\infty} a_k k \rho^{k-1},$$

e a segunda derivada é

$$\frac{d^2g}{d\rho^2} = \sum_{k=1}^{\infty} a_k k(k-1) \rho^{k-2}.$$

Usando essas expressões em (19.17), temos que

$$\sum_{k=1}^{\infty} k(k-1)a_k \rho^{k-2} - \sum_{k=1}^{\infty} 2\alpha k a_k \rho^{k-1} + \sum_{k=1}^{\infty} 2 a_k \rho^{k-1} = 0. \qquad (19.19)$$

Não é óbvio que tivemos sucesso; mas prosseguiremos adiante. Tudo parecerá melhor se substituirmos a primeira soma por outra equivalente. Como o primeiro termo da soma é zero, podemos substituir cada k por $k+1$ sem mudar nada na série infinita; com essa mudança, a primeira soma pode igualmente bem ser escrita como

$$\sum_{k=1}^{\infty} (k+1)k a_{k+1} \rho^{k-1}.$$

Agora podemos agrupar todas as somatórias

$$\sum_{k=1}^{\infty} [(k+1)k a_{k+1} - 2\alpha k a_k + 2 a_k] \rho^{k-1} = 0. \qquad (19.20)$$

Essa série de potências deve desaparecer para todos os valores possíveis de ρ. Isso só pode ser feito se os coeficientes de cada potência de ρ forem individualmente zero. Teremos uma solução para o átomo de hidrogênio, se pudermos encontrar um conjunto de a_k para o qual

$$(k+1)k a_{k+1} - 2(\alpha k - 1) a_k = 0 \qquad (19.21)$$

para todo $k \geq 1$. Isso é certamente fácil de se conseguir. Escolha qualquer a_1 que desejar. Então, gere todos os outros coeficientes a partir de

$$a_{k+1} = \frac{2(\alpha k - 1)}{k(k+1)} a_k. \qquad (19.22)$$

Com isso, você irá obter a_2, a_3, a_4 e assim por diante, e cada par certamente irá satisfazer a (19.21). Obtemos a série para $g(\rho)$ que satisfaz a (19.17). Com ela podemos criar um ψ que satisfaça à equação de Schrödinger. Note que as soluções dependem da energia considerada (através de α), mas para cada valor de ϵ, existe uma série correspondente.

Temos uma solução, mas o que ela representa fisicamente? Podemos ter uma ideia observando o que acontece longe do próton – para grandes valores de ρ. Lá fora, os termos de ordem superior da série são os mais importantes, portanto devemos observar o que acontece para grandes k. Quando $k \gg 1$, a Eq. (19.22) é aproximadamente a mesma que

$$a_{k+1} = \frac{2\alpha}{k} a_k,$$

o que significa que

$$a_{k+1} \approx \frac{(2\alpha)^k}{k!}. \tag{19.23}$$

Esses são justamente os coeficientes da série para $e^{+2\alpha\rho}$. A função g é uma exponencial que aumenta rapidamente. Mesmo acoplada a $e^{-\alpha\rho}$ para produzir $f(\rho)$ – veja a Eq. (19.14) –, ela ainda nos dá uma solução para $f(\rho)$ que varia como $e^{\alpha\rho}$ para grandes ρ. Encontramos uma solução matemática, mas não uma solução física. Ela representa uma situação na qual é *menos* provável que o elétron esteja perto do próton! É sempre mais provável que ele seja encontrado em raios ρ muito grandes. Uma função de onda para um elétron *ligado* deve ir a zero para ρ grande.

Temos de pensar se há alguma maneira de contornar esse problema, e há. Observe! Se por sorte acontecer que um α é igual a $1/n$, onde n é qualquer inteiro positivo, então a Eq. (19.22) deve produzir $a_{n+1} = 0$. Todos os termos de ordem superior também devem ser zero. Não teríamos uma série infinita, mas um polinômio finito. Qualquer polinômio aumenta mais vagarosamente do que $e^{\alpha\rho}$, portanto o termo $e^{-\alpha\rho}$ irá eventualmente vencer, e a função f irá para zero para grandes ρ. As únicas soluções de *estado ligado* são aquelas em que $\alpha = 1/n$, para $n = 1, 2, 3, 4$ e assim por diante.

Retornando à Eq. (19.16), vemos que as soluções de estado ligado para as equações de onda esfericamente simétricas podem existir somente quando

$$-\epsilon = 1, \frac{1}{4}, \frac{1}{9}, \frac{1}{16}, \ldots, \frac{1}{n^2}, \ldots$$

As energias permitidas são simplesmente essas frações vezes o Rydberg, $E_R = me^4/\hbar^2$, ou a energia do n-ésimo nível é

$$E_n = -E_R \frac{1}{n^2}. \tag{19.24}$$

Não existe nada de misterioso sobre números negativos para a energia. As energias são negativas porque quando decidimos escrever $V = -e^2/r$, escolhemos o ponto zero como a energia de um elétron localizado longe do próton. Quando ele está perto do próton, sua energia é menor, então um tanto abaixo do zero. A energia mais baixa (a mais negativa) ocorre para $n = 1$ e aumenta em direção a zero conforme n aumenta.

Antes da descoberta da mecânica quântica, sabia-se, dos estudos experimentais do espectro do hidrogênio, que os níveis de energia podiam ser descritos pela Eq. (19.24), onde E_R foi descoberto através das observações como sendo 13,6 elétrons-volts. Bohr então, inventou um modelo que resultava na mesma equação e previa que E_R deveria ser $me^4/2\hbar^2$. Entretanto, esse foi o primeiro grande sucesso da teoria de Schrödinger, poder reproduzir esse resultado a partir de uma equação básica de movimento para o elétron.

Agora que resolvemos o nosso primeiro átomo, vamos ver a natureza da solução que encontramos. Colocando todos os pedaços juntos, cada solução se parece com:

$$\psi_n = \frac{f_n(\rho)}{\rho} = \frac{e^{-\rho/n}}{\rho} g_n(\rho), \tag{19.25}$$

onde

$$g_n(\rho) = \sum_{k=1}^{n} a_k \rho^k \tag{19.26}$$

e

$$a_{k+1} = \frac{2(k/n - 1)}{k(k+1)} a_k. \tag{19.27}$$

Uma vez que estamos principalmente interessados nas probabilidades relativas de encontrar o elétron em vários locais, escolhemos qualquer valor que desejarmos para a_1. Podemos muito bem tomar $a_1 = 1$. (Normalmente, escolhe-se a_1 tal que a função de onda seja "normalizada", ou seja, tal que a integral da probabilidade de encontrar o elétron em qualquer lugar do átomo seja igual a 1. Não há a menor necessidade de fazer isso agora.)

Para o estado de menor energia, $n = 1$, e

$$\psi_1(\rho) = e^{-\rho}. \tag{19.28}$$

Para o átomo de hidrogênio em seu estado fundamental (menor energia), a amplitude de encontrar o elétron em qualquer ponto cai exponencialmente com a distância a partir do próton. É mais provável de ser encontrado bem perto do próton, e essa distância característica é por volta de uma unidade de ρ, ou por volta de um raio de Bohr, r_B.

Tomando $n = 2$, temos o próximo nível superior. A função de onda desse estado tem dois termos. Eles são

$$\psi_2(\rho) = \left(1 - \frac{\rho}{2}\right) e^{-\rho/2}. \tag{19.29}$$

A função de onda para o próximo nível é

$$\psi_3(\rho) = \left(1 - \frac{2\rho}{3} + \frac{2}{27}\rho^2\right) e^{-\rho/3}. \tag{19.30}$$

As funções de onda para esses três primeiros níveis são mostradas na Fig.19-2. Pode-se ver o comportamento geral. Todas as funções de onda aproximam-se do zero rapidamente para ρ grandes, após oscilarem algumas vezes. De fato, o número de "oscilações" é igual a n – ou, se preferir, o número de vezes que ψ_n cruza o eixo é $n - 1$.

19–3 Estados com uma dependência angular

Nos estados descritos por $\psi_n(r)$, encontramos que a amplitude de probabilidade de encontrar o elétron é esfericamente simétrica – dependendo somente de r, a distância ao próton. Tais estados possuem momento angular orbital zero. Agora devemos investigar os estados que podem possuir alguma dependência angular.

Caso desejemos, podemos investigar o estrito problema matemático de encontrar as funções de r, θ e ϕ que satisfaçam à equação diferencial (19.7) – estabelecendo nas condições físicas adicionais que as únicas funções aceitáveis são aquelas que vão a zero para r grandes. Muitos livros fazem isso dessa maneira. Tomaremos um atalho, ao utilizar o conhecimento que já temos sobre como as amplitudes dependem dos ângulos no espaço.

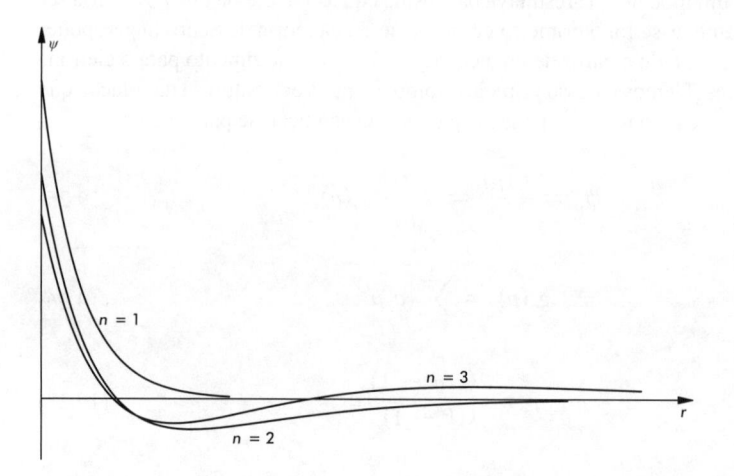

Figura 19–2 As funções de onda para os três primeiros estados $l = 0$ do átomo de hidrogênio. (As escalas são escolhidas tal que as probabilidades sejam iguais.)

O átomo de hidrogênio em qualquer estado em particular é uma partícula com um certo "spin" j – o número quântico de momento angular total. Parte desse spin vem do spin intrínseco do elétron, e parte vem do movimento do elétron. Como cada uma dessas duas componentes atua independentemente (uma excelente aproximação), novamente iremos ignorar a parte do spin e pensar somente no momento angular "orbital". Entretanto, os movimentos orbitais se comportam justamente como um spin. Por exemplo, se o número quântico orbital é l, a componente z do momento angular pode ser $l, l-1, l-2,\ldots, -l$. (Como sempre, estamos medindo tudo em unidades de $\hbar$). Além disso, todas as matrizes de rotação e outras propriedades que calculamos ainda se aplicam aqui. (De agora em diante, *realmente* ignoraremos o spin do elétron; quando falarmos de "momento angular", estaremos falando somente da parte orbital).

Como o potencial V no qual o elétron se move depende somente de r e não de θ e ϕ, a Hamiltoniana é simétrica perante todas as rotações. Por conseguinte, o momento angular e todas as suas componentes são conservados. (Isso é verdade para o movimento em *qualquer* "campo central" – um que dependa somente de r – logo, isso não é uma característica especial do potencial de Coulomb, e^2/r).

Vamos pensar agora em algum estado possível do elétron; sua estrutura interna angular será caracterizada pelo número quântico l. Dependendo da "orientação" do momento angular total com relação ao eixo z, a componente z do momento angular será m, que é uma das $2l+1$ possibilidades entre $+l$ e $-l$. Digamos $m = 1$. Com qual amplitude o elétron será encontrado no eixo z em uma distância r? Zero. Um elétron no eixo z *não* pode possuir nenhum momento angular ao redor desse eixo. Tudo bem, suponha que m seja zero, então deve haver alguma amplitude não nula de encontrar o elétron em cada distância do próton. Chamaremos essa amplitude de $F_l(r)$. Ela é a amplitude de encontrar o elétron a uma distância r ao longo do eixo z, quando átomo estiver no estado $|l, 0\rangle$, pelo qual entendemos spin orbital l e a componente z, $m = 0$.

Se conhecermos $F_l(r)$, tudo será conhecido. Para qualquer estado $|l, m\rangle$, conhecemos a amplitude $\psi_{l,m}(\mathbf{r})$ de encontrar o elétron em *qualquer* lugar no átomo. Como? Observe. Suponha que tenhamos um átomo no estado $|l, m\rangle$, qual é a amplitude de encontrar um elétron em um ângulo θ, ϕ a uma distância r a partir da origem? Coloque um novo eixo z, digamos z', naquele ângulo (veja a Fig. 19-3) e pergunte qual é a amplitude de o elétron estar a uma distância r ao longo desse novo eixo z'. Sabemos que ele não poderá ser encontrado ao longo do eixo z' a não ser que a sua componente z' do momento angular, digamos m', seja zero. Quando m' for zero, entretanto, a amplitude de encontrar o elétron ao longo de z' é $F_l(r)$. Consequentemente, o resultado é o produto de dois fatores. O primeiro é a amplitude de que um átomo no estado $|l, m\rangle$ ao longo do eixo z esteja no estado $|l, m' = 0\rangle$ *com relação ao* eixo z'. Multiplique essa amplitude por $F_l(r)$ e você obterá a amplitude $\psi_{l,m}(\mathbf{r})$ de encontrar o elétron em (r, θ, ϕ) com relação ao eixo original.

Vamos escrever isso explicitamente. Calculamos anteriormente as matrizes de transformação para rotação. Para ir de um referencial x, y, z para o referencial x', y', z' da Fig. 19-3, podemos girar primeiro ao redor do eixo z por um ângulo ϕ, e então girar ao redor do *novo* eixo y (y') por um ângulo θ. Essa rotação combinada é o produto

$$R_y(\theta)R_z(\phi).$$

A amplitude de encontrar o estado $l, m' = 0$ após a rotação é

$$\langle l, 0 | R_y(\theta)R_z(\phi) | l, m\rangle. \quad (19.31)$$

Nosso resultado é, então

$$\psi_{l,m}(\mathbf{r}) = \langle l, 0 | R_y(\theta)R_z(\phi) | l, m\rangle F_l(r). \quad (19.32)$$

O movimento orbital pode possuir somente valores inteiros de l. (Se o elétron puder ser encontrado em qualquer lugar em $r \neq 0$, existe alguma

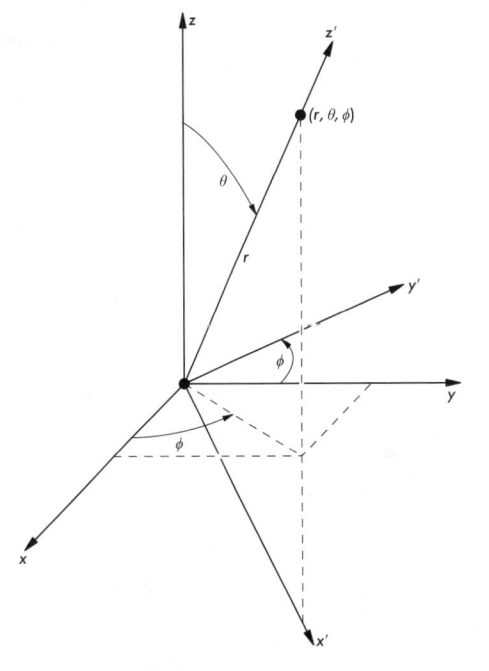

Figura 19-3 O ponto (r, θ, ϕ) está no eixo z' do sistema de coordenadas x', y', z'.

amplitude de ter $m = 0$ naquela direção. E estados $m = 0$ existem somente para spins inteiros). As matrizes de rotação para $l = 1$ são dadas na Tabela 17-2. Para l grandes, é possível usar as fórmulas gerais desenvolvidas no Capítulo 18. As matrizes para $R_z(\phi)$ e $R_y(\theta)$ aparecem separadamente, mas você sabe como combiná-las. Para o caso geral, você deve começar com o estado $|\, l, m\,\rangle$ e atuar nele com $R_z(\phi)$ para obter um novo estado $R_z(\phi)\,|\, l, m\,\rangle$, (que é justamente $e^{im\phi}|\, l, m\,\rangle$). Então se atua nesse estado com $R_y(\theta)$ para obter o estado $R_y(\theta)\,R_z(\phi)\,|\, l, m\,\rangle$. Multiplicando por $\langle\, l, 0\,|$, obtemos o elemento de matriz (19.31).

Os elementos de matriz da operação de rotação são funções algébricas de θ e ϕ. As funções particulares que aparecem em (19.31) também aparecem em vários tipos de problemas que envolvem ondas em geometrias esféricas e, portanto, receberam um nome especial. Nem todo mundo usa a mesma convenção; mas uma das mais comuns é

$$\langle l, 0 \mid R_y(\theta)R_z(\phi) \mid l, m\rangle \equiv a\, Y_{l,m}(\theta, \phi). \tag{19.33}$$

As funções $Y_{l,m}(\theta, \phi)$ são chamadas de *harmônicos esféricos*, onde a é simplesmente um fator numérico que depende da definição escolhida para $Y_{l,m}$. Para a definição usual,

$$a = \sqrt{\frac{4\pi}{2l + 1}}. \tag{19.34}$$

Com essa notação, as funções de onda do hidrogênio podem ser escritas como

$$\psi_{l,m}(\mathbf{r}) = a\, Y_{l,m}(\theta, \phi) F_l(r). \tag{19.35}$$

As funções de ângulos $Y_{l,m}(\theta, \phi)$ são importantes, não apenas em muitos problemas quanto-mecânicos, mas também em muitas áreas da física clássica nas quais o operador ∇^2 aparece, como no eletromagnetismo. Como um outro exemplo do seu uso na mecânica quântica, considere a desintegração de um estado excitado do Ne^{20} que decai (como discutimos no capítulo anterior) emitindo uma partícula α e se transformando em um O^{16}:

$$Ne^{20*} \to O^{16} + He^4.$$

Suponha que o estado excitado possua algum spin l (necessariamente um inteiro) e que a sua componente z do momento angular seja m. Poderíamos agora perguntar o seguinte: dado um l e um m, qual é a amplitude de encontrarmos a partícula α saindo em uma direção que faz um ângulo θ com relação ao eixo z e um ângulo ϕ com relação ao plano xz – como mostrado na Fig. 19-4?

Para resolver esse problema fazemos, primeiramente, a seguinte observação. Um decaimento no qual uma partícula α sai em uma linha reta ao longo de z deve se originar a partir de um estado com $m = 0$. Isso ocorre porque tanto o O^{16} quanto a partícula α possuem spin zero, pois seus movimentos não podem possuir nenhum tipo de momento angular em torno do eixo z. Vamos chamar essa amplitude de a (por unidade de ângulo sólido). Então, para encontrar a amplitude para um decaimento em um ângulo arbitrário da Fig. 19-4, tudo o que precisamos saber é qual a amplitude de o estado inicial dado possuir momento angular zero ao longo da direção de decaimento. A amplitude para o decaimento em θ e ϕ é, então, a vezes a amplitude de que o estado $|\, l, m\,\rangle$ com relação ao eixo z esteja no estado $|\, l, 0\,\rangle$ com relação a z' – a direção de decaimento. Essa última amplitude é simplesmente o que escrevemos em (19.31). A probabilidade de se observar a partícula α em θ, ϕ é

$$P(\theta, \phi) = a^2\, |\langle l, 0 \mid R_y(\theta)R_z(\phi) \mid l, m\rangle|^2.$$

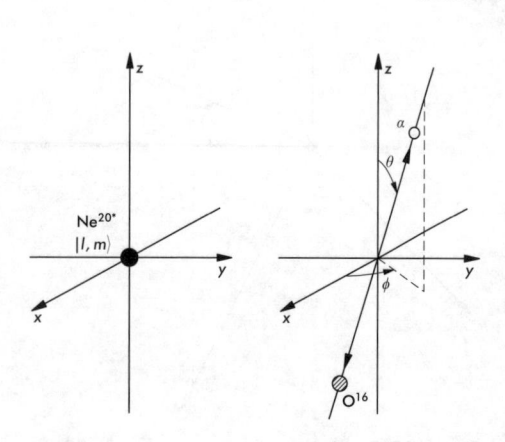

Figura 19–4 Decaimento de um estado excitado do Ne^{20}.

Como um exemplo, considere um estado inicial com $l = 1$ e vários valores de m. Da Tabela 17-2, sabemos as amplitudes necessárias. Elas são

$$\langle 1, 0 \mid R_y(\theta)R_z(\phi) \mid 1, +1 \rangle = -\frac{1}{\sqrt{2}} \operatorname{sen} \theta e^{i\phi},$$

$$\langle 1, 0 \mid R_y(\theta)R_z(\phi) \mid 1, 0 \rangle = \cos \theta, \qquad (19.36)$$

$$\langle 1, 0 \mid R_y(\theta)R_z(\phi) \mid 1, -1 \rangle = \frac{1}{\sqrt{2}} \operatorname{sen} \theta e^{-i\phi}.$$

Essas são três possíveis amplitudes de distribuições angulares – dependendo do valor de m do núcleo inicial.

Amplitudes como as de (19.36) aparecem tão frequentemente e são suficientemente importantes para que sejam denominadas por *vários* nomes. Se a amplitude da distribuição angular for proporcional a qualquer uma das três funções ou qualquer combinação linear delas, dizemos que "O sistema possui um momento angular orbital um". Ou podemos dizer, "O Ne^{20*} emite uma partícula α em uma onda do tipo p". Ou dizemos, "A partícula α é emitida em um estado $l = 1$". Já que existem muitas maneiras de dizer a mesma coisa, é útil ter-se um dicionário. Para que entenda do que os outros físicos estão falando, você terá de memorizar o jargão. Na Tabela 19-1, fornecemos um dicionário do momento angular orbital.

Se o momento angular orbital for zero, então não há nenhuma mudança quando se gira o sistema de coordenadas e não há variação alguma com o ângulo – a "dependência" no ângulo é uma constante, digamos 1. Esse estado também é chamado de "estado s", e existe somente um estado desse tipo – com relação à dependência angular. Se o momento angular orbital for 1, então a amplitude da variação angular pode ser qualquer uma das três funções dadas – dependendo do valor de m – ou pode ser uma combinação linear. Esses são os chamados "estados p", e existem três deles. Se o momento angular orbital for 2, então existem as cinco funções mostradas. Qualquer combinação linear é chamada de $l = 2$, ou uma amplitude de "onda d". Agora, você pode imediatamente adivinhar qual será a próxima letra – qual deveria vir depois de s, p, d? Bem, com certeza, f, g, h, e assim por diante, seguindo o alfabeto! As letras não significam nada. (Antigamente, elas queriam dizer algo – significavam linhas "estreitas (*sharp*)", linhas "principais", linhas "difusas" e linhas "fundamentais" do espectro óptico dos átomos. Porém, naquela época as pessoas não sabiam de onde vinham as linhas. Após f não havia nenhum nome especial, portanto hoje continuamos com g, h e assim por diante).

As funções angulares na tabela têm vários nomes – e são às vezes definidas com convenções ligeiramente diferentes com relação aos fatores numéricos que aparecem na sua frente. Algumas vezes são chamadas de "harmônicos esféricos" e escritas como $Y_{l,m}(\theta, \phi)$. Algumas vezes escritas como $P_l^m(\cos \theta)e^{im\phi}$, e se $m = 0$, simplesmente $P_l(\cos \theta)$. As funções $P_l(\cos \theta)$ são chamados de "Polinômios de Legendre" em $\cos \theta$, e as funções $P_l^m(\cos \theta)$ são chamadas de "Funções Associadas de Legendre". Você encontrará tabelas com essas funções em muitos livros.

Note, consequentemente, que todas as funções para um dado l têm a propriedade de possuir a mesma paridade – para l ímpar, elas mudam de sinal perante uma inversão e para l par elas não mudam. Logo, podemos escrever a paridade de um estado de momento angular orbital l como $(-1)^l$.

Como vimos, essas distribuições angulares podem se referir a uma desintegração nuclear, ou a algum outro processo, ou à distribuição da amplitude de encontrar um elétron em algum lugar no átomo de hidrogênio. Por exemplo, se um elétron estiver em um estado p ($l = 1$), a amplitude de encontrá-lo pode depender do ângulo de várias maneiras possíveis – mas todas são combinações lineares das três funções para $l = 1$ da Tabela 19-1. Vamos considerar o caso $\cos \theta$. Isso é interessante. Isso significa que a amplitude é positiva, digamos, na parte superior ($\theta < \pi/2$), é negativa na parte inferior ($\theta > \pi/2$) e é zero quando θ for 90°. Elevando ao quadrado essa amplitude, observamos que a probabilidade de encontrar o elétron varia com θ como mostrado na Fig. 19-5 – e é independente de ϕ. Essa distribuição angular é responsável pelo fato de que, em uma ligação molecular, a atração de um elétron em um estado $l = 1$ com outro átomo depende da direção – é a origem das valências direcionadas nas atrações químicas.

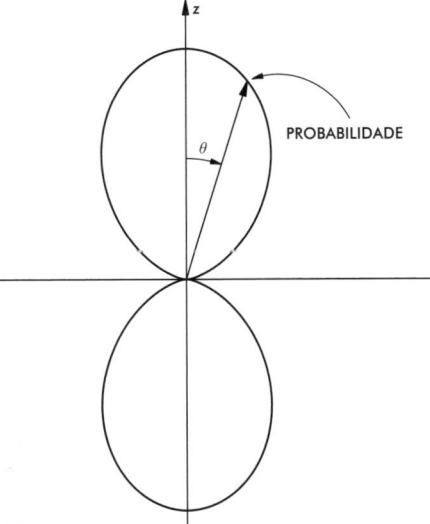

Figura 19–5 Gráfico polar de $\cos^2 \theta$, o qual é a probabilidade relativa de encontrar um elétron em vários ângulos a partir do eixo z (para um dado r) em um estado atômico com $l = 1$ e $m = 0$.

Tabela 19–1
Dicionário de momento angular orbital
($l = j =$ um inteiro)

Momento angular orbital, l	Componente z, m	Dependência angular das amplitudes	Nome	Número de estados	Paridade orbital
0	0	1	s	1	$+$
1	$\begin{cases} +1 \\ 0 \\ -1 \end{cases}$	$\left. \begin{array}{l} -\frac{1}{\sqrt{2}} \operatorname{sen} \theta \, e^{i\phi} \\ \cos \theta \\ \frac{1}{\sqrt{2}} \operatorname{sen} \theta \, e^{-i\phi} \end{array} \right\}$	p	3	$-$
2	$\begin{cases} +2 \\ +1 \\ 0 \\ -1 \\ -2 \end{cases}$	$\left. \begin{array}{l} \frac{\sqrt{6}}{4} \operatorname{sen}^2 \theta \, e^{2i\phi} \\ -\frac{\sqrt{6}}{2} \operatorname{sen} \theta \cos \theta \, e^{i\phi} \\ \frac{1}{2}(3\cos^2\theta - 1) \\ \frac{\sqrt{6}}{2} \operatorname{sen} \theta \cos \theta \, e^{-i\phi} \\ \frac{\sqrt{6}}{4} \operatorname{sen}^2 \theta \, e^{-2i\phi} \end{array} \right\}$	d	5	$+$
3 4 5 ⋮		$\left. \begin{array}{l} \langle l, 0 \mid R_y(\theta)R_z(\phi) \mid l, m \rangle \\ = Y_{l,m}(\theta, \phi) \\ = P_l^m(\cos\theta)e^{im\phi} \end{array} \right\}$	f g h ⋮	$2l+1$	$(-1)^l$

19–4 A solução geral para o hidrogênio

Na Eq. (19.35) escrevemos as funções de onda para o hidrogênio como

$$\psi_{l,m}(\mathbf{r}) = a Y_{l,m}(\theta, \phi) F_l(r) \tag{19.37}$$

Essas funções de onda devem ser solução da equação diferencial (19.7). Vamos ver o que isso significa. Colocando (19.37) em (19.7), obtém-se

$$\frac{Y_{l,m}}{r} \frac{\partial^2}{\partial r^2}(rF_l) + \frac{F_l}{r^2 \operatorname{sen}\theta} \frac{\partial}{\partial \theta}\left(\operatorname{sen}\theta \frac{\partial Y_{l,m}}{\partial \theta}\right) + \frac{F_l}{r^2 \operatorname{sen}^2\theta} \frac{\partial^2 Y_{l,m}}{\partial \phi^2}$$
$$= -\frac{2m}{\hbar^2}\left(E + \frac{e^2}{r}\right) Y_{l,m} F_l. \tag{19.38}$$

Agora, multiplicando tudo por r^2/F_l e rearranjando os termos, o resultado é

$$\frac{1}{\operatorname{sen}\theta} \frac{\partial}{\partial \theta}\left(\operatorname{sen}\theta \frac{\partial Y_{l,m}}{\partial \theta}\right) + \frac{1}{\operatorname{sen}^2\theta} \frac{\partial^2 Y_{l,m}}{\partial \phi^2}$$
$$= -\left[\frac{r^2}{F_l}\left\{\frac{1}{r}\frac{d^2}{dr^2}(rF_l) + \frac{2m}{\hbar^2}\left(E + \frac{e^2}{r}\right) F_l\right\}\right] Y_{l,m}. \tag{19.39}$$

O lado esquerdo dessa equação depende de θ e ϕ, *mas não de r*. Não importa qual o valor escolhido para r, o lado esquerdo não varia. *Isso também deve ser verdade para o lado direito da equação*. Embora a quantidade dentro dos colchetes possua r em todo lugar, a quantidade inteira não pode depender de r, pois de outra maneira não teríamos uma equação válida para todo r. Como você pode ver, o colchete também não depende de θ ou ϕ. Ele deve ser alguma constante. Seu valor pode muito bem depender do valor de l do estado que estamos estudando, pois a função F_l deve ser a apropriada para esse estado; iremos chamar essa constante de K_l. A Eq. (19.39) é, portanto, equivalente a *duas* equações:

$$\frac{1}{\operatorname{sen}\theta}\frac{\partial}{\partial\theta}\left(\operatorname{sen}\theta\frac{\partial Y_{l,m}}{\partial\theta}\right) + \frac{1}{\operatorname{sen}^2\theta}\frac{\partial^2 Y_{l,m}}{\partial\phi^2} = -K_l Y_{l,m}, \qquad (19.40)$$

$$\frac{1}{r}\frac{d^2}{dr^2}(rF_l) + \frac{2m}{\hbar^2}\left(E + \frac{e^2}{r}\right)F_l = K_l \frac{F_l}{r^2}. \qquad (19.41)$$

Agora veja o que fizemos. Para qualquer estado descrito por l e m, conhecemos as funções $Y_{l,m}$; podemos usar a Eq. (19.40) para determinar a constante K_l. Colocando K_l na Eq. (19.41), temos uma equação diferencial para a função $F_l(r)$. Se pudermos resolver essa equação para $F_l(r)$, teremos todos os pedaços para substituir em (19.37) e obter $\psi(\mathbf{r})$.

O que é K_l? Primeiro, note que deve ser igual para todo m (relacionado a um l em particular), logo podemos escolher qualquer m que desejarmos para $Y_{l,m}$ e colocar em (19.40) para resolver para K_l. Talvez o mais fácil de usar seja $Y_{l,l}$. A partir da Eq. (18.24),

$$R_z(\phi)\,|\,l,l\rangle = e^{il\phi}\,|\,l,l\rangle. \qquad (19.42)$$

O elemento de matriz para $R_y(\theta)$ é também muito simples:

$$\langle l,0\,|\,R_y(\theta)\,|\,l,l\rangle = b\,(\operatorname{sen}\theta)^l, \qquad (19.43)$$

onde **b** é um certo número.† Combinando os dois, obtemos

$$Y_{l,l} \propto e^{il\phi}\operatorname{sen}^l\theta. \qquad (19.44)$$

Substituindo essa função em (19.40), obtemos

$$K_l = l(l+1). \qquad (19.45)$$

Agora que determinamos K_l, a Eq. (19.41) nos fornece a função $F_l(r)$. Certamente, ela é simplesmente a equação de Schrödinger com a parte angular substituída pela sua forma equivalente $K_l F_l/r^2$. Vamos reescrever (19.41) na forma que tínhamos em (19.8), como segue:

$$\frac{1}{r}\frac{d^2}{dr^2}(rF_l) = -\frac{2m}{\hbar^2}\left\{E + \frac{e^2}{r} - \frac{l(l+1)\hbar^2}{2mr^2}\right\}F_l. \qquad (19.46)$$

Um termo misterioso foi adicionado à energia potencial. Embora tenhamos conseguido esse termo por meios de trapaças matemáticas, ele possui uma origem física simples.

---

† Pode-se, com algum esforço, mostrar que isso resulta da Eq. (18.35), mas também é fácil de se calcular a partir de primeiros princípios, seguindo as ideias da Seção 18-4. Um estado $|\,l,l\,\rangle$ pode ser construído a partir de $2l$ partículas com spin meio, todas com spin para cima; enquanto que o estado $|\,l,0\,\rangle$ teria l partículas com spin para cima e l partículas com spin para baixo. Perante uma rotação, a amplitude de que um spin para cima permaneça para cima é $\cos\theta/2$, e de que esse spin mude para baixo é $-\operatorname{sen}\theta/2$. Estamos perguntando qual a amplitude de que os l spins para cima continuem para cima, enquanto que os l spins para cima mudem para baixo. A amplitude para isso é $(-\cos\theta/2\,\operatorname{sen}\theta/2)^l$, que é proporcional a $\operatorname{sen}^l\theta$.

Podemos dar uma ideia de sua origem em termos de uma argumentação semiclássica. Então, talvez você não o ache mais tão misterioso.

Pense em uma partícula clássica se movendo ao redor de um centro de força. A energia total é conservada e é a soma da energia potencial mais a energia cinética.

$$U = V(r) + \tfrac{1}{2}mv^2 = \text{constante}.$$

Em geral, v pode ser dividida em uma componente radial v_r e uma componente tangencial $r\dot\theta$; então

$$v^2 = v_r^2 + (r\dot\theta)^2.$$

Porém, o momento angular $mr^2\dot\theta$ também é conservado; digamos que seja igual a L. Podemos então escrever

$$mr^2\dot\theta = L, \quad \text{ou} \quad r\dot\theta = \frac{L}{mr},$$

e a energia é

$$U = \tfrac{1}{2}mv_r^2 + V(r) + \frac{L^2}{2mr^2}.$$

Caso não exista nenhum momento angular, teríamos somente os dois primeiros termos. O resultado de somar o momento angular L à energia é o mesmo que somar o termo extra $L^2/2mr^2$ à energia potencial, mas esse é quase exatamente o termo extra em (19.46). A única diferença é que $l(l+1)\hbar^2$ aparece para o momento angular no lugar de $l^2\hbar^2$, como era de se esperar. Como vimos anteriormente (por exemplo, Volume II, Seção 34-7)†, essa é simplesmente a substituição geralmente necessária para que a argumentação quase clássica concorde com os cálculos quânticos corretos. Podemos, então, entender o novo termo como sendo um "pseudopotencial" o qual nos fornece o termo da "força centrífuga" que aparece nas equações do movimento radial para um sistema em rotação. (Veja a discussão de "pseudoforças" no Volume I, Seção 12-5.)

Estamos agora prontos para resolver a Eq. (19.46) para $F_l(r)$. Isso é muito parecido com a Eq. (19.8), portanto a mesma técnica funcionará novamente. Tudo será como antes até chegarmos à Eq. (19.19), a qual terá um termo adicional

$$-l(l+1)\sum_{k=1}^{\infty} a_k \rho^{k-2}. \qquad (19.47)$$

Esse termo pode também ser escrito como

$$-l(l+1)\left\{\frac{a_1}{\rho} + \sum_{k=1}^{\infty} a_{k+1}\rho^{k-1}\right\}. \qquad (19.48)$$

(Retiramos o primeiro termo e deslocamos o índice mudo k para 1). Em vez da Eq. (19.20), temos

$$\sum_{k=1}^{\infty}[\{k(k+1) - l(l+1)\}a_{k+1} - 2(\alpha k - 1)a_k]\rho^{k-1} - \frac{l(l+1)a_1}{\rho} = 0. \qquad (19.49)$$

Existe somente um termo em ρ^{-1}, então ele deve ser zero. O coeficiente a_1 deve ser nulo (a menos que $l = 0$ e recuperamos a nossa solução anterior). Fazemos cada um dos outros termos ser zero tornando o colchete zero para todo k. Essa condição substitui a Eq. (19.22) por

---

† Veja o Apêndice deste volume.

$$a_{k+1} = \frac{2(\alpha k - 1)}{k(k+1) - l(l+1)} a_k. \quad (19.50)$$

Essa é a única mudança significativa com relação ao caso esfericamente simétrico.

Como antes, a série deve convergir para que as soluções representem elétrons ligados. A série irá convergir em $k = n$ se $\alpha n = 1$. Obtemos novamente a mesma condição para α, de que ela deve ser igual a $1/n$, onde n é algum inteiro positivo. Entretanto, a Eq. (19.50) também fornece outra restrição. O índice k não pode ser igual a l, pois o denominador se tornaria zero e o termo a_{l+1} seria infinito. Ou seja, como $a_1 = 0$, a Eq. (19.50) implica que todos os sucessivos a_k sejam zero até atingirmos a_{l+1}, o qual pode ser não nulo. Isso significa que k deve começar em $l+1$ e terminar em n.

Nosso resultado final é que para qualquer l deve haver muitas possíveis soluções que podemos chamar de $F_{n,l}$ onde $n \geq l + 1$. Cada solução possui a energia

$$E_n = -\frac{me^4}{2\hbar^2}\left(\frac{1}{n^2}\right). \quad (19.51)$$

A função de onda para o estado com essa energia e números quânticos angulares l e m, é

$$\psi_{n,l,m} = aY_{l,m}(\theta, \phi)F_{n,l}(\rho), \quad (19.52)$$

com

$$\rho F_{n,l}(\rho) = e^{-\alpha\rho} \sum_{k=l+1}^{n} a_k \rho^k. \quad (19.53)$$

Os coeficientes a_k são obtidos a partir de (19.50). Finalmente, temos uma descrição completa dos estados do átomo de hidrogênio.

19-5 As funções de onda do hidrogênio

Vamos revisar o que descobrimos. Os estados que satisfazem à equação de Schrödinger para um elétron em um campo de Coulomb são caracterizados por três números quânticos: n, l e m, todos inteiros. A distribuição angular para a amplitude do elétron pode ter apenas algumas formas que chamamos de $Y_{l,m}$. Elas são rotuladas por l, o *número quântico de momento angular total*, e m, o *número quântico "magnético"*, que varia de $-l$ até $+l$. Para cada configuração angular, são possíveis várias distribuições radiais $F_{n,l}(r)$ da amplitude eletrônica; elas são indexadas pelo *número quântico principal n* – que varia de $l + 1$ até ∞. A energia do estado depende somente de n e aumenta conforme n aumenta.

O estado de menor energia, ou estado fundamental, é um estado s. Ele possui $l = 0$, $n = 1$ e $m = 0$. É um estado "não degenerado" – existe somente um com essa energia, e sua função de onda é esfericamente simétrica. A amplitude de encontrar o elétron é máxima no centro e decresce monotonicamente com o aumento da distância a partir do centro. Podemos visualizar a amplitude do elétron como um borrão, conforme mostrado na Fig. 19-6(a).

Existem outros estados s com energias maiores, para $n = 2, 3, 4, \ldots$ Para cada energia existe somente uma versão ($m = 0$), e eles são todos esfericamente simétricos. Esses estados possuem amplitudes que alternam de sinal uma ou mais vezes conforme r aumenta. Existem $n - 1$ superfícies esféricas nodais – os lugares onde ψ passa pelo zero. O estado $2s$ ($l = 0$, $n = 2$, por exemplo, irá se parecer como o esboço da Fig. 19-6(b). (As áreas escuras indicam regiões de grande amplitude, e os sinais de mais e menos indicam as fazes relativas da amplitude). Os níveis de energia do estado s são mostrados na primeira coluna da Fig 19-7.

A seguir, existem os estados p – com $l = 1$. Para cada n, que deve ser maior ou igual a 2, existem três estados com a mesma energia, cada um para $m = +1$, $m = 0$ e $m = -1$. Os níveis de energia são mostrados na Fig. 19-7.

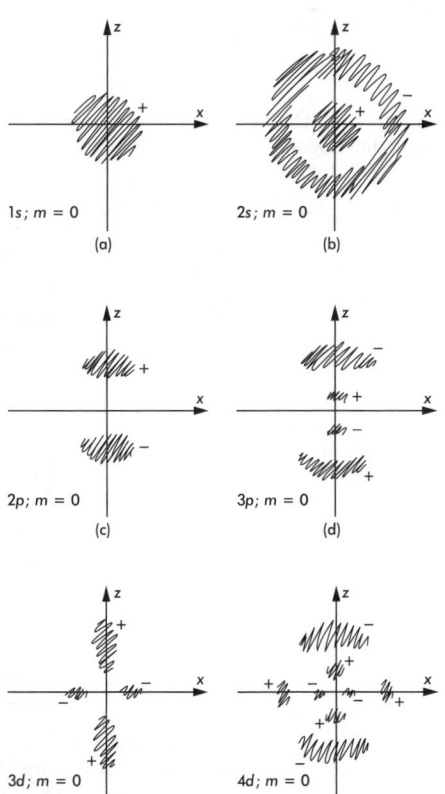

Figura 19-6 Esquemas aproximados mostrando a natureza geral de algumas das funções de onda do hidrogênio. As regiões sombreadas mostram onde as amplitudes são altas. Os sinais de mais e menos mostram o sinal relativo da amplitude em cada região.

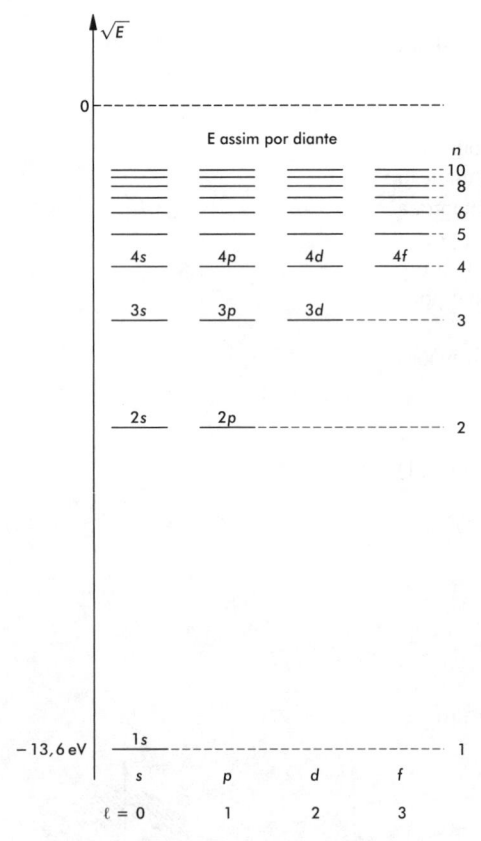

Figura 19-7 Diagrama dos níveis de energia para o hidrogênio.

A dependência angular desses estados é dada na Tabela 19-1. Por exemplo, para $m = 0$, se a amplitude for positiva para θ próximo de zero, ela será negativa para θ perto de 180°. Existe um plano nodal coincidente com o plano xy. Para $n > 2$ existem também nodos esféricos. A amplitude para $n = 2$, $m = 0$ está esquematizada na Fig. 19-6(c), e a função de onda para $n = 3$, $m = 0$ está esquematizada na Fig. 19-6(d).

Pode-se pensar que se m representa um tipo de "orientação" no espaço, deveria haver uma distribuição similar com picos de amplitude ao longo do eixo x ou ao longo do eixo y. Serão esses os estados $m = +1$ e $m = -1$? Não. Contudo, como temos três estados com energias iguais, qualquer combinação linear dos três, também será um estado estacionário com a mesma energia. Segue que o estado "x" – que corresponde ao estado "z", ou estado $m = 0$, da Fig. 19-6(c) – é uma combinação linear dos estados $m = +1$ e $m = -1$. O estado "y" correspondente é uma outra combinação. Especificamente, queremos dizer que

$$"z" = |1, 0\rangle,$$
$$"x" = -\frac{|1, +1\rangle - |1, -1\rangle}{\sqrt{2}},$$
$$"y" = -\frac{|1, +1\rangle + |1, -1\rangle}{i\sqrt{2}}.$$

Esses estados parecem todos os mesmos, quando considerados em relação aos seus eixos em particular.

Os estados d ($l = 2$) possuem cinco possíveis valores de m para cada energia, a menor energia possui $n = 3$. Os níveis se comportam como na Fig. 19-7. As dependências angulares ficam mais complicadas. Por exemplo, o estado $m = 0$ possui dois nodos cônicos, de maneira que a função de onda inverte de fase de +, para –, para + quando se vai do polo norte ao polo sul. A forma aproximada da amplitude está esquematizada nas partes (e) e (f) da Fig. 19-6 para os estados $m = 0$ com $n = 3$ e $n = 4$. Novamente, os n maiores possuem nodos esféricos.

Não tentaremos descrever mais os outros possíveis estados. Você irá encontrar a função de onda do hidrogênio descrita em mais detalhes em muitos livros. Duas boas referências são L. Pauling e E. B. Wilson, *Introduction to Quantum Mechanics*, McGraw-Hill (1935); e R. B. Leighton, *Principles of Modern Physics*, McGraw-Hill (1995). Nelas é possível encontrar gráficos de algumas das funções e representações pictóricas de muitos estados.

Gostaríamos de mencionar uma característica particular das funções de onda para l maiores: para $l > 0$, as amplitudes são zero no centro. Isso não é surpreendente, pois é difícil encontrar um elétron com momento angular quando o seu raio é muito pequeno. Por essa razão, quanto maior for l, mais as amplitudes são "deslocadas para fora" do centro. Observando a maneira como as funções radiais $F_{n,l}(r)$ variam para r pequenos, você irá encontrar, a partir de (19.53), que

$$F_{n,l}(r) \approx r^l.$$

Tal dependência em r significa que, para l grande, é preciso se afastar de $r = 0$ para se obter uma amplitude apreciável. Esse comportamento é consequentemente determinado pelo termo de força centrífuga na equação radial, portanto a mesma coisa ocorrerá para qualquer potencial que varie com $1/r^2$ para r pequeno – que é o que acontece com a maioria dos potenciais atômicos.

19–6 A tabela periódica

Gostaríamos de aplicar agora a teoria do átomo de hidrogênio de uma maneira aproximada para obtermos alguma compreensão da tabela periódica dos elementos químicos.

Para um elemento com número atômico Z, existem Z elétrons que são mantidos unidos pela atração elétrica do núcleo, mas com uma repulsão mútua dos elétrons. Para obter uma solução exata, seria necessário resolver a equação de Schrödinger para Z elétrons em um campo de Coulomb. Para o hélio, a equação é

$$-\frac{\hbar}{i}\frac{\partial \psi}{\partial t} = -\frac{\hbar^2}{2m}(\nabla_1^2 \psi + \nabla_2^2 \psi) + \left(-\frac{2e^2}{r_1} - \frac{2e^2}{r_2} + \frac{e^2}{r_{12}}\right)\psi,$$

onde ∇_1^2 é um Laplaciano que atua em $\mathbf{r}_1$, a coordenada de um dos elétrons; ∇_2^2 atua em $\mathbf{r}_2$; e $r_{12} = |\mathbf{r}_1 - \mathbf{r}_2|$. (Estamos novamente desprezando o spin dos elétrons.) Para encontrar estados estacionários e níveis de energia, gostaríamos de encontrar soluções da forma

$$\psi = f(\mathbf{r}_1, \mathbf{r}_2)e^{-(i/\hbar)Et}.$$

A dependência geométrica está contida em f, que é uma função de seis variáveis – as posições simultâneas dos dois elétrons. Nenhuma solução analítica foi ainda encontrada para isso, embora soluções para os estados de mais baixa energia tenham sido obtidas por métodos numéricos.

Com 3, 4 ou 5 elétrons, não há esperança de se obter soluções exatas, e dizer que a mecânica quântica fornece um entendimento preciso da tabela periódica é ir longe demais. Entretanto, é possível, mesmo com uma aproximação ruim – e algumas correções –, entender pelo menos qualitativamente muitas propriedades químicas que aparecem na tabela periódica.

As propriedades químicas dos átomos são determinadas principalmente pelos seus estados de menor energia. Podemos usar a seguinte teoria aproximada para encontrar esses estados e suas energias. Primeiramente, desprezamos o spin do elétron, *exceto* quando adotamos o princípio de exclusão de Pauli e dizemos que qualquer estado eletrônico em particular pode ser ocupado somente por um elétron. Isso significa que qualquer configuração orbital pode ter no máximo *dois* elétrons – um com spin para cima e outro com spin para baixo. A seguir desconsideramos os *detalhes* da interação entre os elétrons em nossa primeira aproximação e dizemos que cada elétron se move em um *campo central* que é uma combinação do campo do núcleo e de todos os outros elétrons. Para o neônio, que possui 10 elétrons, dizemos que um elétron vê um potencial médio devido ao núcleo, mais o dos outros nove elétrons. Imaginamos então que na equação de Schrödinger para cada elétron colocamos um $V(r)$, que é um campo $1/r$, modificado por uma densidade de carga esfericamente simétrica oriunda dos outros elétrons.

Neste modelo, cada elétron age como uma partícula independente. A dependência angular das suas funções de onda será simplesmente a mesma que obtemos para o átomo de hidrogênio. Haverá estados s, estados p e assim por diante; e eles terão os vários possíveis valores de m. Como $V(r)$ não varia mais como $1/r$, a parte radial das funções de onda será um pouco diferente, mas qualitativamente ainda será a mesma, logo teremos os mesmos números quânticos radiais, n. As energias dos estados também serão um pouco diferentes.

H

Com essas ideias, vamos ver o que conseguimos. O estado fundamental do hidrogênio possui $l = m = 0$ e $n = 1$; dizemos que a configuração eletrônica é $1s$. A energia é $-13{,}6$ eV. Isso significa que precisamos de 13,6 elétrons-volts para arrancar o elétron para fora do átomo. Chamamos isso de "energia de ionização", W_I. Uma energia de ionização alta significa que é mais difícil retirar o elétron para fora e, em geral, que o material é quimicamente menos ativo.

He

Agora, considere o hélio. Ambos os elétrons podem estar no mesmo estado de menor energia (um spin para cima e outro spin para baixo). Nesse estado de menor energia, o elétron se move em um potencial que, para pequenos r, se parece com um campo de

Coulomb para $z = 2$; para r grande, se parece com um campo de Coulomb para $z = 1$. O resultado é um estado $1s$ "parecido com o hidrogênio" com uma energia um pouco mais baixa. Ambos os elétrons ocupam estados $1s$ idênticos ($l = 0$, $m = 0$). A energia de ionização observada (para remover *um* elétron é 24,6 elétrons-volts. Como a "camada" $1s$ está preenchida – permitimos somente dois elétrons –, não existe praticamente tendência para um elétron ser atraído de outro átomo. O hélio é quimicamente inerte.

Li

O núcleo de lítio possui uma carga 3. Os estados eletrônicos novamente serão parecidos com os do hidrogênio, e os três elétrons irão ocupar os três níveis de menor energia. Dois irão para o estado $1s$ e o terceiro irá para um estado $n = 2$, mas com $l = 0$ ou $l = 1$? No hidrogênio esses estados possuem a mesma energia, mas em outros átomos não, pela seguinte razão. Lembre que o estado $2s$ possui uma certa amplitude de estar perto do núcleo, enquanto que o estado $2p$ não. Isso significa que um elétron $2s$ irá sentir um pouco da carga elétrica tripla do núcleo de Li, mas que o elétron $2p$ estará mais afastado, onde o campo é como o campo de Coulomb de uma única carga. A atração extra diminui a energia do estado $2s$ relativamente ao estado $2p$. Os níveis de energia serão mais ou menos parecidos com os mostrados na Fig. 19-8 – que você deve comparar com o diagrama correspondente para o hidrogênio na Fig. 19-7. Portanto o átomo de Lítio terá dois elétrons no estado $1s$ e um no estado $2s$. Como o elétron $2s$ possui uma energia maior do que um elétrons $1s$, ele é relativamente mais fácil de ser removido. A energia de ionização do lítio é somente 5,4 elétrons-volts, e ele é bem mais ativo quimicamente.

Dessa maneira pode-se notar o padrão que se configura; a Tabela 19-2 traz uma lista dos primeiros 36 elementos, mostrando os estados ocupados pelos elétrons no estado fundamental de cada átomo. A tabela fornece a energia de ionização para o elétron menos ligado e o número de elétrons ocupando cada "camada" – pelo que queremos dizer estados com o mesmo n. Uma vez que os estados l possuem energias diferentes, cada valor de l corresponde a uma subcamada dos $2(2l + 1)$ possíveis estados (com diferentes m e spins eletrônicos). Todos estes possuem a mesma energia – exceto por alguns efeitos muito pequenos que estamos desprezando.

Be

O berílio é como o lítio, exceto que ele possui dois elétrons no estado $2s$, assim como dois elétrons na camada $1s$ que está completa.

B até Ne

O boro possui 5 elétrons. O quinto elétron deve estar em um estado $2p$. Existem $2 \times 3 = 6$ diferentes estados $2p$, portanto podemos continuar adicionando elétrons até obtermos um total de 8. Isso nos leva ao neônio. Conforme adicionamos esses elétrons, estamos também aumentando o Z, de maneira que toda a distribuição eletrônica se aproxima cada vez mais do núcleo, e a energia do estado $2p$ diminui. Quando chegamos no neônio, a energia de ionização é 21,6 elétrons-volts. O neônio não libera facilmente um elétron. Também não há mais nenhum lugar com baixa energia para ser preenchido, portanto ele também não irá querer receber mais nenhum elétron. O neônio é quimicamente inerte. O flúor, por outro lado, *ainda* tem uma posição desocupada que um elétron pode ocupar, em um estado de baixa energia, logo ele é bastante ativo em reações químicas.

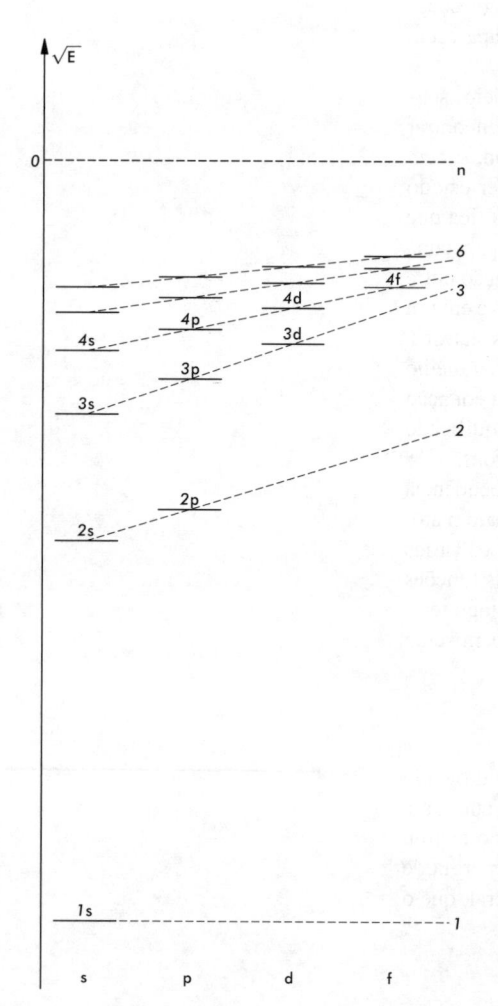

Figura 19–8 Diagrama esquemático dos níveis de energia para um elétron atômico, com outro elétron presente. (A escala *não* é a mesma da Fig. 19-7.)

Na até Ar

Com o sódio, o décimo primeiro elétron deve iniciar uma nova camada – indo para um estado $3s$. O nível de energia desse estado é muito maior; a energia de ionização diminui consideravelmente; e o sódio é ativo quimicamente. Do

Tabela 19–2
Configurações eletrônicas dos primeiros 36 elementos

Z	Elemento		W_I(eV)	Configuração eletrônica									
				1s	2s	2p	3s	3p	3d	4s	4p	4d	4f
1	H	hidrogênio	13,6	1									
2	He	hélio	24,6	2									
3	Li	lítio	5,4		1								
4	Be	berílio	9,3		2								
5	B	boro	8,3	OCUPADO	2	1	Número de elétrons em cada estado						
6	C	carbono	11,3	(2)	2	2							
7	N	nitrogênio	14,5		2	3							
8	O	oxigênio	13,6		2	4							
9	F	flúor	17,4		2	5							
10	Ne	neônio	21,6		2	6							
11	Na	sódio	5,1				1						
12	Mg	magnésio	7,6				2						
13	Al	alumínio	6,0				2	1					
14	Si	silício	8,1	—OCUPADO—			2	2					
15	P	fósforo	10,5				2	3					
16	S	enxofre	10,4	(2)	(8)		2	4					
17	Cl	cloro	13,0				2	5					
18	Ar	argônio	15,8				2	6					
19	K	potássio	4,3							1			
20	Ca	cálcio	6,1							2			
21	Sc	escândio	6,5						1	2			
22	Ti	titânio	6,8						2	2			
23	V	vanádio	6,7	—OCUPADO—					3	2			
24	Cr	cromo	6,8						5	1			
25	Mn	manganês	7,4	(2)	(8)		(8)		5	2			
26	Fe	ferro	7,9						6	2			
27	Co	cobalto	7,9						7	2			
28	Ni	níquel	7,6						8	2			
29	Cu	cobre	7,7						10	1			
30	Zn	zinco	9,4						10	2			
31	Ga	gálio	6,0							2	1		
32	Ge	germânio	7,9	—OCUPADO—						2	2		
33	As	arsênio	9,8							2	3		
34	Se	selênio	9,7	(2)	(8)		(18)			2	4		
35	Br	brômo	11,8							2	5		
36	Kr	criptônio	14,0							2	6		

sódio ao argônio, os estados s e p com $n = 3$ são ocupados na mesma sequência que para o lítio até o neônio. As configurações angulares dos elétrons na camada mais externa não preenchida possuem a mesma sequência, e a progressão da energia de ionização é bem parecida. Você pode notar por que as propriedades químicas se repetem com o aumento do número atômico. O magnésio atua quimicamente de forma muito semelhante ao berílio, o silício como o carbono, o cloro como o flúor. O argônio é inerte como o neônio.

Você pode ter notado que existe uma ligeira peculiaridade na sequência das energias de ionização entre o lítio e o neônio, e uma similaridade entre o sódio e o argônio. O último elétron é ligado ao átomo de oxigênio um pouco menos do que esperaríamos. E o enxofre é similar. Por que é assim? Podemos entender isso se considerarmos os efeitos das interações entre os elétrons individuais. Pense no que acontece quando colocamos o primeiro elétron 2p no átomo de boro. Ele possui seis possibilidades – três estados p possíveis, cada um com dois spins. Imagine que o elétron tenha spin para cima no estado $m = 0$, que também é chamado de estado "z", pois envolve o eixo z. O que irá acontecer ao carbono? Existem agora dois elétrons 2p. Se um deles for para o estado "z", para onde irá o segundo elétron? Ele terá uma energia menor se ficar longe do primeiro elétron, o que pode ser feito indo, digamos, para o estado "x" da camada 2p. (Lembre-se de que esse estado é simplesmente uma combinação linear dos estados $m = +1$ e $m = -1$). A seguir, quando consideramos o nitrogênio, os três elétrons 2p terão a menor energia de repulsão mútua se eles forem cada um para as configurações "x", "y" e "z". Para o oxigênio, entretanto, é o fim do jogo. O quarto elétron deve ir para um dos estados preenchidos – com spin oposto. Ele é fortemente repelido pelo elétron que já se encontra nesse estado, portanto a sua energia não será tão baixa quanto seria de outra forma, e ele é removido com mais facilidade. Isso explica a quebra na sequência das energias de ligação a qual aparece entre o nitrogênio e o oxigênio e entre o fósforo e o enxofre.

K até Zn

Depois do argônio, você pensaria, em um primeiro momento, que os elétrons deveriam começar a ocupar os estados 3d, mas eles não fazem isso. Conforme descrevemos anteriormente – e ilustramos na Fig. 19-8 –, os estados de maior momento angular são empurrados para energias mais altas. Quando chegamos aos estados 3d, eles alcançam uma energia um pouco maior do que a energia do estado 4s. Portanto, no potássio o último elétron vai para o estado 4s. Após essa camada estar completa (com dois elétrons) para o cálcio, os estados 3d começam a ser preenchidos para o escândio, o titânio e o vanádio.

As energias dos estados 3d e 4s são tão próximas umas das outras que pequenos efeitos podem deslocar o balanço de energia para qualquer um dos lados. Quando conseguimos pôr quatro elétrons no estado 3d, a sua repulsão aumenta a energia do estado 4s o suficiente para que a sua energia esteja ligeiramente acima da energia 3d, de maneira que um elétron troca de nível. Para o cromo não obtemos uma combinação 4, 2, como seria esperado, mas obtemos uma combinação 5, 1. O novo elétron adicionado para obter o manganês preenche novamente a camada 4s, e os estados da camada 3d são então ocupados um por um até o cobre.

Como a camada mais externa do manganês, ferro, cobalto e níquel possui a mesma configuração, todos eles tendem a ter as mesmas propriedades químicas. (Esse efeito é muito mais pronunciado nos elementos conhecidos como terras raras, que possuem a mesma camada externa, mas um preenchimento progressivo, completando primeiro as camadas mais internas, que possuem uma influência muito menor nas suas propriedades químicas).

No cobre, um elétron é roubado da camada 4s, completando finalmente a camada 3d. A energia da combinação 10, 1, entretanto, é tão próxima da combinação 9, 2 para o cobre que simplesmente a presença de outro átomo nas vizinhanças pode deslocar o equilíbrio. Por esse motivo, os dois últimos elétrons do cobre são praticamente equivalentes, e o cobre pode possuir tanto uma valência 1 ou 2. (Às vezes ele age como se seus elétrons estivessem na combinação 9, 2). Coisas similares acontecem em outros lugares e são responsáveis pelo fato de outros metais, como o ferro, se combinarem quimicamente com qualquer das duas valências. No zinco, as camadas 3d e 4s estão preenchidas de uma vez por todas.

Ga até Kr

Do gálio ao kriptônio, a sequência prossegue novamente de maneira normal, preenchendo a camada 4p. As camadas exteriores, as energias e as propriedades químicas repetem o comportamento do bromo ao neônio, e do alumínio ao argônio.

O kriptônio, como o neônio e o argônio, é conhecido como um "gás nobre". Todos os três são quimicamente "inertes". Isso significa simplesmente que, tendo preenchido as suas camadas de energias relativamente baixas, existem poucas situações nas quais haja uma vantagem energética para que eles se combinem com outros elementos. Ter uma camada preenchida não é suficiente. O berílio e o magnésio possuem camadas s preenchidas, mas a energia dessas camadas é muito alta para resultar em estabilidade. Da mesma maneira, poderíamos esperar outro elemento "nobre" no níquel, se a energia da camada $3d$ fosse menor (ou a da $4s$, maior). Por outro lado, o kriptônio não é completamente inerte; ele forma um composto fracamente ligado com o cloro.

Como a nossa amostra nos demonstrou a maioria das características principais da tabela periódica, paramos a nossa investigação no elemento de número 36 – ainda existem mais uns setenta elementos!

Gostaríamos de comentar mais um aspecto – de que não apenas podemos entender as valências até um certo ponto, mas também podemos dizer alguma coisa sobre as propriedades direcionais das ligações químicas. Considere um átomo como o oxigênio, que possui quatro elétrons $2p$. Os três primeiros vão para os estados "x", "y" e "z" e o quarto irá duplicar um desses estados, deixando duas vacâncias – digamos "x" e "y". Considere então o que acontece com o H_2O. Cada um dos dois hidrogênios está disposto a compartilhar um elétron com o oxigênio, para ajudá-lo a completar uma camada. Esses elétrons tenderão a ir nas vacâncias "x" e "y". Portanto a molécula de água deve ter os dois átomos de hidrogênio fazendo um ângulo reto com relação ao centro do oxigênio. O ângulo é na realidade 105°. Podemos até entender por que o ângulo é maior que 90°. Ao compartilhar os elétrons, os hidrogênios acabam com uma carga líquida positiva. A repulsão elétrica "tenciona" as funções de onda e aumenta o ângulo para 105°. A mesma situação ocorre para o H_2S, mas como o átomo de enxofre é maior, os dois hidrogênios estão um pouco mais afastados e existe menos repulsão, sendo o ângulo aberto em somente 93°. O selênio é ainda maior, portanto, para o H_2Se, o ângulo é muito próximo de 90°.

Podemos usar os mesmos argumentos para entender a geometria da amônia, H_3N. O nitrogênio tem lugar para mais três elétrons $2p$, um para cada tipo de estado "x", "y" e "z". Os três hidrogênios deveriam se unir em ângulos retos um em relação ao outro. Os ângulos resultantes são um pouco maiores do que 90° – novamente, devido à repulsão elétrica –, mas pelo menos vemos por que a molécula de H_3N não é plana. Os ângulos no fosfeno, H_3P, são próximos de 90°, e no H_3As são ainda mais próximos. Supusemos que o NH_3 não é plano quando o descrevemos como um sistema de dois estados, e o fato de ele não ser plano é o que torna possível o *maser* de amônia. Agora vemos também que a forma pode ser entendida a partir da mecânica quântica.

A equação de Schrödinger tem sido um dos grandes triunfos da física. Ao prover a chave para a compreensão do funcionamento da estrutura atômica, ela forneceu uma explicação para o espectro atômico, para a química e para a natureza da matéria.

20

Operadores

20–1 Operações e operadores

Tudo o que fizemos até o momento em mecânica quântica pôde ser tratado com a álgebra usual, ainda que de tempos em tempos tenhamos apresentado algumas maneiras especiais de escrever quantidades e equações da mecânica quântica. Gostaríamos agora de discutir mais sobre algumas interessantes e úteis maneiras matemáticas usadas na descrição de aspectos da mecânica quântica. Existem diversos modos para tratar o assunto da mecânica quântica, e a maioria dos livros usa um tratamento diferente do nosso. Ao ler outros livros, pode ser que você não perceba logo as conexões do que encontra neles com o que nós fizemos. Apesar de também sermos capazes de obter alguns resultados úteis, o principal objetivo deste capítulo é contar a você sobre algumas formas diferentes de escrever a mesma física. Conhecendo isso, você deve ser capaz de entender melhor o que outras pessoas estão dizendo. Quando as pessoas começaram a trabalhar fora da mecânica clássica, sempre escreviam todas as equações em termos das componentes x, y e z. Então, alguém veio e mostrou que toda essa escrita poderia ser muito mais simples criando a notação de vetor. É verdade que quando calcula alguma coisa, geralmente você tem de converter o vetor às suas componentes. Porém, geralmente, é muito mais simples ver o que está ocorrendo quando se trabalha com vetores e também mais fácil de fazer grande parte dos cálculos. Em mecânica quântica, fomos capazes de escrever várias coisas de maneira mais simples utilizando a ideia de "vetor de estado". O vetor de estado $|\psi\rangle$ não tem, obviamente, nenhuma relação com os vetores geométricos em três dimensões, porém é um símbolo abstrato que *representa um estado físico*, identificado pelo "rótulo", ou "nome", ψ. A ideia é útil porque as leis da mecânica quântica podem ser escritas como equações algébricas em termos desses símbolos. Por exemplo, nossa lei fundamental de que qualquer estado pode ser descrito como uma combinação linear de estados de base é escrita como

$$|\psi\rangle = \sum_i C_i |i\rangle, \qquad (20.1)$$

20–1	Operações e operadores
20–2	Energias médias
20–3	Energia média de um átomo
20–4	O operador de posição
20–5	O operador momento
20–6	Momento angular
20–7	Mudança das médias com o tempo

na qual os C_i são um conjunto de números (complexos) comuns – as amplitudes $C_i = \langle i | \psi \rangle$ – enquanto $|1\rangle, |2\rangle, |3\rangle$, e assim por diante, representam os estados de base em alguma base, ou *representação*.

Se você seleciona algum estado físico e realiza alguma coisa nele – como rodá-lo ou esperar por um tempo Δt –, obtém um estado diferente. Dizemos que "realizar alguma ação em um estado produz um novo estado". Podemos expressar a mesma ideia por uma equação:

$$|\phi\rangle = \hat{A} |\psi\rangle. \qquad (20.2)$$

Uma ação em um estado produz um outro estado. O *operador* $\hat{A}$ representa alguma ação em particular. Quando essa ação é realizada em qualquer estado, digamos $|\psi\rangle$, ela produz outro estado $|\phi\rangle$.

O que a Eq. (20.2) significa? *Definimos* isso desse modo. Se você multiplica a equação por $\langle i |$ e expande $|\psi\rangle$ de acordo com a Eq. (20.1), obtém

$$\langle i | \phi \rangle = \sum_j \langle i | \hat{A} | j \rangle \langle j | \psi \rangle. \qquad (20.3)$$

(Os estados $|j\rangle$ são do mesmo conjunto de $|i\rangle$.) Agora isso é simplesmente uma equação algébrica. Os números $\langle i | \phi \rangle$ fornecem o quanto de cada estado de base você encontrará em $|\phi\rangle$, e isso é dado em termos da superposição linear das amplitudes $\langle j | \psi \rangle$ de que você encontra $|\psi\rangle$ em cada estado de base. Os números $\langle i | \hat{A} | j \rangle$ são simplesmente os coeficientes que dizem o quanto de $\langle j \mid \psi \rangle$ entra em cada soma. O operador $\hat{A}$ é descrito numericamente pelo conjunto de números, ou "matriz",

$$A_{ij} \equiv \langle i \mid \hat{A} \mid j \rangle. \tag{20.4}$$

Assim, a Eq. (20.2) é uma maneira elegante de escrever a Eq. (20.3). Na verdade, é um pouco mais do que isso; ela implica algo mais. Na Eq. (20.2) não fizemos nenhuma referência a um conjunto de estados de base. A Eq. (20.3) é uma imagem da Eq. (20.2) em termos de algum conjunto de estados de base. No entanto, como você sabe, pode-se usar qualquer conjunto que você queira, e a Eq. (20.2) implica essa ideia. A forma de escrever com operador evita ter de fazer qualquer escolha em particular. Obviamente, quando você quer algo definido, tem de escolher *algum* conjunto. Ao fazer sua escolha, você utiliza a Eq. (20.3). Portanto, a equação *de operador* (20.2) é uma maneira mais abstrata de escrever a equação *algébrica* (20.3). É análogo à diferença de escrever

$$\mathbf{c} = \mathbf{a} \times \mathbf{b}$$

em vez de

$$c_x = a_y b_z - a_z b_y,$$
$$c_y = a_z b_x - a_x b_z,$$
$$c_z = a_x b_y - a_y b_x.$$

A primeira maneira é muito mais acessível. No entanto, quando quiser *resultados*, você eventualmente terá de fornecer as componentes em relação a algum conjunto de eixos. Analogamente, se deseja ser capaz de dizer o que realmente significa $\hat{A}$, então terá de estar preparado para fornecer a matriz A_{ij} em termos de *algum* conjunto de estados de base. Contanto que tenha em mente algum conjunto $\mid i \rangle$, a Eq. (20.2) significa o mesmo que a Eq. (20.3). (Você também deve lembrar que, uma vez que conhece a matriz para um conjunto de estados de base em particular, pode sempre calcular a matriz correspondente que leva a uma outra base qualquer. Você pode transformar a matriz de uma "representação" para outra.)

A equação de operador em (20.2) também permite uma nova forma de pensamento. Se supomos algum operador $\hat{A}$, então podemos usá-la com qualquer estado $\mid \psi \rangle$ para criar um novo estado $\hat{A} \mid \psi \rangle$. Algumas vezes, o "estado" que obtemos dessa forma pode ser bastante peculiar – ele pode não representar nenhuma situação *física* que provavelmente encontramos na natureza. (Por exemplo, podemos obter um estado que não é normalizado para representar um elétron.) Em outras palavras, às vezes, podemos obter "estados" que são matematicamente artificiais. Tais "estados" artificiais podem ainda ser úteis, talvez como um ponto intermediário de algum cálculo.

Já mostramos diversos exemplos de operadores da mecânica quântica. Tivemos o operador de rotação $\hat{R}_y(\theta)$ que considera o estado $\mid \psi \rangle$ e produz um novo estado, que é o estado velho visto em um sistema de coordenadas rotacionado. Tivemos o operador de paridade (ou inversão) $\hat{P}$, que produz um novo estado invertendo todas as coordenadas. Tivemos os operadores $\hat{\sigma}_x$, $\hat{\sigma}_y$ e $\hat{\sigma}_z$ para as partículas de spin meio.

O operador $\hat{J}_z$ foi definido no Capítulo 17 em termos do operador de rotação para um ângulo pequeno ϵ.

$$\hat{R}_z(\epsilon) = 1 + \frac{i}{\hbar} \epsilon \hat{J}_z. \tag{20.5}$$

Isso significa, obviamente, que

$$\hat{R}_z(\epsilon) \mid \psi \rangle = \mid \psi \rangle + \frac{i}{\hbar} \epsilon \hat{J}_z \mid \psi \rangle. \tag{20.6}$$

Nesse exemplo, $\hat{J}_z \mid \psi \rangle$ é $\hbar / i\epsilon$ vezes o estado que você obtém se rodar $\mid \psi \rangle$ pelo ângulo pequeno ϵ e então subtrair o estado original. Ele representa um "estado" que é a *diferença* de dois estados.

Mais um exemplo. Tivemos um operadorp $\hat{p}_x$ – chamado de operador momento (componente x) definido em uma equação semelhante à (20.6). Se $\hat{D}_x(L)$ for o operador que desloca um estado ao longo de x por uma distância L, então $\hat{p}_x$ é definido por

$$\hat{D}_x(\delta) = 1 + \frac{i}{\hbar} \delta \hat{p}_x, \tag{20.7}$$

na qual δ é um pequeno deslocamento. Deslocar o estado $|\psi\rangle$ ao longo de x por uma pequena distância δ fornece um novo estado $|\psi'\rangle$. Estamos dizendo que esse novo estado é o estado velho mais um novo termo

$$\frac{i}{\hbar} \delta \hat{p}_x |\psi\rangle.$$

Os operadores que estamos considerando atuam em um vetor de estado como $|\psi\rangle$, que é uma descrição abstrata de uma situação física. Eles são bastante diferentes dos operadores *algébricos* que atuam nas funções matemáticas. Por exemplo, d/dx é um "operador" que atua em $f(x)$ trocando-a por uma nova função $f'(x) = df/dx$. Outro exemplo é o operador algébrico ∇^2. Você pode ver por que a mesma palavra é utilizada nos dois casos, porém deve lembrar que os dois tipos de operadores são diferentes. Um operador da mecânica quântica $\hat{A}$ *não* atua em uma função algébrica, mas em um vetor de estado como $|\psi\rangle$. Os dois tipos de operadores são usados na mecânica quântica e muitas vezes em equações similares, como veremos adiante. Quando você está aprendendo pela primeira vez o assunto, é bom sempre lembrar a distinção. Mais tarde, quando você estiver mais familiarizado com o assunto, verá que é menos importante manter uma distinção aguda entre os dois tipos de operadores. De fato, verá que a maioria dos livros geralmente usa a mesma notação para ambos!

Seguindo adiante, veremos algumas coisas úteis que você pode fazer com operadores. Porém, inicialmente, um comentário especial. Suponha que tenhamos um operador $\hat{A}$ cuja matriz em alguma base é $A_{ij} \equiv \langle i|\hat{A}|j\rangle$. A amplitude de que o estado $\hat{A}|\psi\rangle$ esteja também em algum outro estado $|\phi\rangle$ é $\langle\phi|\hat{A}|\psi\rangle$. Existe algum significado para o complexo conjugado dessa amplitude? Você deve ser capaz de mostrar que

$$\langle\phi|\hat{A}|\psi\rangle^* = \langle\psi|\hat{A}^\dagger|\phi\rangle, \tag{20.8}$$

na qual $\hat{A}^\dagger$ (leia-se "A adaga") é um operador cujos elementos de matriz são

$$A^\dagger_{ij} = (A_{ji})^*. \tag{20.9}$$

Para obter o elemento i, j de $\hat{A}^\dagger$, você considera o elemento j, i de $\hat{A}$ (os índices são invertidos) e toma o seu complexo conjugado. A amplitude de que o estado $\hat{A}^\dagger|\phi\rangle$ esteja em $|\psi\rangle$ é o complexo conjugado da amplitude de que $\hat{A}|\psi\rangle$ esteja em $|\phi\rangle$. O operador $\hat{A}^\dagger$ é chamado de "adjunto Hermitiano" de $\hat{A}$. Vários operadores importantes da mecânica quântica têm a propriedade especial de que, ao considerar o adjunto Hermitiano, obtém-se o mesmo operador de volta. Se $\hat{B}$ for tal operador, então

$$\hat{B}^\dagger = \hat{B},$$

e é chamado de operador "autoadjunto" ou "Hermitiano".

20–2 Energias médias

Até o momento, recordamos principalmente o que você já sabe. Agora gostaríamos de discutir uma nova questão. Como você acharia a energia *média* de um sistema – digamos, um átomo? Se um átomo estiver em um estado particular com energia definida e você medir a energia, encontrará uma certa energia E. Se você repetir as medidas em cada um dos átomos de uma série inteira, os quais são selecionados para estarem no mesmo estado, todas as medidas fornecerão E, e a "média" de suas medidas será, obviamente, exatamente E.

No entanto, o que acontecerá se você fizer a medida em algum estado $|\psi\rangle$ que *não* é um estado estacionário? Como o sistema não tem uma energia definida, uma medida forneceria uma energia, a mesma medida em outro átomo no mesmo estado forneceria uma energia diferente e assim por diante. O que você obteria como média para uma série de medidas de energia?

Podemos responder à questão projetando o estado $|\psi\rangle$ em um conjunto de estados com energia definida. Para lembrá-lo de que esse é um conjunto de bases especial, chamaremos os estados de $|\eta_i\rangle$. Cada um dos estados $|\eta_i\rangle$ possui uma energia definida E_i. Nessa representação,

$$|\psi\rangle = \sum_i C_i |\eta_i\rangle. \tag{20.10}$$

Quando você faz uma medida de energia e obtém algum número E_i, você achou que o sistema estava no estado η_i. Porém você pode obter um número diferente para cada medida. Algumas vezes, obterá E_1, algumas vezes E_2, algumas vezes E_3 e assim por diante. A *probabilidade* de observar a energia E_1 é exatamente a probabilidade de encontrar o sistema no estado $|\eta_1\rangle$, que é, obviamente, o quadrado do módulo da amplitude $C_1 = \langle \eta_1 | \psi \rangle$. A probabilidade de encontrar cada uma das possíveis energias E_i é

$$P_i = |C_i|^2. \tag{20.11}$$

Como essas probabilidades estão relacionadas ao valor médio de uma sequência inteira de medidas de energia? Vamos supor que obtemos uma série de medidas como esta: $E_1, E_7, E_{11}, E_9, E_1, E_{10}, E_7, E_2, E_3, E_9, E_6, E_4$ e assim por diante. Continuamos, digamos, até mil medidas. Isso é o que queremos dizer por média. Existe também um atalho para adicionar todos os números. Você pode contar quantas vezes obtém E_1, digamos que seja N_1, e então contar o número de vezes que obtém E_2, chame isso de N_2, e assim por diante. A soma de todas as energias é exatamente

$$N_1 E_1 + N_2 E_2 + N_3 E_3 + \cdots = \sum_i N_i E_i.$$

A energia média é essa soma dividida pelo número total de medidas, que é simplesmente a soma de todos os N_i, que podemos chamar de N;

$$E_{\text{média}} = \frac{\sum_i N_i E_i}{N}. \tag{20.12}$$

Estamos quase lá. O que *queremos dizer* por probabilidade de algo ocorrer é exatamente o número de vezes que esperamos que isso ocorra dividido pelo número total de tentativas. A razão N_i/N deve – para N grande – ser muito próxima de P_i, a probabilidade de encontrar o estado $|\eta_i\rangle$, apesar de que isso não será exatamente P_i devido às flutuações estatísticas. Vamos escrever a energia média prevista (ou "esperada") como $\langle E \rangle_{\text{média}}$; então podemos dizer que

$$\langle E \rangle_{\text{média}} = \sum_i P_i E_i. \tag{20.13}$$

O mesmo argumento pode ser aplicado para qualquer medida. O valor médio de uma quantidade A medida deve ser igual a

$$\langle A \rangle_{\text{média}} = \sum_i P_i A_i,$$

na qual A_i são os vários valores possíveis da quantidade observada e P_i é a probabilidade de se obter esse valor.

Vamos retornar para nosso estado mecânico-quântico $|\psi\rangle$. Sua energia média é

$$\langle E \rangle_{\text{média}} = \sum_i |C_i|^2 E_i = \sum_i C_i^* C_i E_i. \qquad (20.14)$$

Agora veja essa trapaça! Inicialmente, escrevemos a soma como

$$\sum_i \langle \psi \mid \eta_i \rangle E_i \langle \eta_i \mid \psi \rangle. \qquad (20.15)$$

Em seguida, tratamos o $\langle \psi |$ à esquerda como um "fator" comum. Podemos retirar esse fator da soma, e escrevê-la como

$$\langle \psi \mid \left\{ \sum_i \mid \eta_i \rangle E_i \langle \eta_i \mid \psi \rangle \right\}.$$

Essa expressão tem a forma

$$\langle \psi \mid \phi \rangle,$$

na qual $|\phi\rangle$ é algum estado "construído" definido por

$$|\phi\rangle = \sum_i |\eta_i\rangle E_i \langle \eta_i \mid \psi \rangle. \qquad (20.16)$$

Isto é, em outras palavras, o estado que você obteria se considerasse cada estado de base $|\eta_i\rangle$ na quantidade $E_i \langle \eta_i \mid \psi \rangle$.

Agora lembre-se do que queremos dizer pelos estados $|\eta_i\rangle$. Supõe-se que sejam estados estacionários – pelo qual queremos dizer que, para cada um,

$$\hat{H} |\eta_i\rangle = E_i |\eta_i\rangle.$$

Como E_i é simplesmente um número, o lado direito é o mesmo que $|\eta_i\rangle E_i$ e a soma na Eq. (20.16) é o mesmo que

$$\sum_i \hat{H} |\eta_i\rangle \langle \eta_i \mid \psi \rangle.$$

Agora i aparece apenas na famosa combinação que contrai para a unidade, então

$$\sum_i \hat{H} |\eta_i\rangle \langle \eta_i \mid \psi \rangle = \hat{H} \sum_i |\eta_i\rangle \langle \eta_i \mid \psi \rangle = \hat{H} |\psi\rangle.$$

Mágica! A Eq. (20.16) é a mesma que

$$|\phi\rangle = \hat{H} |\psi\rangle. \qquad (20.17)$$

A energia média do estado $|\psi\rangle$ pode ser escrita muito elegantemente como

$$\langle E \rangle_{\text{média}} = \langle \psi \mid \hat{H} \mid \psi \rangle. \qquad (20.18)$$

Para obter a energia média, você opera em $|\psi\rangle$ com $\hat{H}$ e então multiplica por $\langle \psi |$. Um resultado simples.

Nossa nova fórmula para a energia média não é apenas bonita, é também útil, porque agora não temos de dizer nada sobre nenhum conjunto de estados de base em particular. Não temos nem de conhecer todos os possíveis níveis de energia. Quando formos calcular, teremos de descrever nosso estado em termos de *algum* conjunto de estado de base, mas se conhecemos a matriz Hamiltoniana H_{ij} para *tal* conjunto, podemos obter a energia média. A Eq. (20.18) diz que para *qualquer* conjunto de estados de base $|i\rangle$, a energia média pode ser calculada por

$$\langle E \rangle_{\text{média}} = \sum_{ij} \langle \psi \mid i \rangle \langle i \mid \hat{H} \mid j \rangle \langle j \mid \psi \rangle, \qquad (20.19)$$

na qual as amplitudes $\langle i | \hat{H} | j \rangle$ são exatamente os elementos da matriz H_{ij}.

Vamos checar esse resultado para o caso especial em que os estados $|i\rangle$ são os estados de energia definida. Para eles, $\hat{H}|j\rangle = E_j|j\rangle$, então $\langle i | \hat{H} | j \rangle = E_j \delta_{ij}$ e

$$\langle E \rangle_{\text{média}} = \sum_{ij} \langle \psi | i \rangle E_j \delta_{ij} \langle j | \psi \rangle = \sum_i E_i \langle \psi | i \rangle \langle i | \psi \rangle,$$

que está correta.

A Eq. (20.19) pode, a propósito, ser estendida para outras medidas físicas que você pode expressar como um operador. Por exemplo, $\hat{L}_z$ é o operador da componente z do momento angular **L**. A média da componente z para o estado $|\psi\rangle$ é

$$\langle L_z \rangle_{\text{média}} = \langle \psi | \hat{L}_z | \psi \rangle.$$

Uma maneira de provar isso é pensar em alguma situação na qual a energia seja proporcional ao momento angular. Então todos os argumentos seguem pelo mesmo caminho.

Resumindo, se um observável físico A estiver relacionado a algum operador conveniente da mecânica quântica, então o valor médio de A para o estado $|\psi\rangle$ será dado por

$$\langle A \rangle_{\text{média}} = \langle \psi | \hat{A} | \psi \rangle. \tag{20.20}$$

Com isso, queremos dizer que

$$\langle A \rangle_{\text{média}} = \langle \psi | \phi \rangle, \tag{20.21}$$

com

$$|\phi\rangle = \hat{A} |\psi\rangle. \tag{20.22}$$

20–3 Energia média de um átomo

Suponha que queiramos a energia média de um átomo em um estado descrito por uma função de onda $\psi(r)$; como encontramos isso? Vamos pensar primeiro em uma situação unidimensional com um estado $|\psi\rangle$ definido pela amplitude $\langle x | \psi \rangle = \psi(x)$. Estamos perguntando pelo caso especial da Eq. (20.19) aplicado à representação de coordenadas. Seguindo nosso procedimento usual, substituímos os estados $|i\rangle$ e $|j\rangle$ por $|x\rangle$ e $|x'\rangle$, e mudamos as somas por integrais. Obtemos:

$$\langle E \rangle_{\text{média}} = \iint \langle \psi | x \rangle \langle x | \hat{H} | x' \rangle \langle x' | \psi \rangle \, dx \, dx'. \tag{20.23}$$

Essa integral pode, se quisermos, ser escrita da seguinte forma:

$$\int \langle \psi | x \rangle \langle x | \phi \rangle \, dx, \tag{20.24}$$

com

$$\langle x | \phi \rangle = \int \langle x | \hat{H} | x' \rangle \langle x' | \psi \rangle \, dx'. \tag{20.25}$$

A integral sobre x' em (20.25) é a mesma que obtivemos no Capítulo 16 – veja a Eq. (16.50) e a Eq. (16.52) – e é igual a

$$-\frac{\hbar^2}{2m} \frac{d^2}{dx^2} \psi(x) + V(x)\psi(x).$$

Podemos então escrever

$$\langle x | \phi \rangle = \left\{ -\frac{\hbar^2}{2m} \frac{d^2}{dx^2} + V(x) \right\} \psi(x). \tag{20.26}$$

Lembre-se de que $\langle\psi|x\rangle = \langle x|\psi\rangle^* = \psi^*(x)$; usando essa igualdade, a energia média na Eq. (20.23) pode ser escrita como

$$\langle E \rangle_{\text{média}} = \int \psi^*(x) \left\{ -\frac{\hbar^2}{2m}\frac{d^2}{dx^2} + V(x) \right\} \psi(x)\, dx. \quad (20.27)$$

Dada uma função de onda $\psi(x)$, você pode obter a energia média resolvendo essa integral. Você pode começar a observar como vamos e voltamos das ideias de vetor de estado para as ideias de função de onda.

A quantidade entre chaves na Eq. (20.27) é um operador *algébrico*.[†] Escreveremos isso como $\hat{\mathcal{H}}$

$$\hat{\mathcal{H}} = -\frac{\hbar^2}{2m}\frac{d^2}{dx^2} + V(x).$$

Com essa notação, a Eq. (20.23) torna-se

$$\langle E \rangle_{\text{média}} = \int \psi^*(x)\hat{\mathcal{H}}\psi(x)\, dx. \quad (20.28)$$

O operador algébrico $\hat{\mathcal{H}}$ definido aqui não é, obviamente, idêntico ao operador da mecânica quântica $\hat{H}$. O novo operador atua em uma função da posição $\psi(x) = \langle x|\psi\rangle$ para fornecer uma nova função de x, $\phi(x) = \langle x|\phi\rangle$, enquanto $\hat{H}$ atua em um vetor de estado $|\psi\rangle$ fornecendo outro vetor de estado $|\phi\rangle$, sem empregar a representação de coordenadas ou qualquer outra representação em particular. E $\hat{\mathcal{H}}$ também não é estritamente o mesmo que $\hat{H}$ mesmo na representação de coordenada. Se escolhermos trabalhar na representação de coordenadas, então interpretaríamos $\hat{H}$ em termos da matriz $\langle x|\hat{H}|x'\rangle$ que depende de alguma forma dos dois "índices" x e x'; isto é, esperamos – de acordo com a Eq. (20.25) – que $\langle\psi|\phi\rangle$ esteja relacionado a todas amplitudes $\langle x|\psi\rangle$ por uma integral. Por outro lado, achamos que $\hat{\mathcal{H}}$ é um operador diferencial. Já discutimos, na Seção 16-5, a conexão entre $\langle x|\hat{H}|x'\rangle$ e o operador algébrico $\hat{\mathcal{H}}$.

Devemos fazer uma ressalva nos nossos resultados. Assumimos que a amplitude $\psi(x) = \langle x|\psi\rangle$ é normalizada. Com isso, queremos dizer que a escala foi escolhida de forma que

$$\int |\psi(x)|^2\, dx = 1;$$

portanto a probabilidade de encontrar o elétron *em algum lugar* é um. Se você tivesse escolhido trabalhar com um $\psi(x)$ que não fosse normalizado, deveria escrever

$$\langle E \rangle_{\text{média}} = \frac{\int \psi^*(x)\hat{\mathcal{H}}\psi(x)\, dx}{\int \psi^*(x)\psi(x)\, dx}. \quad (20.29)$$

É a mesma coisa.

Note a analogia na forma entre a Eq. (20.28) e a Eq. (20.18). Essas duas maneiras de escrever o mesmo resultado aparecem frequentemente quando você trabalha com a representação de x. Você pode ir da primeira para a segunda com qualquer $\hat{A}$ que seja um operador *local*, sendo que um operador local é tal que a integral

$$\int \langle x|\hat{A}|x'\rangle\langle x'|\psi\rangle\, dx'$$

pode ser expressa como $\hat{A}\psi(x)$, na qual $\hat{A}$ é um operador algébrico diferencial. Existem, no entanto, operadores para os quais isso não é válido, com os quais deve-se trabalhar com as equações básicas (20.21) e (20.22).

[†] O "operador" $V(x)$ significa "multiplicar por $V(x)$".

Você pode estender facilmente a dedução para três dimensões. O resultado é que[†]

$$\langle E \rangle_{\text{média}} = \int \psi^*(\mathbf{r})\hat{\mathcal{H}}\psi(\mathbf{r})\,dV, \tag{20.30}$$

com

$$\hat{\mathcal{H}} = -\frac{\hbar^2}{2m}\nabla^2 + V(\mathbf{r}), \tag{20.31}$$

e notando que

$$\int |\psi|^2 dV = 1. \tag{20.32}$$

As mesmas equações podem ser estendidas para sistemas com vários elétrons de uma maneira praticamente óbvia, porém não vamos nos preocupar em expressar os resultados.

Com a Eq. (20.30) podemos calcular a energia média de um estado atômico mesmo sem conhecer seus níveis de energia. Tudo o que precisamos é da função de onda. É uma lei importante. Mostraremos uma aplicação interessante. Admita que queira conhecer o estado de menor energia de um algum sistema, por exemplo o átomo de hélio, porém, é muito difícil resolver a equação de Schrödinger para a função de onda, pois existem muitas variáveis. Imagine, no entanto, que você faça uma suposição para a função de onda – escolha qualquer função que você queira – e calcule a energia média. Isto é, use a Eq. (20.29) – generalizada para três dimensões – para achar qual seria a energia média se o átomo realmente estivesse no estado descrito por essa função de onda. Certamente essa energia será maior do que a energia do estado de menor energia que é a menor energia possível que um átomo pode ter.[‡] Agora selecione outra função e calcule sua energia média. Se for menor do que a da sua primeira escolha, então está se aproximando do estado fundamental de energia. Se continuar tentando todos os tipos de estados artificiais, então será capaz de obter energias cada vez mais baixas, que se aproximarão cada vez mais do estado de menor energia. Se for esperto, tentará algumas funções que possuem alguns parâmetros ajustáveis. Ao calcular a energia, ela será expressa em termos desses parâmetros. Variando-os para fornecer a menor energia possível, você estará tentando uma classe inteira de funções de uma vez só. Finalmente, descobrirá que é cada vez mais difícil obter energias menores e vai se convencer de que está suficientemente perto da menor energia possível. O átomo de hélio foi resolvido exatamente dessa forma – não resolvendo uma equação diferencial, mas construindo uma função especial com vários parâmetros ajustáveis que são eventualmente escolhidos para fornecer o menor valor possível para a energia média.

20–4 O operador de posição

Qual é o valor médio da posição de um elétron em um átomo? Para qualquer estado particular $|\psi\rangle$, qual é o valor médio da coordenada x? Trabalharemos em uma dimensão e deixaremos para você expandir as ideias para três dimensões ou para sistemas com mais de uma partícula. Temos um estado descrito por $\psi(x)$, e continuamos medindo x repetidas vezes. Qual é a média? É

$$\int x P(x)\,dx,$$

[†] Escrevemos dV para o elemento de volume. Isso é, obviamente, apenas $dx\,dy\,dz$, e as integrais vão de $-\infty$ a $+\infty$ em todas as três coordenadas.

[‡] Você também pode ver isso da seguinte forma. Qualquer função (isto é, estado) escolhida pode ser expressa como uma combinação linear dos estados de base que são estados com energia definida. Como nessa combinação existe uma mistura dos estados com energia maior com o estado de menor energia, então a energia média será maior do que a energia do estado fundamental.

na qual $P(x)dx$ é a probabilidade de encontrar o elétron em um pequeno elemento dx em x. Suponha que a densidade de probabilidade $P(x)$ varie com x como mostrado na Fig. 20-1. É mais provável encontrar o elétron perto do pico da curva. O valor médio de x também está em algum lugar perto do pico. Isto é, na verdade, exatamente o centro de gravidade da área sob a curva.

Vimos anteriormente que $P(x)$ é simplesmente $|\psi(x)|^2 = \psi^*(x)\psi(x)$, portanto podemos escrever a média de x como

$$\langle x \rangle_{\text{média}} = \int \psi^*(x) x \psi(x)\, dx. \tag{20.33}$$

Nossa equação para $\langle x \rangle_{\text{média}}$ tem a mesma forma da Eq. (20.28). Para a energia média, o operador de energia $\hat{\mathcal{H}}$ aparece entre os dois ψ, para a posição média tem-se apenas x. (Se você quiser, pode considerar x como sendo o operador algébrico "multiplique por x".) Podemos continuar ainda mais o paralelismo, expressando a posição média de forma correspondente à Eq. (20.18). Suponha que simplesmente escrevamos

$$\langle x \rangle_{\text{média}} = \langle \psi \mid \alpha \rangle \tag{20.34}$$

com

$$\mid \alpha \rangle = \hat{x} \mid \psi \rangle, \tag{20.35}$$

e então veja se conseguimos achar o operador x que produz o estado $\mid \alpha \rangle$, que tornará a Eq. (20.34) de acordo com a Eq. (20.33). Isto é, devemos achar um $\mid \alpha \rangle$, tal que

$$\langle \psi \mid \alpha \rangle = \langle x \rangle_{\text{média}} = \int \langle \psi \mid x \rangle x \langle x \mid \psi \rangle\, dx. \tag{20.36}$$

Primeiro, expandimos $\langle \psi \mid \alpha \rangle$ na representação de x. Isto é,

$$\langle \psi \mid \alpha \rangle = \int \langle \psi \mid x \rangle \langle x \mid \alpha \rangle\, dx. \tag{20.37}$$

Agora compare as integrais nas duas últimas equações. Você vê que na representação de x

$$\langle x \mid \alpha \rangle = x \langle x \mid \psi \rangle. \tag{20.38}$$

Atuar em $\mid \psi \rangle$ com $\hat{x}$ para obter $\mid \alpha \rangle$ é equivalente a multiplicar $\psi(x) = \langle x \mid \psi \rangle$ por x para obter $\alpha(x) = \langle x \mid \alpha \rangle$. Temos uma definição de $\hat{x}$ na representação de coordenadas.[†]

[Não nos preocupamos em tentar obter a representação da matriz do operador $\hat{x}$ na coordenada x. Se você for ambicioso, pode querer mostrar que

$$\langle x \mid \hat{x} \mid x' \rangle = x\, \delta(x - x'). \tag{20.39}$$

Pode então obter o agradável resultado que

$$\hat{x} \mid x \rangle = x \mid x \rangle. \tag{20.40}$$

O operador $\hat{x}$ tem a interessante propriedade de que, quando ele atua nos estados de base $\mid x \rangle$, ele é equivalente a multiplicar por x.]

Quer saber o valor médio de x^2? Ele é

$$\langle x^2 \rangle_{\text{média}} = \int \psi^*(x) x^2 \psi(x)\, dx. \tag{20.41}$$

Ou, se preferir, pode escrever

$$\langle x^2 \rangle_{\text{média}} = \langle \psi \mid \alpha' \rangle$$

[†] A Eq. (20.38) *não* significa que $\mid \alpha \rangle = x \mid \psi \rangle$. Você não pode "fatorar para fora" o $\langle x \mid$, pois o x multiplicativo em frente de $\langle x \mid \psi \rangle$ é um número diferente para cada estado $\langle x \mid$. Ele é o valor da coordenada do elétron no estado $\mid x \rangle$. Veja a Eq. (20.40).

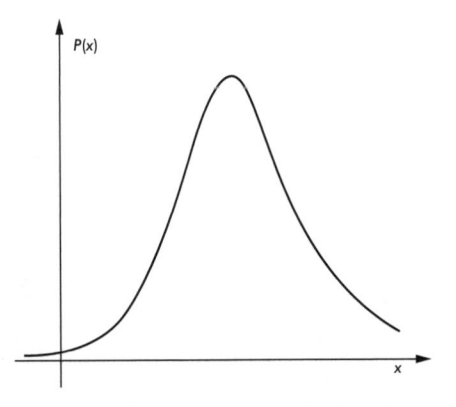

Figura 20–1 Curva de densidade de probabilidade representando uma partícula localizada.

com
$$|\alpha'\rangle = \hat{x}^2|\psi\rangle. \qquad (20.42)$$

Com $\hat{x}^2$ queremos dizer $\hat{x}\hat{x}$ – os dois operadores são usados um depois do outro. Com a segunda forma, você pode calcular $\langle x^2 \rangle_{\text{média}}$ usando qualquer representação (estados de base) desejada. Se quiser a média de x^n, ou de qualquer polinômio em x, você pode ver como obter isso.

20–5 O operador momento

Agora gostaríamos de calcular o *momento* médio de um elétron – novamente, apenas no caso de uma dimensão. Seja $P(p)dp$ a probabilidade de uma medida fornecer um momento entre p e $p + dp$. Então

$$\langle p \rangle_{\text{média}} = \int p\, P(p)\, dp. \qquad (20.43)$$

Agora seja $\langle p | \psi \rangle$ a amplitude de o estado $|\psi\rangle$ estar em um estado $|p\rangle$ com momento definido. Essa é a mesma amplitude que chamamos de $\langle \text{mom } p | \psi \rangle$ na Seção 16-3 e é uma função de p exatamente como $\langle x | \psi \rangle$ é uma função de x. Aquele caso escolhemos normalizar a amplitude de forma que

$$P(p) = \frac{1}{2\pi\hbar} |\langle p | \psi \rangle|^2. \qquad (20.44)$$

Temos, então,

$$\langle p \rangle_{\text{média}} = \int \langle \psi | p \rangle p \langle p | \psi \rangle \frac{dp}{2\pi\hbar}. \qquad (20.45)$$

A forma é bastante semelhante ao que encontramos para $\langle x \rangle_{\text{média}}$.

Se quisermos, podemos brincar da mesma maneira que fizemos com $\langle x \rangle_{\text{média}}$. Primeiro, podemos escrever a integral acima como

$$\int \langle \psi | p \rangle \langle p | \beta \rangle \frac{dp}{2\pi\hbar}. \qquad (20.46)$$

Você deve reconhecer agora essa equação como simplesmente a forma expandida da amplitude $\langle \psi | \beta \rangle$ – expandida em termos dos estados de base com momento definido. Da Eq. (20.45), o estado $|\beta\rangle$ é definido *na representação de momento* por

$$\langle p | \beta \rangle = p \langle p | \psi \rangle. \qquad (20.47)$$

Isto é, podemos agora escrever

$$\langle p \rangle_{\text{média}} = \langle \psi | \beta \rangle \qquad (20.48)$$

com

$$|\beta\rangle = \hat{p}|\psi\rangle, \qquad (20.49)$$

na qual o operador $\hat{p}$ é definido em termos da representação p pela Eq. (20.47).

[Novamente, se quisermos, podemos mostrar que a forma matricial de $\hat{p}$ é

$$\langle p | \hat{p} | p' \rangle = p\, \delta(p - p'), \qquad (20.50)$$

e que

$$\hat{p}|p\rangle = p|p\rangle \qquad (20.51)$$

é calculado da mesma maneira que fizemos para x.]

Agora surge uma questão interessante. Podemos escrever $\langle p \rangle_{\text{média}}$ como fizemos nas Eqs. (20.45) e (20.48), e sabemos o significado do operador $\hat{p}$ *na representação de momento*. Como devemos interpretar $\hat{p}$ na representação de *coordenadas*? Isso é o que precisaremos saber se tivermos alguma função de onda $\psi(x)$ e quisermos calcular seu momento médio. Vamos esclarecer o que queremos dizer. Se iniciamos dizendo que $\langle p \rangle_{\text{média}}$ é dado pela Eq. (20.48), então podemos expandir essa equação em termos da representação de p para retornar à Eq. (20.46). Se nos fornecem a descrição em p do estado – a saber, a amplitude $\langle p \mid \psi \rangle$, que é uma função algébrica do momento p – então podemos obter $\langle p \mid \beta \rangle$ a partir da Eq. (20.47) e proceder com o cálculo da integral. A questão agora é: o que fazemos se nos fornecem a descrição do estado na representação de x, isto é, a função de onda $\psi(x) = \langle x \mid \psi \rangle$?

Bem, vamos começar expandindo a Eq. (20.48) na representação de x. Temos

$$\langle p \rangle_{\text{média}} = \int \langle \psi \mid x \rangle \langle x \mid \beta \rangle \, dx. \tag{20.52}$$

Agora, no entanto, temos de saber como é o estado $\mid \beta \rangle$ na representação em x. Se pudermos achar isso, poderemos resolver a integral. Portanto nosso problema é encontrar a função $\beta(x) = \langle x \mid \beta \rangle$.

Podemos achá-la da seguinte maneira. Na Seção 16-3, vimos como $\langle p \mid \beta \rangle$ está relacionado com $\langle x \mid \beta \rangle$. De acordo com a Eq. (16.24),

$$\langle p \mid \beta \rangle = \int e^{-ipx/\hbar} \langle x \mid \beta \rangle \, dx. \tag{20.53}$$

Se conhecermos $\langle p \mid \beta \rangle$, podemos resolver essa equação para $\langle x \mid \beta \rangle$. O que queremos, obviamente, é de alguma forma expressar o resultado em termos de $\psi(x) = \langle x \mid \psi \rangle$, que estamos supondo ser conhecido. Admita que iniciemos com a Eq. (20.47) e novamente usamos a Eq. (16.24) para escrever

$$\langle p \mid \beta \rangle = p \langle p \mid \psi \rangle = p \int e^{-ipx/\hbar} \psi(x) \, dx. \tag{20.54}$$

Como a integral é sobre x, podemos colocar p dentro da integral e escrever

$$\langle p \mid \beta \rangle = \int e^{-ipx/\hbar} p \psi(x) \, dx. \tag{20.55}$$

Compare isso com (20.53). Você diria que $\langle x \mid \beta \rangle$ é igual a $p\psi(x)$. Não, não! A função de onda $\langle x \mid \beta \rangle = \beta(x)$ pode depender apenas de x – e não de p. Esse é o grande problema.

Entretanto, algum sujeito engenhoso descobriu que a integral em (20.55) pode ser integrada por partes. A derivada de $e^{-ipx/\hbar}$ com relação a x é $(-i/\hbar)pe^{-ipx/\hbar}$, portanto a integral em (20.55) é equivalente a

$$-\frac{\hbar}{i} \int \frac{d}{dx}(e^{-ipx/\hbar}) \psi(x) \, dx.$$

Se integrarmos por parte, obtemos

$$-\frac{\hbar}{i} [e^{-ipx/\hbar} \psi(x)]_{-\infty}^{+\infty} + \frac{\hbar}{i} \int e^{-ipx/\hbar} \frac{d\psi}{dx} \, dx.$$

Como estamos considerando estados ligados, então $\psi(x)$ vai a zero em $x = \pm\infty$, o colchete é nulo e temos

$$\langle p \mid \beta \rangle = \frac{\hbar}{i} \int e^{-ipx/\hbar} \frac{d\psi}{dx} \, dx. \tag{20.56}$$

Agora compare esse resultado com a Eq. (20.53). Verá que

$$\langle x \mid \beta \rangle = \frac{\hbar}{i} \frac{d}{dx} \psi(x). \tag{20.57}$$

Temos a peça necessária para sermos capazes de completar a Eq. (20.52). A resposta é

$$\langle p \rangle_{\text{média}} = \int \psi^*(x) \frac{\hbar}{i} \frac{d}{dx} \psi(x) \, dx. \tag{20.58}$$

Achamos como a Eq. (20.48) se parece na representação de coordenadas.

Agora você deve começar a observar o desenvolvimento de um modelo especial. Quando perguntamos sobre a energia média do estado $|\psi\rangle$, dissemos que era

$$\langle E \rangle_{\text{média}} = \langle \psi | \phi \rangle, \quad \text{com} \quad |\phi\rangle = \hat{H} | \psi \rangle.$$

A mesma coisa é escrita no universo das coordenadas como

$$\langle E \rangle_{\text{média}} = \int \psi^*(x) \phi(x)\, dx \quad \text{com} \quad \phi(x) = \mathcal{H}\psi(x).$$

Nesse caso $\mathcal{H}$ é um operador *algébrico* que atua em uma função de x. Quando perguntamos sobre o valor médio de x, achamos que ele também pode ser escrito como

$$\langle x \rangle_{\text{média}} = \langle \psi | \alpha \rangle, \quad \text{com} \quad |\alpha\rangle = \hat{x} | \psi \rangle.$$

No universo das coordenadas, as equações correspondentes são

$$\langle x \rangle_{\text{média}} = \int \psi^*(x) \alpha(x)\, dx, \quad \text{com} \quad \alpha(x) = x\psi(x).$$

Quando perguntamos sobre o valor médio de p, escrevemos

$$\langle p \rangle_{\text{média}} = \langle \psi | \beta \rangle, \quad \text{com} \quad |\beta\rangle = \hat{p} | \psi \rangle.$$

No universo das coordenadas, as equações equivalentes eram

$$\langle p \rangle_{\text{média}} = \int \psi^*(x) \beta(x)\, dx, \quad \text{com} \quad \beta(x) = \frac{\hbar}{i} \frac{d}{dx} \psi(x).$$

Em cada um dos nossos três exemplos, começamos com o estado $|\psi\rangle$ e produzimos outro estado (hipotético) com um operador *da mecânica quântica*. Na representação de coordenada, geramos a função de onda correspondente operando na função de onda $\psi(x)$ com um operador *algébrico*. Existem as seguintes correspondências unívocas (para problemas unidimensionais):

$$\hat{H} \to \mathcal{H} = -\frac{\hbar^2}{2m} \frac{d^2}{dx^2} + V(x),$$

$$\hat{x} \to x, \tag{20.59}$$

$$\hat{p}_x \to \hat{\mathcal{P}}_x = \frac{\hbar}{i} \frac{\partial}{\partial x}.$$

Nessa lista, introduzimos o símbolo $\hat{\mathcal{P}}_x$ para o operador algébrico $(\hbar/i)\,\partial/\partial x$:

$$\hat{\mathcal{P}}_x = \frac{\hbar}{i} \frac{\partial}{\partial x}, \tag{20.60}$$

e inserimos o subscrito x em $\hat{\mathcal{P}}$ para lembrá-lo de que estamos trabalhando apenas com a componente x do momento.

Você pode facilmente estender os resultados para três dimensões. Para as outras componentes do momento,

$$\hat{p}_y \to \hat{\mathcal{P}}_y = \frac{\hbar}{i} \frac{\partial}{\partial y},$$

$$\hat{p}_z \to \hat{\mathcal{P}}_z = \frac{\hbar}{i} \frac{\partial}{\partial z}.$$

Se quiser, pode até mesmo pensar em um operador do *vetor* momento e escrever

$$\hat{\mathbf{p}} \to \hat{\boldsymbol{\mathcal{P}}} = \frac{\hbar}{i}\left(\mathbf{e}_x \frac{\partial}{\partial x} + \mathbf{e}_y \frac{\partial}{\partial y} + \mathbf{e}_z \frac{\partial}{\partial z}\right),$$

na qual $\mathbf{e}_x$, $\mathbf{e}_y$ e $\mathbf{e}_z$ são os vetores unitários nas três direções. Isso fica ainda mais elegante se escrevemos

$$\hat{\mathbf{p}} \to \hat{\mathcal{P}} = \frac{\hbar}{i} \nabla. \tag{20.61}$$

Nosso resultado geral é que ao menos para alguns operadores da mecânica quântica existem operadores algébricos correspondentes na representação de coordenada. Resumimos nossos resultados até o momento – estendidos para três dimensões – na Tabela 20-1. Para cada operador temos as duas formas equivalentes:[†]

$$|\phi\rangle = \hat{A}|\psi\rangle \tag{20.62}$$

ou

$$\phi(\mathbf{r}) = \hat{\mathcal{A}}\psi(\mathbf{r}). \tag{20.63}$$

Vamos agora mostrar algumas ilustrações do uso dessas ideias. A primeira é simplesmente para assinalar a relação entre $\hat{\mathcal{P}}$ e $\hat{\mathcal{H}}$. Se usamos $\hat{\mathcal{P}}_x$ duas vezes, obtemos

$$\hat{\mathcal{P}}_x \hat{\mathcal{P}}_x = -\hbar^2 \frac{\partial^2}{\partial x^2}.$$

Isso significa que podemos escrever a igualdade

$$\hat{\mathcal{H}} = \frac{1}{2m} \{\hat{\mathcal{P}}_x \hat{\mathcal{P}}_x + \hat{\mathcal{P}}_y \hat{\mathcal{P}}_y + \hat{\mathcal{P}}_z \hat{\mathcal{P}}_z\} + V(\mathbf{r}).$$

Ou, usando a notação vetorial,

$$\hat{\mathcal{H}} = \frac{1}{2m} \hat{\mathcal{P}} \cdot \hat{\mathcal{P}} + V(\mathbf{r}). \tag{20.64}$$

(Em um operador algébrico, qualquer termo sem o símbolo de operador (^) significa apenas uma multiplicação direta.) Essa equação é boa pois é fácil lembrá-la, se você não tiver esquecido a física clássica. Todo mundo sabe que a energia (não relativística) é simplesmente a energia cinética $p^2/2m$ mais a energia potencial e $\hat{\mathcal{H}}$ é operador da energia total.

Tabela 20–1

Quantidade física	Operador	Forma coordenada
Energia	$\hat{H}$	$\hat{\mathcal{H}} = -\dfrac{\hbar^2}{2m}\nabla^2 + V(\mathbf{r})$
Posição	$\hat{x}$	x
	$\hat{y}$	y
	$\hat{z}$	z
Momento	$\hat{p}_x$	$\hat{\mathcal{P}}_x = \dfrac{\hbar}{i}\dfrac{\partial}{\partial x}$
	$\hat{p}_y$	$\hat{\mathcal{P}}_y = \dfrac{\hbar}{i}\dfrac{\partial}{\partial y}$
	$\hat{p}_z$	$\hat{\mathcal{P}}_z = \dfrac{\hbar}{i}\dfrac{\partial}{\partial z}$

[†] Em vários livros, o mesmo símbolo é usado tanto para $\hat{A}$ quanto para $\hat{\mathcal{A}}$, pois os dois representam a mesma física e porque é conveniente não ter de escrever diferentes tipos de letras. Geralmente você pode dizer qual dos dois se pretende pelo contexto.

Esse resultado impressionou tanto as pessoas que elas tentam ensinar aos estudantes tudo sobre física clássica antes de mecânica quântica. (Nós pensamos de forma diferente!) Porém tais paralelos são muitas vezes enganosos. Por exemplo, quando você tem operadores, a *ordem* dos fatores é importante; porém isso não é verdade para os fatores em uma equação clássica.

No Capítulo 17 definimos um operador $\hat{p}_x$ em termos do operador deslocamento $\hat{D}_x$ por [veja a Eq. (17.27)]

$$|\psi'\rangle = \hat{D}_x(\delta)|\psi\rangle = \left(1 + \frac{i}{\hbar}\hat{p}_x\delta\right)|\psi\rangle, \quad (20.65)$$

na qual δ é um deslocamento *pequeno*. Devemos mostrar que isso é equivalente à nossa nova definição. De acordo com o que acabamos de apresentar, essa equação deve significar o mesmo que

$$\psi'(x) = \psi(x) + \frac{\partial \psi}{\partial x}\delta.$$

Porém o lado direito é simplesmente a expansão em série de Taylor de $\psi(x + \delta)$, que é certamente o que você obtém se deslocar o estado à esquerda por δ (ou mover as coordenadas para a direita pela mesma quantidade). Nossas duas definições de $\hat{p}$ estão em acordo!

Vamos usar esse fato para mostrar algo mais. Suponha que tenhamos um conjunto de partículas que indexamos por 1, 2, 3,..., em algum sistema complicado. (Para manter as coisas simples, continuaremos com uma dimensão.) A função de onda que descreve o sistema é uma função de todas as coordenadas $x_1, x_2, x_3,...$ Podemos escrever isso como $\psi(x_1, x_2, x_3,...)$. Agora desloque o sistema (para a esquerda) por δ. A nova função de onda

$$\psi'(x_1, x_2, x_3, \ldots) = \psi(x_1 + \delta, x_2 + \delta, x_3 + \delta, \ldots)$$

pode ser escrita como

$$\psi'(x_1, x_2, x_3, \ldots) = \psi(x_1, x_2, x_3, \ldots) + \left\{\delta\frac{\partial \psi}{\partial x_1} + \delta\frac{\partial \psi}{\partial x_2} + \delta\frac{\partial \psi}{\partial x_3} + \cdots\right\}. \quad (20.66)$$

De acordo com a Eq. (20.65), o operador do momento do estado $|\psi\rangle$ (vamos chamá-lo de momento *total*) é igual a

$$\hat{\mathcal{P}}_{\text{total}} = \frac{\hbar}{i}\left\{\frac{\partial}{\partial x_1} + \frac{\partial}{\partial x_2} + \frac{\partial}{\partial x_3} + \cdots\right\}.$$

Porém, isso é o mesmo que

$$\hat{\mathcal{P}}_{\text{total}} = \hat{\mathcal{P}}_{x_1} + \hat{\mathcal{P}}_{x_2} + \hat{\mathcal{P}}_{x_3} + \cdots. \quad (20.67)$$

Os operadores de momento obedecem à regra segundo a qual o momento total é a soma dos momentos de todas as partes. Tudo se encaixa bem, e várias das coisas de que falamos são consistentes umas com as outras.

20–6 Momento angular

Vamos, por brincadeira, olhar outra ação – a ação do momento angular orbital. No Capítulo 17, definimos o operador $\hat{J}_z$ em termos de $\hat{R}_z(\phi)$, o operador de rotação por um ângulo ϕ em torno do eixo z. Consideramos aqui um sistema descrito simplesmente por uma única função de onda $\psi(\mathbf{r})$, que é uma função apenas das coordenadas, e não considera o fato de que o elétron pode ter seu spin para cima ou para baixo. Isto é, queremos, no momento, desprezar o momento angular *intrínseco* e considerar apenas a parte *orbital*.

Para manter a distinção clara, chamaremos o operador orbital de $\hat{L}_z$ e o definiremos em termos do operador de rotação por um ângulo infinitesimal ϵ por

$$\hat{R}_z(\epsilon)\,|\,\psi\rangle = \left(1 + \frac{i}{\hbar}\,\epsilon\,\hat{L}_z\right)|\,\psi\rangle.$$

(Lembre-se de que essa definição aplica-se apenas a um estado $|\,\psi\,\rangle$ que não tem variáveis de spin internas, mas depende somente das coordenadas $\mathbf{r} = x, y, z$.) Se olhamos o estado $|\,\psi\,\rangle$ em um novo sistema de coordenada, rodado em torno do eixo z por um ângulo pequeno ϵ, vemos um novo estado

$$|\,\psi'\rangle = \hat{R}_z(\epsilon)|\,\psi\rangle.$$

Se escolhermos descrever o estado $|\,\psi\,\rangle$ na representação de coordenadas – isto é, pela sua função de onda $\psi(\mathbf{r})$, devemos supor ser capazes de escrever

$$\psi'(\mathbf{r}) = \left(1 + \frac{i}{\hbar}\,\epsilon\,\hat{\mathscr{L}}_z\right)\psi(\mathbf{r}). \tag{20.68}$$

O que é $\hat{\mathscr{L}}_z$? Bem, um ponto P em x e y no *novo* sistema de coordenada (na verdade, x' e y', mas vamos retirar o "linha") estava anteriormente em $x - \epsilon y$ e $y + \epsilon x$, como você pode ver da Fig. 20-2. Como a amplitude de o elétron estar em P não é alterada pela rotação das coordenadas, podemos escrever

$$\psi'(x, y, z) = \psi(x - \epsilon y, y + \epsilon x, z) = \psi(x, y, z) - \epsilon y\,\frac{\partial \psi}{\partial x} + \epsilon x\,\frac{\partial \psi}{\partial y}$$

(lembrando que ϵ é um ângulo pequeno). Isso significa que

$$\hat{\mathscr{L}}_z = \frac{\hbar}{i}\left(x\,\frac{\partial}{\partial y} - y\,\frac{\partial}{\partial x}\right). \tag{20.69}$$

Essa é nossa reposta. Porém, note, isso é equivalente a

$$\hat{\mathscr{L}}_z = x\hat{\mathscr{P}}_y - y\hat{\mathscr{P}}_x. \tag{20.70}$$

Retornando aos nossos operadores da mecânica quântica, podemos escrever

$$\hat{L}_z = x\hat{p}_y - y\hat{p}_x. \tag{20.71}$$

Essa fórmula é fácil de ser lembrada, pois parece com a fórmula familiar da mecânica clássica; é a componente z de

$$\mathbf{L} = \mathbf{r} \times \mathbf{p}. \tag{20.72}$$

Uma das partes mais divertidas dessa história de operadores é que várias equações clássicas podem ser deduzidas com o formalismo da mecânica quântica. Para quais isso não ocorre? É melhor que haja algumas que não sejam deduzidas diretamente, porque se fosse possível fazer isso com todas, então não haveria nada de diferente na mecânica quântica. Não teria nenhuma física nova. Aqui está uma equação que é diferente. Na física clássica

$$xp_x - p_x x = 0.$$

O que é isso em mecânica quântica?

$$\hat{x}\hat{p}_x - \hat{p}_x\hat{x} = ?$$

Vamos resolver isso na representação de x. Para que saibamos o que estamos fazendo, a aplicamos em alguma função de onda $\psi(x)$. Temos

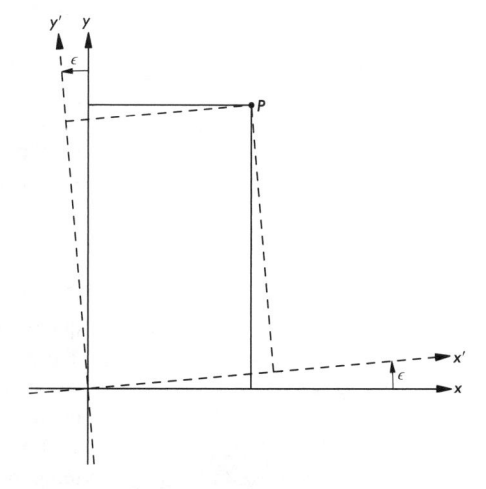

$$x\hat{\mathscr{P}}_x\psi(x) - \hat{\mathscr{P}}_x x\psi(x),$$

Figura 20–2 Rotação dos eixos em torno do eixo z por um ângulo pequeno ϵ.

ou

$$x \frac{\hbar}{i} \frac{\partial}{\partial x} \psi(x) - \frac{\hbar}{i} \frac{\partial}{\partial x} x\psi(x).$$

Lembre-se agora de que as derivadas atuam em tudo à direita. Logo, obtemos

$$x \frac{\hbar}{i} \frac{\partial \psi}{\partial x} - \frac{\hbar}{i} \psi(x) - \frac{\hbar}{i} x \frac{\partial \psi}{\partial x} = -\frac{\hbar}{i} \psi(x). \tag{20.73}$$

A resposta *não* é zero. Toda a ação é simplesmente equivalente a multiplicar por $-\hbar/i$:

$$\hat{x}\hat{p}_x - \hat{p}_x\hat{x} = -\frac{\hbar}{i}. \tag{20.74}$$

Se a constante de Planck fosse zero, então os resultados clássicos e quânticos seriam o mesmo, e não haveria mecânica quântica para ser aprendida!

Por falar nisso, quando dois operadores quaisquer, $\hat{A}$ e $\hat{B}$, são expressos juntos da seguinte maneira:

$$\hat{A}\hat{B} - \hat{B}\hat{A},$$

não forem *nulos*, dizemos que "os operadores não comutam". E uma equação do tipo (20.74) é denominada uma "regra de comutação". Você pode ver que uma regra de comutação para p_x e y é

$$\hat{p}_x \hat{y} - \hat{y}\hat{p}_x = 0.$$

Existe outra lei muito importante de comutação relacionada ao momento angular. Ela é

$$\hat{L}_x \hat{L}_y - \hat{L}_y \hat{L}_x = i\hbar \hat{L}_z. \tag{20.75}$$

Você pode obter alguma prática com os operadores $\hat{x}$ e $\hat{p}$ provando-a por si mesmo.

É interessante notar que operadores que não comutam também podem ocorrer na física clássica. Já vimos isso quando discutimos a rotação no espaço. Se você rodar alguma coisa, como por exemplo, um livro, em 90° em torno de x e depois em 90° em torno de y, você obtém algo diferente de ter rodado primeiro em 90° em torno de y e então em 90° em torno de x. De fato, é exatamente essa propriedade espacial que é responsável pela Eq. (20.75).

20–7 Mudança das médias com o tempo

Agora queremos mostrar algo mais. Como as médias mudam com o tempo? Suponha por enquanto que tenhamos um operador $\hat{A}$ que não contém tempo em si de nenhuma forma óbvia. Queremos dizer um operador como $\hat{x}$ ou $\hat{p}$. (Excluímos coisas como, por exemplo, o operador de algum potencial externo que varia no tempo, como $V(x, t)$.) Agora admita que calculemos $\langle A \rangle_{\text{média}}$, em algum estado $|\psi\rangle$, que é

$$\langle A \rangle_{\text{média}} = \langle \psi | \hat{A} | \psi \rangle. \tag{20.76}$$

Como $\langle A \rangle_{\text{média}}$ dependerá do tempo? Por que deveria depender? Uma razão pode ser que o operador por si só dependa explicitamente do tempo – por exemplo, se ele tiver alguma relação com um potencial que varia no tempo, como $V(x, t)$. Porém, mesmo que o operador não dependa de t como, por exemplo, o operador $\hat{A} = \hat{x}$, a média correspondente deve depender do tempo. Certamente, a posição média de uma partícula pode estar se movendo. Como tal movimento surge na Eq. (20.76) se o $\hat{A}$ não tem dependência temporal? Bem, o estado $|\psi\rangle$ pode estar mudando com o tempo. Para estados não estacionários, mostramos muitas vezes a dependência temporal explicitamente escrevendo o estado como $|\psi(t)\rangle$. Queremos mostrar que a taxa de mudança de $\langle A \rangle_{\text{média}}$ é dada por um novo operador que chamaremos de $\hat{\dot{A}}$. Lembre-se de que $\hat{A}$ é um operador, portanto colocar um ponto sobre A não significa aqui a derivada temporal, mas é simplesmente uma maneira de escrever um *novo* operador $\hat{\dot{A}}$ definido por

$$\frac{d}{dt}\langle A \rangle_{\text{média}} = \langle\psi | \hat{\dot{A}} | \psi\rangle. \tag{20.77}$$

Nosso problema é encontrar o operador $\hat{\dot{A}}$.

Primeiramente, sabemos que a taxa de mudança de um estado é dada pela Hamiltoniana. Especificamente,

$$i\hbar\frac{d}{dt}|\psi(t)\rangle = \hat{H}|\psi(t)\rangle. \tag{20.78}$$

Isso é exatamente a forma abstrata de escrever nossa definição original da Hamiltoniana:

$$i\hbar\frac{dC_i}{dt} = \sum_j H_{ij}C_j. \tag{20.79}$$

Se tomarmos o complexo conjugado da Equação (20.78), ela é equivalente a

$$-i\hbar\frac{d}{dt}\langle\psi(t)| = \langle\psi(t)|\hat{H}. \tag{20.80}$$

Em seguida, veja o que acontece se tomarmos as derivadas em relação a t da Eq. (20.76). Como cada ψ depende de t, temos

$$\frac{d}{dt}\langle A \rangle_{\text{média}} = \left(\frac{d}{dt}\langle\psi|\right)\hat{A}|\psi\rangle + \langle\psi|\hat{A}\left(\frac{d}{dt}|\psi\rangle\right). \tag{20.81}$$

Finalmente, usando as duas equações em (20.78) e (20.80) para substituir as derivadas, obtemos

$$\frac{d}{dt}\langle A \rangle_{\text{média}} = \frac{i}{\hbar}\{\langle\psi|\hat{H}\hat{A}|\psi\rangle - \langle\psi|\hat{A}\hat{H}|\psi\rangle\}.$$

Essa equação é a mesma que

$$\frac{d}{dt}\langle A \rangle_{\text{média}} = \frac{i}{\hbar}\langle\psi|(\hat{H}\hat{A} - \hat{A}\hat{H})|\psi\rangle.$$

Comparando essa equação com a Eq. (20.77), veremos que

$$\hat{\dot{A}} = \frac{i}{\hbar}(\hat{H}\hat{A} - \hat{A}\hat{H}). \tag{20.82}$$

Essa é nossa proposição interessante, e é válida para qualquer operador $\hat{A}$.

Por falar nisso, se o operador $\hat{A}$ fosse *ele mesmo* dependente do tempo, teríamos

$$\hat{\dot{A}} = \frac{i}{\hbar}(\hat{H}\hat{A} - \hat{A}\hat{H}) + \frac{\partial\hat{A}}{\partial t}. \tag{20.83}$$

Vamos usar a Eq. (20.82) em algum exemplo para ver se ela realmente tem algum sentido. Por exemplo, qual operador corresponde a $\hat{\dot{x}}$? Dizemos que deve ser

$$\hat{\dot{x}} = \frac{i}{\hbar}(\hat{H}\hat{x} - \hat{x}\hat{H}). \tag{20.84}$$

O que é isso? Uma maneira de descobrir é trabalhar na representação de coordenadas usando o operador algébrico para $\mathcal{H}$. Nessa representação, o comutador é

$$\mathcal{\hat{H}}x - x\mathcal{\hat{H}} = \left\{-\frac{\hbar^2}{2m}\frac{d^2}{dx^2} + V(x)\right\}x - x\left\{-\frac{\hbar^2}{2m}\frac{d^2}{dx^2} + V(x)\right\}.$$

Se você atuar com isso em qualquer função de onda $\psi(x)$ e resolver todas as derivadas que possa, após um pouco de trabalho, terminará com

$$-\frac{\hbar^2}{m}\frac{d\psi}{dx}.$$

Porém isso é exatamente o mesmo que

$$-i\frac{\hbar}{m}\hat{p}_x\psi,$$

portanto achamos que

$$\hat{H}\hat{x} - \hat{x}\hat{H} = -i\frac{\hbar}{m}\hat{p}_x \tag{20.85}$$

ou que

$$\dot{\hat{x}} = \frac{\hat{p}_x}{m}. \tag{20.86}$$

Um resultado bonito. Significa que se o valor médio de x estiver variando com o tempo, o deslocamento do centro de gravidade é o mesmo do que o momento dividido por m. Exatamente como na mecânica clássica.

Outro exemplo. Qual é a taxa de mudança do momento médio de um estado? Mesmo jogo. Seu operador é

$$\dot{\hat{p}} = \frac{i}{\hbar}(\hat{H}\hat{p} - \hat{p}\hat{H}). \tag{20.87}$$

Novamente você pode trabalhar com a representação em x. Lembre-se de que $\hat{p}$ torna-se d/dx, e isso significa que estará considerando a derivada da energia potencial V (em $\mathcal{H}$) – mas apenas no segundo termo. Esse é o único termo que não cancela, e você achará que

$$\mathcal{H}\hat{p} - \hat{p}\mathcal{H} = i\hbar\frac{dV}{dx}$$

ou que

$$\dot{\hat{p}} = -\frac{dV}{dx}. \tag{20.88}$$

Novamente o resultado clássico. O lado direito é a força, portanto derivamos a lei de Newton! Lembre-se de que essas são as leis para os *operadores* que fornecem as quantidades *médias*. Elas não descrevem o que ocorre detalhadamente dentro de um átomo.

A mecânica quântica tem a diferença essencial de que $\hat{p}\hat{x}$ não é igual a $\hat{x}\hat{p}$. Eles diferem por um pouco – pelo número pequeno $i\hbar$. Porém todas as maravilhosas complicações de interferência, ondas e tudo mais resultam do pequeno fato de que $\hat{x}\hat{p} - \hat{p}\hat{x}$ não é absolutamente zero.

A história dessa ideia é também interessante. Em um período de alguns meses em 1926, Heisenberg e Schrödinger, independentemente, descobriram leis corretas para descrever a mecânica atômica. Schrödinger inventou sua função de onda $\psi(x)$ e achou sua equação. Heisenberg, por outro lado, descobriu que a natureza podia ser descrita por equações clássicas, exceto que $xp - px$ deveria ser igual a $i\hbar$, o que ele poderia fazer definindo-os em termos de tipos especiais de matrizes. Na nossa linguagem, ele estava usando a representação de energia, com suas matrizes. Tanto a álgebra matricial de Heisenberg quanto a equação diferencial de Schrödinger explicaram o átomo de hidrogênio. Alguns meses depois, Schrödinger foi capaz de mostrar que as duas teorias eram equivalentes – como vimos aqui. Porém as duas formas matemáticas diferentes da mecânica quântica foram descobertas independentemente.

21

A Equação de Schrödinger em um Contexto Clássico: Um Seminário sobre Supercondutividade

21–1 Equação de Schrödinger em um campo magnético

Esta aula é somente para entretenimento. Eu gostaria de dar uma aula com um estilo um pouco diferente – somente para ver como funciona. Isso não é parte do curso – no sentido de que não é um esforço de última hora para ensinar algo novo. Pelo contrário, imagino que estou dando um seminário ou palestra de pesquisa no assunto para uma audiência mais avançada, para pessoas que já tenham sido educadas em mecânica quântica. A diferença principal entre um seminário e uma aula regular é que o orador do seminário não precisa mostrar todos os passos, ou toda a álgebra. Ele diz: "Se você fizer isso e isso, o resultado é esse", no lugar de ir mostrando todos os detalhes. Então nessa aula eu irei descrever todas as ideias ao longo da apresentação, mas apresentarei somente os *resultados* dos cálculos. Você deve entender que não se espera que você compreenda tudo imediatamente, mas acredite (mais ou menos) que as coisas dariam certo se você seguisse todos os passos.

Deixando tudo isso de lado, esse é um assunto de que eu *quero* falar. Ele é recente e moderno, e seria perfeitamente legítimo falar sobre ele em um seminário de pesquisa. Meu assunto é a equação de Schrödinger em um cenário clássico – o caso da supercondutividade.

Normalmente, a função de onda que aparece na equação de Schrödinger se refere somente a uma ou duas partículas. E a função de onda por si só não é algo que possua um significado clássico – diferentemente do campo elétrico, do potencial vetor ou coisas desse tipo. A função de onda para uma única partícula *é* um "campo" – no sentido de que é uma função da posição – mas ela geralmente não tem um significado clássico. Ainda assim, existem algumas situações em que a função de onda quântica *possui* um significado clássico, e são estas as que eu quero abordar. O comportamento quântico peculiar da matéria em escalas pequenas normalmente não é sentido em uma escala grande, exceto na maneira padrão que ele produz as leis de Newton – as leis da chamada mecânica clássica. Entretanto, existem certas situações em que as peculiaridades da mecânica quântica aparecem de uma maneira especial em escalas grandes.

A baixas temperaturas, quando a energia de um sistema é reduzida a valores muito baixos, no lugar de uma grande quantidade de estados estarem envolvidos, somente o está um número muito pequeno de estados próximos ao estado fundamental. Nessas circunstâncias, o caráter quântico do estado fundamental pode aparecer em uma escala macroscópica. O objetivo desta aula é mostrar uma conexão entre a mecânica quântica e os efeitos em larga escala – não a discussão habitual da maneira que a mecânica quântica, em média, reproduz a mecânica newtoniana, mas uma situação especial em que a mecânica quântica irá produzir suas próprias características em uma escala grande ou "macroscópica".

Começarei relembrado algumas das propriedades da equação de Schrödinger.† Quero descrever o comportamento de uma partícula em um campo magnético usando a equação de Schrödinger, pois os fenômenos da supercondutividade são associados a campos magnéticos. Um campo magnético externo é descrito por um potencial vetor, e o problema é: quais são as leis da mecânica quântica na presença de um potencial vetor? O princípio que descreve o comportamento da mecânica quântica na presença de um potencial vetor é muito simples. A amplitude de uma partícula ir de um lugar ao outro ao longo de um certo caminho quando existe um campo presente é a mesma amplitude de que ela vá ao longo do mesmo caminho quando não houver nenhum campo, multi-

21–1	Equação de Schrödinger em um campo magnético
21–2	A equação da continuidade para probabilidades
21–3	Dois tipos de momentos
21–4	O significado da função de onda
21–5	Supercondutividade
21–6	O efeito Meissner
21–7	Quantização do fluxo
21–8	A dinâmica da supercondutividade
21–9	A junção de Josephson

---

† Eu não estou, de fato, lembrando vocês de nada, porque eu não mostrei algumas destas equações antes; mas lembrem-se do espírito deste seminário.

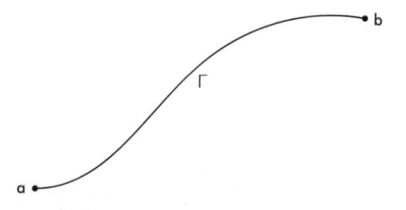

Figura 21-1 A amplitude de ir de a para b ao longo do caminho Γ é proporcional a $\exp[(iq/\hbar)\int_a^b \mathbf{A}\cdot d\mathbf{s}]$.

plicada pela exponencial da integral de linha do potencial vetor, vezes a carga elétrica dividida pela constante de Planck (veja a Fig. 21-1)[1]:

$$\langle b \mid a \rangle_{\text{in }\mathbf{A}} = \langle b \mid a \rangle_{A=0} \cdot \exp\left[\frac{iq}{\hbar}\int_a^b \mathbf{A}\cdot d\mathbf{s}\right]. \quad (21.1)$$

Essa é uma afirmação básica da mecânica quântica.

Sem o potencial vetor, a equação de Schrödinger de uma partícula carregada (não relativística, sem spin) é

$$-\frac{\hbar}{i}\frac{\partial \psi}{\partial t} = \hat{\mathcal{H}}\psi = \frac{1}{2m}\left(\frac{\hbar}{i}\nabla\right)\cdot\left(\frac{\hbar}{i}\nabla\right)\psi + q\phi\psi, \quad (21.2)$$

onde ϕ é o potencial elétrico tal que $q\phi$ é a energia potencial.[†] A Equação (21.1) é equivalente à afirmação de que em um campo magnético os gradientes na Hamiltoniana são substituídos em cada caso pelo gradiente menos $q\mathbf{A}$, tal que a Eq. (21.2) resulta em

$$-\frac{\hbar}{i}\frac{\partial \psi}{\partial t} = \hat{\mathcal{H}}\psi = \frac{1}{2m}\left(\frac{\hbar}{i}\nabla - q\mathbf{A}\right)\cdot\left(\frac{\hbar}{i}\nabla - q\mathbf{A}\right)\psi + q\phi\psi. \quad (21.3)$$

Essa é a equação de Schrödinger para uma partícula com uma carga q movendo-se em um campo eletromagnético $\mathbf{A}$, ϕ (não relativístico, sem spin).

Para mostrar que isso é verdade, eu gostaria de ilustrar com um exemplo simples no qual, em vez de termos uma situação contínua, temos uma linha de átomos ao longo do eixo x, com espaçamento b, e temos uma amplitude $iK/\hbar$ por unidade de tempo para um elétron saltar de um átomo ao outro quando não houver nenhum campo.[‡] De acordo com a Eq. (21.1) se existe um potencial vetor na direção x, $A_x(x, t)$, a amplitude de salto será alterada com relação ao que era antes por um fator $\exp[(iq/\hbar)A_x b]$, o expoente sendo $iq/\hbar$ vezes o potencial vetor integrado desde um átomo até outro. Por simplicidade, iremos escrever $(q/\hbar)A_x \equiv f(x)$, pois A_x depende, geralmente, de x. Se a amplitude de encontrar o elétron no átomo "n" localizado em x for chamada de $C(x) \equiv C_n$, então a taxa de variação da amplitude é dada pela seguinte equação:

$$-\frac{\hbar}{i}\frac{\partial}{\partial t}C(x) = E_0 C(x) - Ke^{-ibf(x+b/2)}C(x+b) \\ - Ke^{+ibf(x-b/2)}C(x-b). \quad (21.4)$$

Existem três partes. Primeiro, existe uma energia E_0 se o elétron estiver localizado em x. Como sempre, isso fornece o termo $E_0 C(x)$. Em seguida, existe um termo $-KC(x+b)$ que é a amplitude para um elétron ter saltado um passo para trás, a partir do átomo "$n+1$" localizado em $x+b$. Entretanto, fazendo isso na presença de um potencial vetor, a fase da amplitude deve ser deslocada de acordo com a regra da Eq. (21.1). Se A_x quase não variar ao longo de um espaçamento atômico, a integral pode ser escrita como simplesmente o valor de A_x no ponto médio, vezes o espaçamento b. Desta forma $(iq/\hbar)$ vezes a integral é simplesmente $ibf(x+b/2)$. Como o elétron está saltando para trás, eu mostrei esse deslocamento da fase com um sinal de menos. Isso nos dá a segunda parte da equação. Da mesma maneira, existe uma certa amplitude de ele ter saltado para o outro lado, mas dessa vez precisamos do potencial vetor para uma distância $(b/2)$ do outro lado de x, vezes a distância b. Isso nos fornece a terceira parte. A soma nos dá a equação para a amplitude de estar em x na presença de um potencial vetor.

Agora sabemos que se a função $C(x)$ for suave o suficiente (tomamos o limite de grandes comprimentos de onda), e se deixarmos os átomos se aproximarem, a Eq.

---
[1] Volume II, Seção 15-5.

[†] Não deve ser confundido com o nosso uso anterior de ϕ para identificar um estado.

[‡] K é a mesma quantidade que foi chamada de A no problema de uma rede linear sem campo magnético. Veja o Capítulo 13.

(21.4) irá se aproximar da que descreve o comportamento de um elétron no espaço livre. O próximo passo é, então, expandir o lado direito de (21.4) em uma série de potências de b, supondo b muito pequeno. Por exemplo, se b for zero, o lado direito será simplesmente $(E_0 - 2K)C(x)$, então em uma aproximação de ordem zero, a energia vale $E_0 - 2K$. Agora vêm os termos em b, mas como as duas exponenciais possuem sinais opostos, somente as potências pares de b irão ficar. Assim, se você fizer uma expansão de Taylor de $C(x)$, de $f(x)$, e das exponenciais, e então coletar os termos em b^2, você obtém

$$-\frac{\hbar}{i}\frac{\partial C(x)}{\partial t} = E_0 C(x) - 2KC(x)$$
$$- Kb^2\{C''(x) - 2if(x)C'(x) - if'(x)C(x) - f^2(x)C(x)\}. \quad (21.5)$$

(As "linhas" ('') significam diferenciação com relação a x.)

Ora, essa combinação horrível de coisas parece bastante complicada. No entanto, matematicamente, é exatamente a mesma coisa que

$$-\frac{\hbar}{i}\frac{\partial C(x)}{\partial t} = (E_0 - 2K)C(x) - Kb^2\left[\frac{\partial}{\partial x} - if(x)\right]\left[\frac{\partial}{\partial x} - if(x)\right]C(x). \quad (21.6)$$

O segundo colchete operando em $C(x)$ fornece $C'(x)$ somado a $if(x)C(x)$. O primeiro colchete operando nesses dois termos nos dá o termo C'' e os termos na primeira derivada de $f(x)$ e na primeira derivada de $C(x)$. Agora, lembre-se de que as soluções para campo magnético zero[2] representam uma partícula com uma massa efetiva m_{eff} dada por

$$Kb^2 = \frac{\hbar^2}{2m_{\text{eff}}}.$$

Se você fizer $E_0 = 2K$ e colocar isso de volta em $f(x) = (q/\hbar)A_x$, você pode facilmente checar que a Eq. (21.6) é a mesma que a primeira parte da Eq. (21.3). (A origem do termo de energia potencial é bem conhecida, então não me incomodei em incluí-lo nesta discussão). A proposta da Eq. (21.1) de que o potencial vetor modifica todas as amplitudes pelo fator exponencial é a mesma que a regra segundo a qual o operador momento $(\hbar/i)\nabla$ é substituído por

$$\frac{\hbar}{i}\nabla - q\mathbf{A},$$

como você pode ver na equação de Schrödinger de (21.3).

21–2 A equação da continuidade para probabilidades

Agora eu me volto para um segundo ponto. Uma importante parte da equação de Schrödinger para uma única partícula é a ideia de que a probabilidade de encontrar a partícula em uma certa posição é dada pelo módulo quadrado da função de onda. É também uma característica da mecânica quântica que a probabilidade é conservada em um sentido local. Quando a probabilidade de encontrar o elétron em algum lugar diminui, enquanto a probabilidade de o elétron estar em qualquer outro lugar aumenta (mantendo a probabilidade total fixa), alguma coisa deve estar acontecendo entre elas. Em outras palavras, o elétron possui uma continuidade no sentido de que se a probabilidade diminui em um lugar e aumenta em outro, deve haver algum tipo de fluxo entre eles. Se você colocar uma parede, no caminho, por exemplo, ela irá causar uma influência, e as probabilidades não serão mais as mesmas. Então, a conservação da probabilidade por si só não é

---

[2] Seção 13-3.

uma afirmação completa da lei de conservação, da mesma forma que a conservação de energia sozinha não é tão profunda e importante como a conservação *local* da energia.[3] Se a energia estiver desaparecendo, deve haver um fluxo de energia correspondente. Da mesma maneira, gostaríamos de encontrar uma "corrente" de probabilidade tal que se existe uma mudança na densidade de probabilidade (a probabilidade de ser encontrado em uma unidade de volume), ela possa ser considerada como vinda de um fluxo entrando ou saindo devido a alguma corrente. Essa corrente deve ser um vetor que pode ser interpretado da seguinte maneira – a componente x deve ser a probabilidade líquida por segundo e por unidade de área de que uma partícula passe na direção x através de um plano paralelo ao plano yz. A passagem para $+x$ é considerada como um fluxo positivo, e a passagem na direção oposta, um fluxo negativo.

Essa corrente existe? Bem, você sabe que a densidade de probabilidade $P(\mathbf{r}, t)$ é dada em termos da função de onda por

$$P(\mathbf{r}, t) = \psi^*(\mathbf{r}, t)\psi(\mathbf{r}, t). \qquad (21.7)$$

Eu estou perguntando: existe uma corrente $\mathbf{J}$ tal que

$$\frac{\partial P}{\partial t} = -\nabla \cdot \mathbf{J}? \qquad (21.8)$$

Se eu tomar a derivada temporal da Eq. (21.7), eu obtenho dois termos:

$$\frac{\partial P}{\partial t} = \psi^* \frac{\partial \psi}{\partial t} + \psi \frac{\partial \psi^*}{\partial t}. \qquad (21.9)$$

Agora, use a equação de Schrödinger – Eq. (21.3) – para $\partial \psi/\partial t$; e considere o seu complexo conjugado para obter $\partial \psi^*/\partial t$ – cada i fica com o seu sinal invertido. Você obtém

$$\frac{\partial P}{\partial t} = -\frac{i}{\hbar}\left[\psi^* \frac{1}{2m}\left(\frac{\hbar}{i}\nabla - q\mathbf{A}\right)\cdot\left(\frac{\hbar}{i}\nabla - q\mathbf{A}\right)\psi + q\phi\psi^*\psi \right. \\ \left. - \psi \frac{1}{2m}\left(-\frac{\hbar}{i}\nabla - q\mathbf{A}\right)\cdot\left(-\frac{\hbar}{i}\nabla - q\mathbf{A}\right)\psi^* - q\phi\psi\psi^*\right]. \qquad (21.10)$$

Os termos de potencial e um monte de outras coisas se cancelam. E acontece que tudo o que sobra pode na verdade ser escrito perfeitamente como um divergente. A equação toda é equivalente a

$$\frac{\partial P}{\partial t} = -\nabla \cdot \left\{\frac{1}{2m}\psi^*\left(\frac{\hbar}{i}\nabla - q\mathbf{A}\right)\psi + \frac{1}{2m}\psi\left(-\frac{\hbar}{i}\nabla - q\mathbf{A}\right)\psi^*\right\} \qquad (21.11)$$

Ela realmente não é tão complicada como parece. É uma combinação simétrica de ψ^* vezes uma certa operação em ψ, mais ψ vezes o complexo conjugado dessa operação em ψ^*. É alguma quantidade mais o seu próprio complexo conjugado, tal que toda a coisa é real – como deve ser. A operação pode ser lembrada desta maneira: é simplesmente o operador momento $\hat{\mathcal{P}}$ menos $q\mathbf{A}$. Eu poderia escrever a corrente na Eq. (21.8) como

$$\mathbf{J} = \frac{1}{2}\left\{\psi^*\left[\frac{\hat{\mathcal{P}} - q\mathbf{A}}{m}\right]\psi + \psi\left[\frac{\hat{\mathcal{P}} - q\mathbf{A}}{m}\right]^*\psi^*\right\}. \qquad (21.12)$$

Existe então uma corrente $\mathbf{J}$ que completa a Eq. (21.8).

A Equação (21.11) mostra que a probabilidade é conservada localmente. Se uma partícula desaparecer de uma região, ela não pode aparecer em outra região sem alguma coisa acontecer entre elas. Imagine que a primeira região seja rodeada por uma superfície fechada longe o suficiente tal que exista uma probabilidade zero de encontrar o

---

[3] Volume II, Seção 27-1.

elétron nessa superfície. A probabilidade total de encontrar o elétron em algum lugar dentro da superfície é a integral de volume de P. Contudo, de acordo com o teorema de Gauss, a integral de volume do divergente de **J** é igual à integral de superfície de sua componente normal. Se ψ for zero na superfície, a Eq. (21.12) diz que **J** é zero, de tal forma que a probabilidade total de encontrar a partícula dentro do volume não pode variar. Somente se alguma probabilidade se aproximar do contorno é que parte dele pode vazar para fora. Podemos dizer que ela só pode sair movendo-se através da superfície – e isso é a conservação local.

21–3 Dois tipos de momentos

A equação para a corrente é muito interessante, e algumas vezes provoca uma certa preocupação. Você pode pensar que a corrente pode ser algo como a densidade de partículas vezes a velocidade. A densidade deve ser alguma coisa como $\psi\psi^*$, o que está certo. E cada termo na Eq. (21.12) se parece com a forma típica para o valor médio do operador

$$\frac{\hat{\mathcal{P}} - q\mathbf{A}}{m}, \qquad (21.13)$$

então talvez devêssemos pensar nela como a velocidade do fluxo. É como se tivéssemos duas sugestões para a relação da velocidade com o momento, pois pensaríamos também que o momento dividido pela massa, $\hat{\mathcal{P}}/m$, deveria ser a velocidade. As duas possibilidades diferem por um potencial vetor.

Acontece que essas duas possibilidades foram descobertas na física clássica, quando foi encontrado que o momento pode ser definido de duas maneiras.[4] Uma delas é chamada de "momento cinemático", mas para clareza absoluta eu irei, nesta lição, chamá-la de "momento mv". Esse é o momento obtido multiplicando-se a massa pela velocidade. O outro é mais matemático, um momento mais abstrato, algumas vezes chamado de "momento dinâmico", que eu irei chamar de "momento p". As duas possibilidades são

$$\text{momento } m\mathbf{v} = m\mathbf{v}, \qquad (21.14)$$

$$\text{momento } p = m\mathbf{v} + q\mathbf{A}. \qquad (21.15)$$

Resulta que, na mecânica quântica com campos magnéticos, é o momento p que está conectado com o operador de gradiente $\hat{\mathcal{P}}$, então segue que (21.13) é o operador de velocidade.

Gostaria de fazer uma breve digressão para mostrar-lhe sobre o que é tudo isso – porque deve haver alguma coisa como a Eq. (21.15) na mecânica quântica. A função de onda varia com o tempo de acordo com a equação de Schrödinger na Eq. (21.3). Se eu pudesse variar repentinamente o potencial vetor, a função de onda não deveria variar em um primeiro momento; somente sua taxa de variação é que mudaria. Agora pense no que deveria acontecer nas seguintes circunstâncias. Suponha que eu tenha um longo solenoide, no qual eu possa produzir um fluxo de campo magnético (campo **B**), como mostrado na Fig. 21-2. Existe uma partícula carregada parada perto dele. Suponha que esse fluxo cresça instantaneamente a partir do zero até um certo valor. Eu começo com o potencial vetor zero e então ligo um potencial vetor. Isso significa que produzo repentinamente um potencial vetor **A** ao longo da circunferência. Você irá lembrar que a integral de linha de **A** ao redor de uma espira é a mesma que o fluxo de **B** através da espira.[5] Agora o que acontece se ligo repentinamente o potencial vetor? De acordo com as equações da mecânica quântica, a variação repentina de **A** não cria uma variação repentina de ψ; a função de onda ainda é a mesma. Então o gradiente permanece inalterado.

---

[4] Por exemplo, veja J. D. Jackson, *Classical Electrodynamics*, John Wiley and Sons, Inc. New York (1962), p. 408.

[5] Volume II, Capítulo 14, Seção 14-1.

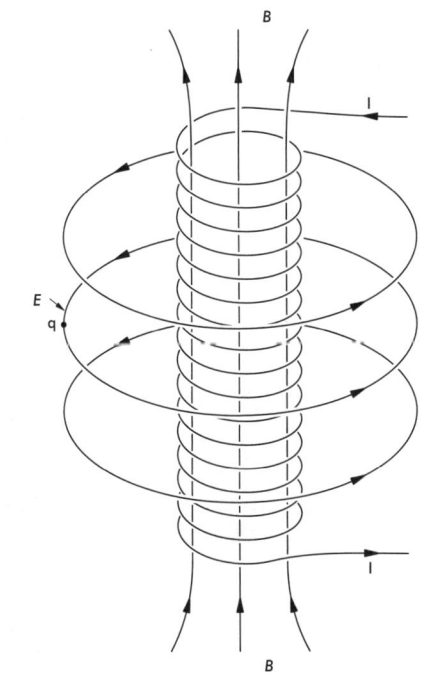

Figura 21–2 Campo elétrico fora de um solenoide com uma corrente aumentando.

No entanto, lembre-se do que acontece eletricamente quando eu ligo repentinamente um fluxo. Durante o pequeno tempo em que o fluxo está aumentando, existe um campo elétrico gerado cuja integral de linha é a taxa de variação do fluxo com o tempo:

$$E = -\frac{\partial \mathbf{A}}{\partial t}. \tag{21.16}$$

O campo elétrico será enorme se o fluxo variar muito rapidamente, e ele imprime uma força na partícula. Essa força é a carga vezes o campo elétrico, então, durante o aumento do fluxo, a partícula obtém um impulso total (ou seja, uma mudança em mv) igual a $-q\mathbf{A}$. Em outras palavras, se você ligar repentinamente um potencial vetor em uma carga, essa carga imediatamente irá adquirir um momento mv igual a $-q\mathbf{A}$. Porém, tem alguma coisa que não é modificada subitamente e essa é a diferença entre mv e $-q\mathbf{A}$. E então a soma $\mathbf{p} = mv + q\mathbf{A}$ é alguma coisa que não varia quando você faz uma variação repentina no potencial vetor. Essa quantidade $\mathbf{p}$ é o que chamamos de momento p e é importante na mecânica clássica na teoria da dinâmica, mas ela também possui um significado direto em mecânica quântica. Ela depende do caráter da função de onda e é identificada com o operador

$$\hat{\mathbf{p}} = \frac{\hbar}{i}\nabla.$$

21–4 O significado da função de onda

Quando Schrödinger descobriu a sua equação, ele descobriu a lei de conservação da Eq. (21.8) como uma consequência da sua equação. Ele imaginou incorretamente que P era a densidade de carga elétrica do elétron e $\mathbf{J}$ a densidade de corrente elétrica, então ele pensou que os elétrons interagiam com o campo eletromagnético através dessas cargas e correntes. Quando ele resolveu a equação para o átomo de hidrogênio e calculou ψ, ele não estava calculando a probabilidade de nada – não havia nenhuma amplitude naquele tempo – a interpretação era completamente diferente. O núcleo atômico estava estacionário, mas existiam correntes se movendo ao seu redor; as cargas P e correntes $\mathbf{J}$ deveriam gerar campos eletromagnéticos e a coisa deveria irradiar luz. Ele logo descobriu, resolvendo uma série de problemas, que isso não estava funcionando direito. Foi nesse ponto que Born fez uma contribuição essencial às nossas ideias com relação à mecânica quântica. Foi Born que interpretou corretamente (até onde sabemos) o ψ da equação de Schrödinger em termos da amplitude de probabilidade – essa difícil ideia de que o quadrado da amplitude não é a densidade de carga, mas simplesmente a probabilidade por unidade de volume de encontrar um elétron lá, e que quando você encontra o elétron em algum lugar, toda a carga está lá. Toda essa ideia é devido a Born.

A função de onda $\psi(\mathbf{r})$ para um elétron em um átomo não descreve, então, um elétron espalhado com uma densidade de carga suave. O elétron ou está aqui, ou ali, ou em outro lugar, mas em qualquer lugar que ele estiver, ele é uma carga pontual. Por outro lado, pense em uma situação em que existe um número enorme de partículas com exatamente o mesmo estado, um número muito grande delas com a mesma função de onda. Então o que é isso? Uma delas está aqui e uma outra está lá, e a probabilidade de encontrar qualquer uma delas em um dado lugar é proporcional a $\psi\psi^*$. Uma vez que existem tantas partículas, se eu olhar para qualquer volume $dxdydz$ eu irei geralmente encontrar um número próximo de $\psi\psi^*dxdydz$. Então em uma situação na qual ψ é a função de onda para cada uma de um grande número de partículas que estão todas no mesmo estado, $\psi\psi^*$ *pode* ser interpretado como uma densidade de partículas. Se, perante essas circunstâncias, cada partícula carrega a mesma carga q, podemos, de fato, ir mais adiante e interpretar $\psi\psi^*$ como uma densidade de *eletricidade*. Normalmente, $\psi\psi^*$ tem dimensão de uma densidade de probabilidade, então ψ deve ser multiplicada por q para ter a dimensão de uma densidade de carga. Para nossos propósitos presentes podemos colocar esse fator constante em ψ e tomar $\psi\psi^*$ como a densidade de carga elétrica. Com esse entendimento, $\mathbf{J}$ (a corrente de probabilidade que calculei) se torna diretamente a densidade de corrente elétrica.

Então na situação em que podemos ter muitas partículas exatamente no mesmo estado, é possível uma nova interpretação física da função de onda. A densidade de carga e a corrente elétrica podem ser calculadas diretamente a partir das funções de onda, e as funções de onda tomam um significado físico que se estende para situações clássicas, macroscópicas. Algo similar pode acontecer com partículas neutras. Quando temos a função de onda de um único fóton, ela é a amplitude de encontrar um fóton em algum lugar. Embora não a tenhamos escrito nunca, existe uma equação para a função de onda do fóton, análoga à equação de Schrödinger para o elétron. A equação para o fóton é exatamente a mesma que as equações de Maxwell para o campo eletromagnético, e a função de onda é a mesma coisa que o potencial vetor **A**. Acontece que a função de onda é exatamente o potencial vetor. A física quântica é a mesma coisa que a física clássica, pois os fótons são partículas de Bose não interagentes, e muitas delas podem estar no mesmo estado – como você sabe, elas *gostam* de estar no mesmo estado. No momento em que você tem bilhões delas no mesmo estado (ou seja, na mesma onda eletromagnética), você pode medir a função de onda, que é diretamente o potencial vetor. É claro, historicamente a coisa aconteceu de outra maneira. As primeiras observações foram para situações com muitos fótons no mesmo estado, e então fomos capazes de descobrir a equação correta para um único fóton observando diretamente com as nossas mãos em um nível macroscópico a natureza da função de onda.

Agora, o problema com o elétron é que você não pode colocar mais de um no mesmo estado. Então, por muito tempo se acreditou que a função de onda da equação de Schrödinger nunca teria uma representação macroscópica análoga com a representação macroscópica da amplitude para os fótons. Por outro lado, compreende-se agora que o fenômeno da supercondutividade nos apresenta exatamente essa situação.

21–5 Supercondutividade

Como você sabe, muitos metais se tornam supercondutores a baixas temperaturas[6] – a temperatura é diferente para diferentes metais. Quando você reduz a temperatura o suficiente, os metais conduzem eletricidade sem nenhuma resistência. Esse fenômeno tem sido observado para um grande número de metais, mas não para todos, e a teoria desse fenômeno tem provocado muita dificuldade. Levou muito tempo para se entender o que estava acontecendo dentro dos supercondutores, e irei descrever somente o suficiente para os nossos presentes objetivos. Segue que devido às interações dos elétrons com as vibrações dos átomos na rede, resulta uma pequena *atração* efetiva entre os elétrons. O resultado é que os elétrons formam, falando de forma bastante qualitativa e crua, pares ligados.

Agora você sabe que um único elétron é uma partícula de Fermi. Porém, um par deve agir como uma partícula de Bose, pois se eu trocar ambos os elétrons em um par, mudo o sinal da função de onda duas vezes, e isso significa que não mudei nada. Um par *é* uma partícula de Bose.

A energia para formar o par – ou seja, a atração resultante – é muito, muito fraca. Uma pequena temperatura já é suficiente para separar os elétrons por meio da agitação térmica e convertê-los novamente em elétrons "normais". Quando você faz a temperatura ser suficientemente baixa de tal forma que eles têm de se esforçar para atingirem o seu estado de energia mais baixa, então eles se arranjam em pares.

Eu não quero que você imagine que os pares são realmente mantidos muito próximos, como uma partícula pontual. De fato, originalmente, uma das maiores dificuldades em entender esse fenômeno era que não é assim que as coisas são de fato. Os dois elétrons que formam o par estão realmente separados por uma distância considerável; e a distância média entre os pares é relativamente menor que o tamanho de um único par. Vários pares estão ocupando o mesmo espaço ao mesmo tempo. Um triunfo dos tempos recen-

---

[6] Descoberto pela primeira vez por Kamerlingh-Onnes em 1911; H. Kamerlingh-Onnes, Comm. Phys. Lab., Univ. Leyden, Nos. 119, 120, 122 (1911). Você encontrará uma boa discussão moderna desse assunto em E. A. Lynton, *Superconductivity*, John Wiley and Sons, Inc. New York, 1962.

tes foi tanto a explicação da razão pela qual os elétrons em um metal formam pares quanto uma estimativa da energia associada à formação de um par. Esse ponto fundamental na teoria da supercondutividade foi explicado pela primeira vez na teoria de Bardeen, Cooper e Schrieffer[7], mas esse não é o assunto deste seminário. Entretanto, iremos aceitar a ideia de que os elétrons formam pares, de uma maneira ou de outra, tal que podemos pensar nesses pares como se comportando mais ou menos como partículas, e podemos então falar sobre a função de onda para um "par".

Agora a equação de Schrödinger para o par será mais ou menos como a Eq. (21.3). Haverá uma diferença em que a carga q será duas vezes a carga de um elétron. Não conhecemos também a inércia – ou massa efetiva – para o par na rede cristalina, logo não sabemos que número colocar para m. Também não devemos pensar que se considerarmos frequências muito altas (ou comprimentos de ondas curtos), essa é exatamente a forma correta, pois a energia cinética que corresponde a funções de onda variando muito rapidamente pode ser tão alta que quebraria os pares. A temperaturas finitas, sempre existem alguns pares que são quebrados de acordo com a teoria usual de Boltzman. A probabilidade de que um par seja quebrado é proporcional a $\exp(-E_{par}/kT)$. Os elétrons que não estão ligados em pares são chamados de elétrons "normais" e irão se mover pelo cristal de uma maneira comum. Entretanto, considerarei somente a situação a uma temperatura essencialmente zero – ou, de qualquer maneira, irei desprezar as complicações produzidas por esses elétrons que não estão em pares.

Como os elétrons em pares são bósons, quando existe uma grande quantidade deles em um dado estado, existe uma amplitude particularmente grande para outros pares irem para o mesmo estado. Portanto, aproximadamente todos os pares estarão aprisionados na configuração de menor energia *exatamente no mesmo estado* – não será fácil obter um deles em outro estado. Existe uma maior amplitude para irem ao mesmo estado do que para um estado não ocupado, pelo famoso fator $\sqrt{n}$, onde $n-1$ é a ocupação do estado mais baixo. Então devemos esperar que todos os pares estejam se movendo no mesmo estado.

Então, como a nossa teoria irá se parecer? Irei chamar de ψ a função de onda de um par no estado de menor energia. Entretanto, como $\psi\psi^*$ será proporcional à densidade de carga ρ, eu posso muito bem escrever ψ como a raiz quadrada da densidade de carga vezes algum fator de fase:

$$\psi(\mathbf{r}) = \rho^{1/2}(\mathbf{r})e^{i\theta(\mathbf{r})}, \qquad (21.17)$$

onde ρ e θ são funções reais de $\mathbf{r}$. (Qualquer função complexa pode, obviamente, ser escrita dessa maneira). Está claro o que queremos dizer quando falamos sobre a densidade de carga, mas qual o significado físico da fase θ da função de onda? Bem, vamos ver o que acontece se substituirmos $\psi(\mathbf{r})$ na Eq. (21.12) e escrevermos a densidade de corrente em termos dessas novas variáveis ρ e θ. É somente uma mudança de variáveis, e não irei desenvolver toda a álgebra, mas o resultado é

$$\mathbf{J} = \frac{\hbar}{m}\left(\nabla\theta - \frac{q}{\hbar}\mathbf{A}\right)\rho. \qquad (21.18)$$

Como tanto a densidade de corrente como a densidade de carga possuem um significado físico direto para o gás de elétrons supercondutor, ρ e θ são coisas reais. A fase é tão observável quanto ρ; é um pedaço da densidade de corrente $\mathbf{J}$. A fase *absoluta* não é observável, mas se o gradiente da fase for conhecido em todos os lugares, a fase é conhecida, exceto para uma constante. Você pode definir a fase em um ponto, e então a fase em qualquer outro lugar está determinada.

A equação para a corrente pode ser analisada um pouco melhor quando você pensa que a densidade de corrente $\mathbf{J}$ é *de fato* a densidade de carga vezes a velocidade de movimento do fluido de elétrons, ou ρv. A Equação (21.18) é então equivalente a

$$mv = \hbar\nabla\theta - q\mathbf{A}. \qquad (21.19)$$

---

[7] J. Bardeen, L. N. Cooper e J. R. Schrieffer, *Phys. Rev.* **108**, 1175 (1957).

Note que existem dois pedaços no momento mv; um é a contribuição do potencial vetor, e o outro é uma contribuição do comportamento da função de onda. Em outras palavras, a quantidade $\hbar\nabla\theta$ é simplesmente o que havíamos chamado de momento p.

21–6 O efeito Meissner

Agora podemos descrever alguns dos fenômenos da supercondutividade. Em primeiro lugar, não existe nenhuma resistência elétrica. Não há nenhuma resistência porque todos os elétrons estão coletivamente no mesmo estado. No fluxo ordinário de corrente, você joga um elétron ou outro para fora do fluxo regular, gradualmente deteriorando o momento geral. Aqui, tirar um elétron para fora do que todos os outros estão fazendo é muito difícil devido à tendência de todas as partículas de Bose de irem para o mesmo estado. Uma vez que a corrente começou, ela continuará para sempre.

Também é fácil de entender que se você tiver um pedaço de metal no estado supercondutor e ligar um campo magnético que não seja muito forte (não entraremos em detalhes sobre quão forte), o campo magnético não pode penetrar no material. Se, à medida que você ligasse o campo magnético, qualquer parte dele fosse penetrar no metal, existiria uma taxa de variação do fluxo que iria produzir um campo elétrico, e um campo elétrico iria imediatamente gerar uma corrente elétrica que, pela lei de Lenz, iria se opor ao fluxo. Como todos os elétrons se moverão juntos, um campo elétrico infinitesimal gerará corrente suficiente para se opor completamente a qualquer campo magnético aplicado. Então, se você ligar um campo após resfriar um metal até o estado supercondutor, ele será excluído.

Ainda mais interessante é um fenômeno relacionado, descoberto experimentalmente por Meissner.[8] Se você tiver um pedaço de metal a uma alta temperatura (tal que ele seja um condutor normal), estabelecer um campo magnético através dele e então baixar a temperatura abaixo da temperatura crítica (onde o metal se torna um supercondutor), *o campo será expelido*. Em outras palavras, ele inicia sua própria corrente – e exatamente na quantidade correta para colocar o campo para fora.

Podemos ver a razão disso nas equações, e eu gostaria de explicar como. Suponha que tomemos um único pedaço de material supercondutor. Então, em uma situação estacionária de qualquer tipo, o divergente da corrente deve ser zero porque não há nenhum lugar para ela ir. É conveniente a escolha de fazer o divergente de **A** igual a zero. (Eu deveria explicar por que escolher essa convenção não significa nenhuma perda de generalidade, mas não quero gastar o tempo necessário para isso.) Tomando o divergente da Eq. (21.18), obtém-se que o Laplaciano de θ é igual a zero. Espere um pouco. E a variação de ρ? Esqueci de mencionar um ponto importante. Existe um fundo de carga positiva no metal devido aos íons atômicos da rede. Se a densidade de carga ρ for uniforme, não existe carga resultante e não há campo elétrico. Se houvesse qualquer acúmulo de elétrons em uma região, a carga não seria neutralizada, e existiria uma enorme repulsão afastando os elétrons.[†] Logo, em circunstâncias normais, a densidade de carga dos elétrons no supercondutor é quase perfeitamente uniforme – eu posso considerar ρ como uma constante. Agora, a única maneira em que $\nabla^2\theta$ pode ser zero em todo lugar dentro do pedaço de metal é θ ser uma constante. E isso significa que não existe nenhuma contribuição a **J** pelo momento p. A Equação (21.18), então, diz que a corrente é proporcional a ρ vezes **A**. Ou seja, em toda parte de um pedaço de material supercondutor a corrente é necessariamente proporcional ao potencial vetor:

$$\mathbf{J} = -\rho\frac{q}{m}\mathbf{A}. \qquad (21.20)$$

---

[8] W. Meissner e R. Ochsenfeld, *Naturwiss.* **21**, 787 (1933).

[†] De fato, se o campo elétrico fosse muito forte, os pares iriam se quebrar e os elétrons "normais" criados iriam se mover para ajudar a neutralizar qualquer excesso de carga positiva. Ainda assim, é necessário energia para criar esses elétrons normais, então o ponto principal é que uma densidade basicamente uniforme ρ é altamente favorecida energeticamente.

Como ρ e q possuem o mesmo sinal (negativo), e como ρ é uma constante, eu posso fazer $-\rho q/m = -$ (alguma constante positiva); então

$$\mathbf{J} = -\text{ (alguma constante positiva)}\mathbf{A}. \qquad (21.21)$$

Essa equação foi originalmente proposta por London e London[9] para explicar as observações experimentais da supercondutividade – muito antes da origem quântica dos efeitos ser entendida.

Podemos, agora, usar a Eq. (21.20) nas equações do eletromagnetismo para obter a solução dos campos. O potencial vetor está relacionado com a densidade de corrente por

$$\nabla^2 \mathbf{A} = -\frac{1}{\epsilon_0 c^2} \mathbf{J}. \qquad (21.22)$$

Se eu usar a Eq. (21.21) para $\mathbf{J}$, obtenho

$$\nabla^2 \mathbf{A} = \lambda^2 \mathbf{A}, \qquad (21.23)$$

onde λ^2 é simplesmente uma nova constante;

$$\lambda^2 = \rho \frac{q}{\epsilon_0 m c^2}. \qquad (21.24)$$

Podemos agora tentar resolver essa equação para $\mathbf{A}$ e ver o que acontece em detalhes. Por exemplo, em uma dimensão a Eq. (21.23) possui soluções exponenciais da forma $e^{-\lambda x}$ e $e^{+\lambda x}$. Essas soluções significam que o potencial vetor deve *decrescer* exponencialmente à medida que você caminha da superfície para dentro do material. (Ele não pode aumentar, pois explodiria.) Se o pedaço de metal for grande comparado com $1/\lambda$, o campo somente irá penetrar em uma pequena camada da superfície – uma camada com espessura aproximadamente $1/\lambda$. Todo o restante da parte interna do metal estará livre de campo, como esquematizado na Fig. 21-3. Essa é a explicação para o efeito de Meissner.

Quão grande é a distância λ? Bem, lembre-se de que r_0, o "raio eletromagnético" do elétron ($2{,}8 \times 10^{-13}$ cm), é dado por

$$mc^2 = \frac{q_e^2}{4\pi\epsilon_0 r_0}.$$

Lembre-se também de que q na Eq. (21.24) é duas vezes a carga de um elétron, logo

$$\frac{q}{\epsilon_0 m c^2} = \frac{8\pi r_0}{q_e}.$$

Escrevendo ρ como $q_e N$, onde N é o número de elétrons por centímetro cúbico, temos

$$\lambda^2 = 8\pi N r_0. \qquad (21.25)$$

Para um metal como chumbo existem cerca de 3×10^{22} átomos por cm³, então se cada um contribuir com somente um elétron de condução, $1/\lambda$ será em torno de 2×10^{-5} cm. Isso dá a você a ordem de grandeza.

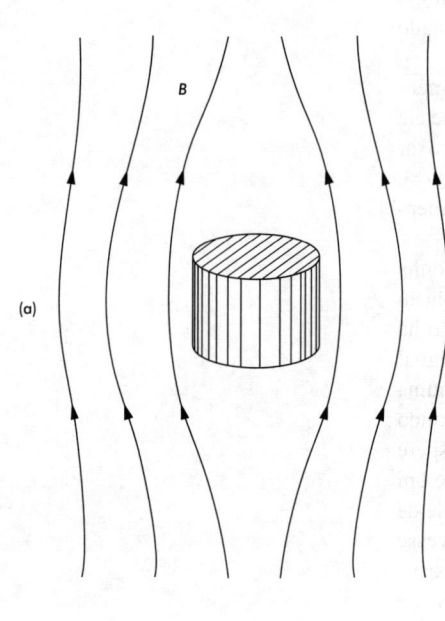

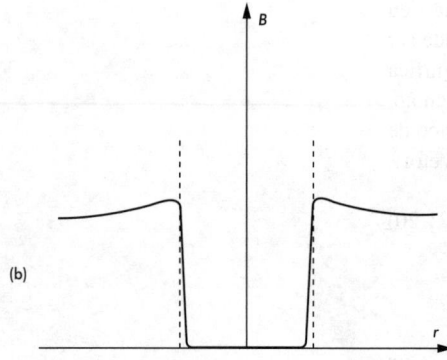

Figura 21-3 (a) Um cilindro supercondutor em um campo magnético; (b) campo magnético **B** como função de r.

[9] F. London e H. London, *Proc. Roy. Soc.* (London) **A149**, 71 (1935); *Physica* **2**, 341 (1935).

21-7 Quantização do fluxo

A equação de London (21.21) foi proposta para explicar os fatos observados da supercondutividade, incluindo o efeito Meissner. Entretanto, em tempos recentes, previsões ainda mais dramáticas foram feitas. Uma previsão feita por London era tão peculiar que ninguém prestou muita atenção nela, até recentemente. Eu irei discuti-la agora. Ao invés de tomar somente um único pedaço, suponha que tomemos um *anel*, cuja espessura é grande comparada com $1/\lambda$, e tentemos ver o que deveria acontecer se ligarmos um campo magnético através do anel, seguido do seu resfriamento até o estado supercondutor, finalizando com a remoção da fonte original de **B**. A sequência de eventos está esquematizada na Fig. 21-4. No estado normal, deve haver um campo no corpo do anel como esquematizado na parte (a) da figura. Quando o anel torna-se supercondutor, o campo é forçado para fora *do material* (como acabamos de ver). Existirá então algum fluxo dentro do buraco do anel como esquematizado na parte (b). Se o campo externo for agora removido, as linhas de campo que estavam passando dentro do buraco serão "aprisionadas" como mostrado na parte (c). O fluxo Φ através do centro não pode decrescer, pois $\partial \Phi / \partial t$ deve ser igual à integral de linha de **E** ao redor do anel, que é zero em um supercondutor. À medida que o campo externo é removido, uma supercorrente começa a fluir ao redor do anel para manter o fluxo através do anel constante. (Essa é a velha ideia de correntes parasitas, entretanto agora com resistência zero.) Contudo, essas correntes irão todas fluir perto da superfície (dentro de uma profundidade igual a $1/\lambda$), como pode ser mostrado pelo mesmo tipo de análise que fiz para o bloco sólido. Essas correntes podem manter o campo magnético para fora do corpo do anel, e produzem também o campo magnético permanentemente aprisionado.

Entretanto, agora existe uma diferença essencial, e nossas equações predizem um efeito surpreendente. O argumento que fiz anteriormente de que θ deve ser uma constante em um bloco sólido *não se aplica para um anel*, como você pode ver a partir dos seguintes argumentos.

Bem, dentro do corpo do anel a densidade de corrente **J** é zero; então a Eq. (21.18) fornece

$$\hbar \nabla \theta = q\mathbf{A}. \qquad (21.26)$$

Considere agora o que obtemos se calculamos a integral de linha de **A** ao redor da curva Γ, que contorna o anel perto do centro da sua seção transversal tal que ela nunca fica perto da superfície, como desenhado na Fig. 21-5. Da Eq. (21.26),

$$\hbar \oint \nabla \theta \cdot d\mathbf{s} = q \oint \mathbf{A} \cdot d\mathbf{s}. \qquad (21.27)$$

Agora você sabe que a integral de linha de **A** em torno de qualquer caminho fechado é igual ao fluxo de **B** através do caminho

$$\oint \mathbf{A} \cdot d\mathbf{s} = \Phi.$$

A Equação (21.27) então fica

$$\oint \nabla \theta \cdot d\mathbf{s} = \frac{q}{\hbar} \Phi. \qquad (21.28)$$

A integral de linha de um gradiente de um ponto a outro (digamos do ponto 1 ao ponto 2) é a diferença entre os valores das funções nos dois pontos. Isto é,

$$\int_1^2 \nabla \theta \cdot d\mathbf{s} = \theta_2 - \theta_1.$$

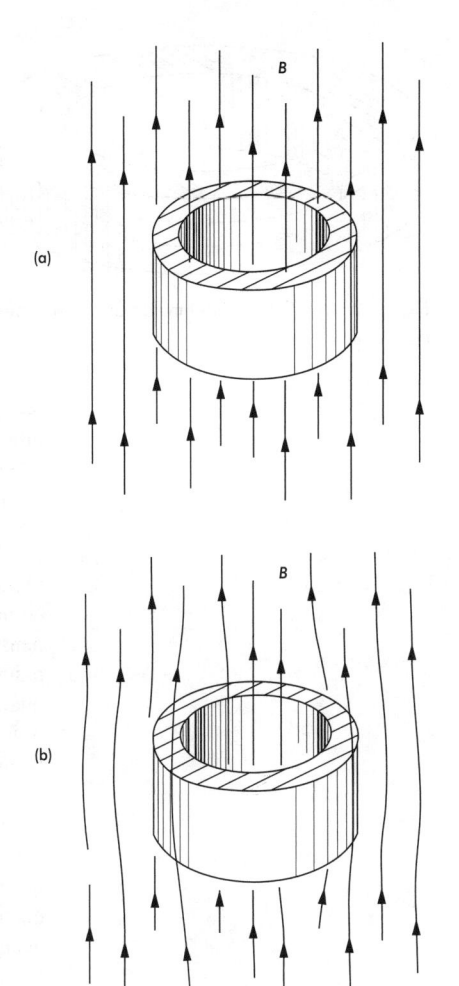

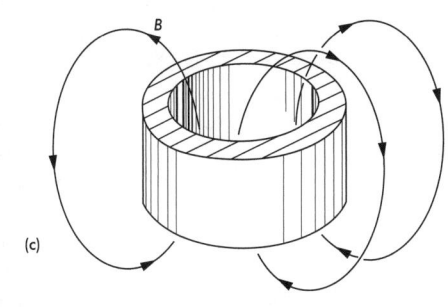

Figura 21-4 Um anel em um campo magnético: (a) no estado normal; (b) no estado supercondutor; (c) após o campo externo ter sido removido.

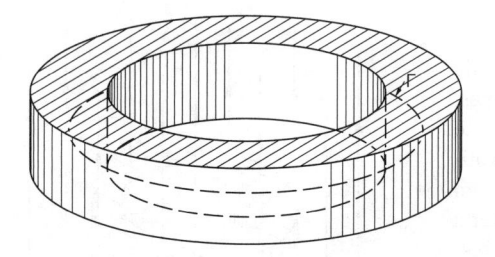

Figura 21-5 Curva Γ dentro de um anel supercondutor.

Se deixarmos os dois pontos extremos 1 e 2 se aproximarem de maneira a formar um caminho fechado, você deve pensar, inicialmente, que θ_2 será igual a θ_1, de tal forma que a integral de linha na Eq. (21.28) seria zero. Isso seria verdade para um caminho fechado em um pedaço único e contínuo de supercondutor, mas não é necessariamente verdade para um pedaço em forma de anel. A única exigência física que podemos fazer é que *deve haver somente um valor para a função de onda em cada ponto*. Seja o que for que θ faz à medida que você caminhe ao redor do anel, quando você retornar ao ponto de partida, o θ que você obtiver deve fornecer o mesmo valor para a função de onda

$$\psi = \sqrt{\rho}\,e^{i\theta}.$$

Isso irá acontecer se o θ mudar por $2\pi n$, onde n é um inteiro qualquer. Então se fizermos uma volta completa ao redor do anel, o lado esquerdo da Eq. (21.27) deve ser igual a $\hbar \cdot 2\pi n$. Usando a Eq. (21.28), obtenho que

$$2\pi n \hbar = q\Phi. \tag{21.29}$$

O fluxo aprisionado deve ser sempre um inteiro vezes $2\pi\hbar/q$! Se você imaginar o anel como um objeto clássico com uma condutividade ideal e perfeita (ou seja, infinita), iria pensar que qualquer que fosse o fluxo inicial encontrado através dele, simplesmente se manteria lá – qualquer quantidade de fluxo poderia ser aprisionada. No entanto, a teoria quântica da supercondutividade diz que o fluxo pode ser zero, ou $2\pi\hbar/q$, ou $4\pi\hbar/q$ ou $6\pi\hbar/q$, e assim por diante, mas nenhum valor intermediário. Ele deve ser um múltiplo de uma unidade quântica básica.

London[10] previu que o fluxo aprisionado por um anel supercondutor deve ser quantizado e disse que os valores possíveis do fluxo devem ser dados pela Eq. (21.29) com q igual à carga do elétron. De acordo com London, a unidade básica do fluxo deveria ser $2\pi\hbar/q_e$, que é aproximadamente 4×10^{-7} gauss $\cdot$ cm². Para visualizar tal fluxo, pense em um pequeno cilindro com um décimo de milímetro de diâmetro; o campo magnético dentro dele quando ele contém essa quantidade de fluxo é por volta de um por cento do campo magnético da Terra. Deve ser possível observar tal fluxo com um medidor magnético sensível.

Em 1961, tal fluxo quantizado foi procurado e descoberto por Deaver e Fairbank[11] na Universidade de Stanford e mais ou menos ao mesmo tempo por Doll e Näbauer[12] na Alemanha.

No experimento de Deaver e Fairbank, um pequeno cilindro de um supercondutor foi feito pelo eletro-depósito de uma fina camada de estanho em um fio de cobre Nº 56 de um centímetro de comprimento ($1,3 \times 10^{-3}$ cm) de diâmetro. O estanho se torna supercondutor abaixo de 3,8°K, enquanto o cobre continua um metal normal. O fio foi colocado em um pequeno campo magnético controlado, e a temperatura foi reduzida até o estanho se tornar supercondutor. Então a fonte externa de campo foi retirada. Você esperaria que isso gerasse uma corrente pela lei de Lenz tal que o fluxo interno não mudaria. O pequeno cilindro deveria agora possuir um momento magnético proporcional ao fluxo dentro dele. O momento magnético foi medido, movendo-se o fio para cima e para baixo (como uma agulha em uma máquina de costura, mas a uma taxa de 100 ciclos por segundo) dentro de uma par de pequenas bobinas nas extremidades do cilindro de estanho. A voltagem induzida nas bobinas era então uma medida do momento magnético.

Quando o experimento foi feito por Deaver e Fairbank, eles encontraram que o fluxo era quantizado, *mas que a unidade básica era somente a metade daquela que London havia previsto*. Doll e Nabauer obtiveram o mesmo resultado. No primeiro momento, isso era bastante misterioso,[†] mas agora entendemos por que isso tem de ser assim. De acordo com

---

[10] F. London, *Superfluids*; John Wiley and Sons, Inc., New York, 1950, Vol. I, p. 152.

[11] B. S. Deaver, Jr., e W. M. Fairbank, *Phys. Rev. Letters* **7**, 43 (1961).

[12] R. Doll e M. Näbauer, *Phys. Rev. Letters* **7**, 51 (1961).

† Foi uma vez sugerido por Onsager que isso deveria acontecer (veja Denver and Fairbank, Ref. 11), embora ninguém mais tenha entendido por quê.

a teoria da supercondutividade de Bardeen, Cooper e Schrieffer, o q que aparece na Eq. (21.29) é a carga de um *par* de elétrons e, portanto, é igual a $2q_e$. O fluxo unitário básico é

$$\Phi_0 = \frac{\pi \hbar}{q_e} \approx 2 \times 10^{-7} \text{ gauss} \cdot \text{cm}^2 \qquad (21.30)$$

ou metade da quantidade prevista por London. Tudo agora se encaixa, e as medidas mostram, em uma escala macroscópica, a existência do efeito previsto que é de natureza puramente quântica.

21–8 A dinâmica da supercondutividade

O efeito Meissner e a quantização do fluxo são duas confirmações das nossas ideias gerais. Só para ser completo, gostaria de mostrar-lhes como as equações completas de um fluido supercondutor deveriam ser, a partir desse ponto de vista – isso é muito interessante. Até este ponto, eu somente coloquei a expressão para ψ nas equações para a densidade de carga e corrente. Se eu a colocar na equação de Schrödinger completa, obtenho equações para ρ e θ. Deve ser interessante ver o que decorre disso, pois aqui temos um "fluido" de pares de elétrons com uma densidade de carga ρ e um θ misterioso – podemos tentar ver que tipo de equações obtemos para tal "fluido"! Desta forma substituímos a função de onda da Eq. (21.17) na equação de Schrödinger (21.3); lembre-se de que ρ e θ são funções reais de x, y, z e t. Se separarmos as partes real e imaginária, obtemos duas equações. Para escrevê-las de uma forma abreviada, irei – seguindo a Eq. (21.19) – escrever

$$\frac{\hbar}{m} \nabla \theta - \frac{q}{m} \mathbf{A} = v. \qquad (21.31)$$

Uma das equações que obtenho é

$$\frac{\partial \rho}{\partial t} = - \nabla \cdot \rho v. \qquad (21.32)$$

Como ρv é $\mathbf{J}$, essa é simplesmente a equação de continuidade, mais uma vez. A outra equação que obtenho nos diz como θ varia; ela é

$$\hbar \frac{\partial \theta}{\partial t} = - \frac{m}{2} v^2 - q\phi + \frac{\hbar^2}{2m} \left\{ \frac{1}{\sqrt{\rho}} \nabla^2 (\sqrt{\rho}) \right\} \qquad (21.33)$$

Aqueles que já estão familiarizados com a hidrodinâmica (e eu tenho certeza que poucos de vocês estão) irão reconhecer essa equação como a equação de movimento para um fluido eletricamente carregado se identificarmos $\hbar\theta$ como o "potencial de velocidade" – exceto pelo último termo, que deveria ser a energia de compressão do fluido, que possui uma estranha dependência com a densidade ρ. De qualquer forma, a equação diz que a taxa de variação da quantidade $\hbar\theta$ é dada por um termo de energia cinética, $-1/2mv^2$, mais um termo de energia potencial, $-q\phi$, com um termo adicional, contendo o fator $\hbar^2$, que poderíamos chamar de "energia quântica". Vimos que, dentro de um supercondutor, ρ é mantido bastante uniforme pelas forças eletrostáticas, então esse termo quase certamente pode ser desprezado em todas as aplicações práticas, contanto que tenhamos somente uma região supercondutora. Se tivermos uma separação entre dois supercondutores (ou outras circunstâncias para as quais o valor de ρ pode variar rapidamente), esse termo pode se tornar importante.

Para aqueles que não estão tão familiarizados com as equações da hidrodinâmica, posso reescrever a Eq. (21.33) em uma forma que torne a física mais aparente, usando a Eq. (21.31) para expressar θ em função de v. Tomando o gradiente de toda a Eq. (21.33) e expressando o $\nabla \theta$ em termos de A e v usando (21.31), obtenho

$$\frac{\partial v}{\partial t} = \frac{q}{m}\left(-\nabla\phi - \frac{\partial \mathbf{A}}{\partial t}\right) - v \times (\nabla \times v) - (v \cdot \nabla)v + \nabla \frac{\hbar^2}{2m^2}\left(\frac{1}{\sqrt{\rho}} \nabla^2 \sqrt{\rho}\right). \qquad (21.34)$$

O que essa equação significa? Primeiro, lembre-se de que

$$-\nabla\phi - \frac{\partial \mathbf{A}}{\partial t} = \mathbf{E}. \quad (21.35)$$

Agora, note que se eu tomar o rotacional da Eq. (21.31), obtenho

$$\nabla \times v = -\frac{q}{m}\nabla \times \mathbf{A}, \quad (21.36)$$

pois o rotacional do gradiente é sempre zero, mas $\nabla \times \mathbf{A}$ é o campo magnético **B**, então os dois primeiros termos podem ser escritos como

$$\frac{q}{m}(\mathbf{E} + v \times \mathbf{B}).$$

Finalmente, você deve entender que $\partial v/\partial t$ representa a taxa de variação da velocidade do fluido em um ponto. Se você se concentrar em uma partícula, sua aceleração é a derivada *total* de v (ou, como às vezes é chamada em dinâmica dos fluidos, "aceleração comóvel"), que é relacionada a $\partial v/\partial t$ por[13]

$$\left.\frac{dv}{dt}\right|_{\text{comóvel}} = \frac{\partial v}{\partial t} + (v \cdot \nabla)v. \quad (21.37)$$

Esse termo extra também aparece como o terceiro termo no lado direito da Eq. (21.34). Transportando-o para o lado esquerdo, posso escrever a Eq. (21.34) da seguinte maneira:

$$m\left.\frac{dv}{dt}\right|_{\text{comóvel}} = q(\mathbf{E} + v \times \mathbf{B}) + \nabla\frac{\hbar^2}{2m}\left(\frac{1}{\sqrt{\rho}}\nabla^2\sqrt{\rho}\right). \quad (21.38)$$

Também temos da Eq. (21.36) que

$$\nabla \times v = -\frac{q}{m}\mathbf{B}. \quad (21.39)$$

Essas duas equações são as equações de movimento para o fluido eletrônico supercondutor. A primeira equação é simplesmente a lei de Newton para um fluido carregado em um campo eletromagnético. Ela diz que a aceleração de cada partícula do fluido cuja carga é q vem da força normal de Lorentz $q(\mathbf{E} + v \times \mathbf{B})$ mais uma força adicional, que é o gradiente de algum potencial quântico místico – uma força que não é muito grande exceto na junção entre dois supercondutores. A segunda equação diz que o fluido é "ideal" – o rotacional de v possui divergência zero (o divergente de **B** é sempre zero). Isso significa que a velocidade pode ser expressa em termos do potencial de velocidade. Normalmente escreve-se $\nabla \times v = 0$ para um fluido ideal, mas para um *fluido ideal carregado em um campo magnético*, isso é modificado para a Eq. (21.39).

Então, a equação de Schrödiger para pares de elétrons em um supercondutor nos dá as equações de movimento de um fluido ideal carregado eletricamente. A supercondutividade é o mesmo problema que a hidrodinâmica de um fluido carregado. Se você quiser resolver qualquer problema sobre supercondutores, toma essas equações para o fluido [ou o par equivalente, Eqs. (21.32) e (21.33)] e as combina com as equações de Maxwell para obter os campos. (As cargas e correntes que você usa para obter os campos devem, obviamente, incluir aquelas que vêm do supercondutor, bem como as de fontes externas.)

Acredito que a Eq. (21.38) não esteja completamente correta, mas deveria ter um termo adicional envolvendo a densidade. Esse novo termo não depende da mecânica quântica, mas vem da energia associada com a variação da densidade. Simplesmente como um fluido ordinário deve ter uma densidade de energia potencial proporcional ao quadrado da diferença de ρ com ρ_0, a densidade não perturbada (que é, aqui, também

---

[13] Veja o Volume II, Seção 40-2.

igual à densidade de carga da rede cristalina). Como haverá forças proporcionais ao gradiente dessa energia, deve haver outro termo na Eq. (21.38) da forma: $(\text{const})\nabla(\rho - \rho_0)^2$. Esse termo não apareceu a partir da análise, pois ele vem da interação entre partículas, que desprezei usando uma aproximação de partícula independente. Entretanto, ele é exatamente a força a que me referi quando fiz a afirmação qualitativa de que forças eletrostáticas tenderão a manter ρ aproximadamente constante dentro de um supercondutor.

21–9 A junção de Josephson

Gostaria de discutir agora uma situação muito interessante que foi anunciada por Josephson[14] enquanto ele analisava o que deveria acontecer em uma junção entre dois supercondutores. Suponha que tenhamos dois supercondutores conectados por uma fina camada de um material isolante, como na Fig. 21-6. Tal arranjo é agora chamado de "junção Josephson". Se a camada isolante é grossa, os elétrons não podem atravessá-la; mas se a camada é fina o suficiente, pode haver uma amplitude quântica apreciável para que os elétrons saltem através dela. Esse é simplesmente outro exemplo do efeito quântico de penetração de uma barreira. Josephson analisou essa situação e descobriu que um número de fenômenos estranhos deve acontecer.

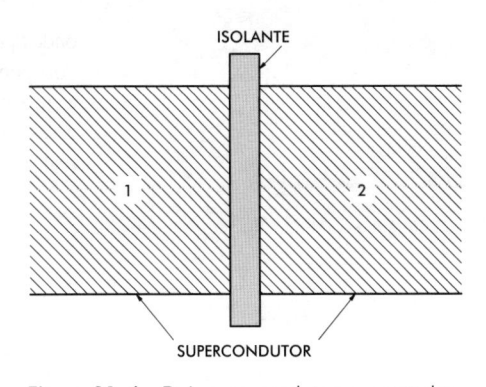

Figura 21–6 Dois supercondutores separados por um isolante estreito.

Para analisar tal junção, chamarei a amplitude de encontrar um elétron em um lado de ψ_1 e a amplitude de encontrá-lo do outro lado de ψ_2. No estado supercondutor, a função de onda ψ_1 é função de onda comum de todos os elétrons de um lado, e ψ_2 é a função correspondente no outro lado. Eu posso fazer esse problema para diferentes tipos de supercondutores, mas vamos considerar uma situação muito simples, em que o material é o mesmo em ambos os lados, tal que a junção seja simétrica e simples. Também, por enquanto, vamos considerar que não há nenhum campo magnético. Então as duas amplitudes devem estar relacionadas da seguinte maneira:

$$i\hbar \frac{\partial \psi_1}{\partial t} = U_1 \psi_1 + K\psi_2,$$
$$i\hbar \frac{\partial \psi_2}{\partial t} = U_2 \psi_2 + K\psi_1.$$

A constante K é uma característica da junção. Se K for zero, essas duas equações iriam simplesmente descrever o estado de menor energia – com energia U – de cada supercondutor. Existe um acoplamento entre os dois lados através da amplitude K de maneira que deve haver um fluxo de um lado para o outro. (Isso é simplesmente a amplitude de "*flip-flop*" de um sistema de dois níveis.) Se os dois lados são idênticos, U_1 deve ser igual a U_2, e eu posso subtraí-los. Agora suponha que conectemos as duas regiões do supercondutor aos dois terminais de uma bateria, tal que exista uma diferença de potencial V através da junção. Então $U_1 - U_2 = qV$. Por conveniência, posso definir o zero da energia como sendo bem no meio, então as duas equações são

$$i\hbar \frac{\partial \psi_1}{\partial t} = \frac{qV}{2} \psi_1 + K\psi_2,$$
$$i\hbar \frac{\partial \psi_2}{\partial t} = -\frac{qV}{2} \psi_2 + K\psi_1. \tag{21.40}$$

Essas são as equações padrão para dois estados quânticos acoplados. Agora, vamos analisar essas equações de outra maneira. Vamos fazer as substituições

$$\psi_1 = \sqrt{\rho_1}\, e^{i\theta_1},$$
$$\psi_2 = \sqrt{\rho_2}\, e^{i\theta_2}, \tag{21.41}$$

---
[14] B. D. Josephson, *Physics Letters* **1**, 251 (1962).

onde θ_1 e θ_2 são as fases nos dois lados da junção e ρ_1 e ρ_2 são as densidades eletrônicas nesses dois pontos. Lembre-se de que na prática, ρ_1 e ρ_2 são quase exatamente os mesmos e iguais a ρ_0, a densidade normal dos elétrons em um material supercondutor. Agora, se substituir essas equações para ψ_1 e ψ_2 em (21.40), você obtém quatro equações, igualando as partes reais e imaginárias em cada caso. Denominando $(\theta_2 - \theta_1) = \delta$ para simplificar, o resultado é

$$\dot{\rho}_1 = +\frac{2}{\hbar} K \sqrt{\rho_2 \rho_1} \operatorname{sen} \delta,$$

$$\dot{\rho}_2 = -\frac{2}{\hbar} K \sqrt{\rho_2 \rho_1} \operatorname{sen} \delta,$$

(21.42)

$$\dot{\theta}_1 = -\frac{K}{\hbar} \sqrt{\frac{\rho_2}{\rho_1}} \cos \delta - \frac{qV}{2\hbar},$$

$$\dot{\theta}_2 = -\frac{K}{\hbar} \sqrt{\frac{\rho_1}{\rho_2}} \cos \delta + \frac{qV}{2\hbar}.$$

(21.43)

As duas primeiras equações dizem que $\dot{\rho}_1 = -\dot{\rho}_2$. "Mas", você diz, "elas devem ser, ambas, zero se ρ_1 e ρ_2 são constantes e iguais a ρ_0". Não exatamente. Essas equações não são a história completa. Elas dizem o que $\dot{\rho}_1$ e $\dot{\rho}_2$ seriam se *não houvesse nenhuma força elétrica extra* devido a um desequilíbrio entre o fluido eletrônico e o arranjo dos íons positivos. Elas nos dizem como as densidades deveriam *começar* a variar, e então descrevem o tipo de corrente que começaria a fluir. Essa corrente do lado 1 para o lado 2 seria simplesmente $\dot{\rho}_1$ (ou $-\dot{\rho}_2$), ou

$$J = \frac{2K}{\hbar} \sqrt{\rho_1 \rho_2} \operatorname{sen} \delta.$$

(21.44)

Tal corrente iria logo carregar o lado 2, *exceto* que esquecemos que os dois lados estão conectados por fios a uma bateria. A corrente que flui não irá carregar a região 2 (ou descarregar a região 1), pois correntes irão fluir para deixar o potencial constante. Essas correntes a partir da bateria não foram incluídas em nossas equações. Quando elas são incluídas, ρ_1 e ρ_2 de fato não mudam, mas a corrente através da junção ainda é dada pela Eq. (21.44).

Como ρ_1 e ρ_2 realmente ficam constantes e iguais a ρ_0, vamos considerar $2K\rho_0/\hbar = J_0$ e escrever

$$J = J_0 \operatorname{sen} \delta.$$

(21.45)

J_0, como K, é então um número que é uma característica de uma junção em particular.

O outro par de Equações (21.43) nos fala sobre θ_1 e θ_2. Estamos interessados na diferença $\delta = \theta_2 - \theta_1$ para usar a Eq. (21.45); o que obtemos é

$$\dot{\delta} = \dot{\theta}_2 - \dot{\theta}_1 = \frac{qV}{\hbar}.$$

(21.46)

Isso significa que podemos escrever

$$\delta(t) = \delta_0 + \frac{q}{\hbar} \int V(t) \, dt,$$

(21.47)

onde δ_0 é o valor de δ em $t = 0$. Lembre-se também de que q é a carga de um par, ou seja, $q = 2q_e$. Nas Eqs. (21.45) e (21.47), temos um resultado importante, a teoria geral da junção Josephson.

Agora, quais são as consequências? Primeiro, coloque uma voltagem DC. Se você colocar em uma voltagem DC, V_0, o argumento do seno se torna $(\delta_0 + (q/\hbar)V_0 t)$. Como $\hbar$ é um número pequeno (comparado com voltagens e tempos normais), o seno oscila muito rapidamente e a corrente resultante é nula. (Na prática, como a temperatura não é zero, você obteria uma pequena corrente devido à condução pelos elétrons "normais".) Por outro lado, se você possui uma voltagem, igual a *zero* através da junção, pode obter uma corrente! Com nenhuma voltagem, a corrente pode ter qualquer valor entre $+J_0$ e $-J_0$ (dependendo do valor de δ_0). Tente colocar uma voltagem através dela e a corrente vai para zero. Esse comportamento estranho foi observado experimentalmente.[15]

Existe uma outra maneira de obter uma corrente – aplicando-se uma voltagem com uma frequência muito alta além da voltagem DC. Seja

$$V = V_0 + v \cos \omega t,$$

onde $v \ll V$. Então $\delta(t)$ é

$$\delta_0 + \frac{q}{\hbar} V_0 t + \frac{q}{\hbar} \frac{v}{\omega} \operatorname{sen} \omega t.$$

Agora, para x pequeno,

$$\operatorname{sen}(x + \Delta x) \approx \operatorname{sen} x + \Delta x \cos x.$$

Utilizando essa aproximação para o senδ, obtemos

$$J = J_0 \left[\operatorname{sen}\left(\delta_0 + \frac{q}{\hbar} V_0 t\right) + \frac{q}{\hbar} \frac{v}{\omega} \operatorname{sen} \omega t \cos\left(\delta_0 + \frac{q}{\hbar} V_0 t\right) \right].$$

O primeiro termo é zero na média, mas o segundo termo não é se

$$\omega = \frac{q}{\hbar} V_0.$$

Deve haver uma corrente se a voltagem AC possuir exatamente essa frequência. Shapiro[16] afirma ter observado esse efeito ressonante.

Se estudar artigos sobre esse assunto, você irá descobrir que eles frequentemente escrevem as fórmulas para a corrente como

$$J = J_0 \operatorname{sen}\left(\delta_0 + \frac{2q_e}{\hbar} \int \mathbf{A} \cdot d\mathbf{s}\right), \tag{21.48}$$

onde a integral tem de ser tomada através da junção. A razão para isso é que quando existe um potencial vetor através da junção, a amplitude de *flip-flop* é modificada na fase, da maneira que explicamos anteriormente. Se você perseguir essa fase extra, ela será exatamente como acima.

Finalmente, gostaria de descrever um experimento interessante e dramático que foi feito recentemente sobre a interferência das correntes a partir de duas junções. Na mecânica quântica, estamos acostumados com a interferência entre as amplitudes a partir de duas fendas. Agora, iremos fazer a interferência entre duas junções provocada pela diferença de fase da chegada das correntes através de dois caminhos diferentes. Na Fig. 21-7, mostro duas diferentes junções, "a" e "b", conectadas em paralelo. As extremidades P e Q são conectadas aos nossos instrumentos elétricos que medem qualquer fluxo de corrente. A corrente externa J_{total}, será a soma das correntes através das duas junções. Sejam J_a e J_b as correntes através das duas junções, e sejam as suas fases δ_a e δ_b. Agora, a diferença de fase das funções de onda entre P e Q deve ser a mesma quando você vai por uma rota ou outra. Ao longo do caminho através da junção "a", a diferença de fase entre P e Q é δ_a mais a integral de linha do potencial vetor ao longo do caminho superior:

---

[15] P. W. Anderson e J. M. Rowell, *Phys. Rev. Letters* **10**, 230 (1963).

[16] S. Shapiro, *Phys. Rev. Letters* **11**, 80 (1963).

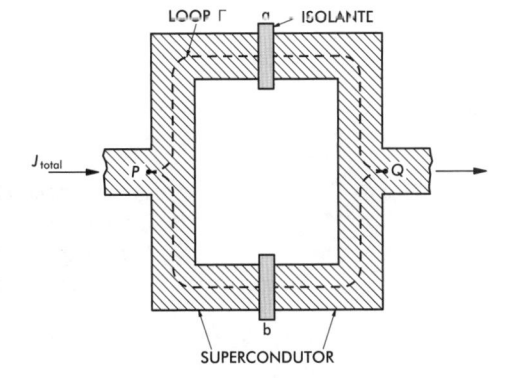

Figura 21-7 Duas junções Josephson em paralelo.

$$\Delta \text{Fase}_{P \to Q} = \delta_a + \frac{2q_e}{\hbar} \int_{\text{superior}} \mathbf{A} \cdot d\mathbf{s}. \quad (21.49)$$

Por quê? Porque a fase θ é relacionada com **A** pela Eq. (21.26). Se você integrar aquela equação ao longo de algum caminho, o lado esquerdo fornece a mudança de fase, que é então proporcional à integral de linha de **A**, como escrevemos aqui. A mudança de fase ao longo do caminho inferior pode ser escrita de uma forma similar

$$\Delta \text{Fase}_{P \to Q} = \delta_b + \frac{2q_e}{\hbar} \int_{\text{inferior}} \mathbf{A} \cdot d\mathbf{s}. \quad (21.50)$$

Essas duas devem ser iguais; e se eu as subtrair obtenho que a diferença dos deltas deve ser a integral de linha de **A** ao redor do circuito:

$$\delta_b - \delta_a = \frac{2q_e}{\hbar} \oint_\Gamma \mathbf{A} \cdot d\mathbf{s}.$$

Aqui a integral é ao redor do círculo fechado Γ da Fig. 21-7 que circula através de ambas as junções. A integral em **A** é o fluxo magnético Φ através do círculo. Então os dois δ irão diferir por $2q_e/\hbar$ vezes o fluxo magnético Φ que passa entre os dois ramos do circuito:

$$\delta_b - \delta_a = \frac{2q_e}{\hbar} \Phi. \quad (21.51)$$

Posso controlar essa diferença de fase mudando o campo magnético no circuito, então posso ajustar as diferenças de fase e ver se a corrente que flui através das duas junções mostra ou não qualquer interferência das duas partes. A corrente total será a soma de J_a e J_b. Por conveniência, escreverei

$$\delta_a = \delta_0 - \frac{q_e}{\hbar} \Phi, \quad \delta_b = \delta_0 + \frac{q_e}{\hbar} \Phi.$$

Então,
$$J_{\text{total}} = J_0 \left\{ \text{sen}\left(\delta_0 - \frac{q_e}{\hbar}\Phi\right) + \text{sen}\left(\delta_0 + \frac{q_e}{\hbar}\Phi\right) \right\}$$
$$= 2J_0 \,\text{sen}\, \delta_0 \cos \frac{q_e \Phi}{\hbar}. \quad (21.52)$$

Agora não sabemos nada sobre δ_0, e a natureza pode ajustá-lo da maneira que quiser, dependendo das circunstâncias. Particularmente, isso irá depender da voltagem externa que aplicamos na junção. Entretanto, não importa o que façamos, sen δ_0 nunca poderá ser maior que 1. Então a corrente *máxima*, qualquer que seja o Φ, é dada por

$$J_{\text{máx}} = 2J_0 \left| \cos \frac{q_e}{\hbar} \Phi \right|.$$

Essa corrente máxima irá variar com Φ e ela própria será máxima sempre que

$$\Phi = n \frac{\pi \hbar}{q_e},$$

com n sendo algum inteiro. Isso é o mesmo que dizer que a corrente toma valores máximos onde o fluxo de acoplamento possui exatamente aqueles valores quantizados que encontramos na Eq. (21.30)!

A corrente Josephson através de uma junção dupla foi recentemente medida[17] como função do campo magnético na área entre as junções. Os resultados são mostrados na Fig. 21-8. Existe um fundo geral de corrente como resultado de vários efeitos que des-

---

[17] Jaklevic, Lambe, Silver e Mercereau, *Phys. Rev. Letters* **12**, 159 (1964).

prezamos, mas as rápidas oscilações da corrente causadas por mudanças no campo magnético são decorrente de termo de interferência cos $q_e\Phi/\hbar$ da Eq. (21.52).

Uma das questões intrigantes sobre a mecânica quântica é a questão sobre se o potencial vetor existe em um lugar onde não há nenhum campo.[18] Esse experimento que acabei de descrever foi também feito com um pequeno solenoide entre as duas junções, tal que o único campo magnético relevante **B** está dentro do solenoide, e uma quantidade desprezível está nos fios supercondutores. Entretanto, ainda se obtém que a quantidade de corrente depende oscilatoriamente do fluxo de campo magnético dentro do solenoide, apesar de o campo nunca tocar os fios – outra demonstração da "realidade física" do potencial vetor.[19]

Eu não sei o que virá pela frente, mas observe o que pode ser feito. Primeiro, note que a interferência entre duas junções pode ser usada para criar um magnetômetro sensível. Se um par de junções for feito com uma área envolvida de, digamos, 1 mm^2, os máximos na curva da Fig. 21-8 devem estar separados por 2×10^{-6} gauss. Certamente é possível dizer quando você está a 1/10 do caminho entre os dois picos; então, deve ser possível usar tal junção para medir campos magnéticos tão pequenos quanto 2×10^{-7} gauss – ou medir campos maiores com essa precisão. É possível ir até mais longe. Suponha, por exemplo, que coloquemos um conjunto de 10 ou 20 junções perto umas das outras e igualmente espaçadas. Então podemos ter uma interferência entre 10 ou 20 fendas e, quando mudamos o campo magnético, iremos ter máximos e mínimos bem estreitos. Em vez de uma interferência de 2 fendas, podemos ter um interferômetro de 20 ou, talvez até, de 100 fendas para medir o campo magnético. Talvez possamos predizer que a medida de campos magnéticos – usando os efeitos da interferência quântica – virá eventualmente a ser tão precisa como a medida do comprimento de onda da luz.

Essas, então, são algumas ilustrações do que está acontecendo nos tempos modernos – o transistor, o laser e agora essas junções, cujas últimas aplicações práticas são ainda desconhecidas. A mecânica quântica que foi descoberta em 1926 já teve quase 40 anos de desenvolvimento, e de repente começou a ser explorada de muitas maneiras práticas e reais. Estamos realmente obtendo um controle da natureza em um nível muito delicado e bonito.

Cavalheiros, sinto muito dizer que para participar dessa aventura é absolutamente imperativo que vocês aprendam mecânica quântica o mais rápido possível. É nossa esperança que neste curso tenhamos encontrado um meio de tornar compreensível a vocês, da forma mais rápida possível, os mistérios dessa parte da física.

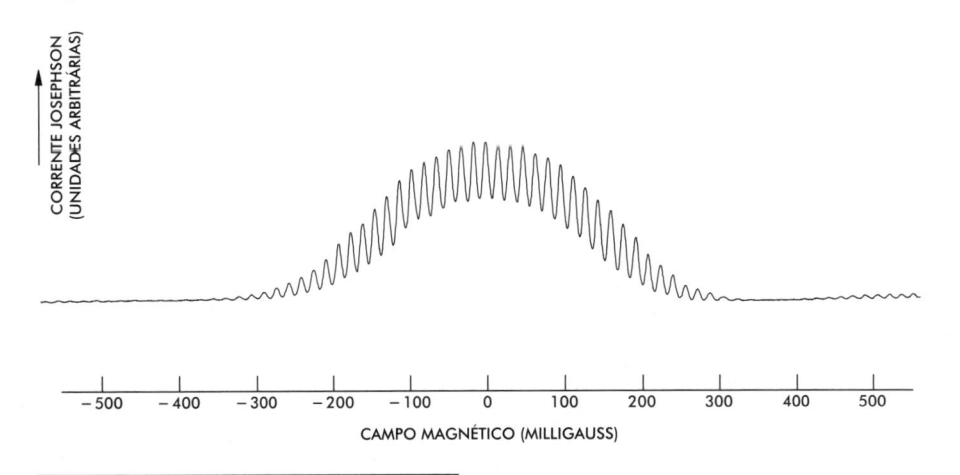

Figura 21-8 Registro da corrente através de um par de junções Josephson como função do campo magnético na região entre as duas junções (Veja a Fig.21-7). [Este registro foi fornecido por R. C. Jaklevic, J. Lambe, A. H. Silver e J. E. Mercereau do Scientific Laboratory, Ford Motor Company.]

---

[18] Jaklevic, Lambe, Silver, e Mercereau, *Phys. Rev. Letters* **12**, 274 (1964).

[19] Veja o Volume II, Capítulo 15, Seção 15-5.

Epílogo

Bem, eu estive falando com vocês por dois anos e agora vou parar. Gostaria de me desculpar por algumas coisas e por outras não. Eu espero – na realidade, eu sei – que duas ou três dúzias de alunos conseguiram acompanhar tudo com grande entusiasmo, e se divertiram com isso. Contudo, também sei que "os poderes do ensino são de pouca eficiência exceto naquelas ocasiões felizes nas quais eles são praticamente supérfluos". Portanto, para aqueles que entenderam tudo, devo dizer que não fiz nada além de mostrar-lhes as coisas. Para os outros, se os fiz odiar o assunto, minhas desculpas. Eu nunca havia ensinado física básica e me desculpo. Simplesmente espero que não tenha causado muitos problemas para vocês e que não abandonem esse assunto tão interessante. Espero que outra pessoa possa ensinar-lhes de outra maneira e que vocês descubram algum dia que, afinal, não é tão horrível quanto parece.

Finalmente, gostaria de acrescentar que o principal objetivo das minhas aulas não foi prepará-los para algum exame, não foi sequer prepará-los para o mercado de trabalho, nem para as forças armadas. Eu queria principalmente que vocês passassem a apreciar este mundo extraordinário e a maneira como o físico olha para ele, a qual, acredito, seja uma grande parte da verdadeira cultura dos tempos modernos. (Provavelmente professores de outras disciplinas iriam protestar, mas eu acredito que eles estão completamente errados.)

Talvez vocês passem não apenas a apreciar essa cultura, mas é até possível que queiram se juntar à maior aventura já iniciada pela mente humana.

Apêndice

Muito do trabalho deste volume supõe um conhecimento do assunto de magnetismo atômico que foi tratado nos Capítulos 34 e 35 do Volume II. Para a conveniência dos leitores que podem não ter o Volume II em mãos, esses dois capítulos estão aqui reproduzidos.

CAPÍTULO 34   O MAGNETISMO DA MATÉRIA

   34–1   Diamagnetismo e paramagnetismo
   34–2   Momentos magnéticos e momento angular
   34–3   A precessão dos magnetos atômicos
   34–4   Diamagnetismo
   34–5   Teorema de Larmor
   34–6   A física clássica não explica nem diamagnetismo, nem paramagnetismo
   34–7   Momento angular em mecânica quântica
   34–8   A energia magnética dos átomos

CAPÍTULO 35   PARAMAGNETISMO E RESSONÂNCIA MAGNÉTICA

   35–1   Estados magnéticos quantizados
   35–2   O experimento de Stern-Gerlach
   35–3   O método do feixe molecular de Rabi
   35–4   O paramagnetismo no interior de materiais
   35–5   Resfriamento por desmagnetização adiabática
   35–6   Ressonância nuclear magnética

34

O Magnetismo da Matéria

34–1 Diamagnetismo e paramagnetismo

Neste capítulo, vamos falar sobre as propriedades magnéticas dos materiais. O material cujas propriedades magnéticas são mais impressionantes é obviamente o ferro. Propriedades magnéticas análogas também existem em elementos como níquel, cobalto e, em temperaturas suficientemente baixas (abaixo de 16°C), gadolínio, assim como em um certo número de ligas peculiares. Esse tipo de magnetismo chama-se *ferromagnetismo* e é suficientemente impressionante e complicado para ser estudado em um capítulo especial. Todavia, todas as substâncias comuns mostram algum efeito magnético, embora em escala pequena – milhares ou até milhões de vezes menores que os efeitos dos materiais ferromagnéticos. Aqui vamos descrever o magnetismo comum, ou seja, o magnetismo de substâncias que não são ferromagnéticas.

Este pequeno magnetismo é de dois tipos. Alguns materiais são *atraídos* pelos campos magnéticos; outros são *repelidos*. Em contraste com o efeito elétrico na matéria, que sempre causa atração dos materiais dielétricos, há dois sinais para o efeito magnético. Com a ajuda de um ímã bem forte, com um dos polos bastante agudo e outro mais plano, conforme mostrado na Figura 34–1, esses dois sinais podem ser facilmente demonstrados. O campo magnético é muito mais forte perto do polo agudo que perto do polo plano. Se um pequeno pedaço de material é pendurado por um fio longo entre os polos, haverá uma força sobre ele. Esta pequena força pode ser vista por meio do pequeno deslocamento do material magnético quando colocado entre os polos do ímã. Os poucos materiais ferromagnéticos são atraídos fortemente para o polo agudo; todos os outros materiais sentem apenas uma força fraca. Alguns são atraídos fracamente para o polo agudo e outros, fracamente repelidos.

O efeito é facilmente visto para um pequeno cilindro de bismuto que é *repelido* da região de campos fortes. Substâncias repelidas dessa maneira são chamadas de *diamagnéticas*. O bismuto é um dos materiais diamagnéticos mais forte, mas, mesmo neste caso, o efeito é bem fraco. O diamagnetismo é sempre muito fraco. Se um pequeno pedaço de alumínio for suspenso entre os polos, haverá uma pequena atração em direção ao polo agudo. Substâncias como o alumínio são chamadas de *paramagnéticas* (em tal experimento, forças dadas pelas correntes de Foucault são formadas quando o ímã é colocado e retirado, de modo a levar a pequenos trancos. Você deve ser cuidadoso ao olhar para os deslocamentos, certificando-se de que os movimentos bruscos desapareçam).

Queremos agora descrever rapidamente os mecanismos por trás desses dois efeitos. Primeiro, em muitas substâncias, os átomos não têm momento magnético permanente,

34–1 Diamagnetismo e paramagnetismo
34–2 Momentos magnéticos e momento angular
34–3 A precessão de magnetos atômicos
34–4 Diamagnetismo
34–5 Teorema de Larmor
34–6 A física clássica não explica nem diamagnetismo, nem paramagnetismo
34–7 Momento angular em mecânica quântica
34–8 A energia magnética dos átomos

Revisão: Seção 15-1, *Forças em uma espira; energia de um dipolo*

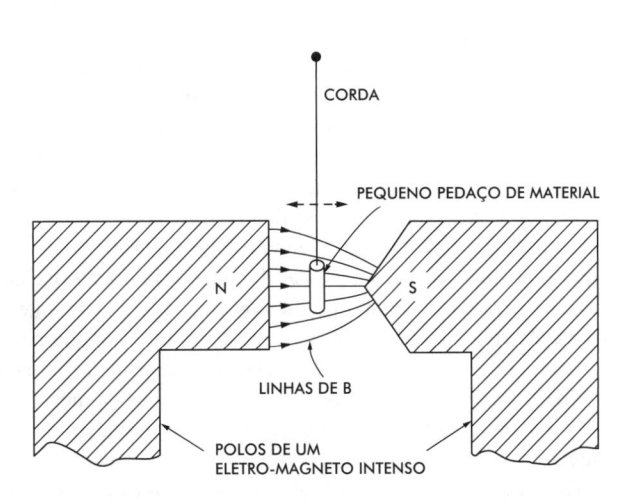

Figura 34–1 Um pequeno cilindro de bismuto é fracamente repelido pelo polo agudo; a peça de alumínio é atraída.

ou seja, em cada átomo, os pequenos magnetos se contrabalançam somando a zero. Todos os movimentos eletrônicos, relacionados tanto ao spin quanto à órbita, cancelam-se totalmente, de tal maneira que qualquer átomo em particular tenha momento magnético médio igual a zero. Nestas circunstâncias, quando você liga um pequeno campo magnético, pequenas correntes são geradas dentro do átomo, por indução. De acordo com a lei de Lenz, estas correntes formam um campo magnético oposto ao campo externo crescente. Portanto, os momentos magnéticos induzidos nos átomos são tais que se *opõem* ao campo magnético. Esse é o mecanismo do diamagnetismo.

Há também substâncias para as quais os átomos têm um momento magnético permanente – nas quais os spins e momentos orbitais acabam por descrever uma corrente resultante circulante diferente de zero. Então, além dos efeitos diamagnéticos que estão sempre presentes, há também a possibilidade de se alinhar os momentos magnéticos atômicos individuais. Neste caso, os momentos tentam se alinhar *com* o campo magnético (da mesma maneira que momentos de dipolo permanente em um dielétrico são alinhados por um campo elétrico), e o magnetismo induzido tende a reforçar o campo magnético. Estas são as substâncias paramagnéticas. O paramagnetismo é, em geral, um tanto fraco, posto que as forças de alinhamento são relativamente pequenas quando comparadas com as forças dos movimentos térmicos que desfazem a ordem. Segue também que o paramagnetismo é usualmente sensível à temperatura (o paramagnetismo proveniente dos spins dos elétrons responsáveis pela condução em um metal constitui uma exceção. Não discutiremos esse fenômeno aqui). Para o paramagnetismo comum, quanto mais baixa a temperatura, mais forte será o efeito. O alinhamento é maior a baixas temperaturas, em que os efeitos de desarranjo das colisões é menor. Por outro lado, o diamagnetismo é menos sensível à temperatura. Em qualquer substância com momentos magnéticos embutidos há diamagnetismo assim como paramagnetismo, mas este último efeito domina.

No Capítulo 11, descrevemos um material *ferroelétrico* no qual todos os dipolos elétricos são alinhados por seus campos elétricos mútuos. É também possível imaginar o análogo magnético da ferroeletricidade, no qual todos os momentos atômicos se alinhariam, mantendo-se assim. Se você calcular como isso acontece, verá que, pelo fato de as forças magnéticas serem muito mais fracas que as elétricas, os movimentos térmicos deveriam desmanchar esse alinhamento atômico até mesmo em temperaturas tão baixas quanto décimos de grau Kelvin. Então, seria impossível ver os alinhamentos em temperatura ambiente.

Por outro lado, isso é exatamente o que acontece no ferro – os momentos permanecem alinhados. Há uma força efetiva entre os momentos magnéticos dos diferentes átomos de ferro que é muito, muito maior que a interação magnética direta, e é o que alinha os momentos em materiais ferromagnéticos. Discutiremos essa interação especial em um capítulo posterior.

Agora que já tentamos lhes dar uma explicação qualitativa do diamagnetismo e do paramagnetismo, devemos nos corrigir dizendo que *não é possível* compreenderem-se as forças magnéticas dos materiais de modo honesto do ponto de vista da física clássica. Tais efeitos magnéticos são *fenômenos completamente quânticos*. Todavia, é possível utilizar alguns argumentos clássicos falsos para se ter ideia do que acontece. Podemos colocar as coisas da seguinte maneira. Você pode dar alguns argumentos clássicos para adivinhar o comportamento do material, mas estes argumentos não são, em certo sentido, "legais", pois é absolutamente essencial que a mecânica quântica esteja envolvida em qualquer fenômeno magnético. Por outro lado, há situações, como em um plasma ou em uma região do espaço com muitos elétrons livres, em que os elétrons obedecem às leis da mecânica clássica. Nestas circunstâncias, alguns teoremas do magnetismo clássico são válidos. Os argumentos também são de alguma valia por questões históricas. Nas primeiras vezes em que as pessoas foram capazes de adivinhar o significado e o comportamento de materiais magnéticos, eles usaram argumentos clássicos. Finalmente, conforme já ilustramos, a mecânica clássica pode nos dar suposições úteis do que poderia ocorrer, mesmo que a maneira honesta de se estudar a questão seja, primeiro, estudando mecânica quântica e, então, compreendendo o magnetismo em termos da mecânica quântica.

Por outro lado, não queremos esperar até aprendermos mecânica quântica completamente para entendermos algo simples como o diamagnetismo. Vamos ter de nos dobrar sobre a mecânica clássica como um modo de mostrar, pela metade, o que acontece, percebendo, todavia, que os argumentos não são corretos. Faremos uma série de teoremas sobre magnetismo clássico que o confundirá, pois demonstrarão coisas diferentes. Exceto pelo último teorema, todos os outros estarão errados. Portanto, daremos uma descrição errada do mundo físico, já que a mecânica quântica não será levada em conta.

34–2 Momentos magnéticos e momento angular

O primeiro teorema da mecânica clássica que queremos provar é o seguinte: se um elétron estiver se movendo em uma órbita circular (por exemplo, circulando ao redor de um núcleo sob a influência de uma força central), haverá uma proporção definida entre o momento magnético e o momento angular. Vamos chamar de **J** o momento angular e de **μ** o momento magnético do elétron em órbita. A magnitude do momento angular é a massa do elétron vezes a velocidade vezes o raio (ver Figura 34–2). Este é direcionado perpendicularmente ao plano da órbita.

$$J = mvr. \qquad (34.1)$$

(É claro que essa é uma fórmula não relativística, mas é uma boa aproximação para átomos, pois, para os elétrons em questão, v/c geralmente é da ordem de $e^2/\hbar c \approx 1/137$, ou seja, cerca de 1 por cento.)

O momento magnético dessa mesma órbita é a corrente vezes a área (ver Seção 14–5). A corrente é a carga, por unidade de tempo, que passa em qualquer ponto da órbita, precisamente, a carga q vezes a frequência de rotação. A frequência é a velocidade dividida pela circunferência da órbita; assim

$$I = q\frac{v}{2\pi r}.$$

A área é πr^2, desse modo o momento magnético é

$$\mu = \frac{qvr}{2}. \qquad (34.2)$$

Esse é direcionado perpendicularmente ao plano da órbita. Então, **J** e **μ** estão na mesma direção:

$$\boldsymbol{\mu} = \frac{q}{2m}\boldsymbol{J}\,(\text{órbita}). \qquad (34.3)$$

Suas proporções não dependem nem da velocidade, nem do raio. Para qualquer partícula movendo-se em uma órbita circular, o momento magnético é igual a $q/2m$ vezes o momento angular. Para um elétron, a carga é negativa – podemos chamá-la de $-q_e$; assim, para um elétron

$$\boldsymbol{\mu} = -\frac{q_e}{2m}\boldsymbol{J}\,(\text{órbita do elétron}). \qquad (34.4)$$

Isso é o que classicamente esperamos e, miraculosamente, também é uma verdade quântica. Essa é uma daquelas coisas. Entretanto, se você continuar com a física clássica, você achará outros pontos em que ela dá respostas erradas, e é um jogo interessante tentar lembrar quais coisas são certas e quais são erradas. Devemos, contudo, mencionar exatamente o que, na mecânica quântica, é certo *no geral*. Primeiro, a Equação (34.4) é verdadeira para *movimento orbital*, mas não é o único magnetismo que existe. O elétron também tem uma rotação de spin sobre seu próprio eixo (alguma coisa parecida com a rotação da terra sobre seu eixo), e, como resultado desse spin, o elétron tem tanto um momento angular, quanto um momento magnético. Porém, por razões puramente de mecânica quântica – não há uma explicação clássica – a proporção de **μ** para **J**, no spin do elétron, é duas vezes maior do que é para o movimento orbital do elétron:

$$\boldsymbol{\mu} = -\frac{q_e}{m}\boldsymbol{J}\,(\text{spin do elétron}). \qquad (34.5)$$

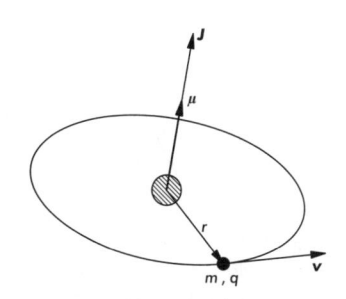

Figura 34–2 Para qualquer órbita circular, o momento magnético **μ** é $q/2m$ vezes o momento angular **J**.

De modo geral, qualquer átomo tem vários elétrons com alguma combinação de spin e de órbitas que levam a um momento angular e um momento magnético total. Embora não exista nenhuma razão clássica pela qual deva ser assim, é *sempre* verdade em mecânica quântica que (para um átomo isolado) a direção do momento magnético é exatamente oposta à direção do momento angular. A proporção entre eles não é necessariamente $-q_e/m$ ou $-q_e/2m$, mas alguma coisa no meio, pois há uma mistura das contribuições das órbitas e dos spins. Podemos escrever

$$\boldsymbol{\mu} = -g\left(\frac{q_e}{2m}\right)\boldsymbol{J}, \qquad (34.6)$$

onde g é o fator característico do estado do átomo. Será 1 para um momento orbital puro, 2 para um momento de spin puro ou um número entre eles para um sistema complicado como um átomo. É óbvio que essa fórmula não nos diz muito. Ela conta que o momento magnético é *paralelo* ao momento angular, mas pode ter qualquer magnitude. Entretanto, a fórmula da Eq. (34.6) é conveniente porque g – o chamado fator de Landé – é uma constante sem dimensão cuja magnitude é da ordem de um. Um dos trabalhos da mecânica quântica é predizer o fator g para qualquer estado atômico particular.

Você também pode estar interessado no que acontece nos núcleos. Nos núcleos há prótons e nêutrons que podem se mover em uma espécie de órbita e todos ao mesmo tempo, como os elétrons, tendo um spin intrínseco. Novamente, o momento magnético é paralelo ao momento angular. Apenas aqui, a ordem de magnitude da proporção entre ambos é o esperado para um *próton* andando em círculo, sendo m igual à massa do *próton*, na Equação (34.3). Desse modo, é útil escrever para os núcleos

$$\boldsymbol{\mu} = g\left(\frac{q_e}{2m_p}\right)\boldsymbol{J}, \qquad (34.7)$$

onde m_p é a massa do próton e g – chamado de fator g *nuclear* – é um número próximo de um e que deve ser determinado para cada núcleo.

Outra diferença importante, para o núcleo, é que o momento magnético de spin do próton *não* tem um fator g igual a 2, como os elétrons. Para um próton, $g = 2 \cdot (2,79)$. Surpreendentemente, o nêutron também tem um momento magnético de spin, e seu momento magnético relativo ao seu momento angular é $2 \cdot (-1,91)$. Em outras palavras, o nêutron não é exatamente "neutro" em sentido magnético. Ele se parece com um pequeno magneto e tem o tipo de momento magnético que teria uma carga negativa em rotação.

34–3 A precessão dos magnetos atômicos

Uma das consequências de se ter o momento magnético proporcional ao momento angular é que haverá *precessão* em um magneto atômico colocado em um campo elétrico. Primeiro, vamos argumentar classicamente. Suponha que tenhamos o momento magnético $\boldsymbol{\mu}$ livremente suspenso em um campo magnético uniforme. Ele sentirá um torque $\boldsymbol{\tau}$ igual a $\boldsymbol{\mu} \times \boldsymbol{B}$, que tenta fazê-lo alinhar-se com o direção do campo. No entanto, o magneto atômico é um giroscópio – e seu momento angular é $\boldsymbol{J}$. Desse modo, o torque decorrente do campo magnético não causará o alinhamento do magneto. Ao contrário, o magneto apresentará *precessão*, como pudemos ver ao analisar o giroscópio no Capítulo 20 do Volume I. O momento angular – e com ele o momento magnético – sofre precessão sobre um eixo paralelo ao campo magnético. Podemos achar o grau de precessão pelo mesmo método usado no Capítulo 20 do primeiro volume.

Suponha que, em um pequeno intervalo de tempo Δt, o momento angular mude de $\boldsymbol{J}$ para $\boldsymbol{J}'$, como desenhado na Figura 34-3, permanecendo sempre com o mesmo ângulo θ em relação à direção do campo magnético $\boldsymbol{B}$. Chamemos de ω_p a velocidade angular de precessão; assim, para um tempo Δt, o ângulo de *precessão* será $\omega_p \Delta t$. Pela geometria da figura, podemos ver que a alteração do momento angular, no tempo Δt, é

$$\Delta J = (J \operatorname{sen} \theta)(\omega_p \Delta t).$$

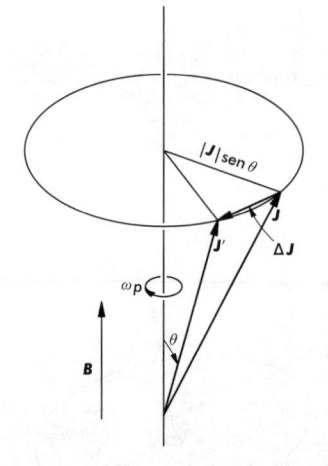

Figura 34–3 Um objeto com momento angular $\boldsymbol{J}$ e um momento magnético paralelo $\boldsymbol{\mu}$ colocado em um campo magnético $\boldsymbol{B}$ precessa com velocidade angular ω_p.

Assim, a taxa de variação do momento angular é

$$\frac{dJ}{dt} = \omega_p J \operatorname{sen} \theta, \qquad (34.8)$$

que deve ser igual ao torque

$$\tau = \mu B \operatorname{sen} \theta. \qquad (34.9)$$

Então, a velocidade angular de precessão será

$$\omega_p = \frac{\mu}{J} B. \qquad (34.10)$$

Substituindo μ/J pela Eq. (34.6), veremos que, para um sistema atômico

$$\omega_p = g \frac{q_e B}{2m}; \qquad (34.11)$$

a frequência de precessão é proporcional a B. É conveniente lembrar que para um átomo (ou elétron)

$$f_p = \frac{\omega_p}{2\pi} = (1{,}4 \text{ megaciclos/gauss}) gB, \qquad (34.12)$$

e para um núcleo

$$f_p = \frac{\omega_p}{2\pi} = (0{,}76 \text{ quilociclos/gauss}) gB. \qquad (34.13)$$

(As fórmulas para átomos e núcleos são diferentes somente por causa das convenções para g nos dois casos.)

Então, de acordo com a teoria *clássica*, as órbitas dos elétrons e os spins em um átomo sofrem precessão em um campo magnético. Isso também é verdade para a mecânica quântica? É essencialmente verdade, mas o significado de "precessão" é diferente. Na mecânica quântica, não se pode falar de *direção* do momento angular no mesmo sentido que se faz classicamente; no entanto, há uma analogia bem próxima – tão próxima que continuamos a falar de "precessão". Discutiremos isso mais tarde quando falarmos de ponto de vista da mecânica quântica.

34-4 Diamagnetismo

Queremos, a seguir, considerar o diamagnetismo do ponto de vista clássico. Isso pode ser feito de várias formas, mas o melhor caminho é o seguinte. Suponha que liguemos lentamente um campo elétrico próximo a um átomo. Como o campo magnético se modifica, um campo elétrico é gerado por indução magnética. Da Lei de Faraday, a integral de linha de E ao redor de qualquer caminho é a taxa de alteração do fluxo magnético através do caminho. Suponha que tomemos um caminho Γ que seja um círculo de raio r concêntrico ao centro de um átomo, como mostrado na Figura 34–4. A média do campo elétrico tangencial E ao redor do caminho é dada por

$$E 2\pi r = -\frac{d}{dt}(B\pi r^2),$$

e há um campo elétrico circular cuja intensidade é

$$E = -\frac{r}{2} \frac{dB}{dt}.$$

O campo elétrico induzido atuando em um elétron no átomo produz um torque igual a $-q_e E r$, que precisa igualar-se à taxa de variação do momento angular dJ/dt

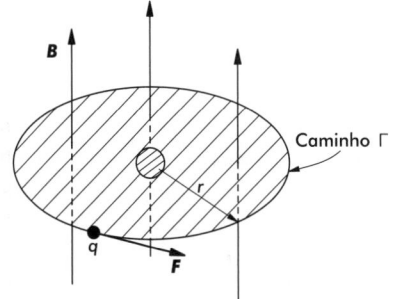

Figura 34–4 As forças elaétricas induzidas nos elétrons de um átomo.

$$\frac{dJ}{dt} = \frac{q_e r^2}{2} \frac{dB}{dt}. \tag{34.14}$$

Integrando no tempo desde o instante em que o campo é igual a zero, encontramos que a mudança do momento angular devido ao fato de se ter ligado o campo é

$$\Delta J = \frac{q_e r^2}{2} B. \tag{34.15}$$

Esse é o momento angular extra devido à vibração que os elétrons apresentam quando o campo é ligado.

Esse momento angular acrescido faz um momento magnético que, por haver um movimento *orbital*, será exatamente $-q_e/2m$ vezes o momento angular. O momento diamagnético é

$$\Delta\mu = -\frac{q_e}{2m}\Delta J = -\frac{q_e^2 r^2}{4m} B. \tag{34.16}$$

O sinal de menos (que, como podemos ver, está correto usando-se a lei de Lenz) significa que o momento acrescido é oposto ao campo magnético.

Gostaríamos de escrever a Equação (34.16) de forma um pouco diferente. O r^2 que aparece é o raio de um eixo paralelo a **B** através de um átomo, então **B** está na direção z. Seu valor será, portanto, $x^2 + y^2$. Se considerarmos átomos esfericamente simétricos (ou a média de átomos com seus eixos naturais em todas as direções), a média de $x^2 + y^2$ é 2/3 da média do quadrado da verdadeira distância radial entre o *ponto* central do átomo. Desse modo, é mais conveniente escrever a Equação (34.16) assim:

$$\Delta\mu = -\frac{q_e^2}{6m} \langle r^2 \rangle_{\text{média}} B. \tag{34.17}$$

Em todo caso, encontramos um momento atômico induzido proporcional ao campo magnético B e oposto a ele. Esse é o diamagnetismo da matéria. Esse é o efeito magnético responsável pela pequena força sobre uma peça de bismuto em um campo magnético não uniforme (você pode calcular a força trabalhando com a energia dos momentos induzidos no campo e verificando como a energia muda quando o material é movimentado para dentro e para fora da região de campo forte).

Ainda estamos deixando um problema: qual é a média do quadrado do raio, $\langle r^2 \rangle_{\text{média}}$? A mecânica clássica não consegue nenhuma resposta. Devemos voltar e recomeçar com a mecânica quântica. Em um átomo, não podemos realmente dizer onde um elétron está, podemos apenas conhecer a probabilidade de ele estar em algum lugar. Se interpretarmos $\langle r^2 \rangle_{\text{média}}$ como sendo a média do quadrado da distância do centro para a distribuição de probabilidade, o momento diamagnético, dado pela mecânica quântica, será exatamente a Equação (34.17). Essa equação, é óbvio, é o momento para um elétron. O momento total é dado pela soma de todos os elétrons do átomo. O surpreendente é que o argumento clássico e a mecânica quântica fornecem a mesma resposta, apesar de, como podemos ver, o argumento clássico que dá a Equação (34.17) não ser realmente válido na mecânica clássica.

O mesmo efeito diamagnético ocorre mesmo quando um átomo já tem um momento permanente. Então o sistema irá precessar no campo magnético. À medida que todo o átomo precessa, ele adquire uma pequena velocidade angular adicional, e esse giro lento fornece uma pequena corrente que representa uma correção no momento magnético. Isso é apenas o efeito diamagnético representado de outra maneira. Não precisamos nos preocupar com isso quando falamos sobre paramagnetismo. Se o efeito diamagnético for calculado primeiro, como fizemos aqui, não precisamos nos preocupar com a corrente extra decorrente da precessão, pois já está incluída no termo diamagnético.

34–5 Teorema de Larmor

Já podemos concluir alguma coisa de nossos resultados até agora. Antes de tudo, na teoria clássica, o momento μ era sempre proporcional a J, com uma dada constante de proporcionalidade para um átomo em particular. Não havia nenhum spin de elétrons, e a constante de proporcionalidade era sempre $-q_e/2m$; isto é, na Equação (34.6), deveríamos sempre obter $g = 1$. O raio de μ para J era independente do movimento interno dos elétrons. Assim, de acordo com a teoria clássica, todos os sistemas de elétrons sofreriam precessão com a *mesma* velocidade angular (isso *não* é verdade para a teoria quântica). Esse resultado está relacionado com um teorema da mecânica clássica que, agora, gostaríamos de provar. Suponha que tenhamos um grupo de elétrons mantidos juntos por atração ao ponto central – como os elétrons são atraídos para o núcleo. Os elétrons estarão se atraindo uns aos outros e, geralmente, têm movimentos complicados. Suponha que resolvemos os movimentos sem campo elétrico e, agora, queremos saber quais movimentos existiriam em um campo magnético fraco. O teorema diz que o movimento em um campo magnético fraco é sempre uma das soluções obtidas para ausência de campo com uma rotação adicionada, sobre o eixo do campo, com velocidade angular $\omega_L = q_e B/2m$ (isso é o mesmo que ω_P, se $g = 1$). É óbvio que há vários movimentos possíveis. O ponto é que, para cada movimento sem campo magnético, existe um movimento correspondente no campo, que é o movimento original mais uma rotação uniforme. Esse é o chamado teorema de Larmor, e ω_L é chamada de *frequência de Larmor*.

Gostaríamos de mostrar como o teorema pode ser provado, mas deixaremos que você trabalhe nos detalhes. Primeiro, pegue um elétron em um campo de força central. A força sobre ele é exatamente $F(r)$, diretamente em direção ao centro. Se agora ligarmos um campo magnético uniforme, haverá uma força adicional $q v \times B$; desse modo, a força total será

$$F(r) + q v \times B. \tag{34.18}$$

Olhemos agora o mesmo sistema a partir de um sistema de coordenadas em rotação com velocidade angular ω ao redor de um eixo que passa pelo centro de forças e que é paralelo a B. Não será mais um sistema inercial, então teremos de considerar as pseudoforças – a força centrífuga e as forças de Coriolis, sobre as quais falamos no Capítulo 19 do Volume I. Encontraremos que, para um sistema em rotação com velocidade angular ω, haverá uma aparente força tangencial proporcional a v_r, a componente radial da velocidade:

$$F_t = -2m\omega v_r. \tag{34.19}$$

E há uma força radial aparente dada por

$$F_r = m\omega^2 r + 2m\omega v_t, \tag{34.20}$$

onde v_t é a componente tangencial da velocidade medida *no* sistema de referências em rotação (a componente radial v_r é a mesma tanto para sistemas em rotação, quanto para sistemas inerciais).

Para velocidades angulares suficientemente pequenas (isto é, se $\omega r \ll v_t$), podemos desprezar o primeiro termo (centrífugo) na Equação (34.20), em comparação com o segundo (Coriolis). Portanto, as Equações (34.19) e (34.20) podem ser escritas, em conjunto, como

$$F = -2m\omega \times v. \tag{34.21}$$

Se agora *combinarmos* uma rotação e um campo magnético, devemos adicionar a força na Equação (34.21) àquela em (34.18). A força total é

$$F(r) + q v \times B + 2m v \times \omega \tag{34.22}$$

[revertemos o produto vetorial e o sinal de (34.21) a fim de obter o último termo]. Olhando nosso resultado, vemos que, se

$$2m\omega = -qB$$

os dois termos do lado direito se cancelam e, no sistema em movimento, a única força é $F(r)$. O movimento do elétron é exatamente o mesmo, como se não houvesse campo magnético – e, é claro, nenhuma rotação. Acabamos de provar o teorema de Larmor para um elétron. Como a prova supõe um pequeno ω, isso significa que o teorema é verdadeiro apenas para campos magnéticos fracos. A única coisa que pediríamos para você melhorar é que tome o caso de muitos elétrons interagindo mutuamente, uns com os outros, mas todos no mesmo campo central, e que prove o mesmo teorema, mas isto é o final da mecânica clássica, já que não é verdade que os movimentos ocorrem daquela maneira. A frequência de precessão ω_p, da Equação (34.11), é apenas igual a ω_L se g for igual a 1.

34–6 A física clássica não explica nem diamagnetismo, nem paramagnetismo

Agora queremos demonstrar que, de acordo com a mecânica clássica, não pode haver nem diamagnetismo, nem paramagnetismo. Parece loucura – primeiro demonstramos que há paramagnetismo, diamagnetismo, órbitas que precessam e assim por diante, e agora vamos provar que tudo está errado. Sim! – vamos provar que, *se* você seguir a mecânica *clássica* o suficiente, não há tais efeitos magnéticos – *eles todos se cancelam*. Se você começar um argumento clássico em um certo lugar e não for longe o suficiente, você poderá obter o que quer, mas a única prova legítima e correta mostra que não há qualquer efeito magnético.

É uma consequência da mecânica clássica que, se você tiver um tipo de sistema – um gás com elétrons, prótons e o que mais quiser – mantidos em uma caixa de tal maneira que a coisa toda fique restrita, não pode haver efeito magnético. É possível haver um efeito magnético se você tiver um sistema isolado, como uma estrela mantida por si própria que pode começar a virar quando você a colocar em um campo magnético. No entanto, se você tiver um pedaço de material mantido em um lugar em que não possa girar, então não há efeito magnético. O que queremos dizer por segurar a rotação é resumido da seguinte maneira: a uma dada temperatura, supomos que haja *apenas um estado* de equilíbrio térmico. O teorema, então, nos diz que, se você ligar um campo magnético e esperar que o sistema entre em equilíbrio térmico, não haverá paramagnetismo ou diamagnetismo – não haverá momento magnético induzido. Prova: de acordo com a mecânica estatística, a probabilidade de um sistema ter um dado estado de movimento é proporcional a $e^{-U/kT}$, onde U é a energia daquele estado de movimento. Qual é a energia daquele estado de movimento? Para uma partícula movendo-se em um campo magnético constante, a energia é igual à energia potencial comum mais $mv^2/2$ com nada adicional para o campo magnético [você sabe que as forças eletromagnéticas são $q(E + v \times B)$ e que a taxa de trabalho $F \cdot v$ é exatamente $qE \cdot v$, que não é afetada pelo campo magnético]. Assim, a energia do sistema, esteja ele em um campo magnético ou não, é sempre dada pela energia cinética mais a energia potencial. Como a probabilidade de qualquer movimento depende apenas da energia – isto é, da velocidade e da posição –, a probabilidade é sempre a mesma, havendo ou não campo magnético. Portanto, para o equilíbrio *térmico*, o campo magnético é irrelevante. Se tivermos o sistema em uma caixa e tivermos um segundo sistema em uma segunda caixa com campo magnético, a probabilidade de uma particular velocidade em qualquer ponto na primeira caixa é a mesma que na segunda caixa. Se a primeira caixa não tiver correntes médias circulantes (e ela não terá se estiver em equilíbrio com as paredes estacionárias), então não haverá momento magnético médio. Como na segunda caixa todos os movimentos são os mesmos, então não haverá, tampouco, momento magnético médio. Portanto, se a temperatura for mantida constante e o equilíbrio for restabelecido depois que o campo for ligado, não poderá haver momento magnético induzido pelo campo – de acordo com a mecânica clássica. Podemos apenas obter uma compreensão satisfatória dos fenômenos magnéticos por meio da mecânica quântica.

Infelizmente não podemos supor que você tenha uma compreensão madura de mecânica quântica para discutirmos essa matéria neste momento. Por outro lado, nem sempre precisamos primeiramente aprender as regras exatas para depois aplicá-las. Quase todos os assuntos estudados neste curso foram tratados de modo diferente. No caso da eletricidade, escrevemos as equações de Maxwell na primeira página e depois deduzimos as consequências. Essa é uma maneira. Contudo, não vamos começar uma nova primeira página, escrevendo as equações da mecânica quântica e deduzindo as consequências. Vamos simplesmente dizer algumas das consequências da mecânica quântica antes de você aprender de onde elas vieram. E aqui vamos nós.

34–7 Momento angular em mecânica quântica

Já lhe demos uma relação entre momento magnético e momento angular. Isso é bom, mas o que significam momento magnético e momento angular em mecânica quântica? Em mecânica quântica, acontece que o melhor modo de definir quantidades, como momento magnético, é em termos de outros conceitos como energia, de modo a estarmos certos de que sabemos seu significado. É fácil definir momento magnético em termos de energia porque a energia de um momento magnético em um campo magnético externo é, na teoria clássica, $\boldsymbol{\mu} \cdot \boldsymbol{B}$. Portanto, a seguinte definição pode ser feita em mecânica quântica: se calcularmos a energia de um sistema em um campo magnético e acharmos que ela é proporcional à intensidade do campo (para campos pequenos), o coeficiente de proporcionalidade é chamado de componente do momento magnético na direção do campo (não precisamos ser tão elegantes em nosso trabalho agora; podemos ainda pensar no momento magnético da maneira tradicional, clássica).

Gostaríamos agora de discutir a ideia de momento angular em mecânica quântica – ou melhor, as características daquilo que, em mecânica quântica, chama-se momento angular. Como você sabe, quando você vai para novos tipos de leis, você não pode supor que cada palavra significará exatamente a mesma coisa. Você pode pensar "ah, eu sei o que é momento angular. É aquela coisa que muda por um torque", mas o que é um torque? Em mecânica quântica, precisamos de novas definições para velhas quantidades. Talvez fosse mais correto chamá-la por outro nome, como "momento quantangular" ou algo parecido, pois seria o momento angular definido pela mecânica quântica. Se podemos achar uma quantidade em mecânica quântica que é idêntica à nossa velha ideia de momento angular quando o sistema fica grande o suficiente, não há vantagem em inventar um nome novo. Devemos tão somente chamá-lo de momento angular. Entendido isso, essa coisa estranha que estamos descrevendo *é* o momento angular. É aquilo que, em um grande sistema, reconhecemos como momento angular na mecânica clássica.

Primeiro, tomemos um sistema em que o momento angular é conservado, como um átomo sozinho no espaço vazio. Agora, essa coisa (como a terra rodando ao redor de seu eixo) poderia, em sentido comum, rodar ao redor de um eixo escolhido ao acaso. E, para um dado spin, haveria vários diferentes "estados", todos com a mesma energia, cada "estado" correspondendo a uma direção particular do eixo do momento angular. Assim, na teoria clássica, para um dado momento angular, há um número infinito de estados possíveis, todos com a mesma energia.

Entretanto, na mecânica quântica, surgem várias coisas estranhas. Primeiro, o número de estados em que um sistema *pode* existir é limitado – há somente um número finito. Se o sistema for pequeno, esse número finito será pequeno; se o sistema for grande, o número finito torna-se muito, muito grande. Segundo, *não podemos* descrever um "estado" dando a *direção* de seu momento angular, mas apenas fornecendo a *componente* do momento angular ao longo de alguma direção – digamos, a direção z. Classicamente, um objeto com um dado momento angular total J tem, para sua componente z, algum valor entre $+J$ e $-J$. Contudo, na mecânica quântica, a componente z do momento angular pode assumir apenas certos valores discretos. Um dado sistema – um átomo em particular, um núcleo ou qualquer coisa assim – com uma dada energia, tem um número característico j, e sua componente z do momento angular pode ter apenas os seguintes valores:

$$\begin{matrix} j\hbar \\ (j-1)\hbar \\ (j-2)\hbar \\ \vdots \\ -(j-2)\hbar \\ -(j-1)\hbar \\ -j\hbar \end{matrix} \qquad (34.23)$$

A maior componente z é j vezes $\hbar$; a próxima menor é uma unidade de $\hbar$ menos, e abaixo de $-j\hbar$. O número j é chamado "spin do sistema" (algumas pessoas chamam-no "número quântico do momento angular", mas nós chamaremos de "spin").

Você pode estar preocupado que, o que estamos dizendo, possa ser verdade apenas para alguns eixos z *especiais*. Para um sistema cujo spin é j, a componente do momento angular ao longo de *qualquer* eixo pode ter somente um dos valores em (34.23). Apesar de isso ser bastante misterioso, pedimos apenas que você aceite isso por enquanto. Voltaremos e discutiremos esse ponto mais tarde. Você pode ficar contente em ouvir que a componente z vai de alguns números para menos desses *mesmos* números (certamente, se disséssemos que iria de $+j$ a menos em um grupo diferente, isso seria infinitamente misterioso, pois não fomos capazes de definir o eixo z, apontando para o outro lado).

Agora, a componente z do momento angular deve integrar de $+j$ a $-j$, então j deve ser um inteiro. Não! Ainda não, duas vezes j deve ser um inteiro. Apenas a *diferença* entre $+j$ e $-j$ deve ser um inteiro. Assim, geralmente, o spin j é tanto um inteiro quanto um semi-inteiro, dependendo se $2j$ for par ou ímpar. Tomemos, por exemplo, um núcleo, como o lítio, que tem um spin de três meios, $j = 3/2$. O momento angular ao longo do eixo z, em unidades $\hbar$, é um dos seguintes:

$$\begin{matrix} +3/2 \\ +1/2 \\ -1/2 \\ -3/2 \end{matrix}$$

Há quatro estados possíveis, todos com a mesma energia se o núcleo estiver no espaço vazio sem campos externos. Se tivermos um sistema cujo spin é dois, então, a componente z do momento angular tem apenas esses valores para as unidades $\hbar$:

$$\begin{matrix} 2 \\ 1 \\ 0 \\ -1 \\ -2 \end{matrix}$$

Se contarmos quantos estados existem para um dado j, encontraremos $(2j + 1)$ possibilidades. Em outras palavras, se você disser a energia e o spin de j, surgirão exatamente $(2j+1)$ estados com tal energia, cada estado correspondendo a uma diferente possibilidade dos valores da componente z do momento angular.

Queremos acrescentar outro fato. Se você selecionar aleatoriamente qualquer átomo de j conhecido e medir a componente z do momento angular, poderá pegar um dos possíveis valores, e cada um dos valores será igual. Todos os estados têm o mesmo "peso" no mundo (estamos supondo que nada foi feito fora de uma amostra especial). Acidentalmente, esse fato tem um análogo clássico. Se você fizer a mesma questão classicamente: qual é a possibilidade de uma particular componente z de momento angular para uma amostra aleatória de sistemas, todos com o mesmo momento angular? – a resposta é que todos os valores, desde o máximo até o mínimo, são igualmente prováveis (você pode deduzir esse resultado facilmente). O resultado clássico corresponde à igual probabilidade entre as $(2j + 1)$ possibilidades da mecânica quântica.

Do que temos até agora, podemos chegar a uma outra conclusão interessante e, em certo sentido, surpreendente. Em certos cálculos clássicos, a quantidade que aparece no resultado final é o *quadrado* da magnitude do momento angular $\boldsymbol{J}$ – em outras palavras, $\boldsymbol{J} \cdot \boldsymbol{J}$. Acontece que é frequentemente possível *adivinhar* a fórmula quântica correta utilizando o cálculo clássico e a seguinte regra: substituir $J^2 = \boldsymbol{J} \cdot \boldsymbol{J}$ por $j(j+1)\hbar^2$. Essa regra é comumente utilizada e, em geral, dá os resultados corretos, mas nem sempre. Podemos dar o seguinte argumento para mostrar por que você pode esperar que essa regra esteja correta.

O produto escalar $\boldsymbol{J} \cdot \boldsymbol{J}$ pode ser escrito como

$$\boldsymbol{J} \cdot \boldsymbol{J} = J_x^2 + J_y^2 + J_z^2.$$

Como esse produto é um escalar, ele deveria ser o mesmo para qualquer orientação do spin. Suponha que tomemos amostras de um dado sistema quântico ao acaso, e que façamos medidas de J_x^2, J_y^2 ou J_z^2, sendo que o *valor médio* seja o mesmo para cada um (não há distinção especial para qualquer das direções). Portanto, a média de $\boldsymbol{J} \cdot \boldsymbol{J}$ é igual a três vezes a média de qualquer componente ao quadrado, digamos, J_z^2;

$$\langle \boldsymbol{J} \cdot \boldsymbol{J} \rangle_{\text{média}} = 3 \langle J_z^2 \rangle_{\text{média}}.$$

Já que $\boldsymbol{J} \cdot \boldsymbol{J}$ é a mesma para todas as orientações, a média é simplesmente o seu valor constante; temos

$$\boldsymbol{J} \cdot \boldsymbol{J} = 3 \langle J_z^2 \rangle_{\text{média}}. \tag{34.24}$$

Se dissermos agora que usaremos a mesma equação para mecânica quântica, podemos facilmente achar $\langle J_z^2 \rangle_{\text{média}}$. Teremos apenas que somar os $(2j+1)$ possíveis valores de J_z^2 e dividir pelo número total de termos.

$$\langle J_z^2 \rangle_{\text{média}} = \frac{j^2 + (j-1)^2 + \cdots + (-j+1)^2 + (-j)^2}{2j+1} \hbar^2. \tag{34.25}$$

Para um sistema de spin 3/2, funciona da seguinte maneira:

$$\langle J_z^2 \rangle_{\text{média}} = \frac{(3/2)^2 + (1/2)^2 + (-1/2)^2 + (-3/2)^2}{4} \hbar^2 = \frac{5}{4} \hbar^2.$$

Concluímos que

$$\boldsymbol{J} \cdot \boldsymbol{J} = 3 \langle J_z^2 \rangle_{\text{média}} = 3 \tfrac{5}{4} \hbar^2 = \tfrac{3}{2}(\tfrac{3}{2}+1) \hbar^2.$$

Vamos deixar para você mostrar que a Eq. (34.25) junto à Eq. (34.24) nos dá o resultado geral

$$\boldsymbol{J} \cdot \boldsymbol{J} = j(j+1) \hbar^2. \tag{34.26}$$

Embora pensássemos classicamente que o maior valor possível da componente z de $\boldsymbol{J}$ fosse da magnitude de $\boldsymbol{J}$ – isto é, $\sqrt{\boldsymbol{J} \cdot \boldsymbol{J}}$ –, na mecânica quântica, o máximo valor de J_z é sempre uma pequena adivinhação, já que $j\hbar$ é sempre menor que $\sqrt{j(j+1)}\hbar$. O momento angular nunca está completamente ao longo da direção z.

34–8 A energia magnética dos átomos

Falaremos agora sobre o momento magnético. Dissemos que, em mecânica quântica, o momento magnético de um particular sistema atômico pode ser escrito em termos do momento angular pela Equação (34.6)

$$\boldsymbol{\mu} = -g\left(\frac{q_e}{2m}\right) \boldsymbol{J}, \tag{34.27}$$

onde $-q_e$ e m são a carga e a massa do elétron.

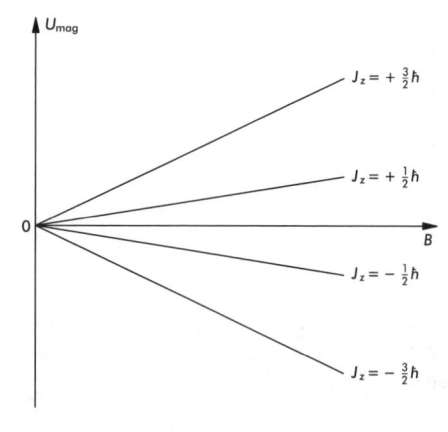

Figura 34–5 A energia magnética possível em um sistema atômico com um spin de 3/2 em um campo magnético **B**.

Um magneto atômico colocado em um campo magnético externo terá uma energia magnética extra que depende da componente de seu momento magnético ao longo da direção do campo. Sabemos que

$$U_{\text{mag}} = -\boldsymbol{\mu} \cdot \boldsymbol{B}. \tag{34.28}$$

Escolhendo nosso eixo z ao longo da direção de $\boldsymbol{B}$,

$$U_{\text{mag}} = -\mu_z B. \tag{34.29}$$

Utilizando a Equação (34.27), temos que

$$U_{\text{mag}} = g\left(\frac{q_e}{2m}\right) J_z B.$$

A mecânica quântica nos diz que J_z só pode tomar certos valores: $j\hbar$, $(j-1)\hbar$,..., $-j\hbar$. Portanto a energia magnética de um sistema atômico não é arbitrária; ela só pode ter certos valores. Por exemplo, seu valor máximo é

$$g\left(\frac{q_e}{2m}\right) \hbar j B.$$

A quantidade $q_e \hbar / 2m$ é geralmente chamada de "magneton de Bohr" e se escreve μ_B:

$$\mu_B = \frac{q_e \hbar}{2m}.$$

Os possíveis valores da energia magnética são

$$U_{\text{mag}} = g\mu_B B \frac{J_z}{\hbar},$$

onde $J_z/\hbar$ toma os valores possíveis j, $(j-1)$, $(j-2)$,..., $(-j+1)$, $-j$.

Em outras palavras, a energia de um sistema atômico muda quando ele é colocado em um campo magnético, por uma quantidade proporcional ao campo e proporcional a J_z. Dizemos que a energia de um sistema atômico é "cindida" em $(2j+1)$ níveis por um campo magnético. Por exemplo, um átomo, cuja energia é U_0 na ausência de um campo magnético e cujo j é 3/2, terá quatro possíveis energias quando colocado em um campo magnético. Podemos mostrar essas energias por um diagrama de níveis, como o desenhado na Figura 34–5. Qualquer átomo particular pode ter apenas um dos quatro níveis de energia em um dado campo magnético B. Isso é o que a mecânica quântica nos diz sobre o comportamento de um sistema atômico em um campo magnético.

O sistema "atômico" mais simples corresponde a um só elétron. O spin de um elétron é 1/2, de modo que há dois estados possíveis: $J_z = \hbar/2$ e $J_z = -\hbar/2$. Para um elétron em repouso (sem movimento orbital), o momento magnético de spin tem um valor de g igual a 2, de modo que a energia magnética pode tomar dois valores, $\pm \mu_B B$. As possíveis energias em um campo magnético são mostradas na Figura 34–6. *Grosso modo*, dizemos que o elétron tem spin "para cima" (ao longo do campo) ou "para baixo" (oposto ao campo).

Para sistemas com spins maiores, há mais estados. Podemos pensar que o spin seja "para cima" ou "para baixo", ou ainda fazendo algum "ângulo" intermediário, dependendo do valor de J_z.

Vamos utilizar esses resultados quânticos para discutir as propriedades magnéticas de materiais no próximo capítulo.

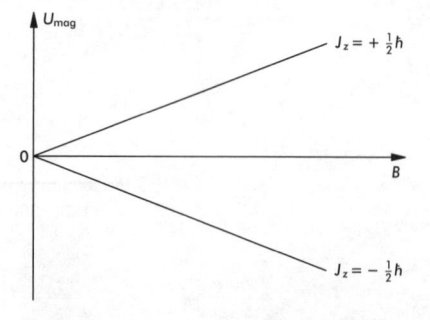

Figura 34–6 Os dois estados possíveis de energia de um elétron em um campo magnético **B**.

35

Paramagnetismo e Ressonância Magnética

35–1 Estados magnéticos quantizados

No capítulo anterior, vimos por que, em mecânica quântica, o momento angular de um objeto não pode ter uma direção arbitrária, mas suas componentes, ao longo de um dado eixo, podem apenas assumir valores igualmente espaçados, discretos. É algo de peculiar e espantoso. Você pode pensar que, talvez, não devêssemos enveredar por tais caminhos até que sua mente estivesse mais avançada e pronta para aceitar esse tipo de ideia. De fato, sua mente nunca estará mais avançada – no sentido de ser capaz de aceitar tal ideia facilmente. Não há outra maneira de descrevê-la a não ser de forma avançada e sutil, o que seria muito complicado. O comportamento da matéria em pequena escala é diferente de qualquer coisa com a qual você esteja acostumado, sendo, de fato, muito estranho – conforme dissemos várias vezes. Conforme prosseguimos com a física clássica, é uma boa ideia tentar conhecer cada vez mais o comportamento das coisas em pequena escala, primeiramente, como um tipo de experiência sem qualquer compreensão profunda. A compreensão de tais questões é muito vagarosa, se é que a teremos. É claro que teremos uma ideia melhor do que acontecerá em situações quânticas – se é que isso constitui uma compreensão – mas jamais nos sentiremos confortáveis para dizer que estas regras quânticas são "naturais". É claro que elas *são*, mas não para as nossas experiências rotineiras. Deveríamos explicar que a atitude que tomaremos com respeito a essa regra sobre o momento angular é muito diferente das outras coisas sobre as quais temos falado. Não vamos "explicá-las", mas devemos, pelo menos, *dizer-lhes* o que ocorre; seria desonesto descrever as propriedades magnéticas dos materiais sem mencionar o fato de a descrição clássica do magnetismo – do momento angular e dos momentos magnéticos – ser incorreta.

Uma das características mais chocantes e perturbadoras sobre a mecânica quântica é que, se você tomar o momento angular ao longo de qualquer eixo particular, você verá que ele é sempre um número inteiro ou semi-inteiro multiplicado por $\hbar$. É assim, não importando qual eixo você considere. Os detalhes envolvidos nesse fato curioso – que você pode considerar qualquer outro eixo e a componente neste novo eixo ser obrigada a ter o mesmo conjunto de valores – deixaremos para um próximo capítulo, quando você terá a maravilhosa experiência de ver como esse aparente paradoxo é resolvido.

Agora, vamos apenas aceitar o fato de que, para qualquer sistema atômico, há um número *j* chamado *spin* do sistema, que deve ser inteiro ou semi-inteiro, de modo que a componente do momento angular ao longo de qualquer eixo particular assuma um dos seguintes valores entre $+j\hbar$ e $-j\hbar$:

$$J_a = \text{um dos valores} \begin{Bmatrix} j \\ j-1 \\ j-2 \\ \vdots \\ -j+2 \\ -j+1 \\ -j \end{Bmatrix} \cdot \hbar. \qquad (35.1)$$

Já mencionamos que qualquer sistema atômico simples tem um momento magnético cuja direção é a mesma do momento angular. Isso é verdade não apenas para átomos e núcleos, mas também para partículas fundamentais. Cada partícula fundamental tem seu valor característico de *j* e seu momento angular (para algumas partículas, ambos são nulos). O que queremos dizer por "momento magnético" nessa afirmação é que a energia do sistema, na presença de um campo magnético na direção *z*, pode ser escrita como $-\mu_z B$ para campos magnéticos pequenos. Devemos supor que o campo não seja grande demais para que ele não perturbe os movimentos internos do sistema, de modo

35–1 Estados magnéticos quantizados
35–2 O experimento de Stern-Gerlach
35–3 O método do feixe molecular de Rabi
35–4 O paramagnetismo no interior de materiais
35–5 Resfriamento por desmagnetização adiabática
35–6 Ressonância nuclear magnética

Revisão: Capítulo 11, *No Interior dos Dielétricos*

que a energia seja a medida do momento magnético característico do átomo quando o campo foi ligado. Se o campo for suficientemente fraco, a variação de energia é

$$\Delta U = -\mu_z B, \qquad (35.2)$$

onde entendemos que, nessa equação, devemos substituir μ_z por

$$\mu_z = g\left(\frac{q}{2m}\right) J_z, \qquad (35.3)$$

onde J_z assume um dos valores listados na Equação (35.1).

Suponha que tomemos um sistema com spin $j = 3/2$. Na ausência de campo magnético, o sistema tem quatro diferentes estados possíveis correspondendo aos diferentes valores de J_z, todos com exatamente a mesma energia. Na hora que ligamos o campo magnético, há uma energia adicional de interação que separa esses estados em quatro níveis de energia ligeiramente diferentes. As energias desses níveis são dadas por uma certa energia proporcional a B multiplicada por $\hbar$ vezes 3/2, 1/2, −1/2 e −3/2, os valores de J_z.* A divisão dos níveis de energia para sistemas atômicos com spins 1/2, 1 e 3/2 é mostrada nos diagramas da Figura 35–1 (lembre que, para qualquer arranjo de elétrons, o momento magnético é sempre oposto ao momento angular).

A partir dos diagramas, você pode notar que os "centros de gravidade" dos níveis de energia são os mesmos com ou sem campo magnético. Note também que o espaçamento entre um nível e o próximo é sempre o mesmo para uma dada partícula e um dado campo magnético. Vamos escrever o espaçamento das energias para um dado campo magnético B como $\hbar\omega_p$, o que é simplesmente uma definição de ω_p. Usando as Equações (35.2) e (35.3), temos

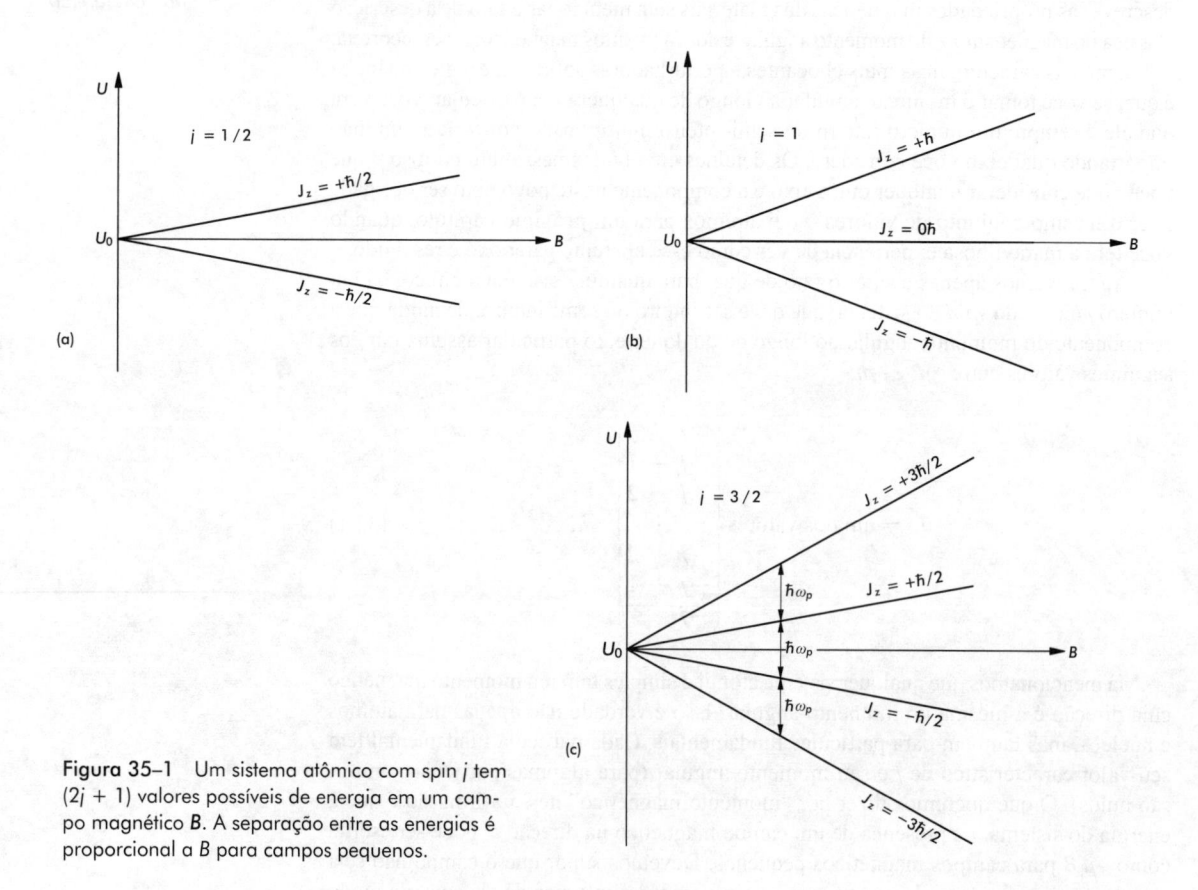

Figura 35–1 Um sistema atômico com spin j tem $(2j + 1)$ valores possíveis de energia em um campo magnético B. A separação entre as energias é proporcional a B para campos pequenos.

---

* N. de R. T.: De fato, o autor refere-se apenas à energia adicional gerada pelo campo B.

ou
$$\hbar\omega_p = g\frac{q}{2m}\hbar B$$
$$\omega_p = g\frac{q}{2m}B. \quad (35.4)$$

A quantidade $g(q/2m)$ é simplesmente a relação entre o momento magnético e o momento angular – esta é uma propriedade da partícula. A Equação (35.4) corresponde à fórmula que encontramos no Capítulo 34 para a velocidade angular de precessão em um campo magnético, para um giroscópio cujo momento angular é **J** e cujo momento magnético é **μ**.

35–2 O experimento de Stern-Gerlach

O fato de o momento angular ser quantizado é algo tão surpreendente que falaremos um pouco mais sobre isso historicamente. Foi um choque desde o momento de sua descoberta (embora fosse esperado teoricamente). Foi observado primeiramente em um experimento feito em 1922 por Stern e Gerlach. Se você quiser, pode considerar o experimento de Stern-Gerlach como uma justificativa direta para a confiança na quantização do momento angular. Stern e Gerlach imaginaram um experimento para medir o momento magnético de átomos individuais de prata. Eles produziram um feixe de átomos de prata evaporando a prata em um forno quente e deixando-os (os átomos) passar através de uma série de pequenos buracos. Esse feixe era direcionado entre os polos de um magneto especial, como mostrado na Figura 35–2. Sua ideia era a seguinte. Se o átomo de prata tem um momento magnético **μ**, então, em um campo magnético **B**, ele terá uma energia $-\mu_z B$, onde z é a direção do campo magnético. Na teoria clássica, μ_z seria igual ao momento magnético multiplicado pelo cosseno do ângulo entre o momento e o campo magnético. Desse modo, a energia extra no campo seria

$$\Delta U = -\mu B \cos\theta. \quad (35.5)$$

Obviamente, quando os átomos saem do forno, seus momentos magnéticos apontariam para todas as direções possíveis, havendo todos os valores para θ. Agora, se o campo magnético variar muito rapidamente com z – se houver um forte gradiente de campo –, então a energia magnética variará também com a posição, e haverá uma força sobre os momentos magnéticos, cuja direção dependerá de o cosseno de θ ser positivo ou negativo. Os átomos serão puxados para cima e para baixo por uma força proporcional à derivada da energia magnética; a partir do princípio do trabalho virtual,

$$F_z = -\frac{\partial U}{\partial z} = \mu\cos\theta\frac{\partial B}{\partial z}. \quad (35.6)$$

Stern e Gerlach fizeram seu magneto com uma beirada bem pontiaguda em um dos polos, para produzir uma variação bem rápida do campo magnético. O feixe de átomos

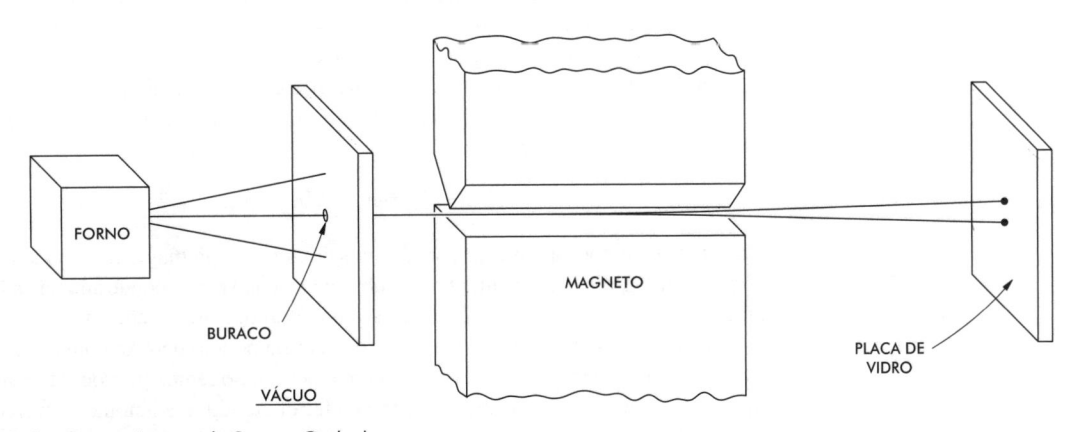

Figura 35–2 O experimento de Stern e Gerlach.

de prata foi direcionado exatamente ao longo dessa beirada pontiaguda, de modo que os átomos sofreriam uma força vertical em um campo não homogêneo. Um átomo de prata com seu momento magnético direcionado horizontalmente não sofreria nenhuma força e passaria direto pelo magneto. Um átomo cujo momento magnético fosse exatamente vertical sofreria uma força puxando-o para cima, na direção da beirada pontiaguda do magneto. Um átomo cujo momento magnético estivesse direcionado para baixo sofreria uma força para baixo. Assim, quando saíssem do magneto, os átomos estariam dispersos de acordo com as componentes verticais de seus momentos magnéticos. Na teoria clássica, todos os ângulos são possíveis; desse modo, quando os átomos de prata são recolhidos por deposição em uma placa de vidro, poderíamos esperar uma nuvem de prata ao longo de uma linha vertical. O comprimento da linha seria proporcional à magnitude do momento magnético. A falha abjeta da teoria clássica foi completamente revelada quando Stern e Gerlach viram o que realmente acontecia. Eles encontraram na placa de vidro duas manchas. Os átomos de prata tinham formado dois feixes.

Que um feixe de átomos, cujos spins tenham sido aparentemente orientados ao acaso, seja disperso em dois feixes é miraculoso. Como o momento magnético *sabe* que são permitidas apenas determinadas componentes na direção do campo magnético? Bem, esse foi realmente o começo da descoberta da quantização do momento angular e, em vez de ficarmos tentando lhe dar uma explanação teórica, vamos apenas dizer para você se surpreender com o resultado desse experimento, assim como os físicos da época tiveram de aceitar o resultado quando o experimento foi feito. Era um *fato experimental* que a energia de átomo em um campo magnético toma uma série de valores individuais. Para cada um desses valores, a energia é proporcional à magnitude do campo. Então, em uma região onde o campo varia, o princípio do trabalho virtual nos diz que a possível força magnética nos átomos terá um conjunto de valores distintos; a força é diferente para cada estado e, desse modo, o feixe de átomos é disperso em um número pequeno de feixes separados. A partir da medida da deflexão dos feixes, pode-se determinar a intensidade do momento magnético.

35–3 O método do feixe molecular de Rabi

Agora, gostaríamos de descrever um aparelho não melhorado para medir os momentos magnéticos que foi desenvolvido por I. I. Rabi e seus colaboradores. No experimento de Stern-Gerlach, a deflexão dos átomos era muito pequena e a medida do momento magnético não era muito precisa. A técnica de Rabi permite uma precisão fantástica na medição dos momentos magnéticos. O método baseia-se no fato de a energia original dos átomos em um campo magnético ser dispersa em um número finito de níveis de energia. Que a energia de um átomo em um campo magnético pode ter apenas determinados valores discretos realmente não surpreende mais que o fato de os átomos *em geral* terem apenas certos discretos níveis de energia – mencionamos isso com frequência no Vol. I. Por que a mesma coisa não deveria acontecer aos átomos em um campo magnético? Isso ocorre, mas é necessário correlacionar com a ideia de um *momento magnético orientado,* o que traz algumas das estranhas implicações da mecânica quântica.

Quando um átomo tem dois níveis que diferem em energia pela quantia ΔU, ele pode fazer a transição do nível mais alto para o mais baixo emitindo um quantum de luz de frequência ω, onde

$$\hbar\omega = \Delta U. \tag{35.7}$$

A mesma coisa pode acontecer com átomos em um campo magnético. Só que as diferenças de energia são tão pequenas que a frequência não corresponde àquela da luz, mas a micro-ondas ou a radiofrequências. Para um átomo, as transições de um nível mais baixo de energia para um nível mais alto de energia podem ocorrer com a absorção de luz ou, no caso de átomos em um campo magnético, podemos provocar transições de um estado para outro, aplicando um campo eletromagnético adicional com frequência apropriada. Em outras palavras, se tivermos um átomo em um campo magnético forte, e dermos um piparote nesse átomo com um campo eletromagnético fraco variável, haverá certa probabilidade de ele bambolear para outro nível se a frequência estiver próxima de ω na Eq. (35.7). Para um átomo em um campo magnético, essa frequência é exatamente o que havíamos chamado de ω_p e é dada em termos do campo magnético, pela Eq. (35.4). Se um átomo for provocado por um piparote com a frequência errada, a chance de se provocar uma transição é muito pequena. Desse modo, há uma aguda *ressonância* em ω_p com probabilidade de causar a transição. Medindo-se a frequência dessa ressonância em um campo magnético conhecido B, poderemos medir a quantidade $g(q/2m)$ – e disso o fator g, com grande precisão.

É interessante que alguém chegue à mesma conclusão a partir de um ponto de vista clássico. De acordo com a posição clássica, quando colocamos um pequeno giroscópio com um momento angular J em um campo magnético externo, o giroscópio irá precessar sobre um eixo paralelo ao campo magnético (ver Figura 35–3). Suponha que perguntemos: como podemos mudar o ângulo do giroscópio clássico com relação ao campo, ou seja, com relação ao eixo z? O campo magnético produz um torque ao redor do eixo *horizontal*. Você pensará que esse torque está *tentando* alinhar o momento com o campo, mas ele apenas causará a precessão. Se quisermos mudar o ângulo do giroscópio em relação ao eixo z, devemos exercer um torque *sobre o eixo z*. Se aplicarmos um torque que vá na mesma direção da precessão, o ângulo do giroscópio mudará para oferecer uma componente menor de J na direção z. Na Figura 35–3, o ângulo entre J e o eixo z irá aumentar. Se tentarmos obstruir a precessão, J se moverá na vertical.

Para nosso átomo em precessão em um campo magnético uniforme, como podemos aplicar o tipo de torque que queremos? A resposta é: com um campo magnético fraco ao lado. Primeiro, você deve pensar que a direção desse campo magnético deve rodar com a precessão do momento magnético, de modo a, sempre, fazer um ângulo reto com o momento, como indicado pelo campo B' na Figura 35–4(a). Tal campo funciona muito bem, mas um campo horizontal *alternante* será quase tão bom. Se tivermos um pequeno campo horizontal B', que tenha sempre a direção x (mais ou menos) e oscile com a frequência ω_p, para cada metade do ciclo, o torque no momento magnético irá reverter, de modo que ele tenha um efeito acumulativo quase tão efetivo quanto um campo magnético em rotação. Classicamente, esperaríamos que a componente do momento magnético ao longo da direção z mudasse se tivéssemos um campo magnético oscilante muito fraco cuja frequência fosse exatamente ω_p. Classicamente, é claro, μ_z mudaria continuamente, mas, na mecânica quântica, a componente z do momento magnético não pode ajustar-se continuamente. Ela deve pular abruptamente de um valor para outro. Fizemos comparações entre a mecânica clássica e a mecânica quântica para dar-lhes algumas pistas sobre o que deveria acontecer classicamente e como isso se relaciona com o que realmente acontece em mecânica quântica. Reparem que, incidentalmente, a frequência de ressonância esperada é a mesma para ambos os casos.

Uma observação adicional: do que dissemos sobre mecânica quântica, aparentemente não há razão para não ocorrer, também, transições a frequência $2\omega_p$. Acontece que não há nada análogo a isso no caso clássico, e também isso não acontece na teoria quântica – ao menos para o método particular de indução de transição que descrevemos. Com um campo magnético horizontal oscilante, a probabilidade de a frequência $2\omega_p$ causar um pulo de dois estágios de uma só vez é zero. É apenas na frequência ω_p que transições, tanto para baixo como para cima, provavelmente ocorrem.

Agora estamos prontos para descrever o método de Rabi para medir momentos magnéticos. Consideraremos, aqui, apenas a operação para átomos com um spin de 1/2. Um diagrama do aparelho é mostrado na Figura 35–5. Há um forno que fornece um fluxo de átomos neutros que passam através de três magnetos. O magneto 1 é exatamente como o mostrado na Figura 35–2 e tem um campo com um forte gradiente de campo – digamos, com $\partial B_z/\partial z$ positivo. Se os átomos tiverem um momento magnético, eles serão defletidos para baixo se $J_z = +\hbar/2$, e para cima se $J_z = -\hbar/2$ (desde que os elétrons μ estejam em direção oposta a J). Se considerarmos apenas os átomos que atravessam a abertura S_1, há duas possíveis trajetórias, como mostrado. Átomos com $J_z = +\hbar/2$ devem descrever uma longa curva a para atravessarem a abertura, e aqueles com $J_z = -\hbar/2$ devem descrever a curva b. Os átomos que deixam o forno com outras trajetórias não passam pela abertura.

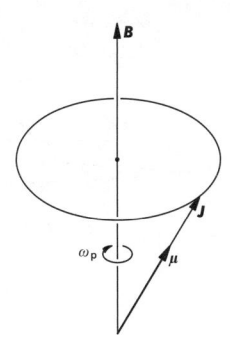

Figura 35–3 A precessão clássica de um átomo com um momento magnético μ e momento angular J.

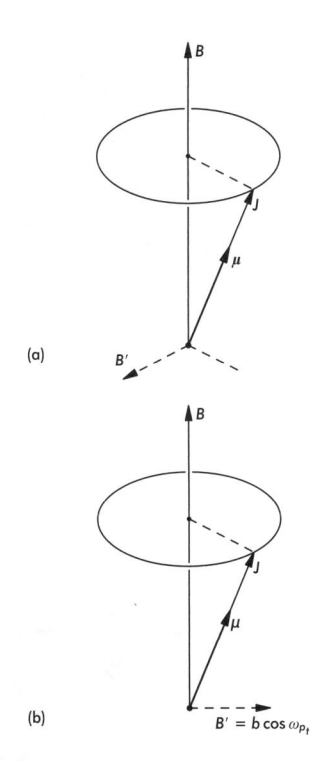

Figura 35–4 O ângulo de precessão de um magneto atômico sempre pode ser alterado por um campo magnético horizontal em ângulos retos a μ, como em (a), ou por um campo oscilante, como em (b).

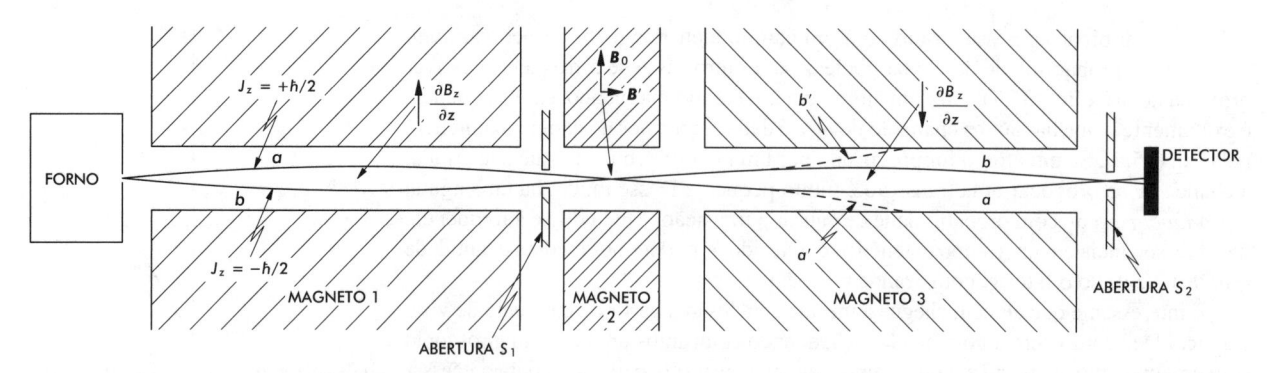

Figura 35–5 O aparelho do feixe molecular de Rabi.

O magneto 2 tem um campo uniforme. Não há forças sobre os átomos nessa região, então eles vão diretamente para o magneto 3. O magneto 3 é como o magneto 1, mas com campo *inverso*, assim, $\partial B_z/\partial z$ tem sinal oposto. Os átomos com $J_z = +\hbar/2$ (dizemos "com spin para cima"), que sofrem um impulso para cima no magneto 1, receberão um impulso *para baixo* no magneto 3; eles continuarão na trajetória a e irão pela abertura S_2 até um detector. Os átomos com $J_z = -\hbar/2$ ("com spin para baixo") também têm forças opostas nos magnetos 1 e 3 e descreverão a trajetória b que também os levará, através da abertura S_2, ao detector.

O detector pode ser feito de várias formas, dependendo dos átomos a serem medidos. Por exemplo, para átomos de um metal alcalino como o sódio, o detector pode ser um fio de tungstênio, fino e quente, conectado a um medidor de correntes sensível. Quando os átomos de sódio chegam ao fio, eles são evaporados em íons Na$^+$, deixando um elétron para trás. Há uma corrente no arame proporcional ao número de átomos de sódio que chegam por segundo.

Na fenda do magneto 2 há um conjunto de molas que produz um pequeno campo magnético $\boldsymbol{B}'$. As molas são forçadas por uma corrente que oscila com uma frequência variável ω. Assim, entre os polos do magneto 2, há um campo vertical $\boldsymbol{B}_0$ constante e forte, e um campo horizontal $\boldsymbol{B}'$ fraco e oscilante.

Suponha agora que a frequência ω do campo oscilante seja fixada em ω_p – a frequência de *precessão* dos átomos no campo $\boldsymbol{B}$. O campo alternante obrigará alguns átomos, que por ali passam, a transições de um J_z para outro. Um átomo cujo spin inicialmente era "para cima" ($J_z = +\hbar/2$) pode jogar "para baixo" ($J_z = -\hbar/2$). Agora, esse átomo tem a direção de seu momento magnético reverso, então ele sentirá uma força *para baixo* no magneto 3 e descreverá a trajetória a', mostrada na Figura 35–5. Ele não mais passará pela abertura S_2 para chegar ao detector. Igualmente, alguns dos átomos com spin inicialmente para baixo ($J_z = -\hbar/2$) terão seus spins jogados para cima ($J_z = +\hbar/2$) ao passarem pelo magneto 2. Eles descreverão a trajetória b' e não alcançarão o detector.

Se o campo oscilante $\boldsymbol{B}'$ tiver uma frequência bem diferente de ω_p, ele não causará nenhuma sacudidela de spin, e os átomos seguirão suas trajetórias sem perturbação, até o detector. Você pode ver que a frequência de "precessão" ω_p dos átomos no campo $\boldsymbol{B}_0$ pode ser encontrada variando-se a frequência ω do campo $\boldsymbol{B}'$ até se observar uma diminuição na corrente de átomos que chegam ao detector. Uma diminuição na corrente terá lugar quando ω estiver "em ressonância" com ω_p. Um gráfico da corrente do detector em função de ω deve parecer com o mostrado na Figura 35–6. Conhecendo-se ω_p, podemos obter o valor g do átomo.

Essa experiência com ressonância de feixe atômico ou, como usualmente chamado, feixe "molecular" representa um modo delicado e belo de medir propriedades de objetos atômicos. A frequência de ressonância ω_p pode ser determinada com grande precisão – de fato, com precisão maior do que a obtida para o campo magnético $\boldsymbol{B}_0$, a qual devemos conhecer para determinar g.

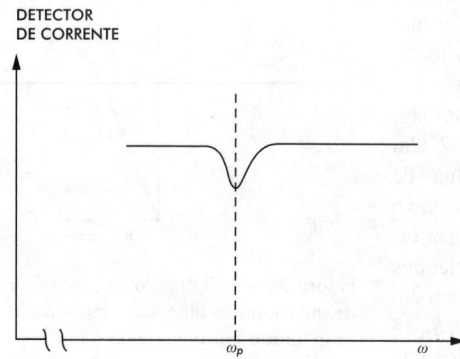

Figura 35–6 A corrente de átomos no feixe diminui quando $\omega = \omega_p$.

35–4 O paramagnetismo no interior de materiais

Gostaríamos, agora, de descrever o fenômeno do paramagnetismo no interior de materiais. Suponha que tenhamos uma substância cujos átomos tenham momentos magnéticos permanentes, por exemplo, um cristal como o sulfato de cobre. No cristal, há íons de cobre cujas camadas internas de elétrons têm um nítido momento angular e um nítido momento magnético. Desse modo, o íon de cobre é um objeto que tem momento magnético permanente. Vamos dizer apenas algumas palavras sobre quais átomos têm momento magnético e quais não têm. Todo átomo, como o sódio, por exemplo, que tem um número *ímpar* de elétrons, terá momento magnético. O sódio tem apenas um elétron em sua camada incompleta. Esse elétron dá ao átomo um spin e um momento magnético. Normalmente, entretanto, quando os compostos são formados, os elétrons extras da camada externa são juntados com outros elétrons cujas direções de spin são exatamente opostas; assim, todos os momentos angulares e momentos magnéticos dos elétrons de valência são usualmente cancelados. É por isso que, em geral, as moléculas não têm momento magnético. É claro que, se você tiver um gás de átomos de sódio, não haverá tal cancelamento[1]. Do mesmo modo, se você tiver o que, em química, é chamado de radical livre – um objeto com um número ímpar de elétrons de valência –, as ligações não serão completamente satisfeitas, e haverá um momento angular resultante.

Na maioria dos interiores de materiais, haverá nítido momento magnético apenas se houver átomos presentes cuja camada interior de elétrons estiver incompleta. Desse modo, poderá haver um momento angular resultante e um momento magnético resultante. Tais átomos são encontrados na parte dos "elementos de transição" da tabela periódica – por exemplo, cromo, manganês, ferro, níquel, cobalto, paládio e platina são elementos desse tipo. Além disso, todos os elementos terras-rara têm camadas internas incompletas e momentos magnéticos permanentes. Há algumas outras coisas estranhas que também têm momentos magnéticos, como o oxigênio líquido, mas deixaremos isso para o departamento de química explicar as razões.

Agora, suponha que tenhamos uma caixa cheia de átomos ou moléculas com momentos permanentes – digamos, um gás, um líquido ou um cristal. Gostaríamos de saber o que aconteceria se aplicássemos um campo magnético externo. Sem campo magnético, os átomos chocam-se por causa do movimento térmico, e os momentos acabam apontando para todas as direções. Contudo, quando há um campo magnético, ele atua alinhando os pequenos magnetos; assim, há mais momentos orientados no sentido do campo do que no sentido contrário a dele. O material está "magnetizado".

Definimos a *magnetização* M do material como o momento magnético resultante por unidade de volume, o que significa a soma vetorial de todos os momentos magnéticos por unidade de volume. Se houver N átomos por unidade de volume, e a média dos momentos for $\langle \mu \rangle_{média}$, então M pode ser escrito como N multiplicado pela média do momento atômico:

$$M = N\langle \mu \rangle_{média}. \qquad (35.8)$$

A definição de M corresponde à definição de polarização elétrica P do Cap. 10.

A teoria clássica de paramagnetismo é exatamente igual à teoria da constante dielétrica que lhe mostramos no Cap. 11. Admitimos que os átomos têm um momento magnético μ que sempre tem a mesma magnitude, mas que pode apontar para qualquer direção. Em um campo B, a energia magnética é $-\mu \cdot B = -\mu B \cos\theta$, onde θ é o ângulo entre o momento e o campo. Por meio de mecanismos estatísticos, temos que a probabilidade relativa de termos algum ângulo é $e^{-energia/kT}$. Assim, os ângulos próximos de zero são mais frequentes que os ângulos próximos de π. Procedendo exatamente como fizemos na Seção 11–3, encontramos que, para campos pequenos, M é direcionado paralelamente a B e tem magnitude:

$$M = \frac{N\mu^2 B}{3kT}. \qquad (35.9)$$

---

[1] Normalmente, o vapor de sódio é monoatômico, em sua maior parte, embora também existam algumas moléculas de Na_2.

[ver Eq. (11.20)]. Essa fórmula aproximada é correta apenas para $\mu B/kT$ muito menor que um.

Encontramos que a magnetização induzida – o momento magnético por unidade de volume – é proporcional ao campo magnético. Esse é o fenômeno do paramagnetismo. Você verá que o efeito é mais forte a baixas temperaturas e mais fraco a altas temperaturas. Quando colocamos um campo em uma substância, ela desenvolve, para campos pequenos, um momento magnético proporcional ao campo. A relação M sobre B (para campos pequenos) é chamada de *suscetibilidade* magnética.

Agora, queremos olhar o paramagnetismo sob o ponto de vista da mecânica quântica. Primeiro, observemos o caso de um átomo com spin de 1/2. Na ausência de um campo magnético, os átomos têm uma certa energia, mas, em um campo magnético, há duas possíveis energias, uma para cada valor de J_z. Para $J_z = +\hbar/2$, a energia é alterada pelo campo magnético pela quantidade

$$\Delta U_1 = +g\left(\frac{q_e\hbar}{2m}\right)\cdot\frac{1}{2}\cdot B \qquad (35.10)$$

(a variação de energia ΔU é positiva para um átomo porque a carga do elétron é negativa). Para $J_z = -\hbar/2$, a energia é alterada pela quantidade

$$\Delta U_2 = -g\left(\frac{q_e\hbar}{2m}\right)\cdot\frac{1}{2}\cdot B. \qquad (35.11)$$

Para ganhar tempo, definamos

$$\mu_0 = g\left(\frac{q_e\hbar}{2m}\right)\cdot\frac{1}{2}; \qquad (35.12)$$

então

$$\Delta U = \pm\mu_0 B. \qquad (35.13)$$

O significado de μ_0 é claro: $-\mu_0$ é a componente z do momento magnético no caso de spin para cima, e $+\mu_0$ é a componente z do momento magnético no caso de spin para baixo.

Agora, mecanismos estatísticos nos dizem que a probabilidade de um átomo estar em um estado ou em outro é proporcional a

$$e^{-(\text{Energia do estado})/kT}.$$

Sem campo magnético, os dois estados têm a mesma energia; então, quando há equilíbrio em um campo magnético, as probabilidades são proporcionais a

$$e^{-\Delta U/kT}. \qquad (35.14)$$

O número de átomos por unidade de volume com spin para cima é

$$N_{\text{cima}} = ae^{-\mu_0 B/kT}, \qquad (35.15)$$

e o número com spin para baixo é

$$N_{\text{baixo}} = ae^{+\mu_0 B/kT}. \qquad (35.16)$$

A constante a deve ser determinada de modo que

$$N_{\text{cima}} + N_{\text{baixo}} = N, \qquad (35.17)$$

o número total de átomos por unidade de volume. Então, temos o seguinte

$$a = \frac{N}{e^{+\mu_0 B/kT} + e^{-\mu_0 B/kT}}. \qquad (35.18)$$

O que nos interessa é a *média* do momento magnético ao longo do eixo z. Os átomos com spin para cima contribuirão com um momento de $-\mu_0$, e aqueles com spin para baixo terão um momento de $+\mu_0$; assim, a média do momento magnético será

$$\langle \mu \rangle_{\text{média}} = \frac{N_{\text{cima}}(-\mu_0) + N_{\text{baixo}}(+\mu_0)}{N} \qquad (35.19)$$

O momento por unidade de volume M é, então, $N\langle\mu\rangle_{\text{média}}$. Usando-se as Equações (35.15), (35.16) e (35.17), teremos

$$M = N\mu_0 \frac{e^{+\mu_0 B/kT} - e^{-\mu_0 B/kT}}{e^{+\mu_0 B/kT} + e^{-\mu_0 B/kT}}. \qquad (35.20)$$

Essa é a fórmula, pela mecânica quântica, de M para átomos com $j = 1/2$. Incidentalmente, essa fórmula também pode ser escrita de um modo mais conciso em termos da função tangente hiperbólica

$$M = N\mu_0 \text{ tgh } \frac{\mu_0 B}{kT}. \qquad (35.21)$$

Um gráfico de M como uma função de B é dado na Figura 35–7. Quando B fica muito grande, a tangente hiperbólica aproxima-se de 1, e M aproxima-se do valor limite de $N\mu_0$. Assim, para campos fortes, a magnetização *satura*. Podemos ver por que isso acontece: para campos suficientemente fortes, os momentos estão todos alinhados na mesma direção. Em outras palavras, estão todos no estado de spin para cima, e cada átomo contribui com o momento μ_0.

Na maioria dos casos normais – digamos, para momentos típicos, temperaturas ambientes, campos geralmente alcançam cerca de 1.000 gauss –, a relação $\mu_0 B/kT$ é cerca de 0,002. É necessário chegar a altas temperaturas para se obter saturação. Para temperaturas normais, geralmente podemos trocar tgh x por x e escrever

$$M = \frac{N\mu_0^2 B}{kT}. \qquad (35.22)$$

Como vimos na teoria clássica, M é proporcional a B. De fato, a fórmula é quase exatamente a mesma, exceto por um fator de 1/3 que parece ter sido perdido. Ainda precisamos relacionar μ_0, em nossa fórmula quântica, com o μ que aparece no resultado clássico, Equação (35.9).

Na fórmula clássica, o que aparece é $\mu^2 = \boldsymbol{\mu} \cdot \boldsymbol{\mu}$, o quadrado do vetor de momento magnético, ou

$$\boldsymbol{\mu} \cdot \boldsymbol{\mu} = \left(g \frac{q_e}{2m}\right)^2 \boldsymbol{J} \cdot \boldsymbol{J}. \qquad (35.23)$$

Salientamos, no capítulo anterior, que você pode facilmente obter a resposta certa por meio de um cálculo clássico, substituindo $\boldsymbol{J} \cdot \boldsymbol{J}$ por $j(j + 1)\hbar^2$. Em nosso exemplo particular, temos $j = 1/2$, então

$$j(j + 1)\hbar^2 = \tfrac{3}{4}\hbar^2.$$

Substituindo isso por $\boldsymbol{J} \cdot \boldsymbol{J}$ na Equação (35.23), temos

$$\boldsymbol{\mu} \cdot \boldsymbol{\mu} = \left(g \frac{q_e}{2m}\right)^2 \frac{3\hbar^2}{4},$$

ou, em termos de μ_0 definido na Equação (35.12), temos

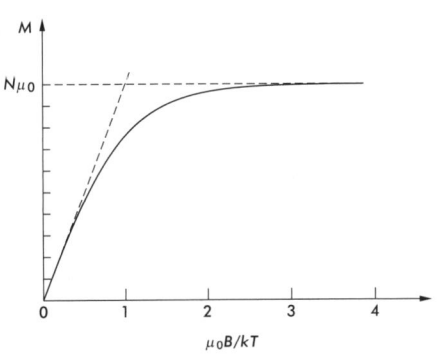

$$\boldsymbol{\mu} \cdot \boldsymbol{\mu} = 3\mu_0^2.$$

Figura 35–7 Variação da magnetização paramagnética com um campo magnético de intensidade B.

Substituir isso por μ^2 na fórmula clássica, Equação (35.9), de fato reproduz a fórmula quântica correta, Equação (35.22).

A teoria quântica para o paramagnetismo é facilmente estendida para átomos de qualquer spin j. A magnetização para campos fracos é

$$M = Ng^2 \frac{j(j+1)}{3} \frac{\mu_B^2 B}{kT}, \qquad (35.24)$$

onde

$$\mu_B = \frac{q_e \hbar}{2m} \qquad (35.25)$$

é a combinação de constantes com as dimensões de um momento magnético. A maioria dos átomos tem momentos aproximadamente desse tamanho. Isso é chamado de *magneto de Bohr*. O momento magnético do spin do elétron é quase exatamente um magneto de Bohr.

35–5 Resfriamento por desmagnetização adiabática

Há uma aplicação especial do paramagnetismo muito interessante. A temperaturas muito baixas, é possível alinhar os magnetos atômicos em um campo forte. Assim, é possível ter temperaturas *extremamente* baixas por um processo chamado de *desmagnetização diabática*. Podemos pegar um sal paramagnético (por exemplo, algo contendo um número de átomos terras-rara, como nitrato de amônia-praseodínio) e começar resfriando-o com hélio líquido, em um campo magnético forte, até um ou dois graus absolutos. Assim, o fator $\mu B/kT$ será maior que 1 – algo como 2 ou 3. A maioria dos spins estará alinhada, e a magnetização estará quase saturada. Para facilitar, digamos que o campo é muito forte e a temperatura é bem baixa, de modo que quase todos os átomos estejam alinhados. Então você isola o sal termicamente (digamos, removendo o hélio líquido e deixando um bom vácuo) e desliga o campo magnético. A temperatura do sal vai para baixo.

Agora, se você desligar o campo *bruscamente*, ou sacudir e sacudir os átomos na rede do cristal, gradualmente vai golpear todos os spins para fora do alinhamento. Alguns ficarão para cima, outros para baixo, mas, se não houver campo (e desprezando-se as interações entre os magnetos atômicos, o que resultará em um erro bem pequeno), não há necessidade de energia para mudar os magnetos atômicos. Eles podem reorganizar seus spins ao acaso, sem qualquer troca de energia, portanto, sem qualquer alteração de temperatura.

Entretanto, suponha que, enquanto os magnetos atômicos são sacudidos pelo movimento térmico, ainda exista um campo magnético presente. Então, será necessário algum trabalho para jogá-los ao lado oposto do campo – *eles precisarão trabalhar contra o campo*. Isso toma energia dos movimentos térmicos e abaixa a temperatura. Assim, se o forte campo magnético não for removido muito rapidamente, a temperatura do sal irá diminuir – ele é resfriado pela desmagnetização. Do ponto de vista da mecânica quântica, quando o campo é forte, todos os átomos estão no estado mais baixo, porque a probabilidade contrária a qualquer um, de estar no estado de maior energia, é impossivelmente grande. Como o campo é diminuído, ficará cada vez mais possível que as flutuações térmicas levem um átomo para o estado superior. Quando isso acontece, o átomo absorve a energia $\Delta U = \mu_0 B$. Assim, se o campo for ligado vagarosamente, as transições magnéticas podem tirar energia das vibrações térmicas do cristal, resfriando-o. Desse modo, é possível abaixar a temperatura de alguns graus absolutos para uma temperatura de uns poucos milésimos de um grau.

Você quer fazer algo ainda mais frio? Acontece que a Natureza providenciou um meio. Já mencionamos que também há momentos magnéticos no núcleo atômico. Nossas fórmulas para o paramagnetismo funcionam igualmente bem para o núcleo, exceto que os momentos dos núcleos são *menores em aproximadamente alguns milhares de vezes* [eles são da ordem de magnitude de $q\hbar/2m_p$, onde m_p é a massa do próton; assim, eles são menores por um fator que corresponde à relação das massas do elétron e do próton]. Com tais momentos magnéticos, mesmo a temperaturas de 2°K, o fator $\mu B/kT$ é apenas umas poucas partes de milhar. No entanto, se usarmos o processo de desmagnetização paramagnética para chegar a uma temperatura de uns poucos milésimos de grau, $\mu B/kT$ deve se tornar um número próximo de 1 – a essas baixas temperaturas, podemos começar a saturar os momentos nucleares. Isso é muita sorte porque então poderemos usar a desmagnetização adiabática do magnetismo *nuclear* para alcançar temperaturas ainda mais baixas. Assim, é possível fazer dois estágios de resfriamento magnético. Primeiro, usamos a desmagnetização adiabática para íons paramagnéticos para alcançar uns poucos milésimos de grau. Depois, usamos o sal paramagnético resfriado para resfriar algum material que tenha forte magnetismo nuclear. Finalmente, quando removemos o campo magnético desse material, sua temperatura baixará entre um milionésimo de grau e o zero absoluto – se fizermos tudo com muito cuidado.

35–6 Ressonância nuclear magnética

Dissemos que o paramagnetismo atômico é muito pequeno e o magnetismo nuclear é ainda mil vezes menor. Ainda assim, é relativamente fácil observar o magnetismo nuclear por meio do fenômeno da "ressonância nuclear magnética". Suponha que peguemos uma substância como a água, na qual todos os spins dos elétrons estão exatamente balanceados, de modo que o momento magnético da rede é zero. As moléculas ainda terão um momento magnético muito muito fraco, devido ao momento magnético nuclear do núcleo do hidrogênio. Suponha que coloquemos uma pequena amostra de água em um campo magnético B. Como os prótons (do hidrogênio) têm spin 1/2, eles terão dois possíveis estados de energia. Se a água estiver em equilíbrio térmico, haverá alguns prótons a mais nos estados de energia mais baixa – com seus momentos direcionados paralelamente ao campo. Há um pequeno momento magnético resultante por unidade de volume. Como o momento do próton é apenas um milésimo do momento atômico, a magnetização, que se comporta como μ^2 – usando a Equação (35.22) –, é apenas um milionésimo do paramagnetismo típico atômico (esta é a razão pela qual temos que pegar um material sem magnetismo atômico). Se você trabalhar o resultado, encontrará que a diferença entre o número de prótons com spin para cima e o número de prótons com spin para baixo é de uma parte em 10^8, de modo que o efeito é realmente muito pequeno! Ainda assim ele pode ser observado da seguinte maneira.

Suponha que cerquemos a amostra de água com uma pequena bobina que produz um pequeno campo magnético horizontal oscilante. Se este campo oscilar com a frequência ω_p, ele vai induzir transições entre os dois estados de energia – assim como descrevemos na experiência de Rabi, na Seção 35–3. Quando um próton salta de um estado de energia maior para outro menor, ele fornece uma energia $2\mu_z B$ que, como vimos, é igual a $\hbar\omega_p$. Se ele saltar de um estado de energia menor para outro de energia maior, ele *absorve* a energia $\hbar\omega_p$ da bobina. Como há pouco mais prótons no estado de energia menor que no estado de energia maior, há uma *absorção* resultante de energia da bobina. Embora o efeito seja pequeno, essa pequena absorção de energia pode ser observada por um amplificador eletrônico sensível.

Assim como no experimento de feixe molecular de Rabi, a absorção de energia será vista apenas quando o campo oscilante estiver em ressonância, ou seja, quando

$$\omega = \omega_p = g\left(\frac{q_e}{2m_p}\right) B.$$

Geralmente é mais conveniente procurar por uma ressonância variando B enquanto mantemos ω fixo. A absorção energética evidentemente aparece quando

$$B = \frac{2m_p}{g\,q_e}\,\omega.$$

Um aparelho de ressonância nuclear magnética típico é mostrado na Figura 35–8. Um oscilador de alta frequência dirige a pequena bobina colocada entre os polos de um eletromagneto grande. Duas pequenas bobinas auxiliares ao redor das pontas do polo são dirigidas por uma corrente de 60

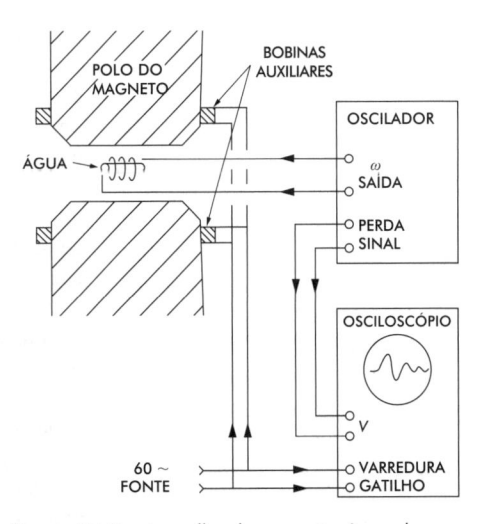

Figura 35–8 Aparelho de ressonância nuclear magnética.

ciclos, de modo que o campo magnético "cambaleia" ligeiramente ao redor de seu valor médio. Como exemplo, dizemos que a corrente principal do magneto é preparada para fornecer um campo de 5.000 gauss, e as bobinas auxiliares produzem uma variação de ± 1 gauss ao redor desse valor. Se o oscilador tem frequência de 21,2 megaciclos por segundo, ele estará na ressonância do próton cada vez que o campo estiver ao redor de 5.000 gauss (usando a Equação (34.13) com $g = 5{,}58$ para o próton).

O circuito do oscilador é arranjado de tal maneira a dar um sinal de saída adicional proporcional a qualquer *mudança* na potência absorvida do oscilador. Esse sinal alimenta o amplificador de deflexão vertical de um osciloscópio. A varredura horizontal do osciloscópio é disparada uma vez durante cada ciclo de frequência do campo cambaleante (geralmente a deflexão horizontal é projetada para seguir em proporção ao campo cambaleante).

Antes que a amostra de água seja colocada dentro da bobina de alta frequência, a potência retirada do oscilador tem algum valor (ela não muda com o campo magnético). Quando uma pequena garrafa de água é colocada na bobina, um sinal aparece no osciloscópio, conforme mostrado na figura. Vemos uma figura correspondendo à potência absorvida pelo saltar dos prótons!

Na prática, é difícil saber como preparar o magneto principal para que tenha exatamente 5.000 gauss. O que se faz é ajustar a corrente principal do magneto até que o sinal de ressonância apareça no osciloscópio. Essa é a maneira mais conveniente de se fazer uma medida acurada da intensidade do campo magnético. É claro que em algum ponto *alguém* teve de medir acuradamente o campo magnético e a frequência para determinar o valor de g para o próton. Agora que isso já foi feito, um aparelho de ressonância de prótons como aquele da figura pode ser usado como um "magnetômetro de ressonância de prótons".

Precisamos dizer uma palavra sobre a forma do sinal. Se tivéssemos de fazer cambalear o campo magnético muito devagar, esperaríamos ver uma curva normal de ressonância. A energia de absorção teria um máximo quando ω_p chegasse exatamente à frequência do oscilador. Haveria alguma absorção em frequências vizinhas, pois nem todos os prótons estão exatamente no mesmo campo – e campos diferentes significam frequências de ressonância ligeiramente diferentes.

Poderíamos nos perguntar, incidentalmente, se na frequência de ressonância deveríamos ver algum sinal. Não deveríamos esperar que os campos de alta frequência igualassem as populações dos dois estados – de modo que não houvesse sinal exceto quando a água fosse colocada? Não exatamente, porque, apesar de estarmos *tentando* igualar as duas populações, os movimentos térmicos tentam manter as devidas populações para uma dada temperatura T. Se sentarmos sobre a ressonância, a potência absorvida pelos núcleos é exatamente aquela perdida pelos movimentos térmicos. Todavia, há pouco "contato térmico" entre os momentos magnéticos dos prótons e os movimentos atômicos, Os prótons estão relativamente isolados nos centros das distribuições eletrônicas, portanto, em água pura, o sinal de ressonância é geralmente muito pequeno para ser visto. Para aumentar a absorção é necessário aumentar o "contato térmico". Em geral, isso é feito adicionando um pouco de óxido de ferro à água. Os átomos de ferro são pequenos magnetos; conforme eles sapateiam em sua dança térmica, eles geram minúsculos campos magnéticos sapateando sobre os prótons. Esses campos variáveis "acoplam" os magnetos dos prótons às vibrações atômicas e têm a tendência de estabelecer um equilíbrio térmico. É por meio desse "acoplamento" que prótons nos estados de energia mais alta podem perder a sua energia de modo que sejam de novo capazes de absorver energia do oscilador.

Na prática, o sinal de saída de um aparelho de ressonância nuclear não se parece com uma curva normal de ressonância. É geralmente um sinal mais complicado, com oscilações como as desenhadas na figura. Tais formas de sinal aparecem por causa dos campos variáveis. A explicação deveria ser dada em termos da mecânica quântica, mas pode-se mostrar que em tais experimentos as ideias clássicas de precessão dos momentos sempre fornecem resposta correta. Classicamente diríamos que quando chegamos à ressonância, começamos dirigindo muitos dos momentos nucleares em precessão de modo sincrônico. Assim fazendo, fazemos com que eles precessem *em conjunto*, e esses magnetos nucleares rodando todos juntos induzem uma fem na bobina do oscilador na frequência ω_p. Como o campo magnético cresce com o tempo, a frequência de precessão também cresce, e a voltagem induzida está em uma frequência um pouco mais alta que a frequência do oscilador. Como a fem induzida fica alternadamente em fase e fora de fase com o oscilador, a potência "absorvida" será alternadamente positiva e negativa. Portanto, no osciloscópio, vemos uma nota de batimento entre a frequência do próton e a frequência do oscilador. Como as frequências dos prótons não são todas idênticas (prótons diferentes estão em campos ligeiramente diferentes), e também por causa da perturbação causada pelo óxido de ferro na água, os momentos que precessam livremente estarão rapidamente fora de fase, e o sinal de batimento desaparece.

Índice

Aberração I-27-7, 27-8, I-34-10, 34-11
Absorção I-31-8 ff
   da luz III-9-14, 9-15 f
Aceitador III-14-4, 14-5
Aceleração I-8-8, 8-9 ff
   componentes da, I-9-3, 9-4
   da gravidade, I-9-4, 9-5
Acoplamento, coeficiente de II-17-14, 17-15
Adams, J. C. I-7-5
Adjunta III-11-24, 11-25
Adjunto Hermitiano III-20-3, 20-4
Água "seca" II-40-1 ff
Água "molhada" II-41-1 ff
Aharanov II-15-12, 15-13
Álgebra I-22-1 ff
Álgebra vetorial I-11-6, 11-7 f
Alnico V, II-37-9, 37-10
Âmbar II-1-10, 1-11
Amortecimento da radiação I-32-3, 32-4 f
Ampère, A. II-13-3, 13-4
Amperímetros II-16-1
Amplitude de espalhamento III-13-13, 13-14
Amplitudes III-8-1 f, III-2-1 ff
   com o tempo, dependência III-7-1 ff
   de oscilação I-21-3, 21-4
   de probabilidade III-3-1 ff
   dependência espacial III-13-4, 13-5
   interferentes III-5-10, 5-11 ff
   transformação de III-6-1, 6-2 ff
Análise numérica I-9-6, 9-7
Análise vetorial I-11-5, 11-6, I-52-2, 52-3
Anderson, C. D. I-52-10, 52-11
Ângstrom (unidade) I-1-3, 1-4
Ângulo
   de incidência I-26-3
   de precessão II-34-5
   de reflexão I-26-3
Ângulo de Brewster I-33-5, 33-6
Antena parabólica I-30-6 f
Antimatéria I-52-10, 52-11 f, III-11-17, 11-18
Antipartícula I-2-8, 2-9, III-11-14, 11-15
Antipróton III-11-14, 11-15
Aparato de Stern-Gerlach III-5-1 ff
Aproximação de partículas independentes III-15-1 ff
Aquecimento Joule I-24-2, 24-3
Argônio III-19-16, 19-17, 19-18

Aristóteles I-5-1
Atenuação I-31-8
Atmosfera exponencial I-40-1 f
Atmosfera isotérmica I-40-1, 40-2
Átomo de hidrogênio III-19-1 ff
Átomo I-1-2
   estabilidade do II-5-3, 5-4
   metaestável I-42-10, 42-11
   modelo de Rutherford-Bohr II-5-3, 5-4
   modelo de Thomson II-5-3, 5-4
Atração capilar I-51-8, 51-9
Atração molecular I-1-3, 1-4, I-12-6, 12-7 f
Atrito I-10-5, I-12-3 ff
   coeficiente de I-12-4
Autoestados III-11-23, 11-24
Autoindutância II-16-4, II-17-11, 17-12 f
Autovalores III-11-22, 11-23
Avogadro A. I-39-2

Banda de condução III-14-1
Bandas laterais I-48-4, 48-5 f
Bárions III-11-14, 11-15
Barra de torção II-38-5, 38-6 ff
Barras I-35-1, I-36-6
Bateria II-22-6
Becquerel, A. H. I-28-3, 28-4
Bell, A. G. II-16-2, 16-3
Bétraton II-17-5, 17-6
Birefringência I-33-2, 33-3 ff
Boehm I-52-10, 52-11
Bohm II-7-7, 7-8, II-15-12, 15-13
Bohr, N. I-42-9, 42-10, II-5-3, 5-4
Boltzmann I-41-2, 41-3
Bopp II-28-8, 28-9
Born, M. I-37-1, I-38-9, 38-10, II-28-7, 28-8, III-1-1, III-2-9, III-21-6, 21-7
Boro III-19-16, 19-17, 19-18
Bragg, L. II-30-8, 30-9
Bremsstrahlung I-34-5, 34-6 f
Briggs, H. I-22-6
Brown, R. I-41-1

Cálculo diferencial I-8-4, 8-5, II-2-1 ff
   de variações II-19-3, 19-4
   integral II-3-1 ff
Calibre de Lorentz, II-18-11, 18-12
Calor I-1-3, 1-4, I-13-3
Calor específico I-40-7, 40-8 f, I-45-1, 45-2, II-37-4, 37-5
Camada superficial II-41-8, 41-9, 41-10
Câmera "Boys" II-9-11, 9-12

Caminho livre médio I-43-3, 43-4 f
Campo elétrico I-2-3, 2-4, I-12-7, 12-8 f, II-1-2, II-1-3, 1-4, II-6-1 ff, II-7-1 ff
   relatividade do II-13-6, 13-7 ff
Campo eletromagnético I-2-1, 2-2, I-2-5, 2-6, I-10-9
Campo eletrostático II-5-1 ff, II-7-1 f
   de uma grade II-7-10, 7-11 f
   energia em um II-8-9, 8-10 ff
Campo gravitacional I-12-8, 12-9 ff, I-13-8, 13-9 f
Campo magnético I-12-9, 12-10 f, II-1-2, II-1-3, 1-4, II-13-1, II-14-1 ff
   de correntes estacionárias II-13-3, 13-4 f
   relatividade do II-13-6, 13-7 ff
Campo tensorial II-31-12, 31-12
Campo vetorial II-1-4, 1-5 f, II-2-1 ff
   fluxo do II-3-2 ff
Campo viajante II-18-5, 18-6 ff
Campos guia em acelerador II-29-4, 29-5 ff
Campos I-2-1, 2-2, I-2-3, 2-4, I-2-5, 2-6, I-10-9, I-12-7, 12-8 ff, I-13-8, 13-9 f, I-14-7, 14-8 ff
   bidimensionais II-7-2, 7-3 ff
   de magnetização II-36-7, 36-8
   de um condutor carregado II-6-8, 6-9
   de um condutor II-5-7, 5-8 f
   elétricos I-2-3, 2-4, I-12-7, 12-8 f, II-1-2, II-1-3, 1-4, II-6-1 ff, II-7-1 ff
   eletrostáticos II-5-1 ff, II-7-1 f
   em uma cavidade II-5-8, 5-9 f
   escalares II-2-1, 2-2 ff
   magnéticos II-1-2, II-1-3, 1-4, II-13-1, II-14-1 ff
   superposição de I-12-9, 12-10
   vetoriais II-1-4, 1-5 f, II-2-1 ff
Capacidade II-6-13, 6-14
   de um condensador II-8-2
Capacitância I-23-5, 23-6
   mútua II-22-17, 22-18
Capacitor I-14-9, 14-10, I-23-5, 23-6, II-22-3 ff, II-23-2 ff
   de placas paralelas I-14-9, 14-10, II-6-12 ff, II-8-3, 8-4
Carga, conservação I-4-7, 4-8, II-13-1 ff
   do elétron I-12-7, 12-8
   esfera de II-5-4, 5-5 f
   folha de II-5-4, 5-5
   linha de II-5-3, 5-4 f
   movimento de II-29-1 ff
Carga imagem II-6-9, 6-10

Carga pontual, energia eletrostática da II-8-12, 8-13
  energia do campo da II-28-1 f
Cargas de polarização II-10-3, 10-4 ff
Carnot, S. I-4-2, I-44-2 ff
Carregador de sinal I-48-3, 48-4
Catalisador I-42-8, 42-9
Catraca e lingueta I-46-1 ff
Cavendish, H. I-7-8, 7-9, 7-10
Cavidade ressonante II-23-1, 23-6, 23-7 ff
Célula cristalina II-30-6, 30-7
Célula de Kerr I-33-4 33-5
Célula hexagonal II-30-6, 30-7
Célula monoclínica II-30-6, 30-7
Célula ortorrômbica II-30-6, 30-7
Célula tetragonal II-30-6, 30-7
Célula unitária I-38-5, 38-6
Centro de massa I-18-1 f, I-19-1 ff
Cerenkov, P. A. I-51-2
Ciclo de Carnot I-44-5, 44-6 f, I-45-1, 45-2
Cinemática química I-42-7, 42-8 f
Circuitos de corrente alternada II-22-1 ff
  equivalentes II-22-10, 22-11 ff
Circuitos ressonantes II-23-10, 23-11 f
Circulação II-1-5, 1-6, II-3-8, 3-9 ff
Clausius, R. I-44-2, I-44-3
Coeficiente de absorção II-32-8, 32-9
  de acoplamento II-17-14, 17-15
  de atrito I-12-4
  de viscosidade II-41-2
  gravitacional I-7-8, 7-9, 7-10
Coeficiente de arrasto II-41-7, 41-8
Coeficiente gravitacional I-7-8, 7-9, 7-10
Colapso de alta voltagem II-6-14, 6-15 f
Colisão I-16-6, 16-7
  elástica I-10-7, 10-8
Compressão adiabática I-39-5, 39-6
  isotérmica I-44-5, 44-6
Comprimento de Debye II-7-9, 7-10
Comprimento de onda I-19-3, 19-4, I-26-1
Computador analógico I-25-8, 25-9
Condensador de placas paralelas I-14-9, 14-10, II-6-12 ff, II-8-3, 8-4
Condição de Lorentz II-25-9, 25-10
Condução de calor II-3-6, 3-7 ff
Condutividade II-32-10, 32-11
  térmica II-2-8, 2-9, II-12-2, 12-3
  térmica de um gás I-43-9, 43-10 f
Condutividade iônica I-43-6, 43-7 f
Condutor II-1-2
Condutores carregados II-8-2 ff
Cones I-35-1
Configurações eletrônicas III-19-16, 19-17

Conservação do momento angular I-4-7, 4-8, I-18-6, 18-7 ff, I-20-5, 20-6
  da carga I-4-7, 4-8, II-13-1 f
  da energia I-3-2, I-4-1 ff, II-27-1 f, II-42-9, 42-10
  da energia potencial III-7-6 ff
  da estranheza III-11-13
  do momento linear I-4-7, 4-8, I-10-1 ff
Constante de Planck I-5-10, 5-11, I-6-10, 6-11, I-17-8, 17-9, I-37-11, 37-12, III-1-11, 1-12
Constante dielétrica II-10-1 f
Constantes de elasticidade de Lamé II-39-6, 39-7
Constantes elásticas II-39-6, 39-7, II-39-10, 39-11 f
Contração de Lorentz I-15-7, 15-8
Copérnico I-7-1
Cor, visão I-35-1 ff
  fisioquímica da I-35-8, 35-9, 35-10 f
Corantes III-10-12, 10-13
Córnea I-35-1
Corpo rígido I-18-1
  momento angular do I-20-8, 20-9
  rotação do I-18-2 ff
Corrente de Ampère II-36-2
  atômica II-13-5, 13-6 f
  de Foucault II-16-5, 16-6
  elétrica II-13-1 ff
  induzida II-16-1 ff
Corrente elétrica II-13-1 f
  na atmosfera II-9-2, 9-3 f
Correntes atômicas II-13-5, 13-6 f
Correntes de Ampère II-36-2
Correntes de Foucalt II-16-5, 16-6
Correntes de magnetização II-36-1 ff
Correntes induzidas II-16-1 ff
Córtex visual I-36-4
Cristais ferromagnéticos III-15-1
Cristais II-30-1 ff
  geometria de II-30-1 f
Cristal molecular II-30-2
Critério de Rayleigh I-30-6
Cromaticidade I-35-6, 35-7 f
Curie, lei de II-11-5, 11-6
  temperatura de II-36-13, 36-14
Curva de histerese II-36-8, 36-9, II-37-5 ff
Curvatura intrínseca II-42-4, 42-5
  média II-42-5, 42-6
  negativa II-42-3, 42-4
  no espaço de três dimensões II-42-4, 42-5 f
  positiva II-42-3, 42-4

D'Alembertiano II-25-8, 25-9

Dedekind, R. I-22-4
  estados com energia bem definida III-13-2, 13-3, 13-4
Degrau guia II-9-11, 9-12
Delta de Kronecker II-31-6, 31-7
Densidade I-1-4, 1-5
Densidade de carga elétrica II-2-8, 2-9, II-4-3, 4-4, III-21-6, 21-7
Densidade de cargas II-5-4, 5-5
Densidade de corrente elétrica II-2-8, 2-9, III-21-6, 21-7
Densidade de corrente II-13-1
Densidade de energia II-27-1, 27-2
Densidade de probabilidade I-6-8, 6-9 f, III-16-6, 16-7 ff
Derivada I-8-5, 8-6 ff
  parcial I-14-9, 14-10
Descarga de exalação II-9-10, 9-11
Desdobramento Zeeman III-12-9, 12-10 ff
Deslocamento II-30-7, II-30-8, 30-9
  por torção II-30-8, 30-9
Desmagnetização adiabática II-35-9, 35-10 f
Desvio padrão I-6-9, 6-10
Diagrama de energia III-14-1
Diagrama de níveis de energia III-14-2, 14-3
Diamagnetismo II-34-1 ff
  rede do diamante III-14-1
Dicke, R. H. I-7-11, 7-12
Dielétrico II-10-1 ff, II-11-1 ff
Difração I-30-1 ff
  grade de I-31-10 f
Difração de raios X II-30-1
Difração gradada I-29-5, 29-6, I-30-3 ff
Difração por cristais I-38-4 f, III-2-4 f
Difusão I-43-1 ff
  de nêutrons II-12-6, 12-7 ff
Difusão molecular I-43-7, 43-8 ff
Dinâmica I-7-2 f, I-9-1 ff
  relativística I-15-9, 15-10 f
Dipolo II-21-5 ff
  elétrico II-6-2 ff
  magnético II-14-7, 14-8 f
Dipolo molecular II-11-1
Dirac, P. I-52-10, 52-11, II-2-1, II-28-7, 28-8, III-8-2, 8-3, III-12-6, 12-7
Dispersão I-31-6, 31-7 ff
Distância I-5-5, 5-6 ff
Distância focal I-27-1 ff
Distância quadrática média I-6-5, 6-6, I-41-9, 41-10
Distribuição de probabilidade I-6-7, 6-8 ff, III-16-6, 16-7
Divergência II-25-7, 25-8
Divergência zero II-3-10, 3-11 f, II-4-1
Domínio II-37-6

Efeito Barkhausen II-37-8, 37-9
Efeito Doppler I-17-8, 17-9, I-23-9, 23-10, I-34-7, 34-8 f, I-38-6, 38-7, II-42-8, 42-9, III-2-6, III-12-9, 12-10
Efeito Hall III-14-7
Efeito Meissner III-21-8, 21-9 ff
Efeito Mössbauer II-42-10, 42-11
Efeito Purkinje I-35-1, 35-2
Eficiência de uma máquina ideal I-44-7, 44-8 f
Einstein, A. I-2-6, 2-7, I-7-11, 7-12, I-12-12, 12-13, I-15-1, I-16-1, I-41-8, 41-9, I-42-8, I-42-9, 42-10, II-42-1, II-42-5, 42-6, II-42-7, 42-8, II-42-12, 42-13 f
Eixo óptico I-33-2, 33-3
Elástica II-38-12, 38-13
Elasticidade II-38-1 ff
Elemento de matriz de dipolo elétrico III-9-15, 9-16
Elementos de circuitos II-23-1 f
    ativos II-22-5
    passivos II-22-5
Eletreto II-11-8, 11-9
Eletrodinâmica II-1-3, 1-4
    notação relativística II-25-1 ff
Eletrodinâmica quântica I-2-7, 2-8-, I-28-3, 28-4
Eletromagnetismo II-1-1 ff
    leis II-1-5, 1-6 ff
Eletromagneto II-36-9, 36-10 ff
Elétron I-2-3, 2-4, I-37-1, I-37-4, 37-5 ff, III-1-1, III-1-4, 1-5 ff
    carga do elétron I-12-7, 12-8
    raio clássico do elétron I-32-4, 32-5
Elétron-volt (unidade) I-34-4, 34-5
Eletrostática II-4-1 ff, II-5-1
Elipse I-7-1
Emissão espontânea I-42-9, 42-10
Emissividade II-6-4, 6-5
Energia cinética I-1-7, 1-8, I-4-2, I-4-5, 4-6 f, I-39-3, 39-4
    rotacional I-19-7, 19-8 ff
Energia de ativação I-42-7, 42-8
Energia de ionização I-42-5, 42-6
Energia de parede II-37-6
Energia de Rydberg III-10-3, 10-4, 10-5, III-19-3
Energia de um campo II-27-1 ff
    de uma carga pontual II-28-1 f
Energia eletrostática II-8-1 ff
    de cargas II-8-1 f
    de cristais iônicos II-8-4, 8-5 ff
    de uma carga pontual II-8-12, 8-13
    em núcleos II-8-6, 8-7 ff
Energia II-22-11, 22-12 f
    calor I-4-2, I-4-6, 4-7, I-10-7, I-10-8, 10-9

    cinética I-1-7, 1-8, I-4-2, I-4-5, 4-6 f, I-39-3, 39-4
    conservação da I-3-2, I-4-1 ff, II-27-1 f
    de um condensador II-8-2 ff
    elástica I-4-2, I-4-6, 4-7
    elétrica I-4-2, II-15-3, 15-4 ff
    eletromagnética I-29-2, 29-3
    eletrostática II-8-1 ff
    em um campo eletrostático II-8-9, 8-10 ff
    gravitacional I-4-2 ff
    magnética II-17-12, 17-13 ff
    massa I-4-2, I-4-7, 4-8
    mecânica II-15-3, 15-4 ff
    nuclear I-4-2
    potencial I-4-4, 4-5, I-13-1 ff, I-14-1 ff
    química I-4-2
    radiante I-4-2
    relativística I-16-1 ff
Energia potencial I-4-4, 4-5, I-13-1 ff, I-14-1 ff
    conservação III-7-6, 7-7 ff
Energia térmica I-4-2, I-4-6, 4-7, I-10-7, I-10-8, 10-9
Entalpia I-45-5, 45-6
Entropia I-44-10, 44-11 ff, I-46-7, 46-8 ff
Eötvös, L. I-7-11, 7-12
Equação de campo II-42-13, 42-14
Equação de Clausius-Clapeyron I-45-6, 45-7 ff
Equação de Clausius-Mossotti II-11-6, 11-7 f, II-32-7, 32-8
Equação de difusão de nêutrons II-12-7, 12-8
Equação de difusão do calor II-3-8, 3-9
Equação de Dirac I-20-6, 20-7
Equação de Laplace II-6-1, II-7-1
Equação de onda I-47-1 ff, II-18-9, 18-10 ff
Equação de Schrödinger II-15-12, 15-13, III-16-4, 16-5, III-16-11, 16-12 ff, III-19-1 f, III-21-1 ff
Equações de Maxwell I-15-2, I-25-3, 25-4, I-47-7, 47-8, II-2-1, II-2-8, 2-9, II-4-1, II-6-1, II-18-1 ff, II-32-3 ff, II-42-13, 42-14
    correntes e cargas II-21-1 ff
    espaço livre II-20-1 ff
Equações de movimento II-42-13, 42-14
Equações eletrostáticas II-10-6, 10-7 f
Equilíbrio I-1-6, 1-7
Equilíbrio térmico I-41-3, 41-4 ff
Equivalência massa energia I-15-10, 15-11 f
Escalar I-11-5, 11-6
Escoamento de calor II-2-8, 2-9 f, II-12-2, 12-3 ff

Escoamento de um fluido II-12-8, 12-9 ff
    irrotacional II-40-4, 40-5
    viscoso II-41-4, 41-5 f
Escoamento estacionário II-40-6 ff
Escoamento irrotacional II-40-4, 40-5
Escoamento restrito II-41-10, 41-11 ff
Escoamento viscoso II-41-4, 41-5 f
Esfera carregada II-5-4, 5-5 f
Esforço II-38-2
Esforço volumétrico II-38-3, 38-4
Espaço curvo II-42-1 ff
Espaço de Minkowski II-31-12, 31-13
Espaço I-8-2
Espaço – tempo I-2-6, 2-7, I-17-1 ff, II-26-12, 26-13
Espalhamento de luz I-32-5, 32-6 ff
Espectro de momento II-29-2
Espectro do corpo negro III-4-8, 4-9 ff
Espectroscópio de momento II-29-1
Estado estacionário III-7-2, 7-3, III-11-23, 11-24
Estado excitado II-8-7, 8-8, III-13-9, 13-10
Estado fundamental II-8-7, 8-8, III-7-2, 7-3
Estados com energia bem definida III-13-2, 13-3, 13-4 ff
Estados de base III-5-8, 5-9 ff, III-12-1 ff
    do mundo III-8-5 ff
Estados de polarização do fóton III-11-9, 11-10 ff
Estados dependentes do tempo III-13-6, 13-7 f
Estados magnéticos quantizados II-35-1 ff
Estatística II-4-1 f
Estranheza III-11-13
Estrelas duplas I-7-6, 7-7
Euclides I-5-6, 5-7
Evaporação I-1-5, 1-6 f
    de um líquido I-40-3 f, I-42-1 ff
Excesso de raio II-42-3
Exciton III-13-9, 13-10
Expansão adiabática I-44-5, 44-6
    isotérmica I-44-5, 44-6
Expansão de Taylor II-6-7, 6-8
Experiência de Cavendish I-7-8, 7-9, 7-10
Experiência de Michelson e Morley I-15-3 ff
Experiência de Stern-Gerlach II-35-3, 35-4 ff

Farad (unidade) I-25-7, 25-8, II-6-14, 6-15
Faraday, M. II-10-1
Fator de Boltzmann III-14-3, 14-4

Fator de propagação II-22-14, 22-15
Fator-g de Landé II-34-5
Fator-g nuclear II-34-5
Feixe cantilever II-38-10, 38-11
Fermat, P. I-26-3
Fermi (unidade) I-5-10, 5-11
Fermi, E. I-5-10, 5-11
Ferrite II-37-11, 37-12
Ferroeletricidade II-11-8, 11-9 ff
Ferromagnetismo II-34-1 f, II-36-1 ff, II-37-1 ff
Feynman, R. II-28-8, 28-9
Filtro II-22-14, 22-15 ff
Física de estado sólido II-8-6, 8-7
Fisioquímica da visão de cor I-35-8, 35-9, 35-10 f
Fluido, escoamento II-12-8, 12-9 ff
Flúor III-19-16, 19-17, 19-18
Flutuação estatística I-6-3, 6-4 ff
Fluxo de energia II-27-1, 27-2
Fluxo II-4-7, 4-8 ff
 de um campo vetorial II-3-2 ff
 elétrico II-1-4, 1-5
Foco I-26-5, 26-6
Força centrífuga I-7-5, I-12-11, 12-12
 componentes da I-9-3, 9-4
 conservativa I-14-3 ff
 de Coriolis I-19-8, 19-9 f
 de Lorentz II-13-1, II-15-15
 elétrica I-2-2, 2-3 ff, II-1-1 ff, I-13-1
 eletromotriz II-16-2, 16-3
 gravitacional I-2-2, 2-3
 magnética II-1-2, II-13-1
 molecular I-1-3, 1-4, I-12-6, 12-7 f
 momento de I-18-5, 18-6
 não conservativa I-14-6, 14-7 f
 nuclear I-12-12, 12-13, III-10-6, 10-7 ff
 pseudo I-12-10, 12-11 ff
Força de Euler II-38-10, 38-11
Força de troca II-37-2
Força magnética II-1-2, II-13-1
 em uma corrente II-13-2, 13-3 f
Forças elétricas I-2-3 ff, II-1-1 ff, II-13-1
Fórmula de Lenz I-27-6, 27-7
Fórmula de Lorentz II-21-12, 21-13 f
Fórmulas de reflexão de Fresnel I-33-8
Fóton I-2-7, 2-8, I-26-1, I-37-8, 37-9, III-4-7, 4-8 ff, III-1-8, 1-9
 estados de polarização III-11-9, 11-10 ff
Fourier, J. I-50-1, 50-2 ff
 análise de I-50-1, 50-2 ff
 teorema de II-7-11, 7-12
 transformada de I-25-4, 25-5
Fóvea I-35-1
Frank I-51-2
Franklin, B. II-5-6, 5-7
Frente de onda I-47-2, 47-3

Frequência angular I-21-3, 21-4, I-29-2, 29-3
 de oscilação I-2-5, 2-6
 de plasma II-7-6, 7-7, II-32-13
Frequência de corte II-22-14, 22-15
Frequência de Larmor II-34-7, 34-8
Função de Bessel II-23-6, 23-7
Função de Green I-25-4, 25-5
Função de onda III-16-5, 16-6 ff
 significado III-21-6, 21-7
Função retificadora III-14-11, 14-12
Funções associadas de Legendre III-19-9, 19-10
Funções de onda do hidrogênio III-19-12, 19-13
Futuro afetivo I-17-4, 17-5

Galileu I-5-1, I-7-2, I-9-1, I-52-3, 52-4
Gálio III-19-18, 19-19
Galvanômetro II-1-8, 1-9, II-16-1
Garnet II-37-11, 37-12
Gás monoatômico I-39-5, 39-6
Gauss (unidade) I-34-4, 34-5
Gauss, K. II-16-2, 16-3
Geiger II-5-3, 5-4
Gell-Mann, M. I-2-9, 2-10
Geometria euclidiana I-12-3
Gerador, corrente alternada II-17-6, 17-7 ff
 elétrico II-16-1 ff, II-22-5 ff
 van de Graaff II-5-9, 5-10, II-8-7, 8-8
Gerlach II-35-3, 35-4
Giroscópio I-20-5, 20-6 ff
Gradiente do potencial da atmosfera II-9-2, 9-3 f
Graus de liberdade I-25-2, 25-3, I-39-12
Gravidade I-13-3 ff, II-42-7, 42-8 ff
 aceleração da I-9-4, 9-5
Gravitação I-2-2, 2-3, I-7-1 ff, I-12-2, II-42-1
Guia de ondas II-24-1 ff

Harmônicos I-50-1 ff
Heisenberg, W. I-6-10, 6-11, I-37-1, I-37-9, 37-10, I-37-11, I-37-12, I-38-9, 38-10, III-1-1, III-1-9, 1-10, III-1-11, 1-12, III-2-9, III-20-17, 20-18
Hélio III-19-15, 19-16
Hélio líquido III-4-13
Helmholtz, H. I-35-7, 35-8, II-40-10, 40-11
Henry (unidade) I-25-7, 25-8
Hess II-9-2, 9-3
Hidrodinâmica II-40-1, 40-2 ff
Hidrogênio, desdobramento hiperfino III-12-1 ff
Hidrogênio III-19-15, 19-16
Hidrostática II-40-1 ff
Hipocicloide I-34-3, 34-4

Hipótese atômica I-1-2
Hipótese de contração I-15-3
Huygens, C. I-15-2, I-26-2

Iluminação II-12-10, 12-11 ff
Impedância I-25-8, 25-9 f, II-22-1 ff
 complexa I-23-7, 23-8
Índice de campo II-29-5
Índice de refração I-31-1 ff, II-32-1 ff
Indução, leis da II-17-1 ff
Indução magnética I-12-10, 12-11
Indutância I-23-6, 23-7, II-16-4 f, II-17-12, 17-13 ff, II-22-1, 22-2 f
 auto- II-16-4, II-17-11, 17-12 f
 mútua II-17-9, 17-10 ff, II-22-16, 22-17
Indutor I-23-6, 23-7
Inércia I-2-2, 2-3, I-7-11, 7-12
 momento de I-18-7, 18-8, I-19-5, 19-6 ff
 princípio de I-9-1
Infeld II-28-7, 28-8
Integrais de linha II-3-1
Integrais vetoriais II-3-1 f
Integral I-8-7, 8-8 f
Interação ressonante I-2-9, 2-10
Interação spin-órbita III-15-13, 15-14
Interações nucleares II-8-7, 8-8
Interferência de ondas I-37-4, 37-5, III-1-4, 1-5
Interferência I-28-6, 28-7, I-29-1 ff
 de duas fendas III-3-5, 3-6 ff
Interferômetro I-15-5, 15-6
Inverossimilhança II-25-10, 25-11
Íon I-1-6, 1-7
Íon da molécula de hidrogênio III-10-1 ff
Ionização térmica I-42-5, 42-6 ff
Ionosfera II-7-5, 7-6, II-9-3, 9-4
Isolante II-1-2, II-10-1
Isolantes ferromagnéticos II-37-11, 37-12
Isotérmica II-2-2, 2-3
Isótopos I-3-4 ff

Jeans, J. I-40-9, 40-10, I-41-6, 41-7 f, II-2-6, 2-7
Joule (unidade) I-13-3
Junção III-14-8, 14-9 ff
Junção de Josephson III-21-14, 21-15 ff
Junções semicondutoras III-14-8, 14-9 ff

Kepler, J. I-7-1
Kriptônio III-19-18, 19-19

Lamb II-5-6, 5-7
Laplace, P. I-47-7, 47-8
Laser I-32-6, 32-7, I-42-10, 42-11, III-9-13, 9-14

Laughton II-5-6, 5-7
Lei de Ampère II-13-4, 13-5
Lei de Biot-Savart II-14-10, 14-11
Lei de Boltzmann I-40-1, 40-2 f
Lei de Boyle I-40-8, 40-9
Lei de Coulomb I-28-2, II-4-2, 4-3 ff,
 II-5-6, 5-7
Lei de Curie-Weiss II-11-9, 11-10
Lei de Gauss II-4-9, 4-10 f, II-5-1 ff
Lei de Hooke I-12-6, 12-7, II-38-1 f
Lei de indução de Faraday II-17-2
Lei de Lenz II-16-4, II-34-1, 34-2
Lei de Ohm I-25-7, 25-8, I-43-7, 43-8
Lei de Rayleigh I-41-6, 41-7
Lei de Snell I-26-3, I-31-2, II-33-1
Lei do gás ideal I-39-10, 39-11 ff
Leibnitz, G. W. I-8-4, 8-5
Leis de Kepler I-7-1 f, I-9-1, I-18-6, 18-7
Leis de Kirchhoff I-25-9, II-22-7 ff
Leis de Newton I-2-6, 2-7, I-7-3 ff, I-7-
 11, 7-12, I-9-1 ff, I-10-1 ff, I-11-7, 11-8
 f, I-12-1, I-39-2, I-41-1, I-46-1, II-7-5,
 7-6, II-42-1, II-42-12, 42-13
Leis do eletromagnetismo II-1-5, 1-6 ff
 de indução II-17-1 ff
 da mecânica quântica III-13-1
Lente eletrostática II-29-2 f
Lente magnética II-29-3, 29-4
Lente quadrupolar II-7-4, II-29-6
Leverrier, U. I-7-5
Ligação covalente II-30-2
Ligação iônica II-30-2
Limite clássico III-7-10, 7-11
Linha coaxial II-24-1
Linha de 21 centímetros III-12-9, 12-10
Linha de cargas II-5-3, 5-4 f
Linha de transmissão II-24-1 ff
Linhas de campo II-4-12, 4-13
Linhas de escoamento II-40-6
Linhas de vórtice II-40-10, 40-11 ff
Lítio III-19-15, 19-16
Logaritmos I-22-4
Lorentz, H. A. I-15-3
Luz II-21-1 f
 absorção III-9-14, 9-15 f
 espalhamento de I-32-5, 32-6 ff
 momento da I-34-10, 34-11 f
 polarizada I-32-9, 32-10
 velocidade da I-15-1, II-18-8, 18-9 f

Macaco de rosca I-4-5, 4-6
Magenta III-10-12, 10-13
Magnetismo I-2-3, 2-4, II-34-1 ff
Magnetita II-1-10, 1-11
Magneton de Bohr II-34-12
Magnetostática II-4-1, II-13-1 ff
Magnetostricção II-37-6
Magnificação I-27-5, 27-6
Magnons III-15-4, 15-5

Máquinas de calor I-44-1 ff
Marés I-7-4 f
Marsden II-5-3, 5-4
Maser I-42-10, 42-11
 de amônia III-9-1 ff
Massa efetiva III-13-7, 13-8
Massa I-9-1, I-15-1
 centro de I-18-1 f, I-19-1 ff
 eletromagnética II-28-3, 28-4 f
 relativística I-16-6, 16-7 ff
Massa zero I-2-10, 2-11
Materiais elásticos II-39-1 ff
Materiais magnéticos II-37-1 ff
Material antiferromagnético II-37-10,
 37-11
Matriz III-5-5, 5-6
Matriz de rotação III-6-4, 6-5
Matriz Hamiltoniana III-8-10, 8-11 f
Matriz sigma III-11-2, 11-3
Matriz unitária III-11-2, 11-3
Matrizes de spin de Pauli III-11-1 ff
Maxwell, J. C. I-6-1, I-6-9, 6-10, I-28-1,
 I-40-8, 40-9, I-41-7, 41-8, I-46-5, II-1-8,
 1-9, II-1-11, II-5-6, 5-7, II-18-1 ff
Mayer, J. R. I-3-2
McCullough II-1-9, 1-10
Mecânica estatística I-3-1, I-40-1 ff
Mecânica quântica I-2-1, 2-2-, I-2-6, 2-7
 ff, I-6-10, 6-11, I-10-9, I-37-1 ff, I-38-1
 ff, III-1-1 ff, III-2-1 ff, III-3-1 ff
Medida de distância, brilho da cor I-5-6,
 5-7
 triangulação I-5-6, 5-7
Mendeléev I-2-9, 2-10
Méson K neutro III-11-13 ff
Método científico I-2-1 f
Método do feixe molecular de Rabi II-
 35-4, 35-5 ff
Metro (unidade) I-5-10, 5-11
Mev (unidade) I-2-9, 2-10
Microscópio de campo iônico II-6-15,
 6-16
Microscópio eletrônico II-29-3, 29-4 f
Miller, W. C. I-35-1, 35-2
Minkowiki I-17-8, 17-9
Modelo atômico de Rutherford – Bohr
 II-5-3, 5-4
Modelo atômico de Thompson II-5-3,
 5-4
Modelo cristalino de Bragg-Nye II-30-8,
 30-9 ff
Modo ressonante II-23-10, 23-11
Modos I-49-1 ff
Modulação de amplitude I-48-3, 48-4
Módulo de cisalhamento II-38-5, 38-6
Módulo de Young II-38-2
Módulo volumétrico II-38-3, 38-4
Mol (unidade) I-39-10, 39-11

Molécula I-1-3, 1-4
Molécula apolar II-11-1
Molécula de amônia III-8-11, 8-12
 estados de III-9-1
Molécula de benzeno III-10-10, 10-11 ff,
 III-15-7, 15-8 ff
Molécula de butadieno III-15-10, 15-11
Molécula de clorofila III-15-11, 15-12
Molécula de etileno III-15-8, 15-9
Molécula de hidrogênio III-10-8, 10-9 ff
Molécula polar II-11-1, II-11-3, 11-4 ff
Momento I-9-1 f, I-38-2 ff, III-2-2 ff
 cinemático III-21-5, 21-6
 da luz I-34-10, 34-11 f
 dinâmico III-21-5, 21-6
 linear I-4-7, 4-8, I-10-1 ff
 relativístico I-10-8, 10-9 f, I-16-1 ff
Momento angular I-7-7, 7-8, I-18-5, 18-6
 f, I-20-1, III-20-14, 20-15 ff
 composição III-18-4, 18-5 ff
 conservação do I-4-7, 4-8, I-18-6, 18-7
 ff, I-20-5, 20-6
 de corpos rígidos I-20-8, 20-9
Momento angular orbital III-19-9, 19-10
Momento de dipolo I-12-6, 12-7, II-6-7,
 6-8
 de força I-18-5, 18-6
 de inércia I-18-7, 18-8, I-19-5, 19-6 ff
Momento de dipolo magnético II-14-8,
 14-9
Momento de um campo II-27-9, 27-10 ff
 campo de uma carga em movimento
 II-28-2 f
Momento magnético orientado II-35-4,
 35-5
Momento mv III-21-5, 21-6
Momento p III-21-5, 21-6
Momentos magnéticos II-34-2, 34-3 f,
 III-11-4, 11-5
Mössbauer I-23-9, 23-10
Motores elétricos II-16-1 ff
Movimento browniano I-1-8, 1-9, I-6-5,
 6-6, I-41-1 ff
Movimento I-5-1, I-8-1 ff
 circular I-21-4, 21-5
 de carga II-29-1 ff
 harmônico I-21-4, 21-5, I-23-1 ff
 parabólico I-8-10, 8-11
 planetário I-7-1 ff, I-9-6, 9-7 f, I-13-5,
 13-6
 vinculado I-14-3
Movimento molecular I-41-1
Movimento orbital II-34-2, 34-3
Movimento perpétuo\fase de oscilação
 I-46-2, I-21-3, 21-4
Mudança de fase I-21-3, 21-4
Músculo estriado I-14-2

Músculo liso I-14-2
Música I-50-1

Neônio III-19-16, 19-17, 19-18
Nervo óptico I-35-1, 35-2
Neuman, J. Von II-12-9, 12-10
Nêutrons I-2-3, 2-4
    difusão de II-12-6, 12-7 ff
Newton, I. I-8-4, 8-5, I-15-1, I-37-1, II-4-11, III-1-1
Newtons metros (unidade) I-13-3
Nishijima I-2-9, 2-10, III-11-13
Níveis de energia I-38-7, 38-8 f, III-12-7, 12-8 ff, III-2-7 f
Nodos I-49-1, 49-2
Nós de onda III-7-9, 7-10
Núcleo I-2-3, 2-4, I-2-8, 2-9 ff
Núcleon III-11-3, 11-4
Número de Avogadro I-41-10, 41-11
Número de estranheza I-2-9, 2-10
Número de Mach II-41-6, 41-7
Número de onda I-29-2, 29-3
Número de Reynolds II-41-5, 41-6 f
Números complexos I-22-7 ff, I-23-1 ff
Números quânticos III-12-14, 12-15
Nutação I-20-7, 20-8
Nuvem eletrônica I-6-11
Nye, J. F. II-30-8, 30-9

Oersted (unidade) II-36-6, 36-7
Ohm (unidade) I-25-7, 25-8
Olho composto I-36-6 ff
    humano I-35-1 f, I-36-3 ff
Onda I-51-1 ff, II-20-1 ff
    de cisalhamento I-51-4, 51-5, II-38-8, 38-9
    de luz I-48-1
    eletromagnética II-21-1 f
    esférica II-20-12, 20-13 ff, II-21-2 ff
    pacote de III-13-6, 13-7
    plana II-20-1 ff
    refletida II-33-7, 33-8 ff
    senoidal I-29-2, 29-3 f
    transmitida II-33-7, 33-8 ff
    tridimensional II-20-8, 20-9 f
Ondas de Rayleigh II-38-8, 38-9
Ondas de spin III-15-1 ff
Ondas eletromagnéticas II-21-1 f
    luz I-2-5, 2-6
    ondas eletromagnéticas no infravermelho I-2-5, 2-6, I-23-8, 23-9, I-26-1
    ondas eletromagnéticas no ultravioleta I-2-5, 2-6, I-26-1
    raios cósmicos I-2-5, 2-6
    raios gama I-2-5, 2-6
    raios X I-2-5, 2-6, I-26-1

Operador III-8-5, 8-6, III-20-1 ff
    divergência II-2-7, 2-8, II-3-1
    gradiente II-2-4, II-3-1
    laplaciano II-2-10, 2-11
    rotacional II-2-8, 2-9, II-3-1
    vetorial II-2-6, 2-7
Operador algébrico III-20-6, 20-7
Operador de troca de spin de Pauli III-12-7, 12-8
Operador momento III-20-2, III-20-9, 20-10 ff
Óptica I-26-1 ff
    geométrica I-26-1, I-27-1 ff
Órbitas atômicas II-1-8, 1-9
Orientação de polarização II-11-3, 11-4 ff
Oscilação, amplitude de
    amortecida I-24-3, 24-4 f
    fase de I-21-3, 21-4
    frequência de I-2-5, 2-6
    periódica I-9-4, 9-5
    período de I-21-3, 21-4
Oscilação de plasma II-7-5, 7-6 ff
Oscilador I-5-2
Oscilador harmônico I-10-1, I-21-1 ff
    forçado I-21-5, 21-6 f, I-23-3 ff

Pais III-11-13
Pappus, teorema de I-19-4, 19-5
Paradoxo dos gêmeos I-16-3 f
Paramagnetismo II-34-1 ff, II-35-1 ff
Pares elétron-buraco III-14-2, 14-3
Partículas atômicas I-2-9, 2-10 f
Partículas coloidais II-7-8, 7-9 ff
Partículas de Bose III-4-1, III-15-6, 15-7 f
Partículas de Fermi III-4-1 ff, III-15-7, 15-8 ff
Partículas de spin meio III-6-1, 6-2 ff, III-12-1 ff
    precessão III-7-10, 7-11 ff
Partículas idênticas III-3-9 ff, III-4-1 ff
Partículas "estranhas" II-8-7, 8-8
Partículas spin um III-5-1 ff
Passeio aleatório I-6-5, 6-6 ff, I-41-8, 41-9 ff
Pêndulo I-49-5, 49-6 f
Período de oscilação I-21-3, 21-4
Permeabilidade II-36-9, 36-10
Permeabilidade relativa II-36-9, 36-10
Permoligas II-37-10, 37-11
Piezoeletricidade II-11-8, 11-9
Pines II-7-7, 7-8
Píon neutro III-10-7, 10-8
Piroeletricidade II-11-8, 11-9
Pitágoras III-11-1
Planck, M. I-41-6, 41-7, I-42-8, I-42-9, 42-10
Plano carregado I-5-4, 5-5

Plano de clivagem II-30-1
Plano inclinado I-4-4, 4-5
Plimpton II-5-6, 5-7
Poder de resolução I-27-7, 27-8 f, I-30-5 f
Poincaré, H. I-15-3, I-15-5, 15-6, I-16-1
Polarizabilidade iônica II-11-8, 11-9
Polarização atômica II-32-2
Polarização eletrônica II-11-1 ff
Polarização I-33-1 ff, II-32-1 ff
Portadores negativos III-14-2
Portadores negativos e positivos III-14-2
Potássio III-19-16, 19-17, 19-18
Potência I-13-2
Potenciais de Liénard-Wiechert II-21-11, 21-12
Potencial de dipolo II-6-4, 6-5 ff
Potencial de quadrupolo II-6-8, 6-9
Potencial de velocidade II-12-9, 12-10
Potencial de Yukawa II-28-13, 28-14, III-10-7, 10-8
Potencial elétrico II-4-4, 4-5
Potencial eletrostático, equações II-6-1
Poynting, J. II-27-3, 27-4
Precessão, ângulo de II-34-5
    de magnetos atômicos II-34-5 f
Pressão I-1-3, 1-4
Priestley, J. II-5-6, 5-7
Primeira função principal de Hamilton II-19-8, 19-9
Princípio da incerteza I-2-6, 2-7, I-6-10, 6-11 f, I-37-9, 37-10, I-37-11, 37-12, I-38-8, 38-9 f, II-5-3, 5-4, III-1-9, 1-10, III-1-11, 1-12, III-2-8
Princípio de combinação de Ritz I-38-8, 38-9
Princípio de equivalência II-42-7, 42-8 ff
Princípio de exclusão III-4-13 ff
Princípio de mínima ação II-19-1 ff
Princípio de reciprocidade I-30-7
Princípio de superposição II-1-3, 1-4, II-4-2, 4-3
Princípio de tempo mínimo I-26-3 ff, I-26-8, 26-9
Princípio do trabalho virtual I-4-5, 4-6
Probabilidade I-6-1 ff
Problema dos três corpos I-10-1
Problemas com condições de contorno II-7-1
Processos atômicos I-1-5, 1-6 f
Produto escalar II-2-4, II-25-3, 25-4 ff
Produto vetorial I-20-4, 20-5, II-2-8, 2-9, II-31-8, 31-9
Profundidade pelicular II-32-11, 32-12
Próton I-2-3, 2-4
Pseudoforça I-12-10, 12-11 ff
Ptolomeu I-26-2
Púrpura visual I-35-8, 35-9, 35-10

Quadrivetores I-15-8, 15-9 f, I-17-5, 17-6 ff, II-25-1 ff
Quantização do fluxo III-21-10, 21-11
Quilocaloria (unidade) II-8-5, 8-6

Rabi, I. I. II-35-4, 35-5
Radiação, infravermelho I-23-8, 23-9, I-26-1
  efeitos relativísticos I-35-1 ff
  síncrotron I-34-3, 34-4 ff, I-34-5, 34-6
  ultravioleta I-26-1
Radiação de Cerenkov I-51-2
Radiação do corpo negro I-41-5, 41-6 f
Radiação eletromagnética I-26-1, I-28-1 ff
Radiador dipolar I-28-5, 28-6 f, I-29-3, 29-4 ff
Raio clássico do elétron II-28-3, 28-4
Raio de Bohr I-38-6, 38-7, III-2-6, III-19-3
Raio do elétron I-32-4, 32-5
Raios cósmicos II-9-2, 9-3
Raios paralelos I-27-2
Raios X I-2-5, 2-6, I-26-1
Ramsey, N. I-5-5, 5-6
Reação química I-1-6, 1-7 ff
Reatância II-22-11, 22-12
Rede cristalina II-30-3 f
  imperfeições III-13-10, 13-11 ff
  propagação III-13-1 ff
Rede plana II-30-5
Rede triclínica II-30-6, 30-7
Rede tridimensional III-13-7, 13-8 ff
Rede trigonal II-30-6, 30-7
Rede unidimensional III-13-1 ff
Reflexão I-26-2 f
  de luz II-33-1 ff
  interna II-33-12, 33-13
  ondas de I-26-3
Refração I-26-2 f
  anômala I-33-9 f
  de luz II-33-1 f
  índice de I-31-1 ff
Regra de comutação III-20-15, 20-16
Regra de fluxo II-17-1 ff
Relação de Poisson II-38-2
Relâmpagos II-9-11, 9-12 f
Relatividade do campo elétrico II-13-6, 13-7 ff
  de Galileu I-10-2, 10-3
  do campo elétrico II-13-6, 13-7 ff
  teoria da I-7-11, 7-12, I-17-1
  teoria especial da I-15-1 ff
Relógio atômico I-5-5, 5-6
Relógio de pêndulo I-5-2
Relógio radioativo I-5-3 ff
Resistência I-23-5, 23-6
Resistência à radiação I-32-1 ff

Resistor I-23-5, 23-6, II-22-4
Resposta transiente I-21-6, 21-7
Ressonância I-23-1 ff
  elétrica I-23-5, 23-6 ff
  na natureza I-23-7, 23-8 ff
Ressonância magnética II-35-1 ff
Ressonância magnética nuclear II-35-10, 35-11 ff
Ressonância quântica III-10-3, 10-4, 10-5
Retherford II-5-6, 5-7
Retificação I-50-9, 50-10
Retificador II-22-15, 22-16
Retina I-35-1
Roemer, O. I-7-5
Rotação, de eixos I-11-3, 11-4 f
  de um corpo rígido I-18-2 ff
  em duas dimensões I-18-1 ff
  no espaço I-20-1 ff
  plano de I-18-1
Rotacional zero II-3-10, 3-11 f, II-4-1
Ruído I-50-1
Ruído Johnson I-41-2, 41-3, I-41-8, 41-9
Rushton I-35-8, 35-9, 35-10
Rutherford II-5-3, 5-4
Rydberg (unidade) I-38-6, 38-7, III-2-6

Schrödinger, E. I-35-6, 35-7, I-37-1, I-38-9, 38-10, III-1-1, III-2-9, III-20-17, 20-18, III-21-1 ff, III-3-1
Seção de choque de espalhamento I-32-7, 32-8
Seção de choque nuclear I-5-9, 5-10
Segundo (unidade) I-5-5, 5-6
Semicondutores III-14-1 ff
  impuros III-14-3, 14-4
  tipo-*n* III-14-4, 14-5 f
  tipo-*p* III-14-4, 14-5 f
Separação de cargas II-9-8, 9-9 ff
Shannon, C. I-44-2
Sigma do próton III-12-2, 12-3
Sigma eletrônico III-12-2, 12-3
Simetria I-1-4, 1-5, I-11-1 ff
  das leis físicas I-16-3, I-52-1 ff
Simultaneidade I-15-7, 15-8 f
Síncroton I-2-5, 2-6, I-15-9, 15-10, I-34-3, 34-4 ff, I-34-5, 34-6, II-17-5, 17-6
Sismógrafo I-51-5, 51-6
Sistema de dois estados III-10-1 ff, III-11-1 ff
Sistemas lineares I-25-1 ff
Sítio doador III-14-3, 14-4
Smoluchowski I-41-8, 41-9
Snell, W. I-26-3
Sódio III-19-16, 19-17, 19-18
Solenoide II-13-5, 13-6
Soluções efericamente simétricas III-19-2 f

Som I-2-2, 2-3, I-47-1 ff, I-50-1
  velocidade do I-47-7, 47-8 f
Spin do próton II-8-7, 8-8
Spinel II-37-11, 37-12
Spin-órbita II-8-7, 8-8
Stern II-35-3, 35-4
Stevinus, S. I-4-5, 4-6
Supercondutividade III-21-1 ff
Superfície equipotencial II-4-12, 4-13 f
  gaussiana II-10-1
  isotérmica II-2-2, 2-3
Superligas II-36-9, 36-10
Superposição II-13-11, 13-12 f
  de campos I-12-9, 12-10
  princípio de I-25-2, 25-3 ff, II-1-3, 1-4, II-4-2, 4-3
Susceptibilidade elétrica II-10-4, 10-5
Susceptibilidade magnética II-35-7, 35-8

Tabela periódica III-19-14, 19-15 ff
Tamm, I. I-51-2
Temperatura I-39-6, 39-7 ff
Tempestades II-9-4, 9-5, 9-6 ff
Tempo I-2-2, 2-3, I-5-1 ff, I-8-1, I-8-2
  padrão de I-5-5, 5-6
  retardado I-28-2
  transformação do I-15-5, 15-6 ff
Tempo periódico I-5-1 f
Tensão superficial II-12-5, 12-6
Tensão volumétrica II-38-3, 38-4
Tensões II-38-2
Tensor II-26-7, 26-8, II-31-1 ff
Tensor de campo II-1-4, 1-5
Tensor de elasticidade II-39-4, 39-5 ff
Tensor de esforço II-31-12, 31-12, II-39-1 ff
Tensor de Poincaré II-28-4, 28-5
Tensor de tensões II-31-9 ff
Teorema de Bernoulli II-40-6 ff
Teorema de energia I-50-7, 50-8 f
Teorema de Gauss II-3-5, 3-6, III-21-4, 21-5
Teorema de Larmor II-34-6, 34-7 f
Teorema de Stokes II-3-10, 3-11
Teorema do calor de Nernst I-44-11, 44-12
Teorema do eixo paralelo I-19-6, 19-7
Teoria cinética I-42-1 ff
  dos gases I-39-1 ff
Teoria da gota quebrada II-9-10, 9-11
Teoria da gravitação II-42-12, 42-13 f
Teoria especial da relatividade I-15-1 ff
Termodinâmica I-39-2, I-45-1 ff, II-37-4, 37-5 f
  leis da I-44-1 ff
Thompson II-5-3, 5-4
Torque I-18-4, 18-5, I-20-1 ff
Trabalho I-13-1 ff, I-14-1 ff

Transformação de Fourier I-25-4, 25-5
 da velocidade I-26-4, 26-5 ff
 de Galileu I-12-11, 12-12
 de Lorentz I-15-3, I-17-1, I-34-8, 34-9, I-52-2, 52-3, II-25-1, II-26-1 ff
 do tempo I-15-5, 15-6 ff
 linear I-11-6, 11-7
Transformador II-16-4 f
Transiente I-24-1 ff
 elétrico I-24-5, 24-6 f
Transistor III-14-11, 14-12 ff
Translação de eixos II-11-1 ff
Triângulo de Pascal I-6-4, 6-5
Trifenil ciclo-propanil III-15-13, 15-14
Tubo de raios eletrônicos I-12-9, 12-10
Tycho Brahe I-7-1

Vala de ar I-10-5
Variável complexa II-7-2, 7-3 ff
Velocidade I-8-2 ff, I-9-2, 9-3
 da luz I-15-1, II-18-8, 18-9 f
 do som I-47-7, 47-8 f

Velocidade I-8-3, I-9-2, 9-3 f
 componentes da I-9-3, 9-4
 transformação da I-16-4 ff
Velocidade de fase I-48-6, 48-7
Vetor I-11-5, 11-6 ff, III-8-1 f
Vetor axial I-52-6, 52-7 f
Vetor de estado III-8-1
 resolução III-8-3, 8-4 ff
Vetor polarização II-10-1, 10-2 f
Vetor potencial II-4-1 ff, II-15-1 ff
Vetor sigma III-11-4, 11-5
Vetor unitário I-11-10, 11-11, II-2-2, 2-3
Vinci, Leonardo da I-36-2
Visão I-36-1 ff
 binocular I-36-4
 de cor I-35-1 ff
Viscosidade II-41-1 ff
 coeficiente de II-41-2
Voltímetro II-16-1
von Neumann, J. II-40-2, 40-3
Vórtices de Kármán II-41-8, 41-9, 41-10
Vorticidade II-40-4, 40-5

Wapstar I-52-10, 52-11
Watt (unidade) I-13-3
Weber (unidade) II-13-1
Weber II-16-2, 16-3
Weyl, H. I-11-1
Wheeler II-28-8, 28-9
Wilson, C. T. R. II-9-10, 9-11

Young I-35-7, 35-8
Yukawa, H. I-2-8, 2-9, II-28-13, 28-14
Yustova I-35-8, 35-9

Zeno I-8-3
Zero absoluto I-1-5, 1-6
Zinco III-19-16, 19-17, 19-18

Índice de Nomes

A

Adams, John C. (1819–92), I-7-5
Aharonov, Yakir (1932–), II-15-12
Ampère, André-Marie (1775–1836), II-13-3, II-18-9, II-20-10
Anderson, Carl D. (1905–91), I-52-10
Aristotle (384–322 BC), I-5-1
Avogadro, L. R. Amedeo C. (1776–1856), I-39-2

B

Becquerel, Antoine Henri (1852–1908), I-28-3
Bell, Alexander G. (1847–1922), II-16-3
Bessel, Friedrich W. (1784–1846), II-23-6
Boehm, Felix H. (1924–), I-52-10
Bohm, David (1917–92), II-7-7, II-15-12
Bohr, Niels (1885–1962), I-42-9, II-5-3, III-16-13, III-19-5
Boltzmann, Ludwig (1844–1906), I-41-2
Bopp, Friedrich A. (1909–87), II-28-8 ff
Born, Max (1882–1970), I-37-1, I-38-9, II-28-7, II-28-10, III-1-1, III-2-9, III-3-1, III-21-6
Bragg, William Lawrence (1890–1971), II-30-9
Brewster, David (1781–1868), I-33-5
Briggs, Henry (1561–1630), I-22-6 f
Brown, Robert (1773–1858), I-41-1

C

Carnot, N. L. Sadi (1796–1832), I-4-2, I-44-2 ff, I-45-3, I-45-7
Cavendish, Henry (1731–1810), I-7-9
Cherenkov, Pavel A. (1908–90), I-51-2
Clapeyron, Benoît Paul Émile (1799–1864), I-44-2 f
Copernicus, Nicolaus (1473–1543), I-7-1
Coulomb, Charles-Augustin de (1736–1806), II-5-6

D

Dedekind, J. W. Richard (1831–1916), I-22-4
Dicke, Robert H. (1916–97), I-7-11
Dirac, Paul A. M. (1902–84), I-52-10, II-2-1, II-28-7 f, II-28-10, III-3-1 f, III-8-2, III-8-4, III-12-6 f, III-16-10, III-16-14

E

Einstein, Albert (1879–1955), I-2-6, I-4-7, I-6-10, I-7-11, I-12-9, I-12-11 f, I-15-1, I-15-3, I-15-9 f, I-16-1, I-16-5, I-16-9, I-41-1, I-41-8, I-42-9 f, I-43-9, II-13-6, II-25-11, II-26-12, II-27-10, II-28-4, II-42-1, II-42-5 f, II-42-8 f, II-42-11, II-42-13 f, III-4-8, III-18-8
Eötvös, Roland von (1848–1919), I-7-11
Euclid (c. 300 BC), I-2-3, I-5-6, I-12-3, II-42-3

F

Faraday, Michael (1791–1867), II-10-1 f, II-16-1 ff, II-16-8, II-16-10, II-17-1 f, II-18-9, II-20-10
Fermat, Pierre de (1601–65), I-26-3, I-26-7
Fermi, Enrico (1901–54), I-5-10
Feynman, Richard P. (1918–88), II-21-5, II-28-8, II-28-10
Fourier, J. B. Joseph (1768–1830), I-50-5 f
Frank, Ilya M. (1908–90), I-51-2
Franklin, Benjamin (1706–90), II-5-6

G

Galileo Galilei (1564–1642), I-5-1 f, I-7-2, I-9-1, I-10-5, I-52-3
Gauss, J. Carl F. (1777–1855), II-3-5, II-16-2, II-36-6
Geiger, Johann W. (1882–1945), II-5-3
Gell-Mann, Murray (1929–), I-2-9, III-11-12 f, III-11-16 ff
Gerlach, Walther (1889–1979), II-35-3 f, III-35-3 f
Goeppert-Mayer, Maria (1906–72), III-15-13

H

Hamilton, William Rowan (1805–65), III-8-10
Heaviside, Oliver (1850–1925), II-21-5
Heisenberg, Werner K. (1901–76), I-37-1, I-37-9, I-37-11 f, I-38-9, II-19-9, III-1-1, III-1-9, III-1-11, III-2-9, III-16-9, III-20-17
Helmholtz, Hermann von (1821–94), I-35-7, II-40-10 f
Hess, Victor F. (1883–1964), II-9-2
Huygens, Christiaan (1629–95), I-15-2, I-26-2, I-33-9

I

Infeld, Leopold (1898–1968), II-28-7, II-28-10

J

Jeans, James H. (1877–1946), I-40-9, I-41-6 f, II-2-6
Jensen, J. Hans D. (1907–73), III-15-13
Josephson, Brian D. (1940–), III-21-14

K

Kepler, Johannes (1571–1630), I-7-1 f

L

Lamb, Willis E. (1913–2008), II-5-6
Laplace, Pierre-Simon de (1749–1827), I-47-7
Lawton, Willard E. (1899–1946), II-5-6 f
Leibniz, Gottfried Willhelm (1646–1716), I-8-4
Le Verrier, Urbain (1811–77), I-7-5 f
Liénard, Alfred-Marie (1869–1958), II-21-11
Lorentz, Hendrik Antoon (1853–1928), I-15-3, I-15-5, II-21-12 f, II-25-11, II-28-3, II-28-7, II-28-12

M

MacCullagh, James (1809–47), II-1-9
Marsden, Ernest (1889–1970), II-5-3
Maxwell, James Clerk (1831–79), I-6-1, I-6-9, I-28-1, I-28-3, I-40-8, I-41-7, I-46-5, II-1-8, II-1-11, II-5-6 f, II-17-2, II-18-1 ff, II-18-8 f, II-18-11, II-20-10, II-21-5, II-28-3, II-32-2 f
Mayer, Julius R. von (1814–78), I-3-2
Mendeleev, Dmitri I. (1834–1907), I-2-9
Michelson, Albert A. (1852–1931), I-15-3, I-15-5
Miller, William C. (1910–81), I-35-2
Minkowski, Hermann (1864–1909), I-17-8
Mössbauer, Rudolf L. (1929–2011), I-23-9
Morley, Edward W. (1838–1923), I-15-3, I-15-5

N

Nernst, Walter H. (1864–1941), I-44-11
Newton, Isaac (1643–1727), I-7-2 ff, I-7-9, I-7-11, I-8-4, I-9-1 f, I-9-4, I-10-2, I-10-9, I-11-2, I-12-1 f, I-12-9, I-14-6, I-15-1, I-16-2, I-16-6, I-18-7, I-37-1, I-47-7, II-4-10 f, II-19-7, II-42-1, III-1-1
Nishijima, Kazuhiko (1926–2009), I-2-9, III-11-12 f
Nye, John F. (1923–), II-30-9

O

Oersted, Hans C. (1777–1851), II-18-9, II-36-6

P

Pais, Abraham (Bram) (1918–2000), III-11-12, III-11-16 ff
Pasteur, Louis (1822–95), I-3-10
Pauli, Wolfgang E. (1900–58), III-4-3, III-11-2
Pines, David (1924–), II-7-7
Planck, Max (1858–1947), I-40-10, I-41-6 f, I-42-8 ff, III-4-12
Plimpton, Samuel J. (1883–1948), II-5-6 f
Poincaré, J. Henri (1854–1912), I-15-3, I-15-5, I-16-1, II-28-4
Poynting, John Henry (1852–1914), II-27-3, II-28-3
Priestley, Joseph (1733–1804), II-5-6
Ptolemy, Claudius (c. 2nd cent.), I-26-2 f
Pythagoras (c. 6th cent. BC), I-50-1

R

Rabi, Isidor I. (1898–1988), II-35-4, III-35-4
Ramsey, Norman F. (1915–2011), I-5-5
Retherford, Robert C. (1912–81), II-5-6
Rømer, Ole (1644–1710), I-7-5
Rushton, William A. H. (1901–80), I-35-9
Rutherford, Ernest (1871–1937), II-5-3

S

Schrödinger, Erwin (1887–1961), I-35-6, I-37-1, I-38-9, II-19-9, III-1-1, III-2-9, III-3-1, III-16-4, III-16-12 ff, III-20-17, III-21-6
Shannon, Claude E. (1916–2001), I-44-2
Smoluchowski, Marian (1872–1917), I-41-8
Snell(ius), Willebrord (1580–1626), I-26-3
Stern, Otto (1888–1969), II-35-3 f, III-35-3 f
Stevin(us), Simon (1548/49–1620), I-4-5

T

Tamm, Igor Y. (1895–1971), I-51-2
Thomson, Joseph John (1856–1940), II-5-3
Tycho Brahe (1546–1601), I-7-1

V

Vinci, Leonardo da (1452–1519), I-36-2

von Neumann, John (1903–57), II-12-9, II-40-3

W

Wapstra, Aaldert Hendrik (1922–2006), I-52-10
Weber, Wilhelm E. (1804–91), II-16-2
Weyl, Hermann (1885–1955), I-11-1, I-52-1
Wheeler, John A. (1911–2008), II-28-8, II-28-10
Wiechert, Emil Johann (1861–1928), II-21-11
Wilson, Charles T. R. (1869–1959), II-9-9

Y

Young, Thomas (1773–1829), I-35-7
Yukawa, Hideki (1907–81), I-2-8, II-28-13, III-10-6
Yustova, Elizaveta N. (1910–2008), I-35-9

Z

Zeno of Elea (c. 5th cent. BC), I-8-3

Lista de símbolos

$\|\ \|$	valor absoluto, I-6-5
$\binom{n}{k}$	coeficiente binomial, n sobre k, I-6-4
a^*	complexo conjugado de a, I-23-1
$\Box^2$	D'Alembertiano $\Box^2 = \dfrac{\partial^2}{\partial t^2} - \nabla^2$, II-25-7
$\langle\ \rangle$	valor esperado, I-6-5
∇^2	Laplaciano $\nabla^2 = \dfrac{\partial^2}{\partial x^2} + \dfrac{\partial^2}{\partial y^2} + \dfrac{\partial^2}{\partial z^2}$, II-2-10
$\boldsymbol{\nabla}$	nabla $\boldsymbol{\nabla} = (\partial/\partial x, \partial/\partial y, \partial/\partial z)$, I-14-9
$\|1\rangle, \|2\rangle$	escolha específica de vetores de base para um sistema de dois estados, III-9-1
$\|I\rangle, \|II\rangle$	escolha específica de vetores de base para um sistema de dois estados, III-9-2
$\langle\phi\|$	estado ϕ representado como um vetor *bra*, III-8-2
$\langle f\|s\rangle$	amplitude para um sistema que parte do estado inicial $\|s\rangle$ e chega ao estado final $\|f\rangle$, III-3-2
$\|\phi\rangle$	estado ϕ representado como um vetor *ket*, III-8-2
$\approx$	aproximadamente, I-6-9
$\sim$	da ordem de, I-2-10
$\propto$	proporcional a, I-5-1
α	aceleração angular, I-18-3
γ	coeficiente de expansão adiabática, I-39-5
ϵ_0	permissividade do vácuo, $\epsilon_0 = 8{,}854187817 \times 10^{-12}$ F/m, I-12-7
κ	constante de Boltzmann, $\kappa = 1{,}3806504 \times 10^{-23}$ J/K, III-14-3
κ	permissividade relativa, II-10-4
κ	condutividade térmica, I-43-10
λ	comprimento de onda, I-17-8
$\lambdabar$	comprimento de onda reduzido, $\lambdabar = \lambda/2\pi$, II-15-9
μ	coeficiente de atrito, I-12-4
μ	momento magnético, II-14-8
$\boldsymbol{\mu}$	momento magnético, vetor, II-14-8
μ	módulo de cisalhamento, II-38-4
ν	frequência, I-17-8
ρ	densidade, I-47-3
ρ	densidade de carga elétrica, II-2-8
σ	seção de choque, I-5-9
$\boldsymbol{\sigma}$	matrizes de spin de Pauli, vetor sigma, III-11-4
$\sigma_x, \sigma_y, \sigma_z$	matrizes de spin de Pauli, III-11-2
σ	relação de Poisson, II-38-2
σ	constante de Stefan-Boltzmann, $\sigma = 5{,}6704 \times 10^{-8}$ W/m^{2}K^4, I-45-8
τ	torque, I-18-4
$\boldsymbol{\tau}$	torque, vetor, I-20-4
ϕ	potencial eletrostático, II-4-5
Φ_0	fluxo unitário básico, III-21-12
χ	suscetibilidade elétrica, II-10-4
ω	velocidade angular, I-18-3
$\boldsymbol{\omega}$	velocidade angular, vetor, I-20-4
$\boldsymbol{\Omega}$	vorticidade, II-40-5
$\boldsymbol{a}$	aceleração, vetor, I-19-2
a_x, a_y, a_z	aceleração, componentes cartesianas do vetor, I-8-10
a	aceleração, magnitude ou componente do vetor, I-8-8
A	área, I-5-9
$A_\mu = (\phi, \boldsymbol{A})$	quadripotencial, II-25-8

$\boldsymbol{A}$	potencial vetor, II-14-1
A_x, A_y, A_z	potencial vetor, componentes cartesianas, II-14-1
$\boldsymbol{B}$	campo magnético (indução magnética), vetor, I-12-10
B_x, B_y, B_z	campo magnético, componentes cartesianas do vetor, I-12-10
c	velocidade da luz, $c = 2{,}99792458 \times 10^8$ m/s, I-4-7
C	capacitância, I-23-5
C	coeficientes de Clebsch-Gordan, III-18-19
C_V	calor específico no volume constante, I-45-2
d	distância, I-12-6
$\boldsymbol{D}$	deslocamento elétrico, vetor, II-10-6
$\boldsymbol{e}_r$	vetor unitário na direção r, I-28-2
$\boldsymbol{E}$	campo elétrico, vetor, I-12-8
E_x, E_y, E_z	campo elétrico, componentes cartesianas do vetor, I-12-10
E	energia, I-4-7
E_{gap}	energia do "gap", III-14-3
$\boldsymbol{\mathcal{E}}_{\text{tr}}$	campo elétrico transversal, vetor, III-14-7
$\boldsymbol{\mathcal{E}}$	campo elétrico, vetor, III-9-5
$\mathcal{E}$	força eletromotriz, II-17-1
$\mathcal{E}$	energia, I-33-10
f	distância focal, I-27-3
$F_{\mu\nu}$	tensor eletromagnético, II-26-6
$\boldsymbol{F}$	força, vetor, I-11-5
F_x, F_y, F_z	força, componentes cartesianas do vetor, I-9-3
F	força, magnitude ou componente do vetor, I-7-1
g	aceleração da gravidade, I-9-4
G	constante gravitacional, I-7-1
$\boldsymbol{h}$	fluxo de calor, vetor, II-2-3
h	constante de Planck, $h = 6{,}62606896 \times 10^{-34}$ Js, I-17-8
$\hbar$	constante de Planck reduzida, $\hbar = h/2\pi$, I-2-6
$\boldsymbol{H}$	campo de magnetização, vetor, II-32-4
i	unidade imaginária, I-22-7
$\boldsymbol{i}$	vetor unitário na direção x, I-11-10
I	corrente elétrica, I-23-5
I	intensidade, I-30-1
I	momento de inércia, I-18-7
I_{ij}	tensor de inércia, II-31-7
$\mathfrak{J}$	intensidade, III-9-14
$\boldsymbol{j}$	densidade de corrente elétrica, vetor, II-2-8
j_x, j_y, j_z	densidade de corrente elétrica, componentes cartesianas do vetor, II-13-11
$\boldsymbol{j}$	vetor unitário na direção y, I-11-10
$\boldsymbol{J}$	momento angular da órbita de um elétron, vetor, II-34-3
$J_0(x)$	função de Bessel de primeira espécie, II-23-6
k	constante de Boltzmann, $k = 1{,}3806504 \times 10^{-23}$ J/K, I-39-10
$k_\mu = (\omega, \boldsymbol{k})$	quadrivetor de onda, I-34-9
$\boldsymbol{k}$	vetor unitário na direção z, I-11-10
$\boldsymbol{k}$	vetor de onda, I-34-9
k_x, k_y, k_z	vetor de onda, componentes cartesianas, I-34-9
k	número de onda, magnitude ou componente do vetor de onda, I-29-3
K	módulo volumétrico, II-38-3
$\boldsymbol{L}$	momento angular, vetor, I-20-4
L	momento angular, magnitude ou componente do vetor, I-18-5
L	autoindutância, I-23-6

$\mathcal{L}$		Lagrangiana, II-19-8
$\mathcal{L}$		autoindutância, II-17-11
$|L\rangle$		estado do fóton circularmente polarizado à esquerda, III-11-11
m		massa, I-4-7
m_{eff}		massa efetiva do elétron em rede cristalina, III-13-7
m_0		massa de repouso, I-10-8
$\boldsymbol{M}$		magnetização, vetor, II-35-7
M		indutância mútua, II-22-16
$\mathfrak{M}$		indutância mútua, II-17-9
$\mathfrak{M}$		momento de curvatura, II-38-9
n		índice de refração, I-26-4
n		n-ésimo número romano, para que **n** tome os valores $I, II, \ldots,$ **N**, III-11-22
$\boldsymbol{n}$		vetor unitário normal, II-2-4
N_n		número de elétrons por unidade de volume, III-14-3
N_p		número de buracos por unidade de volume, III-14-3
$\boldsymbol{p}$		momento de dipolo, vetor, II-6-3
p		momento de dipolo, magnitude ou componente do vetor, II-6-3
$p_\mu = (E, \boldsymbol{p})$		quadrivetor do momento, I-17-7
$\boldsymbol{p}$		momento, vetor, I-15-9
p_x, p_y, p_z		momento, componentes cartesianas do vetor, I-10-8
p		momento, magnitude ou componente do vetor, I-2-6
p		pressão, II-40-1
$P_{\text{troca de spin}}$		operador de troca de spin de Pauli, III-12-7
$\boldsymbol{P}$		polarização, vetor, II-10-3
P		polarização, magnitude ou componente do vetor, II-10-4
P		potência, I-24-1
P		pressão, I-39-3
$P(k, n)$		probabilidade de Bernoulli ou binomial, I-6-5
$P(A)$		probabilidade de observar o evento A, I-6-1
q		carga elétrica, I-12-7
Q		calor, I-44-3
$\boldsymbol{r}$		vetor posição, I-11-5
r		raio ou distância, I-5-9
R		resistência, I-23-5
$\mathcal{R}$		número de Reynolds, II-41-6
$|R\rangle$		estado do fóton circularmente polarizado à direita, III-11-11
s		distância, I-8-1
S		ação, II-19-3
S		entropia, I-44-10
$\boldsymbol{S}$		vetor de Poynting, II-27-2
S		"estranheza", I-2-9
S_{ij}		tensor de tensões, II-31-9
t		tempo, I-5-1
T		temperatura absoluta, I-39-10
T		meia-vida, I-5-3
T		energia cinética, I-13-1
u		velocidade, I-15-2
U		energia interna, I-39-5
$U(t_2, t_1)$		operador da espera de t_1 a t_2, III-8-7
U		energia potencial, I-13-1
U		inverossimilhança, II-25-10
$\boldsymbol{v}$		velocidade, vetor, I-11-7
v_x, v_y, v_z		velocidade, componentes cartesianas do vetor, I-8-9

v	velocidade, magnitude ou componente do vetor, I-8-4
V	velocidade, I-4-6
V	voltagem, I-23-5
V	volume, I-39-3
$\mathcal{V}$	voltagem, II-17-12
W	peso, I-4-4
W	trabalho, I-14-2
x	coordenada cartesiana, I-1-6
$x_\mu = (t, \boldsymbol{r})$	quadrivetor de posição, I-34-9
y	coordenada cartesiana, I-1-6
$Y_{l,m}(\theta, \phi)$	harmônicos esféricos, III-19-7
Y	módulo de Young, II-38-2
z	coordenada cartesiana, I-1-6
Z	impedância complexa, I-23-7